W9-DDA-894

LE CRÉPUSCULE ET L'AUBE

Ken Follett est né à Cardiff en 1949. Diplômé en philosophie de l'University College de Londres, il travaille comme journaliste à Cardiff puis à Londres avant de se lancer dans l'écriture. En 1978, *L'Arme à l'œil* devient un best-seller et reçoit l'Edgar du meilleur roman de l'association des Mystery Writers of America. Ken Follett ne s'est cependant pas cantonné à un genre ni à une époque : outre ses thrillers, il a signé des fresques historiques, telles *Les Piliers de la Terre*, *Un monde sans fin*, *Une colonne de feu*, ou encore sa trilogie du Siècle (*La Chute des Géants*, *L'Hiver du monde*, *Aux portes de l'éternité*). Ses romans sont traduits dans plus de vingt langues et plusieurs d'entre eux ont été portés à l'écran. Ken Follett vit près de Londres.

Paru au Livre de Poche :

Apocalypse sur commande

L'Arme à l'œil

Le Code Rebecca

Code zéro

Comme un vol d'aigles

L'Homme de Saint-Pétersbourg

Les Lions du Panshir

La Marque de Windfield

La Nuit de tous les dangers

Paper Money

Le Pays de la liberté

Peur blanche

Les Piliers de la Terre

Le Réseau Corneille

Le Scandale Modigliani

Le Siècle

1. La Chute des géants
2. L'Hiver du monde
3. Aux portes de l'éternité

Triangle

Le Troisième Jumeau

Un monde sans fin

Une colonne de feu

Le Vol du frelon

KEN FOLLETT

Le Crépuscule et l'Aube

TRADUIT DE L'ANGLAIS PAR CÉCILE ARNAUD,
JEAN-DANIEL BRÈQUE, ODILE DEMANGE,
NATHALIE GOUYÉ-GUILBERT
ET DOMINIQUE HAAS

ROBERT LAFFONT

Titre original :
THE EVENING AND THE MORNING

ISBN : 978-2-253-07155-6 – 1re publication LGF

In memoriam

E.F.

Avec le déclin de l'Empire romain, la Grande-Bretagne régressa. Tandis que les villas romaines s'effondraient, les Anglais construisaient des habitations de bois d'une seule pièce, sans cheminée. La technologie de la céramique romaine – essentielle pour la conservation des aliments – sombra presque intégralement dans l'oubli. L'analphabétisme regagna du terrain.

Certains qualifient cette période du haut Moyen Âge d'âge des Ténèbres ; pendant cinq cents ans, les progrès furent terriblement lents.

Et puis, enfin, les choses commencèrent à changer…

Première partie

LE MARIAGE

997

1

Jeudi 17 juin 997

Il n'était pas facile de rester éveillé toute la nuit, constata Edgar, même si c'était la plus importante de votre vie.

Il avait étalé sa cape sur les roseaux qui jonchaient le sol et s'était allongé dessus, vêtu d'une tunique de laine brune qui lui descendait aux genoux. C'était le seul vêtement qu'il portait en été, de jour comme de nuit. En hiver, il s'enveloppait dans sa cape et se couchait près du feu. Mais là, il faisait chaud : le solstice d'été était dans une semaine.

Edgar connaissait bien les dates. La plupart des gens devaient s'informer auprès des prêtres, qui tenaient des calendriers. Le frère aîné d'Edgar, Erman, lui avait demandé un jour : « Comment peux-tu savoir quel jour tombe Pâques ? », et il lui avait répondu : « C'est le premier dimanche qui suit la première pleine lune après le vingt et unième jour de mars. Ça va de soi. » Il n'aurait pas dû ajouter « Ça va de soi », car Erman n'avait pas apprécié la pique et lui avait flanqué un coup de poing dans le ventre. Cela remontait à plusieurs années, au temps où Edgar était petit. Il était grand maintenant. Il aurait dix-huit ans trois jours après le solstice. Ses frères ne le frappaient plus.

Il secoua la tête. Il risquait de s'assoupir s'il laissait son esprit vagabonder. Il chercha une position inconfortable et se coucha sur son poing pour s'obliger à rester éveillé.

Il se demanda s'il devrait encore attendre longtemps.

Tournant la tête, il regarda autour de lui à la lueur du feu. Sa maison ressemblait à presque toutes celles du bourg de Combe : des murs en planches de chêne, un toit de chaume et un sol de terre battue partiellement recouvert de roseaux coupés sur les berges du fleuve voisin. Elle n'avait pas de fenêtres. Au milieu de l'unique pièce, un carré de pierres entourait le foyer. Au-dessus du feu était posé un trépied de fer auquel on pouvait suspendre une marmite et dont les pieds projetaient des ombres filiformes sur la face inférieure du toit. Des vêtements, des ustensiles de cuisine et des outils de construction navale étaient accrochés à des pitons fichés un peu partout dans les murs.

Edgar n'aurait pas su dire combien d'heures s'étaient déjà écoulées, parce qu'il avait pu lui arriver de céder au sommeil, plus d'une fois peut-être. Au début de la nuit, il avait écouté les bruits du bourg qui s'apprêtait à dormir : deux ivrognes beuglant une chansonnette obscène, les accusations hargneuses d'une scène de ménage dans une maison voisine, le claquement d'une porte et les aboiements d'un chien et puis, quelque part tout près, une femme qui sanglotait. Mais à présent, il n'entendait plus que la douce berceuse des vagues sur une plage abritée. Il tourna les yeux vers la porte, espérant distinguer des rais de lumière révélateurs sur son pourtour, mais l'obscurité était totale. Cela signifiait que la lune s'était couchée et que la nuit était bien avancée, ou bien que le ciel était couvert, ce dont il ne pouvait rien conclure.

Les autres membres de sa famille étaient allongés autour de la pièce, près des murs où la fumée était moins dense. Ses parents étaient couchés dos à dos.

Il leur arrivait de se réveiller en pleine nuit et de s'étreindre, chuchotant et s'agitant à l'unisson avant de se laisser retomber, pantelants ; mais pour le moment, ils dormaient à poings fermés et Pa ronflait. Erman, l'aîné des frères du haut de ses vingt ans, était couché près d'Edgar tandis qu'Eadbald, le cadet, s'était réfugié dans un angle. Edgar entendait leurs respirations régulières et paisibles.

Enfin, la cloche de l'église sonna.

Il y avait un monastère à l'autre bout de la ville et les moines avaient mis au point une méthode pour mesurer le temps durant la nuit : ils confectionnaient de grands cierges gradués qui leur indiquaient l'heure en se consumant. Une heure avant l'aube, ils sonnaient la cloche, puis se levaient pour chanter matines.

Edgar ne se leva pas tout de suite. Le son de la cloche avait pu déranger Ma, qui ne dormait jamais que d'une oreille. Il lui laissa le temps de replonger dans un profond sommeil. Enfin, il se mit debout.

En silence, il ramassa sa cape, ses souliers et sa ceinture à laquelle était accroché un poignard dans son fourreau. Il traversa la pièce pieds nus en contournant les meubles – une table, deux tabourets et un banc. La porte s'ouvrit sans bruit : Edgar avait graissé les gonds de bois la veille en les enduisant d'une généreuse couche de suif de mouton.

Si quelqu'un se réveillait et lui adressait la parole, il expliquerait qu'il sortait pisser en espérant qu'on ne remarquerait pas les souliers qu'il tenait à la main.

Eadbald poussa un grognement. Edgar se figea. Son frère s'était-il réveillé ou avait-il simplement marmonné dans son sommeil ? Impossible de le savoir. Mais Eadbald était le plus soumis de ses frères ; comme Pa, il préférait éviter les ennuis. Il ne ferait pas d'histoires.

Edgar sortit et referma précautionneusement la porte derrière lui.

La lune était couchée, mais le ciel était dégagé et les étoiles éclairaient la plage. La maison était séparée de la laisse de haute mer par un chantier naval. Pa était charpentier de marine et ses trois fils travaillaient avec lui. Comme Pa était bon artisan mais piètre homme d'affaires, c'était Ma qui prenait toutes les décisions financières ; elle se chargeait notamment des calculs délicats, nécessaires pour établir le prix d'un ouvrage aussi complexe qu'un bateau ou un navire. Quand un client cherchait à marchander, son père était toujours prêt à céder, mais sa mère l'obligeait à tenir bon.

Edgar jeta un regard vers le chantier tout en laçant ses souliers et en bouclant sa ceinture. Il n'y avait qu'une embarcation en construction, une barque qui permettrait de remonter le fleuve à la rame. À côté d'elle étaient rangées d'importantes et précieuses réserves de bois, les troncs fendus en moitiés et en quarts, prêts à être façonnés pour donner naissance aux différentes parties d'un bateau. À peu près une fois par mois, toute la famille partait en forêt pour abattre un chêne à maturité. Pa et Edgar commençaient, équipés chacun d'une hache à long manche qu'ils maniaient tour à tour dans un mouvement de balancier pour détacher avec précision un coin du tronc. Puis ils se reposaient, laissant Erman et Eadbald prendre le relais. Une fois l'arbre abattu, ils l'ébranchaient puis le flottaient sur le fleuve jusqu'à Combe. Ils devaient payer, évidemment : la forêt appartenait au représentant local du roi, le thane Wigelm, auquel la plupart des habitants de Combe payaient une redevance, et il réclamait douze pennies d'argent par arbre.

En plus du tas de bois, le chantier abritait un fût de goudron, un rouleau de corde et une meule. Le tout était gardé par un chien à l'attache, Grendel, un mastiff noir au museau gris, trop âgé désormais pour faire grand mal à d'éventuels voleurs mais encore capable de donner l'alerte en aboyant. Grendel demeura silencieux, observant Edgar avec indifférence, la tête posée sur ses pattes avant. Edgar s'accroupit et lui caressa la tête.

« Au revoir, mon vieux chien », murmura-t-il et Grendel remua la queue sans se redresser.

Le chantier abritait aussi une embarcation terminée, qu'Edgar considérait comme la sienne. Il l'avait construite lui-même d'après un plan original inspiré d'un navire viking. Edgar n'avait jamais vu de Viking en chair et en os – ils n'avaient pas attaqué Combe depuis qu'il était né –, mais deux ans auparavant, une épave s'était échouée sur la plage, vide et noircie par le feu, sa figure de proue en forme de dragon à demi fracassée, rejetée sans doute sur la grève à l'issue de quelque bataille. Edgar était resté bouche bée devant sa beauté mutilée : les courbes gracieuses, la longue proue ophidienne et la coque effilée. Il avait été particulièrement impressionné par la grande quille en saillie qui courait sur toute la longueur du bateau et qui – avait-il compris après mûre réflexion – lui conférait la stabilité permettant aux Vikings de traverser les mers. La barque d'Edgar en constituait une version miniature, équipée de deux rames et d'une petite voile carrée.

Edgar savait qu'il était doué. Il était déjà meilleur constructeur de bateaux que ses frères aînés et ne tarderait pas à dépasser leur père. Il savait intuitivement comment les formes s'assemblaient pour donner naissance à une structure équilibrée. Quelques années auparavant, il avait surpris Pa en train de dire à Ma : « Erman apprend lentement et Eadbald apprend vite, mais Edgar semble comprendre avant même que les mots ne franchissent mes lèvres. » C'était vrai. Certains hommes pouvaient prendre un instrument de musique dont ils n'avaient jamais joué, une flûte ou une lyre, et en tirer une mélodie au bout de quelques minutes. Edgar possédait cet instinct avec les bateaux, avec les maisons aussi. Il annonçait : « Cette barque gîtera à tribord » ou « Ce toit fuira », et il avait toujours raison.

Il détacha alors sa barque et la poussa jusqu'à l'eau. Le frottement de la coque sur le sable fut étouffé par le bruissement des vagues qui se brisaient sur le rivage.

Un petit rire aigu le fit sursauter. À la lueur des étoiles, il aperçut une femme nue allongée sur la plage, un homme au-dessus d'elle. Edgar les connaissait sans doute, mais leurs visages n'étaient pas très distincts et il se détourna promptement, préférant ne pas savoir qui ils étaient. Il les avait surpris en plein rendez-vous galant, illicite sans doute. La femme paraissait jeune et l'homme était peut-être marié. Le clergé avait beau désapprouver de telles pratiques, les gens ne suivaient pas toujours ses instructions. Ignorant le couple, Edgar mit son bateau à l'eau.

Il se retourna vers la maison familiale avec un pincement au cœur, se demandant s'il la reverrait un jour. C'était la seule où il se rappelait avoir vécu. Il savait, parce qu'on le lui avait raconté, qu'il était né dans une autre ville, à Exeter, où son père avait travaillé pour un maître charpentier de marine ; la famille avait déménagé quand Edgar n'était encore qu'un bébé pour s'établir à Combe, où Pa avait monté sa propre entreprise avec une unique commande de bateau à rames ; Edgar n'en gardait cependant aucun souvenir. C'était l'unique foyer qu'il connaissait, et il le quittait pour toujours.

Il avait eu de la chance de trouver un emploi ailleurs.

Les affaires avaient ralenti depuis la reprise des attaques vikings contre le sud de l'Angleterre quand Edgar avait neuf ans. Le commerce et la pêche étaient des activités dangereuses quand les pillards rôdaient dans les parages. Il fallait être courageux pour acheter des bateaux.

Trois embarcations étaient au mouillage dans le port, constata-t-il à la lumière des étoiles : deux harenguiers et un navire marchand franc. Une poignée de bateaux plus modestes, destinés à la navigation fluviale ou côtière, avaient été remontés sur la plage. Il avait participé à la construction d'un des harenguiers. Mais il se rappelait un temps où il y avait toujours au moins une dizaine de bateaux au port.

Il sentit une brise fraîche du sud-ouest, le vent dominant sur ce littoral. Son bateau était équipé d'une voile – petite, parce qu'elles coûtaient très cher : une femme mettait quatre ans à en fabriquer une de grandes dimensions destinée à un navire de haute mer. Mais Edgar pouvait s'en passer pour la courte traversée de la baie. Il se mit à ramer, ce qui ne le fatiguait guère. Il était musclé comme un forgeron, à l'image de son père et de ses frères. Toute la journée, six jours par semaine, ils maniaient la hache, l'herminette et la vrille, façonnant les virures de chêne qui formaient les coques. C'était un dur labeur qui endurcissait les hommes.

Il avait le cœur en joie. Il était parti. Et il allait retrouver la femme qu'il aimait. Les étoiles brillaient, la plage scintillait, blanche sous le ciel, et quand ses rames brisaient la surface de l'eau, les rouleaux d'écume étaient comme les cheveux de sa bien-aimée retombant sur ses épaules.

Son vrai nom était Sungifu, mais on l'appelait le plus souvent Sunni, et il n'y avait pas au monde deux femmes comme elle.

En passant, il regarda les installations situées en bord de mer, pour l'essentiel les lieux de travail de pêcheurs et d'artisans : la forge d'un étameur fabriquant des équipements de marine qui ne risquaient pas de rouiller, le terrain tout en longueur où un cordier tissait ses cordages et l'énorme four d'un fabricant de goudron qui produisait, grâce à la combustion de bûches de pin, la substance poisseuse avec laquelle les charpentiers de marine étanchéifiaient leurs ouvrages. Le bourg paraissait toujours plus vaste vu de l'eau : il comptait plusieurs centaines d'habitants, dont la plupart vivaient, directement ou indirectement, de la mer.

Edgar porta le regard de l'autre côté de la baie, vers sa destination. L'obscurité l'aurait empêché de voir Sunni même si elle avait été là, ce qui n'était pas le cas, il le savait, car ils étaient convenus de se retrouver à l'aube. Mais il ne pouvait s'empêcher de garder les yeux rivés sur l'endroit où elle ne tarderait pas à apparaître.

Âgée de vingt et un ans, Sunni était de plus de trois ans l'aînée d'Edgar. Elle avait attiré son attention un jour qu'il était assis sur la plage à observer l'épave viking. Il la connaissait de vue, bien sûr – il connaissait tous les habitants de ce petit bourg –, mais il ne l'avait pas vraiment remarquée jusqu'alors et ne savait rien de sa famille. « As-tu été rejeté à terre avec l'épave ? lui avait-elle demandé. Tu étais tellement immobile que je t'ai pris pour un bois flotté. » Elle devait avoir beaucoup d'imagination pour tenir un tel discours de but en blanc, avait-il songé immédiatement, et il lui avait expliqué pourquoi les lignes de ce navire le fascinaient, assuré qu'elle comprendrait. Ils avaient bavardé pendant une heure et il était tombé amoureux d'elle.

Quand elle lui avait avoué qu'elle était mariée, il était déjà trop tard.

Son mari, Cyneric, avait trente ans. Elle en avait quatorze quand elle l'avait épousé. Il possédait un petit troupeau de vaches, et Sunni s'occupait de la laiterie. Astucieuse, elle faisait gagner beaucoup d'argent à son mari. Ils n'avaient pas d'enfants.

Edgar n'avait pas tardé à apprendre que Sunni détestait Cyneric. Toutes les nuits, après la traite du soir, il allait se saouler à la Taverne des Marins. Pendant ce temps, Sunni pouvait filer dans les bois retrouver Edgar.

Désormais, ils n'auraient plus besoin de se cacher. Ils allaient s'enfuir, mettre les voiles. On avait proposé à Edgar un emploi et une maison dans un village de pêcheurs à vingt-cinq lieues de là sur la côte. Il avait eu de la chance de trouver un charpentier de marine qui embauchait. Edgar n'avait pas d'argent – il n'en avait jamais : sa mère prétendait qu'il n'en avait pas besoin –, mais ses outils étaient en sécurité dans un meuble de rangement qu'il avait aménagé à l'intérieur de son bateau. Ils commenceraient une vie nouvelle.

Dès que leur départ aurait été constaté, Cyneric considérerait qu'il était libre de se remarier. Dans les faits, une femme qui partait avec un autre homme divorçait ; même si l'Église condamnait cette façon d'agir, c'était la coutume. Dans quelques semaines, disait Sunni, Cyneric irait faire un tour à la campagne et y dénicherait une famille nécessiteuse qui aurait une jolie fille de quatorze ans. Edgar se demandait pourquoi il tenait à avoir une femme : il ne s'intéressait guère au sexe, à en croire Sunni. « Il aime avoir quelqu'un à rudoyer, lui avait-elle expliqué. Le problème avec moi, c'est que je suis maintenant assez âgée pour le mépriser. »

Cyneric ne les poursuivrait pas, même s'il découvrait où ils étaient, ce qui était peu probable, en tout cas avant un certain temps. « Et si nous nous trompons et que Cyneric nous trouve, je le rosserai », avait déclaré Edgar. L'expression de Sunni lui avait fait comprendre qu'elle ne voyait là que fanfaronnades irraisonnées, et il ne pouvait lui donner tort. Il avait ajouté précipitamment : « Mais ce sera certainement inutile. »

Il atteignit l'autre côté de la baie, hissa son bateau sur la rive et l'amarra à un gros rocher.

Les psalmodies des moines en prière parvenaient à ses oreilles. Le monastère était tout proche, et la maison de Cyneric et Sunni se trouvait quelques centaines de pas plus loin.

Il s'assit sur le sable, contemplant la mer enténébrée et le ciel nocturne. Il pensait à elle. Parviendrait-elle à s'enfuir aussi facilement que lui ? Et si Cyneric se réveillait et l'empêchait de partir ? Et s'ils se battaient ? Peut-être la frapperait-il. Il fut pris de l'envie soudaine de modifier leurs plans, de quitter la plage et d'aller la chercher chez elle.

Il résista non sans mal à la tentation. Elle s'en sortirait mieux sans lui. Cyneric serait plongé dans un sommeil aviné et Sunni se déplacerait comme un chat. Elle avait prévu d'aller se coucher sans retirer de son cou son unique bijou, un médaillon d'argent finement gravé suspendu à une lanière de cuir. Elle glisserait dans la pochette qu'elle portait à sa ceinture une aiguille et du fil, deux objets de première nécessité, ainsi qu'un bandeau de lin brodé dont elle se coiffait lors d'occasions particulières. Il ne lui faudrait que quelques secondes pour s'esquiver de sa maison, comme l'avait fait Edgar.

Elle serait bientôt là, les yeux brillants d'excitation, le corps souple et ardent. Ils s'enlaceraient, se presseraient l'un contre l'autre et s'embrasseraient passionnément ; puis elle monterait dans le bateau et il le poussserait dans l'eau, vers la liberté. Il s'éloignerait un peu à la rame, puis l'embrasserait encore, songea-t-il. Quand pourraient-ils faire l'amour ? Elle serait aussi impatiente que lui. Il pourrait contourner la pointe, puis jeter à l'eau le rocher entouré d'une corde qui lui servait d'ancre, et ils s'allongeraient au fond de l'embarcation, sous les bancs de nage. Ce ne serait pas très confortable, mais quelle importance ? Le bateau se balancerait doucement sur les vagues, et ils sentiraient la chaleur du soleil levant sur leur peau nue.

Tout de même, peut-être serait-il plus raisonnable de hisser la voile et de mettre une plus grande distance entre le bourg et eux avant de s'arrêter. Il voulait être loin avant qu'il fasse grand jour. Il aurait évidemment du mal à résister alors qu'elle serait si proche de lui et le regarderait avec un sourire de bonheur. Mais leur avenir passait avant tout.

Ils avaient décidé de prétendre qu'ils étaient déjà mariés quand ils arriveraient dans leur nouvelle demeure. Ils n'avaient encore jamais couché dans le même lit. Désormais, ils souperaient ensemble tous les soirs et dormiraient dans les bras l'un de l'autre toute la nuit, échangeant un sourire complice au matin.

Il aperçut une faible lueur à l'horizon. L'aube n'allait pas tarder à poindre. Sunni serait là d'un instant à l'autre.

Seule la pensée de sa famille le chagrinait. Il n'aurait aucun mal à se passer de ses frères, qui le traitaient toujours comme un morveux stupide et feignaient de ne pas remarquer qu'il les dépassait désormais en intelligence. Mais il regretterait Pa qui lui avait donné toute sa vie des conseils qu'il n'oublierait jamais, tels que : « Tu auras beau enter deux planches à la perfection, le joint sera toujours le point faible. » Quant à l'idée de ne plus voir Ma, elle lui faisait monter les larmes aux yeux.

C'était une femme solide. Quand ils avaient des soucis, elle ne perdait pas son temps à gémir sur leur sort, mais s'employait à trouver une solution. Trois ans plus tôt, quand Pa était tombé malade d'une fièvre et avait failli mourir, Ma s'était chargée du chantier – disant aux trois garçons ce qu'ils devaient faire, allant encaisser l'argent qu'on leur devait, veillant à ce que les clients n'annulent pas leurs commandes – jusqu'à ce que Pa soit rétabli. Elle avait une nature de chef, une qualité qui ne s'exerçait pas seulement au sein de la famille. Pa était l'un des trois anciens de Combe, mais c'était Ma qui avait pris la tête des habitants pour protester quand Wigelm, le thane, avait voulu augmenter toutes les redevances.

L'idée même de partir lui aurait été insupportable sans la perspective réjouissante d'une existence au côté de Sunni.

Dans le jour grisâtre, Edgar aperçut une forme bizarre sur l'eau. Il avait une bonne vue et était habitué à repérer les navires à distance, distinguant les contours d'une coque de ceux d'une haute vague ou d'un nuage bas, mais en cet instant précis, il avait de la peine à reconnaître ce qu'il avait sous les yeux. Il tendit l'oreille, à l'affût d'un bruit lointain, mais n'entendit que le bruit des vagues sur la grève devant lui.

Au bout de quelques secondes, il crut entrevoir la tête d'un monstre et un frisson d'effroi le parcourut. Il lui sembla discerner des oreilles pointues, de puissantes mâchoires et un long cou qui se découpaient sur la faible lueur du ciel.

Il ne lui fallut alors que quelques instants pour comprendre que ce qu'il avait sous les yeux était pire qu'un monstre : c'était un navire viking, avec une tête de dragon à l'extrémité de sa longue proue incurvée.

Un autre vaisseau surgit à l'horizon, puis un troisième, et un quatrième. La brise du sud-ouest qui forcissait gonflait leurs voiles et les bâtiments légers franchissaient les flots à vive allure. Edgar bondit sur ses pieds.

Les Vikings étaient des pillards, des violeurs et des assassins. Ils se livraient à des incursions le long des côtes et remontaient les fleuves. Ils incendiaient les bourgs, volaient tout ce qu'ils pouvaient emporter et tuaient tous les habitants, hormis les jeunes gens, hommes et femmes, qu'ils emmenaient pour les vendre comme esclaves.

Edgar hésita encore un instant.

Il dénombrait à présent dix navires. Ce qui voulait dire au moins cinq cents Vikings.

Mais étaient-ce réellement des bateaux vikings ? D'autres constructeurs avaient adopté leurs innovations et reproduit leurs conceptions, ainsi qu'Edgar lui-même l'avait fait. La différence était pourtant indéniable : il émanait des vaisseaux scandinaves une sombre menace qu'aucun imitateur n'avait su reproduire.

Du reste, quels autres navigateurs approcheraient du littoral à l'aube en aussi grand nombre ? Non, il ne pouvait y avoir aucun doute.

L'enfer allait s'abattre sur Combe.

Il devait filer chez Sunni. S'il parvenait à la rejoindre à temps, ils pourraient encore s'échapper.

Il songea alors avec remords que sa première pensée avait été pour elle, et non pour sa famille. Il devait les avertir, eux aussi. Mais ils habitaient de l'autre côté du bourg. Il irait d'abord chez Sunni.

Il fit demi-tour et longea la plage en courant, scrutant le sentier pour éviter les obstacles encore presque invisibles. Au bout d'une minute, il s'arrêta et tourna les yeux vers la baie. La vitesse avec laquelle les Vikings avaient progressé le glaça. Des torches enflammées approchaient rapidement, certaines projetant leurs reflets sur la mer mouvante, d'autres franchissant déjà l'étendue de sable. Ils avaient débarqué !

Ils étaient pourtant silencieux et Edgar entendait encore les moines prier, inconscients du sort qui les attendait. Il fallait les prévenir. Mais il ne pourrait jamais alerter tout le monde !

Ou peut-être que si. Avisant les contours du clocher de l'église des moines qui se découpaient sur le ciel déjà plus clair, il vit un moyen d'avertir Sunni, sa famille, les moines et tout le bourg.

Il obliqua en direction du monastère. Une palissade basse surgit de la pénombre et il la franchit d'un bond, sans ralentir l'allure. En atterrissant de l'autre côté, il trébucha, se rétablit et reprit ses jambes à son cou.

Arrivé devant l'église, il se retourna. Le monastère étant construit sur une légère éminence, il pouvait voir toute la ville en même temps que la baie. Plusieurs centaines de Vikings pataugeaient à travers les hauts-fonds pour gagner la plage, puis le bourg. Il vit s'embraser la paille craquante d'un toit de chaume desséché par l'été ; puis un autre, et un autre encore. Il connaissait tous les bâtiments de la ville et leurs occupants, mais il ne faisait pas encore suffisamment jour pour qu'il pût les identifier et il se demanda sombrement si sa propre maison était de celles qui flambaient.

Il ouvrit brusquement la porte de l'église. La lumière mouvante des cierges éclairait la nef. Le chant des moines faiblit lorsque certains le virent se précipiter au pied du clocher. Il s'empara de la corde qui se balançait, l'empoigna fermement et tira. À sa grande consternation, elle resta muette.

Un des moines se sépara du groupe et se dirigea vers lui. Le sommet rasé de son crâne était entouré de boucles blanches et Edgar reconnut le prieur Ulfric.

« As-tu perdu la tête ? Sors d'ici immédiatement ! » s'écria le prieur indigné.

Edgar n'avait pas de temps à perdre en explications.

« Il faut sonner la cloche ! dit-il, au désespoir. Pourquoi est-ce qu'elle ne marche pas ? »

L'office s'était interrompu et tous les moines observaient à présent la scène. Un deuxième frère s'approcha : c'était le cuisinier, Maerwynn, plus jeune qu'Ulfric et moins pontifiant.

« Que se passe-t-il, Edgar ? demanda-t-il.

— Les Vikings sont là ! » cria Edgar en recommençant à tirer sur la corde.

Il n'avait encore jamais cherché à actionner une cloche d'église, et son poids le surprit.

« Oh non ! » gémit le prieur Ulfric. La réprobation peinte sur son visage laissa place à l'effroi. « Que Dieu nous épargne !

— Tu es sûr de ce que tu dis, Edgar ? demanda Maerwynn.

— Je les ai vus depuis la plage ! »

Maerwynn courut jusqu'à la porte et regarda audehors. Il revint, blême.

« Il a raison, dit-il.

— Fuyez tous ! hurla Ulfric.

— Attendez ! intervint Maerwynn. Edgar, continue à tirer sur la corde. Il faut plusieurs tractions pour la mettre en branle. Soulève tes pieds et reste suspendu. Vous tous, il nous reste quelques minutes avant qu'ils soient là. Ne partez pas les mains vides : prenez d'abord les reliquaires contenant les restes des saints, puis les ornements d'église incrustés de pierres précieuses, et aussi les livres – et ensuite, courez vous réfugier dans les bois. »

Accroché à la corde, Edgar souleva tout son corps du sol et un instant plus tard, il entendit résonner le bruit assourdissant de la grosse cloche.

Ulfric attrapa un crucifix en argent et se précipita au-dehors ; les autres moines l'imitèrent, certains rassemblant calmement des objets de valeur, d'autres hurlant, pris de panique.

La cloche commença à se balancer et résonna à plusieurs reprises. Edgar tirait désespérément sur la corde, de tout son poids. Il voulait faire comprendre à tous au plus vite que ce n'était pas un appel aux moines encore endormis, mais une alarme destinée à la ville entière.

Au bout de quelques instants, il estima en avoir assez fait. Il laissa la corde continuer à osciller et se précipita à l'extérieur de l'église.

L'odeur âcre du chaume en feu lui piqua les narines : la brise vivifiante du sud-ouest propageait les flammes à une vitesse effrayante. En même temps, le ciel devenait plus clair. À travers tout le bourg, les gens sortaient précipitamment de chez eux, serrant dans leurs bras des bébés, des enfants et tout ce qu'ils possédaient de précieux, outils, poules et sacs de cuir remplis de pièces de monnaie. Les plus rapides traversaient déjà les champs en direction des bois. Certains réchapperaient de ce péril, songea Edgar, grâce à cette cloche.

Il avança à contre-courant, bousculant amis et voisins, pour gagner la maison de Sunni. Il reconnut le boulanger, qui avait dû être au fournil de bonne heure : il fuyait à présent, chargé d'un sac de farine. La Taverne des Marins était encore plongée dans le silence, ses occupants tardant à sortir du lit malgré l'alarme. Wyn l'orfèvre passa sur son cheval, un coffre attaché sur son dos ; la bête affolée filait au grand galop, et Wyn avait passé les bras autour de son encolure, se cramponnant désespérément. Griff, un esclave, portait la vieille femme à qui il appartenait. Edgar dévisageait tous ceux qu'il croisait, cherchant vainement Sunni parmi eux.

Puis il rencontra les Vikings.

Leur avant-garde était constituée de douze hommes de haute taille et de deux femmes d'apparence terrifiante, tous en pourpoint de cuir, armés de lances et de haches. Ils ne portaient pas de casques, observa Edgar, et il comprit, tandis que l'effroi l'envahissait telle une nausée, que cette protection était superflue du fait de la faiblesse des habitants. Certains étaient déjà chargés de butin : une épée à poignée incrustée de pierres précieuses, arme d'apparat plus que de combat, un sac rempli de pièces, une robe de fourrure, une luxueuse selle aux attaches de harnais en bronze doré. L'un d'eux menait un cheval blanc qu'Edgar reconnut : c'était celui du propriétaire d'un harenguier ; un autre portait une fille sur son épaule et Edgar constata avec soulagement que ce n'était pas Sunni.

Il recula, mais les Vikings continuaient d'avancer et il n'était pas question de fuir tant qu'il n'aurait pas trouvé Sunni.

Quelques habitants courageux résistaient. Comme ils tournaient le dos à Edgar, celui-ci était incapable de les identifier. Certains s'étaient armés de haches et de poignards, un autre d'un arc et de flèches. Pendant quelques secondes, Edgar les fixa du regard, pétrifié par le spectacle de lames acérées tranchant la chair humaine, par les gémissements d'hommes blessés qui geignaient comme des animaux meurtris, par l'odeur d'une ville en feu. Les seules brutalités auxquelles il eût jamais assisté jusque-là avaient été des bagarres entre garçons belliqueux ou entre hommes avinés. La scène qui se déroulait sous ses yeux était nouvelle : du sang qui jaillissait, des entrailles qui se déversaient, des cris de douleur et de terreur. La peur le paralysait.

Les marchands et les pêcheurs de Combe n'étaient pas de taille à lutter contre ces assaillants pour qui la violence était un mode de vie. Il ne fallut aux Vikings que quelques instants pour mettre leurs adversaires en pièces, et ils reprirent leur progression par vagues successives.

Edgar retrouva son sang-froid et se dissimula derrière un bâtiment. Il devait échapper aux Vikings, mais son effroi n'était pas si grand qu'il lui fît oublier Sunni.

Les agresseurs remontaient la grand-rue, pourchassant les habitants qui fuyaient en empruntant le même chemin ; en revanche, il n'y avait pas de Vikings derrière les maisons. Chacune disposait d'environ un demi-arpent de terre : la plupart des gens cultivaient des arbres fruitiers et un potager, les plus riches y ajoutaient un poulailler ou une porcherie. Edgar passa de jardin en jardin, se rapprochant du domicile de Sunni.

Sunni et Cyneric habitaient une maison qui ne se distinguait des autres que par la présence d'une annexe abritant la laiterie, un appentis en torchis, un mélange de sable, de pierres, d'argile et de paille, avec un toit de lauzes, autant de matériaux destinés à conserver la fraîcheur. Le bâtiment se dressait à l'angle d'un petit champ où les vaches étaient mises en pâture.

Edgar atteignit la maison, ouvrit la porte toute grande et se précipita à l'intérieur.

La première chose qu'il vit fut Cyneric étendu sur le sol. Les joncs qui entouraient cet homme épais, de petite taille et aux cheveux noirs étaient imbibés de sang. Il ne bougeait plus. Une plaie béante entre son cou et son épaule avait cessé de saigner, et Edgar comprit qu'il était mort.

La chienne brun et blanc de Sunni, Brindille, s'était réfugiée dans un coin, tremblante et haletante comme tous les chiens terrifiés.

Mais elle, où était-elle ?

Une porte à l'arrière de la maison donnait sur la

laiterie. Le battant était ouvert et quand Edgar s'en approcha, il entendit Sunni crier.

Dès qu'il entra, il aperçut le dos d'un grand Viking aux cheveux jaunes en pleine rixe : un seau de lait était renversé sur le sol de pierre et la longue mangeoire des vaches avait basculé.

Il ne fallut à Edgar qu'une fraction de seconde pour constater que l'adversaire du Viking n'était autre que Sunni. Son visage hâlé était crispé de colère, sa bouche était grande ouverte sur ses dents blanches, ses cheveux bruns tout ébouriffés. Le Viking tenait une hache dont il ne se servait pas. De l'autre main, il essayait de maîtriser Sunni qui cherchait à le taillader avec un grand couteau de cuisine. Il n'avait manifestement pas l'intention de la tuer mais de la capturer, car une jeune femme en bonne santé se vendait au prix fort au marché aux esclaves.

Ni l'un ni l'autre n'avait remarqué Edgar.

Sans laisser à celui-ci le temps d'intervenir, Sunni brandit son couteau et lacéra le visage du Viking, qui poussa un rugissement de douleur tandis que le sang giclait de sa joue blessée. Furieux, il lâcha son arme, empoigna Sunni par les deux épaules et la projeta à terre. Elle tomba de tout son poids, et Edgar entendit un affreux bruit mat lorsque sa tête heurta la marche de pierre du seuil. Elle sembla perdre connaissance, sous ses yeux horrifiés. Le Viking mit un genou en terre, plongea la main à l'intérieur de son pourpoint et en sortit une longue lanière de cuir, dans l'intention manifeste de la ligoter.

Tournant légèrement la tête, il aperçut Edgar.

L'inquiétude se lut sur son visage et il tendit le bras pour ramasser la hache qu'il avait lâchée ; mais il ne fut pas assez prompt et Edgar mit la main dessus juste avant lui. Cette arme ressemblait beaucoup à l'outil qu'Edgar utilisait pour abattre les arbres. Il l'attrapa à deux mains et, tout au fond de son esprit, nota que le manche et la tête étaient parfaitement équilibrés. Il recula hors de portée du Viking. L'homme commença à se relever.

Edgar balança l'arme en dessinant un large cercle. Il la fit repasser derrière lui et la brandit au-dessus de sa tête avant de l'abattre enfin, rapidement, brutalement et avec précision, dans une courbe parfaite. La lame acérée frappa le sommet de la tête du Viking. Elle traversa les cheveux, la peau et le crâne, et s'enfonça profondément, laissant la cervelle se répandre sur le sol.

Au grand désarroi d'Edgar, le Viking ne s'effondra pas sur-le-champ, mais parut lutter pour rester debout ; enfin, la vie le quitta comme la flamme d'une bougie qu'on souffle et il s'affala dans un désordre de membres inertes.

Laissant tomber son arme, Edgar s'agenouilla à côté de Sunni. Elle avait les yeux ouverts, le regard fixe. Il murmura son nom.

« Dis-moi quelque chose », fit-il tout bas.

Il lui prit la main et souleva son bras. Il était flasque. Il posa un baiser sur ses lèvres dont ne s'échappait plus aucun souffle. Il tâta son cœur, juste sous la tendre courbe du sein qu'il adorait. Il y laissa la main, espérant encore sentir une palpitation. Et, dans un sanglot, il se rendit à l'évidence : elle était partie, son cœur ne battrait plus jamais.

Il resta longtemps le regard dans le vide, incrédule, puis, avec une tendresse infinie, il effleura les paupières de Sunni du bout des doigts – tout doucement, comme s'il craignait de lui faire mal – et lui ferma les yeux.

Lentement, il se laissa tomber en avant jusqu'à ce

que sa tête repose sur la poitrine de la jeune femme et ses larmes trempèrent la laine brune de sa robe grossière.

Un instant plus tard, il fut pris d'une rage insensée contre celui qui lui avait pris la vie. Se relevant d'un bond, il ramassa la hache et l'abattit encore et encore sur le visage du Viking mort, écrasant le front, déchiquetant les yeux, fendant le menton.

Cet accès de colère ne dura que quelques instants et il comprit vite la vanité abjecte de son geste. Quand il s'arrêta, il entendit crier au-dehors dans une langue qui ressemblait à celle qu'il parlait, sans être tout à fait identique. Il reprit alors brutalement conscience du danger qu'il courait. Il allait peut-être mourir.

Peu m'importe de mourir, songea-t-il ; mais cet état d'esprit fut éphémère. S'il croisait un autre Viking, celui-ci pourrait fort bien lui fracasser la tête comme il l'avait fait à l'homme qui gisait à ses pieds. Malgré son accablement, l'idée d'être taillé en pièces l'emplit d'horreur.

Que faire ? Il craignait d'être découvert à l'intérieur de la laiterie à côté du cadavre de sa victime qui criait vengeance ; d'un autre côté, s'il sortait, il se ferait certainement capturer et tuer. Il regarda autour de lui, hagard. Où pourrait-il se cacher ? Son regard se posa sur la mangeoire retournée, un ouvrage de bois grossier. À l'envers, l'auge paraissait assez grande pour qu'il pût s'y dissimuler.

Il s'allongea sur le sol de pierre et ramena la mangeoire sur lui. Après un instant de réflexion, il souleva le bord, tendit le bras pour attraper la hache et la tira jusqu'à lui.

Les planches disjointes laissaient filtrer un peu de jour. Il resta allongé, immobile, l'oreille tendue. Le bois étouffait légèrement les bruits, mais il entendait tout de même des cris et des hurlements à l'extérieur. Il attendit, la peur au ventre : à tout moment, un Viking pouvait entrer et avoir la curiosité de regarder sous la mangeoire. Si cela devait arriver, décida-t-il, il essaierait de le tuer immédiatement d'un coup de hache ; il n'en serait pas moins gravement désavantagé, couché au sol avec son ennemi dressé au-dessus de lui.

Il entendit un chien gémir et comprit que Brindille avait dû s'approcher de la mangeoire renversée.

« Va-t'en », siffla-t-il entre ses dents.

Le son de sa voix ne fit qu'encourager la chienne, qui geignit de plus belle.

Edgar jura, puis souleva le bord de l'auge, tendit le bras et attira le chien à son côté. Brindille se coucha et se tut.

Edgar attendit, les oreilles résonnant du vacarme effroyable du massacre et de la destruction.

Brindille se mit à lécher la cervelle du Viking qui maculait le fer de la hache.

*

Il ne savait pas depuis combien de temps il était là. Il commençait à avoir chaud et supposa que le soleil était déjà haut. Les bruits du dehors finirent par s'atténuer, mais il ne pouvait tenir le départ des Vikings pour certain et chaque fois qu'il envisageait d'aller vérifier s'ils étaient encore là, il y renonçait, préférant ne pas risquer sa vie. Les images de Sunni recommençaient alors à défiler dans son esprit et il se remettait à pleurer.

Brindille somnolait à côté de lui, mais de temps en temps la chienne gémissait et tremblait dans son sommeil. Edgar se demanda si les chiens faisaient de mauvais rêves.

Il arrivait à Edgar de faire des cauchemars : il était

sur un navire qui coulait, un chêne tombait et il ne pouvait pas l'éviter, ou il cherchait à fuir un incendie de forêt. À son réveil, il éprouvait un sentiment de soulagement si puissant qu'il en aurait pleuré. En cet instant, il ne pouvait s'empêcher de penser que l'attaque des Vikings n'était peut-être qu'un cauchemar dont il finirait bien par se réveiller pour découvrir que Sunni était encore en vie. Mais il ne se réveillait pas.

Il entendit enfin des voix qui parlaient l'anglo-saxon auquel il était habitué. Pourtant, il hésitait encore. Ceux qui parlaient semblaient plus bouleversés qu'affolés, plus accablés de douleur que craignant pour leur vie. Cela voulait certainement dire que les Vikings étaient repartis, en conclut-il.

Combien de ses amis avaient-ils emmenés pour les vendre comme esclaves ? Combien de cadavres de ses voisins avaient-ils laissés derrière eux ? Avait-il encore une famille ?

Brindille émit un petit grognement encourageant et essaya de se relever. L'espace était trop exigu pour qu'elle pût se mettre sur ses pattes mais elle estimait manifestement pouvoir désormais remuer en toute sécurité.

Edgar souleva la mangeoire et Brindille sortit aussitôt. Edgar se dégagea en roulant sur le côté sans lâcher la hache viking, et laissa l'auge retomber par terre. Il se redressa, les membres ankylosés après cette immobilité prolongée, et glissa la hache à sa ceinture.

Puis il regarda par la porte de la laiterie.

Le bourg n'était plus là.

L'espace d'un instant, il resta complètement ahuri. Comment Combe pouvait-il avoir disparu ? Évidemment, il savait comment. Presque toutes les maisons avaient été réduites en cendres et certaines se consumaient encore. Çà et là, quelques structures de maçonnerie avaient résisté, et il lui fallut un moment pour les identifier. Le monastère possédait deux bâtiments de pierre, l'église et un édifice de deux étages abritant un réfectoire au rez-de-chaussée et un dortoir en haut. S'y ajoutaient deux autres églises de pierre. Il mit plus longtemps à repérer la maison de Wyn l'orfèvre, qui avait besoin de murs solides pour se protéger des voleurs.

Les vaches de Cyneric avaient survécu et s'étaient regroupées craintivement au milieu de leur pâturage clos : les vaches étaient précieuses mais, songea Edgar, trop encombrantes et ombrageuses pour être embarquées sur un navire – comme tous les pillards, les Vikings préféraient des espèces ou des objets de petite taille mais de grande valeur, comme les bijoux.

Les habitants se tenaient au milieu des ruines, hagards, presque muets de chagrin, d'horreur et d'incompréhension, marmonnant seulement quelques monosyllabes.

Les mêmes embarcations étaient toujours ancrées dans la baie, mais les navires vikings étaient repartis.

Edgar eut enfin le courage de regarder les corps qui gisaient dans la laiterie. Le Viking n'avait presque plus rien d'un être humain. Edgar éprouva un sentiment étrange en songeant que c'était lui qui avait fait cela. Il avait peine à le croire.

Sunni avait l'air étonnamment paisible. La blessure à la tête qui l'avait tuée n'avait pas laissé de trace visible. Edgar referma ses paupières qui s'étaient entrouvertes. Il s'agenouilla et chercha à nouveau un battement de cœur, tout en ayant conscience de l'absurdité de son geste. Son corps avait déjà commencé à refroidir.

Que devait-il faire ? Peut-être pourrait-il aider son âme à aller au paradis. Le monastère était encore debout. Il fallait qu'il la porte jusqu'à l'église des moines.

Il la prit dans ses bras. Il eut plus de mal à la soulever qu'il ne l'aurait cru. Elle était mince et il était robuste, mais son corps inerte le déséquilibra et, luttant pour se redresser, il l'écrasa contre sa poitrine plus vigoureusement qu'il ne l'aurait voulu. La tenir dans une étreinte aussi brutale tout en sachant qu'elle n'éprouvait plus aucune souffrance lui rappela cruellement qu'elle était morte et lui fit à nouveau monter les larmes aux yeux.

Il traversa la maison, passa devant le corps de Cyneric et franchit la porte.

Brindille lui emboîta le pas.

C'était sans doute le milieu de l'après-midi, mais il était difficile d'en être sûr : l'air était envahi de cendres auxquelles s'ajoutait la fumée qui s'élevait encore des braises, et il planait une odeur écœurante de chair humaine calcinée. Les survivants regardaient autour d'eux avec perplexité, comme s'ils avaient peine à assimiler ce qui s'était passé. D'autres, plus nombreux, revenaient des bois, certains poussant du bétail devant eux.

Edgar prit le chemin du monastère. Le poids de Sunni commençait à lui meurtrir les bras mais, paradoxalement, cette douleur l'apaisait. Les yeux de sa bien-aimée refusaient toujours de rester clos et cela le désolait. Il aurait voulu qu'elle ait l'air de dormir.

Personne ne lui prêtait grande attention : tous avaient leurs tragédies personnelles. Arrivé devant l'église, il entra.

Il n'était pas le seul à avoir eu cette idée. Des corps étaient déjà alignés sur toute la longueur de la nef, et des gens se tenaient à côté, agenouillés ou debout. Le prieur Ulfric s'approcha d'Edgar, l'air désemparé, et lui demanda d'un ton péremptoire :

« Morte ou vivante ?

— C'est Sungifu, répondit Edgar, elle est morte.

— Les morts tout au fond, du côté est, annonça Ulfric, trop affairé pour le traiter avec ménagement. Les blessés dans la nef.

— Voulez-vous bien prier pour son âme, s'il vous plaît ?

— Elle sera traitée comme les autres.

— C'est moi qui ai donné l'alarme, protesta Edgar. Je vous ai peut-être sauvé la vie. Je vous en supplie, priez pour elle. »

Ulfric s'éloigna d'un pas pressé, sans lui répondre.

Edgar aperçut alors frère Maerwynn qui soignait un blessé : il bandait la jambe d'un homme qui gémissait de douleur. Quand Maerwynn se releva enfin, Edgar lui demanda :

« Voulez-vous bien prier pour l'âme de Sunni ? Je vous en supplie.

— Oui, bien sûr, répondit Maerwynn et il fit un signe de croix sur le front de Sunni.

— Merci.

— Dépose-la pour le moment à l'extrémité est de l'église. »

Edgar descendit la nef et dépassa l'autel. Tout au fond de l'église, vingt ou trente corps étaient soigneusement rangés, sous les yeux des familles en deuil. Edgar posa doucement Sunni à terre. Il lui redressa les jambes et lui croisa les bras sur la poitrine avant de lui arranger les cheveux du bout des doigts. Il regretta de ne pas être prêtre, car il aurait pu prendre lui-même soin de son âme.

Il resta à genoux un long moment, les yeux rivés sur son visage inerte, cherchant à se faire à l'idée que plus jamais elle ne lui rendrait son regard en souriant.

Puis les souvenirs des vivants s'imposèrent à lui. Ses parents étaient-ils en vie ? Ses frères avaient-ils été emmenés en esclavage ? Quelques heures plus tôt seulement, il s'apprêtait à les quitter pour toujours. Maintenant, il avait besoin d'eux. Sans eux, il serait seul au monde.

Il s'attarda encore une minute auprès de Sunni, puis quitta l'église, Brindille sur les talons.

Une fois dehors, il hésita, puis décida de rentrer chez lui. Leur maison aurait disparu, il pouvait en être certain, mais peut-être y trouverait-il sa famille, ou au moins un indice de ce qui lui était arrivé.

Le chemin le plus court était celui de la plage. Alors qu'il se dirigeait vers la mer, il espéra que son bateau était encore sur la grève. Comme il l'avait laissé à une certaine distance des premières maisons, il y avait de bonnes chances qu'il n'ait pas brûlé.

Avant d'atteindre la rive, il rencontra sa mère qui se dirigeait vers le bourg depuis la forêt. La vue de ses traits puissants, résolus et de sa démarche décidée lui inspira un tel soulagement que ses jambes flageolèrent et qu'il faillit tomber. Elle portait une marmite de bronze, peut-être tout ce qu'elle avait sauvé de leur maison. Ses traits étaient crispés par le chagrin, mais ses lèvres serrées exprimaient une détermination farouche.

Quand elle aperçut Edgar, la joie envahit son visage. Elle serra son fils dans ses bras et se blottit contre sa poitrine en sanglotant :

« Mon garçon, oh ! mon Eddie, Dieu soit loué. »

Il l'étreignit, les yeux fermés, saisi de la plus vive gratitude qu'il eût jamais ressentie.

Puis il regarda par-dessus son épaule et aperçut Erman, brun comme leur mère, l'allure plus têtue que déterminée, et Eadbald, blond et couvert de taches de rousseur. Mais il ne vit pas leur père.

« Où est Pa ? demanda-t-il.

— Il nous a dit de nous enfuir, lui répondit Erman.

Il a voulu rester pour sauver ce qu'il pouvait du chantier. »

Edgar faillit répliquer : *Et vous l'avez abandonné ?* Mais le moment était mal choisi pour récriminer – d'autant plus qu'Edgar était parti, lui aussi.

Sa mère le lâcha enfin.

« Nous étions en train de retourner à la maison, dit-elle. Ou ce qui en reste. »

Ils se dirigèrent vers la mer. Ma marchait à grands pas, impatiente d'affronter la réalité, bonne ou mauvaise.

« Tu as filé bien vite, petit frère, lança alors Erman d'un ton accusateur. Pourquoi ne nous as-tu pas réveillés ?

— Je l'ai fait, protesta Edgar. Je suis allé sonner la cloche du monastère.

— Ce n'est pas vrai. »

C'était typique d'Erman de lui chercher querelle en pareil moment. Edgar se détourna sans rien dire. Son frère pouvait penser ce qu'il voulait, peu lui importait.

Quand ils atteignirent la plage, Edgar constata que son bateau avait disparu. Les Vikings l'avaient pris, évidemment. Ils savaient reconnaître une bonne embarcation. Et le transport ne leur avait pas posé de problème : il leur avait suffi de l'attacher à la poupe d'un de leurs navires et de le remorquer.

C'était une perte cruelle, et pourtant elle ne lui inspira aucun chagrin : ce n'était rien par rapport à la mort de Sunni.

Au bord de l'eau, ils découvrirent le corps sans vie de la mère d'un garçon de l'âge d'Edgar, et il se demanda si elle s'était fait tuer en cherchant à empêcher les Vikings d'emmener son fils en esclavage.

Un autre corps gisait à quelques pas, et d'autres encore, plus loin. Edgar examina tous les visages :

c'étaient tous des amis ou des voisins, mais Pa n'était pas parmi eux et il se prit à espérer sans trop y croire que son père en avait peut-être réchappé.

Ils arrivèrent chez eux. Il ne subsistait que l'âtre, avec le trépied de fer dessus.

Le corps de Pa reposait le long de leur maison en ruine. Avec un cri d'horreur et de douleur, Ma tomba à genoux. Edgar s'agenouilla à côté d'elle et posa le bras autour de ses épaules tremblantes.

Le bras droit de son père avait été sectionné près de l'épaule, sans doute par un fer de hache, et il avait probablement succombé à une hémorragie. Se rappelant le talent et la vigueur de ce bras, Edgar versa des larmes de colère devant ce gâchis et cette perte.

Il entendit Eadbald crier :

« Regardez le chantier ! »

Edgar se leva et essuya ses larmes. Il ne comprit pas tout de suite ce qu'il voyait et se frotta encore les yeux.

Le chantier avait brûlé. Le navire en construction et la réserve de bois avaient été réduits en cendres, tout comme le goudron et la corde. Il ne restait que la meule dont ils se servaient pour affûter leurs outils. Parmi les cendres, Edgar distingua des os carbonisés, trop petits pour appartenir à un être humain, et il devina que ce pauvre vieux Grendel avait brûlé vif au bout de sa chaîne.

Ce chantier représentait toute la richesse de la famille.

Ils n'avaient pas seulement perdu le chantier, songea Edgar, ils avaient perdu leur gagne-pain. Même si un client avait été disposé à commander un navire à trois apprentis, ils n'avaient ni bois pour le construire, ni outils pour façonner les troncs, ni argent pour acheter les fournitures dont ils pouvaient avoir besoin.

Leur mère avait sans doute quelques pennies

d'argent dans sa bourse, mais la famille n'avait jamais eu grand-chose à mettre de côté et leur père avait toujours dépensé le peu qu'ils parvenaient à économiser pour acheter du bois. Du bois de bonne qualité était plus précieux que l'argent, aimait-il à dire, parce qu'il était plus difficile à voler.

« Il ne nous reste rien et nous n'avons plus aucun moyen de gagner notre vie, remarqua Edgar. Qu'allons-nous bien pouvoir faire ? »

2

Samedi 19 juin 997

Wynstan, évêque de Shiring, retint son cheval au sommet d'une butte pour regarder Combe qui s'étendait en contrebas. Il ne restait pas grand-chose du bourg : le soleil d'été brillait sur un désert grisâtre.

« C'est encore pire que ce à quoi je m'attendais », remarqua-t-il.

Quelques navires et bateaux encore intacts dans le port étaient l'unique image réconfortante de ce spectacle de désolation.

Son frère Wigelm le rejoignit.

« Il faudrait faire rôtir vifs tous les Vikings », s'écria-t-il.

En tant que thane, il appartenait à l'élite foncière. Âgé de trente ans et donc de cinq ans le cadet de Wynstan, il sortait facilement de ses gonds.

Mais cette fois, Wynstan lui donna raison.

« À petit feu, pour sûr », approuva-t-il.

Leur demi-frère surprit leurs propos. Comme le

voulait la coutume, les frères portaient des prénoms approchants, et l'aîné s'appelait Wilwulf, que l'on abrégeait souvent en Wilf. À quarante ans, il était l'ealdorman de Shiring et administrait en tant que tel la région de l'ouest de l'Angleterre où se trouvait Combe.

« Vous n'aviez encore jamais vu de bourg après une attaque viking, dit-il à ses frères. Vous pouvez vous en faire une idée à présent. »

Ils entrèrent dans la ville dévastée, suivis d'un petit groupe d'hommes armés. Ils composaient – Wynstan en était conscient – un tableau imposant : trois hommes de haute taille, richement vêtus, montés sur de superbes chevaux. Wilf portait une tunique bleue qui lui descendait aux genoux et des bottes de cuir ; Wigelm avait une tenue similaire mais rouge, tandis que Wynstan était habillé, ainsi qu'il convenait à un membre du clergé, d'une robe noire qui le couvrait jusqu'aux chevilles, sobre mais faite d'une étoffe finement tissée. Il avait également autour du cou une grande croix d'argent au bout d'une lanière de cuir. Les trois frères arboraient une luxuriante moustache blonde mais ne portaient pas la barbe, ainsi que le voulait la mode chez les Anglais fortunés. Wilf et Wigelm avaient une épaisse chevelure blonde tandis que Wynstan était tonsuré, comme tous les prêtres. Ils avaient l'air riches et importants, ce qu'ils étaient.

Les habitants erraient, inconsolables, au milieu des ruines, fouillant et tamisant les cendres, entassant pathétiquement les quelques possessions sur lesquelles ils parvenaient à remettre la main : débris tordus d'ustensiles de cuisine en fer, peignes d'os noircis par le feu, marmites fêlées et outils abîmés. Des poules picoraient et des cochons flairaient le sol en quête de quelque pitance. Il régnait une odeur âcre de feux éteints, et Wynstan se surprit à retenir son souffle.

À l'approche des frères, les habitants levèrent les yeux, le visage plein d'espoir. Beaucoup les connaissaient de vue et les autres comprenaient à leur aspect que c'étaient des hommes puissants. Certains leur criaient des salutations, d'autres les acclamaient et les applaudissaient. Tous abandonnèrent leurs occupations pour les suivre. Sûrement, semblaient-ils penser, des individus aussi haut placés pourraient-ils leur apporter quelque secours.

Les frères arrêtèrent leurs chevaux sur une étendue dégagée située entre l'église et le monastère. De jeunes garçons se précipitèrent, se bousculant pour avoir l'honneur de retenir leurs montures pendant qu'ils mettaient pied à terre. Le prieur Ulfric se porta à leur rencontre, ses cheveux blancs constellés de particules de suie.

« Milords, la ville a grand besoin de votre aide, commença-t-il. Les habitants…

— Attendez ! » dit Wynstan d'une voix assez forte pour se faire entendre de la foule qui les entourait.

Ses frères ne furent pas étonnés : il les avait avisés de son intention.

Tous firent silence.

L'évêque retira la croix qui ornait sa poitrine et la brandit au-dessus de sa tête avant de pivoter sur ses talons et de se diriger vers l'église à pas lents et solennels.

Ses frères le suivirent, et tous les autres leur firent escorte.

Il entra dans l'église et remonta l'allée centrale sans hâte, remarquant les rangées de blessés allongés sur le sol mais sans tourner la tête vers eux. Ceux qui le pouvaient s'inclinèrent ou mirent genou en terre tandis qu'il passait, brandissant toujours la croix. Il distingua d'autres corps tout au fond de l'église, mais ceux-là étaient morts.

Arrivé devant l'autel, il se prosterna, s'étendant de

tout son long dans une immobilité totale, le visage contre le sol de terre battue, le bras droit tendu vers l'autel, tenant la croix à la verticale.

Il demeura ainsi un long moment, sous les regards muets des habitants de Combe. Puis il s'agenouilla. Écartant les bras dans un geste d'imploration, il s'exclama :

« Qu'avons-nous fait ? »

La foule laissa échapper comme un soupir collectif.

« Quel péché avons-nous commis ? demanda-t-il. Pourquoi méritons-nous pareil châtiment ? Pouvons-nous espérer le pardon ? »

Il poursuivit dans la même veine, mi-prière, mi-sermon. Il devait expliquer à ces gens que ce qui leur était arrivé était la volonté de Dieu. Il fallait qu'ils voient dans l'incursion des Vikings la conséquence de leurs péchés.

Il y avait cependant un certain nombre de tâches concrètes à accomplir, et cette cérémonie n'était qu'un préliminaire. Aussi fut-il bref.

« En entreprenant la reconstruction de notre ville, conclut-il, nous nous engageons à redoubler d'efforts pour être des chrétiens pieux, humbles, respectueux de Dieu, au nom de Jésus-Christ notre Seigneur. Amen. »

Les fidèles répétèrent en chœur :

« Amen. »

Il se releva et se retourna, présentant à la foule son visage baigné de larmes. Il repassa la croix autour de son cou.

« Et maintenant, en présence de Dieu, je demande à mon frère, l'ealdorman Wilwulf, de tenir audience. »

Wynstan et Wilf descendirent la nef côte à côte, Wigelm et Ulfric derrière eux. Ils sortirent de l'église, et la foule les suivit.

Wilf regarda autour de lui.

« Je tiendrai audience ici même.

— Fort bien, milord », acquiesça Ulfric. Il fit signe à un moine en claquant des doigts. « Apporte la grande chaise. » Puis il se retourna vers Wilf. « Vous faudra-t-il de l'encre et du parchemin, ealdorman ? »

Wilf savait lire, mais ne savait pas écrire. Wynstan savait lire et écrire, comme la plupart des dignitaires de l'Église. Quant à Wigelm, il était illettré.

« Je ne pense pas que nous ayons à écrire quoi que ce soit », répondit Wilf.

Wynstan fut distrait par l'apparition d'une grande femme d'une trentaine d'années vêtue d'une robe rouge déchirée. Elle était séduisante, malgré la cendre qui lui maculait la joue. Elle s'adressa à lui à voix basse, mais son désespoir était manifeste.

« J'ai grand besoin de votre aide, monseigneur, je vous en supplie, murmura-t-elle.

— Qui te permet de m'adresser la parole, stupide garce ? » rétorqua Wynstan sans la regarder.

Il la connaissait. C'était Meagenswith, surnommée Mags. Elle habitait une grande maison en compagnie de dix ou douze filles – esclaves pour certaines, libres et consentantes pour d'autres – qui se faisaient payer pour coucher avec des hommes.

« Comprends bien que tu ne peux pas être la première personne de Combe à qui je témoigne ma compassion, lui expliqua-t-il, parlant bas mais avec insistance.

— Les Vikings m'ont pris toutes mes filles, et mon argent aussi ! »

Elles étaient toutes esclaves à présent, songea Wynstan.

« Nous en reparlerons plus tard, chuchota-t-il avant d'élever la voix au bénéfice de ceux qui les entouraient. Disparais de ma vue, vile fornicatrice ! »

Elle recula aussitôt.

Deux moines apportèrent une grande chaise de chêne qu'ils installèrent au milieu de l'espace dégagé. Wilf s'assit, tandis que Wigelm prenait place à sa gauche et Wynstan à sa droite.

Pendant que les habitants se rassemblaient autour d'eux, les frères s'entretinrent tout bas avec inquiétude. Ils tiraient tous trois leurs ressources de Combe. C'était la seconde localité du comté, après la ville de Shiring. Tous les foyers versaient une redevance à Wigelm, lequel partageait les bénéfices avec Wilf. Les habitants payaient également une dîme aux églises, qui en remettaient une partie à l'évêque Wynstan. Wilf percevait des droits de douane sur les articles d'importation et d'exportation qui passaient par le port. Wynstan tirait en outre une prébende du monastère et Wigelm vendait le bois des forêts. Deux jours auparavant, toutes ces sources de revenus s'étaient brutalement taries.

« Il faudra attendre longtemps avant que nous puissions espérer obtenir le moindre versement », remarqua Wynstan sombrement.

Il allait devoir réduire son train de vie. Le diocèse de Shiring n'était pas riche. Tout de même, pensa-t-il, si j'étais archevêque de Canterbury, ces tourments me seraient épargnés et je serais maître de toutes les richesses de l'Église du sud de l'Angleterre. Malheureusement, en tant que simple évêque de Shiring, ses possibilités étaient limitées. Il se demanda ce qu'il devrait sacrifier. Il détestait renoncer à un plaisir.

« Tous ces gens ont de l'argent, riposta Wigelm avec morgue. Il suffit de leur ouvrir le ventre pour le trouver. »

Wilf secoua la tête.

« Ne sois pas sot. » C'était une phrase qu'il disait souvent à Wigelm. « La plupart d'entre eux ont tout perdu. Ils n'ont rien à manger, pas d'argent pour acheter de la nourriture et aucun moyen d'en gagner. L'hiver venu, ils ramasseront des glands pour faire la soupe. Ceux qui ont survécu aux Vikings seront affaiblis par la faim. Les enfants tomberont malades et mourront ; les vieux chuteront et se rompront les os ; les plus jeunes et les plus robustes iront tenter leur chance ailleurs.

— Alors que faut-il faire ? demanda Wigelm avec mauvaise humeur.

— Revoir nos exigences à la baisse, c'est la seule solution.

— Nous ne pouvons tout de même pas les exempter de redevances !

— Bougre d'âne, les morts ne versent pas de redevances. Si quelques rescapés peuvent recommencer à pêcher, à fabriquer des objets et à faire du commerce, ils seront en mesure de reprendre leurs paiements au printemps prochain. »

Wynstan l'approuva. Wigelm n'était pas convaincu, mais il garda le silence : Wilf était l'aîné et son supérieur en rang.

Quand tout le monde fut prêt, Wilf prit la parole :

« À présent, prieur Ulfric, contez-nous ce qui s'est passé. » L'audience de l'ealdorman était ouverte.

Ulfric s'exécuta :

« Les Vikings nous ont attaqués il y a deux jours, alors que l'aube commençait à peine à poindre et que tous étaient endormis.

— Pourquoi ne les avez-vous pas repoussés, bande de couards ? » intervint Wigelm.

Wilf leva la main pour lui intimer le silence.

« Chaque chose en son temps », protesta-t-il. Il se

tourna vers Ulfric. « Si ma mémoire est bonne, c'est la première fois que les Vikings s'en prennent à Combe, Ulfric. Savez-vous d'où venait ce groupe ?

— Non, milord. Mais peut-être un des pêcheurs aura-t-il aperçu la flotte viking alors qu'il était en mer ?

— Nous ne les voyons jamais, milord », déclara un homme trapu à la barbe poivre et sel.

Wigelm, qui connaissait les habitants mieux que ses frères, le présenta :

« C'est Maccus. Il possède le plus grand bateau de pêche du bourg.

— Nous pensons que les Vikings font relâche de l'autre côté de la Manche, en Normandie, poursuivit Maccus. On dit qu'ils s'y approvisionnent puis traversent la mer pour faire leurs coups de main avant de retourner vendre leur butin aux Normands. Que Dieu maudisse leurs âmes immortelles !

— C'est vraisemblable, convint Wilf, mais cela ne nous est pas d'un grand secours. La côte normande est longue. Je suppose que Cherbourg doit être le port le plus proche ?

— Il me semble, acquiesça Maccus. Il paraît que ce bourg est situé à l'extrémité d'une longue presqu'île qui s'enfonce dans la Manche. Je n'y suis jamais allé moi-même.

— Moi non plus, dit Wilf. Quelqu'un de Combe s'y est-il déjà rendu ?

— Autrefois, peut-être, répondit Maccus. À présent, nous ne nous aventurons pas aussi loin. Nous cherchons à éviter les Vikings bien plus qu'à les rencontrer. »

Ce genre de discours avait le don d'agacer Wigelm.

« Il faut constituer une flotte et faire voile vers Cherbourg, lança-t-il. Nous incendierons ce bourg comme ils ont incendié Combe ! »

Dans la foule, quelques jeunes gens crièrent pour manifester leur approbation.

« Ceux qui conseillent d'attaquer les Normands ne les connaissent pas, reprit Wilf. Ce sont des descendants des Vikings, ne l'oubliez pas. Ils ont beau être civilisés, ils n'en sont pas moins batailleurs. Pourquoi crois-tu que les Vikings nous attaquent et laissent les Normands en paix ? »

Wigelm en demeura sans voix.

« Je serais fort désireux d'en savoir davantage sur Cherbourg », ajouta Wilf.

Un jeune homme dans la foule se manifesta alors :

« Je suis allé une fois à Cherbourg. »

Wynstan le regarda avec intérêt.

« Qui es-tu ?

— Edgar, le fils du charpentier de marine, monseigneur. »

Wynstan examina le garçon. Il était de taille moyenne mais musclé, comme l'étaient généralement les constructeurs de bateaux. Il avait les cheveux châtains et quelques poils follets sur le menton. Il s'exprimait poliment, mais sans crainte, visiblement peu intimidé par le rang des hommes auxquels il s'adressait.

« Quelle affaire t'a conduit à Cherbourg ? demanda Wilf.

— Mon père m'y a emmené pour livrer un navire que nous avions construit. Mais cela remonte déjà à cinq ans. L'endroit a pu changer.

— Toute information est préférable à l'ignorance, l'encouragea Wilf. De quoi gardes-tu le souvenir ?

— Ils ont un bon et vaste port, capable d'abriter de nombreux navires et bateaux. La ville était alors gouvernée par le comte Hubert – elle l'est probablement encore, il n'était pas vieux.

— Autre chose ?

— J'ai vu la fille du comte. Elle s'appelle Ragna et elle est rousse.

— Le genre de chose dont un garçon se souvient », commenta Wilf.

Tout le monde s'esclaffa et Edgar rougit.

Élevant la voix pour couvrir les rires, le garçon poursuivit :

« Je me rappelle aussi une tour de pierre.

— Que t'avais-je dit ? lança Wilf à Wigelm. Attaquer une ville fortifiée n'a rien d'un jeu d'enfant.

— J'aurais peut-être une suggestion à faire, intervint alors Wynstan.

— Je t'en prie, dit son frère.

— Ne serait-il pas judicieux de nouer des liens d'amitié avec le comte Hubert ? Il pourrait se laisser convaincre que les Normands et les Anglais, chrétiens les uns comme les autres, auraient tout intérêt à collaborer pour défaire les Vikings adorateurs d'Odin. »

Les Vikings qui s'étaient établis dans le nord et l'est de l'Angleterre s'étaient généralement convertis au christianisme, Wynstan le savait, mais ceux qui écumaient les mers restaient fidèles à leurs divinités païennes.

« Tu sais te montrer persuasif quand tu veux quelque chose, Wilf », ajouta-t-il en souriant.

C'était exact : Wilf ne manquait pas de charme.

« Je ne suis pas sûr que ce soit une bonne idée, murmura ce dernier.

— Je sais ce que tu penses », répondit aussitôt Wynstan. Il baissa la voix pour évoquer des sujets qui dépassaient l'entendement des habitants. « Tu te demandes quelle serait la réaction du roi Ethelred. Il est vrai que la diplomatie internationale est une prérogative royale.

— En effet.

— Laisse-moi faire. J'arrangerai cela avec le roi.

— Il faut que j'intervienne avant que ces Vikings ne ruinent mon comté, convint Wilf. Et c'est le premier conseil pratique qu'on me donne. »

Les habitants s'agitaient et chuchotaient entre eux. Wynstan comprit que l'idée de s'allier aux Normands était trop théorique pour eux. Ils avaient besoin d'aide immédiate et comptaient sur les trois frères.

Wilf avait senti l'humeur de la foule, lui aussi.

« Passons aux questions matérielles, suggéra-t-il. Prieur Ulfric, comment les gens sont-ils nourris ?

— Sur les réserves du monastère, qui n'ont pas été pillées, répondit Ulfric. Les Vikings ont dédaigné le poisson et les fèves des moines, préférant voler l'or et l'argent.

— Et où dorment-ils tous ?

— Dans la nef de l'église, dans la partie où se trouvent les blessés.

— Où avez-vous mis les morts ?

— Au fond de l'église, du côté est. »

Wynstan s'interposa :

« Puis-je, Wilf ? » Wilf acquiesça d'un signe de tête. « Merci. »

Wynstan éleva la voix afin que tous l'entendent.

« Aujourd'hui avant le coucher du soleil, je célébrerai un office collectif pour les âmes de tous les défunts, et j'autoriserai que l'on creuse une fosse commune. Par cette chaleur, les cadavres pourraient être cause de maladies. Je veux donc que toutes les dépouilles soient enterrées avant demain soir.

— Très bien, monseigneur », approuva Ulfric.

Après avoir inspecté la foule, Wilf remarqua en fronçant les sourcils :

« Je vois ici environ un millier de personnes. La

moitié de la population du bourg a donc survécu. Comment expliquez-vous qu'ils soient aussi nombreux à avoir échappé aux Vikings ?

— Un jeune garçon qui s'était levé de bonne heure les a vus arriver et a couru jusqu'au monastère pour nous avertir et sonner la cloche, répondit Ulfric.

— Excellente initiative, commenta Wilf. Qui est ce garçon ?

— Edgar, celui qui vient de vous parler de Cherbourg. C'est le plus jeune des trois fils du charpentier de marine. »

Un petit gars intelligent, songea Wynstan.

« Tu as fort bien agi, le félicita Wilf.

— Je vous remercie, milord.

— Quels sont tes projets, maintenant ? »

Edgar chercha à faire le brave, mais sa crainte de l'avenir n'échappa pas à Wynstan.

« Nous ne savons pas, répondit Edgar. Mon père s'est fait tuer, et nous avons perdu nos outils ainsi que nos réserves de bois. »

Wigelm l'interrompit avec impatience.

« Nous ne sommes pas ici pour discuter du sort de telle ou telle famille. Nous devons prendre des décisions concernant l'ensemble du bourg. »

Wilf acquiesça et reprit :

« Il faut que tous s'efforcent de reconstruire leurs maisons avant l'arrivée de l'hiver. Wigelm, tu devras renoncer à tes redevances du solstice d'été. »

Les redevances étaient généralement payables en quatre échéances annuelles : au solstice d'été, qui correspondait au vingt-quatrième jour de juin, à la Saint-Michel, le 29 septembre, à la Noël, le 25 décembre et à l'Annonciation, le 25 mars.

Wynstan jeta un coup d'œil à Wigelm. Il semblait mécontent, mais garda le silence. Il était sot de se mettre en colère : les habitants étant dans l'impossibilité de s'acquitter de leurs redevances, Wilf ne leur faisait aucun cadeau.

« Et celles de la Saint-Michel aussi, je vous en prie, milord », s'écria une femme au milieu de la foule.

Wynstan se tourna vers elle. C'était une petite femme solide, d'une quarantaine d'années.

« Nous verrons bien quelle sera votre situation à cette date, répondit Wilf habilement.

— Il va nous falloir du bois pour reconstruire nos maisons – or nous n'avons pas de quoi le payer », insista la femme.

Wilf s'adressa tout bas à Wigelm :

« Qui est-ce ?

— Mildred, la femme du charpentier de marine. Tu peux toujours compter sur elle pour semer le trouble. »

Une idée traversa l'esprit de Wynstan.

« J'aurais sans doute une solution pour te débarrasser d'elle, mon frère, murmura-t-il.

— C'est peut-être une rebelle, fit Wilf doucement, mais elle a raison. Il faut que Wigelm les autorise à couper du bois sans exiger qu'ils le paient.

— Fort bien », accepta Wigelm à contrecœur.

Élevant la voix, il annonça à la foule :

« Vous aurez du bois pour rien, mais cette mesure s'appliquera seulement aux habitants de Combe, seulement pour reconstruire les maisons et seulement jusqu'à la Saint-Michel.

— Voilà tout ce que nous pouvons faire, pour le moment », ajouta Wilf en se levant. Il se tourna vers Wigelm. « Va parler à ce Maccus. Vois s'il serait disposé à me conduire à Cherbourg et ce qu'il demanderait en paiement. Demande-lui aussi combien de temps le voyage prendrait, et tous les détails utiles. »

Un brouhaha de mécontentement s'élevait de la

foule. Les habitants étaient déçus. C'était l'inconvénient du pouvoir, songea Wynstan ; les gens s'attendaient à ce que vous fassiez des miracles. Plusieurs personnes s'avancèrent résolument pour réclamer un traitement de faveur quelconque, et les hommes d'armes durent intervenir pour maintenir l'ordre.

Wynstan s'éloigna. À la porte de l'église, il croisa à nouveau Mags. Celle-ci avait décidé de changer d'attitude et, au lieu de l'implorer, elle se montra caressante.

« Désirez-vous que je vous suce le vit derrière l'église ? Vous dites toujours que j'y suis plus habile que les jeunes filles.

— Ne sois pas sotte », répondit Wynstan. Un mari ou un pêcheur pouvait ne pas se soucier qu'on le surprenne en train de se livrer à pareil batifolage, mais un évêque se devait d'être discret. « Viens-en au fait, ordonna-t-il sèchement. De combien as-tu besoin ?

— Comment cela ?

— Pour remplacer tes filles. » Wynstan avait passé de bons moments chez Mags et avait bien l'intention d'y retourner. « Combien d'argent faudrait-il que tu m'empruntes ? »

Habituée à réagir promptement aux changements d'humeur des hommes, Mags rectifia immédiatement le tir, adoptant cette fois un ton prosaïque :

« Si elles sont jeunes et fraîches, les esclaves coûtent à peu près une livre pièce au marché de Bristol. »

Wynstan hocha la tête. Un grand marché aux esclaves se tenait à Bristol, à plusieurs jours de route. Il se décida rapidement.

« Si je te prête dix livres aujourd'hui, pourras-tu m'en rembourser vingt dans un an à dater d'aujourd'hui ? »

Les yeux de Mags s'illuminèrent, mais elle feignit d'hésiter.

« Je ne suis pas sûre que la clientèle revienne aussi vite.

— Il y aura toujours des marins de passage. Et des filles fraîches attireront un plus grand nombre d'hommes. Il n'y a jamais pénurie de clients dans ton métier.

— Accordez-moi dix-huit mois.

— Dans ce cas, tu me rembourseras vingt-cinq livres à la Noël de l'année prochaine. »

Mags prit l'air soucieux avant de répondre :

« Marché conclu. »

Wynstan fit venir Cnebba, un grand homme coiffé d'un casque de fer qui était chargé de garder l'argent de l'évêque.

« Donne-lui dix livres, dit-il.

— Le coffre est au monastère, précisa Cnebba à Mags. Suis-moi.

— Et n'essaie pas de la gruger, ajouta Wynstan. Tu peux la foutre si le cœur t'en dit, mais remets-lui ses dix livres rubis sur l'ongle.

— Que Dieu vous bénisse, monseigneur », dit Mags.

Wynstan lui effleura les lèvres de l'index.

« Tu me remercieras plus tard, à la nuit tombée. »

Lui prenant la main, elle lui lécha le doigt lascivement.

« Je ne puis attendre. »

Wynstan s'écarta pour échapper aux regards indiscrets.

Il parcourut la foule des yeux. La population était désespérée et pleine de ressentiment, mais il ne pouvait rien faire de plus pour elle. Le fils du charpentier de marine attira alors son regard, et il lui fit signe. Edgar s'approcha de la porte de l'église, un chien brun et blanc sur les talons.

« Va chercher ta mère, lui ordonna Wynstan. Et aussi tes frères. Je peux peut-être vous aider.

— Oh merci, monseigneur ! s'écria Edgar avec enthousiasme. Avez-vous besoin d'un nouveau navire ?

— Non. »

Le visage d'Edgar s'assombrit.

« Alors quoi ?

— Va chercher ta mère et je vous le dirai.

— Bien, monseigneur. »

Edgar s'éloigna et revint avec Mildred, laquelle jeta un regard méfiant à Wynstan. Elle était accompagnée de deux jeunes gens qui étaient manifestement ses fils ; ils étaient plus grands qu'Edgar mais n'avaient pas son expression curieuse et intelligente. Trois garçons solides et une mère pugnace : c'était une excellente combinaison pour ce que Wynstan avait en tête. Il rendrait service à Wigelm en le débarrassant de cette forte tête de Mildred.

« Je connais une ferme vacante, leur annonça-t-il.

— Mais nous sommes des constructeurs de bateaux, pas des fermiers ! protesta Edgar, l'air atterré.

— Tais-toi, Edgar, coupa Mildred.

— Saurais-tu t'occuper d'une ferme, veuve ? demanda Wynstan.

— Je suis née dans une ferme.

— Celle-ci est à côté du fleuve.

— Quelle surface de terre y a-t-il ?

— Trente arpents. On considère généralement que c'est assez pour nourrir une famille.

— Tout dépend du sol.

— Et de la famille. »

Elle n'était pas femme à s'en laisser conter.

« Quelle est la nature du sol ?

— Telle que tu peux l'imaginer : un peu marécageuse au bord de l'eau, limoneuse et légère plus en hauteur. La prochaine récolte d'avoine sort déjà de terre. Vous n'aurez qu'à moissonner et vous pourrez attendre l'hiver tranquillement.

— Des bœufs ?

— Non, mais vous n'en aurez pas besoin. La terre est assez légère pour qu'une grosse charrue ne soit pas nécessaire. »

Elle plissa les yeux.

« Pourquoi est-elle inoccupée ? »

La question était habile. La vérité était que le dernier tenancier n'avait pas pu tirer de cette terre ingrate de quoi nourrir sa famille. Sa femme et ses trois jeunes enfants étaient morts, et l'homme avait pris la fuite. Mais avec trois solides travailleurs et seulement quatre bouches à nourrir, cette famille ne ressemblait pas à la précédente. Ce ne serait pas facile, sans doute, mais Wynstan avait le sentiment qu'ils réussiraient. Il n'avait cependant pas l'intention d'avouer la vérité.

« Le tenancier est mort de la fièvre et sa femme est retournée chez sa mère, mentit-il.

— Un lieu insalubre, donc.

— Pas le moins du monde. C'est juste à côté d'un petit hameau où se trouve un moustier. Un moustier est desservi par une communauté de prêtres qui vivent ensemble et…

— Je sais ce que c'est. C'est comme un monastère, mais moins strict.

— Le doyen du moustier, Degbert, est mon cousin. Il est également seigneur du hameau, ferme comprise.

— Combien de bâtiments a la ferme ?

— Deux. Une maison et une grange. Le précédent tenancier a laissé ses outils.

— Quel est le montant des redevances ?

— Vous devrez remettre à Degbert quatre porcelets

gras à la Saint-Michel pour le lard des moines. C'est tout !

— Pourquoi les redevances sont-elles aussi faibles ? »

Wynstan sourit. La garce était méfiante.

« Parce que mon cousin est un homme bon. »

Mildred renifla, sceptique.

Il y eut un moment de silence, durant lequel Wynstan l'observa attentivement. Elle ne voulait pas de cette ferme, il le voyait bien ; elle ne lui faisait pas confiance. Mais son regard était plein de détresse, car elle n'avait plus rien. Elle accepterait. Elle n'avait pas le choix.

« Où se trouve ce hameau ? demanda-t-elle enfin.

— À un jour et demi de route en amont du fleuve.

— Quel est son nom ?

— Dreng's Ferry. »

3

Fin juin 997

Ils marchèrent un jour et demi, suivant un sentier à peine visible qui longeait le cours sinueux du fleuve ; trois jeunes gens, leur mère et une chienne brun et blanc.

Edgar était désemparé, perplexe et anxieux. Il avait prévu de commencer une nouvelle vie, mais pas celle-ci. Le destin avait pris un tournant entièrement inattendu, et il n'avait pas eu le temps de s'y préparer. En tout état de cause, sa famille comme lui-même n'avaient pas encore une idée très nette de ce qui les attendait. Ils ne savaient quasiment rien du hameau nommé Dreng's Ferry. À quoi ressemblerait-il ? Les gens seraient-ils méfiants ou feraient-ils bon accueil aux nouveaux arrivants ? Et la ferme ? La terre serait-elle légère, facile à cultiver, ou serait-ce de l'argile lourde, récalcitrante ? Y avait-il des poiriers, des oies sauvages qui cacardaient, des cerfs farouches ? La famille d'Edgar avait l'esprit de méthode. Son père disait souvent qu'il fallait avoir construit tout le bateau dans sa tête avant de prendre en main le premier morceau de bois.

Remettre en état une ferme à l'abandon ne serait pas une mince affaire, et Edgar avait du mal à trouver en lui l'énergie nécessaire. Il assistait à l'enterrement de tous ses espoirs. Il ne posséderait jamais son propre chantier naval, il ne construirait jamais de bateaux. Et il ne se marierait jamais, c'était une certitude.

Il chercha à s'intéresser au décor qui l'entourait. C'était la première fois qu'il parcourait une aussi longue distance à pied. Il avait déjà fait un grand voyage en mer, pour aller à Cherbourg et en revenir, mais entre son point de départ et son point d'arrivée, il n'avait vu que de l'eau. Il découvrait à présent l'Angleterre.

Il y avait beaucoup de forêts, en tout point semblables à celle où sa famille abattait des arbres d'aussi loin qu'il se souvînt. Les étendues sylvestres étaient interrompues par des villages et quelques grands domaines. Au fur et à mesure qu'ils s'enfonçaient plus avant dans les terres, le paysage se fit plus vallonné. Les bois devinrent plus denses mais on relevait encore quelques signes de présence humaine : un pavillon de chasse, une fosse à chaux, une mine d'étain, une cabane d'attrapeurs de chevaux, la masure d'une petite famille de charbonniers, une vigne sur une pente exposée au sud, un troupeau de moutons qui paissait au sommet d'une colline.

Ils croisèrent aussi quelques voyageurs : un prêtre bedonnant sur un poney efflanqué, un orfèvre élégamment vêtu accompagné de quatre gardes du corps à la mine patibulaire, un fermier râblé qui menait une grosse truie noire au marché et une vieille voûtée qui vendait des œufs bruns. Ils s'arrêtèrent et bavardèrent avec chacun, échangeant des nouvelles et des informations sur la route qui les attendait.

Ils durent raconter l'attaque des Vikings à tous ceux qu'ils rencontrèrent : c'était ainsi que les gens s'informaient, grâce aux voyageurs. Ma livrait le plus souvent une version abrégée des faits, mais dans les localités prospères, elle s'asseyait et en faisait un récit complet, en échange de quoi on leur donnait à boire et à manger à tous les quatre.

Ils agitaient la main pour saluer les bateaux qui passaient. Il n'y avait aucun pont et un seul gué, dans un village appelé Mudeford Crossing. Ils auraient pu passer la nuit à l'auberge, mais il faisait beau et leur mère préféra les faire coucher à la belle étoile par souci d'économie. Ils s'installèrent néanmoins à portée de voix du bâtiment.

La forêt pouvait être dangereuse, les avertit Ma, et elle conseilla à ses fils de rester vigilants, confirmant l'image que se faisait Edgar d'un monde soudain privé de règles, peuplé d'hommes sans foi ni loi, prompts à détrousser les voyageurs. En cette saison estivale, ces bandits n'avaient aucun mal à se dissimuler parmi le feuillage pour en surgir à l'improviste.

Edgar et ses frères pourraient riposter, songea-t-il. Il avait toujours sur lui la hache prise au Viking qui avait tué Sunni. Et ils avaient un chien. S'il ne fallait pas compter sur Brindille en cas de bagarre, ainsi qu'elle l'avait prouvé en présence des Vikings, elle n'en était pas moins capable de flairer la présence d'un brigand caché dans un buisson et d'aboyer pour les alerter. Mais surtout, sa famille ne possédait à l'évidence pas grand-chose qui valût la peine d'être volé : pas de bétail, pas d'épées d'apparat, pas de coffre cerclé de fer susceptible de contenir de l'argent. Personne n'irait dévaliser un pauvre, se réconforta Edgar, sans grande conviction cependant.

Ma menait le train. Elle était solide. Elle avait quarante ans, un âge que peu de femmes atteignaient : la plupart mouraient au cours des premières années où elles devenaient mères, entre leur mariage et le milieu de la trentaine. Les hommes vivaient généralement plus longtemps. Pa avait fêté ses quarante-cinq ans, et beaucoup d'hommes atteignaient un âge encore plus avancé.

Ma donnait le meilleur d'elle-même dès qu'il s'agissait de régler des problèmes pratiques, de prendre des décisions et de prodiguer des conseils ; pourtant, durant leurs longues lieues de marche silencieuse, Edgar ne put que constater qu'elle était dévorée de chagrin. Quand elle se croyait à l'abri des regards, elle baissait sa garde et son visage se crispait de douleur. Elle avait passé plus de la moitié de sa vie avec Pa. Edgar avait du mal à imaginer qu'ils aient pu connaître un jour l'orage de passion qui les avait emportés, Sunni et lui, mais il supposait que c'était tout de même le cas. Ils avaient engendré trois fils et les avaient élevés ensemble. Et après toutes ces années, il leur arrivait encore de se réveiller au cœur de la nuit pour s'étreindre.

Il ne connaîtrait jamais pareille intimité avec Sunni. Tandis que sa mère pleurait ce qu'elle avait perdu, Edgar se désolait pour ce qu'il ne connaîtrait jamais. Il n'épouserait pas Sunni, il n'élèverait pas d'enfants avec elle, ne se réveillerait pas dans la nuit pour échanger avec elle des caresses d'amants d'âge mûr ; jamais

Sunni et lui ne s'habitueraient l'un à l'autre, jamais ils ne céderaient à la routine, ne tiendraient la présence de l'autre pour acquise ; la tristesse qu'il en éprouvait était presque insoutenable. Il avait découvert un trésor enfoui, une richesse dont la valeur surpassait celle de tout l'or du monde, et il l'avait perdu. La vie s'étirait devant lui, vide.

Au cours de cette longue marche, quand sa mère s'abîmait dans sa douleur, Edgar était assailli par des images fulgurantes de violence. La luxuriance des feuilles de chêne et de charme qui l'entourait disparaissait à ses yeux, laissant place à l'estafilade béante au cou de Cyneric, sanglante comme un morceau de viande sur le billot d'un boucher. Il sentait le froid de la mort gagner le corps tendre de Sunni et était pris de nausée, encore et encore, en se rappelant l'état dans lequel il avait mis le Viking, le visage du Nordique à barbe blonde réduit à l'état de bouillie sanguinolente, défiguré par Edgar lui-même dans un accès de haine démente et irrépressible. Il voyait le champ de cendres qui s'étendait là où s'était dressé un bourg, les os calcinés de Grendel, leur vieux mastiff, et le bras tranché de son père gisant sur la plage comme un débris rejeté par les flots. Bien qu'il sût que son âme avait rejoint Dieu, l'idée que le corps qu'il avait aimé fût enterré dans le sol froid, entassé avec plusieurs centaines d'autres, l'emplissait d'horreur.

Le deuxième jour, alors qu'Edgar et Ma avaient involontairement pris une cinquantaine de pas d'avance, elle observa d'un ton pensif :

« Tu devais être assez loin de la maison quand tu as aperçu les navires vikings. »

Il s'y attendait. Erman lui avait déjà posé des questions intriguées et Eadbald avait subodoré quelque manigance clandestine, mais Edgar n'avait pas à donner d'explications à ses frères.

Ne sachant pourtant pas très bien par où commencer, il se contenta de répondre :

« Oui.

— Tu étais avec une fille, c'est ça ? »

Il en fut tout penaud.

« Je ne vois pas d'autre raison qui aurait pu te pousser à quitter subrepticement la maison en pleine nuit », insista-t-elle.

Il haussa les épaules. Il avait toujours eu du mal à dissimuler quelque chose à sa mère.

« Mais pourquoi t'en cacher ? demanda-t-elle, suivant un enchaînement logique. Tu es assez grand pour fréquenter une fille. Tu n'as pas à être gêné. » Elle s'interrompit. « À moins qu'elle n'ait été mariée. »

Il garda le silence, mais sentit ses joues s'empourprer.

« Tu peux rougir, en effet, dit-elle. Tu devrais avoir honte. »

Sa mère était stricte, et son père l'avait été pareillement. Ils n'étaient pas du genre à badiner avec les règles de l'Église et du roi. Edgar ne leur donnait pas tort, mais il s'était convaincu que les principes courants ne s'appliquaient pas à sa liaison avec Sunni.

« Elle détestait Cyneric », murmura-t-il enfin.

Ma n'était pas femme à se contenter d'une telle excuse.

« Autrement dit, pour toi, le message du septième commandement est : "Tu ne commettras pas l'adultère, sauf si la femme déteste son mari", fit-elle d'un ton sarcastique.

— Je sais ce que dit le commandement. Je l'ai enfreint, c'est vrai.

— Elle a dû mourir dans l'attaque des Vikings, ajouta Ma qui, sans s'arrêter à cet aveu, suivait toujours le fil de sa pensée. Autrement, tu ne serais pas venu avec nous. »

Edgar acquiesça d'un hochement de tête.

« C'était la femme du laitier ? Comment s'appelait-elle ? Ah oui, Sungifu. »

Elle avait tout deviné. Edgar se sentait bête comme un enfant pris en flagrant délit de mensonge.

« Vous aviez décidé de vous enfuir cette nuit-là ? demanda Ma.

— Oui. »

Elle prit Edgar par le bras et sa voix s'adoucit.

« Ma foi, tu avais bien choisi, je te l'accorde. J'aimais bien Sunni. Elle était intelligente et travailleuse. Je regrette qu'elle soit morte.

— Merci, Ma.

— C'était quelqu'un de bien. » Elle lui lâcha le bras et sa voix redevint plus dure. « Mais c'était la femme d'un autre.

— Je sais. »

Ma n'en dit pas davantage. La conscience d'Edgar le jugerait, et elle le savait.

Ils s'arrêtèrent près d'un ruisseau pour se désaltérer et se reposer. Ils avaient le ventre creux depuis des heures, mais n'avaient rien à manger.

Erman, le frère aîné, était aussi abattu qu'Edgar. Toutefois, il n'avait pas l'intelligence de garder ses griefs pour lui.

« Je suis un artisan, pas un paysan ignorant, grommela-t-il quand ils se remirent en route. Je me demande bien pourquoi je vous accompagne à cette ferme. »

Leur mère supportait mal les jérémiades.

« Parce que tu avais une autre solution ? rétorqua-t-elle sèchement, interrompant ses lamentations. Qu'aurais-tu fait si je ne t'avais pas obligé à entreprendre ce voyage ? »

Erman n'avait évidemment rien à répondre. Il

marmonna qu'il aurait attendu de voir quelles occasions se présentaient.

« Tu veux savoir ce qui se serait présenté ? repritelle. L'esclavage. Tu n'aurais pas eu d'autre possibilité. C'est ce qui arrive aux gens quand ils meurent de faim. »

Ses paroles s'adressaient à Erman, mais Edgar fut encore plus secoué que son frère. L'idée qu'il risquait de devenir esclave ne lui était pas venue à l'esprit et elle le troublait. Était-ce le sort qui attendait sa famille s'ils n'arrivaient pas à vivre de la ferme ?

« Personne ne me réduira jamais en esclavage, répliqua Erman.

— Non, fit Ma. Tu t'y soumettrais de ton plein gré. »

Edgar avait entendu parler de gens qui s'asservissaient de leur propre chef, mais ne connaissait personne qui l'ait vraiment fait. Il avait croisé de nombreux esclaves à Combe, bien sûr : une personne sur dix environ vivait dans la servitude. Les jeunes gens au physique avantageux, filles ou garçons, servaient de jouets aux hommes riches. Les autres tiraient la charrue, se faisaient fouetter quand leurs forces les trahissaient et passaient leurs nuits enchaînés comme des chiens. Il s'agissait pour la plupart de Bretons, les habitants des marges occidentales barbares du monde civilisé, pays de Galles, Cornouailles et Irlande. De temps en temps, ces peuplades lançaient des incursions contre les Anglais plus prospères, rapinant bétail, volailles et armes ; les Anglais ripostaient en menant des opérations de représailles : ils incendiaient leurs villages et faisaient des prisonniers qu'ils réduisaient en esclavage.

L'esclavage volontaire était différent. Cette pratique suivait un rituel imposé, que Ma décrivit alors à Erman sur un ton méprisant.

« Tu dois t'agenouiller devant un ou une noble, tête baissée en signe d'imploration. Le noble est libre de te rejeter, évidemment ; mais s'il pose les mains sur ta tête, tu seras esclave pour la vie.

— Je préférerais encore mourir de faim, protesta Erman, toujours rebelle.

— Détrompe-toi, répliqua sa mère. Tu n'as jamais eu faim ne fût-ce qu'une journée. Ton père y a veillé, même si nous devions parfois, lui et moi, nous passer de repas pour vous nourrir, vous, les garçons. Tu ne sais pas ce que c'est de n'avoir rien dans le ventre pendant une semaine. Tu inclinerais la tête en un rien de temps, juste pour cette première écuelle de nourriture. Et ensuite, il te faudrait travailler jusqu'à la fin de tes jours pour avoir à peine de quoi manger. »

Edgar avait du mal à la croire. Il était convaincu qu'il préférerait encore mourir de faim.

« On peut toujours sortir de l'esclavage, répondit Erman, boudeur et frondeur.

— Sans doute, mais c'est très difficile. Tu peux racheter ta liberté, c'est vrai, mais comment trouverais-tu l'argent nécessaire ? Il y a des gens qui glissent une pièce aux esclaves, mais cela n'arrive pas souvent, et ce sont de toutes petites sommes. Le seul véritable espoir qu'un esclave puisse nourrir est qu'un propriétaire au grand cœur l'affranchisse par testament. Il se retrouve alors à son point de départ, sans toit ni gagne-pain, et de vingt ans plus vieux. Voilà le choix qui se présente à toi, benêt. Maintenant, redis-moi que tu ne veux pas être fermier. »

Eadbald, le cadet, s'arrêta soudain, plissa son front criblé de taches de son et dit :

« Je pense que nous voilà rendus. »

Edgar regarda de l'autre côté du fleuve et aperçut sur la rive nord un bâtiment qui avait l'air d'une taverne : plus long qu'une maison ordinaire, avec une table et des bancs à l'extérieur et une vaste étendue de verdure où paissaient une vache et deux chèvres. Une embarcation rudimentaire était amarrée non loin de là. Un sentier creusé par les allées et venues partait de la taverne et gravissait un coteau. À gauche du chemin, Edgar distingua cinq autres maisons de bois. Sur la droite se dressaient une petite église de pierre, une autre grande maison et deux remises qui devaient être des étables ou des granges. Plus loin, le chemin s'enfonçait dans les bois.

« Un bac, une taverne et une église, énuméra Edgar avec une excitation croissante. Je crois qu'Eadbald a raison.

— Nous verrons bien, dit leur mère. Il n'y a qu'à héler ces gens. »

Eadbald, qui avait une voix puissante, mit ses mains en porte-voix autour de sa bouche et son cri résonna jusqu'à l'autre rive.

« Hé ! Hé ! Il y a quelqu'un ? Holà ! Holà ! »

Ils attendirent.

Jetant un coup d'œil en aval, Edgar remarqua que le fleuve se séparait en deux bras entourant une île qui semblait longue d'une soixantaine de perches, très boisée. Mais il distingua à travers les arbres ce qui avait tout l'air d'un élément de construction en pierre. Il se demanda avec curiosité ce que cela pouvait être.

« Crie encore », commanda Ma.

Eadbald recommença à appeler.

La porte de la taverne s'ouvrit et une femme en sortit. Edgar eut l'impression que c'était plutôt une fille en fait, de quatre ou cinq ans plus jeune que lui probablement. Elle regarda les nouveaux venus qui attendaient, sans leur manifester pourtant le moindre intérêt. Elle portait un seau de bois et se dirigea sans se presser vers le bord du fleuve, y vida le seau, le rinça puis regagna la taverne.

« Il va falloir traverser à la nage, pesta Erman.

— Je ne sais pas nager, protesta Ma.

— Cette fille le fait exprès, affirma Edgar. Elle veut nous faire comprendre qu'elle n'est pas une servante et qu'elle vaut mieux que nous. Elle viendra nous chercher quand bon lui semblera, et s'attendra à des remerciements. »

Edgar ne s'était pas trompé. La fille ressortit de la taverne. Cette fois, elle se dirigea d'une démarche tout aussi nonchalante jusqu'à l'endroit où la barque était amarrée. Elle dénoua la corde, ramassa l'unique rame, monta à bord et s'éloigna de la berge d'une poussée. Ramant alternativement à gauche et à droite, elle se dirigea vers le centre du fleuve. Ses mouvements révélaient une longue expérience et la tâche semblait ne lui coûter aucun effort.

Edgar examina l'esquif avec consternation. Ce n'était qu'un tronc d'arbre évidé, terriblement instable, mais la jeune batelière y était manifestement habituée.

Il l'observa plus attentivement lorsqu'elle s'approcha. Elle était quelconque, avec des cheveux châtains et des boutons sur le visage, mais il ne put s'empêcher de relever ses formes généreuses et révisa l'estimation de son âge à une quinzaine d'années.

Elle rejoignit la rive sud et arrêta habilement le canot à quelques pas de la berge.

« Que voulez-vous ? » demanda-t-elle.

Ma lui répondit par une question :

« Où sommes-nous ?

— On appelle ce hameau Dreng's Ferry. »

Ainsi, songea Edgar, voici notre nouveau foyer.

« C'est toi, Dreng ? interrogea Ma.

— Non, c'est mon père. Moi, je m'appelle Cwenburg. » Elle regarda les trois garçons avec intérêt. « Et vous, qui êtes-vous ?

— Les nouveaux tenanciers de la ferme, répondit Ma. L'évêque de Shiring nous a envoyés ici. »

Cwenburg ne se laissa pas impressionner.

« Vraiment ?

— Peux-tu nous faire traverser ?

— C'est un farthing par personne et il est inutile de barguigner. »

La seule pièce de monnaie frappée par le roi était le penny d'argent. Edgar savait, parce qu'il s'intéressait à ce genre de chose, qu'un penny pesait un vingtième d'once. Comme il y avait douze onces dans une livre, une livre représentait deux cent quarante pennies. Le métal n'était pas pur : trente-sept parties sur quarante étaient d'argent, le reste de cuivre. Avec un penny, on pouvait acheter une demi-douzaine de poulets ou un quart de mouton. Pour les sommes inférieures, il fallait couper une pièce d'un penny en deux halfpennies ou quatre farthings. L'imprécision du partage était source de querelles constantes.

« Voici un penny », dit Ma.

Cwenburg ignora la pièce.

« Vous êtes cinq, avec le chien.

— Elle peut traverser à la nage.

— Il y a des chiens qui ne savent pas nager. »

Ma commençait à perdre patience.

« Dans ce cas, elle aura le choix entre rester sur la rive et mourir de faim, ou sauter à l'eau et se noyer. Il n'est pas question que je paie le transport d'un chien. »

Cwenburg haussa les épaules, approcha la barque de la berge et prit la pièce.

Edgar monta à bord le premier, il s'agenouilla et tint fermement les deux côtés de l'embarcation pour la stabiliser. Il remarqua que le vieux tronc présentait de très fines fissures, et qu'il y avait une flaque au fond.

« D'où tiens-tu cette hache ? lui demanda Cwenburg. Elle a dû coûter cher.

— Je l'ai prise à un Viking.

— Ah oui ? Et qu'a-t-il dit ?

— Il n'a pas pu dire grand-chose, parce que je lui ai fendu le crâne avec. »

Edgar éprouva une certaine satisfaction à prononcer ces mots.

Les autres embarquèrent et Cwenburg écarta la barque du bord. Brindille sauta dans le fleuve sans hésitation et suivit à la nage. Maintenant qu'ils n'étaient plus à l'ombre de la forêt, le soleil tapait fort sur la tête d'Edgar.

« Qu'y a-t-il sur cette île ? demanda-t-il à Cwenburg.

— Un couvent de nonnes. »

Edgar hocha la tête. C'était sans doute le bâtiment qu'il avait aperçu.

« Il y a aussi une bande de lépreux, ajouta Cwenburg. Ils vivent dans des abris de branches. Les religieuses les nourrissent. Nous appelons cet endroit l'île aux lépreux. »

Edgar frissonna. Il se demanda comment les religieuses faisaient pour rester en bonne santé. On disait que si vous touchiez un lépreux, vous aviez de fortes chances d'attraper sa maladie – il est vrai qu'il n'avait jamais entendu parler de quelqu'un à qui ce fût arrivé.

Ils atteignirent la rive nord et Edgar aida Ma à débarquer. Une forte odeur terreuse de bière en fermentation parvint à ses narines.

« Quelqu'un est en train de brasser, remarqua-t-il.

— C'est ma mère. Elle fait une excellente bière, expliqua Cwenburg. Vous devriez venir à la maison vous rafraîchir.

— Non merci, répliqua Ma immédiatement.

— Peut-être pourriez-vous loger ici pendant les réparations de la ferme, insista Cwenburg. Mon père vous servira à dîner et à déjeuner pour un demi-penny par personne. Ce n'est pas cher.

— Les bâtiments de la ferme sont donc en mauvais état ? s'inquiéta Ma.

— J'ai vu des trous dans le toit la dernière fois que je suis passée devant.

— Et la grange ?

— La porcherie, vous voulez dire ? »

Edgar fronça les sourcils. Tout cela n'annonçait rien de bon. Tout de même, ils avaient trente arpents : il devait y avoir moyen de tirer quelque chose de cette ferme.

« Nous verrons bien, dit Ma. Où habite le doyen ?

— Degbert le Chauve ? C'est mon oncle. » Cwenburg tendit le doigt vers le hameau. « Il habite la grande maison, juste à côté de l'église. Tous les membres du clergé y vivent.

— Très bien. Allons lui rendre visite. »

Ils quittèrent Cwenburg et gravirent la pente sur une courte distance.

« Ce doyen est notre nouveau propriétaire, leur rappela Ma. Tâchez d'être aimables et de vous tenir correctement. Je serai ferme avec lui s'il le faut, mais autant ne pas nous le mettre à dos. »

La petite église semblait plus ou moins abandonnée, observa Edgar. La voûte d'entrée était très délabrée et seul un gros tronc d'arbre qui poussait au milieu du passage l'empêchait de s'effondrer. À côté de l'église se dressait une maison de bois, deux fois plus grande que la normale, à l'image de la taverne. Ils restèrent dehors poliment et Ma appela :

« Il y a quelqu'un ? »

La femme qui vint leur ouvrir était enceinte et portait un bébé sur sa hanche ; un enfant en bas âge se cachait dans ses jupes. Elle avait les cheveux sales et les seins lourds. Peut-être avait-elle été belle jadis avec ses pommettes hautes et son nez droit, mais elle semblait fourbue au point d'avoir du mal à tenir debout. De nombreuses femmes de moins de trente ans étaient usées comme elle. Pas étonnant qu'elles meurent jeunes, pensa Edgar.

« Le doyen Degbert est-il chez lui ? demanda Ma.

— Que voulez-vous à mon mari ? » rétorqua la femme.

Manifestement, songea Edgar, cette communauté religieuse n'était pas des plus strictes. En principe, l'Église préférait que les prêtres soient célibataires, mais la règle était enfreinte plus souvent que respectée et les évêques mariés n'étaient pas exceptionnels non plus.

« C'est l'évêque de Shiring qui nous envoie », précisa Ma.

La femme cria par-dessus son épaule :

« Degsy ? De la visite ! »

Son regard s'attarda sur eux, puis elle disparut à l'intérieur de la maison.

L'homme qui la remplaça devait avoir environ trente-cinq ans, mais il était chauve comme un œuf, sans même une petite frange monacale. Peut-être sa calvitie était-elle due à une maladie.

« Je suis le doyen, marmonna-t-il la bouche pleine. Que voulez-vous ? »

Ma exposa une nouvelle fois leur situation.

« Vous allez devoir attendre, dit Degbert, je n'ai pas fini de dîner. »

Ma sourit et garda le silence, et ses fils suivirent son exemple.

Degbert sembla prendre conscience de son inhospitalité, sans pour autant leur proposer de partager son repas.

« Retournez donc chez Dreng, suggéra-t-il. Buvez quelque chose.

— Nous ne pouvons pas nous permettre d'acheter de la bière, observa Ma. Nous sommes sans ressources. Les Vikings ont attaqué Combe, où nous vivions.

— Dans ce cas, attendez ici.

— Pourquoi ne nous indiquez-vous pas simplement où est la ferme ? reprit Ma aimablement. Je devrais pouvoir la trouver sans peine. »

Degbert hésita avant de répondre avec un agacement manifeste :

« Je suppose qu'il va falloir que je vous accompagne. » Il se retourna. « Edith ! Garde mon dîner au chaud. J'en ai pour une petite heure. » Il sortit. « Suivez-moi », fit-il.

Ils descendirent la colline.

« Que faisiez-vous à Combe ? demanda Degbert. Vous n'y étiez certainement pas fermiers.

— Mon mari était charpentier de marine. Il s'est fait tuer par les Vikings. »

Degbert se signa négligemment.

« Ma foi, nous n'avons pas besoin de bateaux par ici. Mon frère Dreng est propriétaire du bac et il n'y a pas de place pour un autre passeur.

— Dreng aurait grand besoin d'une nouvelle embarcation, intervint Edgar. Sa barque prend l'eau. Elle finira par sombrer un jour ou l'autre.

— Ça se peut.

— Maintenant, nous sommes fermiers, ajouta Ma.

— Voilà, vos terres commencent ici. » Degbert s'arrêta derrière la taverne. « Tout ce qui se trouve entre la rive et la ligne d'arbres est à vous. »

La ferme occupait une bande d'une centaine de toises de large en bordure du fleuve. Edgar inspecta le sol. L'évêque Wynstan ne leur avait pas dit à quel point la parcelle était étroite et Edgar n'avait pas imaginé qu'une aussi grande partie serait gorgée d'eau. Le sol était meilleur lorsqu'on s'éloignait du fleuve, et se transformait en limon sableux où perçaient des pousses vertes.

« Le terrain se poursuit vers l'ouest sur environ quatre cents toises, précisa Degbert, puis la forêt reprend. »

Ma se mit en route entre la zone marécageuse et la partie plus élevée, et tous lui emboîtèrent le pas.

« Comme vous voyez, une belle récolte d'avoine se prépare », releva Degbert.

Incapable de distinguer l'avoine d'une autre graminée, Edgar avait pris les pousses pour de l'herbe ordinaire.

« Il y a autant de mauvaises herbes que d'avoine », observa Ma.

Ils parcoururent moins de cinq cents toises et arrivèrent devant deux bâtiments situés au sommet d'une butte. Le terrain défriché s'arrêtait derrière les constructions et la forêt descendait ensuite jusqu'au fleuve.

« Il y a un joli verger fort utile », fit remarquer Degbert.

Le terme de verger était un peu excessif : quelques pommiers rabougris poussaient à côté d'un bosquet de néfliers. Les nèfles mûrissaient en hiver et étaient à peine comestibles pour les humains. Certains préféraient les donner aux cochons. Leur chair acide et dure n'était consommable qu'après les premières gelées, ou quand les fruits étaient blets.

« La redevance est de quatre porcelets gras, payables à la Saint-Michel », annonça Degbert.

Et voilà, comprit Edgar ; ils avaient vu la totalité de la ferme.

« Il y a effectivement trente arpents, je vous l'accorde, dit alors Ma. Mais la terre est bien médiocre.

— Voilà pourquoi la redevance est faible. »

Ma avait engagé la négociation. Edgar l'avait vue faire maintes fois avec des clients et des fournisseurs. Elle était très forte à ce jeu, mais cette fois, la situation était moins propice. Qu'avait-elle à offrir ? Degbert préférerait, bien sûr, que sa ferme soit occupée et pourrait être heureux d'accorder une faveur à son cousin l'évêque ; d'un autre côté, il n'avait visiblement pas besoin de cette modeste redevance et pourrait facilement déclarer à Wynstan que Ma avait refusé cette offre peu engageante. Elle était en position de faiblesse.

Ils inspectèrent le bâtiment d'habitation. Edgar remarqua qu'il était fait d'une armature de poteaux de bois enfoncés dans la terre et séparés par des murs de torchis. Les roseaux qui recouvraient le sol étaient moisis et sentaient mauvais. Cwenburg avait raison : le toit de chaume était percé en plusieurs endroits, mais il était réparable.

« C'est un vrai taudis, lança Ma.

— Quelques petites réparations et il n'y paraîtra plus.

— Il y a un gros travail à faire, me semble-t-il. Il faudra que nous puissions prendre du bois dans la forêt.

— C'est entendu », condescendit Degbert avec impatience.

Malgré son ton maussade, Degbert avait fait une concession majeure. Ils pourraient abattre des arbres, et il n'avait pas été question de les payer. C'était un privilège appréciable.

L'annexe était en plus mauvais état encore que la maison.

« La grange n'est pas loin de s'effondrer, observa Ma.

— Pour le moment, vous n'en aurez pas besoin, rétorqua Degbert. Vous n'avez rien à y mettre.

— Vous avez raison, nous ne possédons rien, acquiesça Ma. C'est pourquoi nous ne serons pas en mesure de payer la redevance à la Saint-Michel prochaine. »

Degbert eut l'air idiot. L'argument était irréfutable.

« En ce cas, vous m'en serez redevables. Cinq porcelets à la Saint-Michel de l'année suivante.

— Avec quoi voulez-vous que j'achète une truie ? La récolte d'avoine sera à peine suffisante pour nourrir mes fils cet hiver. Je n'aurai pas de surplus à vendre.

— Vous refusez donc de prendre la ferme ?

— Non. Je dis seulement que pour que nous puissions y vivre, vous devrez vous montrer plus accommodant. Il faut m'exempter de redevances et me fournir une truie. Et aussi un sac de farine à crédit – nous n'avons rien à manger. »

Les exigences de Ma frôlaient l'insolence. Les propriétaires fonciers s'attendaient à être payés, et non à devoir desserrer les cordons de leur bourse. Dans certains cas cependant, ils étaient bien obligés d'aider leurs tenanciers à démarrer et Degbert ne pouvait que le savoir.

Il eut l'air exaspéré, mais il céda.

« Fort bien. Je vous prêterai de la farine. Pas de redevance cette année. Je vous trouverai une cochette, mais vous me devrez un porcelet de sa première portée, en plus des redevances.

— Je suppose que je suis bien obligée d'accepter », répondit Ma.

Elle semblait réticente, mais Edgar était presque sûr qu'elle avait fait une bonne affaire.

« Quant à moi, je vais retourner à mon dîner », bougonna Degbert, conscient d'avoir été vaincu. Il s'éloigna et reprit le chemin du hameau.

« Quand aurons-nous notre truie ? lui cria Ma.

— Bientôt », répondit-il sans se retourner.

Edgar contempla son nouveau foyer. Celui-ci avait beau être sinistre, le jeune homme se sentait étonnamment bien. Ils avaient un défi à relever, ce qui était nettement préférable au désespoir qui l'avait accablé jusque-là.

« Erman, dit Ma, va dans la forêt chercher du bois pour le feu. Eadbald, retourne à la taverne et demande la permission de prendre un morceau de bois enflammé dans leur âtre – tu n'as qu'à faire du charme à la jeune passeuse. Quant à toi, Edgar, vois si tu peux reboucher provisoirement les trous du toit – nous n'avons pas le temps pour le moment de réparer tout le chaume. Allez, les garçons, et plus vite que ça. Demain, nous commencerons à désherber le champ. »

*

Ils attendirent vainement pendant plusieurs jours la truie promise par Degbert.

Ma n'en parlait pas. Elle désherba le champ d'avoine avec Erman et Eadbald, courbés en deux sur la longue et étroite bande de terre, pendant qu'Edgar réparait la maison et la grange avec du bois abattu dans la forêt, utilisant la hache du Viking et quelques outils rouillés laissés par le précédent tenancier.

Mais il se tracassait. On ne pouvait pas plus se fier à Degbert qu'à son cousin l'évêque Wynstan. Edgar craignait que le doyen, constatant qu'ils s'installaient et les jugeant à présent solidement engagés, ne revienne sur sa parole. La famille aurait bien du mal à s'acquitter de ses redevances – et une fois en défaut de paiement, il leur serait à peu près impossible de redresser la barre, comme l'avait appris à Edgar l'exemple de voisins imprévoyants à Combe.

« Ne t'inquiète pas, le rassura sa mère quand Edgar lui fit part de ses soucis. Degbert ne m'échappera pas. Le plus mauvais des prêtres lui-même doit se rendre à l'église tôt ou tard. »

Edgar espérait qu'elle avait raison.

Le dimanche matin, quand ils entendirent la cloche, ils parcoururent toute la longueur de leur terrain pour rejoindre le hameau. Edgar se doutait qu'ils seraient les derniers arrivés, car c'étaient eux qui avaient le plus de chemin à faire.

L'église se réduisait pour l'essentiel à un clocher carré flanquant un bâtiment d'un étage du côté est. Edgar remarqua que toute la construction penchait en direction du bas du coteau : elle finirait certainement par s'écrouler.

Pour entrer, ils durent se mettre de biais afin de contourner le tronc qui soutenait le passage voûté. Edgar comprit alors pourquoi l'arche s'effondrait. Normalement, les joints de mortier entre les pierres d'une voûte en plein cintre formaient des lignes qui devaient toutes pointer vers le centre d'un cercle imaginaire, comme les rayons d'une roue de chariot correctement fabriquée. Or, ici, leur dessin était aléatoire. Toute la structure en était affaiblie ; de plus, c'était laid.

Le rez-de-chaussée du clocher constituait la nef de l'église, que la hauteur du plafond faisait paraître encore plus exiguë. Une dizaine d'adultes et quelques jeunes enfants s'y tenaient, attendant le début de l'office. Edgar fit un signe de tête pour saluer Cwenburg et Edith, la femme de Degbert, les seules personnes qu'il connaissait déjà.

Une inscription était gravée dans une des pierres du mur. Edgar ne savait pas lire, mais il devina que quelqu'un était enterré en ce lieu, peut-être un noble qui avait fait construire l'église pour qu'elle lui serve de dernière demeure.

Un étroit passage cintré percé dans le mur est donnait sur le chœur. Jetant un coup d'œil par l'ouverture, Edgar aperçut un autel sur lequel était posé un crucifix de bois sous une peinture murale représentant Jésus. Degbert était là, en compagnie de quelques autres hommes d'Église.

Les fidèles s'intéressaient davantage aux nouveaux venus qu'aux prêtres. Les enfants dévisagèrent ouvertement Edgar et sa famille, tandis que leurs parents leur jetaient des regards furtifs avant de se détourner pour échanger leurs impressions à voix basse.

Degbert célébra l'office rapidement, avec une hâte qui frisait l'impiété, songea Edgar qui n'était pourtant pas particulièrement dévot. Peut-être cela n'avait-il guère d'importance après tout, car l'assemblée ne comprenait pas le latin ; Edgar avait pourtant été accoutumé à une allure plus mesurée à Combe. Quoi qu'il en fût, ce n'était pas son problème, pourvu que ses péchés lui fussent pardonnés.

Les questions religieuses ne préoccupaient pas beaucoup Edgar. Quand ce genre de sujet venait sur le tapis et que les gens se demandaient à quoi les morts consacraient leur temps au paradis ou si le diable avait une queue, Edgar s'impatientait, estimant que personne ici-bas ne trouverait jamais la solution à ces problèmes. Il aimait les questions qui appelaient des réponses précises, par exemple quelle était la hauteur idéale d'un mât.

Debout à côté de lui, Cwenburg lui sourit. Elle avait manifestement décidé d'être aimable.

« Tu devrais passer chez moi un soir, proposa-t-elle.

— Je n'ai pas d'argent pour acheter de la bière.

— Cela ne t'empêche pas de rendre visite à tes voisins.

— Peut-être. »

Edgar ne voulait pas se montrer inamical, mais il n'avait aucune envie de passer une soirée en compagnie de Cwenburg.

À la fin de l'office, Ma emboîta résolument le pas aux prêtres qui sortaient de l'église. Edgar l'accompagna, et Cwenburg les suivit. Ma aborda Degbert avant qu'il ait eu le temps de s'éloigner.

« J'ai besoin de la cochette que vous m'avez promise », dit-elle.

Edgar était fier de sa mère. Elle était déterminée et hardie. Et elle avait parfaitement choisi son moment. Degbert hésiterait à se faire accuser de manquer à sa parole devant tout le village.

« Allez parler à la grosse Bebbe », répondit-il sèchement avant de poursuivre sa route.

Edgar se tourna vers Cwenburg :

« Qui est Bebbe ? »

Cwenburg désigna une femme corpulente qui contournait péniblement le tronc.

« Elle fournit le moustier en œufs, en viande et autres produits de sa petite propriété », expliqua-t-elle.

Edgar montra la femme à sa mère, qui se dirigea vers elle.

« Le doyen m'a suggéré de vous parler à propos d'une cochette. »

Bebbe était rougeaude et amicale.

« Oui, oui. Il m'a chargé de vous donner une cochette sevrée. Venez avec moi, vous pourrez choisir. »

Ma s'éloigna avec Bebbe, les trois garçons sur leurs talons.

« Comment vous en sortez-vous à la ferme ? demanda Bebbe gentiment. J'espère que la maison n'est pas en trop piteux état.

— Si, mais nous avons commencé les réparations. »

Les deux femmes devaient avoir à peu près le même âge, pensa Edgar. Elles avaient l'air de bien s'entendre. Il l'espérait : il serait bon que sa mère ait une amie.

La petite maison de Bebbe était située sur un vaste terrain. Derrière le bâtiment, Edgar aperçut une mare à canards, un poulailler et une vache à l'attache avec un jeune veau. Juste à côté de l'habitation, un enclos abritait une grosse truie avec sa portée de huit petits. Bebbe était manifestement à l'aise, bien qu'elle dépendît sans doute du moustier.

Ma observa attentivement les porcelets pendant plusieurs minutes avant d'en désigner un, petit mais plein d'énergie.

« Excellent choix », approuva Bebbe qui attrapa la bête d'un geste prompt et expérimenté. L'animal couina de terreur. Elle sortit une poignée de lanières de cuir de la pochette passée à sa ceinture et lui lia les pattes. « Qui veut le porter ?

— Moi, se proposa Edgar.

— Passe le bras sous son ventre et fais attention à ne pas te faire mordre. »

Edgar obéit. Le porcelet était affreusement sale, bien sûr.

Ma remercia Bebbe.

« Rapportez-moi les courroies dès que vous pourrez », pria Bebbe.

Les liens, qu'ils fussent en peau, en tendons ou en fibres végétales, étaient toujours précieux.

« Bien sûr », promit Ma.

Ils s'éloignèrent. La cochette arrachée à sa mère couinait et se débattait furieusement. Edgar lui ferma les mâchoires d'une main pour l'empêcher de crier. Comme pour se venger, l'animal répandit un jet d'excréments malodorants sur le devant de sa tunique.

Ils s'arrêtèrent à la taverne et demandèrent à Cwenburg des déchets pour nourrir leur truie. Elle apporta toute une brassée de croûtes de fromage, de queues de poissons, de trognons de pommes et d'autres reliefs de table.

« Tu pues, lança-t-elle à Edgar, qui en convint.

— Il va falloir que j'aille me plonger dans le fleuve », ajouta-t-il.

Ils regagnèrent la ferme et Edgar installa le porcelet dans la grange. Il avait déjà réparé le trou du mur, ce qui évitait que la petite bête puisse s'échapper. Il ferait coucher Brindille dans la grange la nuit pour la garder.

Ma mit de l'eau à chauffer sur le feu et y jeta les déchets pour préparer de la bouillie. Edgar était content qu'ils aient un cochon, mais c'était évidemment une bouche affamée de plus à nourrir. Il n'était pas question de le manger : ils devraient le nourrir jusqu'à sa maturité, puis lui faire faire des petits. Pendant un moment, cette cochette représenterait donc une charge supplémentaire.

« Bientôt, elle trouvera toute seule à manger sur le sol de la forêt, surtout quand les glands commenceront à tomber, le rassura sa mère. Mais il faudra lui apprendre à rentrer le soir, si nous ne voulons pas qu'elle se fasse voler par des brigands ou dévorer par les loups.

— Comment dressiez-vous vos cochons à la ferme, quant tu étais petite ?

— Je ne sais pas – ils venaient quand ma mère les appelait. Ils devaient savoir qu'elle leur donnerait quelque chose à manger. En revanche, quand nous, les enfants, nous les appelions, ils ne venaient jamais.

— Notre truie apprendra sûrement à réagir à ta voix, mais dans ce cas, elle n'obéira à personne d'autre. Il nous faudrait une cloche. »

Ma leva les yeux au ciel. Les cloches coûtaient cher.

« Et moi, il me faudrait une broche en or et un poney blanc, bougonna-t-elle. Mais je ne les aurai pas.

— On ne sait jamais », répondit Edgar.

Il se dirigea vers la grange, où il se rappelait avoir vu une vieille faucille au manche pourri dont la lame courbe était rouillée et brisée en deux. Il l'avait jetée dans un coin avec d'autres objets mis au rebut. Il retira alors du tas l'extrémité cassée de la lame, un croissant de fer d'un pied de long qui paraissait hors d'usage.

Il trouva une pierre lisse, s'assit dans les rayons du soleil matinal et entreprit de frotter la lame pour en retirer la rouille. La tâche était fatigante et fastidieuse, mais il était habitué à travailler dur et il persévéra jusqu'à ce que le métal fût suffisamment propre pour que le soleil s'y reflète. Il n'affûta pas le bord : ce bout de fer n'était pas destiné à couper.

Utilisant un rameau souple en guise de corde, il accrocha la lame à une branche puis la frappa avec la pierre. Elle résonna, n'émettant pas un bruit de cloche mais un son discordant qui n'en était pas moins parfaitement audible.

Il montra l'instrument à sa mère.

« Si tu frappes cette lame tous les jours au moment de nourrir la truie, elle apprendra à venir chaque fois qu'elle l'entendra, lui expliqua-t-il.

— Très bien, approuva Ma. Et il te faudra combien de temps pour me faire une broche en or ? »

Elle plaisantait, mais sa voix laissait transparaître un

certain orgueil. Elle voyait dans l'intelligence d'Edgar un reflet de la sienne, et avait probablement raison.

Le repas de midi était prêt, mais il se réduisait à du pain plat accompagné d'oignons sauvages, et Edgar tenait à faire sa toilette avant de manger. Il longea le fleuve jusqu'à une petite plage boueuse, où il retira sa tunique pour la rincer dans l'eau peu profonde, frottant et essorant l'étoffe de laine jusqu'à ce qu'elle ne sente plus mauvais. Puis il l'étendit sur un rocher pour la faire sécher au soleil.

Il s'enfonça dans le fleuve, plongeant la tête sous l'eau pour se laver les cheveux. Certains disaient que les bains étaient mauvais pour la santé et Edgar ne se baignait jamais en hiver, mais ceux qui ne se lavaient jamais entièrement empestaient toute leur vie. Ma et Pa avaient appris à leurs fils à rester propres en se baignant au moins une fois par an.

Ayant grandi près de la mer, Edgar avait su nager aussitôt qu'il avait marché. Il décida alors de franchir le fleuve, par plaisir.

Le courant n'était pas très fort et la traversée ne présentait aucune difficulté. Il apprécia la sensation de l'eau fraîche sur sa peau nue. Arrivé sur la berge opposée, il fit demi-tour et regagna son point de départ. Il reprit pied à proximité de la rive et se mit debout. L'eau lui arrivait aux genoux et ruisselait sur son corps. Le soleil était chaud, il serait vite sec.

Il prit alors conscience qu'il n'était pas seul.

Cwenburg était assise au bord du fleuve, les yeux rivés sur lui.

« Tu es beau », constata-t-elle.

Edgar se sentit ridicule. Gêné, il demanda :

« Tu veux bien partir ?

— Pourquoi ? Tout le monde a le droit de se promener au bord de l'eau.

— S'il te plaît. »

Elle se leva et se retourna.

« Merci », dit Edgar.

Mais il s'était trompé sur ses intentions. Au lieu de s'éloigner, elle fit passer sa robe par-dessus sa tête d'un mouvement preste. Sa peau nue était pâle.

« Non, non ! » s'écria Edgar.

Elle se retourna.

Edgar la regarda avec horreur. Le spectacle n'avait rien de déplaisant – en fait, il n'aurait pu nier qu'elle avait une jolie silhouette aux courbes généreuses –, mais ce n'était pas la femme qu'il désirait. Il avait le cœur encore rempli de Sunni, et aucun autre corps ne pouvait l'émouvoir.

Cwenburg entra dans le fleuve.

« Tes poils en bas n'ont pas la même couleur que tes cheveux, remarqua-t-elle avec un sourire d'une intimité gênante. Ils sont un peu roux.

— Ne t'approche pas de moi.

— Et ton petit oiseau est tout ratatiné parce que l'eau est froide – veux-tu que je le réchauffe ? »

Elle tendit la main vers lui.

Edgar la repoussa. Comme il était crispé et embarrassé, il fut plus brutal qu'il ne le voulait. Elle perdit l'équilibre et tomba dans l'eau. Pendant qu'elle se relevait, il passa devant elle et remonta sur la berge.

Dans son dos, elle lança :

« Qu'est-ce que tu as ? Serais-tu de ces garçons qui n'aiment pas les filles ? »

Il ramassa sa tunique. Elle était encore humide, mais il l'enfila tout de même. Se sentant un peu moins vulnérable, il se tourna vers elle.

« Oui, c'est cela, tu as raison, acquiesça-t-il.

— Non, ce n'est pas vrai, rétorqua-t-elle en lui jetant un regard noir. Tu dis des sornettes.

— Oui, je dis des sornettes. » Edgar commençait à perdre son sang-froid. « Si tu veux tout savoir, tu ne me plais pas. Voilà, tu es contente ? Tu vas me laisser tranquille maintenant ? »

Elle sortit de l'eau.

« Espèce de pourceau, lança-t-elle. J'espère que tu mourras de faim sur cette ferme au sol ingrat. » Elle refit passer sa robe au-dessus de sa tête. « Et ensuite, j'espère que tu iras en enfer », ajouta-t-elle avant de s'éloigner.

Edgar fut soulagé d'être débarrassé d'elle. Mais il ne tarda pas à se reprocher sa mauvaise humeur. Évidemment, Cwenburg n'aurait pas dû se montrer aussi insistante, mais il aurait tout de même pu être plus gentil. Il regrettait souvent ses réactions impulsives, et aurait préféré mieux se dominer.

Parfois, songea-t-il, il était difficile d'agir comme il fallait.

*

La campagne était silencieuse.

À Combe, il y avait toujours du bruit : le ricanement rauque des goélands, le chant des marteaux sur les clous, un murmure collectif, un cri isolé. Même la nuit, on entendait grincer les bateaux qui tanguaient sur l'eau agitée. À la campagne en revanche, le silence était souvent absolu. Quand il y avait du vent, les arbres chuchotaient, mécontents, mais le plus souvent, il régnait un calme de cimetière.

Aussi Edgar se réveilla-t-il en sursaut quand Brindille aboya en pleine nuit.

Se levant d'un bond, il attrapa sa hache accrochée au mur. Son cœur battait à tout rompre et il avait le souffle court.

La voix de sa mère s'éleva dans la pénombre.

« Sois prudent. »

Comme Brindille était dans la grange, ses aboiements étaient assourdis, mais son inquiétude était manifeste. Edgar la faisait coucher là pour garder le porcelet et un danger avait dû l'alerter.

En arrivant à la porte, Edgar constata que Ma l'avait devancé. Il vit la lumière du feu jeter un éclat inquiétant sur le couteau qu'elle tenait. Il l'avait nettoyé et aiguisé lui-même pour lui en éviter la peine et n'ignorait pas qu'il était dangereusement affûté.

Elle siffla entre ses dents :

« Écarte-toi de la porte. Ils en ont peut-être chargé un de faire le guet. »

Edgar obéit. Ses frères étaient derrière lui. Il espéra qu'ils s'étaient, eux aussi, emparés d'une arme quelconque.

Ma souleva la barre tout doucement, ne faisant presque aucun bruit. Puis elle ouvrit le battant tout grand.

Une silhouette franchit immédiatement le seuil. Ma avait bien fait d'avertir Edgar : les voleurs se doutaient que la famille se réveillerait et l'un d'eux s'était mis en embuscade, prêt à intervenir s'ils avaient l'imprudence de se précipiter à l'extérieur. La lune était claire, et Edgar vit distinctement un long poignard dans la main droite du bandit. L'homme se rua aveuglément dans la maison obscure, donnant des coups de couteau qui ne rencontrèrent que de l'air.

Edgar souleva sa hache, mais sa mère fut plus prompte que lui. Son couteau étincela et le voleur rugit de douleur avant de tomber à genoux. Elle s'approcha et sa lame brilla encore lorsqu'elle trancha la gorge de l'homme.

Edgar les contourna. Au moment où il franchit le seuil au clair de lune, il entendit la cochette couiner.

Un instant plus tard, il vit deux autres silhouettes sortir de la grange. L'une portait une sorte de casque qui couvrait en partie son visage. L'homme tenait dans ses bras le porcelet qui se débattait.

Voyant Edgar, ils se mirent à courir.

Edgar était indigné. Ce porc était précieux. S'ils le perdaient, on ne leur en donnerait pas d'autre. Les gens diraient qu'ils étaient incapables de veiller sur leurs bêtes. Dévoré d'angoisse, il ne prit pas le temps de réfléchir. Il brandit sa hache au-dessus de sa tête puis la jeta avec force contre le dos du voleur de cochon.

Il avait cru manquer sa cible et gémit de désespoir ; mais la lame tranchante s'enfonça dans le bras du fugitif. Poussant un cri aigu, il lâcha la cochette et tomba à genoux, la main plaquée sur sa blessure.

Le deuxième bandit aida son compagnon à se relever.

Edgar fondit sur eux et ils prirent leurs jambes à leur cou, abandonnant le cochon dans leur fuite.

Edgar hésita une seconde. Il voulait s'emparer des voleurs. Mais s'il laissait le cochon filer, l'animal terrifié risquait de parcourir une grande distance, et peut-être ne le retrouverait-il jamais. Il renonça donc à poursuivre les hommes pour donner la chasse à la cochette. Comme elle était encore très jeune et avait de petites pattes, il la rattrapa en moins d'une minute. Se jetant sur elle, il referma les deux mains sur une de ses pattes arrière. La cochette se débattit, mais il la tenait solidement.

Il serra la petite bête fermement dans ses bras, se releva et regagna la ferme.

Il remit le cochon dans la grange et prit un moment pour féliciter Brindille, qui remua la queue, toute fière. Il ramassa sa hache là où elle était tombée et nettoya la lame dans l'herbe pour la débarrasser du sang du voleur. Après seulement, il rejoignit sa famille.

Ils étaient tous debout, à côté du corps du premier bandit.

« Il est mort, lui annonça Eadbald.

— Il n'y a qu'à le jeter dans le fleuve, suggéra Erman.

— Non, objecta leur mère. Je veux que les autres brigands sachent que nous l'avons tué. » Elle avait la loi pour elle : il était établi qu'un voleur pris en flagrant délit pouvait être abattu sur-le-champ. « Suivez-moi, les garçons. Ramassez le corps. »

Erman et Eadbald obtempérèrent. Ma les conduisit jusqu'à la forêt et fit une centaine de pas dans le sous-bois sur un sentier à peine visible avant d'arriver à un endroit où il rencontrait une autre trace presque cachée. Tous ceux qui se dirigeaient vers la ferme à travers bois passaient obligatoirement par ce carrefour.

Elle observa les arbres au clair de lune et en désigna un qui présentait des branches basses largement déployées.

« Nous allons suspendre le cadavre dans cet arbre, dit-elle.

— Pour quoi faire ? s'étonna Erman.

— Pour montrer aux gens ce qui arrive à ceux qui essaient de nous prendre ce qui nous appartient. »

Edgar en resta bouche bée. Il n'avait jamais vu sa mère aussi impitoyable. Il est vrai que la situation avait changé.

« Nous n'avons pas de corde, fit observer Erman.

— Edgar trouvera certainement une solution », fit Ma.

Edgar acquiesça. Il tendit le doigt vers une branche fourchue à environ huit pieds de haut.

« Coincez-le dedans, en faisant passer une branche sous chaque aisselle », suggéra-t-il.

Pendant que ses frères hissaient tant bien que mal le cadavre dans l'arbre, Edgar ramassa un bâton d'un pied de long et d'un pouce de diamètre dont il aiguisa une extrémité avec le fer de sa hache.

Les frères mirent le corps en place.

« Maintenant, rapprochez ses bras pour lui croiser les mains devant. »

Quand ses frères eurent mené cette tâche à bien, Edgar attrapa une des mains du cadavre et enfonça le bâton dans le poignet. Il dut taper dessus avec le manche de sa hache pour lui faire traverser la chair. Il n'y eut presque pas de sang : le cœur de l'homme avait cessé de battre depuis un moment.

Edgar aligna l'autre poignet et le transperça avec le même bâton. Les mains étaient désormais rivées et le corps solidement accroché dans l'arbre.

Il y resterait jusqu'à ce qu'il soit complètement pourri, se dit-il.

Mais sans doute les autres voleurs revinrent-ils, car au matin le cadavre avait disparu.

*

Quelques jours plus tard, Ma envoya Edgar au village emprunter un morceau de grosse ficelle pour ravauder ses chaussures qui s'étaient décousues. Les prêts étaient courants entre voisins mais personne n'avait jamais suffisamment de ficelle. Cependant, comme Ma avait raconté l'histoire de l'attaque des Vikings à deux reprises, d'abord dans la maison des prêtres puis à la taverne, et bien que les paysans ne fussent jamais prompts à accepter les nouveaux venus, les habitants de Dreng's Ferry s'étaient pris de sympathie pour elle et avaient compati à sa tragédie.

C'était le début de la soirée. Un petit groupe de

buveurs étaient assis sur les bancs au soleil couchant, à l'extérieur de la taverne de Dreng, devant des gobelets de bois. Edgar n'avait toujours pas goûté la bière, mais les clients semblaient l'apprécier.

Ayant à présent fait la connaissance de l'ensemble des villageois, il reconnut tout le monde. Le doyen Degbert parlait à son frère, Dreng, tandis que Cwenburg et Bebbe aux joues rouges les écoutaient. Trois autres femmes étaient là. Leofgifu, surnommée Leaf, était la mère de Cwenburg ; Ethel, une femme plus jeune, était la seconde épouse, ou peut-être la concubine, de Dreng ; et Blod, qui remplissait les gobelets à un pichet, était une esclave.

Quand Edgar s'approcha, l'esclave leva les yeux et lui demanda dans un anglo-saxon approximatif :

« Tu veux bière ? »

Edgar secoua la tête.

« Je n'ai pas d'argent. »

Les autres le regardèrent. Cwenburg lança avec un sourire méprisant :

« Pourquoi viens-tu à la taverne si tu n'as même pas de quoi te payer un godet de bière ? »

Manifestement, la rebuffade que lui avait infligée Edgar lui était restée en travers de la gorge. Il s'était fait une ennemie, comprit-il en gémissant intérieurement.

S'adressant à toute l'assistance plutôt qu'à Cwenburg, il dit humblement :

« Ma mère voudrait vous emprunter un morceau de ficelle pour réparer ses souliers.

— Dis-lui qu'elle n'a qu'à le faire elle-même », répliqua Cwenburg.

Les autres observaient la scène en silence.

Malgré son embarras, Edgar insista.

« Ce serait une bonté de votre part, reprit-il en

serrant les dents. Nous vous rembourserons dès que nous serons un peu plus à l'aise.

— Si cela arrive un jour », lança Cwenburg.

Leaf manifesta son impatience. Elle devait avoir une trentaine d'années, ce qui voulait dire qu'elle en avait quinze à la naissance de Cwenburg. Edgar devina qu'elle avait été très jolie, mais elle donnait à présent l'impression d'avoir bu de trop grandes quantités du breuvage fort qu'elle brassait. Elle était cependant suffisamment sobre pour désapprouver la grossièreté de sa fille.

« On ne se conduit pas ainsi entre voisins, Cwenburg, protesta-t-elle.

— Laisse-la tranquille, intervint Dreng avec colère. Elle n'a rien fait de mal. »

C'était un père indulgent, nota Edgar, ce qui expliquait peut-être le comportement de sa fille.

Leaf se leva.

« Entre, dit-elle gentiment à Edgar. Je vais voir ce que je peux faire pour toi. »

Il la suivit à l'intérieur de la maison. Elle tira un gobelet de bière d'une barrique et le lui tendit.

« C'est gratuit, lui dit-elle.

— Merci. » Il en but une gorgée. La bière était à la hauteur de sa réputation : elle était savoureuse et le revigora immédiatement. Il vida le gobelet d'un trait : « Elle est excellente. »

Leaf sourit.

Edgar se demanda un instant si Leaf ne nourrissait pas le même genre de desseins que sa fille. Il n'était pas vaniteux et était loin d'imaginer qu'il attirait irrésistiblement toutes les femmes ; il se doutait cependant que dans un petit hameau, tout nouveau venu ne pouvait qu'éveiller l'intérêt de la gent féminine.

Mais Leaf se détourna et fouilla dans un coffre.

Quelques instants plus tard, elle revint avec trois pieds de ficelle.

« Tiens, c'est pour toi. »

Elle agissait ainsi par pure gentillesse, comprit-il.

« C'est très aimable de votre part, remercia-t-il pendant qu'elle ramassait son gobelet vide.

— Salue ta mère de ma part. C'est une femme courageuse. »

Edgar sortit. La boisson l'ayant apparemment mis d'humeur enjouée, Degbert palabrait.

« Selon le calendrier, nous sommes dans l'année 997 de Notre-Seigneur. Jésus a donc 997 ans. Dans trois ans, nous entrerons dans le deuxième millénaire. »

Passionné de chiffres, Edgar fut incapable de se taire.

« Jésus n'est-il pas né en l'an 1 ?

— Si, bien sûr, approuva Degbert avant d'ajouter prétentieusement : tous les gens instruits le savent.

— Dans ce cas, il a dû fêter son premier anniversaire en l'an 2. »

Degbert sembla hésiter.

« En l'an 3, il aura eu deux ans, et ainsi de suite, poursuivit Edgar. De sorte que cette année, en l'an 997, il a 996 ans.

— Tu ne sais même pas de quoi tu parles, espèce de jeune coq », fulmina Degbert.

Une petite voix tout au fond de lui conseillait à Edgar d'éviter de s'engager dans un débat, mais elle fut couverte par sa détermination à corriger une erreur arithmétique.

« Mais non ! reprit-il. En fait, l'anniversaire de Jésus aura lieu à la Noël, si bien que pour le moment, il n'a encore que 995 ans et demi. »

Leaf, qui avait suivi la discussion depuis le seuil, sourit et lança :

« Te voilà mouché, Degsy. »
Degbert était livide.

« Comment as-tu l'audace de parler ainsi à un prêtre ? demanda-t-il à Edgar. Pour qui te prends-tu ? Tu ne sais même pas lire !

— C'est vrai, mais je sais compter, s'entêta Edgar.

— Prends ta ficelle et file. Tu reviendras quand tu auras appris à respecter tes aînés et tes supérieurs.

— Ce ne sont que des chiffres, murmura Edgar, cherchant vainement à se rattraper. Je ne voulais pas être irrespectueux.

— Disparais de ma vue, lança Degbert.

— Allez, fiche le camp », renchérit Dreng.

Edgar fit demi-tour et s'éloigna, abattu, remontant la rive du fleuve. Sa famille avait besoin de toute l'aide qu'elle pourrait obtenir, et il s'était déjà fait deux ennemis.

Quel idiot, se maudit-il. Il aurait mieux fait de tenir sa langue, une fois de plus.

4

Début juillet 997

Dame Ragnhild, fille du comte Hubert de Cherbourg, était assise entre un moine anglais et un prêtre français. Ragna, comme on l'appelait, trouvait le moine intéressant et le prêtre prétentieux – malheureusement, c'était au prêtre qu'elle devait essayer de plaire.

Ils étaient rassemblés pour le repas de midi au château de Cherbourg, une imposante forteresse de pierre située au sommet de la colline qui dominait le port. Le père de Ragna était fier de cette bâtisse audacieuse et originale.

Le comte Hubert ne manquait pas de raisons de s'enorgueillir. Il chérissait son héritage viking belliqueux, mais tirait plus grande vanité encore de la transformation des Vikings en Normands, qui parlaient une variante singulière de la langue française. Pourtant, ce qui le satisfaisait le plus était qu'ils aient embrassé le christianisme et restauré les églises et les monastères mis à sac par leurs ancêtres. En un siècle, les anciens pirates avaient donné le jour à une civilisation respectueuse de la loi qui pouvait rivaliser avec les plus avancées d'Europe.

La longue table sur tréteaux avait été dressée dans la grande salle, à l'étage supérieur du château, et était recouverte de draps de lin blanc qui descendaient jusqu'au sol. Les parents de Ragna étaient assis en bout de table. Sa mère, Ginnlaug, avait changé son nom en Geneviève, de consonance plus française, pour faire plaisir à son mari.

Le comte et la comtesse, ainsi que les plus éminents de leurs invités, mangeaient dans des bols de bronze, buvaient dans des coupes de merisier à liseré d'argent et maniaient des couteaux et des cuillers dont la surface intérieure était dorée : de la vaisselle luxueuse sans être extravagante pour autant.

Le moine anglais, frère Aldred, était d'une beauté renversante. Il rappelait à Ragna une sculpture de la Rome antique, au marbre taché par l'âge, qu'elle avait vue à Rouen : la tête d'un homme aux cheveux courts et bouclés, qui avait perdu l'extrémité de son nez, mais avait dû appartenir à la statue d'un dieu.

Aldred était arrivé l'après-midi précédent, tenant contre sa poitrine une caisse de livres qu'il avait achetés dans la grande abbaye normande de Jumièges.

« Son scriptorium est l'égal des plus beaux du monde ! s'était extasié Aldred. Une armée de moines s'emploie à copier et enluminer des manuscrits afin d'éclairer l'humanité. »

Les livres, et la sagesse qu'ils recelaient, étaient manifestement sa grande passion.

Ragna sentait vaguement que cet engouement avait pris dans la vie du moine la place qu'aurait pu occuper un amour sentimental que sa foi lui interdisait. Il se montrait aimable avec elle, mais une expression plus ardente, affamée presque, envahissait ses traits dès qu'il regardait son frère Richard, un grand garçon de quatorze ans aux lèvres de fille.

Aldred attendait à présent un vent favorable pour retraverser la Manche et regagner l'Angleterre.

« J'ai hâte d'être de retour à Shiring pour montrer à mes frères comment les moines de Jumièges enluminent leurs lettres », dit-il.

Il parlait un français semé de quelques mots de latin et d'anglo-saxon. Ragna savait le latin et avait appris des rudiments d'anglo-saxon auprès d'une gouvernante anglaise qui avait épousé un marin normand et était venue s'installer à Cherbourg.

« En outre, deux des livres que j'ai achetés sont des ouvrages dont j'ignorais jusqu'à l'existence ! poursuivit Aldred.

— Êtes-vous prieur de Shiring ? demanda Ragna. Vous paraissez bien jeune pour cela.

— J'ai trente-trois ans et non, je ne suis pas prieur, répondit-il en souriant. Je suis l'armarius de l'abbaye. Je suis responsable du scriptorium et de la bibliothèque.

— Est-ce une grande bibliothèque ?

— Nous possédons huit livres, mais à mon retour, nous en aurons seize. Et le scriptorium occupe deux personnes, moi-même et mon assistant, le frère Tatwine. Sa tâche consiste à orner les initiales. Je me charge de tout ce qui est écriture pure – je m'intéresse davantage aux mots qu'aux couleurs. »

Le prêtre interrompit alors leur conversation, rappelant ainsi à Ragna qu'elle avait pour mission de lui faire bonne impression.

« Dites-moi, dame Ragnhild, savez-vous lire ? s'enquit le père Louis.

— Oui, bien sûr. »

Il leva un sourcil, légèrement surpris. La chose n'avait rien d'évident : toutes les femmes nobles ne savaient pas lire, et de loin.

Ragna comprit qu'elle venait de se laisser aller au genre de remarque qui lui valait une réputation de hauteur. Cherchant à se montrer plus gracieuse, elle précisa :

« Mon père m'a appris les lettres quand j'étais petite, avant la naissance de mon frère. »

Une semaine plus tôt, au moment où le père Louis était arrivé, la comtesse avait fait venir sa fille dans les appartements privés comtaux et lui avait demandé :

« Pourquoi pensez-vous qu'il soit venu ? »

Ragna avait froncé les sourcils.

« Je l'ignore.

— C'est un homme important, il est secrétaire du comte de Reims et chanoine de la cathédrale. »

Geneviève était sculpturale, mais malgré son aspect majestueux, il n'en fallait pas beaucoup pour l'impressionner.

« Alors, qu'est-ce qui l'amène à Cherbourg ?

— Vous », avait répondu Geneviève.

Ragna avait commencé à comprendre.

« Le comte de Reims a un fils, Guillaume, qui a votre âge et n'est pas encore marié, avait poursuivi sa mère.

Le comte cherche une épouse pour son fils. Et le père Louis est venu voir si vous pourriez vous accorder. »

Ragna en avait éprouvé quelque aigreur. Pareilles démarches n'avaient rien d'inhabituel, mais elle n'en avait pas moins eu l'impression d'être traitée comme une vache qu'un acheteur potentiel soumettrait à un examen attentif. Elle avait cependant réprimé sa mauvaise humeur.

« Et ce Guillaume, comment est-il ?

— C'est un neveu du roi Robert. »

Robert II, âgé de vingt-cinq ans, était roi de France. Et aux yeux de Geneviève, la plus grande qualité qu'un homme pût avoir était d'être apparenté à une tête couronnée.

Ragna, en revanche, avait d'autres priorités. Ce qu'elle voulait savoir, c'était à quoi il ressemblait, quel que fût son rang.

« Autre chose ? demanda-t-elle d'un ton qui, elle s'en aperçut immédiatement, n'était pas dépourvu d'ironie.

— Épargnez-moi vos sarcasmes, voulez-vous ? Voilà exactement le genre de chose qui rebute les hommes. »

Le coup avait porté. Ragna avait déjà découragé plusieurs prétendants parfaitement acceptables. Elle les effrayait. Sa haute stature n'y était pas étrangère – elle avait la silhouette de sa mère –, mais il y avait d'autres motifs à cela.

« Guillaume n'est ni malade, ni fou, ni dépravé, avait poursuivi Geneviève.

— Le rêve de toute jeune fille, à vous entendre !

— Voilà que vous recommencez.

— Pardon. Je serai aimable avec le père Louis, je vous le promets. »

À vingt ans déjà, Ragna ne pouvait pas rester indéfiniment célibataire. Et elle n'avait nulle envie de finir ses jours au couvent.

Sa mère commençait à s'inquiéter.

« Vous aspirez à vivre une grande passion, une idylle qui durerait toute votre vie, mais cela n'existe que dans les poèmes. Dans la vie réelle, nous, les femmes, devons nous contenter de ce que nous pouvons avoir. »

Ragna savait qu'elle avait raison.

Elle épouserait probablement Guillaume, s'il n'était pas franchement repoussant ; mais elle voulait y mettre certaines conditions. Si elle souhaitait obtenir l'approbation de Louis, elle tenait également à lui faire comprendre quelle sorte d'épouse elle voulait être. Elle n'avait aucune intention d'être purement décorative, telle une superbe tapisserie que son mari serait fier de montrer à ses invités, et se refusait tout autant à n'être qu'une hôtesse chargée d'organiser des banquets et de divertir d'illustres visiteurs. Elle voulait seconder son mari dans l'administration de son domaine. Il n'était pas inhabituel que les épouses jouent ce rôle : chaque fois qu'un noble partait à la guerre, il était obligé de confier à autrui la responsabilité de ses terres et de sa fortune. Ce délégué pouvait être un frère ou un fils adulte, mais c'était fréquemment son épouse.

À présent, devant un plat de bar fraîchement pêché et cuisiné dans du cidre, Louis entreprenait de sonder les facultés intellectuelles de Ragna. Avec une note de scepticisme parfaitement audible, il lui demanda :

« Et quel genre d'ouvrages lisez-vous, madame ? »

Son ton laissait percevoir qu'il avait peine à croire qu'une jeune fille séduisante puisse s'y entendre en littérature.

Si elle avait apprécié davantage le prêtre, il lui aurait été plus facile de l'impressionner.

« J'aime les poèmes qui racontent des histoires, répondit-elle.

— Par exemple… ? »

Il la croyait manifestement incapable de citer une seule œuvre littéraire, mais il se trompait.

« L'histoire de sainte Eulalie est très émouvante, reprit-elle. À la fin, elle monte au ciel sous l'aspect d'une colombe.

— C'est exact, acquiesça Louis d'une voix qui suggérait qu'elle n'avait rien à lui apprendre concernant les saints.

— Il existe aussi un poème anglais intitulé "La complainte de l'épouse". » Elle se tourna vers Aldred. « Le connaissez-vous ?

— Oui, mais je ne suis pas certain qu'il soit d'origine anglaise. Les poètes voyagent. Ils distraient la cour d'un noble pendant un an ou deux, puis s'en vont quand leurs poèmes commencent à être ressassés. Ou bien ils gagnent l'estime d'un protecteur plus riche qui les attire ailleurs. Et tandis qu'ils se rendent de lieu en lieu, leurs admirateurs traduisent leurs œuvres dans d'autres langues. »

Ragna était captivée. Elle appréciait beaucoup Aldred. Il était très instruit, et savait partager sa science sans écraser les autres de sa supériorité. Toujours soucieuse de se faire bien voir du prêtre, elle se tourna à nouveau vers Louis.

« Ne trouvez-vous pas cela passionnant, mon père ? Vous venez de Reims, une ville proche des pays de langue allemande.

— En effet, acquiesça-t-il. Vous êtes fort savante, madame. »

Ragna eut le sentiment d'avoir remporté une épreuve et se demanda si l'attitude condescendante de Louis n'avait pas été pure provocation. Par bonheur, elle n'avait pas mordu à l'hameçon.

« Vous êtes trop aimable, remercia-t-elle hypocritement. Mon frère a un précepteur, et je suis autorisée à assister à ses leçons pourvu que je garde le silence.

— Fort bien. Peu de jeunes filles sont aussi doctes. Quant à moi, je lis essentiellement les Saintes Écritures.

— Naturellement. »

Ragna se réjouit d'avoir obtenu quelque approbation. L'épouse de Guillaume devrait être cultivée et capable d'entretenir une conversation. Ragna avait fait ses preuves sur ce point. Elle espérait que cette victoire rachèterait son impertinence précédente.

Un homme d'armes ventru à la barbe rousse qu'on appelait Bern le Géant s'approcha et s'adressa tout bas au comte Hubert.

Au terme d'un bref échange, le comte se leva de table. Le père de Ragna, qui se rasait l'arrière du crâne dans le style à la mode chez les Normands, était de petite taille et paraissait encore plus petit à côté de Bern. Malgré ses quarante-cinq ans, il avait gardé quelque chose d'un jeune garçon espiègle. Il se dirigea vers Ragna.

« Je dois me rendre à Valognes, lui annonça-t-il. J'avais prévu d'aller régler une querelle au village de Saint-Martin aujourd'hui, mais cela me sera impossible. Pourriez-vous me remplacer ?

— Avec plaisir, répondit Ragna.

— Un serf, un certain Gaston, refuse de payer sa redevance, en signe de protestation, semble-t-il.

— Je verrai de quoi il retourne, ne vous tourmentez pas.

— Merci. »

Le comte quitta la pièce avec Bern.

« Votre père a une grande tendresse pour vous, observa Louis.

— Et je la lui rends bien, dit-elle en souriant.

— Le remplacez-vous souvent ?

— J'entretiens des liens privilégiés avec le village de Saint-Martin. Toute cette campagne fait partie de ma dot. Et, en effet, je représente souvent mon père, là comme ailleurs.

— Il serait plus habituel que ce soit son épouse qui s'en charge.

— C'est exact.

— Votre père aime ne pas agir comme tout le monde. » Il écarta les bras pour embrasser le château. « Cette construction, par exemple. »

Ragna n'aurait su dire si Louis était désapprobateur ou seulement intrigué.

« Les tâches du gouvernement répugnent à ma mère, alors qu'elles me passionnent.

— Les femmes y excellent parfois, intervint Aldred. Le roi Alfred d'Angleterre avait une fille, Ethelfled, qui a dirigé la vaste région de la Mercie à la mort de son mari. Elle a fortifié des bourgs et remporté des batailles. »

Ragna songea alors qu'elle avait une excellente occasion d'en imposer à Louis. Elle pouvait l'inviter à venir voir comment elle se comportait avec le peuple. Cela faisait partie des devoirs d'une châtelaine, et elle savait qu'elle s'en acquittait fort bien.

« Vous serait-il agréable de m'accompagner à Saint-Martin, mon père ?

— Cela me ferait le plus grand plaisir, répondit-il immédiatement.

— Peut-être pourrez-vous m'entretenir en chemin de la maisonnée du comte de Reims. Il a, m'a-t-on dit, un fils de mon âge.

— C'est exact. »

L'invitation ayant été acceptée, elle prit conscience que la perspective de passer toute une journée à deviser avec Louis ne la tentait guère. Aussi se tourna-t-elle vers Aldred.

« Voulez-vous venir avec nous ? lui proposa-t-elle. Vous seriez de retour pour la marée du soir, de sorte que si le vent tourne pendant la journée, vous pourrez néanmoins partir sans attendre demain.

— J'en serais enchanté. »

Tous se levèrent de table.

La servante attachée à Ragna était une jeune fille de son âge aux cheveux noirs qui s'appelait Cat. Elle avait le nez retroussé et pointu. Ses narines ressemblaient à deux pointes de plume d'oie posées côte à côte. Elle n'en était pas moins jolie, avec son allure pétulante et l'étincelle espiègle de son regard.

Cat aida Ragna à retirer ses chaussons de soie qu'elle rangea dans un coffre dont elle sortit ensuite des caleçons longs en lin destinés à protéger la peau des mollets de sa maîtresse lorsqu'elle montait à cheval. Elle l'aida à enfiler des bottes de cuir et, enfin, lui tendit une cravache.

La mère de Ragna la rejoignit.

« Soyez aimable avec le père Louis. Ne cherchez pas à rivaliser en intelligence avec lui – les hommes détestent cela.

— Oui, mère », approuva Ragna docilement.

Ragna savait parfaitement que les femmes devaient veiller à ne pas faire montre de trop d'esprit, mais elle avait si souvent enfreint cette règle que la comtesse avait de bonnes raisons de la lui rappeler.

Quittant le donjon, elle se dirigea vers les écuries. Quatre hommes d'armes, conduits par Bern le Géant, étaient là, prêts à l'escorter ; le comte avait dû les prévenir. Les palefreniers avaient déjà sellé son cheval préféré, une jument grise appelée Astrid.

Le frère Aldred, qui attachait un coussinet de cuir

sur le dos de son poney, posa un regard admiratif sur la selle de bois cloutée de laiton d'Astrid.

« C'est très joli, mais cela ne blesse-t-il pas le cheval ?

— Pas du tout, répondit Ragna avec fermeté. Le bois répartit la charge, alors qu'avec une selle molle, le cheval se fait mal au dos.

— As-tu vu cela, Dismas ? dit Aldred à son poney. Ne souhaiterais-tu pas avoir un bât aussi superbe ? »

Ragna remarqua que Dismas portait sur le front une marque blanche plus ou moins en forme de croix, parfaitement appropriée pour la monture d'un moine.

« Dismas ? s'étonna Louis.

— C'est le nom d'un des larrons qui ont été crucifiés en même temps que Jésus, expliqua Ragna.

— Je sais », fit Louis lourdement et Ragna se promit de tenir sa langue.

« Ce Dismas-là vole, lui aussi, reprit Aldred, surtout de la nourriture.

— Hum. »

Manifestement, Louis n'appréciait pas l'utilisation burlesque d'un tel nom, mais il n'en dit pas davantage et se détourna pour seller son hongre.

Ils quittèrent l'enceinte du château. Tout en descendant la colline, Ragna jeta un regard averti sur les nefs au mouillage dans le port. Ayant été élevée près de la mer, elle savait identifier les différents types de vaisseaux. Les bateaux de pêche et les caboteurs prédominaient ce jour-là, mais elle remarqua la présence à quai d'un navire marchand anglais qui était probablement celui sur lequel Aldred prévoyait d'embarquer ; quant au profil menaçant des navires de guerre vikings ancrés au large, il ne pouvait être confondu avec aucun autre.

Ils se dirigèrent vers le sud et ne tardèrent pas à dépasser les dernières maisons du petit bourg. Le paysage plat était balayé par la brise marine. Ragna suivit un sentier familier qui longeait des pâturages à vaches et des vergers de pommiers.

« Maintenant que vous connaissez mieux notre pays, frère Aldred, qu'en pensez-vous ?

— J'observe qu'ici, les nobles semblent n'avoir qu'une épouse et pas de concubines, officiellement du moins. En Angleterre, le concubinage et même la polygamie sont tolérés, malgré les enseignements tout à fait catégoriques de l'Église sur ce point.

— Peut-être pareils errements demeurent-ils cachés, fit remarquer Ragna. Les nobles normands ne sont pas des saints.

— J'en suis certain, mais ici au moins, les gens savent ce qui est un péché et ce qui ne l'est pas. J'ai également été frappé par l'absence d'esclaves en Normandie.

— Il y a un marché aux esclaves à Rouen, mais les acheteurs sont étrangers. Ici, l'esclavage a été presque entièrement aboli. Notre clergé le condamne, en grande partie parce que beaucoup d'esclaves sont utilisés à des fins de fornication et de sodomie. »

Un hoquet de surprise échappa à Louis. Sans doute n'avait-il pas l'habitude que les jeunes filles abordent de tels sujets. Ragna songea avec consternation qu'elle venait de commettre un nouvel impair.

Aldred ne parut pas offusqué et poursuivit la discussion sans s'interrompre.

« En revanche, observa-t-il, vos paysans sont des serfs, qui doivent obtenir l'autorisation de leur seigneur pour se marier, changer d'occupation ou aller s'installer dans un autre village. En Angleterre, au contraire, les paysans sont libres. »

Ce commentaire fit réfléchir Ragna qui ignorait jusque-là que le système normand n'était pas universel.

Ils arrivèrent à un hameau nommé les Chênes. Dans les prés, l'herbe était déjà haute, constata Ragna. Les villageois faucheraient dans une ou deux semaines avant de rentrer le foin pour nourrir le bétail en hiver.

Les hommes et les femmes qui travaillaient aux champs s'interrompirent et agitèrent la main.

« Deborah ! crièrent-ils. Deborah ! »

Ragna leur rendit leur salut.

« Ai-je bien entendu ? demanda Louis. Ils vous ont appelée Deborah, c'est cela ?

— Oui. C'est le surnom qu'ils me donnent.

— Pour quelle raison ?

— Vous verrez », dit Ragna en souriant.

Le bruit des sept chevaux fit sortir des habitants de leurs maisons. Reconnaissant une femme, Ragna tira sur les rênes.

« Tu es Ellen, la boulangère.

— Oui, madame. Que Dieu vous garde heureuse et en bonne santé.

— Qu'est-il arrivé à ton petit garçon ? Celui qui était tombé d'un arbre ?

— Il est mort, madame.

— Oh, j'en suis navrée.

— Certains me disent de ne pas m'affliger, car j'ai trois autres fils.

— Je ne sais pas qui t'a dit cela, mais ce sont des sots. La perte d'un enfant est une affreuse douleur pour une mère, quel que soit le nombre de ceux qui lui restent. »

Les larmes ruisselèrent sur les joues d'Ellen rougies par le vent, et elle tendit la main vers Ragna qui la prit et la serra doucement. Ellen lui baisa la main en disant :

« Vous comprenez, vous.

— Peut-être un peu, acquiesça Ragna. Au revoir, Ellen. »

Ils poursuivirent leur route.

« Pauvre femme, murmura Aldred.

— Je dois vous reconnaître ce mérite, dame Ragna, approuva Louis. Cette femme vous vénérera jusqu'à la fin de ses jours. »

Ragna fut froissée. Louis semblait croire que sa manifestation de bonté avait pour seul dessein d'accroître sa popularité. Elle faillit lui demander s'il pensait que nul n'éprouvait jamais de compassion sincère. Mais, se rappelant son devoir, elle garda le silence.

« Cela ne m'explique toujours pas pourquoi ces gens vous appellent Deborah. »

Ragna adressa au prêtre un sourire énigmatique. Il n'a qu'à essayer de comprendre tout seul, pensa-t-elle.

« J'ai remarqué que dans la région, beaucoup de gens ont la même remarquable chevelure rousse que vous, dame Ragna », commenta alors Aldred.

Ragna était consciente d'avoir de magnifiques boucles d'or rouge.

« C'est le sang viking, expliqua-t-elle. Savez-vous qu'on trouve encore ici des gens qui parlent norrois ?

— Les Normands sont différents de nous, habitants des terres franques », observa Louis.

La phrase aurait pu être prise pour un compliment, mais Ragna ne s'y trompa pas.

Ils arrivèrent à proximité de Saint-Martin une heure plus tard. Ragna s'arrêta aux abords du hameau. Des hommes et des femmes travaillaient dans un verger luxuriant et elle aperçut parmi eux Gerbert, le chef du village. Ayant mis pied à terre, elle traversa un pâturage pour aller lui parler. Ses compagnons la suivirent.

Gerbert s'inclina devant elle. C'était un personnage à l'air bizarre, au nez crochu et aux dents si mal plantées qu'elles l'empêchaient de fermer entièrement la bouche. Le comte Hubert l'avait nommé chef à cause de son intelligence, mais Ragna ne lui faisait pas entièrement confiance.

Tous interrompirent leurs activités et se massèrent autour de Ragna et de Gerbert.

« Quelle tâche vous occupe ici aujourd'hui, Gerbert ?

— Nous cueillons une partie des petites pommes, madame, afin que les autres soient plus grosses et plus juteuses.

— Ce qui vous permettra de faire du bon cidre.

— Par la grâce de Dieu et d'une sage culture, le cidre de Saint-Martin est plus fort que la plupart. »

La moitié des villages de Normandie prétendaient que leur cidre était plus fort que les autres, mais Ragna se garda bien de le lui faire remarquer.

« Et que faites-vous des pommes vertes ?

— Nous les donnons aux chèvres ; le fromage en est plus doux.

— Quel est le meilleur fromage du village ?

— Celui de Renée, répondit immédiatement Gerbert. Elle utilise du lait de brebis. »

Plusieurs villageois secouèrent énergiquement la tête et Ragna se tourna vers eux.

« Et vous, qu'en pensez-vous ?

— C'est celui de Torquil, répondirent deux ou trois d'entre eux.

— Alors, venez tous avec moi, je veux goûter les deux. »

Les serfs la suivirent de bon gré. Ils accueillaient généralement avec plaisir tout ce qui pouvait rompre la monotonie de leurs journées et étaient rarement réticents à abandonner leur travail.

« Vous n'avez certainement pas accompli pareille chevauchée pour manger du fromage ! lança Louis visiblement agacé. N'êtes-vous pas venue régler une querelle ?

— Si, mais c'est ma façon de procéder. Soyez patient. »

Louis grommela, l'air maussade.

Ragna ne remonta pas à cheval, mais entra dans le village à pied, empruntant une sente poussiéreuse qui longeait des champs couverts de céréales dorées. Cela lui permettait de parler plus facilement aux gens en chemin. Elle accordait une attention particulière aux femmes, toujours prêtes à la faire bénéficier de commérages parfois instructifs qui auraient laissé les hommes indifférents. Elle apprit ainsi que Renée était la femme de Gerbert, que Bernard, le frère de Renée, possédait un troupeau de moutons et que Bernard était mêlé au litige avec Gaston, celui qui refusait de payer sa redevance.

Elle s'efforçait toujours de retenir les noms des gens, car cela leur donnait le sentiment qu'elle s'intéressait à eux. Chaque fois qu'elle entendait prononcer un nom dans une conversation ordinaire, elle en prenait mentalement note.

Tandis qu'ils marchaient, des gens se joignirent à eux et, à leur arrivée au village, ils trouvèrent d'autres habitants qui les attendaient. Ragna avait déjà constaté l'existence d'une forme de communication mystérieuse propre à la campagne ; elle aurait été incapable de l'expliquer, mais les hommes et les femmes qui travaillaient à une demi-lieue ou plus de distance semblaient toujours informés à l'avance de l'arrivée de visiteurs.

Saint-Martin possédait une élégante petite église de pierre aux fenêtres arrondies disposées en rangées ordonnées. Ragna savait que le prêtre, Odo, desservait trois autres villages en plus de celui-ci, célébrant la messe dominicale à tour de rôle dans chacun ; ce jour-là, il était à Saint-Martin – nouvel exemple de cette communication rurale surnaturelle.

Aldred s'approcha immédiatement du père Odo pour lui parler. Louis resta à l'écart : peut-être jugeait-il au-dessous de sa dignité de s'entretenir avec un simple curé de village.

Ragna goûta le fromage de Renée et celui de Torquil, avant de décréter que les deux étaient si savoureux qu'elle était incapable de les départager ; et elle acheta une roue de chaque, afin de contenter tout le monde.

Elle fit le tour du village, entrant dans chaque maison, dans chaque grange, prenant soin de dire quelques mots à chaque adulte et à un grand nombre d'enfants ; puis, estimant avoir ainsi prouvé sa bienveillance, elle s'apprêta à tenir audience.

La stratégie de Ragna devait beaucoup à son père. Il aimait rencontrer les gens et savait gagner leur amitié. Il leur arriverait peut-être plus tard de se transformer en ennemis – aucun puissant ne pouvait plaire à tous –, mais ils le combattraient à contrecœur. Il avait donné de nombreux conseils à Ragna, et elle avait tiré encore plus d'enseignements simplement en le regardant faire.

Gerbert apporta un siège qu'il disposa devant la façade ouest de l'église, et Ragna s'y assit alors que tous les autres restaient debout autour d'elle. Gerbert lui présenta alors Gaston, un grand paysan robuste d'une trentaine d'années à la tignasse noire. Son visage exprimait l'indignation, mais elle devina qu'il était d'ordinaire de caractère affable.

« Allons Gaston, lui dit-elle, il est temps que tu m'expliques, à moi et à tes voisins, pourquoi tu refuses de payer ta redevance.

— Madame, je me tiens devant vous…

— Attends. » Ragna leva la main pour l'interrompre. « Rappelle-toi que tu n'es pas devant la cour du roi des Francs. » Les villageois gloussèrent. « Inutile de nous embarrasser ici de discours formels et d'expressions pompeuses. » Gaston ne risquait guère de s'engager dans pareil discours, mais il s'y serait sans doute efforcé si elle ne lui avait pas donné de directive aussi claire. « Imagine que tu bois du cidre avec un groupe d'amis et qu'ils t'ont demandé pourquoi tu es aussi fâché.

— Oui, madame. Madame, je n'ai pas payé ma redevance parce que je ne peux pas.

— Balivernes », lança Gerbert.

Ragna lui jeta un regard courroucé.

« Chacun son tour, dit-elle sèchement.

— Oui, madame.

— Gaston, de quelle nature est ta redevance ?

— J'élève des bovins, madame, et je dois à votre noble père deux bêtes d'un an à chaque solstice d'été.

— Et tu dis que tu n'as pas les bêtes ?

— Bien sûr que si, il les a, coupa à nouveau Gerbert.

— Gerbert !

— Pardon, madame.

— Ma pâture a été envahie, reprit Gaston. Les moutons de Bernard ont brouté toute mon herbe, ce qui m'a obligé à nourrir mes vaches avec du vieux foin. Du coup, leur lait a tari et deux de mes veaux sont morts. »

Ragna parcourut la foule des yeux, essayant de se rappeler qui était Bernard. Son regard s'arrêta sur un petit homme mince aux cheveux de paille. Comme elle n'était pas certaine de le reconnaître, elle leva la tête et lança :

« Donnons la parole à Bernard. »

Elle ne s'était pas trompée. Le maigrichon toussota et dit :

« Gaston me doit un veau. »

Ragna comprit qu'ils allaient s'engager dans une discussion nébuleuse aux antécédents interminables.

« Un instant, intervint-elle. Est-il vrai que tu as mis tes moutons sur la pâture de Gaston ?

— Oui, mais il m'était redevable.

— Nous y reviendrons plus tard. Donc, tu as laissé tes moutons entrer dans son champ.

— J'avais une bonne raison de le faire.

— Il n'empêche que c'est pour cela que les veaux de Gaston sont morts. »

Gerbert, le chef du village, s'immisça :

« Seuls les veaux de cette année sont morts. Il a encore ceux de l'année dernière. Il possède donc deux bêtes d'un an qu'il peut donner au comte comme redevance.

— Mais dans ce cas, je n'en aurai aucun d'un an l'année prochaine », fit remarquer Gaston.

Ragna commençait à être prise du vertige coutumier qui s'emparait d'elle quand elle cherchait à démêler une querelle paysanne.

« Taisez-vous tous, fit-elle. Pour le moment, nous avons établi que Bernard a envahi le pâturage de Gaston – peut-être à juste titre, nous y reviendrons – et que par conséquent, Gaston estime – à tort ou à raison – être trop pauvre pour payer sa redevance cette année. Alors, Gaston, est-il exact que tu dois un veau à Bernard ? Réponds par oui ou par non.

— Oui.

— Pourquoi ne le lui as-tu pas donné ?

— Je le lui donnerai, mais je n'ai pas encore pu. »

Gerbert lança, indigné :

« On ne peut pas repousser un remboursement indéfiniment ! »

Ragna écouta patiemment Gaston expliquer pourquoi il avait emprunté à Bernard et les difficultés qu'il avait à s'acquitter de sa dette. Accessoirement, toutes sortes de questions plus ou moins pertinentes furent évoquées : des propos interprétés comme des insultes réciproques, les injures d'une épouse contre une autre, des divergences de vues sur les mots prononcés et sur le ton employé. Ragna les laissa parler. Il fallait qu'ils puissent épancher leur colère. Au bout d'un moment pourtant, elle leur intima le silence.

« J'en ai suffisamment entendu, déclara-t-elle. Voici ma décision. Premièrement, Gaston doit deux veaux d'un an à mon père, le comte. Il a eu tort de ne pas les lui donner. Il n'a pas d'excuse. Il ne sera pas sanctionné pour ce manquement, parce qu'il a été provoqué. Il n'empêche qu'il doit ce qu'il doit. »

Ce jugement suscita de multiples réactions. Certains exprimèrent leur désapprobation tout bas, d'autres hochèrent la tête en signe d'assentiment. Le visage de Gaston était un masque d'innocence blessée.

« Deuxièmement, Bernard est responsable de la mort de deux veaux de Gaston. La dette impayée de Gaston ne disculpe pas Bernard. Celui-ci doit donc deux veaux à Gaston. Néanmoins, puisque Gaston devait déjà un veau à Bernard, il ne reste à Bernard qu'un veau à lui donner. »

Ce fut au tour de Bernard d'avoir l'air offusqué. Ragna se montrait plus dure que les gens ne l'avaient pensé. Mais ils ne protestèrent pas : ses décisions étaient conformes à la loi.

« Enfin, il aurait été préférable de ne pas laisser cette querelle s'envenimer, et la responsabilité de cette situation incombe à Gerbert.

— Madame, puis-je parler ? demanda celui-ci, indigné.

— Certainement pas, rétorqua Ragna. Tu as eu la possibilité de le faire. C'est à moi de m'exprimer maintenant. Tais-toi. »

Gerbert resta coi.

« En tant que chef du village, reprit Ragna, Gerbert aurait dû régler cette affaire depuis longtemps. Je pense qu'il a été persuadé de n'en rien faire par sa femme, Renée, qui souhaitait qu'il favorise son frère, Bernard. »

Renée prit l'air penaud.

« Comme tout cela est en partie de la faute de Gerbert, poursuivit Ragna, je le condamne à une amende d'un veau. Je sais qu'il en a un, je l'ai vu dans son jardin. Il le donnera à Bernard, qui le donnera à Gaston. Les dettes seront ainsi réglées, et les coupables punis. »

Elle put immédiatement constater que les villageois approuvaient son jugement. Elle avait exigé le respect des règles, mais elle l'avait fait intelligemment. Elle les vit s'adresser des signes de tête. Certains souriaient et personne ne souleva d'objection.

« Maintenant, dit-elle en se levant, je boirais volontiers une bolée de votre fameux cidre. Et que Gaston et Bernard trinquent en bons amis. »

Le brouhaha s'amplifia, tout le monde discutant de ce qui venait de se passer. Le père Louis s'approcha de Ragna.

« Deborah était une des juges d'Israël, lui dit-il. Voilà d'où vous vient ce surnom.

— En effet.

— C'est la seule juge femme.

— Pour le moment.

— Vous vous en êtes bien tirée », reconnut-il en hochant la tête.

J'ai enfin réussi à l'impressionner, se félicita Ragna.

Ils burent leur cidre et prirent congé. Sur le chemin du retour, Ragna posa à Louis quelques questions sur Guillaume.

« Il est grand », dit le prêtre. Tant mieux, songea-t-elle.

« Qu'est-ce qui a tendance à l'irriter ? » demanda-t-elle alors.

Le regard de Louis apprit à Ragna qu'il reconnaissait la sagacité de sa question.

« Pas grand-chose. Dans l'ensemble, Guillaume prend la vie avec flegme. Il peut lui arriver d'être agacé par la négligence d'un serviteur : un repas mal préparé, une selle dont les sangles sont trop lâches, des draps de lit froissés. »

Il doit être tatillon, pensa Ragna.

« On le tient en haute estime à Orléans », poursuivit Louis. Orléans était le principal siège de la cour française. « Son oncle, le roi, a pour lui une grande tendresse.

— Guillaume est-il ambitieux ?

— Pas plus qu'il n'est normal pour un jeune noble. »

Une réponse prudente, se dit Ragna. Soit Guillaume était ambitieux à l'excès, soit l'inverse.

« À quoi s'intéresse-t-il ? reprit-elle. À la chasse ? À l'élevage des chevaux ? À la musique ?

— Il aime les belles choses. Il collectionne les broches émaillées et les extrémités de sangles ornées. Il a un goût très sûr. Mais vous ne m'avez pas posé la question qui aurait dû, me semble-t-il, être la préoccupation première d'une jeune fille.

— C'est-à-dire ?

— Vous ne m'avez pas interrogé sur sa beauté.

— Ah, fit Ragna. Sur ce point, je préfère me faire mon opinion moi-même. »

À leur arrivée à Cherbourg, Ragna remarqua que le vent avait tourné.

« Votre navire prendra la mer ce soir, annonça-t-elle à Aldred. Il vous reste encore une heure avant le changement de marée, mais vous feriez mieux d'embarquer sans trop tarder. »

Ils regagnèrent le château. Aldred reprit sa caisse de livres et Louis et Ragna l'accompagnèrent jusqu'au quai avec Dismas.

« J'ai été absolument ravi de faire votre connaissance, dame Ragna, dit Aldred. Si j'avais su qu'il existait des jeunes filles telles que vous, peut-être ne me serais-je pas fait moine. »

C'était la première remarque charmeuse qu'il lui faisait, et elle ne s'y trompa pas : il agissait par pure politesse.

« Je vous remercie de votre compliment, répondit-elle. Mais vous seriez tout de même devenu moine. »

Il lui adressa un sourire contrit, comprenant ce qu'elle avait en tête.

Elle ne le reverrait probablement jamais, ce qui était grand dommage, pensa-t-elle.

Un navire entrait dans le port, profitant de la fin de marée montante. Il avait l'allure d'un bateau de pêche anglais. L'équipage amena la voile et le bâtiment s'approcha de la grève en dérivant.

Aldred monta avec son cheval à bord du vaisseau qui devait l'emmener. L'équipage larguait déjà les amarres et levait l'ancre. Pendant ce temps, le bateau de pêche anglais se livrait à l'opération inverse.

Aldred agita la main pour saluer Ragna et Louis lorsque son navire commença à s'éloigner sur la marée descendante. Au même moment, un petit groupe d'hommes débarqua du bâtiment qui venait d'accoster. Ragna les observa avec une vague curiosité. Leurs grandes moustaches et leur absence de barbe signalaient des Anglais.

Le regard de Ragna fut attiré par le plus grand d'entre eux. Âgé d'une quarantaine d'années, il arborait une épaisse crinière blonde. Une cape bleue, agitée par la brise, était agrafée autour de ses larges épaules par une élégante épingle d'argent ; la boucle et le mordant de sa ceinture étaient du même métal finement ouvré, tandis que la poignée de son épée était incrustée de pierres précieuses. Les orfèvres anglais étaient les plus habiles de toute la chrétienté, avait-on dit à Ragna.

L'Anglais s'avançait d'un pas assuré et ses compagnons devaient se hâter pour ne pas se laisser distancer. Il se dirigea droit sur Ragna et Louis, dont la mise trahissait le haut rang.

« Bienvenue à Cherbourg, Anglais, lança Ragna. Quel bon vent vous amène ? »

L'homme l'ignora pour aller s'incliner devant Louis.

« Bonjour, mon père, dit-il en mauvais français. Je suis venu parler au comte Hubert. Je suis Wilwulf, ealdorman de Shiring. »

*

Wilwulf ne possédait pas le même genre de beauté qu'Aldred. L'ealdorman avait un grand nez et une mâchoire proéminente, les mains et les bras couturés. Ce qui n'empêcha pas toutes les servantes du château de rougir et de glousser quand il passa devant elles à cheval. Un étranger éveillait toujours la curiosité, mais ce n'était pas la seule cause de la fascination qu'exerçait Wilwulf. Sa haute stature, la souplesse de sa démarche et l'intensité de son regard n'y étaient pas étrangères. Et surtout, il possédait un aplomb tel qu'il semblait prêt à tout. Les filles avaient l'impression qu'il pourrait sans effort les soulever de terre et les emmener au grand galop.

Il intriguait Ragna, mais semblait suprêmement inconscient de sa présence, comme de celle des autres femmes. Il s'entretint avec son père et quelques nobles normands en visite et discutait avec ses hommes d'armes dans un anglo-saxon guttural et rapide que Ragna ne comprenait pas ; en revanche, il n'adressait pour ainsi dire jamais la parole aux filles. Ragna était vexée : elle n'avait pas l'habitude d'être ignorée de la sorte. Son indifférence l'agaçait et lui donnait envie de le provoquer.

Son père était loin d'être ravi. Il n'avait aucune envie de prendre le parti des Anglais contre les Vikings qui, pour être des barbares, n'en étaient pas moins ses parents. Wilwulf perdait son temps à Cherbourg.

Ragna au contraire était toute disposée à lui prêter main-forte. Elle avait peu d'affinités avec les Vikings et compatissait avec leurs victimes. Et si elle l'aidait, peut-être lui accorderait-il enfin de l'attention.

Malgré le peu d'intérêt de Wilwulf aux yeux du comte Hubert, un noble normand ne pouvait faillir à son devoir d'hospitalité et il organisa une chasse au sanglier pour son visiteur. Ragna était aux anges. Elle adorait la chasse et espérait qu'elle lui donnerait l'occasion de se rapprocher de Wilwulf.

Le groupe de chasseurs se rassembla près des écuries au petit jour et déjeuna debout de côtelettes d'agneau et de cidre fort. Ils choisirent leurs armes : toutes étaient admises, mais on s'accordait à préférer une lance d'un poids respectable munie d'un long fer et d'un manche de même taille, séparés par un talon transversal. Ils enfourchèrent leurs montures – Ragna montant Astrid – et s'éloignèrent, accompagnés d'une meute de chiens surexcités.

Son père menait le train. Le comte Hubert avait résisté à la tentation de nombreux hommes de petite taille qui cherchent à contrebalancer celle-ci par une prédilection pour les grands chevaux. Sa monture favorite pour la chasse était un robuste poney noir baptisé Thor. Dans les bois, il était tout aussi rapide qu'une bête plus grande, et plus agile.

Wilwulf était bon cavalier, remarqua Ragna. Le comte avait confié à l'Anglais un fougueux étalon pommelé qui s'appelait Goliath. Wilwulf n'avait eu aucun mal à maîtriser le cheval et était assis sur sa selle aussi à l'aise que sur une chaise.

Un cheval de bât suivait la chasse avec des panières remplies de pain et de cidre venant des cuisines du château.

Ils gagnèrent les Chênes avant de s'engager dans le bois des Chênes, la plus vaste étendue boisée encore existante de la péninsule, et la plus giboyeuse. Ils suivirent une piste à travers les arbres pendant que les chiens quêtaient fébrilement, flairant les broussailles à la recherche du fumet âcre du sanglier.

Astrid avançait d'un pas dansant, heureuse de trotter en forêt dans la fraîcheur du matin tandis que Ragna était prise d'une impatience grandissante. Le danger renforçait encore son ardeur. Les sangliers étaient des bêtes puissantes, dotées de canines impressionnantes et de fortes mâchoires. Un sanglier adulte était capable de faire tomber un cheval et de tuer un homme. Ils attaquaient même lorsqu'ils étaient blessés, surtout s'ils étaient acculés. Si les lances à sanglier étaient équipées d'un talon, c'était pour éviter qu'une bête transpercée ne remonte jusqu'au bout de la lance et n'attaque le chasseur malgré sa plaie mortelle. La chasse au sanglier exigeait du sang-froid et des nerfs solides.

Un des chiens flaira une piste, lança un aboiement triomphant et partit en avant. Le reste de la meute le suivit, les cavaliers derrière eux. Astrid esquivait les bosquets d'un pas sûr. Le jeune frère de Ragna, Richard, passa devant elle, arrogant comme tous les adolescents.

Ragna entendit les sangliers pousser leur cri d'alerte : *gou-gou-gou*. Les chiens se déchaînèrent, les chevaux pressèrent l'allure. La traque avait commencé, et le cœur de Ragna s'emballa.

Les sangliers étaient de bons coureurs. Sans être aussi rapides que des chevaux en terrain dégagé, dans les bois, zigzaguant à travers la végétation, ils étaient difficiles à rattraper.

Ragna vit leurs proies traverser une clairière en groupe : une grosse laie de cinq pieds de long de l'extrémité du groin au bout de la queue, et qui pesait probablement plus lourd que Ragna elle-même, était accompagnée de deux ou trois femelles plus petites et d'une portée de marcassins rayés, étonnamment rapides pour leurs courtes pattes. Les hardes de sangliers étaient matriarcales ; les mâles vivaient séparément, sauf pendant la saison du rut hivernal.

Les chevaux adoraient le frisson de la poursuite, surtout quand ils galopaient en groupe avec les chiens. Ils écrasaient les broussailles, aplatissaient buissons et arbrisseaux. Ragna chevauchait d'une main, les rênes rassemblées dans la main gauche, sa lance prête dans la droite. Elle avait posé la tête sur l'encolure d'Astrid pour éviter les branches basses, qui pouvaient être plus meurtrières qu'un sanglier pour un cavalier négligent. Pourtant, malgré sa prudence, elle se sentait aussi intrépide que Skadi, la déesse nordique de la chasse, toute-puissante et invulnérable, comme si cette exaltation la mettait à l'abri de toute adversité.

La chasse jaillit des bois, débouchant dans un pâturage dont les vaches, terrifiées, s'égaillèrent en meuglant. Il ne fallut aux cavaliers que quelques instants pour rejoindre les sangliers. Le comte Hubert transperça une des petites laies, la tuant sur le coup. Ragna poursuivit un marcassin, le rattrapa, se pencha et enfonça sa lance dans sa croupe.

La vieille femelle se retourna, prête à riposter. Le jeune Richard la chargea sans crainte, mais il calcula mal son coup et sa lance s'enfonça dans le dos musculeux de la laie, où elle ne pénétra que d'un pouce ou deux avant de se briser. Déséquilibré, Richard fut désarçonné et tomba au sol avec un bruit sourd. La vieille laie chargea et Ragna hurla, craignant pour la vie de son frère.

Wilwulf arriva alors par-derrière à bride abattue, lance en avant. Il fit sauter son cheval au-dessus de Richard allongé puis s'inclina périlleusement et empala la laie. Le fer s'enfonça dans la gorge de la bête jusqu'à la poitrine et sa pointe toucha probablement le cœur, car le sanglier s'abattit d'un coup, mort.

Les chasseurs arrêtèrent leurs montures et mirent pied à terre, essoufflés et soulagés, se félicitant mutuellement. Richard était encore blême d'émotion, mais les jeunes gens vantèrent son courage et il ne tarda pas à jouer les héros du jour. Les serviteurs éventrèrent les carcasses et les chiens se précipitèrent avec voracité sur les entrailles répandues sur le sol. Une odeur pénétrante de sang et de viscères envahit les narines des chasseurs. Un paysan apparut, furieux mais muet, et conduisit ses vaches apeurées dans un champ voisin.

Le cheval de bât chargé de panières les ayant rejoints, les chasseurs burent avidement et se jetèrent sur les miches.

Wilwulf s'assit par terre, tenant d'une main un gobelet de bois, de l'autre un morceau de pain. Voyant là une occasion de lui parler, Ragna prit place à côté de lui.

Il n'eut pas l'air particulièrement ravi.

Elle était habituée à faire de l'effet aux hommes et son indifférence la piqua au vif. Pour qui se prenait-il ? Dotée d'un solide esprit de contradiction, elle n'eut plus qu'une idée en tête, le séduire.

Elle lui adressa la parole dans un anglo-saxon hésitant.

« Vous avez sauvé mon frère. Merci. »

Il répondit assez aimablement.

« Il est bon que les garçons de cet âge prennent des risques. Ils auront tout le temps d'être prudents quand ils seront vieux.

— S'ils vivent jusque-là.

— Un noble poltron ne gagne le respect de personne », remarqua Wilwulf en haussant les épaules.

Ragna préféra ne pas ergoter.

« Étiez-vous impulsif dans votre jeunesse ? »

Ses lèvres se retroussèrent légèrement, comme sous l'effet de souvenirs amusants.

« Un vrai casse-cou, admit-il, mais sa réponse tenait plus de la vantardise que de l'aveu.

— Vous vous êtes assagi, j'imagine.

— Tout le monde n'est pas de cet avis », répondit-il en souriant.

Elle sentit qu'elle était en train de briser sa réserve et changea de sujet.

« Comment vous entendez-vous avec mon père ? »

Son visage se referma.

« Votre père est un hôte généreux, mais il n'est pas disposé à m'accorder ce qui m'a conduit ici.

— C'est-à-dire... ?

— Je veux qu'il interdise aux Vikings de s'abriter dans son port. »

Elle hocha la tête. Son père lui en avait touché un mot. Mais elle voulait faire parler Wilwulf.

« Pourquoi cela vous chagrine-t-il ?

— Ils traversent la Manche depuis Cherbourg pour attaquer mes bourgs et mes villages.

— Ils n'ont pas harcelé nos rivages depuis un siècle. Et ce n'est pas parce que nous descendons des Vikings. Ils ne cherchent plus noise à la Bretagne ni aux terres franques, pas plus qu'aux Pays-Bas. Pourquoi s'en prennent-ils à l'Angleterre ? »

Il parut surpris, comme s'il ne s'était pas attendu à ce qu'une jeune fille s'intéresse à des questions de stratégie. Pourtant, le sujet devait lui tenir à cœur, car il répondit avec fougue.

« L'Angleterre, en particulier ses églises et ses monastères, possède de grandes richesses, mais nous ne savons pas nous défendre. J'ai discuté de notre histoire avec des hommes instruits, des évêques et des abbés. Si notre grand roi Alfred a chassé les Vikings, il a été le seul monarque à riposter efficacement. L'Angleterre est une vieille dame fortunée qui possède un coffre rempli d'argent, et qui n'a personne pour le garder. Alors nous nous faisons piller, cela va de soi.

— Quel accueil mon père a-t-il fait à votre requête ?

— Je supposais qu'en tant que chrétien, il accéderait volontiers à pareille demande – or ce n'est pas le cas. »

Elle le savait et y avait réfléchi.

« Mon père refuse de prendre parti dans une querelle qui ne le concerne pas, expliqua-t-elle.

— C'est ce que j'ai cru comprendre.

— Voulez-vous savoir ce que je ferais si j'étais vous ? »

Il hésita, lui jetant un regard où le scepticisme le disputait à l'espoir. L'idée de prendre conseil d'une femme le mettait visiblement mal à l'aise. Mais son esprit n'était pas entièrement fermé, constata-t-elle avec satisfaction. Elle attendit, ne voulant pas lui imposer son point de vue, et il finit par lui demander :

« Que feriez-vous ? »

Elle avait préparé sa réponse.

« Je lui proposerais quelque chose en échange.

— Est-il aussi vénal ? Je pensais qu'il nous aiderait par pure amitié.

— Vous menez une négociation, lui fit-elle remarquer avec un haussement d'épaules. La plupart des traités comprennent des bénéfices réciproques. »

Elle commençait à l'intéresser.

« Je devrais peut-être y consacrer quelque réflexion – envisager de donner à votre père un motif d'agir dans mon sens.

— Il ne serait pas inutile d'essayer.

— Je me demande quelle contrepartie je pourrais lui offrir.

— J'aurais une suggestion à vous faire.

— Je vous en prie.

— Les marchands de Cherbourg font la traversée jusqu'à Combe pour vendre leurs produits, notamment des barriques de cidre, des meules de fromage et de belles étoffes de lin. »

Il hocha la tête.

« Souvent de grande qualité.

— Mais les autorités de Combe ne cessent de leur mettre des bâtons dans les roues. »

Il fronça les sourcils, contrarié.

« Les autorités de Combe, c'est moi. »

Ragna insista.

« Vos représentants semblent pourtant libres d'agir à leur guise. Ils réclament des pots-de-vin et imposent constamment des délais. Il est également impossible de prévoir le montant des droits. Aussi nos marchands évitent-ils autant qu'ils le peuvent de faire du commerce avec Combe.

— Il est légitime de prélever des droits. Je suis autorisé à le faire.

— Mais ils devraient être toujours identiques. Et il ne devrait y avoir ni délais ni pots-de-vin.

— Cela risque de poser quelques problèmes.

— Plus graves qu'une incursion viking ?

— Vous avez raison. » Wilwulf prit l'air pensif.

« Êtes-vous en train de me dire que tel est le souhait de votre père ?

— Non. Je ne lui ai pas posé la question et je ne le représente pas. Il parlera en son nom. Je me permets simplement de vous donner un conseil, parce que je le connais bien. »

Les chasseurs s'apprêtaient à repartir. Le comte Hubert annonça d'une voix forte :

« Nous retournerons en passant par la carrière – il n'est pas impossible qu'il y ait d'autres sangliers. »

Wilwulf se tourna vers Ragna.

« J'y réfléchirai. »

Ils montèrent en selle et se remirent en route. Wilwulf chevauchait à côté de Ragna, en silence, perdu dans ses pensées. Elle était satisfaite de leur conversation. Elle avait enfin réussi à éveiller son intérêt.

Il commençait à faire chaud et les chevaux pressèrent l'allure, heureux de regagner l'écurie. Ragna croyait la chasse terminée, quand elle aperçut une surface de terre retournée, là où un sanglier avait creusé à la recherche de racines et de taupes, deux de ses aliments préférés. Les chiens ne tardèrent pas à prendre la piste.

Ils repartirent au galop, les chevaux derrière les chiens, et Ragna repéra bientôt le gibier : un groupe de mâles cette fois, trois, ou peut-être quatre. Les bêtes traversèrent en courant un taillis de chênes et de hêtres avant de se diviser, trois s'engageant sur une sente étroite, le quatrième s'enfonçant dans un fourré. Le gros de la chasse décida de courir après les trois premiers sangliers, mais Wilwulf choisit le quatrième et Ragna le suivit.

C'était un adulte aux longues défenses incurvées qui lui sortaient de la gueule, et malgré le péril il avait l'intelligence de ne pas proférer un son. Wilwulf et

Ragna contournèrent le fourré et aperçurent le sanglier devant eux. Wilwulf fit bondir son cheval au-dessus d'un gros arbre tombé à terre. Déterminée à ne pas se laisser distancer, Ragna en fit autant, et Astrid franchit l'obstacle, de justesse.

Le sanglier était endurant. Les chevaux gardaient l'allure sans parvenir pourtant à le rattraper. Chaque fois que Ragna pensait que Wilwulf ou elle étaient sur le point de pouvoir frapper, la bête changeait brusquement de direction.

Ragna prit vaguement conscience qu'elle n'entendait plus le reste de la chasse.

Le sanglier déboucha dans une clairière et les chevaux pressèrent l'allure. Wilwulf rejoignit leur proie par la gauche, Ragna par la droite.

Arrivé au niveau du sanglier, Wilwulf frappa mais la bête réussit à esquiver au dernier moment. Le fer de la lance pénétra dans son dos, blessant l'animal sans le ralentir pour autant. Il changea de direction et fonça sur Ragna, qui s'inclina sur la gauche et tira d'un coup sec sur les rênes, conduisant Astrid droit sur lui, le pied sûr malgré la vitesse. Ragna avança à bride abattue, lance baissée. Le sanglier chercha à esquiver à nouveau, mais il réagit trop tard, et l'arme de Ragna s'enfonça dans sa gueule ouverte. Elle se cramponna fermement à la hampe, poussant énergiquement jusqu'à ce que la résistance menaçât de la faire tomber ; alors elle lâcha. Wilwulf fit tourner son cheval et frappa à son tour, perçant la nuque épaisse ; le sanglier tomba.

Ils mirent pied à terre, le rouge aux joues, haletants.

« Vivat ! s'écria Ragna.

— Vivat ! » répondit Wilwulf, et il l'embrassa.

Ce baiser ne fut d'abord qu'un bref effleurement, un geste de félicitations dicté par l'euphorie, mais il changea rapidement de nature et Ragna prit conscience du désir qui s'emparait soudain de Wilwulf. Elle sentit sa moustache se presser voracement contre sa bouche. Plus que consentante, elle ouvrit les lèvres avidement pour accueillir sa langue. Mais ils entendirent tous deux la chasse approcher, et s'écartèrent précipitamment.

Quelques instants plus tard, tous les chasseurs les entouraient. Ils durent leur raconter comment ils avaient tué le sanglier dans un effort conjoint. C'était la plus grosse prise de la journée, et les éloges n'en finissaient plus.

Grisée par l'excitation de la chasse et plus encore par le baiser, Ragna fut soulagée quand tous se mirent en selle pour regagner le château. Elle chevaucha un peu à l'écart pour pouvoir réfléchir tranquillement. Quelle signification Wilwulf avait-il donnée à cet instant, en admettant qu'il en eût une ?

Ragna avait beau ne pas savoir grand-chose des hommes, elle n'ignorait pas qu'ils étaient prêts, presque à tout moment, à dérober un baiser en passant à une jolie femme, et tout à fait capables de l'oublier quasiment aussitôt. Elle avait senti grandir l'intérêt de l'Anglais à son égard, mais peut-être avait-il apprécié ce baiser comme il aurait apprécié de manger une prune, sans plus y accorder de pensée. Et elle, quels sentiments lui inspirait ce baiser ? Malgré sa brièveté, il l'avait ébranlée. Elle avait déjà embrassé des garçons, mais cela ne lui était pas arrivé souvent, et jamais elle n'avait été aussi troublée.

Elle repensa à un événement de son enfance. Elle avait toujours aimé l'eau mais un jour, quand elle était petite, elle s'était baignée dans la mer et s'était fait renverser par une énorme déferlante. Elle avait crié puis, ayant repris pied, elle s'était précipitée de plus belle dans le ressac. Elle se rappela alors cette sensation délicieuse et vaguement effrayante de ne pas pouvoir résister à une force indomptable.

Pourquoi ce baiser avait-il été aussi intense ? Peut-être à cause de ce qui l'avait précédé. Ils avaient discuté du problème de Wilwulf en égaux et il l'avait écoutée. Et cela malgré son comportement caractéristique de noble d'une virilité agressive qui n'avait pas de temps à perdre avec les femmes. Ensuite, ils avaient tué un sanglier ensemble, coopérant comme s'ils chassaient en équipe depuis des années. Tout cela, comprit-elle alors, lui avait inspiré une confiance en lui qui lui avait permis de l'embrasser et d'y prendre plaisir.

Elle voulait recommencer ; cela ne faisait aucun doute pour elle. Et elle voulait que la prochaine fois, leur baiser dure plus longtemps. Mais voulait-elle autre chose de lui ? Elle n'en savait rien. L'avenir le lui dirait.

Elle décida de ne pas changer d'attitude avec lui en public. Elle se montrerait digne et réservée. Tout autre comportement serait vite remarqué : les femmes flairaient ce genre de chose comme les chiens les sangliers. Elle ne voulait surtout pas que les servantes du château se mettent à jaser.

Mais en privé, c'était une autre affaire – et elle était bien décidée à le revoir seul au moins une fois avant son départ. Malheureusement, personne au château ne jouissait de la moindre intimité, hormis le comte et la comtesse. Il était bien difficile de se dissimuler. Les paysans avaient plus de chance qu'elle, songea-t-elle ; ils pouvaient s'éclipser dans les bois, ou se coucher, à l'insu de tous, au milieu d'un grand champ de blé mûr. Comment organiser un rendez-vous clandestin avec Wilwulf ?

Elle arriva au château de Cherbourg sans avoir trouvé la réponse.

Ayant confié Astrid aux palefreniers, elle gagna le

donjon, où sa mère la fit venir dans ses appartements privés. Geneviève ne s'intéressait absolument pas au récit de la chasse.

« J'ai une bonne nouvelle pour vous ! lui annonça-t-elle, les yeux brillants. J'ai parlé au père Louis. Il repart pour Reims demain. Mais il m'a déjà confié que vous avez remporté son approbation.

— J'en suis fort heureuse, répondit Ragna, sans grande conviction.

— Il reconnaît que vous êtes un peu effrontée – il ne nous apprend rien –, mais il est persuadé que la maturité vous assagira. Et il estime que Guillaume trouvera en vous un solide soutien quand il sera comte de Reims. Il semblerait que vous ayez réglé habilement le problème de Saint-Martin.

— Louis juge-t-il que Guillaume a besoin de soutien ? demanda Ragna, méfiante. Serait-il faible ?

— Oh, ne soyez pas aussi soupçonneuse, répliqua sa mère. Vous avez peut-être trouvé un mari – vous devriez être contente.

— Je suis contente », dit Ragna.

*

Elle trouva un endroit où ils pourraient s'embrasser. En plus du château, l'enceinte de bois abritait un certain nombre d'autres bâtiments : des écuries et des étables, une boulangerie, une brasserie et une cuisine extérieure, des habitations pour les familles, des resserres où l'on conservait la viande et le poisson fumés, la farine, le cidre et le fromage ainsi qu'un grenier à foin. Le fenil ne servait pas en juin, une période où le bétail disposait d'herbe nouvelle en abondance.

La première fois, Ragna y conduisit Wilwulf sous prétexte de lui montrer où ses hommes pourraient ranger temporairement leurs armes et leurs armures. Il l'embrassa aussitôt qu'elle eut fermé la porte, et ce baiser fut encore plus étourdissant que le précédent. Ils firent rapidement de ce bâtiment un lieu de rendez-vous régulier. À la nuit tombée – tard le soir, en cette saison –, ils quittaient le donjon comme le faisaient presque tous ses occupants dans l'heure précédant le coucher, et prenaient séparément la direction du fenil. Celui-ci sentait le moisi mais ils n'en avaient cure. Chaque jour, leurs caresses se faisaient plus intimes. Puis Ragna y mettait fin, le souffle court, et s'esquivait promptement.

Malgré leur prudence exemplaire, ils ne purent donner entièrement le change à Geneviève. La comtesse ignorait tout du fenil, mais elle sentit la passion qui enchaînait sa fille et le visiteur. Elle parla cependant de façon détournée, comme à son habitude.

« L'Angleterre est un lieu fort inconfortable, dit-elle un jour à Ragna, mine de rien.

— Quand y êtes-vous allée ? » demanda Ragna.

C'était une question perfide car elle connaissait déjà la réponse.

« Jamais, reconnut Geneviève. Mais j'ai entendu dire qu'il y fait froid et qu'il y pleut tout le temps.

— En ce cas, je me félicite de n'avoir aucune raison de m'y rendre. »

La mère de Ragna n'était pas femme à se laisser réduire au silence aussi facilement.

« On ne saurait se fier aux Anglais, ajouta-t-elle.

— Ah, vraiment ? »

Wilwulf était intelligent et étonnamment sentimental. Quand ils se retrouvaient dans le grenier à foin, il faisait preuve d'une tendresse et d'une douceur remarquables. Il n'avait rien de dominateur, mais possédait un charme viril irrésistible. Il avait confié à Ragna avoir rêvé une nuit qu'il était ligoté avec une corde faite de ses cheveux roux et s'être réveillé avec une érection. Elle avait trouvé cela terriblement émoustillant. Était-il digne de confiance ? Elle le pensait, mais manifestement sa mère n'était pas du même avis.

« Pourquoi dites-vous cela ? demanda Ragna.

— Les Anglais ne tiennent parole que lorsque cela leur convient.

— Pensez-vous que les Normands agissent autrement ? »

Geneviève soupira.

« Vous êtes fine, Ragna, mais moins fine que vous ne le pensez. »

C'était le cas de beaucoup de gens, pensa Ragna, aussi bien du père Louis que d'Agnès, sa couturière ; pourquoi elle-même aurait-elle été différente ?

« Vous avez sans doute raison, acquiesça-t-elle, incitant Geneviève à pousser son avantage.

— Votre père vous a gâtée en vous enseignant l'art de gouverner. Sachez tout de même qu'une femme ne saurait en aucun cas exercer le pouvoir.

— Vous faites erreur, objecta Ragna, parlant avec plus d'ardeur qu'elle ne l'aurait voulu. Une femme peut être reine, comtesse, abbesse ou prieure.

— Toujours sous l'autorité d'un homme.

— En théorie, oui, mais cela dépend beaucoup du caractère de chaque femme.

— Si je vous comprends bien, vous serez reine un jour ?

— J'ignore encore ce que je serai, mais je serais heureuse de gouverner au côté de mon mari et de discuter avec lui de ce qu'il convient de faire pour assurer le bonheur et la prospérité de notre domaine. »

Geneviève secoua la tête tristement.

« Chimères, murmura-t-elle. Nous en avons toutes forgé. »

Elle n'ajouta plus rien.

Pendant ce temps, les négociations entre Wilwulf et le comte Hubert avaient progressé. L'idée de faciliter le passage des exportations normandes par le port de Combe avait séduit Hubert, car il touchait des taxes sur tous les navires qui entraient à Cherbourg et en sortaient. Les discussions furent poussées : Wilwulf était réticent à réduire les droits de douane et Hubert aurait préféré qu'il n'y en eût pas, mais ils admirent l'un comme l'autre que la cohérence était indispensable.

Hubert demanda à Wilwulf s'il avait déjà obtenu l'approbation du roi Ethelred d'Angleterre à propos de l'accord en vue. Wilwulf reconnut qu'il n'avait pas demandé d'autorisation préalable et ajouta d'un ton plutôt dégagé qu'il prierait évidemment le roi de le ratifier, mais qu'il était convaincu que ce ne serait qu'une formalité. Hubert concéda en privé à Ragna que sans être pleinement satisfait, il estimait n'avoir pas grand-chose à perdre.

Après s'être demandé pourquoi Wilwulf ne s'était pas fait accompagner d'un de ses hauts conseillers, Ragna comprit qu'il n'en avait pas. Il prenait de nombreuses décisions à la cour de comté où siégeaient ses thanes, et il lui arrivait de demander son avis à un frère évêque, mais en général il gouvernait seul.

Hubert et Wilwulf finirent par se mettre d'accord et le secrétaire d'Hubert rédigea un traité, signé en présence de l'évêque de Bayeux et de plusieurs chevaliers et ecclésiastiques normands qui se trouvaient alors au château.

Wilwulf fut alors prêt à rentrer chez lui.

Ragna attendait qu'il aborde la question de l'avenir de leur relation. Elle voulait le revoir, mais comment faire ? Ils vivaient dans deux pays différents.

Leur aventure n'était-elle qu'une passade à ses yeux ? Elle se refusait à le croire. Le monde regorgeait de petites paysannes qui n'auraient pas hésité un instant à passer une nuit dans la couche d'un noble, sans parler des jeunes esclaves qui n'avaient pas leur mot à dire. Wilwulf avait dû déceler chez Ragna une qualité qui sortait de l'ordinaire pour qu'il ait pris la peine de la rencontrer clandestinement tous les jours en se contentant de l'embrasser et de la caresser.

Elle aurait pu, bien sûr, l'interroger tout de go sur ses intentions, mais elle hésitait. Qu'une fille se montre pressante ne servait pas son image. En outre, elle était trop fière. S'il la voulait, il le lui dirait ; et s'il ne disait rien, cela voudrait dire que son attachement n'était pas assez solide.

Son navire l'attendait, le vent était favorable et il avait décidé de partir le lendemain matin quand ils se retrouvèrent au fenil pour la dernière fois.

L'imminence de son départ et la perspective de ne jamais le revoir auraient pu refroidir les ardeurs de Ragna, mais il n'en fut rien, au contraire. Elle se cramponna à lui avec tant de vigueur qu'on aurait pu croire qu'elle espérait le retenir à Cherbourg si elle s'accrochait assez fort. Quand il lui caressa les seins, son émoi fut tel qu'elle se sentit inondée jusqu'aux cuisses.

Elle pressa son corps contre le sien au point de sentir son érection à travers leurs vêtements et ils s'agitèrent à l'unisson comme s'ils faisaient l'amour. Elle retroussa la longue jupe de sa robe autour de sa taille pour mieux le sentir, ce qui ne fit qu'aiguiser son désir. Au fond de son esprit, elle avait conscience d'être en train de perdre tout contrôle, mais ne put se contraindre à la prudence.

Il était vêtu comme elle, à cette différence près que sa tunique s'arrêtait aux genoux, et cette étoffe se trouva mystérieusement relevée et écartée. Ils ne portaient pas de sous-vêtements – ils les réservaient à des occasions particulières, par exemple pour monter à cheval parce que c'était plus confortable – et, avec un frisson, elle sentit sa chair nue contre la sienne.

Un instant plus tard, il était en elle.

Elle l'entendit vaguement murmurer quelque chose comme :

« Êtes-vous sûre…

— Poussez, poussez ! » répondit-elle.

Elle sentit une douleur soudaine et aiguë, qui ne dura cependant que quelques secondes, puis tout ne fut que jouissance. Elle aurait voulu que cette sensation dure éternellement, mais il pressa le mouvement et soudain, ils furent tous deux tremblants de plaisir, elle sentit son fluide chaud se répandre en elle et ce fut comme la fin du monde.

Elle s'agrippa à lui, craignant que ses jambes ne cèdent. Il la serra longuement dans ses bras avant de s'écarter un peu pour la regarder.

« Ma parole », murmura-t-il.

On aurait cru que quelque chose l'avait surpris.

Quand elle put enfin parler, elle lui demanda :

« Est-ce toujours comme cela ?

— Oh non, répondit-il. Presque jamais. »

*

Les serviteurs dormaient par terre, mais Ragna, son frère Richard et quelques membres du personnel d'un rang supérieur disposaient de lits, de larges bancs dressés contre le mur et recouverts de matelas de lin bourrés de paille. Ragna avait un drap de lin en été et une couverture de laine quand il faisait froid. Cette nuit-là, lorsque toutes les chandelles furent mouchées, elle se roula en boule sous son drap et s'abandonna à ses pensées.

Elle avait offert sa virginité à l'homme qu'elle aimait, et c'était merveilleux. Furtivement, elle glissa un doigt en elle et le ressortit, poisseux de sa semence. Elle huma son odeur marine, la goûta et la trouva salée.

L'acte qu'elle venait de commettre allait changer sa vie, elle le savait. Un prêtre aurait dit qu'elle était désormais mariée aux yeux de Dieu, et la vérité de ce jugement lui apparaissait pleinement. Elle en était heureuse. L'excitation qui s'était emparée d'elle dans le fenil était l'expression physique du lien inaltérable qui s'était forgé entre eux. Il était l'homme de sa vie, elle en avait la certitude.

Elle était aussi liée à Wilwulf de façon plus concrète. Une jeune fille noble devait rester vierge pour son mari. Ragna ne pouvait plus épouser à présent d'autre homme que Wilwulf, à moins de se livrer à une supercherie qui risquerait de briser son mariage.

De plus, elle pouvait fort bien être enceinte.

Elle se demanda ce qui se passerait au matin. Que ferait Wilwulf ? Il allait bien falloir qu'il dise quelque chose : il savait aussi bien qu'elle que tout avait changé maintenant qu'ils avaient fait ce qu'ils avaient fait. Il serait forcé de parler mariage à son père. Ils se mettraient d'accord sur les questions d'argent. Wilwulf et Ragna appartenaient tous deux à la noblesse et il y aurait peut-être des considérations politiques à aborder. Wilwulf pouvait avoir besoin de l'autorisation du roi Ethelred pour se marier.

Il faudrait aussi qu'il en discute avec Ragna. Ils devraient décider de la date de leur mariage, du genre de cérémonie qu'ils souhaitaient. Elle mourait d'impatience de s'occuper de tout cela.

Elle était heureuse, et tous ces problèmes trouveraient des solutions, elle en était sûre. Elle aimait Wilwulf, il l'aimait, et ils vivraient ensemble toute leur vie durant.

Elle se serait crue incapable de fermer l'œil de la nuit, et pourtant elle sombra bientôt dans un profond sommeil. À son réveil, il faisait grand jour, les servantes posaient des bols sur la table à grand bruit et apportaient d'énormes miches de pain tout droit sorties du four.

Elle bondit sur ses pieds et regarda autour d'elle. Les hommes d'armes de Wilwulf rangeaient leurs quelques possessions dans des caisses et des sacs de cuir, se préparant au départ. Wilwulf n'était pas dans la salle : il avait dû sortir faire sa toilette.

Les parents de Ragna quittèrent leurs appartements et s'assirent en bout de table. Les nouvelles qui les attendaient n'allaient pas ravir Geneviève. Hubert serait moins sentencieux, mais il ne donnerait pas son accord facilement pour autant. Ils avaient l'un comme l'autre d'autres projets pour Ragna. Au besoin, elle leur avouerait qu'elle avait déjà donné sa virginité à Wilwulf et ils ne pourraient que se résigner.

Elle prit du pain, y tartina une pâte faite de baies écrasées et de vin, et mangea de bon appétit.

Wilwulf entra et prit place à table.

« Je viens de parler au capitaine, lança-t-il à la cantonade. Nous levons l'ancre dans une heure. »

Maintenant, songea Ragna, forcément, il allait leur parler ; mais il sortit son couteau, se coupa une épaisse tranche de jambon rôti et se mit à manger. Il leur parlerait après le petit déjeuner, pensa-t-elle.

Sa nervosité lui coupa l'appétit. Une bouchée de pain resta coincée dans sa gorge et elle dut boire un peu de cidre pour réussir à avaler. Wilwulf parlait à son père du temps qu'il faisait dans la Manche et de la durée de la traversée jusqu'à Combe, et c'était pour elle comme s'il discourait dans un rêve, prononçant des mots sans queue ni tête. Le repas s'acheva bien trop vite.

Le comte et la comtesse décidèrent de descendre jusqu'au quai pour dire au revoir à Wilwulf et Ragna les accompagna, ayant l'impression d'être un spectre invisible, qui suivait silencieusement la foule, ignoré de tous. La fille du maire, qui avait son âge, l'aperçut et lui cria :

« Quelle belle journée ! »

Ragna ne lui répondit pas.

Au bord de l'eau, les hommes de Wilwulf retroussèrent leurs tuniques et s'apprêtèrent à rejoindre leur navire en pataugeant. Wilwulf se retourna et sourit à la famille rassemblée. À présent, à présent sûrement, il allait prononcer ces mots : « Je veux épouser Ragna. »

Il s'inclina cérémonieusement devant Hubert, Geneviève, Richard et, enfin, Ragna. Il prit ses deux mains entre les siennes et dit dans un français hésitant :

« Merci pour vos bontés. »

Puis, sous ses yeux ébahis, il se détourna, franchit les hauts-fonds dans des gerbes d'eau et embarqua.

Ragna resta muette.

Les marins larguèrent les amarres. Ragna n'en croyait pas ses yeux. C'était un cauchemar, évidemment, dont elle n'allait pas tarder à se réveiller. L'équipage déploya la voile, qui claqua un moment avant de prendre le vent et de se gonfler. Le navire gagna en vitesse.

Accoudé au bastingage, Wilwulf agita la main puis se détourna.

5

Fin juillet 997

Chevauchant à travers bois par un après-midi d'été, frère Aldred chantait des cantiques à tue-tête tout en observant les dessins mouvants des taches de soleil sur le sentier qui s'étirait devant lui. Entre deux hymnes, il parlait à son poney Dismas et lui demandait s'il avait apprécié l'air précédent et ce qu'il souhaitait entendre à présent.

Aldred était à deux jours de route de Shiring et rentrait chez lui d'humeur triomphante. Sa mission dans la vie était d'apporter le savoir et la compréhension là où régnaient auparavant les ténèbres de l'ignorance. Les huit nouveaux livres que transportait Dismas, calligraphiés sur parchemin et superbement illustrés, constitueraient le modeste fondement d'un projet grandiose. Aldred rêvait de faire de l'abbaye de Shiring un prestigieux centre de science et d'érudition doté d'un scriptorium aussi remarquable que celui de Jumièges, avec une grande bibliothèque et une école où les fils de nobles apprendraient à lire, à écrire et à craindre Dieu.

L'abbaye actuelle était très éloignée de cet idéal. Les supérieurs d'Aldred ne partageaient pas ses ambitions. L'abbé Osmund, aussi charmant que paresseux, avait fait preuve de bienveillance à l'égard d'Aldred, lui permettant précocement de s'élever dans la hiérarchie monacale, mais c'était surtout parce qu'il savait que lorsqu'il lui confiait une tâche, il pouvait la considérer comme faite et s'épargner ainsi tout effort. Osmund était prêt à accepter n'importe quelle proposition, pourvu qu'elle n'exigeât aucun travail de sa part.

Aldred devait en revanche s'attendre à une obstination plus obtuse de la part du trésorier, Hildred, qui rejetait toute initiative susceptible d'entraîner des dépenses, comme si la mission du monastère était de faire des économies et non d'apporter la lumière au monde.

Peut-être Dieu avait-il envoyé Osmund et Hildred sur terre pour enseigner la patience à Aldred.

Ce dernier n'était pas entièrement isolé car d'autres partageaient ses aspirations. Cela faisait un certain temps que, dans le milieu monastique, un mouvement général prônait la réforme d'institutions archaïques qui avaient cédé à l'oisiveté et au sybaritisme. De nombreux beaux manuscrits voyaient le jour à Winchester, Worcester et Canterbury. Mais l'appel du progrès n'avait pas encore atteint l'abbaye de Shiring.

Aldred chantait :

« Louons à présent le gardien du ciel,

L'œuvre du père de gloire… »

Il s'interrompit brutalement lorsqu'un homme surgit sur le chemin devant lui.

Aldred n'avait même pas vu d'où il sortait. Il ne portait pas de chaussures, ses pieds étaient crasseux et il était vêtu de haillons et coiffé d'un casque de bataille en fer rouillé qui dissimulait la plus grande partie de son visage. Son bras enveloppé dans un chiffon sanguinolent témoignait d'une récente blessure. Il était campé au milieu du sentier, barrant ainsi le passage à Aldred. Peut-être n'était-ce qu'un pauvre mendiant sans feu ni lieu, mais il avait plutôt d'allure d'un brigand.

L'angoisse étreignit le cœur du moine. Il n'aurait pas dû prendre le risque de voyager seul. Mais ce matin-là, à la taverne de Mudeford Crossing, personne ne faisait route dans sa direction. Cédant à l'impatience, il s'était mis en chemin, au lieu d'attendre un jour de plus pour pouvoir faire le trajet en groupe.

Il retint sa monture. Comme en présence d'un chien méchant, l'essentiel était de ne pas montrer qu'il avait peur.

« Que Dieu te bénisse, mon fils, dit-il en cherchant à empêcher sa voix de trembler.

— Quel genre de prêtre es-tu ? » le questionna l'homme d'une voix si rauque qu'Aldred se demanda s'il ne la contrefaisait pas.

La coupe de cheveux d'Aldred et surtout sa tonsure désignaient l'homme d'Église, sans donner pour autant d'indication sur son rang : il pouvait être un simple acolyte aussi bien qu'un prélat.

« Je suis un moine de l'abbaye de Shiring.

— Et tu voyages seul ? Tu ne crains pas de te faire détrousser ? »

Aldred craignait surtout de se faire assassiner.

« Je ne saurais être détroussé, répondit-il avec une feinte assurance. Je ne possède rien.

— Hormis cette caisse.

— Elle n'est pas à moi. Elle appartient à Dieu. Seul un insensé pourrait avoir l'idée de dépouiller Dieu et de vouer ainsi son âme à la damnation éternelle. »

Du coin de l'œil, Aldred repéra un autre homme à demi dissimulé par un buisson. Même s'il avait eu l'intention d'en découdre, il n'était pas de force à affronter deux adversaires.

Le malandrin reprit la parole :

« Que contient cette caisse ?

— Huit livres saints.

— Ils doivent être précieux. »

Si l'homme frappait à la porte d'un monastère en proposant un livre à vendre, il se ferait fouetter pour son impertinence et le manuscrit lui serait confisqué.

« Précieux peut-être pour quelqu'un qui serait capable de les vendre sans éveiller de soupçons, remarqua Aldred. As-tu faim, mon fils ? Veux-tu du pain ? »

L'homme sembla hésiter, avant de lancer d'un ton belliqueux :

« Je n'ai pas besoin de pain, mais d'argent. »

Son indécision fit comprendre à Aldred que l'homme avait faim. Sans doute pourrait-il se contenter de nourriture.

« Je n'ai pas d'argent à te donner. »

C'était exact, en principe : l'argent que contenait la bourse d'Aldred appartenait à l'abbaye de Shiring.

L'homme parut à court de mots, désarçonné par la tournure inattendue qu'avait prise la conversation. Après un bref instant de silence, il se ressaisit :

« Un cheval se vendrait plus facilement qu'une caisse de livres.

— Sans doute, acquiesça Aldred. Mais il se trouverait certainement quelqu'un pour dire : “Frère Aldred avait un poney parfaitement identique à celui-ci, avec une croix blanche sur le front – où as-tu trouvé cette bête, mon ami ?” Que répondrait alors le voleur ?

— Tu es bien finaud.

— Et toi, bien hardi. Mais tu n'es certainement pas stupide. Tu n'iras pas assassiner un moine pour huit manuscrits et un poney, dont tu ne pourras vendre aucun. »

Aldred décida qu'il était temps de mettre fin à cet échange. Le cœur battant, il fit avancer Dismas.

D'abord, le brigand ne bougea pas, puis il s'écarta, indécis. Aldred passa devant lui, feignant l'indifférence.

Après quelques pas, il eut grande envie de mettre Dismas au trot mais, se refusant à trahir sa peur, il s'obligea à laisser le poney s'éloigner lentement. Il se rendit compte qu'il tremblait.

L'homme dit alors :

« Je voudrais un peu de pain. »

C'était une prière qu'un moine ne pouvait ignorer. Le devoir sacré d'Aldred était de donner à manger aux affamés. Jésus lui-même n'avait-il pas dit : « Paissez mes agneaux » ? Aldred était tenu d'accepter, fût-ce au péril de sa vie. Il arrêta donc son poney.

Sa sacoche de selle contenait une demi-miche et un morceau de fromage. Il sortit le pain et le tendit au bandit, qui en arracha immédiatement une portion et la fourra dans sa bouche, la glissant par la brèche de son casque délabré. Il mourait visiblement de faim.

« Partage-le avec ton ami », dit Aldred.

L'autre sortit des buissons, rabattant son capuchon sur la moitié de son visage de sorte qu'Aldred pouvait à peine le voir.

Le premier parut réticent, mais il rompit la miche et en donna la moitié à son compère.

« Merci, marmonna celui-ci derrière sa main.

— Ne me remercie pas, remercie Dieu qui m'a envoyé.

— Amen. »

Aldred lui donna aussi le fromage.

« Partagez-vous encore ceci. »

Aldred s'éloigna pendant qu'ils coupaient le fromage.

Il se retourna quelques instants plus tard. Les brigands avaient disparu. Il était apparemment tiré d'affaire et en rendit grâce au ciel.

Il aurait peut-être faim ce soir, mais tant pis. Il pouvait s'estimer heureux qu'aujourd'hui Dieu lui ait demandé de sacrifier son dîner et non sa vie.

Alors que l'après-midi cédait doucement au soir, il finit par distinguer, de l'autre côté de l'eau, un hameau d'une demi-douzaine de maisons avec une église. À l'ouest des bâtiments, un champ cultivé s'étendait sur la rive nord du fleuve.

Une embarcation primitive était amarrée sur la berge opposée. Aldred n'était jamais venu à Dreng's Ferry – il avait emprunté une autre route lors de son départ –, mais il était presque sûr d'être arrivé au bon endroit. Il mit pied à terre et appela.

Une jeune fille apparut immédiatement. Elle détacha le bateau, embarqua et entreprit de traverser à la rame. Elle était bien nourrie mais plutôt ordinaire, constata Aldred quand elle approcha. Elle paraissait de mauvaise humeur. Quand elle fut à portée de voix, il se présenta :

« Je suis le frère Aldred de l'abbaye de Shiring.

— Je m'appelle Cwenburg, répondit-elle. Ce bac appartient à mon père, Dreng. La taverne aussi. »

Aldred était à bon port.

« La traversée coûte un farthing, annonça-t-elle. Mais je ne peux pas prendre de cheval à bord. »

Aldred s'en était douté. Cette embarcation grossière ne demandait qu'à chavirer.

« Ne t'en fais pas, dit-il, Dismas traversera à la nage. »

Il lui tendit son farthing. Il déchargea le poney et posa la caisse de livres et la selle dans le bateau. Il embarqua et s'assit, sans lâcher les rênes, puis tira doucement pour encourager Dismas à entrer dans l'eau. Le cheval hésita un instant, faisant mine de résister.

« Allons, viens », l'encouragea Aldred et, au même moment, Cwenburg repoussa la barque de la berge ; Dismas s'avança dans le fleuve. Dès qu'il n'eut plus pied, il se mit à nager. Aldred garda les rênes en main. Il ne pensait pas que Dismas chercherait à s'échapper, mais préférait ne pas prendre de risque.

« À quelle distance sommes-nous de Shiring ? demanda Aldred à Cwenburg pendant la traversée.

— Deux jours de route. »

Aldred observa le ciel. Le soleil était bas. Une longue soirée l'attendait, mais il ne trouverait peut-être pas d'autre lieu où loger avant la nuit. La prudence lui commandait de rester ici.

Ils arrivèrent sur l'autre rive, et Aldred sentit l'odeur caractéristique de la bière brassée.

Dismas reprit pied. Aldred lâcha les rênes et le poney grimpa sur le talus, se secoua vigoureusement pour sécher son pelage trempé et se mit à brouter l'herbe estivale.

Une autre fille, aux cheveux noirs et aux yeux bleus, sortit de la taverne. Elle devait avoir quatorze ans et, malgré son jeune âge, elle était enceinte. Elle aurait pu être jolie, si elle avait été plus souriante. Aldred fut suffoqué de la voir tête nue. Les femmes qui montraient leurs cheveux étaient habituellement des prostituées.

« C'est Blod, dit Cwenburg. Notre esclave. » Blod garda le silence. « Elle ne parle que gallois », précisa Cwenburg.

Aldred déchargea sa caisse du bac et la posa sur la berge avant de débarquer la selle.

Prévenante, Blod ramassa la caisse et il la regarda faire avec inquiétude, mais elle se contenta de la porter jusqu'à la taverne.

Une voix d'homme s'éleva :

« Vous pouvez la foutre pour un farthing. »

Aldred se retourna. Le nouveau venu avait surgi d'un petit bâtiment qui était probablement une brasserie et la source de l'odeur puissante qui régnait. D'une bonne trentaine d'années, il avait l'âge d'être le père de Cwenburg. Grand et large d'épaules, il ressemblait vaguement à Wynstan, l'évêque de Shiring, et Aldred crut se rappeler avoir entendu dire que Dreng et lui étaient cousins. Mais Dreng boitait.

Il jaugea Aldred de ses yeux implantés très près de la racine de son long nez et lui adressa un sourire hypocrite.

« Un farthing, ce n'est pas cher. Elle valait un penny quand elle était fraîche.

— Non, dit Aldred.

— Personne ne veut d'elle. C'est parce qu'elle est grosse, cette gueuse. »

C'en fut trop pour Aldred.

« Si elle est enceinte, c'est probablement parce que vous la prostituez, au mépris des lois divines.

— Elle aime la chose, voilà le problème. Les femmes ne conçoivent que quand elles aiment cela.

— Vraiment ?

— Tout le monde le sait.

— Pas moi.

— Vous ne savez rien de ces choses-là, évidemment. Vous êtes moine. »

Aldred s'efforça d'avaler l'insulte en bon chrétien.

« C'est vrai », admit-il en inclinant la tête.

Supporter les affronts avec humilité avait parfois pour effet de faire honte à leur auteur qui évitait alors d'insister, mais la délicatesse ne comptait pas parmi les attributs de Dreng.

« J'ai eu un garçon ici – il aurait pu vous intéresser, reprit-il. Malheureusement, il est mort. »

Aldred détourna le regard. Cette accusation le touchait au vif parce qu'il avait souffert de ce genre de tentation dans sa jeunesse. Lorsqu'il était novice à l'abbaye de Glastonbury, il avait été passionnément amoureux d'un jeune moine appelé frère Leofric. Leur intimité n'était jamais allée au-delà de caresses d'enfants, estimait Aldred, mais ils s'étaient fait prendre en flagrant délit et l'affaire avait fait grand tapage. On avait éloigné Aldred pour le séparer de son amoureux, et c'était ainsi qu'il s'était retrouvé à Shiring.

Cela ne s'était plus jamais reproduit : s'il arrivait encore à Aldred d'avoir des pensées coupables, il était capable d'y résister.

Blod ressortit de la taverne et Dreng lui ordonna par gestes de prendre la selle d'Aldred.

« Je ne peux pas porter de lourdes charges, j'ai le dos fragile, expliqua Dreng. Un Viking m'a fait tomber de cheval à la bataille de Watchet. »

Aldred vérifia que Dismas était correctement installé dans sa pâture avant d'entrer dans l'auberge. Celle-ci ressemblait beaucoup à une maison ordinaire, dimensions mises à part. Elle était abondamment meublée de tables, de tabourets, de coffres et de tentures murales. Il releva d'autres signes d'aisance : un grand saumon suspendu au plafond, boucané par la flambée qui brûlait dans la cheminée, une barrique à bonde posée sur un banc, des poules qui picoraient au milieu des joncs répandus au sol, une marmite qui mijotait sur le feu et dont émanait l'appétissant fumet d'un ragoût d'agneau de printemps.

Dreng s'approcha d'une jeune femme qui remuait le contenu de la marmite. Aldred remarqua qu'elle portait au cou un disque d'argent gravé, au bout d'une lanière de cuir.

« C'est ma femme, Ethel », expliqua Dreng.

Elle jeta un coup d'œil à Aldred sans dire un mot. Dreng était entouré de jeunes femmes qui avaient toutes l'air aussi malheureuses les unes que les autres, se dit-il.

« Accueillez-vous de nombreux voyageurs ici ? » demanda-t-il.

La prospérité de l'auberge était surprenante pour un aussi petit hameau, et l'idée que Dreng arrondissait peut-être ses revenus par le brigandage lui traversa l'esprit.

« Suffisamment, répondit Dreng sèchement.

— Pas très loin d'ici, j'ai rencontré deux hommes qui avaient l'air de malandrins. » Il scruta le visage de Dreng avant d'ajouter : « L'un d'eux portait un casque en fer.

— Nous l'appelons Face-de-Fer. C'est un menteur et un assassin. Il dépouille les voyageurs sur la rive sud du fleuve, là où le sentier passe principalement par la forêt.

— Pourquoi personne ne l'a-t-il arrêté ?

— Ce n'est pas faute d'avoir essayé, croyez-moi. Offa, le chef de Mudeford, a offert deux livres d'argent à qui mettra la main sur Face-de-Fer. Il doit avoir une cachette quelque part au fond des bois, mais elle est introuvable. Nous avons fait tout ce que nous pouvions, nous avons même fait venir les hommes du shérif. »

C'était plausible, songea Aldred, malgré ses doutes. Avec sa claudication, Dreng ne pouvait pas être Face-de-Fer – à moins qu'il ne fît semblant de boiter –, mais peut-être profitait-il de ses pillages d'une manière ou d'une autre. Ou alors, il savait où se trouvait sa cachette et monnayait son silence.

« Il a une curieuse façon de parler, insista Aldred.

— Il doit être irlandais, viking ou autre chose. Personne n'en sait rien. » Dreng changea de sujet. « Un gobelet de bière vous ragaillardirait après cette longue route. Celle que fait ma femme est excellente.

— Plus tard, peut-être. »

Dans toute la mesure du possible, Aldred évitait de dépenser l'argent du monastère dans les tavernes.

« Quel est le secret de la bonne bière ? demanda-t-il à Ethel.

— Ce n'est pas elle qui la fait, intervint Dreng. C'est mon autre femme, Leaf. Elle est justement dans la brasserie. »

L'Église luttait contre ces usages matrimoniaux. La plupart des hommes qui pouvaient se le permettre avaient plus d'une épouse ainsi qu'une ou plusieurs concubines auxquelles s'ajoutaient des esclaves. Les mariages ne relevaient pas de l'Église. Si deux personnes échangeaient un serment en présence de témoins, elles étaient considérées comme mariées. Un prêtre pouvait leur accorder sa bénédiction, mais ce n'était pas indispensable. Aucun acte écrit n'était nécessaire, à moins que le couple ne fût riche, auquel cas il pouvait faire établir un contrat concernant tout éventuel échange de biens.

Les objections d'Aldred à ces mœurs n'étaient pas seulement d'ordre moral. La mort d'un homme comme Dreng entraînait souvent une âpre querelle de succession car il fallait établir lesquels de ses enfants étaient légitimes. Le caractère informel des mariages favorisait des disputes susceptibles de faire éclater les familles.

Le ménage de Dreng n'avait donc rien d'exceptionnel. Il était pourtant surprenant de rencontrer ce genre de pratique dans un petit hameau contigu à un moustier.

« Vos voisins les prêtres n'approuveraient certainement pas vos arrangements domestiques s'ils en étaient informés », observa-t-il sévèrement.

Dreng éclata de rire.

« Croyez-vous ?

— J'en suis certain.

— Eh bien, vous vous trompez. Ils n'en ignorent rien. Le doyen, Degbert, est mon frère.

— Ce n'est pas une raison.

— C'est ce que vous pensez. »

Aldred était trop contrarié pour poursuivre cette conversation. Dreng le dégoûtait. Il sortit pour éviter de céder à la colère et longea le fleuve, espérant que la marche dissiperait sa mauvaise humeur.

Là où s'achevait les terres cultivées se dressaient une ferme et une grange vétustes et copieusement réparées. Aldred aperçut un groupe assis devant la maison : trois jeunes gens et une femme plus âgée – une famille sans père, devina-t-il. Il hésita à les aborder, craignant que tous les résidents de Dreng's Ferry ne soient du même moule que Dreng. Il s'apprêtait à faire demi-tour et à rebrousser chemin quand l'un d'eux agita joyeusement la main dans sa direction.

Peut-être étaient-ce après tout de braves gens puisqu'ils saluaient les étrangers.

Aldred gravit la pente menant à la maison. La famille n'avait visiblement pas de meubles, car ils prenaient leur repas du soir assis par terre. Les trois garçons n'étaient pas grands, mais avaient les épaules larges et le torse profond. La mère était une femme fatiguée au regard déterminé. Ils avaient tous les quatre le visage émacié, comme s'ils ne mangeaient pas à leur faim. Un chien brun et blanc, maigre lui aussi, leur tenait compagnie.

La femme parla la première.

« Asseyez-vous un instant avec nous et reposez vos jambes si vous le souhaitez, proposa-t-elle. Je m'appelle Mildred. » Elle lui présenta ses fils, du plus âgé au plus jeune. « Voici Erman, Eadbald et Edgar. Notre souper est des plus ordinaires, mais c'est avec plaisir que nous le partagerons avec vous. »

Leur repas n'avait effectivement rien de fastueux. Ils avaient devant eux une miche de pain et une grosse marmite contenant des légumes cueillis dans la forêt et légèrement bouillis, sans doute de la laitue, des oignons, du persil et de l'ail sauvage. Pas le plus petit morceau de viande. Ils ne risquaient pas d'être gras avec un tel régime. Tout affamé qu'il fût, Aldred ne pouvait priver de leur pitance des gens aussi misérables. Il refusa donc poliment.

« L'odeur est alléchante, mais je n'ai pas faim, et les moines doivent éviter le péché de gourmandise. Cependant je serais heureux de m'asseoir un instant avec vous. Merci pour votre accueil. »

Il s'installa par terre, ce que les moines ne faisaient pas souvent, malgré leurs vœux. Il y avait la pauvreté, songea Aldred, et la vraie pauvreté.

« L'herbe semble presque bonne à être fauchée. Vous aurez une belle récolte de foin dans quelques jours, dit-il pour engager la conversation.

— Je n'étais pas sûre que nous arriverions à avoir du foin, avoua Mildred, tant le sol est marécageux en bordure du fleuve. Mais la terre a fini par sécher un peu grâce au temps chaud que nous avons eu. J'espère qu'il en va de même chaque année.

— Vous venez d'arriver, si je comprends bien ? interrogea Aldred.

— Oui, répondit-elle. Nous venons de Combe. »

Aldred n'eut pas de mal à deviner pourquoi ils étaient partis.

« Vous avez dû être rudement éprouvés par l'attaque des Vikings. J'ai pu observer la dévastation qu'ils ont laissée en traversant le bourg avant-hier. »

Edgar, le benjamin, prit alors la parole. Il devait avoir à peu près dix-huit ans et n'avait encore qu'un duvet blond au menton.

« Nous avons tout perdu, expliqua-t-il. Mon père était charpentier de marine – les Vikings l'ont tué. Ils ont brûlé notre réserve de bois et détruit nos outils. Nous avons été obligés de repartir de zéro. »

Aldred observa le jeune homme avec intérêt. Sans être beau, Edgar avait quelque chose de séduisant et s'exprimait, même dans le cadre de cette conversation informelle, de façon claire et réfléchie. Aldred éprouva une attirance immédiate pour lui. Reprends-toi, se dit-il. Il avait plus de mal à combattre le péché de luxure que celui de gourmandise.

« Et comment se passe cette nouvelle vie ? demanda-t-il à Edgar.

— Nous pourrons vendre du foin, pourvu qu'il ne pleuve pas dans les prochains jours, ce qui nous permettra d'avoir enfin un peu d'argent. Il y a de l'avoine qui mûrit sur un terrain plus en hauteur. Et nous avons une cochette et un agneau. Nous devrions pouvoir passer l'hiver. »

Tous les paysans vivaient dans la même insécurité, ne sachant jamais si la récolte de l'année suffirait à assurer leur survie jusqu'au printemps suivant. La famille de Mildred était moins à plaindre que d'autres.

« Nous verrons bien, intervint Mildred d'un ton cassant.

— Comment êtes-vous arrivés à Dreng's Ferry ? demanda Aldred.

— L'évêque de Shiring nous a proposé cette ferme.

— Wynstan ? »

Aldred connaissait l'évêque, évidemment, et le tenait en piètre estime.

« Notre propriétaire est Degbert le Chauve, le doyen du moustier, qui est le cousin de l'évêque.

— Comme c'est intéressant. »

Aldred commençait à se faire une meilleure image de Dreng's Ferry. Degbert et Dreng étaient frères, et Wynstan était leur cousin. Quel sinistre trio !

« Arrive-t-il à Wynstan de passer ici ?

— Oui. Il est venu peu après le solstice.

— Deux semaines après le solstice, précisa Edgar.
— Il a offert un agneau à chaque foyer, ajouta Mildred. C'est ainsi que nous avons eu le nôtre.
— Le généreux évêque», murmura Aldred, songeur.
Sa réserve n'échappa pas à Mildred.
«Vous avez l'air dubitatif, remarqua-t-elle. Vous ne croyez pas à sa bonté?
— Je ne l'ai jamais vu faire le bien sans arrière-pensée. Vous ne parlez pas à un grand admirateur de Wynstan.
— Je vois cela», acquiesça-t-elle en souriant.
Le cadet des garçons, Eadbald, au visage constellé de taches de rousseur, intervint d'une voix grave et sonore:
«Edgar a tué un Viking.
— Il prétend l'avoir fait», rectifia l'aîné, Erman.
Aldred se tourna vers Edgar:
«Alors, ce Viking, tu l'as vraiment tué?
— Je suis arrivé derrière lui, expliqua Edgar. Il se battait avec… une femme. Il m'a vu trop tard.
— Et la femme?»
Aldred, qui avait relevé son hésitation, devina qu'elle avait pour lui une importance particulière.
«Le Viking l'a jetée au sol juste avant que je le frappe. Elle s'est heurté la tête à une marche de pierre. Je n'ai pas pu la sauver. Elle est morte.»
Les charmants yeux noisette d'Edgar s'emplirent de larmes.
«Comment s'appelait-elle?
— Sungifu.»
Ce ne fut guère qu'un murmure.
«Je prierai pour son âme.
— Merci.»
Comprenant qu'Edgar l'avait aimée, Aldred eut

pitié de lui. Il en fut également soulagé : un garçon capable de tomber amoureux d'une femme ne risquait guère de pécher avec un homme. Aldred pourrait être tenté, Edgar ne le serait pas. Il n'avait pas à s'inquiéter.

Eadbald reprit la parole.

« Le doyen déteste Edgar.

— Pour quelle raison ? demanda Aldred.

— Je me suis engagé dans une controverse avec lui.

— Et tu as eu le dernier mot, je suppose, ce qui l'aura contrarié.

— Il a prétendu que puisque nous sommes en 997, Jésus devrait avoir 997 ans. Je lui ai fait remarquer que si Jésus est né en l'an 1, il aura fêté son premier anniversaire en l'an 2 et aura 996 ans à la Noël prochaine. C'est simple. Mais Degbert m'a traité de jeune coq. »

Aldred rit.

« Degbert avait tort mais c'est une erreur que beaucoup commettent.

— On ne discute pas avec des prêtres, même quand ils ont tort, fit remarquer Mildred d'un ton réprobateur.

— Surtout quand ils ont tort. » Aldred se leva. « Le jour commence à décliner. Je ferais bien de regagner le moustier avant la nuit, si je ne veux pas risquer de tomber dans le fleuve en chemin. J'ai eu grand plaisir à faire votre connaissance. »

Il prit congé et repartit en sens inverse le long de la berge. Il était soulagé d'avoir enfin rencontré quelques personnes aimables dans ce lieu peu engageant.

Il passerait la nuit au moustier. Il entra dans la taverne pour chercher sa caisse et sa sacoche de selle et adressa courtoisement la parole à Dreng sans s'attarder pour bavarder. Il sortit et conduisit Dismas au sommet du coteau.

La première maison à laquelle il arriva était un petit

bâtiment construit sur un vaste terrain. La porte était ouverte, comme habituellement en cette saison, et Aldred jeta un coup d'œil à l'intérieur. Une femme corpulente d'une quarantaine d'années était assise près de l'entrée, un carré de cuir sur les genoux, occupée à coudre un soulier en profitant du faible jour que dispensait la fenêtre. Levant les yeux, elle demanda :

« Qui êtes-vous ?

— Je suis Aldred, un moine de l'abbaye de Shiring. Je cherche le doyen Degbert.

— Degbert le Chauve habite de l'autre côté de l'église.

— Comment vous appelez-vous ?

— Bebbe. »

À l'image de la taverne, la maison respirait la prospérité. Bebbe avait un garde-manger fromager, une cage en bois aux côtés tendus de mousseline pour laisser passer l'air et empêcher les souris d'entrer. Sur une table à côté d'elle étaient posés un gobelet de bois et un petit pichet de terre qui semblait pouvoir contenir du vin. Une lourde couverture de laine était suspendue à un crochet.

« Ce hameau paraît fort à l'aise, commenta Aldred.

— Pas tant que cela, objecta promptement Bebbe, qui ajouta après un instant de réflexion : Encore qu'il bénéficie un peu de la richesse du moustier.

— Et d'où celui-ci tire-t-il sa richesse ?

— Vous êtes bien curieux, dites-moi. Qui vous a demandé de venir nous épier ainsi ?

— Vous épier ? demanda-t-il, surpris. Qui prendrait la peine d'espionner un modeste hameau situé au milieu de nulle part ?

— Dans ce cas, cessez de fourrer votre nez partout.

— Je m'en souviendrai. »

Aldred repartit.

Comme il gravissait la pente qui conduisait à l'église, il aperçut sur le côté est une grande maison qui devait servir de résidence au clergé. Il remarqua qu'on avait construit une sorte d'atelier sur l'arrière, contre le mur du fond. Sa porte était ouverte, elle aussi, et un brasier flamboyait à l'intérieur. Le local ressemblait à une forge, mais il était trop petit : un forgeron avait besoin de plus d'espace.

Intrigué, il s'approcha et regarda à l'intérieur, où il découvrit un feu de charbon qui brûlait sur un âtre surélevé, équipé d'un soufflet latéral permettant d'attiser les flammes. Un bloc de fer solidement fiché dans une section massive de tronc d'arbre formait une enclume à peu près à hauteur de ceinture. Penché dessus, un homme d'Église travaillait avec un marteau et un étroit ciseau, gravant un disque qui semblait être en argent. Une lampe posée sur l'enclume éclairait son ouvrage. Il avait près de lui un seau d'eau, certainement destiné à tremper le métal brûlant, ainsi qu'une grosse paire de cisailles, qui devaient lui servir à découper les feuilles de métal. Derrière lui, une porte semblait communiquer avec la maison principale.

C'était un orfèvre, en conclut Aldred. Il avait une étagère couverte de superbes outils de précision : poinçons, pinces, lourds ciseaux à rogner et cisailles à petites lames et longs manches. Ce petit homme replet au double menton avait l'air d'avoir la trentaine et était profondément absorbé dans sa tâche.

Craignant de le surprendre, Aldred toussota.

La précaution fut vaine. L'homme sursauta et laissa tomber ses outils en s'écriant :

« Oh mon Dieu !

— Je ne voulais pas vous déranger, se désola Aldred, je vous demande pardon.

— Que voulez-vous ? demanda l'homme visiblement alarmé.

— En vérité, rien, répondit Aldred de sa voix la plus rassurante. J'ai vu de la lumière et je me suis demandé s'il n'y avait pas quelque chose qui brûlait. » Il improvisait un prétexte pour ne pas paraître indiscret. « Je suis le frère Aldred de l'abbaye de Shiring.

— Et moi, je suis Cuthbert, un prêtre du moustier. Mais les visiteurs ne sont pas autorisés à entrer dans mon atelier.

— Que redoutez-vous donc ? » s'étonna Aldred en fronçant les sourcils.

Cuthbert hésita un instant avant de dire :

« Je vous ai pris pour un voleur.

— Évidemment. Vous conservez sûrement des métaux précieux ici. »

Involontairement, Cuthbert jeta un coup d'œil par-dessus son épaule. Aldred suivit son regard qui se posa sur un coffre cerclé de fer posé près de la porte donnant sur la maison. C'était certainement le trésor de Cuthbert, la cassette dans laquelle il rangeait l'or, l'argent et le cuivre qu'il travaillait.

La pratique d'un art, qu'il s'agît de musique, de poésie ou de fresque, était courante chez les prêtres. Il n'y avait donc rien d'étrange à ce que Cuthbert fût joaillier. Il fabriquait probablement des ornements pour l'église, et pouvait se constituer accessoirement un petit pécule en vendant des bijoux : il n'y avait pas de honte à ce qu'un ecclésiastique gagne de l'argent. Mais alors, pourquoi avait-il l'air coupable ?

« Vous devez avoir une excellente vue pour faire un travail aussi délicat. » Aldred regarda le disque posé sur l'établi, dans lequel Cuthbert avait entrepris de graver une représentation complexe d'animaux étranges. « Que fabriquez-vous ?

— Une broche. »

Ils furent interrompus par une voix inconnue.

« Que diable venez-vous faire ici, espèce de fouineur ? »

L'homme qui s'adressait à Aldred n'était pas partiellement dégarni comme beaucoup, mais complètement chauve. Cela ne pouvait être que Degbert le Chauve, le doyen.

« Ma parole, vous êtes bien ombrageux par ici, répondit calmement Aldred. La porte était ouverte et je n'ai fait que jeter un coup d'œil à l'intérieur. Mais qu'avez-vous, tous ? On croirait presque que vous avez quelque chose à cacher.

— Ne soyez pas ridicule, répliqua Degbert. Le travail de Cuthbert est extrêmement délicat et exige le calme et la solitude, voilà tout. Laissez-le tranquille, je vous prie.

— Ce n'est pas ce qu'il m'a dit. Il a prétendu avoir peur des voleurs.

— L'un n'empêche pas l'autre. »

Passant devant Aldred, Degbert tendit le bras et tira la porte qui se referma en claquant, les laissant tous deux à l'extérieur de l'atelier.

« Qui êtes-vous ?

— L'armarius de l'abbaye de Shiring. Je m'appelle Aldred.

— Un moine, soupira Degbert. Je suppose que vous vous attendez à ce que nous vous donnions à souper.

— Et aussi un endroit où dormir cette nuit. Je fais un long voyage. »

Degbert était manifestement réticent, mais ne pouvait, sans raison impérieuse, refuser l'hospitalité à un autre homme d'Église.

« Eh bien, tâchez au moins de garder vos questions pour vous », dit-il avant de s'éloigner et d'entrer dans la maison par la porte principale.

Aldred resta quelques instants immobile, plongé dans ses réflexions, sans parvenir à saisir les raisons de l'hostilité qu'il suscitait.

Renonçant à comprendre, il suivit Degbert à l'intérieur de la maison.

Elle ne ressemblait pas à ce à quoi il s'attendait.

Il aurait dû y trouver un grand crucifix bien en vue, révélant que ce bâtiment était voué au service de Dieu. Un moustier se devait d'avoir un lutrin supportant un livre saint afin que des passages puissent en être lus aux membres du clergé pendant leurs repas frugaux. Les éventuelles tentures murales devaient représenter des scènes bibliques rappelant à tous les lois divines.

Cette maison-là ne possédait ni crucifix ni lutrin, et la tapisserie suspendue au mur figurait une scène de chasse. La plupart des hommes qui l'occupaient étaient tonsurés, mais ils étaient entourés de femmes et d'enfants qui se comportaient comme s'ils étaient chez eux. Tout cela faisait l'effet d'une grande et riche demeure familiale.

« S'agit-il vraiment d'un moustier ? » demanda-t-il, incrédule.

Degbert l'entendit.

« Pour qui vous prenez-vous ? De quel droit vous conduisez-vous ainsi ? »

Sa réaction n'étonna pas Aldred. Les prêtres laxistes étaient souvent hostiles aux moines plus scrupuleux qu'ils soupçonnaient de jouer les moralisateurs. Ce moustier ressemblait assez au genre d'établissement contre lequel luttait le mouvement de réforme. Aldred réserva cependant son jugement. Degbert et les prêtres s'acquittaient peut-être irréprochablement de tous les services exigés d'eux, ce qui était le principal.

Aldred déposa sa caisse et sa sacoche de selle contre le mur. Il prit un peu de grain dans le sac et sortit nourrir Dismas, avant d'entraver les pattes arrière du poney pour éviter qu'il ne s'éloigne pendant la nuit. Puis il retourna à l'intérieur.

Il avait espéré trouver au moustier un havre de contemplation paisible au milieu d'un monde agité et s'était imaginé passant la soirée à discuter avec des hommes qui partageaient ses centres d'intérêt. Ils auraient pu débattre de quelque question d'érudition biblique telle que l'authenticité de l'Épître de Barnabé. Ils auraient pu évoquer les soucis du roi anglais assiégé, Ethelred le Malavisé, ou même aborder certains sujets de politique internationale comme la guerre entre l'Ibérie musulmane et le nord chrétien de l'Espagne. Il avait espéré qu'ils seraient tous avides d'informations sur la Normandie, et plus particulièrement sur l'abbaye de Jumièges.

Mais ce n'était pas ainsi que vivaient ces hommes. Ils bavardaient avec leurs femmes et jouaient avec leurs enfants, tout en buvant de la bière et du cidre. Un homme était occupé à fixer une boucle de fer à une ceinture de cuir, un autre à couper les cheveux d'un petit garçon. Aucun n'était plongé dans la lecture ni dans la prière.

La vie domestique n'était pas répréhensible en soi, bien sûr ; un homme devait veiller sur sa femme et sur ses enfants. Mais les devoirs d'un homme d'Église ne s'arrêtaient pas là.

La cloche sonna. Les hommes interrompirent posément leurs activités et se préparèrent pour l'office du soir. Quelques minutes plus tard, ils sortirent d'un pas tranquille et Aldred les suivit. Les femmes et les enfants ne bougèrent pas et aucun habitant du hameau ne se rendit à l'église.

Celle-ci était dans un état de délabrement qui consterna Aldred. La voûte d'entrée était soutenue par le tronc d'un arbre et tout le bâtiment semblait de guingois. Degbert aurait dû dépenser de l'argent pour son entretien. Mais un homme marié faisait passer sa famille avant le reste, évidemment. Voilà pourquoi il était bon que les prêtres soient célibataires.

Ils entrèrent.

Le regard d'Aldred fut attiré par une inscription gravée dans le mur. Les lettres avaient beau être usées par le temps, il réussit à déchiffrer le texte. Le seigneur Begmund de Northwood avait construit cette église et y était enterré, disait l'inscription, et il avait fait un legs afin que des prêtres prient pour le repos de son âme.

Si Aldred avait été affligé par le mode de vie de la maisonnée, l'office l'atterra. Les cantiques n'étaient que psalmodies inexpressives, les prières étaient inintelligibles et deux diacres se chicanèrent durant toute la cérémonie pour établir si un chat sauvage était capable de tuer un chien de chasse. Lorsque résonna l'amen final, Aldred fulminait.

Il ne s'étonnait plus que Dreng n'ait aucun scrupule à avoir deux épouses et à prostituer une esclave. Ce hameau manquait cruellement d'autorité morale. Comment le doyen Degbert aurait-il pu reprocher à un homme de transgresser la doctrine matrimoniale de l'Église alors qu'il ne valait pas mieux ?

Si Dreng avait écœuré Aldred, Degbert le révolta. Ces hommes ne servaient ni Dieu ni leur communauté. Les hommes d'Église prenaient leur argent aux pauvres paysans et s'en servaient pour se prélasser : en échange, ils auraient au moins pu avoir à cœur de célébrer correctement les offices et de prier pour les âmes de ceux qui les entretenaient. Or ces hommes n'hésitaient pas à empocher l'argent de l'Église et à l'utiliser pour mener une vie d'oisiveté. C'était pire que du vol. C'était du blasphème.

D'un autre côté, se dit-il, il n'avait aucun intérêt à dire son fait à Degbert et à provoquer une querelle.

La curiosité que lui inspirait Dreng's Ferry n'en était que plus vive. Si Degbert péchait sans crainte, c'était sans doute parce qu'il jouissait de la protection d'un puissant évêque – mais ce n'était sûrement pas tout. En temps normal, les villageois étaient prompts à se plaindre des prêtres paresseux ou pécheurs ; ils tenaient à ce que leurs guides spirituels possèdent la crédibilité que conférait le respect des règles qu'ils prétendaient imposer à autrui. Or aucun de ceux à qui Aldred avait adressé la parole depuis son arrivée n'avait critiqué Degbert ni le moustier. La plupart avaient même été réticents à répondre à ses questions. Mildred et ses fils étaient les seuls à s'être montrés chaleureux et ouverts. Aldred était conscient qu'il n'était pas d'un contact facile – il regrettait de ne pas être comme dame Ragna de Cherbourg qui savait gagner l'amitié de tous –, mais il ne pensait pas que son attitude fût suffisamment déplaisante pour expliquer le mutisme des habitants de Dreng's Ferry. Il se passait autre chose.

Et il était bien décidé à découvrir quoi.

6

Début août 997

Les vieux ustensiles rouillés laissés par le précédent tenancier comptaient une faux, cet outil à long manche qui permettait, au moment de la moisson, de couper les tiges sans avoir à se baisser. Edgar nettoya le fer, affûta la lame et fixa un nouveau manche de bois. Les frères fauchèrent à tour de rôle. Il ne plut pas et l'herbe se transforma en foin que Ma échangea avec Bebbe contre un cochon gras, un baril d'anguilles, un coq et six poules.

Ils récoltèrent ensuite l'orge. Pour le battage, Edgar fabriqua un fléau à l'aide de deux bâtons, d'un long manche et d'un court battant attachés par une courroie de cuir qu'il avait omis de rendre à Bebbe. Sous la surveillance de Brindille, il en fit l'essai un jour où soufflait une légère brise. Il répandit quelques épis d'orge sur une surface de terre plate et bien sèche et frappa dessus. N'étant pas fermier, il improvisait avec les moyens du bord, conseillé par sa mère. Mais le fléau remplissait visiblement la fonction voulue : les graines nutritives se séparaient de la balle inutile, que le vent emportait.

Les grains restés au sol paraissaient cependant petits et secs.

Edgar s'arrêta un moment pour souffler. Le soleil brillait et il se sentait bien. Les anguilles qui étaient venues agrémenter la potée familiale lui avaient donné des forces. Ma fumait la plupart de ces poissons en les suspendant aux chevrons de la maison. Quand ils n'auraient plus d'anguille fumée, ils devraient probablement tuer le cochon et faire du lard. Quant aux poules, elles leur donneraient des œufs avant de finir à la casserole. Cela ne faisait pas beaucoup pour nourrir quatre adultes jusqu'à la fin de l'hiver, mais en y ajoutant l'avoine, ils ne mourraient probablement pas de faim.

La maison était devenue habitable. Edgar avait bouché tous les trous des murs et du toit, de nouvelles nattes de jonc recouvraient le sol, ils avaient une cheminée de pierre et un tas de bois ramassé dans la forêt pour alimenter le feu. Edgar n'envisageait pas de passer toute sa vie dans de telles conditions, mais il commençait à se dire que le pire était passé pour sa famille et lui-même.

Sa mère le rejoignit.

« J'ai vu Cwenburg tout à l'heure, lui annonça-t-elle. Elle te cherchait ?

— Certainement pas, fit Edgar, gêné.

— Tu m'as l'air bien sûr de toi. J'avais cru comprendre qu'elle… enfin… qu'elle s'intéressait à toi.

— C'est vrai, et j'ai été obligé de lui dire franchement que ce n'est pas réciproque. Malheureusement, elle a pris la mouche.

— Tant mieux. Je craignais que tu ne commettes quelque bêtise après avoir perdu Sungifu.

— Cela ne m'a même pas tenté. Cwenburg n'est ni jolie, ni avenante, mais même si c'était un ange, je ne tomberais pas amoureux d'elle. »

Ma hocha la tête avec compassion.

« Ton père était comme toi : l'homme d'une seule femme. Sa mère m'a confié qu'il n'avait jamais manifesté d'intérêt pour une autre fille que moi. Il n'a pas changé après notre mariage, ce qui est encore plus rare. Mais tu es jeune. Tu ne peux pas rester amoureux d'une morte jusqu'à la fin de tes jours. »

Edgar était convaincu du contraire, mais ne souhaitait pas aborder ce sujet avec sa mère.

« Peut-être, murmura-t-il.

— Un jour, tu en rencontreras une autre, insista-t-elle. Quand tu t'y attendras le moins, sûrement. Tu te croiras encore amoureux de l'ancienne, et soudain tu te rendras compte que tu penses constamment à une autre. »

Edgar lui renvoya la balle.

« As-tu l'intention de te remarier un jour ?

— Ah ! fit-elle. Bien joué. Non, jamais.

— Pourquoi ? »

Elle demeura muette un long moment, et Edgar craignit de l'avoir blessée. En réalité, elle réfléchissait.

« Ton père était un roc, reprit-elle enfin. Il pensait ce qu'il disait et faisait ce qu'il promettait. Il m'aimait comme il vous aimait tous les trois, et cela n'a pas varié d'un pouce en plus de vingt ans. Il n'était pas beau, et il lui arrivait de n'être même pas aimable, mais il m'inspirait une entière confiance et il ne l'a jamais trahie. » Les larmes lui montèrent aux yeux quand elle ajouta : « Je ne veux pas d'un second mari et même si je le voulais, je sais que je ne trouverais jamais un autre homme comme lui. » Elle s'était exprimée en termes prudents et mesurés, mais ses sentiments finirent par déborder. Levant les yeux vers le ciel estival, elle murmura : « Si tu savais combien tu me manques, mon bien-aimé. »

Edgar avait envie de pleurer. Ils restèrent ensemble une minute, sans rien dire. Puis Ma déglutit, s'essuya les yeux et dit :

« Ça suffit. »

La prenant au mot, Edgar changea de sujet.

« M'as-tu regardé battre l'orge ? C'était bien ?

— Oui, très bien. Et le fléau fonctionne parfaitement. Mais je constate que les grains sont un peu rabougris. Nous aurons faim cet hiver.

— Nous n'avons pas fait les choses comme il faut ?

— Nous n'y sommes pour rien, c'est à cause du sol.

— Tu penses que nous survivrons quand même ?

— Oui, mais je suis bien aise que tu ne sois pas amoureux de Cwenburg. Cette petite m'a l'air d'avoir un solide appétit. Notre ferme ne pourrait pas nourrir un cinquième adulte – et moins encore les enfants à venir. Nous serions tous condamnés à mourir de faim.

— L'année prochaine sera peut-être meilleure.

— Nous engraisserons le champ avant les labours,

ce qui devrait arranger un peu les choses, mais en définitive rien ni personne ne peut obtenir de riches récoltes à partir d'une terre médiocre. »

Ma était aussi avisée et énergique que d'habitude, ce qui n'empêchait pas Edgar de s'inquiéter pour elle. Elle avait changé depuis la mort de Pa. Malgré tout son courage, elle ne paraissait plus invulnérable. Elle avait toujours été robuste, mais désormais il arrivait à Edgar de se précipiter pour l'aider à soulever une grosse bûche pour le feu ou un seau d'eau qu'elle était allée remplir au fleuve. Il ne lui en avait rien dit : elle n'aurait pas aimé qu'il la soupçonne de faiblesse. En cela, elle était un peu comme un homme. Pourtant, il ne pouvait s'empêcher de penser à la perspective amère d'une vie sans elle.

Brindille aboya soudain, inquiète. Edgar fronça les sourcils : la chienne donnait souvent l'alerte avant que les humains n'aient perçu le moindre danger. Un instant plus tard, il entendit des cris – ce n'était pas un simple échange de propos un peu vifs, mais des vociférations et des rugissements furieux, agressifs. Il reconnut la voix de ses deux frères : ils étaient sûrement en train de se battre.

Il se précipita en direction du bruit qui semblait provenir des environs de la grange, de l'autre côté de la maison. Brindille l'accompagna en aboyant. Du coin de l'œil, Edgar vit sa mère se pencher pour ramasser l'avoine battue, mettant soigneusement les grains à l'abri des oiseaux.

Erman et Eadbald roulaient par terre devant la grange, s'assénant des coups de poing et se mordant mutuellement, hurlant de rage. Le nez couvert de taches de rousseur d'Eadbald saignait et Erman avait une écorchure sanglante au front.

« Arrêtez, tous les deux ! » cria Edgar.

Ils l'ignorèrent. Quels imbéciles, songea Edgar ; nous avons besoin de toutes nos forces pour cette satanée ferme.

Il ne tarda pas à découvrir le motif de leur querelle : Cwenburg se tenait dans l'embrasure de la grange et les observait en riant de plaisir. Elle était nue. En la voyant, Edgar fut pris de dégoût.

Erman plaqua Eadbald au sol et brandit un poing robuste pour le frapper au visage. Saisissant sa chance, Edgar attrapa Erman par-derrière, lui empoignant les deux bras, et le tira en arrière. Déséquilibré, Erman ne put résister et bascula à terre, lâchant Eadbald.

Celui-ci bondit sur ses pieds et donna un coup de pied à Erman. Edgar attrapa Eadbald par un pied et le souleva, le renversant sur le dos. Erman se releva et écarta Edgar d'une bourrade pour se jeter sur Eadbald. Cwenburg applaudit, ravie.

Une voix autoritaire s'éleva alors.

« Cessez immédiatement, espèces d'imbéciles », cria leur mère, surgissant à l'angle de la maison.

Erman et Eadbald se figèrent.

« C'était tellement amusant ! protesta Cwenburg. Vous avez tout gâché !

— Rhabille-toi, fille impudique », lui lança Ma.

L'espace d'un instant, Cwenburg sembla tentée de défier Ma et de lui dire d'aller au diable, mais l'audace lui manqua. Elle fit demi-tour, entra dans la grange et se baissa pour ramasser sa robe. Elle le fit avec une lenteur délibérée, offrant ainsi à tous une vue imprenable sur son postérieur. Puis elle se retourna et leva la robe au-dessus de sa tête, dressant les bras pour mettre ses seins en valeur. Edgar ne put s'empêcher de regarder et remarqua qu'elle avait pris du poids depuis le jour où il l'avait vue nue dans le fleuve.

Enfin, elle fit glisser le vêtement sur son corps.

Ajoutant une touche finale, elle se tortilla jusqu'à ce que sa robe tombe parfaitement.

« Que Dieu nous protège ! » murmura Ma.

Edgar se tourna vers ses frères.

« L'un de vous la foutait et ça n'a pas plu à l'autre, c'est ça ?

— Erman l'a forcée ! s'écria Eadbald avec indignation.

— Ce n'est pas vrai, protesta Erman.

— Si, c'est vrai – c'est moi qu'elle aime !

— Je ne l'ai pas forcée, répéta Erman. Elle voulait que je le fasse.

— Tu mens.

— Cwenburg, est-ce qu'Erman t'a forcée ? » demanda Edgar.

Elle joua les timides.

« Il s'est montré très persuasif. »

Visiblement, elle buvait du petit-lait.

« Écoute, Cwenburg, Eadbald dit que tu l'aimes. C'est vrai ? demanda Edgar.

— Oh oui ! » Elle s'interrompit. « J'aime Eadbald. Et aussi Erman. »

Ma renifla, l'air dégoûté.

« Cherches-tu à nous dire que tu as couché avec les deux ?

— Oui. »

Cwenburg semblait très contente d'elle.

« Plusieurs fois ?

— Oui.

— Ça fait longtemps que ça dure ?

— Depuis que vous êtes arrivés. »

Ma secoua la tête, écœurée.

« Dieu merci, je n'ai jamais eu de fille.

— Je ne l'ai pas fait toute seule ! protesta Cwenburg.

— C'est vrai. Il faut être deux, soupira Ma.

— C'est moi l'aîné, intervint Erman. C'est à moi de me marier le premier. »

Eadbald lança un rire de mépris.

« Qui t'a dit que c'était une règle ? Je me marierai quand j'en aurai envie, et pas quand tu me le diras.

— Sauf que moi, je peux me permettre d'avoir une femme et pas toi. Tu n'as rien alors que moi, j'hériterai de la ferme un jour. »

Eadbald était scandalisé.

« Ma a trois fils. La ferme sera partagée entre nous à sa mort, qui n'arrivera pas, je l'espère, avant de longues années.

— Ne sois pas stupide, Eadbald, intervint Edgar. Nous avons déjà du mal à vivre de cette ferme à quatre. Si chacun de nous prétend fonder une famille sur le tiers de cette terre, ce sera la famine pour tous.

— Edgar est le seul d'entre vous à parler raison, comme toujours », remarqua leur mère.

Eadbald sembla franchement blessé.

« Autrement dit, Ma, tu me mettras à la porte ?

— Je ne ferai jamais une chose pareille, tu le sais bien.

— Sommes-nous donc condamnés à vivre tous les trois comme des moines au couvent ?

— J'espère que non.

— Qu'allons-nous faire, alors ? »

Edgar ne s'attendait pas à la réponse de Ma.

« Nous allons parler aux parents de Cwenburg. Venez. »

Edgar ne voyait pas l'utilité de cette démarche. Dreng manquait cruellement de bon sens et risquait tout au plus de jouer les gros bras. Leaf était plus intelligente, plus gentille, aussi. Mais Ma avait une idée derrière la tête, et Edgar ne savait pas laquelle.

Ils longèrent le fleuve d'un pas lourd. L'herbe

repoussait déjà là où ils avaient fait les foins. Le hameau était à demi assoupi sous le soleil d'août et seul le murmure imperturbable du fleuve rompait le silence.

Ils trouvèrent Ethel, la plus jeune femme de Dreng, et Blod, l'esclave, à la taverne. Ethel sourit à Edgar : visiblement, elle l'aimait bien. Elle leur apprit que Dreng était chez son frère, au moustier, et Cwenburg alla le chercher. Edgar dénicha Leaf dans la brasserie, mélangeant l'infusion de malt avec un râteau. Elle interrompit son travail avec joie, remplit un pichet de bière et le porta jusqu'au banc situé devant la taverne. Cwenburg revint avec son père.

Ils s'assirent tous au soleil, savourant la brise qui montait du fleuve. Blod servit de la bière à la ronde, et Ma exposa le problème en quelques mots.

Edgar observa les visages qui l'entouraient. Erman et Eadbald commençaient à comprendre qu'ils s'étaient conduits comme des sots, chacun croyant duper l'autre et chacun se faisant duper. Cwenburg était toute fière du pouvoir qu'elle exerçait sur eux. Quant à ses parents, ils ne parurent pas surpris par son comportement : peut-être n'était-ce pas le premier incident de ce genre. Dreng se hérissait dès qu'on faisait mine de critiquer sa fille. Leaf semblait lasse, c'est tout. Ma avait pris crânement les rênes de la négociation ; en définitive, songea Edgar, c'était elle qui déciderait ce qu'il convenait de faire.

Quand Ma eut terminé ses explications, Leaf prit la parole.

« Il faut marier Cwenburg au plus vite. Autrement, n'importe quel voyageur de passage la mettra enceinte, et il ne nous restera plus qu'à élever son bâtard. »

Edgar lui aurait volontiers fait remarquer que ce bâtard serait son petit-fils ou sa petite-fille, mais il garda ses réflexions pour lui.

« Je ne te permets pas de parler de ma fille comme ça, grommela Dreng.

— C'est autant ma fille que la tienne.

— Tu es trop dure avec elle. Elle a peut-être des défauts… »

Ma les interrompit.

« Nous sommes tous d'accord pour souhaiter qu'elle se marie, mais de quoi vivra-t-elle ? Ma ferme ne peut pas nourrir une bouche de plus – et encore moins deux.

— Il n'est pas question qu'elle épouse un homme qui n'a pas de quoi la faire vivre. Tout de même, je suis le cousin de l'ealdorman de Shiring. Ma fille pourrait épouser un noble. »

Leaf laissa échapper un rire narquois.

« De toute façon, je n'ai pas l'intention de la laisser partir, poursuivit Dreng. Il y a trop de travail ici. Il me faut quelqu'un de jeune et de solide pour piloter le bac. La grossesse de Blod est trop avancée et je ne peux pas le faire moi-même – j'ai le dos fragile. Un Viking m'a fait tomber de cheval…

— Oui, oui, à la bataille de Watchet, coupa Leaf avec impatience. Je me suis laissé dire que tu étais saoul et que ce n'est pas d'un cheval que tu es tombé, mais d'une catin.

— Pour ce qui est du bac, intervint Ma, vous n'aurez qu'à employer Edgar lorsque Cwenburg partira. »

Ça alors, songea Edgar, je ne m'attendais pas à cela.

« Il est jeune et solide et, qui plus est, il pourra vous construire un nouveau bac pour remplacer ce vieux tronc d'arbre qui va bien finir par couler un de ces jours. »

Edgar ne savait que penser. Il aurait bien aimé construire un bateau, mais il détestait Dreng.

« Employer ce jeune coq prétentieux ? lança Dreng

avec mépris. Personne ne veut d'un chien qui aboie contre son maître, et moi, je ne veux pas d'Edgar. »

Ma l'ignora.

« Vous n'aurez qu'à le payer un demi-penny par jour. Jamais vous n'obtiendrez un bateau meilleur marché. »

Le visage de Dreng afficha une expression calculatrice : Ma avait raison, il fallait bien l'admettre. Il s'obstina pourtant.

« Non, ça ne me dit rien.

— Il va bien falloir faire quelque chose, s'interposa Leaf.

— Je suis son père, c'est à moi de décider, fit Dreng d'un air têtu.

— Il y aurait sans doute une autre possibilité », dit alors Ma.

Nous y voilà, songea Edgar. Quel plan avait-elle bien pu manigancer ?

« Allons, parlez », ordonna Dreng.

Il feignait d'être maître de la discussion, mais il était le seul à y croire.

Ma resta longuement silencieuse avant de se lancer :

« Il faut que Cwenburg épouse Erman et Eadbald. »

Edgar ne s'attendait pas non plus à cela.

« Elle aurait deux maris ? s'indigna Dreng.

— Il y a bien des hommes qui ont deux femmes », fit remarquer Leaf d'un ton cinglant.

Dreng prit l'air outré mais sur le coup, il fut incapable de trouver les mots pour contredire Leaf.

« J'ai entendu parler de mariages de ce genre, reprit calmement Ma. C'est un arrangement que certains concluent quand deux ou trois frères héritent d'une ferme trop petite pour nourrir plus d'une famille.

— Mais comment font-ils ? s'étonna Eadbald. Je veux dire… la nuit ?

— Les deux frères couchent avec leur femme à tour de rôle », expliqua Ma.

Edgar savait qu'il n'accepterait jamais d'accommodement de ce genre, mais il préféra se taire pour ne pas compromettre le projet de Ma. Il donnerait son avis plus tard. À y bien réfléchir, sa mère devait bien se douter de ce qu'il en pensait.

« J'ai connu une famille comme ça, approuva Leaf. Quand j'étais petite, il m'est arrivé de jouer avec une fille qui avait une maman et deux papas. » Edgar se demanda s'il fallait la croire. Scrutant son visage, il y lut pourtant une expression de réminiscence sincère. Elle précisa : « Elle s'appelait Margaret.

— Voilà comment les choses se passent, expliqua Ma. Quand un enfant naît, personne ne sait quel frère est le père et lequel l'oncle. Et s'ils ont un peu de bon sens, personne ne s'en soucie. Ils élèvent simplement tous les enfants comme les leurs.

— Et le mariage ? demanda Eadbald.

— Vous prononcerez les serments habituels, devant quelques témoins – les membres des deux familles suffiront, je pense.

— Aucun prêtre n'acceptera de bénir une telle union, fit observer Erman.

— Heureusement, répondit Ma, nous n'avons pas besoin de prêtre.

— Et si c'était le cas, lança Leaf sèchement, le frère de Dreng accepterait certainement de nous rendre ce service. Degbert a deux femmes.

— Une femme et une concubine, répliqua Dreng, prenant la défense de son frère.

— Sauf que personne ne sait laquelle est quoi.

— Bien, bien, s'interposa Ma. Cwenburg, as-tu quelque chose à dire à ton père ?

— Je ne crois pas, répondit Cwenburg perplexe.

— Il me semble que si. »

Qu'y a-t-il encore ? s'interrogea Edgar.

Cwenburg fronça les sourcils. « Non.

— Tu n'as pas eu tes saignements mensuels depuis notre arrivée à Dreng's Ferry, ou je me trompe ? »

Voilà la troisième fois que Ma me surprend, pensa Edgar.

« Comment le savez-vous ? demanda Cwenburg à Ma.

— Parce que tu as changé. Tu as pris un peu de poids, surtout au niveau de la taille, et tes seins sont plus gros. Je parie que tes tétons sont un peu douloureux. »

Cwenburg pâlit, effrayée.

« Comment savez-vous cela ? Seriez-vous une sorcière ? »

Mais Leaf avait compris où Ma voulait en venir.

« Oh, mon Dieu, s'exclama-t-elle, j'aurais dû le remarquer. »

Tu devais avoir la vue brouillée par la bière, songea Edgar.

« Mais de quoi parlez-vous, toutes les deux ? demanda Cwenburg.

— Tu vas avoir un enfant, lui annonça Ma avec douceur. Quand les saignements mensuels s'arrêtent, cela veut dire que tu es grosse.

— C'est vrai ? »

Edgar s'étonna qu'une fille puisse atteindre l'âge de quinze ans sans le savoir.

Quant à Dreng, il était furieux.

« Vous prétendez qu'elle est déjà grosse ?

— Oui, acquiesça Ma. Cela m'a sauté aux yeux quand je l'ai vue toute nue. Et elle ignore si le père est Erman ou Eadbald. »

Dreng jeta un regard mauvais à Ma.

« Auriez-vous le front de la traiter de catin ?

— Calme-toi, Dreng, dit Leaf. Tu fous bien deux femmes – est-ce pour autant que tu es une catin mâle ?

— Voilà un moment que je ne t'ai pas foutue, toi.

— Une grâce dont je remercie le ciel tous les jours.

— Cwenburg aura besoin d'aide pour s'occuper de son enfant, Dreng, fit remarquer Ma. Et il n'y a que deux possibilités. La première est qu'elle reste ici, chez vous, et que vous l'aidiez à élever votre petit-fils.

— Un enfant a besoin de son père. »

Dreng faisait preuve d'une correction inhabituelle. Mais Edgar avait déjà remarqué que la présence de Cwenburg l'adoucissait toujours.

« L'autre solution, poursuivit Ma, est qu'Erman et Eadbald épousent Cwenburg et élèvent l'enfant ensemble. Dans ce cas, il faudra qu'Edgar vienne vivre ici et touche un demi penny par jour en plus de sa nourriture.

— Aucune de ces propositions ne me convient.

— Dans ce cas, j'attends la vôtre. »

Dreng ouvrit la bouche, mais aucun mot n'en sortit.

« Qu'en penses-tu, Cwenburg ? demanda Leaf. Veux-tu épouser Erman et Eadbald ?

— Oui. Je les aime bien tous les deux.

— Quand célébrerons-nous le mariage ?

— Demain, répondit Ma. À midi.

— Où ça ? Ici ?

— Cela attirerait tous les habitants du hameau.

— Je n'ai aucune envie de devoir leur servir à boire gratuitement, grogna Dreng.

— Quant à moi, renchérit Ma, je n'ai aucune envie d'expliquer dix fois ce mariage à tous les ânes de Dreng's Ferry.

— Faisons cela à la ferme, dans ce cas, proposa Edgar. Les autres l'apprendront bien assez tôt.

— J'apporterai un petit tonneau de bière», promit Leaf.

Ma jeta un regard interrogateur à Ethel, qui n'avait encore rien dit.

«Je ferai des gâteaux.

— Quelle bonne idée, se réjouit Cwenburg. J'adore les gâteaux au miel.»

Edgar la regarda, n'en croyant pas ses oreilles. Elle venait d'accepter d'épouser deux hommes et était capable de s'enflammer pour des gâteaux.

«Alors, Dreng, qu'en dites-vous? demanda Ma.

— Je donnerai à Edgar un farthing par jour.

— Marché conclu, déclara Ma en se levant. Nous vous attendons tous demain à midi.»

Ses trois fils se levèrent et la suivirent tandis qu'elle s'éloignait de la taverne.

Et voilà, songea Edgar. Je ne suis plus fermier.

7

Fin août 997

Ragna n'était pas enceinte.

Après le départ de Wilwulf de Cherbourg, elle avait vécu dans l'angoisse pendant deux semaines. Se faire engrosser puis abandonner était l'humiliation suprême, surtout pour une jeune noble. Dans la même situation, une fille de paysan serait elle aussi l'objet de railleries et de mépris, mais elle finirait pas trouver un brave homme qui l'épouserait et accepterait d'élever l'enfant d'un autre. En revanche, une jeune fille de haute naissance pouvait être assurée de mettre en fuite tous les prétendants de son rang.

Par bonheur, elle avait échappé à ce sort. Elle avait accueilli ses saignements mensuels avec autant de soulagement que le lever du soleil.

Elle aurait dû détester Wilwulf, et pourtant elle en était incapable. Il avait beau l'avoir trahie, elle le désirait encore. Elle était ridicule, elle le savait bien. Mais après tout, cela n'avait guère d'importance puisqu'elle ne le reverrait probablement jamais.

Le père Louis était reparti pour Reims sans avoir décelé les premiers signes de la passion de Ragna pour Wilwulf. Il avait semble-t-il fait savoir que Ragna ferait une épouse tout à fait convenable pour le jeune vicomte Guillaume, car celui-ci était arrivé à Cherbourg pour prendre une décision définitive.

Guillaume trouvait Ragna parfaite.

Il ne cessait de le lui dire. Il l'examinait sous tous les angles, lui prenait parfois le menton pour lui déplacer légèrement le visage d'un côté à l'autre, ou de bas en haut, afin de mieux attraper la lumière.

« Parfaite, concluait-il. Les yeux, verts comme la mer, une teinte que je n'avais encore jamais vue. Le nez, remarquablement droit, d'une admirable finesse. Les pommettes, parfaitement symétriques. Le teint pâle. Et par-dessus tout, ces cheveux ! »

Ragna avait la tête généralement couverte, comme toutes les femmes respectables, mais elle autorisait quelques boucles à s'échapper coquettement de son voile. « Un or si lumineux – je suis certain que les ailes des anges sont de la même couleur. »

Bien que flattée, elle ne pouvait s'empêcher de penser qu'il l'admirait comme il aurait pu admirer une broche émaillée, la plus précieuse de sa collection. Wilwulf ne lui avait jamais dit qu'elle était parfaite.

Il avait dit : « Par les dieux, je ne puis m'empêcher de vous toucher. »

Guillaume était lui-même très séduisant. Alors qu'ils se tenaient sur le chemin de guet du château de Cherbourg, contemplant les navires dans la baie en contrebas, la brise ébouriffait ses cheveux longs et brillants, brun foncé aux reflets acajou. Il avait les yeux marron et des traits réguliers. Il était incomparablement plus beau que Wilwulf, et pourtant les servantes du château ne rougissaient ni ne gloussaient jamais sur son passage. Wilwulf exerçait un magnétisme viril que Guillaume ne possédait pas, voilà tout.

Il venait d'offrir à Ragna un voile de soie brodé par sa mère. Ragna le déplia et admira le motif de feuillages entrelacés semés d'oiseaux chimériques.

« C'est magnifique, s'extasia-t-elle. Pareil ouvrage a dû lui prendre au moins une année.

— Elle sait apprécier les belles choses.

— Et elle, comment est-elle ?

— Absolument merveilleuse. » Guillaume sourit. « Je suppose que tous les garçons trouvent leur mère merveilleuse. »

Ragna n'était pas sûre que ce fût vrai, mais elle garda son opinion pour elle.

« Je suis d'avis qu'une femme de la noblesse doit avoir complète autorité sur tout ce qui concerne les étoffes, poursuivit-il et Ragna comprit qu'elle allait avoir droit à un discours déjà ressassé. Filage, tissage, teinture, couture, broderie et, bien sûr, lessive. Une femme doit gouverner ce monde-là de la même manière que son mari gouverne son domaine. »

Il parlait comme s'il accordait à sa future épouse une concession de taille.

« J'ai tout cela en horreur, déclara Ragna catégoriquement.

— Vous ne brodez pas ? » s'étonna Guillaume.

Ragna résista à la tentation de louvoyer. Autant éviter d'emblée tout malentendu. Après tout, je suis comme je suis, songea-t-elle.

« Seigneur, non, s'écria-t-elle.

— Mais pourquoi ? demanda-t-il, ébahi.

— J'aime les belles étoffes, comme tout le monde sans doute, mais je n'ai aucune envie d'en fabriquer. Cela m'ennuie.

— Cela vous ennuie ? »

Sa déception était manifeste.

Peut-être était-il temps de paraître plus constructive.

« Ne pensez-vous pas que d'autres devoirs incombent à une femme noble ? Et si son mari part à la guerre ? Il faut bien que quelqu'un veille à ce que les redevances soient payées et la justice rendue.

— Ma foi, oui, bien sûr, en cas de nécessité absolue. »

Estimant avoir été suffisamment claire, Ragna concéda un point pour ne pas envenimer le débat.

« C'est ce que je veux dire, affirma-t-elle mensongèrement. En cas de nécessité absolue. »

Visiblement soulagé, il changea de sujet.

« Quelle vue splendide ! » s'émerveilla-t-il.

Le château offrait une perspective sur toute la campagne environnante, ce qui permettait de repérer de loin l'approche d'armées hostiles et de prendre à temps des dispositions défensives – ou la fuite. Le château de Cherbourg donnait également sur la mer, pour la même raison. Mais c'était la ville que Guillaume observait. La Divette serpentait à travers les maisons à colombages avant de rejoindre la mer. Les rues étaient remplies de charrettes qui se dirigeaient vers le port et en revenaient, leurs roues de bois soulevant la poussière qui recouvrait les rues séchées par le soleil. Les Vikings ne s'amarraient plus là, conformément à la promesse qu'avait faite le comte Hubert à Wilwulf, mais plusieurs navires étrangers étaient au mouillage dans le port tandis que d'autres étaient ancrés plus au large. Un bâtiment français profondément enfoncé dans l'eau, peut-être chargé de fer ou de pierres, s'apprêtait à toucher terre. Derrière lui, au loin, on voyait approcher un vaisseau anglais.

« Une ville marchande », commenta Guillaume.

Ragna décela une note de désapprobation dans son observation. Elle lui demanda :

« Et Reims ? Quel genre de ville est-ce ?

— Une ville sainte, répondit-il immédiatement. Clovis, le roi des Francs, y a été baptisé par l'évêque Remi il y a fort longtemps. En cette occasion, une colombe blanche est arrivée à tire-d'aile, portant dans son bec une fiole, la Sainte Ampoule. Elle contenait une huile sacrée qui a été utilisée depuis ce jour pour plusieurs couronnements royaux. »

Ragna songea qu'en plus des miracles et des couronnements, Reims se livrait forcément à des activités commerçantes, mais une fois encore, elle tint sa langue. Elle avait l'impression de passer son temps à tenir sa langue quand elle devisait avec Guillaume.

Elle commençait tout de même à perdre patience et estima avoir fait son devoir.

« Et si nous retournions en bas ? suggéra-t-elle, ajoutant hypocritement : J'ai hâte de montrer ce superbe voile à ma mère. »

Ils descendirent les marches de bois et entrèrent dans la grande salle. Geneviève ne s'y trouvait pas, ce qui donna à Ragna un prétexte pour abandonner Guillaume et gagner les appartements privés du comte et de la comtesse. Elle trouva sa mère devant son coffret à bijoux ouvert, en train de choisir une épingle pour sa robe.

« Bonjour, ma chérie, dit la comtesse. Comment vous entendez-vous avec Guillaume ? Il me paraît tout à fait bien.

— Il est très attaché à sa mère.

— Comme c'est charmant.

— Elle a brodé cet ouvrage pour moi », ajouta Ragna en lui montrant le voile.

Geneviève prit l'étoffe et l'admira.

« C'est fort aimable de sa part. »

Ragna n'y tint plus :

« Oh, mère ! Je ne l'aime pas, gémit-elle.

— Laissez-lui au moins une chance, répliqua Geneviève visiblement agacée.

— J'ai essayé. J'ai réellement essayé.

— En quoi vous déplaît-il, pour l'amour du ciel ?

— Il veut que je sois responsable du linge de sa maisonnée.

— Et alors ? C'est une charge normale pour une comtesse. Vous n'imaginez tout de même pas qu'il lui faille coudre ses vêtements lui-même !

— Si vous saviez comme il est affecté !

— Mais non, voyons. Vous vous faites des idées. Il est vraiment très bien.

— Je préférerais être morte !

— Il faut que vous cessiez de vous languir de ce grand Anglais. Il ne vous convenait absolument pas et de toute manière, il est parti.

— C'est fort dommage, en vérité. »

Geneviève regarda Ragna droit dans les yeux.

« Écoutez-moi à présent. Vous ne pouvez pas rester fille plus longtemps. Cet état finira par paraître définitif.

— Peut-être l'est-il.

— Ne dites pas cela. Une femme noble sans mari n'a pas sa place dans la société. Bien qu'elle n'ait aucune utilité, il lui faut pourtant des robes, des bijoux, des chevaux et des serviteurs, et son père se lasse de débourser sans rien obtenir en retour. Qui plus est, elle est détestée de toutes les femmes mariées, convaincues qu'elle cherche à leur voler leurs maris.

— Je pourrais entrer au couvent.

— J'en doute. Vous n'avez jamais été particulièrement pieuse.

— Les religieuses chantent, lisent et s'occupent des malades.

— Et elles ont parfois un commerce intime avec d'autres religieuses. Il ne me semble pourtant pas que telle soit votre inclination. Je n'ai pas oublié cette affreuse jeune fille de Paris, Constance, mais je ne crois pas que vous ayez vraiment goûté sa compagnie. »

Ragna rougit. Elle n'aurait jamais pensé que sa mère ait pu avoir connaissance de ce qui s'était passé avec Constance. Elles s'étaient embrassées, s'étaient caressé réciproquement la poitrine et s'étaient regardées se masturber, mais Ragna n'y avait pas mis beaucoup de cœur et Constance avait fini par porter son attention sur une autre jeune fille. Elle se demanda ce que Geneviève avait réellement deviné.

Quoi qu'il en fût, l'instinct de sa mère ne l'avait pas trompée : une relation amoureuse avec une femme ne pourrait jamais faire le bonheur de Ragna.

« Autrement dit, résuma Geneviève, au point où nous en sommes, Guillaume est certainement un parti avantageux. »

Un *parti avantageux*, se répéta Ragna tout bas ; ce que je voulais, c'est une histoire d'amour qui me ferait chanter le cœur, et tout ce qu'on me propose, c'est un *parti avantageux*.

Pourtant, il allait bien falloir qu'elle l'épouse.

Elle quitta sa mère d'humeur maussade. Elle traversa la grande salle et sortit, espérant que l'éclat du soleil la réconforterait.

Une poignée de visiteurs attendaient près de la porte de l'enceinte ; sans doute avaient-ils débarqué d'un des deux navires qu'elle avait vus approcher un peu plus tôt. Au centre du groupe se tenait un noble à moustache mais sans barbe; un Anglais certainement, et pendant une fraction de seconde enivrante, elle le prit pour Wilwulf. Il était blond et de haute stature, il avait un grand nez et une mâchoire puissante, et elle se mit à fantasmer : Wilwulf était revenu pour l'épouser et l'emmener avec lui. Mais il ne lui fallut pas longtemps pour s'apercevoir que l'homme en question portait la tonsure et la longue robe noire de l'homme d'Église ; et lorsqu'elle fut plus près, elle remarqua que ses yeux étaient plus rapprochés, qu'il avait d'immenses oreilles et que son visage était déjà ridé bien qu'il fût peut-être plus jeune que Wilwulf. Sa démarche était différente, aussi : alors que Wilwulf était plein d'assurance, cet homme-là était arrogant.

Ni le père de Ragna ni aucun de ses principaux conseillers n'étant à portée de vue, il lui incombait d'accueillir le visiteur. Elle se dirigea vers lui.

« Je vous souhaite le bonjour, messire. Bienvenue à Cherbourg. Je suis Ragna, fille du comte Hubert. »

Sa réaction la désarçonna. Il la dévisagea attentivement, et un sourire moqueur joua sous sa moustache.

« Ah oui, vraiment ? demanda-t-il comme si la nouvelle le captivait. Est-ce bien vous ? »

Il parlait un français correct, malgré son accent.

Elle ne sut que répondre, mais son silence ne parut pas embarrasser le visiteur. Il l'examinait de la tête aux pieds comme il aurait inspecté un cheval, vérifiant tous les détails essentiels. Son regard insistant commençait à frôler la grossièreté.

Il reprit enfin la parole.

« Je suis l'évêque de Shiring. Je m'appelle Wynstan. Je suis le frère de l'ealdorman Wilwulf. »

*

Une agitation insoutenable s'était emparée de Ragna. La simple présence de Wynstan la mettait dans tous ses états. Le frère de Wilwulf ! Chaque fois qu'elle le regardait, elle se rappelait combien il était proche de l'homme qu'elle aimait. Ils avaient été élevés ensemble. Wynstan devait connaître Wilwulf intimement, admirer ses qualités, pénétrer ses faiblesses et déceler ses humeurs bien mieux que Ragna ne le pouvait. De plus, il ressemblait un peu à Wilwulf.

Ragna demanda à Cat, sa servante accorte, d'user de son charme pour approcher un des gardes de Wynstan, un grand homme appelé Cnebba. Ses hommes d'armes ne parlant qu'anglais, la communication était difficile et sujette à malentendus, mais Cat avait réussi à glaner quelques informations sur la famille. En réalité, Wynstan, l'évêque, était le demi-frère de Wilwulf, l'ealdorman. La mère de ce dernier était morte, son père s'était remarié et sa seconde épouse avait donné naissance à Wynstan et à un frère plus jeune, Wigelm. À eux trois, ils constituaient un groupe d'hommes puissants en Angleterre de l'Ouest : un ealdorman, un évêque et un thane. Ils étaient riches, mais les attaques des Vikings menaçaient leur prospérité.

Mais pourquoi Wynstan était-il venu à Cherbourg ? Si ses hommes d'armes le savaient, ils n'en disaient rien.

Sa présence était probablement liée à l'exécution du traité conclu entre Wilwulf et Hubert. Sans doute Wynstan était-il venu vérifier qu'Hubert tenait parole et refusait aux Vikings le droit de mouiller dans le port de Cherbourg. Ou peut-être Ragna n'était-elle pas étrangère à sa visite.

Elle apprit la vérité le soir même.

Après le souper, alors que le comte Hubert s'apprêtait à se retirer, Wynstan le prit à l'écart et lui parla tout bas. Ragna eut beau tendre l'oreille, elle ne put distinguer ses paroles. Hubert répondit en chuchotant lui aussi, avant de hocher la tête et de se diriger vers ses appartements privés, suivi de Geneviève.

Celle-ci fit venir Ragna peu après.

« Que s'est-il passé ? demanda la jeune fille, le souffle court, dès qu'elle fut dans la pièce. Qu'a dit Wynstan ? »

Sa mère semblait de fort méchante humeur.

« Demandez à votre père, dit-elle.

— L'évêque Wynstan est chargé de me transmettre une demande en mariage vous concernant de la part de l'ealdorman Wilwulf », annonça alors Hubert.

Ragna ne put dissimuler son allégresse.

« J'osais à peine l'espérer ! » s'écria-t-elle. Elle faillit se mettre à sauter de joie comme une enfant. « Je craignais qu'il ne soit venu à cause des Vikings !

— N'imaginez pas un instant, je vous prie, que nous consentirons à pareille union », intervint Geneviève.

Ragna ne l'entendait plus. Elle allait échapper à Guillaume – et épouser celui qu'elle aimait.

« Finalement, il m'aime !

— Votre père a accepté d'écouter la proposition de l'ealdorman, rien de plus.

— Je ne puis faire autrement, commenta Hubert. Toute autre attitude serait grossière et laisserait entendre que sa demande n'est recevable sous aucune condition.

— Ce qui est parfaitement le cas ! observa Geneviève.

— Sans doute, convint Hubert. Il s'agit pourtant de choses que l'on pense mais que l'on ne dit pas. On ne gagne rien à offenser autrui.

— Quand il aura pris connaissance des termes de la demande, reprit Geneviève, votre père refusera poliment.

— Vous m'informerez de la teneur de sa proposition, père, avant de la décliner, vous voulez bien ? »

Hubert hésita. Il n'était pas homme à claquer les portes.

« C'est entendu », répondit-il.

Geneviève fit une moue de réprobation. Ragna poussa sa chance.

« Me permettrez-vous d'assister à votre entrevue avec Wynstan ?

— Êtes-vous capable de garder le silence de bout en bout ?

— Oui.

— Le promettez-vous ?

— J'en fais le serment.

— Fort bien.

— Allez vous coucher maintenant, dit Geneviève à Ragna. Nous en reparlerons demain. »

Ragna les quitta et alla s'allonger dans la grande salle, blottie dans son lit contre le mur. Elle eut du mal à rester immobile tant elle était fébrile. Il l'aimait !

Lorsque tous les brûle-joncs furent éteints et que la salle fut plongée dans l'obscurité, ses battements de cœur ralentirent et son corps se détendit. En même temps, elle commença à réfléchir plus posément. S'il l'aimait, pourquoi avait-il pris la fuite sans explication ?

Wynstan justifierait-il cette désinvolture ? Elle décida, s'il s'en abstenait, de lui demander directement des éclaircissements.

Cette réflexion la ramena sur terre et elle s'endormit.

Elle se réveilla alors que l'aube pointait à peine et sa première pensée fut pour Wilwulf. Quels seraient les termes de son offre ? En règle générale, une épouse de rang aristocratique devait être assurée de disposer d'un revenu suffisant en cas de décès de son mari. Si ses enfants étaient susceptibles d'hériter la fortune ou le titre de leur père, certaines clauses pouvaient imposer qu'ils soient élevés dans son pays, même s'il mourait. Dans certains cas, l'approbation du roi était également nécessaire. Un accord matrimonial était parfois aussi aride qu'un contrat commercial.

Ragna espérait surtout que l'offre de Wilwulf ne contiendrait rien qui pût donner à ses parents de bonnes raisons de la rejeter.

Dès qu'elle fut habillée, elle regretta de n'avoir pas dormi plus longtemps. Le personnel de cuisine et les palefreniers se levaient toujours à l'aurore, mais tous les autres, Wynstan compris, sommeillaient encore. Elle dut résister à la tentation de le prendre par l'épaule et de le secouer pour le questionner.

Elle se rendit à la cuisine, où elle but un gobelet de cidre et mangea un morceau de pain plat trempé dans du miel. Prenant une pomme encore à moitié verte, elle se dirigea vers les écuries où elle la donna à Astrid. La jument reconnaissante la poussa du museau.

« Tu n'as jamais connu l'amour, toi », lui chuchota Ragna à l'oreille.

Ce n'était pas entièrement vrai : à certaines périodes de l'année, en été le plus souvent, Astrid se mettait à relever la queue et il fallait l'attacher solidement pour l'empêcher d'aller rejoindre les étalons.

La paille qui jonchait le sol des écuries était humide et sentait mauvais. Les palefreniers ne mettaient aucun empressement à la changer et Ragna leur ordonna d'apporter immédiatement de la litière fraîche.

Le domaine commençait à se réveiller. Tous se dirigèrent vers le puits, les hommes pour se désaltérer, les femmes pour faire un brin de toilette. Des domestiques servirent du pain et du cidre dans la grande salle. Les chiens mendiaient des miettes et les chats guettaient les souris. Sortant de leurs appartements, le comte et la comtesse vinrent s'asseoir à table. Le petit déjeuner commença.

Dès que le repas fut terminé, le comte invita Wynstan à le suivre. Geneviève et Ragna leur emboîtèrent le pas, et tous prirent place dans la pièce qui donnait sur les appartements privés.

Le message de Wynstan était simple.

« Il y a six semaines, lors de son séjour ici, l'ealdorman Wilwulf est tombé amoureux de dame Ragna. De retour sur ses terres, il a pris conscience que sans elle, sa vie était incomplète. Aussi vous prie-t-il, monsieur le comte et madame la comtesse, de l'autoriser à vous demander sa main.

— Quelles dispositions compte-t-il prendre pour assurer la sécurité financière de ma fille ? demanda Hubert.

— Le jour du mariage, il lui fera don du val d'Outhen. C'est une vallée fertile qui regroupe cinq gros villages avec au total près d'un millier d'habitants, qui paient tous leurs redevances en espèces ou en nature. Elle contient une carrière de pierre calcaire. Puis-je vous demander à mon tour, comte Hubert, ce que dame Ragna apporterait dans cette union ?

— Un bien comparable : le village de Saint-Martin et huit petits villages à proximité, représentant à peu près le même nombre d'habitants, soit un peu plus de mille. »

Wynstan acquiesça sans ajouter de commentaire, et Ragna se demanda si cela lui paraissait insuffisant.

« Les revenus des deux propriétés lui reviendront-ils ? interrogea Hubert.

— Oui, acquiesça Wynstan.

— Et elle conservera ces deux biens jusqu'à sa mort, moment auquel elle pourra les léguer à la personne de son choix ?

— Oui, répéta Wynstan. Et sa dot en espèces ? Qu'avez-vous prévu de lui donner ?

— J'aurais pensé que Saint-Martin suffisait.

— Puis-je suggérer vingt livres d'argent ?

— Il faut que j'y réfléchisse. Le roi Ethelred d'Angleterre approuvera-t-il ce mariage ? »

Il était d'usage de demander l'autorisation royale pour les unions aristocratiques.

« J'ai pris la précaution de lui demander son consentement d'avance, annonça Wynstan en adressant un sourire mielleux à Ragna. Je lui ai dit que la jeune personne était de toute beauté et fort bien élevée et qu'elle ferait grand honneur à mon frère, à Shiring et à l'Angleterre. Le roi a accepté de bon cœur. »

Geneviève prit alors la parole pour la première fois.

« Votre frère habite-t-il une demeure telle que celle-ci ? »

Elle écarta les mains pour montrer les pierres du château.

« Madame, personne en Angleterre n'habite de construction pareille à celle-ci et je crois savoir qu'il en est peu de comparables, même en Normandie et dans les terres franques.

— C'est exact, approuva Hubert fièrement. Il n'en existe qu'une autre de ce genre en Normandie, à Ivry.

— Et aucune en Angleterre.

— Peut-être est-ce pour cela que les Anglais savent si mal se protéger des Vikings, avança Geneviève.

— Ne croyez pas cela, madame. Shiring est un bourg fortifié et solidement défendu.

— Pourtant, si j'ai bien compris, on n'y trouve ni château ni donjon de pierre.

— C'est exact.

— Me permettrez-vous de vous poser d'autres questions ?

— Je suis à votre entière disposition.

— Votre frère a une trentaine d'années, c'est bien cela ?

— Il a la quarantaine, madame, mais il ne la fait pas.

— Pourquoi n'est-il pas encore marié ?

— Il l'a été. C'est pour cette raison qu'il n'a pas parlé mariage lors de son séjour ici. Malheureusement, sa femme n'est plus parmi nous.

— Ah. »

C'était donc cela, songea Ragna. Il n'avait pas pu faire sa demande en juillet parce qu'il était encore marié.

Les hypothèses se bousculaient dans sa tête. Pourquoi avait-il été infidèle à sa femme ? Peut-être était-elle déjà malade, et son trépas inévitable. Son état avait pu se détériorer lentement, l'empêchant d'accomplir son devoir conjugal depuis un certain temps – ce qui expliquerait que Wilwulf ait été aussi avide d'amour. Une multitude de questions se pressaient sur ses lèvres, mais elle avait promis de rester coite, et elle serra les dents, dépitée.

« Puis-je rapporter une réponse positive à mon frère ? demanda Wynstan.

— Nous vous le ferons savoir, répondit Hubert. Nous devons encore étudier très soigneusement les informations que vous nous avez données.

— Je comprends. »

Ragna chercha à déchiffrer l'expression de Wynstan. Elle avait le sentiment que le choix de son frère ne le satisfaisait pas pleinement et s'interrogea sur le motif de ses réserves. Il souhaitait indéniablement la réussite de la mission que son illustre frère lui avait confiée, mais peut-être y avait-il dans cet arrangement quelque chose qui ne lui plaisait pas. Il pouvait avoir une candidate à lui : les intérêts politiques pesaient lourd dans les mariages aristocratiques. Ou peut-être, plus simplement, n'appréciait-il pas Ragna – ce qui aurait été, elle en était consciente, inhabituel chez tout homme d'une virilité normale. Quelle que fût la raison, il ne paraissait pas excessivement chagriné par la tiédeur d'Hubert.

Wynstan se leva et prit congé. Dès que la porte se referma sur lui, Geneviève s'écria :

« Quel scandale ! Il veut qu'elle aille vivre dans une maison en bois et se fasse attaquer par les Vikings. Elle risque de se retrouver sur le marché aux esclaves de Rouen !

— Je pense que vous exagérez quelque peu, mon amie, tempéra le comte.

— Peut-être, mais Guillaume est indéniablement supérieur à cet Anglais.

— Je n'aime pas Guillaume, bondit Ragna.

— Vous ne savez pas ce qu'est l'amour, rétorqua sa mère. Vous êtes trop jeune.

— Et vous n'êtes jamais allée en Angleterre, renchérit son père. Le pays est très différent d'ici, vous savez. Il y fait froid et humide. »

Ragna était convaincue de pouvoir supporter la pluie pour vivre avec celui qu'elle aimait.

« Je veux épouser Wilwulf ! s'obstina-t-elle.

— Vous parlez comme une petite paysanne,

remarqua sa mère. Rappelez-vous que vous appartenez à la noblesse, ce qui vous interdit d'épouser l'homme de votre choix.

— Je n'épouserai pas Guillaume !

— Vous l'épouserez si telle est la volonté de vos parents.

— Vous avez vingt ans, intervint Hubert, et durant toutes ces années, vous n'avez jamais connu ni le froid ni la faim. Mais la vie privilégiée que vous menez a un prix. »

La logique de son père fut plus efficace que l'emportement de sa mère et Ragna fut réduite au silence. Elle n'avait jamais considéré son existence sous cet angle et fut ramenée à la réalité.

Mais elle n'était pas prête pour autant à renoncer à Wilwulf.

« Il va falloir occuper Wynstan, dit alors sa mère. Emmenez-le donc faire une promenade à cheval. Montrez-lui la région. »

Ragna soupçonnait sa mère d'espérer que Wynstan dirait ou ferait quelque chose qui la dissuaderait de partir en Angleterre. Elle aurait préféré rester seule avec ses pensées, mais elle accepta de distraire Wynstan, bien décidée à en profiter pour en apprendre davantage sur Wilwulf et sur Shiring.

« Je ne demande pas mieux », dit-elle docilement avant de sortir.

Wynstan accepta volontiers sa proposition et ils se dirigèrent ensemble vers les écuries, en compagnie de Cnebba et de Cat. En chemin, Ragna dit tout bas à Wynstan :

« J'aime votre frère. J'espère qu'il le sait.

— Il craignait que son départ précipité de Cherbourg n'ait eu raison des sentiments que vous pouviez avoir conçus pour lui.

— J'aurais dû le détester, il est vrai, mais j'en ai été incapable.

— Je le rassurerai sur ce point dès mon retour. »

Elle avait encore beaucoup de choses à dire à Wynstan, mais elle en fut empêchée par des éclats de voix. Deux chiens, un chien de chasse noir à pattes courtes et un mastiff gris, se battaient à quelques pas des écuries et tous les palefreniers étaient sortis assister au spectacle. Ils criaient pour encourager les adversaires et prenaient des paris sur le vainqueur.

Agacée, Ragna entra dans l'écurie chercher quelqu'un pour l'aider à seller les chevaux. Elle constata que les palefreniers avaient rentré de la paille sèche, comme elle leur en avait donné l'ordre, mais qu'ils avaient tous abandonné leur travail pour assister au combat de chiens, laissant la plus grande partie de la paille en tas, juste de l'autre côté de la porte.

Elle s'apprêtait à aller en arracher un ou deux à leur divertissement, quand ses narines frémirent. Elle renifla et sentit une odeur de brûlé. Tous ses sens aussitôt en alerte, elle distingua un filet de fumée.

Quelqu'un avait dû apporter de la cuisine un tison encore rougeoyant pour allumer une lampe dans un coin obscur de l'écurie avant de renoncer à ce projet et de poser négligemment le morceau de bois par terre quand la bagarre de chiens avait éclaté. Quelle que fût l'explication, une partie de la paille fraîche avait commencé à se consumer.

Regardant autour d'elle, Ragna aperçut une barrique d'eau destinée à abreuver les chevaux et, à côté, un seau de bois renversé. Attrapant celui-ci, elle le remplit et arrosa la paille fumante.

Elle comprit immédiatement que cela ne suffirait pas. Durant les quelques secondes qu'il lui avait fallu pour analyser la situation, le feu avait pris de la vigueur et elle vit soudain des flammes s'élever. Elle tendit le seau à Cat.

« Continue à jeter de l'eau dessus ! ordonna-t-elle. Je vais au puits avec les hommes. »

Elle sortit de l'écurie en courant. Wynstan et Cnebba la suivirent. Sans ralentir l'allure, elle cria :

« Feu aux écuries – allez chercher des seaux et des marmites ! »

Arrivée au puits, elle demanda à Cnebba d'actionner le treuil – il paraissait assez robuste pour le faire sans fatigue. Cnebba ne la comprit pas, évidemment, mais Wynstan traduisit promptement ses propos dans un anglais guttural. Plusieurs personnes s'emparèrent de récipients qui traînaient à proximité et Cnebba commença à les remplir.

Les palefreniers étaient tellement absorbés par le combat de chiens qu'aucun n'avait encore pris conscience de ce qui se passait. Ragna les appela à grands cris, sans réussir à attirer leur attention. Elle se précipita alors au milieu du groupe, écartant brutalement les hommes pour rejoindre les chiens écumants. Elle attrapa le chien noir par les pattes arrière et le souleva de terre, mettant ainsi fin à la bagarre.

« Feu aux écuries ! hurla-t-elle. Formez la chaîne jusqu'au puits et faites passer l'eau ! »

Après quelques instants de confusion, les palefreniers s'empressèrent de faire une chaîne de seaux.

Ragna retourna aux écuries. La paille fraîche flambait férocement et le feu s'était propagé. Les chevaux hennissaient d'effroi, ruant et se débattant pour essayer de rompre les cordes qui les empêchaient de fuir. Elle se précipita vers Astrid, essaya de la calmer et la mena au-dehors.

Elle aperçut Guillaume qui observait le remue-ménage.

« Ne restez pas planté là, lui dit-elle. Prêtez-nous main-forte ! »

Il eut l'air surpris.

« Je ne saurais comment », répondit-il mollement.

Comment pouvait-il être aussi benêt ? Exaspérée, elle lui lança :

« Imbécile ! Si vous ne pouvez rien faire d'autre, au moins, pissez dessus ! »

Visiblement vexé, Guillaume s'éloigna d'un pas raide.

Ragna tendit la corde d'Astrid à une petite fille et retourna en courant à l'intérieur de l'écurie. Elle détacha tous les chevaux et les fit sortir, espérant qu'ils ne blesseraient personne dans leur panique. Pendant quelques secondes, ils gênèrent les hommes chargés de seaux, mais leur départ leur laissa plus de place pour manœuvrer, et au bout de quelques minutes les flammes furent éteintes.

Le toit de chaume ne s'était pas embrasé, les écuries étaient sauvées et de nombreux chevaux de prix avaient échappé à la mort.

Ragna arrêta la chaîne de seaux.

« Bien joué, vous tous ! s'écria-t-elle. Nous sommes intervenus à temps. Les dégâts ne sont pas très importants. Par bonheur, aucun homme et aucun cheval n'est blessé. »

Un des hommes cria :

« C'est grâce à vous, dame Ragna ! »

Plusieurs approuvèrent bruyamment, puis tous l'acclamèrent.

Elle croisa le regard de Wynstan. Il l'observait avec quelque chose comme du respect.

Elle chercha ensuite Guillaume des yeux. Il avait disparu.

*

Quelqu'un avait dû entendre la phrase qu'elle avait lancée à Guillaume, car à l'heure du souper tous les occupants du domaine semblaient en avoir été informés. Cat confia à Ragna que sa raillerie était sur toutes les lèvres, et elle ne put que remarquer que, quand les gens croisaient son regard, ils lui souriaient puis se parlaient à l'oreille en riant, comme s'ils se rappelaient une bonne plaisanterie. Par deux fois, elle surprit quelqu'un qui disait : « Si vous ne pouvez rien faire d'autre, au moins pissez dessus ! »

Guillaume repartit pour Reims le lendemain matin. Il avait été insulté et était à présent la cible de quolibets. C'en était trop pour sa dignité. Son départ se fit discrètement et sans cérémonie. Ragna n'avait pas voulu l'humilier, mais elle ne put s'empêcher de se réjouir en voyant son cheval s'éloigner.

La résistance de ses parents s'effondra. Ils firent savoir à Wynstan que la proposition de son frère était acceptée, dot de vingt livres d'argent comprise, et les noces furent fixées à la Toussaint, le 1er novembre. Wynstan repartit pour l'Angleterre, porteur de ces bonnes nouvelles. Ragna prendrait quelques semaines pour se préparer avant de le suivre.

« Vous êtes arrivée à vos fins, comme si souvent, lança Geneviève à Ragna. Guillaume ne veut pas de vous. Quant à moi, je n'ai pas la force de vous chercher un autre noble français. Au moins, cet Anglais me débarrassera de vous. »

Hubert se montra plus aimable.

« L'amour finit par triompher, lui dit-il. Exactement comme dans ces vieilles histoires que vous adorez.

— En effet, acquiesça Geneviève. Mais permettez-moi de vous rappeler que le plus souvent, ces histoires finissent mal. »

8

Début septembre 997

Edgar était décidé à construire un bac dont Dreng serait satisfait.

Il était difficile d'aimer Dreng, un homme aussi pingre que malveillant, et peu de gens l'appréciaient. Vivant désormais à la taverne, Edgar ne tarda pas à bien connaître toute la famille. La plupart du temps, l'aînée des épouses, Leaf, traitait son mari avec une froide indifférence. La plus jeune, Ethel, semblait le craindre. Elle achetait les provisions nécessaires et faisait la cuisine, et pleurait quand Dreng lui reprochait de trop dépenser. Edgar se demandait si l'une ou l'autre avait jamais été amoureuse de lui. Il en doutait : elles étaient toutes deux issues de familles de paysans pauvres et s'étaient probablement mariées pour être enfin à l'abri du besoin.

Quant à Blod, l'esclave, elle détestait Dreng. Quand elle n'était pas obligée de satisfaire les désirs sexuels d'étrangers de passage, Dreng lui faisait nettoyer la maison et les annexes, nourrir les porcs et les poules et changer les nattes de jonc. Il lui parlait toujours durement et elle était constamment hargneuse et vindicative. Moins malheureuse, elle aurait fait gagner plus d'argent à Dreng, mais celui-ci ne semblait pas en avoir conscience.

Les trois femmes aimaient bien Brindille, la chienne d'Edgar, qui avait gagné leur affection en éloignant les renards du poulailler. Dreng ne la caressait jamais et elle faisait comme s'il n'existait pas.

En revanche, Dreng vouait visiblement une grande tendresse à sa fille, Cwenburg, qui le lui rendait bien. Il suffisait qu'elle apparaisse pour qu'il ait le sourire aux lèvres alors qu'il accueillait la plupart des gens par un rictus de mépris ou, au mieux, par une grimace narquoise. Dreng interrompait toujours sa besogne pour Cwenburg et ils s'asseyaient ensemble pour bavarder tout bas, des conciliabules qui pouvaient durer une heure.

Cela prouvait qu'il était possible d'avoir des relations humaines normales avec Dreng, et Edgar était bien décidé à faire des efforts pour y parvenir. Il ne briguait pas son amitié, seulement des échanges efficaces, dénués d'animosité.

Edgar aménagea un atelier en plein air sur la berge du fleuve et par chance, la chaleur d'août céda la place à un mois de septembre ensoleillé. Il était heureux de se remettre à l'ouvrage, de pouvoir affûter sa lame, sentir l'odeur du bois fraîchement coupé, imaginer et réaliser des formes et des assemblages.

Une fois qu'il eut façonné tous les éléments de bois, il les disposa sur le sol et l'on commença à distinguer les contours de l'embarcation.

Venu inspecter son travail, Dreng lança d'un ton réprobateur :

« Dans un bateau, normalement, les planches se superposent. »

Anticipant ses critiques, Edgar avait préparé sa défense, mais il restait sur ses gardes. Il devait réussir à convaincre Dreng sans jouer le monsieur-je-sais-tout – un de ses travers, il ne l'ignorait pas.

« Le type de coque dont vous parlez s'appelle un bordage à clin. En revanche, ce bateau-ci aura un fond plat et sera donc à franc-bord, les planches étant disposées bord à bord. À ce propos, en construction navale, on parle de bordages, pas de planches.

— Planches, bordages, que m'importe ! Mais pourquoi fais-tu un fond plat ?

— Avant tout pour permettre aux hommes et aux bêtes de se tenir debout, et pour qu'on puisse empiler les paniers et les sacs sans qu'ils risquent de basculer. Et comme un fond plat limite le roulis, les passagers ont moins tendance à s'affoler.

— Si c'est une aussi bonne idée, pourquoi tous les bateaux ne sont-ils pas construits de la sorte ?

— Parce que la plupart doivent traverser rapidement les vagues et les courants. Ce n'est pas nécessaire pour un bac. Il n'y a pas de vagues ici, le courant est régulier sans être puissant, et la vitesse n'est pas une priorité pour une traversée de trente brasses. »

Dreng grommela avant de tendre le doigt vers les bordages qui formeraient les flancs du bateau.

« Je suppose que les bastingages monteront plus haut.

— Non. Comme il n'y a pas de vagues, le bateau n'aura pas besoin de bords élevés.

— Les bateaux sont généralement pointus à l'avant. Celui-ci à l'air d'être carré aux deux bouts.

— Pour la même raison – il n'a pas besoin de franchir les vagues rapidement. Et puis, les extrémités droites facilitent l'embarquement et le débarquement. C'est pour la même raison que j'ai prévu des pans inclinés. On pourra aussi charger du bétail sur ce bateau.

— Faut-il vraiment qu'il soit aussi large ?

— Si nous voulons pouvoir embarquer une charrette, oui. » Cherchant à arracher à Dreng au moins une parole d'approbation, Edgar ajouta :

« Pour prendre le bac qui traverse l'estuaire à Combe, il faut payer un farthing par roue : un farthing pour une brouette, un demi-penny pour une charrette à bras et un penny entier pour un char à bœufs. »

Une expression cupide envahit le visage de Dreng, qui ne put cependant s'empêcher de remarquer :

« Il n'y a pas beaucoup de charrettes qui passent par ici.

— Elles se rendent toutes à Mudeford, parce que votre ancien canot ne pouvait pas les faire traverser. Elles seront plus nombreuses dès que vous aurez ce bac, vous verrez.

— Ça m'étonnerait, bougonna Dreng. Et il va être diablement lourd pour celui qui ramera.

— Il n'aura pas de rames. » Edgar désigna deux longues perches. « Comme le fleuve n'a jamais plus de six pieds de profondeur, le bac pourra être manœuvré à la perche. Un homme solide suffira.

— Je ne pourrai pas le faire, avec mon dos en mauvais état.

— Deux femmes y suffiront si elles se mettent ensemble. C'est pour ça que j'ai fait deux perches. »

Quelques villageois curieux s'étaient approchés du fleuve. Le prêtre-orfèvre, Cuthbert, se trouvait parmi eux. C'était un homme talentueux et compétent, mais timide et asocial, rudoyé par son maître, Degbert. Edgar lui adressait souvent la parole, mais n'en tirait que des réponses monosyllabiques sauf quand ils abordaient des questions techniques.

« Tu as fait tout cela avec une hache de Viking ? lui demanda alors Cuthbert.

— C'est le seul outil dont je dispose, expliqua Edgar. Le dos de la tête me sert de marteau. Et je veille à ce que ma lame soit toujours bien affûtée, ce qui est le plus important. »

Cuthbert eut l'air impressionné.

« Et comment comptes-tu assembler les bordages bord à bord ?

— Je les chevillerai sur une armature de bois.

— Avec des clous de fer ?

— Non. Je prendrai des clous d'arbre. »

Un clou d'arbre était une cheville en bois aux extrémités fendues. On commençait par insérer la cheville dans un trou, puis on enfonçait un coin dans la fente, élargissant ainsi la cheville jusqu'à ce qu'il n'y ait plus aucun jour. Enfin, on coupait les bouts de la cheville qui dépassaient au ras du bordage afin que la surface soit parfaitement lisse.

« C'est une bonne solution, approuva Cuthbert. Mais tu devras étanchéifier les joints.

— Oui. Il faudra que j'aille à Combe acheter un baril de goudron et un sac de laine brute. »

En entendant cela, Dreng prit l'air outré.

« Encore des frais ? On ne construit pas un bateau avec de la laine.

— Les joints entre les bordages doivent être bouchés avec de la laine trempée dans du goudron pour qu'ils soient étanches.

— Il faut bien avouer que tu as réponse à tout », grommela Dreng.

Dans sa bouche, c'était presque un éloge.

*

Quand le bateau fut prêt, Edgar le mit à l'eau.

C'était toujours un grand moment. Du vivant de Pa, toute la famille se rassemblait pour assister au lancement, et de nombreux habitants se joignaient généralement à eux. Mais cette fois, Edgar était seul. Il ne craignait pas que son bateau coule, mais ne voulait pas paraître trop content de lui. Nouveau venu, il cherchait à s'intégrer, et non à se distinguer.

Après avoir amarré l'embarcation à un arbre pour éviter que le courant ne l'emporte, il la traîna jusqu'au pied de la berge et observa comment elle reposait sur l'eau. Les bords étaient droits et le fond parfaitement horizontal, constata-t-il avec satisfaction. Les joints ne laissaient pas passer d'eau. Il dénoua la corde et s'engagea sur le pan incliné. Sous son poids, le bateau s'inclina très légèrement, comme il fallait.

Brindille le regardait avec enthousiasme, mais il ne voulait pas d'elle à bord pour ce premier trajet. Il voulait d'abord observer comment le bac se comportait à vide.

« Tu restes ici », lui dit-il, et elle se coucha, le museau entre les pattes, sans le quitter du regard.

Les deux longues perches reposaient dans des crochets de bois, trois de chaque côté. Il en dégagea une, la plongea dans l'eau jusqu'au lit du fleuve et poussa. La manœuvre était plus facile qu'il ne l'aurait pensé et le bac s'écarta doucement de la berge.

Il rejoignit l'avant et enfonça la perche du côté de l'aval, faisant pivoter l'embarcation vers l'amont pour compenser l'effet du courant. Il estima que cette tâche était parfaitement dans les cordes d'une femme robuste ou d'un homme de force moyenne – Blod ou Cwenburg pourraient le faire seules, tandis que Leaf et Ethel y parviendraient facilement ensemble, surtout s'il leur expliquait comment faire.

Tout en traversant le fleuve, il contempla les feuillages luxuriants de la fin d'été sur la rive opposée et aperçut un mouton. D'autres sortirent du bois, menés par deux chiens ; ils furent rejoints par le berger, un jeune homme aux cheveux longs et à la barbe broussailleuse.

Les premiers passagers d'Edgar arrivaient.

Il fut soudain pris d'inquiétude. Il avait conçu son bac pour qu'il puisse transporter du bétail, mais s'il s'y connaissait en construction navale, il ignorait tout des moutons. Se comporteraient-ils comme il l'avait prévu ? Ou s'enfuiraient-ils, affolés ? Et d'ailleurs, les moutons s'affolaient-ils ? Il n'en savait rien.

Il n'allait sans doute pas tarder à l'apprendre.

Atteignant la rive, il débarqua et amarra le bac à un arbre.

Le berger empestait comme s'il ne s'était pas lavé depuis des lustres. Il dévisagea Edgar d'un regard insistant avant de remarquer :

« Tu es nouveau ici. »

Il semblait très fier de sa perspicacité.

« Oui. Je m'appelle Edgar.

— Ah ! Et tu as un bateau neuf.

— Il est beau, n'est-ce pas ?

— Différent de l'ancien. »

À chaque fin de phrase, le berger marquait une pause comme pour savourer son exploit, et Edgar se demanda si c'était parce que, en temps normal, il n'avait personne à qui parler.

« Très différent, approuva Edgar.

— Je m'appelle Saemar, mais tout le monde m'appelle Sam.

— J'espère que tu vas bien, Sam.

— Je conduis ces antenais au marché.

— Je m'en serais douté. » Edgar savait que les antenais étaient des moutons d'un an. « La traversée coûte un farthing par homme ou par bête.

— Je sais.

— Pour vingt moutons, deux chiens et toi, ça fera cinq pence et trois farthings.

— Je sais. » Saemar ouvrit une bourse de cuir attachée à sa ceinture. « Si je te donne six pennies d'argent, tu me devras un farthing. »

Edgar n'avait pas l'habitude des transactions commerciales. Il ne possédait pas de bourse où ranger l'argent, pas de monnaie et pas de cisailles pour couper les pièces d'un penny en moitiés et en quarts.

« Tu paieras Dreng directement. Nous devrions pouvoir faire traverser tout le troupeau en une fois.

— Avec l'ancien bateau, nous étions obligés de les faire passer deux par deux. Ça prenait toute la matinée. Et malgré cela, à tous les coups, une ou deux de ces stupides bêtes tombaient à l'eau, ou bien paniquaient et sautaient dans le fleuve et il fallait les sauver. Tu sais nager ?

— Oui.

— Ah ! Pas moi.

— Je serais surpris qu'un de tes moutons tombe de ce bateau.

— S'il y a un moyen de se blesser, tu peux être sûr qu'un mouton le trouvera. »

Sam prit une bête et la porta à bord du bac. Ses chiens le suivirent et explorèrent l'embarcation avec excitation, reniflant le bois neuf. Sam émit alors un sifflement trillé très particulier auquel les chiens réagirent instantanément. Ils sautèrent à terre, rassemblèrent les moutons et les conduisirent jusqu'au bord du fleuve.

C'était le moment crucial.

Le mouton de tête hésita, inutilement apeuré par l'étroit intervalle d'eau entre la berge et l'extrémité du bateau. Il regarda à gauche et à droite, cherchant une échappatoire, mais les chiens empêchaient toute tentative de fuite. Le mouton semblait prêt à refuser de faire le pas suivant. Un des chiens émit alors un grognement bas, venu du fond de la gorge, et le mouton sauta.

Il atterrit d'un pied sûr sur la rampe intérieure et descendit en trottinant, rassuré, jusqu'au fond plat du bateau.

Le reste du troupeau lui emboîta le pas, et Edgar sourit de contentement.

Les chiens suivirent les moutons à bord du bac et se postèrent aux deux extrémités comme des sentinelles. Sam monta le dernier. Edgar dénoua la corde, sauta à bord et enfonça sa perche dans l'eau.

Alors qu'ils approchaient du milieu du fleuve, Sam observa :

« Ce bateau est mieux que le vieux. »

Il hocha la tête tel un vieux sage. Il énonçait la moindre banalité comme si c'était une perle de sagesse.

« Je suis heureux qu'il te plaise, remercia Edgar. Tu es mon premier passager.

— Avant, c'était une fille qui s'en occupait. Cwenburg.

— Elle s'est mariée.

— Ah ! Ce sont des choses qui arrivent. »

Le bac atteignit la rive nord et Edgar sauta à terre. Alors qu'il attachait la corde, les moutons commencèrent à débarquer avec plus d'empressement qu'ils n'en avaient mis à embarquer.

« Ils ont vu l'herbe », expliqua Sam. Effectivement, ils commencèrent immédiatement à paître à côté du fleuve.

Edgar et Sam entrèrent dans la taverne, laissant les chiens surveiller les moutons. Ethel préparait le repas de midi sous les regards de Leaf et de Dreng. Blod entra quelques instants plus tard, chargée d'une brassée de petit bois.

« Sam n'a pas encore payé, annonça Edgar à Dreng. Il vous doit cinq pence et trois farthings, mais je n'avais pas de farthing à lui rendre.

— Arrondis ça à six et tu pourras foutre l'esclave, proposa Dreng à Sam, qui jeta à Blod un regard intéressé.

— Elle est trop avancée », intervint Leaf.

Blod approchait de ses neuf mois de grossesse. Personne n'avait voulu coucher avec elle depuis trois ou quatre semaines.

Mais Sam s'excitait déjà.

« Ça ne fait rien, dit-il.

— Ce n'est pas pour toi que je m'inquiète », rétorqua Leaf d'un ton cinglant. Le sarcasme passa par-dessus la tête de Sam. « Aussi tard, cela pourrait faire du mal au bébé.

— Et après ? lança Dreng. Qui voudrait d'un bâtard d'esclave ? »

D'un geste méprisant, il fit signe à Blod de se mettre par terre.

Edgar ne voyait pas comment Sam aurait pu s'allonger sur l'énorme ventre de Blod. Mais elle se mit à quatre pattes et releva l'arrière de sa robe sale. Sam s'agenouilla promptement derrière elle et retroussa sa tunique.

Edgar sortit.

Il descendit jusqu'à l'eau et fit semblant de vérifier l'amarrage du bac, bien qu'il sût qu'il l'avait solidement attaché. Il n'avait jamais compris les hommes qui payaient pour avoir des relations charnelles chez Mags, à Combe. Cette simple idée l'attristait. Son frère Erman avait eu beau lui dire « Quand tu as besoin, tu as besoin », Edgar était incapable de lui donner raison. Avec Sunni, leur plaisir avait été égal et il estimait que si ce n'était pas le cas, le jeu n'en valait pas vraiment la chandelle.

Ce que Sam faisait était pire que triste, évidemment.

Edgar s'assit sur la berge et contempla l'eau calme et grise, espérant que d'autres passagers viendraient et lui feraient oublier ce qui était en train de se passer dans la taverne. Brindille s'installa à côté de lui, attendant patiemment de voir ce qu'il allait faire. Quelques instants plus tard, elle dormait.

Le berger ressortit bientôt de la taverne et mena son troupeau au sommet de la colline, passant entre les maisons pour rejoindre la route qui se dirigeait vers l'ouest. Edgar ne lui dit pas au revoir. Blod descendit jusqu'au fleuve.

« Je regrette ce qui t'est arrivé », murmura Edgar.

Blod ne le regarda pas. Elle entra dans les hauts-fonds et se lava entre les jambes.

Edgar détourna les yeux.

« C'est vraiment cruel », ajouta-t-il.

Il soupçonnait Blod de comprendre l'anglais. Elle feignait le contraire : quand quelque chose n'allait pas, elle jurait en gallois, une langue aux modulations chantantes. Mais Edgar avait parfois l'impression qu'elle suivait les conversations qui se déroulaient dans la taverne, subrepticement il est vrai.

Elle confirma alors ses soupçons.

« C'est rien », dit-elle.

Son anglais était entaché d'un fort accent, mais il était clair et sa voix mélodieuse.

« Tu n'es pas rien », objecta-t-il.

Elle termina sa toilette avant de regagner la rive. Il croisa son regard. Elle paraissait méfiante et hostile.

« Pourquoi si gentil ? demanda-t-elle. Tu penses tu me fous gratis ? »

Il détourna à nouveau les yeux, regardant au-delà de l'eau, vers les arbres lointains, et garda le silence. Il pensait qu'elle partirait, mais elle ne bougea pas, attendant une réponse.

Il finit par dire :

« Cette chienne appartenait à une femme que j'ai aimée. »

Brindille ouvrit un œil. Curieux, songea Edgar, comme les chiens savent toujours quand on parle d'eux.

« Elle était un peu plus âgée que moi, et elle était mariée », poursuivit Edgar. Blod ne manifestait aucune émotion, mais semblait écouter attentivement. « Quand son mari était ivre, elle me retrouvait dans les bois et nous faisions l'amour sur l'herbe.

— “Faisions l’amour”, répéta-t-elle comme si elle ne savait pas très bien ce que cela signifiait.

— Nous avions décidé de fuir ensemble. » À son grand étonnement, il découvrit qu’il était au bord des larmes et prit conscience que c’était la première fois qu’il évoquait Sunni depuis qu’il en avait parlé à Ma, sur la route de Combe. « On m’avait promis du travail et une maison dans une autre ville. » Il confiait à Blod des détails que sa propre famille ignorait. « Elle était belle, intelligente et bonne. » Il commençait à avoir la gorge nouée, mais maintenant qu’il avait commencé son récit, il tenait à continuer. « Je crois que nous aurions été très heureux.

— Il s’est passé quoi ?

— Le jour où nous devions partir, les Vikings sont arrivés.

— Ils l’ont prise ? »

Edgar secoua la tête.

« Elle s’est débattue et ils l’ont tuée.

— Elle a eu de la chance. Crois-moi. »

En pensant à ce que Blod venait de faire avec Sam, Edgar n’était pas loin de lui donner raison.

« Elle s’appelait… » Il avait du mal à prononcer son nom. « Elle s’appelait Sunni.

— Quand ?

— Une semaine avant le solstice d’été.

— Je suis très désolée, Edgar.

— Merci.

— Tu l’aimes encore.

— Oh oui ! soupira Edgar. Je l’aimerai toujours. »

*

Le temps tourna à l’orage. Dans la nuit de la deuxième semaine de septembre, il y eut un coup de vent si violent qu'Edgar crut que le clocher de l'église allait être emporté. Mais tous les bâtiments du hameau résistèrent, à l'exception du plus fragile – la brasserie de Leaf.

Les dégâts ne touchèrent pas le seul bâtiment. Un chaudron de bière qui mijotait s'était renversé, éteignant le feu. Pire encore, la chute de madriers avait pulvérisé les tonneaux de bière nouvelle et la pluie diluvienne avait noyé les sacs d'orge maltée.

Le lendemain matin, dans le calme qui suit la tempête, ils sortirent pour examiner les dégâts, et plusieurs villageois – toujours curieux – se rassemblèrent autour des ruines.

Dreng, furieux, s'emporta contre Leaf.

« Cette bicoque tenait déjà à peine debout avant l'orage – tu aurais dû mettre la bière et l'orge en lieu sûr. »

Leaf ne se laissa pas impressionner par la hargne de Dreng.

« Tu n'avais qu'à les bouger toi-même ou demander à Edgar de le faire. Inutile de t'en prendre à moi.

— Maintenant, rétorqua-t-il, sourd à sa logique, je vais devoir acheter de la bière à Shiring et payer pour la faire transporter jusqu'ici.

— Les clients n'apprécieront que mieux la mienne quand ils auront été obligés de boire celle de Shiring pendant quelques semaines, plastronna Leaf, dont la désinvolture acheva d'exaspérer Dreng.

— En plus, ce n'est pas la première fois, fulmina-t-il. Le feu a déjà pris deux fois dans la brasserie. La dernière fois, tu étais ivre morte et tu as bien failli y rester. »

C'est alors qu'Edgar eut un éclair de génie.

« Vous devriez construire une brasserie en pierre, suggéra-t-il.

— Ne sois pas sot, grommela Dreng sans le regarder. On ne construit pas un palais pour y fabriquer de la bière. »

Cuthbert, l'orfèvre bedonnant, se trouvait parmi la foule et Edgar le vit secouer la tête comme pour désapprouver Dreng. Il lui demanda :

« Qu'est-ce que vous en pensez, Cuthbert ?

— Edgar a raison, intervint Cuthbert. Ce sera la troisième fois en cinq ans que tu reconstruis ta brasserie, Dreng. Une construction en pierre résisterait aux intempéries et aux incendies. À long terme, tu ferais des économies.

— Et qui la construira, Cuthbert ? Toi ? lança Dreng avec mépris.

— Non. Je suis joaillier.

— On ne brasse pas la bière dans une broche.

— Moi, intervint alors Edgar. Moi, je peux vous la construire.

— Parce que tu t'y connais en maçonnerie ? » grogna Dreng dédaigneux.

Edgar en ignorait tout, mais il pensait pouvoir se lancer dans n'importe quel genre de construction. Et il mourait d'envie de montrer ce dont il était capable. Manifestant une assurance qu'il était loin d'éprouver, il répliqua :

« La pierre, c'est exactement comme le bois, en plus dur, c'est tout. »

L'attitude naturelle de Dreng était le mépris, mais cette fois, il hésita. Son regard glissa vers la rive du fleuve et vers le bac robuste et lucratif qui y était amarré. Il se tourna vers Cuthbert.

« Combien ça coûterait, selon toi ? »

Edgar frémit d'espoir. Pa avait toujours dit : « Quand un homme demande le prix, il a déjà presque acheté le bateau. »

Cuthbert réfléchit quelques instants avant de répondre.

« Pour les dernières réparations que nous avons faites à l'église, nous avons fait venir la pierre de la carrière de calcaire d'Outhenham.

— Où est-ce ? demanda Edgar.

— À une journée en amont du fleuve.

— Et où avez-vous trouvé le sable ?

— Il y a une sablonnière dans les bois, à environ une demi-lieue d'ici. Il suffit de creuser et de le transporter.

— Et la chaux pour le mortier ?

— Comme la fabrication n'est pas facile, nous l'avons achetée à Shiring.

— Alors, combien ça coûterait ? répéta Dreng.

— Les pierres non équarries valent un penny pièce à la carrière, répondit Cuthbert, si mes souvenirs sont bons, et ils nous ont demandé un penny supplémentaire par pierre pour la livraison.

— Je vais dessiner un plan, proposa Edgar, et calculer toutes les dépenses très exactement ; à vue de nez, il me faudra à peu près deux cents pierres.

— Quoi ? s'écria Dreng, faussement offusqué. Cela fait presque deux livres d'argent !

— Cela reviendrait tout de même moins cher que de la reconstruire encore et encore en bois et en chaume. »

Edgar retint son souffle.

« Fais-moi un calcul précis », conclut Dreng.

*

Edgar partit pour Outhenham au lever du soleil par un frais matin de septembre ; une brise glacée soufflait sur le fleuve. Dreng avait accepté de financer une nouvelle brasserie en pierre. Edgar était au pied du mur et avait intérêt à tenir ses engagements.

Il emporta sa hache, à tout hasard. Il aurait préféré se faire accompagner par l'un de ses frères, mais ils étaient occupés à la ferme ; il prit donc le risque de voyager seul. D'un autre côté, le brigand Face-de-Fer avait déjà croisé sa route et s'était mal trouvé de cette rencontre. Il hésiterait peut-être à l'agresser une nouvelle fois. Il n'en tenait pas moins sa hache à la main, prête à servir, et était rassuré par la présence de Brindille, qui ne manquerait pas de l'alerter à temps en cas de danger.

Les arbres et les buissons qui bordaient la rive, luxuriants au sortir d'un bel été, entravaient souvent sa marche. Vers le milieu de la matinée, il fut obligé de faire un détour à l'intérieur des terres. Heureusement, le ciel était le plus souvent dégagé et il pouvait généralement voir le soleil, ce qui l'aidait à s'orienter. Finalement, il trouva un chemin qui le reconduisit vers le fleuve.

Après quelques lieues, régulièrement, il traversait une localité grande ou petite, les mêmes maisons à ossature de bois et toit de chaume groupées sur la rive ou en hauteur, autour d'un carrefour, d'une mare ou d'une église. Il glissait sa hache à sa ceinture en approchant pour avoir l'air inoffensif, mais la ressortait dès qu'il était à nouveau seul. Il aurait aimé s'arrêter, se délasser devant un gobelet de bière et manger quelque chose, mais comme il n'avait pas d'argent, il se contentait d'échanger quelques mots avec les villageois, de vérifier qu'il était sur la bonne route et de poursuivre son chemin.

Il avait pensé qu'il n'aurait aucun mal à longer le fleuve. Mais de nombreuses rivières s'y jetaient et il ne savait pas toujours avec certitude quel cours d'eau était le fleuve et lequel l'affluent. Il lui arriva une fois de faire le mauvais choix et d'apprendre en arrivant au village suivant qui s'appelait Bathford qu'il allait devoir revenir sur ses pas.

Tout en marchant, il réfléchissait à la brasserie qu'il construirait pour Leaf. Il serait peut-être judicieux de prévoir deux pièces, à l'exemple de la nef et du chœur d'une église, pour qu'on puisse ranger les précieuses réserves à l'abri du feu. Le foyer devrait être en pierres taillées jointes au mortier afin de supporter facilement le poids du chaudron et ne pas risquer de s'effondrer.

Il avait espéré atteindre Outhenham en milieu d'après-midi, mais ses détours l'avaient ralenti et le soleil était déjà bas sur l'horizon quand il estima ne plus être très loin de sa destination.

Il se trouvait dans une vallée fertile de lourde terre argileuse qui devait être, songea-t-il, le val d'Outhen. Dans les champs environnants, les paysans récoltaient l'orge, travaillant tard pour profiter du temps sec. Au confluent entre un tributaire et le fleuve, il découvrit un gros village de plus de cent maisons.

Il était du mauvais côté du cours d'eau et il n'y avait ni pont ni bac, mais il le traversa facilement à la nage, tenant sa tunique au-dessus de sa tête et se propulsant d'un bras. L'eau était froide et il en sortit en frissonnant.

À l'entrée du village, un homme grisonnant cueillait des fruits dans un petit verger. Edgar s'approcha avec une certaine appréhension, craignant de s'entendre dire qu'il était encore loin de son but.

« Je vous souhaite le bonjour, mon ami, dit-il. Ce village est-il Outhenham ?

— Oui-da », répondit l'homme aimablement. Âgé d'une cinquantaine d'années, il avait les yeux brillants, un sourire amical et l'air intelligent.

« Dieu soit loué ! s'écria Edgar.

— D'où viens-tu ?

— De Dreng's Ferry.

— Un lieu impie, à ce qu'il paraît. »

Edgar s'étonna qu'on ait entendu parler du laxisme de Degbert jusque-là. Ne sachant comment réagir, il se présenta :

« Je m'appelle Edgar.

— Et moi Seric.

— Je suis venu ici pour acheter de la pierre.

— Si tu vas jusqu'au bout du village en direction de l'est, tu trouveras un sentier très passant. La carrière est à environ un quart de lieue en s'éloignant du fleuve. Tu y rencontreras Gaberht, qu'on appelle Gab, et sa famille. Gab est le maître de carrière.

— Merci.

— Tu as faim ?

— Plutôt, oui. »

Seric lui tendit une poignée de petites poires ; Edgar le remercia et se remit en route. Il dévora les poires sur-le-champ, avec la peau et le trognon.

Le village semblait relativement prospère, avec des maisons et des dépendances bien bâties. Au centre, une église de pierre faisait face à une taverne située de l'autre côté d'un espace de verdure où paissaient des vaches.

Un grand homme d'une trentaine d'années sortit de la taverne, aperçut Edgar et se campa au milieu du chemin dans une posture belliqueuse.

« Par le diable, qui es-tu ? » demanda-t-il comme Edgar s'approchait de lui.

Il était massif, avait les yeux rouges et l'élocution pâteuse.

Edgar s'arrêta.

« Je vous souhaite le bonjour, mon ami, dit-il. Je suis Edgar, de Dreng's Ferry.

— Et où crois-tu aller ainsi ?

— À la carrière », répondit Edgar avec douceur, préférant éviter toute altercation.

Mais l'autre était d'humeur querelleuse.

« Qui t'a dit que tu pouvais y aller ?

— Je ne crois pas avoir besoin d'autorisation, répliqua Edgar qui commençait à perdre patience.

— Il te faut mon autorisation pour faire quoi que ce soit à Outhenham pour la bonne raison que je suis Dudda, le chef du village. Pourquoi te rends-tu à la carrière ?

— Pour acheter du poisson. »

Dudda eut l'air perplexe, puis il comprit qu'Edgar se moquait de lui et il s'empourpra. Conscient d'avoir bêtement fait le malin – une fois de plus –, Edgar regretta de n'avoir pas tenu sa langue.

« Je vais te faire ravaler ton insolence », gronda Dudda en lançant violemment le poing vers la tête d'Edgar.

Celui-ci recula lestement.

Le coup de Dudda manqua sa cible et il perdit l'équilibre, trébucha et tomba.

Edgar ne savait que faire. Il était certain de pouvoir battre Dudda au combat, mais quel avantage en tirerait-il ? S'il se mettait les gens du coin à dos, ils refuseraient peut-être de lui vendre de la pierre, et son projet de bâtiment serait mort-né.

Avec soulagement, il entendit la voix calme de Seric s'élever derrière lui :

« Allons Dudda, laisse-moi te raccompagner chez toi. Tu ferais sans doute mieux de t'allonger une petite heure. »

Il prit Dudda par le bras et l'aida à se remettre debout.

« Ce garçon m'a frappé ! cria Dudda.

— Non, non, tu es tombé parce qu'une fois de plus tu as bu trop de bière avec ton dîner. »

D'un signe de tête, Seric conseilla à Edgar de s'éclipser et emmena Dudda. Edgar ne se le fit pas dire deux fois.

Il n'eut aucun mal à trouver la carrière, où s'activaient quatre travailleurs : un homme relativement âgé qui semblait commander et devait donc être Gab, deux jeunes gens qui pouvaient être ses fils et un garçon qui était soit un tardillon, soit un esclave. La carrière résonnait du bruit des marteaux que ponctuait par intervalles la toux sèche de Gab. Edgar aperçut une maison en bois, sans doute leur domicile, sur le seuil de laquelle une femme regardait le coucher du soleil. De la poussière de pierre était suspendue dans l'air, les grains se parant d'un éclat doré dans la lumière du soir.

Un autre client l'avait devancé. Une solide charrette à quatre roues occupait le centre de la clairière. Deux hommes la chargeaient soigneusement de pierres, pendant que deux bœufs – vraisemblablement là pour tirer la charrette – paissaient à proximité, agitant la queue pour chasser les mouches.

Le garçon rassemblait des éclats de pierre avec un balai, sans doute pour les vendre sous forme de gravier. Il adressa la parole à Edgar avec un accent étranger, qui lui fit supposer que c'était un esclave :

« Vous êtes venu acheter de la pierre ?

— Oui. Il m'en faut suffisamment pour construire une brasserie. Mais rien ne presse. »

Edgar s'assit sur une pierre plate et observa Gab pendant quelques minutes. Il comprit rapidement comment il travaillait. Il choisissait une mince fissure de la roche, dans laquelle il insérait un coin de chêne qu'il enfonçait ensuite à coups de maillet, élargissant la faille jusqu'à ce qu'elle se transforme en fente et qu'une section de la roche se détache. Lorsqu'il ne trouvait pas de fissure naturelle à son gré, Gab en taillait une avec son ciseau de fer. Edgar devina qu'à force d'expérience, un carrier apprenait à repérer dans la roche les points faibles qui lui faciliteraient le travail.

Gab fendait les grosses pierres en deux morceaux, ou parfois trois, simplement pour en faciliter le transport.

Edgar porta alors son attention sur les acheteurs. Ils hissèrent dix pierres dans leur charrette puis s'arrêtèrent. Sans doute les bœufs ne pouvaient-ils pas tirer une charge plus lourde. Ils entreprirent de mettre les bêtes entre les brancards, prêtes pour le départ.

Gab termina ce qu'il était en train de faire, toussa, observa le ciel et sembla estimer qu'il était temps de cesser le travail. Il s'approcha du char à bœufs et discuta quelques instants avec les deux acheteurs, après quoi un des hommes lui tendit de l'argent.

Puis ils firent claquer leur fouet au-dessus des bœufs et se mirent en route.

Edgar s'approcha de Gab. Le carrier avait ramassé une baguette taillée sur une pile et y traçait soigneusement une rangée d'encoches. C'était ainsi que les artisans et les marchands tenaient leurs comptes : le parchemin était au-dessus de leurs moyens, et même s'ils en avaient eu, ils n'auraient pas su écrire. Edgar supposa que Gab devait payer des redevances au seigneur du manoir, peut-être le prix d'une pierre sur cinq, et devait donc consigner combien il en vendait.

« Je suis Edgar, de Dreng's Ferry, dit-il. Il y a dix ans, vous nous avez vendu des pierres pour réparer l'église.

— Je me rappelle », acquiesça Gab en rangeant sa taille dans sa poche. Edgar remarqua qu'il n'avait fait que cinq encoches alors qu'il avait vendu dix pierres : peut-être finirait-il de les comptabiliser plus tard. « Je ne me souviens pas de toi, mais évidemment, tu n'étais encore qu'un petit garçon. »

Edgar observa attentivement Gab. Ses mains étaient couvertes de cicatrices anciennes, marques de son travail. Sûrement se demandait-il comment gruger ce blanc-bec ignorant. Edgar prit les devants d'une voix ferme :

« Le prix était de deux pence par pierre, livraison comprise.

— Ah oui, vraiment ? demanda Gab, feignant d'en douter.

— S'il n'a pas changé, il nous en faudrait environ deux cents.

— Je ne suis pas certain que nous puissions te les faire au même prix. La situation n'est plus la même.

— Dans ce cas, il va falloir que je retourne chez moi pour parler à mon maître. »

Edgar n'en avait aucune envie. Il tenait à rentrer à la taverne avec un succès à annoncer. Mais il n'avait pas non plus l'intention de laisser Gab le rouler dans la farine. Il se méfiait de lui. Peut-être ne faisait-il que négocier, mais Edgar avait le sentiment que l'honnêteté n'était pas sa vertu première.

Le carrier toussa.

« La dernière fois, nous avons fait affaire avec Degbert le Chauve, le doyen. Il est près de ses sous.

— Mon maître, Dreng, aussi. Ils sont frères.

— Pourquoi avez-vous besoin de ces pierres ?

— Je construis une brasserie pour Dreng. Sa femme fait de la bière et ne cesse de mettre le feu à leur bâtiment de bois.

— C'est toi qui vas la construire ? »

Edgar releva le menton.

« Oui.

— Tu es bien jeune. Mais je suppose que Dreng préfère un maçon qui ne lui coûte pas trop cher.

— Il veut aussi de la pierre qui ne lui coûte pas trop cher.

— Tu as l'argent sur toi ? »

Je suis peut-être jeune, songea Edgar, mais je ne suis pas niais.

« Dreng paiera à la livraison des pierres.

— Il a intérêt. »

Edgar devina que le carrier porterait les pierres, ou les charroierait, jusqu'au fleuve, avant de les charger sur un radeau pour descendre le cours d'eau jusqu'à Dreng's Ferry. Il devrait faire plusieurs voyages, en fonction des dimensions du radeau.

« Où passes-tu la nuit ? demanda Gab. À la taverne ?

— Je vous ai dit que je n'ai pas d'argent.

— Dans ce cas, il faudra que tu dormes ici.

— Merci », dit Edgar.

*

La femme de Gab se nommait Beaduhild mais il l'appelait Bee. Elle se montra plus accueillante que son mari et invita Edgar à partager leur repas du soir. Dès que son écuelle fut vide, il se rendit compte que sa longue marche l'avait épuisé ; il s'allongea par terre et s'endormit immédiatement.

Le lendemain matin, il déclara à Gab :

« J'aurai besoin d'un marteau et d'un ciseau comme les vôtres pour façonner les pierres selon mes besoins.

— En effet, approuva Gab.

— Puis-je jeter un coup d'œil à vos outils ? »

Gab haussa les épaules.

Edgar souleva le maillet de bois et le soupesa. Il était gros et lourd, mais plutôt rudimentaire et il n'aurait aucun mal à s'en faire un sur le même modèle. Le marteau à tête de fer était d'une fabrication plus soigneuse, le manche fermement enfoncé dans la tête. Mais le plus remarquable de tous les outils était le ciseau de fer, muni d'une large lame émoussée et d'une tête aplatie en forme de marguerite. Edgar pourrait en forger une copie dans l'atelier de Cuthbert. Celui-ci n'apprécierait peut-être pas de devoir partager son local, mais Dreng demanderait à Degbert d'insister et Cuthbert serait obligé de s'incliner.

Plusieurs baguettes portant des encoches étaient suspendues à des crochets, à côté des outils.

« J'imagine que vous établissez une taille par client, observa Edgar.

— En quoi est-ce que cela te regarde ?

— Pardon. »

Edgar ne voulait pas paraître trop curieux. Mais il ne put s'empêcher de remarquer que la taille la plus récente ne portait que cinq encoches. Était-il possible que Gab ne consigne que la moitié des pierres qu'il vendait ? Cela lui ferait faire de jolies économies sur ses redevances.

Après tout, si Gab volait son seigneur, ce n'était pas l'affaire d'Edgar. Le val d'Outhen faisait partie du comté de Shiring, et l'ealdorman Wilwulf était déjà bien assez riche.

Edgar prit un copieux petit déjeuner, remercia Bee et se mit en route pour rentrer chez lui.

Il pensait retrouver son chemin facilement depuis Outhenham puisqu'il avait déjà fait le trajet en sens inverse, mais à sa grande consternation il se perdit encore. Aussi faisait-il presque nuit quand il arriva enfin à la taverne de Dreng, assoiffé, affamé et épuisé.

Les occupants s'apprêtaient à aller se coucher. Ethel lui sourit, Leaf lui marmonna un vague bonsoir et Dreng l'ignora. Blod empilait des bûches pour le feu. Elle interrompit sa tâche, se redressa, posa la main gauche sur l'arrière de sa hanche et étira son corps comme pour le soulager d'une douleur. Quand elle se retourna, Edgar remarqua qu'elle avait un coquard.

« Que t'est-il arrivé ? » lui demanda-t-il.

Elle ne répondit pas, feignant de ne pas comprendre. Mais Edgar n'eut aucun mal à deviner ce qui s'était passé. L'humeur de Dreng à son égard n'avait cessé d'empirer au cours des dernières semaines, alors que son terme approchait. Il n'y avait rien d'inhabituel à ce qu'un homme maltraite sa famille, bien sûr, et Edgar avait déjà vu Dreng donner un coup de pied dans le derrière de Leaf et gifler Ethel, mais il réservait à Blod ses traitements les plus brutaux.

« Il reste quelque chose pour souper ? demanda Edgar.

— Non, dit Dreng.

— Mais j'ai marché toute la journée.

— Ça t'apprendra à être en retard.

— Je travaillais pour vous !

— Je te paie pour cela et il n'y a plus rien. Alors tais-toi. »

Edgar alla se coucher le ventre creux.

Le matin, Blod se leva avant tout le monde. Elle descendit au fleuve chercher de l'eau, sa première tâche du jour. Le seau était en bois avec des rivets de fer, et même vide, il était terriblement lourd. Edgar enfilait ses chaussures quand elle revint. Voyant qu'elle peinait, il se précipita pour lui prendre le seau des mains, mais avant qu'il n'ait pu le faire, elle trébucha sur Dreng, couché à demi endormi, et l'eau déborda du seau, lui éclaboussant le visage.

« Stupide garce ! » rugit-il en se redressant d'un bond.

Blod trembla de peur devant son poing levé. Edgar s'interposa alors :

« Donne-moi ce seau, Blod », dit-il.

Les yeux de Dreng étincelèrent de colère. L'espace d'un instant, Edgar crut qu'il allait recevoir le coup destiné à Blod. Grand et carré d'épaules, Dreng était costaud, malgré le mal de dos dont il se plaignait si souvent. Edgar n'en décida pas moins en un éclair de riposter s'il était agressé. Il en subirait les conséquences, évidemment, mais il aurait au moins la satisfaction d'avoir mis Dreng à terre.

Comme la plupart des tyrans, Dreng n'en menait cependant pas large devant plus fort que lui. La peur eut raison de sa colère et il baissa le poing.

Blod s'esquiva.

Edgar tendit le seau à Ethel. Elle versa l'eau dans une marmite qu'elle suspendit au-dessus du feu, jeta des flocons d'avoine dans l'eau et remua avec un bâton.

Dreng jeta un regard mauvais à Edgar. Celui-ci devina qu'il ne lui pardonnerait jamais de s'être interposé entre son esclave et lui, mais il ne regrettait pas de l'avoir fait, quel que fût le prix à payer.

Quand le gruau fut prêt, Ethel en remplit cinq écuelles. Elle coupa un peu de jambon et le mit dans une des écuelles, qu'elle tendit à Dreng. Elle distribua les autres à la ronde.

Ils mangèrent en silence.

Edgar avala sa portion en quelques secondes. Il jeta un regard plein d'espoir vers la marmite, puis vers Ethel. Elle garda le silence mais secoua la tête discrètement. II n'y en avait plus.

Comme c'était dimanche, après avoir mangé ils allèrent tous à l'église.

Ma s'y trouvait déjà avec Erman et Eadbald accompagnés de leur épouse commune, Cwenburg. Les quelque vingt-cinq habitants du hameau étaient tous informés de cette union polyandre, mais ils n'en parlaient guère. Edgar avait cru comprendre par des bribes de conversation attrapées au vol qu'on la jugeait inhabituelle sans y voir rien de scandaleux. Il avait entendu Bebbe faire le même commentaire à Leaf : « Si un homme peut avoir deux épouses, une femme peut bien avoir deux maris. »

En voyant Cwenburg entre Erman et Eadbald, Edgar fut frappé par la différence entre leurs tenues. Les grossières tuniques de ses frères, de la couleur brunâtre de la laine brute, étaient vieilles, usées et rapiécées comme la sienne, tandis que Cwenburg portait une robe d'étoffe de laine finement tissée, blanchie puis teinte d'une nuance rouge clair. La ladrerie de son père ne s'étendait pas à elle.

Edgar prit place à côté de sa mère. Par le passé, elle n'avait jamais été particulièrement dévote, mais il avait l'impression qu'elle prenait à présent la messe plus au sérieux, baissant la tête et fermant les yeux pendant que Degbert et les autres prêtres accomplissaient le rituel, sans que leur hâte et leur négligence affectent son recueillement.

« Tu es devenue plus pieuse », lui fit-il remarquer à la fin de l'office.

Elle lui jeta un regard incertain, comme si elle hésitait à se confier à lui, puis se jeta à l'eau.

« Je pense à ton père, lui dit-elle. Je crois qu'il est au ciel avec les anges.

— Mais tu peux penser à lui quand tu veux, lui fit remarquer Edgar, perplexe.

— Bien sûr, mais j'ai l'impression que ce lieu et ce moment s'y prêtent le mieux. Je me sens moins loin de lui. Et ensuite, pendant la semaine, quand il me manque trop, je peux me réjouir en pensant au dimanche suivant. »

Edgar hocha la tête. Cela lui paraissait sensé.

« Et toi ? demanda Ma. Est-ce que tu penses à lui ?

— Quand je travaille et que je rencontre un problème, un assemblage qui n'est pas au point ou une lame qui refuse de s'affûter, je me dis : "Je demanderai à Pa." Et puis je me souviens qu'il n'est plus là. Cela m'arrive presque tous les jours.

— Et alors, que fais-tu ? »

Edgar hésita. Il ne voulait pas se flatter de faire des expériences miraculeuses. Les gens qui avaient des visions pouvaient être vénérés aussi bien que lapidés comme des suppôts de Satan. Mais il savait que Ma le comprendrait.

« Je lui pose tout de même la question. Je demande dans ma tête : "Pa, comment est-ce que je dois faire ça ?" » Il se hâta de préciser : « Je ne vois pas d'apparition, rien de ce genre. »

Elle acquiesça d'un hochement de tête sans surprise manifeste.

« Et ensuite ?

— Généralement, je trouve la réponse. »

Elle ne dit rien.

Un peu inquiet, il ajouta :

« Ça te paraît bizarre ?

— Pas du tout, répondit-elle. Les choses se passent ainsi avec les esprits. »

Puis elle se détourna pour parler œufs avec Bebbe.

Edgar était intrigué. *Les choses se passent ainsi avec les esprits.* Il y avait là matière à réflexion.

Ses méditations furent interrompues par Erman qui s'approcha de lui pour lui annoncer : « Nous allons fabriquer une charrue.

— Aujourd'hui ?

— Oui. »

Edgar quitta brutalement le monde mystique pour revenir aux réalités quotidiennes. Il comprit qu'ils avaient choisi de réserver cette tâche au dimanche pour qu'il puisse les aider. Aucun d'eux n'avait jamais fabriqué de charrue, mais Edgar était capable de construire n'importe quoi.

« Il vous faut un coup de main ? proposa-t-il.

— Si tu veux. »

Erman ne reconnaissait pas volontiers qu'il avait besoin d'assistance.

« Tu t'es déjà procuré le bois ?

— Oui. »

Tout le monde pouvait apparemment couper du bois dans la forêt. En revanche, le thane de Combe, Wigelm, avait fait payer Pa chaque fois qu'il avait voulu abattre un chêne. Il est vrai, songea Edgar, qu'il était plus facile là-bas de contrôler les bûcherons parce qu'ils étaient obligés d'apporter le bois en ville au vu et au su de tous. Ici, on ne savait même pas très bien si la forêt appartenait à Degbert le Chauve ou à Offa, le chef de Mudeford, et ni l'un ni l'autre ne demandaient d'argent : ils auraient dû exercer une surveillance contraignante en échange d'un revenu dérisoire. Dans les faits, le bois était gratuit pour qui prenait la peine d'abattre des arbres.

Tous les fidèles sortaient à présent de la petite église.

« Il vaudrait mieux s'y mettre immédiatement », suggéra Erman.

Ils rejoignirent la ferme ensemble : Ma, les trois frères et Cwenburg. Edgar remarqua que le lien entre Erman et Eadbald paraissait inchangé : ils s'entendaient bien, dans le fond, malgré leurs sempiternelles petites chamailleries. De toute évidence, ce mariage hors normes était un succès.

Cwenburg ne cessait de jeter à Edgar des regards triomphants. « Tu n'as pas voulu de moi, semblait-elle vouloir dire, mais vois ce que j'ai obtenu à ta place ! »

Edgar n'y attachait guère d'importance. Elle était heureuse et ses frères aussi.

Au demeurant, Edgar n'était pas malheureux non plus. Il avait fabriqué un bac et était sur le point de construire une brasserie. Son salaire était si modeste que c'était presque du vol, mais au moins il avait échappé aux travaux de la ferme.

Enfin, presque.

Il examina le bois que ses frères avaient entassé devant la grange et visualisa une charrue. Même un citadin savait à quoi ressemblaient ces instruments. Elle serait équipée d'un coutre vertical destiné à ameublir le sol et d'un versoir incliné pour entamer le sillon et retourner la terre. Ces deux éléments devraient être fixés sur une structure que l'on pourrait tirer par-devant et guider par-derrière.

« Eadbald et moi tirerons la charrue, expliqua Erman, et Ma la conduira. »

Edgar approuva. Leur sol limoneux était assez léger pour pouvoir être travaillé avec une charrue à traction humaine. La terre argileuse plus compacte d'un site comme Outhenham exigeait la force de bœufs.

Edgar sortit son couteau de sa ceinture, s'agenouilla et commença à marquer le bois qu'Erman et Eadbald devraient façonner. Bien que le benjamin prît la tête des opérations, les deux autres ne protestèrent pas. Ils reconnaissaient sa supériorité, sans aller cependant jusqu'à l'admettre tout haut.

Pendant que ses frères travaillaient sur les troncs, Edgar entreprit de fabriquer le soc, une lame fixée à l'avant du coutre pour permettre d'entailler le sol plus aisément. Ses frères avaient trouvé dans la grange un fer de bêche à moitié rouillé. Edgar le chauffa dans l'âtre de la maison puis le frappa à l'aide d'un fragment de roche pour lui donner la forme voulue. Le résultat était un peu grossier. Il aurait pu obtenir un plus bel ouvrage s'il avait eu un marteau de fer et une enclume.

Il affûta la lame avec une pierre.

Quand la soif les tarauda, ils descendirent au fleuve et burent dans leurs mains. Ils n'avaient pas de bière, pas de gobelets non plus.

Ils étaient presque prêts à cheviller les pièces quand leur mère les appela pour le repas de midi.

Elle avait préparé de l'anguille fumée avec des oignons sauvages et du pain plat. Edgar salivait au point d'éprouver une violente douleur sous la mâchoire.

Cwenburg chuchota quelques mots à l'oreille d'Erman. Ma fronça les sourcils – il était mal élevé de chuchoter en société –, mais elle se tint coite.

Quand Edgar tendit la main pour prendre un troisième morceau de pain, Erman intervint :

« Vas-y doucement, tu veux ?

— J'ai faim !

— Nous n'avons pas trop à manger, tu sais.

— J'ai renoncé à ma journée de repos pour vous aider à fabriquer votre charrue – et tu me refuses un morceau de pain ! » protesta Edgar, indigné.

La querelle s'envenima rapidement, comme toujours entre les frères.

« Tu ne peux tout de même pas nous manger la laine sur le dos, rétorqua Erman avec véhémence.

— Je n'ai pas eu à souper hier soir, et j'ai dû me contenter d'une toute petite écuelle de gruau ce matin – je meurs de faim.

— Je n'y peux rien.

— Alors ne me demande pas de vous aider, ingrat.

— La charrue est presque terminée – tu n'avais qu'à retourner manger à la taverne.

— Pour ce qu'on m'y sert… »

Eadbald se montra plus raisonnable qu'Erman.

« Vois-tu Edgar, expliqua-t-il, Cwenburg doit manger plus que les autres, parce qu'elle est grosse. »

Edgar vit Cwenburg dissimuler un sourire narquois, ce qui acheva de l'exaspérer.

« Tu n'as qu'à te serrer la ceinture toi-même, Eadbald, lança-t-il, et me laisser dîner. Ce n'est pas moi qui l'ai engrossée. » Il ajouta tout bas : « Dieu merci. »

Erman, Eadbald et Cwenburg se mirent à crier tous en même temps. Ma tapa dans ses mains et ils firent silence.

« Que voulais-tu dire, Edgar, demanda-t-elle, en affirmant qu'on ne te sert pas grand-chose à manger à la taverne ? Dreng a sûrement de quoi remplir toutes les assiettes en suffisance.

— Dreng est peut-être riche, mais il est près de ses sous.

— Tu as tout de même eu à déjeuner ce matin.

— Une petite écuelle de gruau. On lui sert de la viande avec le sien, mais il est le seul à en avoir.

— Et ton souper d'hier soir ?

— Je n'ai rien eu. Je suis rentré d'Outhenham à pied et je suis arrivé tard. Dreng a prétendu qu'il ne restait rien.

— Si c'est comme ça, mange tout ton content, dit Ma, l'air contrarié. Et vous autres, je ne veux plus vous entendre. Tâchez de vous rappeler que sous mon toit, ma famille sera toujours nourrie. »

Edgar dévora son troisième morceau de pain.

Erman bouda et Eadbald demanda :

« Et nous serons obligés de nourrir Edgar souvent, si Dreng ne le fait pas ?

— Ne t'inquiète pas, fit Ma d'un ton pincé. Je vais régler cette affaire avec Dreng. »

*

Pendant le reste de la journée, Edgar se demanda comment sa mère tiendrait sa promesse de « régler cette affaire avec Dreng ». Elle ne manquait ni de ressource ni d'audace, mais Dreng était puissant. Si Edgar n'avait pas peur de lui physiquement – Dreng frappait les femmes, pas les hommes –, il n'en était pas moins le maître de tous les membres de sa maisonnée : il était le mari de Leaf et d'Ethel, le propriétaire de Blod et l'employeur d'Edgar. Il était le deuxième homme le plus important du hameau, et le premier était son frère. Il pouvait donc agir plus ou moins à sa guise et mieux valait ne pas le contrarier.

Le lundi débuta comme n'importe quel autre jour de la semaine. Blod alla chercher de l'eau au fleuve et Ethel prépara du gruau. Pendant qu'Edgar mangeait son maigre petit déjeuner, Cwenburg arriva en trombe, frémissante d'indignation et de colère. Tendant vers Edgar un doigt accusateur, elle lança :

« Ta mère n'est qu'une vieille sorcière ! »

Edgar se prépara à apprendre une bonne nouvelle.

« C'est ce que j'ai souvent pensé moi aussi, répondit-il gaiement. Mais que t'a-t-elle fait ?

— Elle cherche à m'affamer ! Elle dit que je n'ai droit qu'à une écuelle de gruau. »

Devinant où sa mère voulait en venir, Edgar réprima un sourire.

« Elle ne peut pas traiter ma fille de la sorte, intervint Dreng du ton suffisant des puissants.

— Elle l'a pourtant fait !

— Elle t'a expliqué pourquoi ?

— Elle a dit qu'il n'était pas question qu'elle me donne à manger plus que tu ne donnes à Edgar. »

Dreng fut surpris. Il ne s'attendait visiblement pas à cela. L'air déconcerté, il resta muet un long moment avant de se tourner vers Edgar :

« Alors comme ça, tu es allé pleurnicher chez ta mère ? » ricana-t-il.

L'attaque manquait de finesse et Edgar demeura impassible.

« C'est à cela que servent les mères, non ?

— Oui, bien sûr. J'en ai assez entendu. Sors d'ici, rentre chez toi. »

Mais Cwenburg protesta.

« Tu ne peux pas le renvoyer chez nous. Nous aurions une bouche de plus à nourrir et il y a déjà à peine de quoi pour nous quatre.

— Tu n'as qu'à revenir ici, toi. »

Tout en feignant d'être maître de la situation, Dreng paraissait aux abois.

« Pas question, rétorqua Cwenburg. Je suis mariée et ça me plaît. Et puis, mon enfant a besoin d'un père. »

Acculé, Dreng pâlit.

« Il faut que tu nourrisses mieux Edgar, voilà tout, ajouta Cwenburg. Tu peux te le permettre. »

Dreng se tourna vers Edgar avec un regard malveillant.

« Espèce de sale petit rat sournois.

— L'idée ne vient pas de moi, se défendit Edgar. Mais il m'arrive de souhaiter être aussi intelligent que ma mère.

— Je vais te faire regretter l'intelligence de ta mère, crois-moi.

— J'aime bien ajouter quelque chose de bon dans mon gruau », dit Cwenburg.

Elle ouvrit le coffre qui servait de garde-manger à Ethel et en sortit un pot de beurre. Avec son couteau de ceinture, elle en préleva une généreuse portion qu'elle mit dans le bol d'Edgar.

Dreng assistait à la scène, impuissant.

« N'oublie pas de dire à ta mère ce que j'ai fait, lança Cwenburg à Edgar.

— C'est entendu », acquiesça Edgar.

Il mangea promptement son gruau au beurre, avant que quiconque pût l'en empêcher. Il en fut ragaillardi. Mais la menace de Dreng résonnait encore à ses oreilles : *Je vais te faire regretter l'intelligence de ta mère, crois-moi.*

Il pouvait s'attendre au pire.

9

Mi-septembre 997

Ragna quitta Cherbourg le cœur débordant d'optimisme. Elle avait surmonté l'opposition de ses parents et partait pour l'Angleterre épouser l'homme qu'elle aimait.

Tout le bourg se rassembla sur le quai pour lui dire adieu. Son navire, *L'Ange*, avait un seul mât et une grande voile multicolore ainsi que seize paires de rames. La figure de proue était un ange sculpté qui sonnait de la trompette, et la poupe arborait une longue queue incurvée vers le haut et vers l'avant qui s'achevait en tête de lion. Guy, son capitaine, était un homme âgé, élancé et robuste, qui avait déjà plusieurs traversées de la Manche à son actif.

Ce n'était que la deuxième fois que Ragna prenait la mer : trois ans auparavant, elle avait accompagné son père à Fécamp, à une quarantaine de lieues de l'autre côté de la baie de Seine, sans s'éloigner jamais beaucoup du littoral. Le temps avait été clément, la mer calme, et les marins charmés d'avoir une belle jeune fille noble à bord. La traversée avait été plaisante et sans incident.

Elle avait donc attendu avec impatience ce voyage, la première des nombreuses nouvelles aventures qui l'attendaient. Elle savait, en théorie, qu'il arrivait à la mer d'être dangereuse mais ne pouvait s'empêcher d'être euphorique : c'était dans sa nature. Trop d'inquiétude pouvait gâcher n'importe quelle entreprise.

Elle était accompagnée de sa servante Cat, d'Agnès, sa couturière la plus habile, et de trois autres servantes, auxquelles s'ajoutaient Bern le Géant et six autres hommes d'armes chargés de sa protection. Bern et elle avaient des chevaux – elle avait emmené Astrid, sa jument favorite – et ils avaient également embarqué quatre poneys de bât. Ragna avait rangé dans ses bagages quatre robes neuves et six nouvelles paires de souliers, ainsi qu'un petit cadeau de noces personnel pour Wilwulf, une ceinture de cuir souple à boucle et à mordant d'argent, emballée dans un coffret à part.

Les chevaux furent attachés à bord et l'on jeta de la paille sous leurs sabots pour amortir leur chute dans l'éventualité où les mouvements de la mer les feraient tomber. Avec un équipage de vingt hommes, le bateau était comble.

Geneviève pleura quand l'ancre fut levée.

Ils s'éloignèrent sous un chaud soleil. Le vent vif qui soufflait du sud-ouest devait leur permettre d'atteindre Combe en deux jours. Pour la première fois, Ragna éprouva un frémissement d'inquiétude. Wilwulf l'aimait, mais il avait pu changer. Elle était impatiente de nouer des relations chaleureuses avec sa famille et avec ses sujets, mais quel accueil lui réserveraient-ils ? Saurait-elle gagner leur affection ? Mépriseraient-ils au contraire ses manières d'étrangère, seraient-ils envieux de sa richesse et de sa beauté ? L'Angleterre lui plairait-elle ?

Pour oublier ces soucis, Ragna et ses servantes

s'entraînèrent à parler anglo-saxon. Ragna avait pris des leçons quotidiennes auprès d'une Anglaise qui avait épousé un habitant de Cherbourg. Elle fit alors glousser ses compagnes en leur apprenant les mots désignant les différentes parties des corps masculin et féminin.

Mais voilà que subitement, la brise estivale céda la place au gros temps automnal et qu'une pluie glaciale se mit à cingler le navire et ses passagers.

Il n'y avait aucun abri. Ragna avait vu un jour un canot d'apparat aux couleurs vives, équipé d'un dais pour protéger les nobles dames de la chaleur du soleil, mais pour le reste, les bateaux qu'elle connaissait n'étaient dotés d'aucune sorte de cabine ni même d'auvent. Quand il pleuvait, passagers, équipage et cargaison étaient trempés pareillement. Ragna et ses servantes se blottirent les unes contre les autres, tirant les capuchons de leurs houppelandes sur leurs têtes et cherchant à écarter leurs pieds des flaques d'eau qui se formaient sur le plancher.

Ce n'était qu'un début. Tous perdirent le sourire quand le vent se transforma en tempête. Guy, le capitaine, garda son sang-froid, mais réduisit la voilure de crainte de chavirer. Le navire allait désormais où le vent le portait. Les nuages dissimulaient les étoiles, et l'équipage lui-même ignorait vers où ils se dirigeaient. Ragna commença à avoir peur.

L'équipage largua une ancre flottante depuis la poupe. C'était un gros sac rempli d'eau qui agissait comme un frein, limitant la mobilité du bateau et maintenant la poupe dans l'axe du vent. Mais la houle se renforçait. Le navire tanguait violemment : l'ange agitait sa trompette vers le ciel noir avant de s'enfoncer aussitôt dans des abîmes tourbillonnants. Les chevaux perdirent l'équilibre et tombèrent à genoux, hennissant de terreur, tandis que les hommes d'armes s'efforçaient vainement de les calmer. L'eau passait par-dessus bord. Certains membres de l'équipage se mirent à dire leurs prières.

Ragna se prit à penser qu'elle n'arriverait jamais en Angleterre. Peut-être n'était-elle pas destinée à épouser Wilwulf et à porter ses enfants. Elle risquait de mourir et d'aller en enfer parce qu'elle avait péché en s'offrant à lui avant qu'ils soient mari et femme.

Elle eut la faiblesse de se représenter ce qu'on éprouvait en se noyant. Elle se rappela un jeu d'enfants qui consistait à retenir son souffle le plus longtemps possible, et elle éprouva la panique qui l'avait étreinte au bout d'une ou deux minutes. Elle imagina la terreur de sentir ses poumons s'emplir d'eau à la place d'air. Combien de temps mettrait-elle à mourir ? Cette pensée lui donna la nausée et elle rendit le dîner qu'elle avait pris plaisir à manger au soleil quelques heures plus tôt seulement. Ses vomissements ne firent rien pour atténuer ses crampes d'estomac, mais les haut-le-cœur domptèrent sa peur, car peu lui importait désormais de vivre ou de mourir.

Elle avait l'impression que cela n'en finirait jamais. Elle comprit que la nuit était venue quand elle ne fut plus capable de voir la pluie qui tombait. La température chuta et elle frissonna dans ses vêtements trempés.

Elle ne savait absolument pas depuis combien de temps la tempête faisait rage quand, enfin, le calme revint. Le déluge se transforma en crachin et le vent tomba. Le navire dérivait dans le noir : il transportait des lampes et une jarre d'huile dans un coffre étanche, mais ils n'avaient pas de feu pour les allumer. Le capitaine déclara qu'il aurait hissé la voile s'il avait été assuré d'être suffisamment loin de la terre, mais dans l'ignorance de la position du bateau et sans lumière leur permettant de repérer la proximité éventuelle d'une côte, le danger était trop grand. Il leur faudrait attendre que le jour leur rende un minimum de visibilité.

Quand l'aube pointa enfin, Ragna constata que sa prudence était justifiée : des falaises étaient en vue. Le ciel était couvert, mais les nuages étaient plus clairs d'un côté, qui devait être l'est. La terre qui s'étendait au nord était l'Angleterre.

L'équipage se mit promptement au travail, malgré la pluie incessante : les hommes commencèrent par hisser la voile, puis ils distribuèrent du cidre et du pain pour le petit déjeuner avant d'écoper l'eau qui s'était accumulée au fond du bateau.

Ragna s'étonna qu'ils puissent reprendre leurs tâches aussi sereinement. Ils avaient tous failli mourir : comment pouvaient-ils faire comme si de rien n'était ? Elle était presque incapable pour sa part de penser à autre chose qu'au miracle qui l'avait maintenue en vie.

Ils longèrent le littoral jusqu'au moment où ils aperçurent un petit port avec quelques bateaux. Le capitaine ne connaissait pas cet endroit, mais supposa qu'ils devaient être à vingt ou vingt-cinq lieues à l'est de Combe. Il fit virer le navire en direction de la terre et s'engagea dans le port.

Ragna se réjouit de sentir bientôt la terre ferme sous ses pieds.

Le navire mouilla dans les hauts-fonds et l'on porta Ragna jusqu'à une plage de galets. Accompagnée de ses servantes et de ses gardes du corps, elle gagna le village construit en bord de mer et entra dans une taverne. Elle espérait y trouver une belle flambée et un petit déjeuner chaud, mais il était encore très tôt. Le feu était bas et l'aubergiste, ébouriffée et grincheuse, frottait ses yeux lourds de sommeil en disposant du petit bois autour d'une flamme vacillante.

Ragna s'assit, toute frissonnante, et attendit que ses bagages soient déchargés pour qu'elle puisse enfiler des vêtements secs. L'aubergiste leur apporta alors du pain sec et de la bière diluée.

« Bienvenue en Angleterre », leur dit-elle.

*

L'assurance habituelle de Ragna était ébranlée. De toute sa vie, elle n'avait eu peur aussi longtemps. Quand Guy, le capitaine, annonça qu'il fallait attendre que le temps change pour reprendre la mer en direction de l'ouest et longer la côte anglaise jusqu'à Combe, elle refusa catégoriquement. Elle ne voulait plus poser le pied sur un bateau de sa vie. D'autres émotions fortes l'attendaient peut-être, mais si c'était le cas, elle les affronterait sur le plancher des vaches.

Trois jours plus tard, elle se demandait amèrement si elle avait pris la bonne décision. La pluie n'avait pas cessé. Les routes étaient transformées en marécages. Les chevaux étaient fourbus à force de patauger dans la boue, tandis que le froid et l'humidité persistants mettaient tout le monde de méchante humeur. Les tavernes où ils s'arrêtaient pour se reposer étaient sombres et lugubres, et n'offraient qu'un maigre répit à l'inconfort du dehors. En entendant son accent étranger, les gens se croyaient obligés de crier quand ils lui parlaient, comme si cela pouvait rendre leur langage plus compréhensible. Un soir, leur petit groupe fut accueilli dans la demeure confortable d'un hobereau, Thurstan de Lordsborough, mais ils passèrent les deux autres nuits dans des monastères, glacés et sinistres quoique propres.

Sur la route, Ragna serrait sa houppelande autour d'elle, oscillant au rythme las d'Astrid, et elle devait faire un effort pour se rappeler que l'homme le plus merveilleux du monde l'attendait au terme de son voyage.

Dans l'après-midi du troisième jour, un poney de bât dérapa sur un talus. Il tomba à genoux et sa charge glissa sur le côté. Comme il cherchait à se relever, son fardeau asymétrique lui fit reperdre l'équilibre. Il fut entraîné sur une pente boueuse, hennissant follement, et tomba dans un cours d'eau.

« Oh ! la pauvre bête, s'écria Ragna. Holà ! Les hommes ! Portez-vous à son secours ! »

Plusieurs hommes d'armes s'enfoncèrent dans l'eau profonde d'environ trois pieds, sans réussir à remettre l'animal sur ses pattes.

« Il faut retirer les sacs qu'il a sur le dos ! » conseilla Ragna.

Le remède fut efficace. Un homme saisit le poney par la tête pour l'empêcher de se cabrer tandis que deux autres défaisaient les courroies. Ils attrapèrent les sacs et les coffres et les passèrent à leurs compagnons. Quand le poney fut déchargé, il se remit debout sans aide.

En regardant les bagages empilés près du ruisseau, Ragna demanda :

« Où est le coffret contenant le cadeau de Wilwulf ? »

Tous regardèrent alentour sans l'apercevoir.

Ragna était consternée.

« Je ne peux pas croire que nous l'ayons perdu – c'est son cadeau de mariage ! »

La joaillerie anglaise était réputée et Wilwulf avait certainement des goûts très raffinés, raison pour laquelle Ragna avait fait fabriquer la boucle et le mordant de la ceinture par le meilleur orfèvre de Rouen.

Les deux hommes qui s'étaient mouillés pour secourir le poney retournèrent dans l'eau et fouillèrent le lit du ruisseau à la recherche de la cassette. Mais ce fut le regard perçant de Cat qui la repéra.

« Là-bas ! » cria-t-elle en tendant le bras.

Ragna vit le coffret qui flottait en aval à une centaine de pas, emporté par le courant.

Une silhouette surgit alors des buissons. Sous les yeux de Ragna, un homme coiffé d'une sorte de casque entra dans l'eau et s'empara de l'objet.

« Oh ! Merci ! » s'écria-t-elle.

L'individu se retourna vers elle un instant et elle vit distinctement un vieux casque de bataille rouillé, percé de trous pour les yeux et la bouche, puis l'homme regagna la berge d'un bond et disparut au milieu de la végétation.

Ragna comprit qu'elle s'était fait dépouiller.

« Poursuivez-le ! » hurla-t-elle.

Les hommes prirent le voleur en chasse. Ragna les entendit échanger des appels dans les bois avant que les arbres et la pluie n'assourdissent leurs cris. Au bout d'un moment, les cavaliers revinrent un par un. La forêt broussailleuse avait entravé leur progression, expliquèrent-ils. Ragna fut accablée de désespoir. Quand le dernier homme revint, Bern annonça :

« Il nous a échappé. »

Ragna essaya de faire tout de même bonne figure.

« Remettons-nous en marche, dit-elle sèchement. Rien ne sert de pleurer sur le lait renversé. »

Ils repartirent cahin-caha à travers le bourbier.

Venant s'ajouter à la tempête en mer et à trois jours de pluie et de logements lugubres, la perte de ce présent eut pourtant raison de la vaillance de Ragna. Ses parents avaient eu raison de vouloir la dissuader de se rendre en Angleterre : c'était un pays affreux, où elle s'était elle-même condamnée à vivre. Elle ne put retenir ses larmes. Elles ruisselaient, tièdes, sur son visage, se mêlant à la pluie froide. Elle tira son capuchon sur son visage et baissa la tête, espérant dissimuler son chagrin à ses compagnons.

Une heure après la perte du coffret, le groupe arriva au bord d'un cours d'eau et aperçut un hameau sur l'autre rive. Plissant les yeux pour essayer de voir à travers la pluie, Ragna distingua quelques maisons et une église de pierre. Une embarcation d'assez grande taille était amarrée sur la berge opposée. À en croire les habitants du dernier village qu'ils avaient traversé, le hameau où se trouvait le bac était à deux journées de route de Shiring. Encore deux jours de misère, songea-t-elle sombrement.

Les hommes crièrent pour se faire entendre de l'autre côté de l'eau ; un jeune homme apparut rapidement et détacha l'embarcation. Un chien brun et blanc le suivit et sauta à bord, mais le batelier prononça un mot et l'animal regagna la berge d'un bond.

Apparemment indifférent à la pluie, le jeune homme prit place à l'avant du bateau et franchit le fleuve à la perche. Ragna entendit Agnès, la couturière, murmurer :

« Il est robuste. »

Le bateau heurta la berge.

« Attendez que je l'aie attaché pour embarquer, conseilla le jeune passeur. C'est plus sûr. »

Il était aimable et courtois, mais l'arrivée d'une noble dame accompagnée d'une importante escorte ne semblait guère l'intimider. Il regarda Ragna dans les yeux et lui sourit comme s'il la reconnaissait, alors qu'elle n'avait pas le souvenir de l'avoir déjà rencontré.

Une fois le bateau solidement amarré, il annonça :

« La traversée coûte un farthing par personne et par bête. Je compte treize personnes et six chevaux, ce qui vous fera donc quatre pence et trois farthings, s'il vous plaît. »

Ragna fit un signe de tête à Cat qui portait à sa ceinture une bourse contenant un peu d'argent pour leurs menues dépenses. Un des poneys était chargé d'un coffre cerclé de fer muni d'une serrure qui contenait l'essentiel de la richesse de Ragna, mais on ne l'ouvrait qu'en privé. Cat tendit au passeur cinq pennies anglais, petits et légers, et il lui rendit un minuscule quart de cercle d'argent.

« Vous pouvez embarquer sans mettre pied à terre, si vous êtes prudents, dit-il. Mais si vous êtes inquiets, descendez et aidez votre cheval à monter à bord. Je m'appelle Edgar, à propos.

— Et voici dame Ragna, de Cherbourg, dit Cat.

— Je sais. » Il s'inclina devant Ragna. « Je suis très honoré, milady. »

Elle monta à bord à cheval et ses compagnons l'imitèrent.

L'embarcation était remarquablement stable et paraissait avoir été fabriquée très soigneusement, avec des bordages parfaitement ajustés. Il n'y avait pas la moindre trace d'eau dans le fond.

« Joli bateau », observa Ragna.

Elle n'ajouta pas *pour ce trou perdu*, mais le sous-entendu était limpide, et l'espace d'un moment elle craignit d'avoir été blessante.

Edgar ne semblait pas avoir relevé.

« Vous êtes très aimable, dit-il. C'est moi qui l'ai construit.

— Tout seul ? » s'étonna-t-elle ostensiblement.

Cette fois encore, il aurait pu se vexer. Ragna se reprocha d'oublier qu'elle s'était juré de nouer des relations d'amitié avec les Anglais. Cette rudesse ne lui ressemblait pas : elle était habituellement prompte à se lier aux inconnus. Ce voyage détestable et l'étrangeté de ce nouveau pays l'avaient rendue irascible. Elle se promit de faire un effort.

Mais Edgar n'avait pas pris la mouche, il répondit en souriant :

« Il n'y a pas deux constructeurs de bateaux dans ce petit hameau.

— Je suis déjà surprise qu'il y en ait un.

— Je n'en reviens pas moi-même. »

Ragna rit. Ce garçon avait la répartie facile et ne se prenait pas trop au sérieux. Elle aimait cela.

Edgar surveilla l'embarquement des gens et des bêtes avant de dénouer la corde qui retenait le bac et de s'emparer de la perche. Ragna vit avec amusement Agnès, sa couturière, engager la conversation avec lui dans un anglo-saxon hésitant.

« Ma maîtresse va épouser l'ealdorman de Shiring.

— Wilwulf ? s'étonna Edgar. Je le croyais déjà marié.

— Il l'était, mais sa femme est morte.

— Votre maîtresse va donc être la maîtresse de tous les gens d'ici.

— Sauf si nous finissons tous noyés sous la pluie en nous rendant à Shiring.

— Il ne pleut pas à Cherbourg ?

— Pas autant qu'ici. »

Ragna sourit. Agnès était célibataire et impatiente de se marier. Elle pourrait faire plus mauvais choix que ce jeune Anglais dégourdi. Elle n'aurait pas été surprise qu'une ou plusieurs de ses servantes trouvent un époux ici : le mariage était contagieux dans les petits groupes de femmes.

Elle regarda devant elle. L'église dressée sur la colline avait beau être en pierre, elle n'en était pas moins petite et miteuse. Ses minuscules fenêtres, toutes de formes différentes, étaient disposées n'importe comment dans ses murs épais. Les ouvertures des églises normandes n'étaient pas plus grandes, mais elles étaient généralement toutes de la même taille et agencées en rangées régulières. Cette cohésion rendait mieux hommage au Dieu ordonné qui avait créé le monde hiérarchisé des plantes, des poissons, des animaux et des hommes.

Le bateau atteignit la rive nord. Edgar sauta à terre le premier et l'amarra, avant d'inviter les passagers à débarquer. Ragna passa, cette fois encore, devant les autres, et son cheval donna confiance aux suivants.

Elle mit pied à terre devant la taverne. L'homme qui en sortit lui rappela fugitivement Wilwulf. Il avait la même taille et la même stature, mais son visage ne lui ressemblait pas.

« Je ne peux pas recevoir autant de gens, bougonna-t-il d'un ton vindicatif. Comment voulez-vous que je nourrisse tout ce monde ?

— À quelle distance se trouve le prochain village ? demanda Ragna.

— Vous êtes étrangère ? remarqua-t-il en entendant son accent. Le prochain village s'appelle Wigleigh, mais vous n'y arriverez pas aujourd'hui. »

Sans doute cherchait-il simplement un prétexte pour leur réclamer une somme exorbitante. Ragna s'impatienta.

« Fort bien, alors que proposez-vous ?

— Dreng, intervint Edgar, c'est dame Ragna de Cherbourg. Elle va épouser l'ealdorman Wilwulf. »

Dreng changea immédiatement de ton.

« Pardonnez-moi, milady, fit-il obséquieusement, j'étais loin de me douter… Je vous en prie, entrez, soyez la bienvenue. Vous serez bientôt ma cousine par alliance, mais peut-être l'ignorez-vous. »

Ragna, consternée d'apprendre qu'elle allait être apparentée à ce tavernier, n'accepta pas immédiatement son invitation.

« Je l'ignorais, en effet, murmura-t-elle.

— L'ealdorman Wilwulf est mon cousin, voyez-vous. Vous ferez partie de la famille après votre mariage. »

Ragna n'en fut pas spécialement ravie.

Il poursuivit :

« Mon frère et moi administrons ce petit village, sous l'autorité de Wilwulf, bien sûr. Mon frère, Degbert, est le doyen du moustier que vous avez dû apercevoir au sommet de la colline.

— Cette petite église est un moustier ?

— C'est un établissement modeste puisqu'il ne rassemble qu'une demi-douzaine d'hommes d'Église. Mais entrez donc, je vous en prie. »

Dreng posa le bras autour des épaules de Ragna.

C'en fut trop pour elle. Même si elle avait apprécié l'homme, elle n'aurait pas toléré pareilles privautés. Elle se dégagea d'un geste brusque.

« Mon mari n'apprécierait guère que je me fasse caresser par son cousin », dit-elle froidement.

Puis, passant devant lui, elle entra dans la maison.

Dreng la suivit en disant : « Oh, Wilf n'y verrait rien à redire. » Mais il ne la toucha plus.

Ragna parcourut du regard l'intérieur du bâtiment avec un sentiment d'accablement qui commençait à lui être familier. Comme la plupart des tavernes anglaises, celle-ci était sombre, malodorante et enfumée. Elle était meublée de deux tables et d'un ensemble hétéroclite de bancs et de tabourets.

Cat, entrée juste derrière elle, approcha un tabouret de la cheminée pour sa maîtresse, qu'elle aida à retirer sa houppelande trempée.

Ragna remarqua la présence de trois femmes. La plus âgée devait être la femme de Dreng. La benjamine, une toute jeune fille enceinte, au visage blême, était tête nue, ce qui était habituellement le signe distinctif des prostituées ; Ragna devina que c'était une esclave. La troisième femme avait à peu près l'âge de Ragna ; sans doute s'agissait-il d'une concubine de Dreng.

Les servantes et les gardes du corps de Ragna la suivirent à l'intérieur du bâtiment. Ragna s'adressa à Dreng :

« Pourriez-vous servir de la bière à ma suite, je vous prie ?

— Ma femme va s'en occuper tout de suite, milady. » Il se tourna vers les deux femmes : « Leaf, sers-leur à boire. Ethel, prépare le souper. »

Leaf ouvrit un coffre rempli d'écuelles et de gobelets de bois, qu'elle entreprit de remplir à un tonneau disposé dans un angle de la pièce. Ethel suspendit un chaudron de fer dans l'âtre et y versa de l'eau avant de sortir un gros jarret de mouton qu'elle jeta dans la marmite.

La fille enceinte apporta une brassée de bois. Ragna s'étonna de la voir effectuer un travail aussi pénible alors que son terme était visiblement très proche. Son air fatigué et morose s'expliquait aisément.

Edgar s'accroupit près de la cheminée et prépara le feu, disposant soigneusement le petit bois. Bientôt, une joyeuse flambée réchauffa Ragna et sécha ses vêtements.

Elle se tourna vers lui.

« Sur le bac, quand ma servante Cat t'a dit qui j'étais, tu as répondu : "Je sais", comme si tu me connaissais déjà. Qu'entendais-tu par là ?

— Vous ne vous en souvenez pas, mais nous nous sommes déjà rencontrés », répondit Edgar en souriant.

Ragna ne chercha pas à justifier sa mauvaise mémoire. Une femme noble côtoyait des centaines de gens et on ne pouvait pas lui demander de se souvenir de tous.

« Pourrais-tu me préciser quand ? demanda-t-elle.

— Il y a cinq ans. Je n'avais encore que treize ans. »

Edgar sortit son couteau de sa ceinture et le posa sur les pierres du foyer en plongeant la lame dans les flammes.

« J'en avais donc quinze. Comme c'est la première fois que je mets les pieds en Angleterre, j'en déduis que tu t'es rendu en Normandie.

— Feu mon père était charpentier de marine à Combe. Nous étions venus à Cherbourg pour livrer un navire. C'est en cette occasion que je vous ai croisée.

— Nous sommes-nous parlé ?

— Oui, acquiesça-t-il, l'air gêné.

— Attends un peu. » Ragna sourit. « J'ai le vague souvenir d'un petit Anglais insolent qui était entré au château sans y être invité.

— J'ai bien peur que ce soit moi, en effet.

— Il m'a adressé la parole en mauvais français pour me dire que j'étais belle. »

Edgar eut l'élégance de rougir.

« Je vous prie d'excuser mon impertinence. Et mon français. » Puis il sourit. « Mais pas mon compliment.

— T'ai-je répondu ? Je ne sais plus.

— Vous m'avez parlé en excellent anglo-saxon.

— Et que t'ai-je dit ?

— Que j'étais charmant.

— Ah oui, c'est vrai ! Et toi, tu m'as affirmé alors qu'un jour, tu épouserais une femme comme moi.

— Je me demande comment j'ai pu être aussi irrespectueux.

— Je n'en ai pas pris ombrage, tu sais. Mais j'ai

trouvé, si ma mémoire est bonne, que la plaisanterie avait assez duré.

— En effet. Vous m'avez conseillé de regagner l'Angleterre avant de m'attirer de vrais ennuis. » Il se leva, craignant peut-être de frôler l'impertinence, comme cinq ans plus tôt. « Souhaitez-vous un peu de bière chaude ?

— Volontiers. »

Edgar demanda un gobelet de bière à la femme qui s'appelait Leaf. Utilisant sa manche en guise de gant, il reprit son couteau dans le feu et plongea la lame dans le liquide qui pétilla et moussa.

« J'espère que ce n'est pas trop chaud », dit-il.

Elle posa les lèvres au bord du gobelet et avala une petite gorgée.

« C'est parfait », approuva-t-elle avant de boire une grande lampée de bière qui lui réchauffa le ventre et la revigora.

« Il faut que je vous laisse, reprit Edgar. Mon maître veut certainement vous parler.

— Oh non, je t'en prie, protesta Ragna précipitamment. Je ne peux pas le souffrir. Reste un peu. Assieds-toi. Parle-moi encore. »

Il approcha un tabouret et dit après un instant de réflexion :

« Il ne doit pas être facile de commencer une vie nouvelle dans un pays inconnu. »

Tu n'imagines pas à quel point, songea-t-elle. Mais elle ne voulut pas paraître défaitiste.

« C'est toute une aventure, lança-t-elle avec bonne humeur.

— Tout de même, tant de choses sont différentes ! Quand je suis allé à Cherbourg, j'étais complètement perdu : une langue incompréhensible, des vêtements bizarres… Les bâtiments eux-mêmes me semblaient étranges. Et je n'y ai passé qu'une journée.

— C'est une sorte de gageure, reconnut-elle.

— J'ai remarqué que les gens ne sont pas toujours aimables avec les étrangers. Du temps où je vivais à Combe, nous voyions beaucoup de voyageurs. Certains habitants s'amusaient des bévues que commettaient les visiteurs français ou flamands. »

Ragna acquiesça d'un hochement de tête.

« Un homme ignorant prend les étrangers pour des sots – sans comprendre que lui-même passerait pour tout aussi stupide s'il se rendait dans un autre pays.

— Cela ne doit pas être facile à supporter. J'admire votre courage. »

Il était le premier Anglais à compatir aux épreuves qu'elle traversait. Paradoxalement, la compréhension d'Edgar ébranla le stoïcisme de façade dont Ragna s'était cuirassée et, à sa propre consternation, elle fondit en larmes.

« Oh ! Pardonnez-moi ! s'écria-t-il. Qu'ai-je fait ?

— Tu as été gentil avec moi, réussit-elle à balbutier. Tu es le premier à me manifester quelque amitié depuis que j'ai posé le pied dans ce pays.

— Je ne pensais pas vous affecter ainsi, poursuivit-il, très embarrassé.

— Tu n'y es pour rien, en réalité. » Ne voulant pas trop critiquer l'Angleterre, elle se raccrocha à l'épisode du bandit. « C'est que, vois-tu, j'ai perdu aujourd'hui un objet auquel je tenais beaucoup.

— J'en suis navré. De quoi s'agissait-il ?

— D'un présent pour mon futur mari, une ceinture à boucle d'argent. Je me réjouissais tant à l'idée de la lui offrir.

— Quel dommage !

— Elle m'a été dérobée par un homme coiffé d'un casque.

— C'est certainement Face-de-Fer. C'est un brigand. Il a cherché à voler la jeune truie de ma famille, mais heureusement ma chienne nous a alertés à temps. »

Un homme chauve entra et s'approcha de Ragna. Comme Dreng, il présentait une vague ressemblance avec Wilwulf.

« Bienvenue à Dreng's Ferry, milady, dit-il. Je suis Degbert, doyen du moustier et seigneur du village. » Baissant la voix, il ordonna à Edgar : « Toi, fiche le camp. »

Edgar se leva et s'éloigna.

Degbert s'assit sans y être invité sur le tabouret libéré par Edgar.

« Votre fiancé est mon cousin, annonça-t-il à Ragna.

— Je suis ravie de faire votre connaissance, répondit celle-ci poliment.

— Votre présence ici nous honore.

— Tout le plaisir est pour moi », mentit-elle.

Elle avait hâte d'aller se coucher et se demanda s'il lui faudrait encore attendre longtemps pour pouvoir se retirer.

Elle échangea de menus propos avec Degbert pendant quelques interminables minutes puis Edgar revint, accompagné d'un petit homme corpulent en vêtement ecclésiastique, chargé d'un coffre. Degbert leva les yeux vers eux et lança d'un ton agacé :

« Qu'est-ce là ?

— J'ai demandé à Cuthbert de montrer quelques-uns de ses bijoux à dame Ragna, répondit Edgar. Elle a perdu aujourd'hui un objet précieux – Face-de-Fer l'a détroussée – et pourrait être désireuse de le remplacer. »

Degbert hésita. Il aurait visiblement bien voulu continuer à monopoliser l'attention de cette éminente visiteuse. Mais il préféra capituler avec grâce.

« Au moustier, nous sommes tous fiers du talent de Cuthbert, approuva-t-il. J'espère que vous trouverez quelque chose à votre goût, milady. »

Ragna en doutait. Les bijoux anglais de grande qualité étaient certes des merveilles prisées de toute l'Europe, mais cela ne voulait pas dire que tout ce que fabriquaient les Anglais était admirable ; et il lui semblait fort improbable qu'on pût trouver de beaux ouvrages dans ce modeste hameau. C'était cependant un excellent prétexte pour se débarrasser de Degbert.

L'air intimidé, Cuthbert demanda craintivement :

« Puis-je ouvrir ce coffret, milady ? Je ne voudrais pas vous importuner, mais Edgar semble croire que mes créations pourraient vous intéresser.

— En effet, acquiesça Ragna. Je serais ravie de les voir.

— Vous n'êtes pas obligée d'acheter, ne vous inquiétez pas. »

Cuthbert étala une étoffe bleue sur le sol et ouvrit son coffret, qui était rempli d'objets enveloppés dans des chiffons de laine. Il sortit les articles un par un, les déballa soigneusement et les disposa devant Ragna, sans cesser de lui jeter des regards anxieux. Elle releva avec plaisir la belle facture de son travail. Il avait fabriqué des broches, des boucles, des fermoirs, des bracelets et des bagues, pour la plupart en argent, tous gravés de motifs complexes et souvent incrustés d'une substance noire dans laquelle elle reconnut du nielle, un émail fait d'un mélange de métaux.

Son regard fut attiré par un bracelet massif, d'allure masculine. Elle le souleva et le trouva d'un poids satisfaisant. Il était en argent gravé d'un dessin représentant des serpents entrelacés, et elle l'imaginait bien autour du bras musclé de Wilwulf.

« Vous avez choisi ma plus belle pièce, milady », dit Cuthbert avec ruse.

Elle examina attentivement le bijou. Elle était sûre qu'il plairait à Wilwulf et qu'il le porterait fièrement.

« Combien coûte ce bracelet ? demanda-t-elle.

— Il contient beaucoup d'argent, vous savez.

— Est-ce de l'argent pur ?

— Une partie sur vingt est du cuivre, pour plus de solidité, expliqua-t-il. Comme dans nos pièces d'argent.

— Fort bien. Alors combien coûte-t-il ?

— Est-ce à l'ealdorman Wilwulf que vous le destinez ? »

Ragna sourit. Il retarderait le plus possible le moment d'annoncer un prix, cherchant à deviner combien elle était prête à payer. Cuthbert était peut-être timide, songea-t-elle, il n'en était pas moins malin.

« Oui, répondit-elle. C'est un cadeau de mariage.

— Dans ce cas, en l'honneur de vos noces, je renonce à vous le vendre plus cher qu'il ne m'a coûté.

— C'est fort aimable de votre part. Alors combien ? » Cuthbert soupira.

« Une livre », lâcha-t-il enfin.

C'était une somme importante : deux cent quarante pennies d'argent. Mais le bracelet contenant environ une demi-livre d'argent, le prix était raisonnable. Et plus Ragna regardait ce bijou, plus elle le voulait. Elle se voyait déjà le glisser autour de la main de Wilwulf et le remonter sur son bras, avant de lever les yeux vers son visage et de le voir sourire.

Elle décida de ne pas marchander : c'eût été indigne. Elle n'était pas une paysanne venue acheter une louche. Elle feignit pourtant d'hésiter, pour sauver les apparences.

« Ne m'obligez pas à vous le vendre moins cher qu'il ne m'a coûté, ma chère dame, dit-il.

— C'est entendu, acquiesça-t-elle. Une livre.

— L'ealdorman sera ravi. Ce bracelet sera du plus bel effet sur son bras puissant. »

Cat avait assisté au dialogue, et Ragna la vit alors gagner sans bruit l'endroit où étaient rangés leurs bagages et déverrouiller discrètement un coffre cerclé de fer.

Ragna passa le bijou à son bras. Il était beaucoup trop grand, évidemment, mais la gravure lui plaisait beaucoup.

Cuthbert remballa le reste de ses bijoux et les rangea avec soin.

Cat revint avec un petit sac de cuir. Elle aligna soigneusement des pennies en tas de douze et Cuthbert recompta chaque douzaine. Puis il rangea l'argent dans son coffre, le referma et partit, souhaitant à Ragna un jour de noces merveilleux et de longues années de bonheur conjugal.

Le souper fut servi aux deux tables. Les visiteurs mangèrent les premiers. Il n'y avait pas d'assiettes : d'épaisses tranches de pain étaient posées sur la table et le mouton aux oignons d'Ethel fut servi sur le pain. Tous attendirent que Ragna commence. Elle ficha un morceau de pain sur la pointe de son couteau et le porta à ses lèvres ; tous attaquèrent alors leur repas. Le ragoût était simple mais savoureux.

Ragna était ragaillardie par la nourriture et la bière et par le plaisir d'avoir acheté un cadeau pour l'homme qu'elle aimait.

La nuit tomba pendant qu'ils mangeaient, et l'esclave enceinte alluma des lampes tout autour de la salle.

Dès qu'elle eut fini de manger, Ragna annonça :

« Je suis fort lasse à présent. Où puis-je dormir ?

— Où vous voulez, milady, répondit Dreng gaiement.

— Mais où est mon lit ?

— J'ai bien peur que nous n'ayons pas de lits, milady.

— Pas de lits ?

— J'en suis navré. »

Imaginait-il vraiment qu'elle allait s'enrouler dans sa houppelande et dormir par terre dans la paille avec tout le monde ? Dreng était assez louche pour venir s'allonger près d'elle. Dans les monastères anglais, on lui avait offert un simple lit de bois avec un matelas, et Thurstan de Lordsborough avait mis à sa disposition une sorte de caisse, au fond recouvert de feuilles.

« Pas même un lit-caisse ? insista-t-elle.

— À Dreng's Ferry, personne ne possède de lit d'aucune sorte.

— Sauf les religieuses, intervint Edgar.

— Personne ne m'a parlé de religieuses, s'étonna Ragna.

— Il y a un petit couvent sur l'île, expliqua Edgar.

— Vous ne pouvez pas aller là-bas, milady, s'interposa Dreng visiblement contrarié. Ces nonnes soignent des lépreux et des gens de toutes sortes. C'est pourquoi on nomme cet endroit l'île aux Lépreux. »

Ragna était dubitative. De nombreuses religieuses s'occupaient des malades et il était rare qu'elles contractent les affections de leurs patients. Dreng répugnait probablement à se voir priver du prestige d'héberger Ragna pour la nuit.

« Les lépreux ne sont pas admis à l'intérieur du couvent, fit remarquer Edgar.

— Tu n'en sais rien, objecta Dreng, irrité. Cela ne fait que trois mois que tu vis ici, alors tais-toi. » Il adressa à Ragna un sourire mielleux. « Je ne puis vous laisser risquer votre vie de la sorte, milady.

— Je n'ai pas à vous demander la permission,

rétorqua Ragna sèchement. Je prendrai ma décision en toute liberté. » Elle se tourna vers Edgar. « Quels sont les arrangements de nuit, au couvent ?

— Je n'y suis allé qu'une fois, pour réparer le toit, mais il me semble qu'il y a deux chambres à coucher, l'une pour la mère supérieure et son adjointe, et un dortoir pour les cinq ou six autres religieuses. Elles ont toutes des cadres de lit en bois avec des matelas et des couvertures.

— Voilà qui me semble parfait. M'y conduirais-tu ?

— Bien sûr, milady.

— Cat et Agnès m'accompagneront. Le reste de mes serviteurs restera ici. Si le couvent se révèle inadéquat pour une raison ou pour une autre, je reviendrai immédiatement. »

Cat ramassa le sac de cuir contenant les quelques articles dont Ragna avait besoin pour la nuit, comme un peigne et un morceau de savon espagnol. Elle avait en effet découvert qu'en Angleterre, on n'utilisait que du savon liquide.

Edgar décrocha une lampe du mur et Cat une autre. Si Dreng y voyait à redire, il n'osa pas le faire savoir.

Ragna attira l'attention de Bern et lui adressa un regard appuyé. Il hocha la tête, manifestant qu'il avait compris. Il était chargé de surveiller le coffre contenant l'argent.

Elle suivit Edgar au-dehors, et Cat et Agnès lui emboîtèrent le pas. Ils se dirigèrent vers le fleuve et embarquèrent sur le bac pendant qu'Edgar dénouait la corde. La chienne sauta à bord. Edgar ramassa une perche et le bac s'écarta de la rive.

Ragna espérait que le couvent était tel qu'Edgar l'avait décrit. Elle aspirait à disposer d'une chambre propre, d'un lit moelleux et d'une couverture chaude aussi ardemment qu'une personne assoiffée brûle de désir à l'idée d'un pichet de cidre froid.

« Le couvent est-il riche, Edgar ? demanda-t-elle.

— Modérément. » Il manœuvrait le bateau sans effort et n'était pas trop essoufflé pour parler. « Il possède des terres à Northwood et à St-John-in-the-Forest.

— Es-tu marié à une des dames de l'auberge, Edgar ? » interrogea alors Agnès.

Ragna sourit. De toute évidence, Edgar ne laissait pas la jeune fille indifférente.

« Non, répondit-il en riant. Deux d'entre elles sont les épouses de Dreng et l'autre, celle qui est grosse, est une esclave.

— Les hommes ont le droit d'avoir deux femmes en Angleterre ?

— Pas vraiment, mais le clergé ne réussit pas à mettre fin à cette pratique.

— Es-tu le père de l'enfant de l'esclave ? »

Encore une question sans équivoque, songea Ragna.

« Certainement pas, répondit Edgar, légèrement froissé.

— Qui est-ce ?

— Personne n'en sait rien.

— Nous n'avons pas d'esclaves en Normandie », fit remarquer Cat.

La pluie qui tombait toujours masquait la lune et les étoiles, et Ragna n'y voyait pas grand-chose. Mais Edgar connaissait bien le fleuve, et peu après le bac heurta une rive sablonneuse. À la lumière des lampes, Ragna distingua une petite barque à rames attachée à un poteau. Edgar amarra le bac.

« La rive descend en pente raide, annonça-t-il aux femmes. Voulez-vous que je vous porte ? Il n'y a que deux pas à faire, mais vos robes seront mouillées.

— Portez ma maîtresse, je vous prie, répondit Cat vivement. Nous nous passerons de votre aide, Agnès et moi. »

Agnès poussa un petit gémissement déçu, mais n'osa pas contredire Cat.

Edgar se mit debout dans la rivière, à côté du bateau. L'eau lui montait jusqu'aux cuisses. Ragna, assise sur le bord du bac, dos à Edgar, se retourna et glissa un bras autour de son cou avant de faire passer ses jambes pardessus bord. Il la porta sur ses deux bras, sans effort.

Elle constata que cette étreinte ne la laissait pas indifférente et en fut un peu confuse : elle était amoureuse d'un homme qu'elle allait, de surcroît, épouser – le moment était mal choisi pour se blottir dans les bras d'un autre ! Mais elle avait une bonne excuse et cela ne dura qu'un instant. Edgar fit deux pas dans l'eau et la déposa sur la rive.

Ils gravirent un sentier qui menait à un vaste bâtiment de pierre. Ses contours étaient flous à la lueur de la lampe, mais Ragna crut distinguer deux pignons et devina que l'un était celui de l'église, l'autre celui du couvent. Une petite tour s'élevait sur le côté de celui-ci.

Edgar frappa à la porte de bois.

Au bout d'un moment, une voix demanda :

« Qui frappe ainsi à une heure pareille ? »

Ragna se rappela que les religieuses se couchaient tôt.

« C'est Edgar le constructeur. Je suis accompagné de dame Ragna de Cherbourg qui vous demande l'hospitalité. »

La porte s'ouvrit sur une femme mince d'une quarantaine d'années aux yeux bleu pâle. Quelques mèches de cheveux gris s'étaient échappées de sa coiffe. Elle leva sa lanterne pour dévisager les visiteurs. Quand elle vit Ragna, ses yeux s'écarquillèrent et sa bouche s'ouvrit. Ragna avait l'habitude de provoquer cette réaction.

La religieuse recula pour laisser entrer les trois femmes. Ragna chuchota à Edgar :

« Attends quelques minutes, je t'en prie, au cas où. »

La religieuse referma la porte.

Ragna vit une salle soutenue par des piliers, sombre et déserte à présent, mais qui servait probablement de lieu de vie aux religieuses quand elles n'étaient pas à l'église pour prier. Elle distingua les formes fantomatiques de deux pupitres et en conclut qu'en plus des soins qu'elles prodiguaient aux lépreux, les sœurs copiaient et, peut-être, enluminaient également des manuscrits.

La religieuse qui leur avait ouvert la porte se présenta :

« Je suis mère Agatha, la supérieure.

— Nommée d'après la sainte patronne des nourrices, sans doute ?

— Et des victimes de viol. »

Ragna soupçonna Agatha d'avoir une histoire à raconter à ce propos, mais elle n'avait pas très envie de l'entendre pour le moment.

« Voici mes servantes, Cat et Agnès.

— Je suis heureuse de vous accueillir ici. Avez-vous soupé ?

— Oui, merci, et nous sommes très fatiguées. Avez-vous des lits pour nous ?

— Bien sûr. Suivez-moi. »

Elle leur fit gravir un escalier de bois. Depuis son arrivée en Angleterre, c'était le premier bâtiment à étage que voyait Ragna. Arrivée au sommet des marches, Agatha entra dans une petite chambre éclairée par un unique brûle-jonc et contenant deux lits. L'un était vide, l'autre occupé par une religieuse approximativement du même âge qu'Agatha, mais plus ronde. Elle s'assit, visiblement étonnée.

« Je vous présente sœur Frith, mon adjointe », dit Agatha.

Frith dévisagea Ragna comme si elle avait peine à en croire ses yeux. Il y avait dans son regard quelque chose qui rappela à Ragna la façon qu'avaient certains hommes de la lorgner.

« Allons, debout, Frith, ordonna Agatha. Il nous faut céder nos lits à nos invitées. »

Frith se leva précipitamment.

« Dame Ragna, prenez ma couche, je vous en prie, poursuivit Agatha. Vos servantes pourront se partager celle de Frith.

— Vous êtes très bonne, remercia Ragna.

— Dieu est amour, répondit Agatha.

— Mais où allez-vous dormir, toutes les deux ?

— Au dortoir, juste à côté, avec nos sœurs. La place ne manque pas. »

Ragna constata avec une profonde satisfaction que la chambre était impeccable. Le plancher était parfaitement balayé. Sur la table étaient posées une cruche d'eau et une jatte, certainement destinées à la toilette : les religieuses se lavaient souvent les mains. Elle vit également un lutrin sur lequel était posé un livre ouvert. L'instruction était manifestement prisée dans ce couvent. Elle remarqua aussi l'absence de coffres : les religieuses ne possédaient rien.

« C'est le paradis ! s'écria Ragna. Dites-moi, mère Agatha, pour quelle raison y a-t-il un couvent sur cette île ?

— C'est une histoire d'amour, répondit Agatha. Ce couvent a été construit par Nothgyth, veuve du seigneur Begmund. Après la mort de son époux et son inhumation au moustier, Nothgyth refusa de se remarier, car il était l'amour de sa vie. Elle tint à se faire nonne et à vivre à proximité de sa dépouille jusqu'à la fin de ses jours, afin qu'ils ressuscitent ensemble au Jugement dernier.

— Comme c'est touchant, murmura Ragna.

— N'est-ce pas ?

— Voulez-vous avoir la bonté de prévenir le jeune Edgar qu'il peut regagner le hameau sans attendre ?

— Bien sûr. Installez-vous. Je reviendrai voir si vous avez tout ce qu'il vous faut. »

Les deux religieuses sortirent. Ragna se défit de sa houppelande et grimpa dans le lit d'Agatha. Cat suspendit la cape de Ragna à un crochet planté dans le mur. Du sac de cuir qu'elle avait apporté, elle sortit un petit flacon d'huile d'olive. Ragna lui tendit les mains et Cat en versa une goutte dans chacune. Ragna se frotta les mains.

Elle prit ses aises. Le matelas était en toile de lin bourrée de paille. On n'entendait que le clapotis du fleuve sur les berges de l'île.

« Quelle chance d'avoir trouvé cet endroit ! remarqua-t-elle.

— Béni soit Edgar le passeur, renchérit Agnès. Il a allumé le feu, vous a apporté de la bière chaude, est allé chercher le petit orfèvre et, pour finir, il nous a conduites ici.

— Edgar te plaît, n'est-ce pas ?

— Il est merveilleux ! Je l'épouserais à la seconde. »

Les trois femmes pouffèrent pendant que Cat et Agnès se glissaient dans leur lit commun.

Mère Agatha revint.

« Tout va bien ? » demanda-t-elle.

Ragna s'étira voluptueusement.

« Tout est parfait. Vous êtes si bonne. »

Agatha se pencha sur Ragna et l'embrassa doucement sur les lèvres. C'était un vrai baiser mais suffisamment bref pour ne pas appeler d'objection. Elle se redressa, gagna la porte et se retourna.

« Dieu est amour », dit-elle.

10

Fin septembre 997

Pendant les dix-huit premières années de sa vie, Edgar n'avait connu qu'un maître, son père, qui avait pu être dur, mais jamais cruel. Aussi avait-il été ébranlé de découvrir qu'il existait des hommes comme Dreng. C'était la première fois qu'il était en butte à la méchanceté à l'état pur.

Sunni, en revanche, en avait souffert avec Cyneric. Edgar pensait souvent à l'attitude de celle-ci à l'égard de son mari. Elle le laissait le plus souvent agir à sa guise, mais les rares fois où elle s'opposait à lui, elle ne cédait pas. Edgar essayait de l'imiter dans ses relations avec Dreng. Il évitait l'affrontement et supportait brimades insignifiantes et injustices mineures ; toutefois, quand il ne pouvait éviter le conflit, il ne lâchait rien.

En une occasion au moins, il l'avait empêché de frapper Blod. Il avait également conduit Ragna au couvent contre la volonté de Dreng, qui aurait manifestement préféré qu'elle passe la nuit à la taverne. Et, avec l'aide de sa mère, il avait obtenu d'être nourri décemment.

Dreng aurait été ravi de se débarrasser d'Edgar, c'était évident. Mais deux obstacles s'y opposaient. Le premier était sa fille, Cwenburg, qui faisait maintenant partie de la famille d'Edgar. Dreng avait reçu une bonne leçon de Ma : il ne pouvait pas s'en prendre à Edgar sans que Cwenburg n'en pâtisse. Second obstacle, il ne trouverait jamais un autre maçon compétent pour un farthing par jour seulement. Un bon artisan réclamerait trois ou quatre fois plus. Et, songeait Edgar, Dreng était encore plus pingre que méchant.

Edgar savait qu'il était sur le fil du rasoir. Dreng n'était pas un homme tout à fait rationnel, et il risquait de perdre son sang-froid un jour au mépris des conséquences. Il n'y avait cependant pas moyen de frayer avec lui en toute sécurité – sinon en ployant sous sa botte comme les joncs qui couvraient le sol, et cela, Edgar ne pouvait s'y résoudre.

Aussi continuait-il tantôt à défier Dreng, tantôt à lui complaire, tout en guettant les signes d'une tempête imminente.

Le lendemain du départ de Ragna, Blod vint le trouver et lui dit :

« Tu me veux gratis ? Je suis trop grosse pour que tu me foutes, mais je peux te sucer.

— Non ! répondit-il avant de reprendre, un peu gêné : Non merci.

— Pourquoi ? Je suis laide ?

— Je t'ai déjà parlé de mon amie, Sunni, qui est morte.

— Alors pourquoi tu es si gentil avec moi ?

— Je ne suis pas gentil avec toi. Simplement, je ne suis pas comme Dreng.

— Si, tu es gentil avec moi. »

Il changea de sujet.

« Tu as des idées de nom pour ton enfant ?

— Je ne sais pas si on me laissera choisir.

— Il faudrait que tu lui donnes un nom gallois. Comment s'appellent tes parents ?

— Mon père, c'est Brioc.

— Ça me plaît bien. C'est un nom puissant.

— C'est le nom d'un saint celte.

— Et ta mère ?

— Eleri.

— C'est un joli nom. »

Les yeux de Blod s'emplirent de larmes.

« Ils me manquent tellement.
— Je t'ai fait de la peine. Pardon.
— Tu es le seul Anglais à m'avoir interrogée sur ma famille. »

Un cri se fit entendre à l'intérieur de la taverne.

« Blod ! Viens par ici ! »

Blod s'éclipsa, et Edgar se remit au travail.

La première cargaison de pierres était arrivée d'Outhenham par le fleuve, sur un radeau conduit par un des fils de Gab. Elle avait été déchargée et déposée près des ruines de l'ancienne brasserie. Edgar avait préparé les fondations du nouveau bâtiment en creusant une tranchée qu'il avait remplie de pierraille jusqu'à mi-hauteur.

Il lui fallait estimer la profondeur que devraient avoir les fondations. Pour ce faire, il était allé inspecter celles de l'église en creusant un petit trou le long du mur du chœur, et il avait constaté qu'elles étaient presque inexistantes, ce qui expliquait pourquoi l'édifice s'écroulait.

Il versa du mortier sur les pierres, et rencontra immédiatement un nouveau problème : comment obtenir une surface parfaitement horizontale ? Il avait le coup d'œil, mais ce n'était pas suffisant. Il avait vu travailler des maçons, et regretta de ne pas les avoir observés plus attentivement. Il finit par inventer un outil. Il tailla une baguette mince et plate de trois pieds de long dont il évida l'intérieur pour obtenir une rainure parfaitement lisse. Le résultat était une version miniature du canot creusé dans un tronc qui avait servi de bac à Dreng. Edgar alla trouver Cuthbert dans sa forge et lui fit fabriquer une bille de fer poli. Il posa la baguette sur le mortier, plaça la bille dans la rainure et tapota la baguette. Si la bille roulait vers une extrémité, cela voulait dire que le mortier n'était pas horizontal et qu'il fallait rectifier la surface.

C'était un processus fastidieux, et Dreng n'était pas patient. Il sortit de la taverne et se planta devant le chantier, les mains sur les hanches. Après avoir observé Edgar pendant quelques instants, il lança :

« Cela fait une semaine que tu travailles, et je ne te vois pas monter un seul mur.

— Il faut que les fondations soient parfaitement horizontales, expliqua Edgar.

— Peu m'importe qu'elles le soient, répliqua Dreng. Tu construis une brasserie, pas une cathédrale.

— Si elles ne sont pas horizontales, la brasserie s'effondrera. »

Dreng regarda Edgar, hésitant à le croire mais réticent à révéler son ignorance. Il s'éloigna en disant :

« Il faut que Leaf recommence à brasser le plus vite possible. Je perds de l'argent en achetant la bière à Shiring. Dépêche-toi ! »

Tout en travaillant, Edgar pensait souvent à Ragna. Elle avait fait son apparition à Dreng's Ferry comme un ange descendu du ciel. Elle était si grande, si calme et si belle qu'en la regardant, on avait du mal à croire qu'elle appartenait à l'espèce humaine. Mais dès qu'elle prenait la parole, elle se révélait d'une humanité charmante : les pieds sur terre, chaleureuse, compatissante et capable de pleurer sur une ceinture perdue. L'ealdorman Wilwulf avait bien de la chance. Ils feraient un couple remarquable. Partout où ils iraient, tous les regards se porteraient sur eux, l'homme de pouvoir séduisant et sa belle épouse.

Edgar était flatté qu'elle lui ait parlé, même si elle ne lui avait pas caché que c'était pour tenir Dreng à distance. Il éprouvait une immense satisfaction à l'idée d'avoir pu lui trouver un endroit plus convenable que la taverne pour passer la nuit. Il comprenait qu'elle n'ait pas eu envie de dormir par terre avec les autres.

Dans une taverne, même une femme laide risquait d'être importunée par les hommes.

Le lendemain matin, il avait conduit le bac jusqu'à l'île aux Lépreux pour aller la chercher. Mère Agatha avait accompagné Ragna, Cat et Agnès jusqu'à la rive, et pendant ce court trajet, il n'avait pas échappé à Edgar que la religieuse était, elle aussi, tombée sous le charme de Ragna : elle était suspendue à ses lèvres et avait peine à détacher son regard de la jeune femme. Agatha était restée au bord de l'eau et avait agité la main jusqu'à ce que le bac atteigne l'autre berge et que Ragna entre dans la taverne.

Avant leur départ, Agnès avait dit à Edgar qu'elle espérait le revoir bientôt. Il lui avait traversé l'esprit que l'intérêt qu'elle lui portait pouvait être sentimental. Si tel était le cas, il devrait lui avouer qu'il ne pouvait pas tomber amoureux et lui expliquer ce qui s'était passé avec Sunni. Il se demandait combien de fois il lui faudrait encore raconter cette histoire.

Vers le soir, il sursauta en entendant un cri de douleur en provenance de la taverne. On aurait dit la voix de Blod, et Edgar craignit que Dreng n'ait recommencé à la frapper. Il lâcha ses outils et se précipita à l'intérieur.

Cette fois, Dreng n'y était pour rien. Il était assis devant la table, l'air agacé. Blod était affalée au sol, adossée au mur. Ses cheveux noirs étaient trempés de sueur. Leaf et Ethel, debout près d'elle, la regardaient. Lorsque Edgar entra, elle poussa un nouveau cri de douleur.

« Que Dieu nous protège, s'écria Edgar. Qu'est-il arrivé ?

— Tu ne comprends donc rien, espèce d'âne ? lança Dreng narquois. Tu n'as jamais vu une femme accoucher ? »

Non, Edgar n'avait jamais assisté à cela. Il avait vu des animaux mettre bas, mais c'était différent. Étant le plus jeune de la famille, il n'était pas présent à la naissance de ses frères. Il savait en théorie comment se passait l'enfantement et n'ignorait pas qu'il pouvait être douloureux. À y bien réfléchir, il lui était arrivé d'entendre crier chez leurs voisins et se rappelait que sa mère disait : « Le travail a commencé. » Mais il n'avait pas vécu cela de près.

La seule chose qu'il savait avec certitude, c'était qu'il n'était pas rare que la mère meure en couches.

Il était déchirant de voir une jeune fille souffrir sans pouvoir l'aider.

« Et si nous lui faisions boire un peu de bière ? » demanda-t-il en désespoir de cause.

Les boissons fortes apaisaient généralement les souffrances.

« Nous pouvons toujours essayer », répondit Leaf qui remplit à moitié un gobelet et le tendit à Edgar.

Il s'agenouilla à côté de Blod et porta le récipient à ses lèvres. Elle en but une gorgée et fit une nouvelle grimace de douleur.

« C'est à cause du péché originel. Dans le jardin d'Éden, intervint Dreng.

— Mon mari le curé, ironisa Leaf.

— C'est vrai, s'obstina Dreng. Ève a désobéi. Voilà pourquoi Dieu punit toutes les femmes.

— Son mari l'avait sûrement rendue folle », commenta Leaf.

Edgar ne voyait pas ce qu'il pouvait faire de plus pour Blod, et les autres semblaient penser comme lui. Peut-être fallait-il s'en remettre à Dieu. Il ressortit et se remit à la tâche.

Il se demanda comment les choses se seraient passées si Sunni avait eu un enfant. Elle aurait pu tomber enceinte de lui, bien sûr, mais Edgar n'y avait jamais vraiment pensé. Il comprenait à présent qu'il n'aurait jamais supporté de la voir endurer pareille douleur. Il lui était déjà pénible de voir souffrir Blod, qu'il connaissait à peine.

À la tombée du jour, il avait fini de poser le mortier des fondations. Il vérifierait le niveau le lendemain matin, et si tout était en ordre, il pourrait poser la première rangée de pierres.

Il entra dans la taverne. Allongée au sol, Blod paraissait somnoler. Ethel servait le souper, un ragoût de porc aux carottes. C'était le moment de l'année où il fallait décider quels animaux seraient épargnés jusqu'au printemps et lesquels devraient être abattus tout de suite. Une partie de la viande serait consommée fraîche, le reste serait fumé ou salé pour l'hiver.

Edgar mangea de bon cœur. Dreng lui jeta des regards noirs mais resta muet. Leaf but encore un peu de bière. Elle commençait à être légèrement grise.

Comme ils finissaient de manger, Blod se remit à gémir, et les spasmes de douleur semblèrent plus fréquents.

« Cela ne devrait plus tarder, maintenant », dit Leaf. Elle avait la voix pâteuse, comme cela lui arrivait souvent vers cette heure-là, mais elle avait encore les idées claires. « Edgar, va au fleuve chercher de l'eau pour laver le nourrisson.

— Ça se lave, un nourrisson ? » demanda Edgar, surpris.

Leaf éclata de rire :

« Bien sûr ! Attends, tu verras. »

Il prit le seau et descendit vers le fleuve. Il faisait nuit, mais le ciel était dégagé et la demi-lune répandait une vive lumière. Brindille le suivit, espérant faire un tour en bateau. Edgar plongea le seau dans la rivière et le rapporta à la taverne. En rentrant, il vit que Leaf avait préparé des linges propres.

« Mets le seau près du feu, que l'eau se réchauffe un peu », lui dit-elle.

Blod poussait à présent des cris angoissés. Edgar remarqua que les joncs étaient trempés au niveau de ses hanches. D'où venait ce liquide ? Ce n'était sûrement pas normal !

« Voulez-vous que je demande à mère Agatha de venir ? » proposa-t-il.

On appelait généralement la religieuse en cas d'urgence médicale.

« Je n'ai pas de quoi la payer, répondit Dreng.

— Elle ne se fait pas payer, voyons ! s'exclama Edgar, indigné.

— Pas officiellement, mais elle s'attend à ce qu'on fasse un don, sauf si on est vraiment très pauvre. Elle voudra que je lui donne de l'argent. Les gens me croient riche.

— Ne t'inquiète pas, Edgar, intervint Leaf. Tout va bien se passer.

— Vous voulez dire que c'est normal ?

— Mais oui. »

Blod chercha à se lever. Ethel l'aida.

« Ne devrait-elle pas rester allongée ? s'inquiéta Edgar.

— Plus maintenant », répondit Leaf.

Elle ouvrit un coffre, en sortit deux fines lanières de cuir et jeta une gerbe de seigle séché dans le feu. Brûler du seigle était censé chasser les mauvais esprits. Enfin, elle prit un grand linge propre et le jeta sur son épaule.

Edgar prit conscience qu'il assistait à un rituel dont il ignorait tout.

Blod écarta les jambes et se pencha en avant. Ethel

se plaça près de sa tête, et Blod passa les bras autour de sa taille mince pour s'appuyer. Leaf s'agenouilla derrière elle et souleva sa robe.

« L'enfant arrive, annonça-t-elle.

— Oh, c'est répugnant », bougonna Dreng.

Il se leva, revêtit sa cape, prit sa chope et sortit en boitant.

Blod haletait comme si elle cherchait à soulever un poids trop lourd pour elle. Edgar ouvrait de grands yeux, aussi fasciné qu'horrifié : un enfant était bien trop gros pour sortir par là ! Mais l'ouverture s'élargit. On aurait dit que quelque chose forçait le passage.

« Qu'est-ce que c'est ? demanda Edgar.

— La tête du petit, répondit Leaf.

— Que Dieu protège Blod », murmura Edgar, effaré.

Le nouveau-né ne sortit pas d'un unique mouvement régulier. Le crâne sembla pousser vers l'extérieur pendant quelques instants, élargissant l'orifice, puis il s'arrêta, comme pour se reposer. Blod hurlait de douleur à chaque contraction.

« Il a des cheveux, constata Edgar.

— C'est généralement le cas », acquiesça Leaf.

Et puis, comme par miracle, la tête du nourrisson émergea, tout entière.

Edgar éprouva une puissante émotion qu'il n'aurait pu nommer. Ce qu'il voyait lui inspirait un émerveillement teinté d'effroi. Sa gorge était nouée comme s'il allait pleurer, et pourtant il n'était pas triste, bien au contraire, il était empli de joie.

Leaf prit le linge qu'elle avait sur l'épaule, le glissa entre les cuisses de Blod et soutint la tête du bébé avec ses mains. Les épaules apparurent, puis le ventre, auquel était attachée une drôle de ficelle dans laquelle Edgar reconnut le cordon ombilical. Tout le corps était recouvert d'un liquide visqueux. Enfin, les jambes sortirent. C'était un garçon, constata Edgar.

«Je me sens toute drôle, souffla Ethel.

— Elle va s'évanouir, annonça Leaf en la regardant. Soutiens-la, Edgar.»

Ethel roula des yeux et s'affaissa. Edgar la saisit sous les bras juste à temps et l'allongea doucement sur le sol.

Le nouveau-né ouvrit la bouche et cria.

Blod se baissa lentement pour se mettre à quatre pattes. Leaf enroula le petit corps dans le linge et le déposa doucement par terre, sur les joncs. Puis elle déploya les mystérieuses lanières de cuir et les noua très serré autour du cordon, l'une contre le ventre de l'enfant, l'autre quelques pouces plus loin. Enfin, elle tira le couteau qu'elle avait à la ceinture et coupa le cordon.

Elle plongea un chiffon propre dans le seau et lava le nourrisson, nettoyant délicatement le sang et le mucus de son visage et de sa tête, puis du reste de son corps. Il poussa un nouveau cri au contact de l'eau. Elle le sécha délicatement, et l'emmaillota à nouveau.

Blod poussait des gémissements d'effort, comme si elle enfantait à nouveau, et Edgar se demanda un instant si elle n'avait pas des jumeaux, mais seule une masse informe sortit d'elle et, le voyant froncer les sourcils, intrigué, Leaf annonça: «Le délivre.»

Blod roula sur elle-même et s'assit, dos au mur. Son expression habituelle d'hostilité contenue avait disparu; elle avait simplement l'air pâle et épuisée. Leaf lui donna le nouveau-né, et le visage de Blod changea à nouveau, s'adoucissant et s'illuminant en même temps. Elle regarda le petit corps qu'elle tenait dans ses bras avec amour. La tête de l'enfant se tourna vers elle, et son visage s'appuya contre sa poitrine. Elle défit le haut de sa robe et porta le nourrisson à son sein. Il semblait savoir ce qu'il avait à faire : sa bouche se referma avidement sur le mamelon et il se mit à téter.

Blod ferma les yeux, visiblement comblée. Edgar ne l'avait jamais vue ainsi auparavant.

Leaf se servit un nouveau gobelet de bière qu'elle vida d'un trait.

Brindille regardait le nouveau-né, fascinée. Un petit pied dépassait du lange ; elle le lécha.

Sortir la paille souillée était habituellement le travail de Blod, mais Edgar estima qu'il valait mieux qu'il s'en charge. Il ramassa toutes les saletés qu'avait laissées Blod, placenta inclus, et porta le tout au-dehors.

Dreng était assis sur un banc, au clair de lune.

« L'enfant est né », lui annonça Edgar.

Dreng porta sa chope à ses lèvres et but.

« C'est un garçon », ajouta-t-il.

Dreng resta muet.

Edgar déposa la paille près du tas de fumier. Il la brûlerait quand elle serait sèche.

De retour dans la taverne, il constata que Blod et l'enfant paraissaient dormir. Leaf était allongée, les yeux fermés, épuisée, ivre ou bien les deux. Ethel n'avait pas repris connaissance.

Dreng entra. Blod ouvrit les yeux et lui jeta un regard méfiant, mais il se contenta d'aller remplir sa chope au tonneau. Blod referma les paupières.

Dreng prit une longue gorgée de bière avant de poser sa chope sur la table. D'un mouvement prompt et assuré, il se pencha sur Blod et s'empara de l'enfant. Le linge tomba au sol, et Dreng dit :

« En effet, c'est un garçon, ce petit bâtard.

— Rendez-le-moi ! s'exclama Blod.

— Ma parole, tu parles anglais ! lâcha Dreng.

— Rendez-moi mon petit ! »

Ethel ne bougea pas, mais Leaf dit :

« Rends-lui son petit, Dreng.

— Je crois qu'il a besoin de prendre l'air. Il y a trop de fumée ici pour un nourrisson.

— Je vous en supplie », implora Blod.

Dreng sortit avec l'enfant.

Leaf lui emboîta le pas. Blod chercha à se lever, mais retomba en arrière. Edgar suivit Leaf.

« Dreng, que veux-tu faire ? s'écria Leaf, inquiète.

— Là, dit Dreng au nouveau-né. Respire l'air frais du fleuve. C'est mieux, tu ne trouves pas ? »

Il descendit vers la berge.

L'air frais était probablement meilleur pour le nouveau-né, pensa Edgar, mais était-ce vraiment ce que Dreng avait en tête ? Edgar ne l'avait jamais vu faire preuve de gentillesse envers quiconque, hormis Cwenburg. Le spectacle de l'enfantement lui avait-il rappelé le jour où Cwenburg était venue au monde ? Edgar suivit Dreng à distance, sur ses gardes.

Dreng se tourna alors vers Edgar et Leaf. Le clair de lune baignait le petit corps d'un éclat blanc. L'été avait laissé place à l'automne, et l'air frais sur sa peau nue réveilla le bébé qui se mit à pleurer.

« Il va prendre froid ! » protesta Leaf.

Dreng attrapa le petit par la cheville et le tint la tête en bas. Ses cris devinrent insistants. Edgar ignorait ce qui se passait, mais il sentait que quelque chose de terrible se préparait et, pris d'une crainte soudaine, il se précipita vers Dreng.

D'un mouvement rapide et énergique, celui-ci fit un grand moulinet du bras qui tenait le nouveau-né et le jeta sauvagement dans le fleuve.

Leaf hurla.

Les cris du bébé cessèrent net lorsqu'il s'enfonça dans l'eau.

Edgar se jeta sur Dreng et ils tombèrent tous deux dans les hauts-fonds.

Edgar se releva immédiatement. Il retira ses chaussures et passa sa tunique au-dessus de sa tête.

« Tu as essayé de me noyer, espèce de fou ! » cria Dreng en crachotant.

Edgar plongea, tout nu, dans l'eau.

Le petit corps avait été projeté loin de la rive : Dreng était grand, et le mal de dos dont il se plaignait régulièrement n'avait guère affecté l'efficacité de son lancer. Edgar nagea de toutes ses forces vers l'endroit où il estimait que le nouveau-né avait coulé. La lune brillait dans un ciel sans nuages, mais il eut beau fouiller la surface du regard, il ne vit rien, à sa grande consternation. L'enfant n'aurait-il pas dû flotter ? Normalement, un corps humain ne coulait pas comme une pierre ? D'un autre côté, il y avait des gens qui se noyaient.

Il arriva à l'endroit où il pensait qu'avait sombré le bébé et le dépassa sans rien apercevoir. Il agita les bras sous l'eau dans l'espoir de toucher quelque chose, mais ne sentit rien.

Il éprouvait le besoin irrépressible de sauver ce bébé. Il était au désespoir. Ce désir impérieux était lié à Sunni, il ne savait pas très bien comment – et il ne se laissa pas distraire par cette pensée. Il tourna sur place dans l'eau, plissant les yeux pour mieux voir et déplorant que la lumière soit aussi faible.

Sachant que le courant emportait toujours les débris vers l'aval, il nagea dans cette direction, le plus rapidement possible, tout en regardant à droite et à gauche. Brindille le rejoignit en pédalant énergiquement des pattes pour ne pas se laisser distancer. Peut-être sentirait-elle le nouveau-né avant qu'Edgar le voie.

Le courant l'entraîna vers le nord de l'île aux Lépreux, et il ne put que supposer qu'il en avait fait autant du nourrisson. Les déchets du hameau se déposaient parfois en face de l'île, et Edgar décida d'aller vérifier s'il ne s'y trouvait pas. Il regagna le bord. En ce lieu, la ligne de rive n'était pas clairement définie : c'était un terrain marécageux, détrempé, qui faisait partie de leur ferme mais n'était pas exploitable. Il le longea à la nage, en regardant attentivement au clair de lune. Il aperçut de nombreux débris : des morceaux de bois, des coquilles de noix, des os d'animaux, un chat mort. Si l'enfant était là, Edgar verrait sûrement son petit corps blanc. Mais ses espoirs furent déçus.

De plus en plus affolé, il renonça à chercher à cet endroit et nagea vers l'île aux Lépreux. Là, la berge disparaissait sous la végétation et le sol était à peine visible. Il sortit de l'eau et marcha le long du rivage, en direction du couvent, tout en inspectant le bord du fleuve de son mieux à la lueur de la lune. Brindille grogna, et Edgar entendit bouger à proximité. Il supposa que les lépreux l'observaient : on les savait farouches, peut-être réticents à laisser voir leurs difformités. Il décida tout de même de les héler :

« Ohé, vous, là-bas ! lança-t-il d'une voix forte, et les bruits cessèrent brusquement. Un nouveau-né est tombé dans le fleuve. Auriez-vous vu quelque chose ? »

Le silence se prolongea quelques instants, puis une silhouette surgit de derrière un arbre. L'homme était vêtu de haillons, mais n'avait pas l'air estropié ; peut-être les rumeurs étaient-elles exagérées.

« Personne n'a vu d'enfant, déclara-t-il.

— Vous voulez bien m'aider à chercher ? » demanda Edgar.

L'homme hésita, puis acquiesça d'un hochement de tête.

« Le courant a pu le déposer n'importe où le long de la rive », reprit Edgar.

Comme il n'obtenait pas de réponse, il se retourna et reprit ses recherches. Au bout d'un moment, il se rendit compte qu'il n'était plus seul. Quelqu'un se déplaçait dans les broussailles, parallèlement à lui, et quelqu'un d'autre marchait au bord de l'eau, dans son dos. Il crut également discerner un mouvement devant lui. Il était reconnaissant de toutes ces paires d'yeux supplémentaires : il était facile de manquer quelque chose d'aussi petit qu'un bébé.

Mais lorsqu'il reprit la direction de la taverne, refermant le cercle, il dut s'avouer qu'il n'avait plus guère d'espoir. Il était épuisé et grelottait : dans quel état pouvait être un nourrisson sans vêtements ? S'il ne s'était pas noyé, le petit devait être à présent mort de froid.

Il arriva au niveau du couvent. De la lumière brillait aux fenêtres ainsi qu'au-dehors, et il vit une forme se mouvoir. Une religieuse venait vers lui ; il reconnut mère Agatha. Il se rappela qu'il était nu comme un ver, mais elle ne parut pas le remarquer.

Elle tenait un petit paquet dans ses bras. Edgar sentit son cœur battre d'espoir. Les religieuses avaient-elles retrouvé l'enfant ?

Sans doute Agatha lut-elle son émotion sur son visage, car elle secoua tristement la tête, et l'inquiétude étreignit Edgar de plus belle.

S'approchant de lui, la religieuse lui montra ce qu'elle tenait dans ses bras. Le bébé de Blod était enveloppé dans une couverture de laine blanche. Il avait les yeux fermés et ne respirait pas.

« Nous l'avons trouvé sur la berge, lui dit Agatha.

— Il était… ?

— Mort ou vivant ? Il respirait à peine. Nous l'avons mis au chaud, mais il était trop tard. Nous l'avons tout de même baptisé, alors il est parmi les anges maintenant. »

Edgar fut accablé de chagrin. Il pleurait et grelottait en même temps, sa vision brouillée par les larmes.

« J'ai assisté à sa naissance, murmura-t-il entre deux sanglots. C'était comme un miracle.

— Je sais, dit Agatha.

— Et puis j'ai assisté à son assassinat. »

Agatha déroula la couverture et donna le petit à Edgar. Il pressa le corps froid contre sa poitrine nue et ses pleurs redoublèrent.

11

Début octobre 997

À l'approche de Shiring, le cœur de Ragna s'emplit d'angoisse.

Elle s'était engagée dans cette aventure avec empressement, avide de goûter aux joies du mariage avec l'homme qu'elle aimait, faisant fi des périls. Les retards dus aux intempéries avaient été contrariants. Maintenant, plus elle se rapprochait de sa destination, plus elle prenait conscience de ne pas savoir vraiment ce qui l'attendait. Ils n'avaient passé que peu de temps ensemble, Wilwulf et elle, et ils s'étaient rencontrés chez elle, où il était un étranger qui cherchait à se faire bien voir. Elle ne l'avait jamais vu chez lui, ne l'avait jamais regardé évoluer parmi les siens, ne l'avait jamais entendu s'adresser à sa famille, à ses voisins, à ses sujets. En fait, elle le connaissait à peine.

Quand, enfin, elle arriva en vue de la ville de son fiancé, elle s'arrêta pour l'observer attentivement.

C'était une localité importante de plusieurs centaines

de maisons groupées au pied d'une colline. Un brouillard humide glissait au-dessus des toits de chaume. La ville était entourée d'un rempart de terre, sans doute pour la protéger des Vikings. Deux grandes églises se dressaient, pierres claires et bardeaux humides se détachant sur la masse de constructions à colombages en bois brun. L'une des deux faisait apparemment partie d'un ensemble de bâtiments monastiques entourés d'un fossé et d'une palissade : sans doute s'agissait-il de l'abbaye où le séduisant frère Aldred était responsable du scriptorium. Elle avait hâte de le revoir.

Elle devina que l'autre église était la cathédrale, car elle était flanquée d'une maison à étage appartenant certainement à l'évêque Wynstan, le frère de Wilwulf, qui serait bientôt son beau-frère. Elle espérait pouvoir trouver en lui une sorte de grand frère.

Un autre bâtiment de pierre, sans clocher celui-ci, était probablement la demeure du frappeur de monnaie dont la réserve d'argent métallique devait être mise à l'abri des voleurs. La monnaie d'Angleterre était de bon aloi, ainsi qu'elle l'avait appris : la pureté de ses pennies d'argent était soigneusement réglementée par le roi, qui imposait des châtiments rigoureux aux faussaires.

Il y avait sûrement d'autres églises dans une ville de cette importance, mais elles devaient être en bois, comme les maisons.

Au sommet de la colline qui dominait la ville, elle aperçut un ensemble de vingt ou trente bâtiments entourés d'une solide palissade. Sans doute était-ce le siège du gouvernement, la résidence de l'ealdorman, la demeure de Wilwulf.

Et la mienne aussi, à présent, songea Ragna, inquiète.

Cette enceinte n'abritait pas de constructions en pierre. Cela ne l'étonna pas : les Normands n'avaient commencé à bâtir des donjons et des corps de garde en pierre que récemment, et la majorité était plus simple, plus rudimentaire que le château de son père à Cherbourg. Il était clair qu'elle jouirait de moins de sécurité dans sa nouvelle patrie.

Elle savait déjà que les Anglais étaient faibles. Les Vikings avaient envahi ce pays une première fois deux siècles auparavant, et les Anglais n'avaient pas encore réussi à mettre définitivement fin à leurs incursions. La population locale était plus douée pour faire des bijoux et des broderies que pour se battre.

Elle envoya Cat et Bern en avant pour annoncer son arrivée, et les suivit sans hâte, afin de laisser le temps à Wilwulf de se préparer à l'accueillir. Elle dut résister à la tentation de talonner Astrid pour la mettre au galop. Elle avait une envie folle de serrer Wilwulf dans ses bras et tout ce temps perdu lui était insupportable. Elle tenait cependant à faire une entrée pleine de dignité.

Malgré le crachin glacé, la ville grouillait d'activité : les habitants achetaient du pain et de la bière, des chevaux et des charrettes livraient des sacs et des tonneaux, des colporteurs et des prostituées arpentaient les rues boueuses. Mais les affaires s'interrompirent à l'approche de Ragna et de sa suite : ils formaient un groupe important, aux riches atours, et ses hommes d'armes arboraient tous la sévère coupe de cheveux typique des Normands. Les gens les dévisageaient, les montraient du doigt. Sans doute devinaient-ils qui était Ragna : tout le monde en ville avait dû être informé du mariage à venir et tous attendaient certainement son arrivée depuis un bon moment.

Les gens paraissaient méfiants, et elle supposa qu'ils ne savaient pas très bien comment réagir. Était-elle une usurpatrice étrangère, venue voler le meilleur parti de l'ouest de l'Angleterre aux jeunes filles locales qui l'auraient davantage mérité qu'elle ?

Elle remarqua que ses hommes avaient, d'instinct, formé un cercle protecteur autour d'elle, et elle songea que c'était une erreur. La population de Shiring avait besoin de voir sa princesse.

« Nous avons l'air trop défiants, dit-elle à Bern. Ce n'est pas bien. Chevauchez dix pas devant moi, Odo et toi, pour ouvrir la marche. Et demande aux autres de rester en arrière, afin que la population puisse me voir. »

Bien que visiblement inquiet, Bern déplaça ses hommes conformément à ses instructions.

Ragna commença à nouer le contact avec les citadins. Elle croisait leur regard et leur souriait. Si la plupart semblaient avoir du mal à ne pas lui rendre son sourire, elle n'en percevait pas moins une certaine réticence. Une femme esquissa un timide geste de la main, et Ragna lui rendit son salut. Des chaumiers qui s'affairaient sur le toit d'une maison cessèrent le travail et la hélèrent : leur accent était si fort qu'elle ne les comprenait pas, et elle ne savait pas très bien si leurs commentaires étaient enthousiastes ou moqueurs, mais elle leur lança un baiser. Certains spectateurs lui adressèrent un sourire approbateur. Plusieurs hommes attablés devant une taverne agitèrent leurs couvre-chefs et l'acclamèrent. Dans la foule, d'autres en firent autant.

« Voilà qui est mieux, » murmura Ragna, dont l'appréhension refluait légèrement.

En entendant du bruit, les gens sortirent de chez eux ou de leurs échoppes pour voir ce qui se passait, et la foule se fit plus dense à l'avant du cortège. À l'arrière, tout le monde suivait le mouvement, et alors que Ragna gravissait la colline en direction de l'enceinte, le brouhaha se transforma en rugissement. L'entrain de tous ces gens la gagna. Plus elle souriait, plus on l'acclamait ; et plus on l'acclamait, plus elle était heureuse.

La palissade en bois était percée d'un grand portail, dont les deux vantaux étaient largement ouverts. À l'intérieur, un autre groupe s'était massé, sans doute les serviteurs et l'entourage de l'ealdorman. Lorsque Ragna fit son entrée, ils applaudirent.

Le domaine fortifié n'était pas très différent de celui de Cherbourg, hormis l'absence de château. Il abritait des maisons, des écuries et des entrepôts. Les cuisines étaient ouvertes sur le côté. Une maison deux fois plus grande que les autres possédait de petites fenêtres aux deux extrémités : sans doute s'agissait-il de la maison commune, où l'ealdorman tenait audience et organisait les banquets. Les autres bâtiments devaient être les demeures des dignitaires et de leurs familles.

La foule forma deux rangées, s'attendant visiblement à ce que Ragna passe entre les deux pour gagner la maison commune. Elle avança lentement, prenant son temps pour dévisager les gens et sourire à la ronde. Presque toutes les expressions étaient accueillantes et joviales ; elle ne remarqua que quelques visages fermés, méfiants, comme si ces gens réservaient prudemment leur jugement, attendant des preuves de ses qualités.

Wilwulf se tenait sur le seuil de la maison commune.

Il était exactement tel que dans son souvenir, grand, les membres déliés, avec une crinière blonde et une épaisse moustache, mais pas de barbe. Il portait une houppelande rouge retenue par une broche en émail. Il arborait un grand sourire détendu, comme s'ils s'étaient quittés la veille et non deux mois auparavant. Il était debout sous la pluie sans chapeau, se souciant apparemment peu de se faire tremper. Il écarta largement les bras pour lui souhaiter la bienvenue.

Ragna ne put se retenir plus longtemps. Elle bondit

de son cheval et courut vers lui. Devant cette démonstration d'enthousiasme fougueux, l'assistance lui fit une ovation. Le sourire de Wilwulf s'élargit encore. Elle se jeta dans ses bras, l'embrassa passionnément et l'ovation se changea en un tonnerre d'acclamations. Elle se pendit à son cou et enroula ses jambes autour de sa taille, provoquant un véritable délire dans l'assistance.

C'était un baiser passionné, mais elle ne le prolongea pas outre mesure avant de reposer les pieds à terre. Un peu d'inconvenance ne pouvait pas nuire, mais il y avait des limites.

Ils restèrent là à se regarder en souriant. Ragna avait terriblement envie de faire l'amour avec lui, et sentait qu'il lisait dans ses pensées.

Ils laissèrent la foule donner libre cours à sa liesse pendant quelques instants, puis Wilwulf la prit par la main et ils entrèrent côte à côte dans la maison commune.

Un groupe plus restreint les y attendait, et les applaudissements reprirent. Comme la vision de Ragna s'accoutumait à la pénombre, elle distingua une bonne dizaine de personnes plus richement parées que les habitants massés au-dehors, et devina qu'il s'agissait de la famille de Wilwulf.

Un homme s'avança et elle reconnut ses grandes oreilles et ses yeux rapprochés.

« Monseigneur Wynstan, dit-elle. Quel plaisir de vous revoir. »

Il lui baisa la main.

« Je me réjouis de votre présence en ces lieux, et suis fier du modeste rôle que j'ai joué pour la rendre possible.

— Rôle dont je vous remercie.

— Vous avez fait un long voyage.

— Je puis dire qu'il m'a fait découvrir mon nouveau pays.

— Et qu'en pensez-vous ?

— Il est un peu humide. »

Tout le monde rit, pour le plus grand plaisir de Ragna qui, sachant cependant que l'heure n'était pas à la franchise et à l'honnêteté, ajouta aussitôt un pieux mensonge :

« Les Anglais se sont montrés amicaux et accueillants. Je les aime beaucoup.

— Vous m'en voyez ravi », répondit Wynstan, qui sembla la croire.

Ragna faillit rougir. Elle avait été malheureuse dès l'instant où elle avait posé les pieds en Angleterre. Les tavernes étaient sales, les gens hostiles, la bière remplaçait mal le cidre et elle s'était fait détrousser. Tout de même, pensa-t-elle alors, ce n'était pas l'entière vérité. Mère Agatha l'avait accueillie chaleureusement, et le garçon qui lui avait fait franchir le fleuve s'était montré extrêmement serviable. On trouvait évidemment le meilleur aussi bien que le pire chez les Anglais, comme chez les Normands.

Et elle n'aurait pas trouvé chez les Normands un homme comme Wilwulf. Tout en échangeant de menus propos avec la famille, s'interrompant souvent pour chercher le mot anglo-saxon pertinent, elle ne pouvait s'empêcher de couler des regards vers lui et d'éprouver un frisson de plaisir à chaque trait familier qu'elle reconnaissait : sa puissante mâchoire, ses yeux bleu-vert, la moustache blonde qu'elle avait hâte d'embrasser encore. Et chaque fois qu'elle le regardait, elle constatait qu'il l'observait, avec un sourire d'orgueil mêlé d'une pointe de désir impatient. Cela lui réchauffait le cœur.

Wilwulf lui présenta un homme d'aussi haute taille

que lui, qui arborait la même moustache blonde en broussaille.

« Permettez-moi de vous présenter mon demi-frère puîné, Wigelm, seigneur de Combe. »

Wigelm la toisa de la tête aux pieds.

« Sacrebleu, vous êtes la bienvenue, et plus encore », lui dit-il.

Ses paroles étaient aimables, mais son sourire inspira un certain malaise à Ragna, pourtant habituée à ce que les hommes la déshabillent du regard. Wigelm ne fit que renforcer cette première impression en ajoutant :

« Wilf a dû vous expliquer que nous sommes trois frères et que nous partageons tout, femmes comprises. »

Cette plaisanterie fit rire les trois hommes à gorge déployée. Les femmes présentes dans l'assistance furent manifestement moins amusées, et Ragna préféra ignorer la saillie.

« Et voici ma belle-mère, Gytha », reprit Wilwulf.

Ragna aperçut une femme d'apparence remarquable, âgée d'une cinquantaine d'années. Elle était petite – ses fils avaient dû hériter de la stature de leur défunt père, songea Ragna. Ses longs cheveux gris encadraient un visage agréable, aux sourcils fortement marqués. Ragna y décela de la ruse et une volonté de fer. Elle sentit que cette femme pèserait lourd dans sa propre destinée, pour le meilleur ou pour le pire, et lui adressa un compliment quelque peu outrancier :

« Vous pouvez être très fière d'avoir donné à l'Angleterre ces hommes hors du commun.

— Vous êtes fort aimable, lui répondit Gytha, sans esquisser pourtant l'ombre d'un sourire, et Ragna pressentit qu'elle ne succomberait pas de sitôt à son charme.

— Gytha va vous faire visiter le domaine, proposa Wilwulf. Nous dînerons ensuite.

— C’est parfait », répondit Ragna.

Gytha ouvrit la marche. Les servantes de Ragna les attendaient au-dehors.

« Cat, viens avec moi, ordonna-t-elle. Les autres, attendez ici.

— Ne vous inquiétez pas, intervint Gytha. Nous nous chargerons de tout. »

Mais Ragna n’était pas disposée à lui confier ainsi les rênes.

« Où sont les hommes ? demanda-t-elle à Cat.

— Aux écuries. Ils s’occupent des chevaux.

— Dis à Bern de rester près des bagages jusqu’à ce que je l’envoie chercher.

— Bien, madame. »

Gytha fit faire le tour du domaine à Ragna. La déférence que tous témoignaient à Gytha révélait clairement que c’était elle qui commandait et dirigeait la vie domestique de Wilwulf. Il faudra que cela change, se dit Ragna. Elle n’avait pas l’intention de se laisser régenter par sa belle-mère.

Elles passèrent devant les logements des esclaves et entrèrent dans les écuries. Il y avait foule, mais Ragna remarqua que les valets d’écurie anglais ne parlaient pas aux Normands. Il fallait y remédier immédiatement. Prenant Bern par le bras, elle dit d’une voix forte :

« Messieurs les Anglais, voici mon ami Bern le Géant. Il est très doux avec les chevaux – elle lui saisit la main et la leva – et avec les femmes. »

Les hommes gloussèrent tout bas. Ils plaisantaient souvent sur la taille de leur sexe, qui était censée être proportionnelle à celle de leurs mains ; or celles de Bern étaient immenses.

« Il est doux avec les femmes », répéta-t-elle, provoquant les sourires de tous les hommes, qui attendaient la suite de la plaisanterie. Elle conclut alors avec un sourire espiègle : « Heureusement. »

Tout le monde éclata de rire, et la glace fut rompue. Ragna reprit :

« Quand mes hommes commettront des erreurs dans votre langue, soyez indulgents et peut-être vous enseigneront-ils quelques mots du français de Normandie. Ainsi, vous saurez quoi dire aux petites Françaises qu'il pourrait vous arriver de rencontrer... »

Ils rirent à nouveau, et elle sut que le lien était noué. Elle sortit avant que les rires aient reflué.

Gytha lui montra un bâtiment deux fois plus vaste que les autres qui servait de quartiers aux hommes d'armes.

« Il n'est pas question que j'entre ici », déclara Ragna.

C'était un dortoir pour hommes, et il eût été effronté d'y mettre les pieds. La limite entre une femme qui se permettait quelques plaisanteries légères et une méprisable catin était étroite, et une étrangère devait veiller plus encore que les autres à ne pas la franchir.

Elle remarqua pourtant que beaucoup d'hommes traînaient à l'extérieur, et se rappela que les écuries étaient pleines de monde.

« Les hommes sont vraiment très nombreux ici, fit-elle remarquer à Gytha. Se passe-t-il quelque chose ?

— En effet. Wilf rassemble une armée. » C'était la deuxième fois que Ragna entendait quelqu'un l'appeler « Wilf » et elle en déduisit que c'était un diminutif. « Les Gallois du Sud ont franchi la frontière, poursuivit Gytha. Ce n'est pas exceptionnel à cette période de l'année – les granges sont pleines après les moissons. Mais ne vous inquiétez pas, Wilf ne partira pas avant votre mariage. »

Un frisson de crainte parcourut Ragna. Son mari s'apprêtait à se battre juste après leurs noces. C'était normal, bien sûr ; elle avait vu son père partir plus d'une fois, armé jusqu'aux dents, pour tuer ou se faire tuer. Pourtant, elle ne s'y était jamais habituée. Elle était terrifiée quand le comte Hubert partait à la guerre, et le serait tout autant avec Wilwulf. Elle essaya de chasser cette pensée de son esprit. Elle avait d'autres sujets de préoccupation.

La maison commune était située au centre du domaine, dont un côté abritait plusieurs bâtiments utilitaires : la cuisine, la boulangerie, la brasserie, et quelques réserves. Les habitations individuelles se trouvaient de l'autre côté.

Ragna entra dans la cuisine. Comme le voulait l'usage, c'étaient des hommes qui préparaient à manger, assistés par une demi-douzaine d'auxiliaires féminines. Elle salua poliment les cuisiniers, mais les femmes l'intéressaient davantage, particulièrement l'une d'entre elles, d'une trentaine d'années, grande et belle, qui attira son regard : sans doute exerçait-elle une fonction de responsabilité.

« Que ce repas sent bon ! » s'extasia Ragna.

La femme lui répondit d'un sourire amical.

« Comment t'appelles-tu ? poursuivit Ragna.

— Gildathryth, milady. Mais tout le monde préfère dire Gilda. »

Elle avait à son côté une fillette qui nettoyait un énorme tas de petites carottes violacées couvertes de terre. Comme elle ressemblait un peu à Gilda, Ragna reprit :

« Cette jolie petite fille est de ta famille ? »

Le pari n'était pas très risqué : dans une petite communauté, la plupart des gens étaient plus ou moins apparentés.

« C'est ma fille Wilnod, répondit fièrement Gilda. Elle a douze ans.

— Bonjour Wilnod. Quand tu seras grande, tu prépareras de bons plats comme ta maman ? »

La petite était trop intimidée pour parler, mais elle hocha la tête.

« Eh bien, je te remercie de nettoyer ces carottes, reprit Ragna. Je penserai à toi en les mangeant. »

Le visage de Wilnod s'illumina de plaisir.

Ragna sortit de la cuisine.

Au cours des journées suivantes, elle parlerait à tous ceux qui vivaient ou travaillaient dans le domaine. Elle aurait du mal à retenir tous les noms, mais elle ferait de son mieux. Elle leur poserait des questions sur leurs enfants et leurs petits-enfants, leurs maladies et leurs croyances, leurs maisons et leurs vêtements. Elle n'aurait pas à feindre de s'y intéresser : elle avait toujours été curieuse de la vie quotidienne de ceux qui l'entouraient.

Cat en apprendrait davantage encore, surtout si elle faisait des progrès en anglais ; à l'image de Ragna, elle se liait facilement et les servantes ne tarderaient pas à lui confier leurs cancans. Elle saurait ainsi quelle blanchisseuse avait un amant, quel valet d'écurie préférait les hommes aux femmes, qui chapardait à la cuisine et quel homme d'armes avait peur du noir.

Ragna et Gytha se dirigèrent vers les maisons. La plupart étaient deux fois moins longues que la maison commune, mais la qualité de construction était disparate. Toutes étaient bâties avec de solides poteaux d'angle et des toits de chaume, et les murs étaient généralement en torchis – des branches verticales dans lesquelles s'entrelaçaient des rameaux horizontaux, le tout recouvert d'un mélange de boue et de paille. Les trois plus belles demeures étaient situées juste derrière la maison commune. Leurs murs étaient faits de planches verticales parfaitement jointives, ancrées dans une lourde poutre d'appui.

« Quelle est la maison de Wilwulf ? » s'enquit Ragna.

Gytha lui indiqua le bâtiment central et Ragna se dirigea vers la porte.

« Vous devriez peut-être attendre d'y être invitée », intervint Gytha.

Ragna sourit et entra.

Cat la suivit et Gytha leur emboîta le pas à contrecœur.

Ragna découvrit avec plaisir un lit bas, largement assez grand pour deux, avec un épais matelas et une accueillante pile de couvertures de couleurs vives. Pour le reste, la pièce avait un aspect vaguement militaire, dû à l'armure rutilante et aux armes bien affûtées accrochées à des patères sur tous les murs – peut-être fin prêtes pour le conflit avec les Gallois du Sud qui attendait Wilwulf. Ses autres possessions étaient rangées dans de grands coffres de bois. Une tapisserie murale représentait une scène de chasse, soigneusement réalisée. Il ne semblait pas y avoir de quoi lire ou écrire.

Ragna ressortit et avisa un autre beau bâtiment à l'arrière de la maison de Wilwulf. Comme elle faisait mine de s'y rendre, Gytha s'interposa :

« Je devrais peut-être vous montrer votre maison. »

Ragna n'était pas disposée à laisser Gytha la gouverner, et préféra le lui faire savoir sans attendre. Elle demanda sans s'arrêter :

« Et cette maison ? À qui est-elle ?

— À moi. Vous ne pouvez pas entrer. »

Se retournant, Ragna lui dit calmement mais fermement :

« Aucune bâtisse de ce domaine ne m'est interdite. Je suis sur le point d'épouser l'ealdorman. Lui seul peut me dire ce que je dois faire. Je serai la maîtresse ici. »

Elle entra dans la maison.

Gytha la suivit.

L'endroit était richement meublé. Ragna y découvrit un confortable fauteuil capitonné, comme ceux des rois. Sur une table étaient posés une corbeille de poires et un tonnelet contenant probablement du vin. Des robes de laine et des houppelandes de prix étaient suspendues à des patères.

« C'est très joli chez vous, approuva Ragna. Votre beau-fils vous témoigne une grande bonté.

— Pourquoi ne le ferait-il pas ? rétorqua Gytha, sur la défensive.

— En effet », répondit Ragna en ressortant.

Gytha avait dit : « Je devrais peut-être vous montrer votre maison », ce qui sous-entendait que Ragna et Wilwulf ne logeraient pas sous le même toit. L'arrangement n'était pas inhabituel, mais Ragna ne s'y attendait pas. L'épouse d'un noble fortuné disposait souvent d'une seconde demeure à côté de celle de son mari pour les nouveau-nés, les enfants et leurs servantes ; elle y passait certaines nuits, et les autres avec son mari. Ragna n'avait cependant pas prévu de passer une seule nuit sans Wilwulf avant que la naissance d'un enfant ne l'y oblige. Cette seconde habitation lui semblait prématurée et elle regrettait que Wilwulf ne lui en ait pas parlé. Il est vrai qu'ils n'avaient guère eu le loisir de s'entretenir de quoi que ce soit.

Elle était d'autant plus blessée que la nouvelle lui avait été annoncée par Gytha. Ragna savait que les mères pouvaient faire preuve d'une hostilité irrationnelle à l'égard des épouses de leurs fils, ce qui s'appliquait apparemment aussi aux belles-mères. Ragna se rappela un incident concernant son frère, Richard, surpris en train de lutiner une blanchisseuse sur les remparts du château de Cherbourg. Leur mère,

Geneviève, avait exigé de faire fouetter la fille. Elle ne voulait pas qu'une servante se fasse engrosser par son fils, ce qui était parfaitement normal, mais Richard s'était contenté de caresser l'entrejambe de la fille, et Ragna était convaincue que tous les adolescents agissaient ainsi pour peu qu'ils en aient l'occasion. De toute évidence, la colère de Geneviève n'était pas dictée par la seule prudence. Se pouvait-il qu'une mère, ou une belle-mère, soit jalouse des femmes qu'aimait son fils ? Gytha était-elle aussi peu aimable avec Ragna parce qu'elle lui disputait l'affection de Wilwulf ?

Bien que sur ses gardes, Ragna n'était pas vraiment inquiète, dans le fond. Elle connaissait les sentiments de Wilwulf à son égard, et elle avait confiance : elle saurait entretenir et conserver son amour. Si elle avait envie de passer toutes les nuits dans son lit, elle le ferait, et veillerait à ce qu'il en soit satisfait.

Elle dirigea ses pas vers la dernière des trois maisons.

« C'est là qu'habite Wigelm », annonça Gytha, mais cette fois elle n'essaya pas d'empêcher Ragna d'y entrer.

La demeure de Wigelm présentait un aspect provisoire, et Ragna supposa qu'il passait beaucoup de temps à Combe, la ville dont il était le seigneur. Mais il était présent, ce jour-là, assis en compagnie de trois autres jeunes hommes réunis autour d'un pichet de bière, à lancer les dés et à parier des pennies d'argent. Il se leva quand Ragna entra.

« Venez, venez, s'écria-t-il. La maison paraît soudain plus chaude. »

Elle regretta aussitôt d'avoir mis les pieds chez lui, mais n'était pas disposée à battre en retraite comme si elle avait peur. Elle mettait un point d'honneur à ce que l'on sache qu'elle était chez elle partout dans le domaine. Ignorant le badinage de Wigelm, elle lui demanda :

« Vous n'êtes pas marié ?

— Ma femme est à Combe pour surveiller la reconstruction de notre maison après le raid des Vikings. Mais elle sera là pour votre mariage.

— Comment s'appelle-t-elle ?

— Mildburg. Mais tout le monde l'appelle Milly.

— Je me réjouis de la rencontrer bientôt. »

Wigelm se rapprocha et baissa la voix, prenant un ton plus intime :

« Voulez-vous vous asseoir et prendre un gobelet de bière avec moi ? Nous vous apprendrons à jouer aux dés si vous voulez.

— Pas aujourd'hui. »

Il posa les mains sur les seins de Ragna comme si de rien n'était et appuya fermement.

« Dites donc, ils sont vraiment gros ! »

Cat étouffa un cri d'indignation.

Ragna recula et écarta vivement ses mains.

« Mais ils ne sont pas pour vous, dit-elle.

— Je vérifie la marchandise avant que mon frère l'achète, c'est tout. »

Il jeta un regard égrillard à ses compagnons qui n'en attendaient pas plus pour éclater de rire.

Ragna regarda Gytha à la dérobée et vit l'ombre d'un sourire sur ses lèvres.

« Lors du prochain raid des Vikings, j'espère qu'ils trouveront en face d'eux des braves de votre espèce », lança Ragna.

Wigelm resta coi, se demandant si c'était un compliment ou une malédiction.

Ragna en profita pour se retirer.

Un homme pouvait être mis à l'amende pour avoir touché le sein d'une femme, mais Ragna n'avait pas l'intention de porter l'incident devant une cour de justice. Elle se jura cependant de trouver le moyen de faire payer cet affront à Wigelm.

Lorsqu'elles furent sorties, elle se tourna vers Gytha et lui demanda :

« Si j'ai bien compris, Wilf m'a préparé une maison ? »

La formulation était délibérée. Il incombait à Wilwulf de veiller à ce qu'elle soit confortablement installée. Il avait probablement laissé Gytha se charger des préparatifs, mais c'était à lui et non à sa belle-mère que Ragna se plaindrait si elle n'était pas satisfaite, et elle tenait à ce que Gytha le comprenne d'emblée.

« Par ici », acquiesça Gytha.

La maison de Wigelm était voisine d'une autre habitation, plus médiocre, dont les murs de torchis mal bâtis devaient laisser passer les courants d'air. Gytha y entra, Ragna sur ses talons.

La pièce était correctement meublée d'un lit, d'une table entourée de bancs, de plusieurs coffres et de tous les gobelets et les bols en bois qu'elle pouvait souhaiter. Il y avait un tas de bois de chauffage à côté de la cheminée, et un petit tonneau qui devait contenir de la bière. L'endroit était rigoureusement dépourvu du moindre luxe.

Ragna songea qu'on aurait pu rêver mieux comme accueil. Sentant la déception de Ragna, Gytha dit d'un ton hésitant :

« Vous avez certainement apporté un certain nombre de tentures murales à votre goût, et tout ce dont vous pouvez avoir besoin. »

Ragna n'en avait rien fait. Elle s'attendait à ce que tout lui soit fourni. Elle avait de l'argent pour acheter le nécessaire, mais ce n'était pas la question.

« Des couvertures ? » demanda-t-elle.

Gytha haussa les épaules.

« Que voulez-vous faire de couvertures ? La plupart des gens dorment dans leur houppelande.

— J'ai remarqué qu'il y en avait beaucoup chez Wilf. »

Gytha ne répondit pas.

Ragna parcourut les murs du regard.

« Il n'y a pas assez de crochets. Vous n'avez pas pensé qu'une jeune épouse pouvait avoir beaucoup de vêtements à suspendre ?

— Vous n'aurez qu'à en planter davantage.

— Il faudra donc que j'emprunte un marteau. »

Gytha parut intriguée, avant de saisir l'ironie du propos.

« Je vous enverrai un menuisier.

— Cette maison est trop petite. J'ai cinq servantes et sept hommes d'armes.

— Les hommes pourront loger en ville.

— Je préfère les garder près de moi.

— Ce sera peut-être impossible.

— Nous verrons. »

Ragna était furieuse et blessée. Mais il lui fallait un peu de temps pour réfléchir et s'organiser avant de passer à l'action. Elle se tourna vers Cat.

« Va chercher les autres servantes, et dis aux hommes d'apporter les bagages. »

Cat sortit. Gytha essaya de reprendre l'initiative et annonça sur un ton autoritaire :

« Vous vivrez ici, et quand Wilf aura envie de passer la nuit avec vous, il viendra vous rejoindre ou il vous invitera chez lui. Vous n'avez pas à aller dans son lit sans y être conviée. »

Ragna l'ignora. Ils feraient comme bon leur semblerait, Wilf et elle, sans que sa belle-mère s'en mêle. Elle résista à la tentation de le lui faire savoir.

La présence de Gytha commençait à l'indisposer.

« Merci de m'avoir fait visiter le domaine », lui dit-elle d'un ton qui lui signifiait son congé.

Gytha hésita.

« J'espère que tout est à votre convenance. »

Elle s'attendait probablement à trouver une jeune étrangère craintive, qui se serait laissé houspiller. Elle allait devoir réviser son opinion, bon gré mal gré, se dit Ragna.

« Nous verrons », répondit-elle sèchement.

Gytha fit une nouvelle tentative.

« Que direz-vous à Wilf à propos de votre logement ?

— Nous verrons », répéta Ragna.

Il était manifeste que Ragna souhaitait le départ de Gytha, mais celle-ci ignorait ses allusions. Elle avait été la femme la plus éminente du domaine pendant des années, et avait sans doute peine à croire qu'une autre pût lui donner des ordres. Ragna n'avait d'autre solution que de se montrer plus ferme encore.

« Je n'ai plus besoin de vous pour le moment, belle-mère, dit-elle, et comme Gytha ne sortait toujours pas, elle haussa la voix et ajouta : Vous pouvez vous retirer. »

Gytha s'empourpra de colère et d'embarras, mais finit par obtempérer.

Cat revint avec les autres serviteurs, les hommes chargés de coffres et de sacs qu'ils déposèrent contre le mur.

« Il n'y a pas la place ici pour nous loger tous, remarqua Cat.

— Les hommes devront dormir ailleurs.

— Où cela ?

— En ville. Mais ne défaites pas les bagages. Ne sortez que le strict nécessaire pour une nuit. »

La porte était restée ouverte et l'évêque Wynstan entra.

« Eh bien, eh bien, fit-il en parcourant la pièce du regard. Voici donc votre nouvelle demeure.

— Il paraît, répondit Ragna.

— Cela ne vous convient pas ?

— J'en parlerai à Wilf.

— Bonne idée. Il ne désire rien tant que votre bonheur.

— Vous m'en voyez ravie.

— Je suis venu pour votre dot.

— Vraiment ?

— L'avez-vous apportée ? demanda Wynstan en fronçant sévèrement les sourcils.

— Bien sûr.

— Vingt livres d'argent. C'est ce qui avait été convenu avec votre père.

— En effet.

— Dans ce cas, peut-être pourriez-vous me les remettre. »

Ragna ne faisait pas confiance à Wynstan, et cette requête ne fit que confirmer ses préventions.

« Je la donnerai à Wilf quand nous serons mariés. Voilà ce qui avait été prévu avec mon père.

— Il faut tout de même que je la compte. »

Ragna ne voulait même pas que Wynstan sache dans quel coffre elle se trouvait.

« Vous pourrez vérifier cela le matin du mariage. Ensuite, quand les serments auront été échangés, elle sera remise – à mon mari. »

Wynstan lui jeta un regard où l'hostilité se mêlait au respect.

« Comme vous voudrez, bien sûr », dit-il, et il prit congé.

*

Le lendemain, Ragna se leva avant le jour.

Elle réfléchit soigneusement à ce qu'elle allait porter. La veille, elle était arrivée dans une robe brun clair et une houppelande rouge, une toilette ravissante mais mouillée et boueuse, et elle n'avait pas été à son avantage. Aujourd'hui, elle voulait être pareille à une fleur qui se serait épanouie à l'aube. Elle choisit une robe de soie jaune ornée de broderies au col, aux poignets et à l'ourlet. Cat lui nettoya le coin des yeux, brossa ses épais cheveux roux et lui noua un voile vert sur la tête.

Le jour n'était pas encore levé que Ragna se concentrait déjà sur ce qu'elle allait faire, tout en mangeant un peu de pain trempé dans une bière légère. Elle avait passé la majeure partie de la nuit à arrêter une stratégie. Wigelm méritait d'être châtié, mais la question était secondaire. Sa tâche prioritaire consistait à prouver que ce n'était plus Gytha qui était responsable de la vie domestique de Wilf mais elle. Si Ragna ne cherchait pas l'affrontement, elle ne pouvait pas laisser Gytha continuer à tout régenter, ne fût-ce qu'une journée, car elle-même s'affaiblirait chaque fois qu'elle semblerait accepter son autorité. Il fallait réagir immédiatement.

Évidemment, c'était délicat. Elle risquait de contrarier son futur mari, ce qui serait déjà assez fâcheux, mais il y avait pire encore : si elle perdait la bataille en cet instant, la victoire de Gytha pourrait être définitive.

Cat lui tendit le bracelet qu'elle avait acheté à Cuthbert, à Dreng's Ferry, et Ragna le glissa dans la bourse de cuir attachée à sa ceinture.

Elle sortit. Une faible lueur argentait l'horizon, à l'est. Il avait plu durant la nuit et le sol était boueux, mais la journée promettait d'être radieuse. En contrebas, dans la ville encore enténébrée, la cloche du monastère sonna les matines. Le domaine s'éveillait à peine. Ragna aperçut un jeune esclave en tunique élimée transporter une brassée de bois pour le feu, puis une servante aux bras puissants chargée d'un seau de lait fraîchement tiré qui fumait dans l'air matinal. Elle ne vit personne d'autre. Sans doute tout le monde était-il bien au chaud, au lit, les paupières closes, faisant comme si le jour n'était pas encore venu.

Ragna traversa le domaine pour se diriger vers la maison de Wilf.

Elle aperçut alors une jeune femme qui bâillait, appuyée contre le mur devant la maison de Gytha. En reconnaissant Ragna, elle se redressa.

Ragna esquissa un sourire. Gytha ne laissait rien au hasard et la tenait à l'œil. Mais cette surveillance servait ses desseins, ce jour-là.

Elle se dirigea vers la porte de Wilf, sous le regard de la servante.

Il lui vint soudain à l'esprit que Wilf barrait peut-être sa porte la nuit ; certaines personnes faisaient cela, ce qui aurait compromis son plan.

Mais quand elle souleva la clenche, la porte s'ouvrit, à son grand soulagement. Peut-être Wilf craignait-il de passer pour un couard aux yeux de ses hommes s'il verrouillait sa porte.

Du coin de l'œil, elle vit que la servante qui l'observait se glissait dans la maison de Gytha.

Wilf avait une autre raison d'être en confiance. En entrant, Ragna entendit un grondement sourd. Wilf avait un chien pour l'avertir d'une éventuelle intrusion.

Ragna jeta un coup d'œil vers l'endroit où elle savait que se trouvait le lit. Les braises du feu jetaient encore une faible lueur, et un rai de lumière filtrait par les petites fenêtres. Elle vit une silhouette se redresser dans le lit et tendre le bras vers une arme.

La voix de Wilf s'éleva :
« Qui va là ?
— Bonjour, mon seigneur », répondit Ragna dans un murmure.
Elle l'entendit rire tout bas.
« C'est un bon jour en effet, puisque vous êtes là. »
Et il se rallongea.
Elle perçut un mouvement au niveau du sol et vit un gros mastiff reprendre position devant le feu.
Elle s'assit au bord du lit. Le moment était délicat. Sa mère avait lourdement insisté pour qu'elle ne couche pas avec Wilf avant la cérémonie. Il ne demanderait que cela, l'avait avertie Geneviève, et Ragna savait qu'elle en aurait envie, elle aussi. Mais elle était bien décidée à résister à la tentation. Elle n'aurait su dire exactement pourquoi elle y attachait une telle importance, d'autant qu'ils l'avaient déjà fait. Elle se disait vaguement que leur bonheur d'être mariés ne serait que plus grand quand ils pourraient enfin s'abandonner à leur désir sans crainte ni culpabilité.
Elle l'embrassa tout de même.
Elle s'inclina sur sa large poitrine et agrippa l'ourlet de sa couverture à deux mains, maintenant cette barrière supplémentaire entre leurs corps. Puis elle baissa lentement la tête jusqu'à ce que leurs lèvres se rencontrent.
Il poussa un soupir de satisfaction.
De sa langue, elle fit le tour de sa bouche, explorant ses douces lèvres et le chaume de sa moustache. Il enfouit sa grande main dans la masse de ses cheveux, faisant tomber son voile. Mais quand son autre main se posa sur son sein, elle recula.
« J'ai un cadeau pour vous, dit-elle.
— Vous en avez plusieurs, répondit-il d'une voix rauque de désir.

— Je vous avais acheté à Rouen une ceinture avec une superbe boucle d'argent, mais elle m'a été volée au cours de mon voyage.

— Où cela ? demanda-t-il. Où avez-vous été volée ? »

Elle savait qu'il était responsable de la loi et de l'ordre, et que tout larcin le concernait.

« Entre Mudeford et Dreng's Ferry. Le voleur portait un vieux casque.

— Face-de-Fer, murmura-t-il, furieux. Le chef de Mudeford a fouillé la forêt sans jamais réussir à trouver sa cachette. Je vais lui donner l'ordre de reprendre les recherches. »

Elle n'avait pas l'intention de se plaindre, et fut navrée de l'avoir contrarié. Elle réagit promptement, tentant de rétablir une atmosphère plus sentimentale.

« Mais je vous ai trouvé un autre présent, encore plus beau », lui annonça-t-elle.

Elle se leva, regarda autour d'elle et distingua la blancheur d'une chandelle. Elle l'alluma dans l'âtre et la posa sur un banc, près de la tête de lit, avant de prendre le bracelet qu'elle avait acheté à Cuthbert.

« Qu'est-ce ? » demanda-t-il.

Elle approcha la chandelle pour lui permettre de mieux voir. Il passa le doigt sur le motif raffiné gravé dans l'argent, que faisait ressortir la niellure.

« C'est un travail exquis, approuva-t-il, qui conserve pourtant un aspect fier et viril. » Il le glissa sur son bras gauche, au-dessus du coude. Le bijou s'ajustait à merveille à son biceps. « Vous avez un goût exceptionnel ! »

Ragna était ravie.

« Il vous va vraiment très bien.

— Je ferai l'envie de toute l'Angleterre. »

Ce n'était pas exactement ce que Ragna souhaitait

entendre. Elle ne désirait pas être un symbole de grandeur, à l'image d'un cheval blanc ou d'une précieuse épée.

« Si je m'écoutais, je passerais la journée à vous embrasser », reprit-il.

Voilà qui était mieux, et elle se pencha à nouveau vers lui. Il se fit alors plus insistant. Comme il lui prenait le sein et qu'elle essayait de se dégager, il s'obstina et l'attira à lui. Elle fut prise d'une légère inquiétude. Elle avait encore l'avantage sur lui parce qu'il était allongé, mais s'il y mettait toute sa force, elle ne pourrait pas lui résister.

Une visite impromptue apporta la diversion qu'elle espérait. Le chien grogna, la porte grinça, et la voix de Gytha s'éleva :

« Je vous souhaite le bonjour, mon fils. »

Ragna ne se hâta pas d'interrompre leur étreinte : elle tenait à ce que Gytha sache combien Wilf la désirait.

« Oh ! Ragna ! s'exclama Gytha. J'ignorais que vous étiez là ! »

Quelle menteuse, songea Ragna. La servante avait évidemment averti Gytha que Ragna était entrée chez Wilf, et Gytha s'était habillée promptement pour venir voir ce qui se passait.

Ragna se retourna lentement. Elle avait le droit d'embrasser son fiancé, et s'efforça de ne pas avoir l'air coupable.

« Belle-mère, bonjour », dit-elle poliment, tout en laissant percer une pointe d'agacement.

Gytha était l'intruse, c'était elle qui s'était aventurée en un lieu où elle n'avait pas à se rendre.

« Dois-je t'envoyer le barbier pour te raser le menton, Wilf ? demanda Gytha.

— Pas aujourd'hui. Je me raserai le matin du mariage », répondit-il avec une once d'impatience, comme si elle le savait parfaitement et n'avait posé cette question que pour justifier sa venue.

Ragna réarrangea son voile en prenant son temps, pour souligner que Gytha avait troublé un moment d'intimité. Tout en renouant l'étoffe, elle s'adressa à Wilwulf :

« Et si vous montriez votre cadeau à Gytha, Wilf ? »

Wilf désigna le bracelet qui luisait à la lueur de la chandelle.

« Très joli, acquiesça Gytha, sans chaleur. L'argent est une valeur sûre. »

Mais moins coûteux que l'or : le sous-entendu était limpide.

Ragna ignora la pique.

« Et maintenant, Wilf, je voudrais vous demander quelque chose.

— Tout ce que vous voudrez, ma bien-aimée.

— Vous m'avez attribué un bien piètre logis.

— Vraiment ? » réagit-il, visiblement surpris.

Son étonnement confirma à Ragna qu'il avait délégué cette tâche à Gytha, comme elle le soupçonnait.

« Ma maison n'a pas de fenêtre, et la nuit, les murs laissent passer le froid », expliqua Ragna.

Wilf regarda Gytha.

« Est-ce vrai ?

— Elle n'est pas aussi misérable que cela », protesta-t-elle.

Cette réponse exaspéra Wilf.

« Ma future épouse mérite ce qu'il y a de mieux ! s'exclama-t-il.

— C'est la seule maison disponible, se justifia Gytha.

— Pas tout à fait, objecta Ragna.

— Il n'y a pas d'autre habitation vacante, insista Gytha.

— Wigelm n'a pas réellement besoin d'une maison pour lui et ses hommes d'armes, reprit Ragna sur un ton raisonnable. Sa femme ne vit même pas ici. Ils habitent Combe.

— Wigelm est le frère de l'ealdorman ! s'exclama Gytha.

— Et moi, je suis la future épouse de l'ealdorman, répliqua Ragna en faisant un gros effort pour réprimer sa colère. Wigelm est un homme, avec des besoins simples, alors que je suis une fiancée qui se prépare pour son mariage. » Elle se tourna vers Wilf. « À qui de nous deux iront vos faveurs ? »

Pour un futur mari, il n'y avait qu'une réponse possible : « À vous, bien sûr.

— Et après notre mariage, poursuivit-elle en soutenant le regard de Wilf, je serai plus près de vous la nuit, puisque la maison de Wigelm est voisine de la vôtre.

— Voilà qui règle la question », répondit-il avec un sourire.

La décision de Wilf était prise, et Gytha céda. Elle était trop avisée pour discuter une fois sa défaite consommée.

« Fort bien. Je vais procéder à l'échange entre Ragna et Wigelm, dit-elle, mais elle ne put s'empêcher d'ajouter : Cela ne plaira pas à Wigelm.

— Tu n'auras qu'à lui rappeler lequel des frères est l'ealdorman », lança sèchement Wilf.

Gytha inclina la tête.

« Bien sûr. »

Ragna l'avait emporté, et Wilf était furieux contre Gytha. Ragna décida de pousser son avantage.

« Excusez-moi, Wilf, mais j'aurai besoin des deux maisons.

— Mais pourquoi cela, au nom du ciel ? s'étonna Gytha. Personne n'a besoin de deux maisons.

— Je veux avoir mes hommes près de moi. Pour l'instant, ils logent en ville.

— Pour quelle raison avez-vous besoin de vos hommes d'armes ? » demanda Gytha.

Ragna lui jeta un regard hautain.

« Tel est mon plaisir. Et je serai bientôt la femme de l'ealdorman. »

Elle se tourna vers Wilf qui commençait à perdre patience.

« Gytha, donne-lui ce qu'elle veut, et ne discute pas.

— Fort bien, répondit Gytha.

— Merci, mon amour », répondit Ragna, et elle l'embrassa encore.

12

Mi-octobre 997

Le jour de la cour du cent, Edgar était tendu, mais déterminé.

Le cent de Dreng's Ferry se composait de cinq petites localités largement dispersées. Bathford était la plus grande, mais Dreng's Ferry en était le centre administratif, et la cour était présidée traditionnellement par le doyen du moustier.

Les audiences avaient lieu toutes les quatre semaines. Elles se tenaient à l'extérieur, quel que soit le temps, et ce jour-là, il faisait froid, mais beau. La grande chaise de bois était disposée devant l'extrémité ouest de l'église, et une petite table avait été placée à côté. Le père Deorwin, l'aîné des prêtres, avait apporté la custode généralement rangée sous l'autel. C'était une boîte ronde en argent, fermée par un couvercle articulé, dont les côtés étaient ornés de gravures représentant des scènes de la crucifixion. C'était l'œuvre de Cuthbert. Elle contenait une hostie consacrée lors de la messe, qui serait utilisée ce jour-là au moment de la prestation des serments.

Les hommes et les femmes des cinq villages étaient venus, avec leurs enfants et leurs esclaves, certains à cheval, la plupart à pied. Tous ceux qui pouvaient être présents étaient là, car la cour prenait des décisions qui affectaient leur vie quotidienne. Mère Agatha y assistait, elle aussi, mais sans les autres religieuses. Les femmes n'étaient pas autorisées à témoigner, en théorie du moins, mais les fortes personnalités comme la mère d'Edgar n'hésitaient pas à donner leur avis.

Edgar avait vu siéger la cour maintes fois à Combe. Son père avait été obligé à plusieurs reprises d'intenter des procès à des clients peu pressés de payer leurs factures. Son frère Eadbald, qui avait eu une adolescence agitée, avait été par deux fois accusé de s'être battu en pleine rue. Aussi la loi et les procédures judiciaires ne lui étaient-elles pas étrangères.

Aujourd'hui, l'assemblée était plus fébrile qu'à l'ordinaire, parce qu'on allait juger une affaire de meurtre.

Les frères d'Edgar avaient essayé de le dissuader de porter plainte. Ils ne voulaient pas d'ennuis.

« Dreng est notre beau-père », avait fait valoir Eadbald en regardant Edgar tailler une pierre mal dégrossie et lui donner une jolie forme oblongue à l'aide de son marteau et de son ciseau neufs.

La colère donnait encore plus de force au bras d'Edgar tandis qu'il arrachait des éclats à la pierre.

« Cela ne lui donne pas le droit d'enfreindre la loi.

— Non, mais cela veut dire que mon frère ne peut pas être son accusateur. »

Eadbald était le plus intelligent des deux frères d'Edgar, et il était capable de débattre de façon rationnelle et persuasive. Edgar avait posé ses outils pour lui accorder toute son attention.

« Comment pourrais-je garder le silence ? avait-il répondu. Un meurtre a été commis, ici, dans notre village. Nous ne pouvons pas faire comme s'il ne s'était rien passé.

— Je ne vois pas pourquoi, avait rétorqué Eadbald. Nous venons à peine de nous installer ici. Les gens commencent à nous accepter. Pourquoi faut-il que tu fasses des histoires ?

— C'est mal, de tuer ! As-tu vraiment besoin d'une autre raison ? »

Eadbald avait poussé un soupir exaspéré et s'était éloigné.

L'autre frère, Erman, avait abordé Edgar ce soir-là, devant la taverne. Il avait adopté une approche différente.

« C'est Degbert le Chauve qui préside la cour, lui avait-il rappelé. Il veillera à ce que son frère ne soit pas condamné.

— Il n'en aura peut-être pas le pouvoir, avait répliqué Edgar. La loi, c'est la loi.

— Sauf que Degbert est le doyen, et notre propriétaire. »

Edgar savait qu'Erman avait raison, mais cela n'y changeait rien.

« Degbert peut faire ce qu'il veut et en répondre au Jugement dernier. Mais il n'est pas question que moi, je ferme les yeux sur l'assassinat d'un enfant.

— Tu n'as pas peur ? Degbert incarne le pouvoir ici.

— Si, avait répondu Edgar. J'ai peur. »

Cuthbert avait lui aussi tenté de le dissuader. Edgar

avait fabriqué ses nouveaux outils dans son atelier, la seule forge de Dreng's Ferry. Edgar avait découvert que les habitants locaux partageaient plus de choses qu'à Combe : les petites localités n'avaient que des équipements limités et tout le monde avait besoin d'aide, tôt ou tard. Tandis qu'Edgar forgeait ses outils sur l'enclume de Cuthbert, l'orfèvre lui avait annoncé :

« Degbert est furieux contre toi. »

Edgar devinait que Cuthbert avait été chargé de le prévenir. Il était trop timide pour oser formuler une critique de son propre chef.

« Je n'y peux rien, avait répondu Edgar.

— C'est un homme dont il n'est pas bon de se faire un ennemi. »

Cuthbert laissait transparaître une peur sincère : manifestement, le doyen le terrifiait.

« Je n'en doute pas.

— Et il est issu d'une famille puissante. L'ealdorman Wilwulf est son cousin. »

Edgar savait tout cela. Exaspéré, il reprit :

« Vous êtes un homme de Dieu, Cuthbert. Pouvez-vous garder le silence quand un meurtre est commis ? »

Bien sûr, il le pouvait. Cuthbert était faible. Mais la question d'Edgar l'avait blessé.

« Je n'ai assisté à aucun meurtre », avait-il dit piteusement, avant de tourner les talons.

Comme les gens s'assemblaient, le père Deorwin s'adressa aux plus importants d'entre eux, et surtout aux chefs des villages. Edgar savait, pour avoir déjà assisté à des cours du cent, que Deorwin leur demandait s'ils souhaitaient soumettre des questions à la cour, et en dressait mentalement la liste pour la communiquer à Degbert.

Enfin, Degbert sortit de la maison des prêtres et prit place sur la chaise.

En principe, lors d'une cour du cent, la population du voisinage prenait une décision collective. Dans les faits, la cour était souvent présidée par un riche noble ou par un homme d'Église d'âge mur qui avait de fortes chances d'avoir la haute main sur la procédure. Néanmoins, un certain degré de consensus était indispensable car il aurait été difficile à l'une des parties de contraindre l'autre. Un noble pouvait compliquer la vie des paysans de bien des façons, mais ceux-ci pouvaient simplement refuser de lui obéir. Aucun autre moyen que le consentement général ne permettait de faire appliquer les décisions de la cour. Aussi les audiences tenaient-elles souvent de la lutte de pouvoir entre deux forces d'importance plus ou moins égale, un peu comme un marin à bord d'un navire que le vent poussait dans une direction pendant que la marée l'entraînait dans l'autre.

Degbert annonça que la cour discuterait d'abord du partage de l'attelage de bœufs.

Aucune loi ne lui attribuait le droit de décider de l'ordre du jour. En certains lieux, c'était le chef du plus gros village qui assumait ce rôle. Mais Degbert s'était depuis longtemps octroyé ce privilège.

Le partage de l'attelage de bœufs était une question récurrente. À Dreng's Ferry, la terre était légère mais les quatre autres localités avaient un sol argileux et se partageaient un attelage de huit bœufs qu'il fallait conduire d'un village à l'autre pendant la saison des labours hivernaux. Le moment idéal était celui où le temps était assez froid pour empêcher les mauvaises herbes de pousser, et assez humide pour que le sol se soit ameubli après la sécheresse estivale. Mais tous les villages voulaient être les premiers à avoir l'attelage, parce qu'ils risquaient, s'ils labouraient trop tard, que le sol soit détrempé et bourbeux.

Ce jour-là, le chef de Bathford, un sage vieillard appelé Nothelm, avait élaboré un compromis raisonnable, et Degbert, qui ne s'intéressait pas aux labours, ne fit aucune objection.

Degbert invita ensuite Offa, le chef de Mudeford, à parler. L'ealdorman Wilwulf lui avait ordonné de se remettre en quête de l'antre de Face-de-Fer, qui avait eu l'audace de détrousser sa future épouse. Offa était un grand gaillard d'une trentaine d'années au nez tordu, probablement à la suite d'un combat.

« J'ai fouillé la rive sud entre Mudeford et ici, dit-il, et j'ai interrogé tous ceux que j'ai rencontrés, même Saemar, le berger puant. » Des petits rires s'élevèrent de la foule : tout le monde connaissait Sam. « Nous pensons que Face-de-Fer vit sur la rive sud, parce que c'est toujours là qu'il commet ses larcins, mais j'ai aussi fouillé la rive nord. Sans résultat, comme d'habitude. »

Personne ne fut surpris. Face-de-Fer échappait à la justice depuis des années.

Ce fut enfin au tour d'Edgar. Degbert l'appela d'abord à prêter serment. Edgar posa la main sur la custode et déclara :

« Au nom de Dieu Tout-Puissant, je déclare que Dreng le passeur a assassiné, il y a douze jours, un nouveau-né sans nom, le fils de Blod, l'esclave, en le jetant dans le fleuve. Je l'ai vu de mes propres yeux et l'ai entendu de mes propres oreilles. Amen. »

Un murmure scandalisé s'éleva de la foule. Les gens connaissaient déjà la nature de l'accusation mais en ignoraient peut-être les détails ; ou peut-être les connaissaient-ils mais ils étaient horrifiés de les entendre énoncer à haute et intelligible voix. Quoi qu'il en fût, Edgar se réjouit de leur émoi. Il était justifié. Et peut-être Degbert se sentirait-il ainsi moralement obligé de rendre un semblant de justice.

Mais avant que la procédure ne s'engage, Edgar déclara :

« Doyen Degbert, vous ne pouvez pas présider cette audience. L'accusé est votre frère. »

Degbert feignit l'indignation.

« Suggères-tu que mon jugement pourrait être corrompu ? Tu risques un châtiment si tel est le cas. »

Edgar, qui avait prévu cette réaction, avait une réponse toute prête.

« Certes non, mais nul ne devrait se voir demander de condamner son propre frère. »

Il remarqua des hochements de tête approbateurs dans l'assistance. Les villageois étaient jaloux de leurs droits, et ils en voulaient aux nobles de l'ascendant qu'ils exerçaient sur les cours locales.

« Je suis prêtre, doyen du moustier et seigneur du village, rétorqua Degbert. Je continuerai à présider cette cour du cent. »

Edgar insista, moins parce qu'il espérait remporter le débat que pour souligner la partialité de Degbert aux yeux des villageois :

« Le chef de Bathford, Nothelm, pourrait vous remplacer.

— C'est parfaitement superflu. »

Edgar reconnut sa défaite d'un signe de tête. Il avait fait valoir son point de vue.

Degbert lui demanda :

« Souhaites-tu appeler des cojureurs ? »

Un cojureur était chargé d'attester sous serment que quelqu'un disait la vérité, ou plus simplement qu'il s'agissait d'un honnête homme. Le serment avait plus de poids si celui qui le prêtait était de haut rang.

« J'appelle Blod, répondit Edgar.

— Une esclave ne peut pas prêter serment », objecta Degbert.

Edgar, qui avait vu des esclaves le faire à Combe, rarement il est vrai, affirma :

« La loi ne dit pas cela.

— C'est moi qui sais ce que dit la loi et ce qu'elle ne dit pas, répondit Degbert. Tu ne sais même pas lire. »

Il avait raison, et Edgar ne put que s'incliner.

« Dans ce cas, j'appelle Mildred, ma mère », dit-il.

Mildred posa la main sur la custode et proclama :

« Au nom du Seigneur, je déclare que le serment prononcé par Edgar est pur et sans mensonge.

— Quelqu'un d'autre ? » s'enquit Degbert.

Edgar secoua la tête. Il avait cherché à obtenir l'appui d'Erman et d'Eadbald, mais ils avaient refusé de prêter serment contre leur beau-père. Il n'avait même pas pris la peine de demander à Leaf ou Ethel, qui ne pouvaient pas témoigner contre leur mari.

« Dreng, qu'as-tu à répondre à cette accusation ? » demanda Degbert.

Dreng s'avança et posa la main sur la custode.

Voyons, pensa Edgar, s'il mettra son âme immortelle en péril.

Dreng déclara :

« Par le Seigneur, je suis innocent tant de l'acte que de l'intention du crime dont Edgar m'accuse. »

Edgar étouffa un soupir. C'était un parjure, prononcé la main sur un objet sacré. Mais Dreng semblait indifférent à la damnation qu'il risquait.

« As-tu des cojureurs ? »

Dreng appela Leaf, Ethel, Cwenburg, Edith et tout le clergé du moustier. Ils formaient un groupe remarquablement prestigieux, mais étaient tous dépendants, d'une façon ou d'une autre, de Dreng ou de Degbert. Comment les villageois du cent allaient-ils jauger leur serment ? Edgar n'en savait rien.

Degbert lui demanda :

« As-tu quelque chose à ajouter ? »

Edgar reprit alors la parole.

« Il y a trois mois, les Vikings ont tué mon père et la femme que j'aimais », répondit-il. La foule ne s'attendait pas à cela, et tout le monde se tut dans l'attente de ce qui allait suivre. « Justice n'a pas été rendue parce que les Vikings sont des sauvages. Ils adorent de faux dieux qui rient en les voyant assassiner les hommes, violer les femmes et dévaliser d'honnêtes familles. »

Il y eut un murmure d'assentiment. Certains, dans la foule, avaient eu maille à partir avec les Vikings, et la plupart connaissaient probablement des gens qui en avaient souffert. Tout le monde détestait les Vikings.

« Mais nous ne sommes pas comme eux, n'est-ce pas ? poursuivit Edgar. Nous connaissons le vrai Dieu, nous obéissons à ses lois. Et il nous dit : "Tu ne tueras point." Je demande à la cour de châtier ce meurtrier, conformément à la volonté de Dieu, et de prouver ainsi que nous ne sommes pas des sauvages.

— C'est bien la première fois qu'un constructeur de bateaux de dix-huit ans m'inflige un sermon sur la volonté divine », répondit Dreng précipitamment.

C'était une réplique astucieuse, mais l'humeur de l'assistance avait été assombrie par l'horreur de l'affaire et les traits d'esprit n'amusaient personne. Edgar sentit qu'il avait gagné le soutien de la population. Les gens lui jetaient des regards approbateurs.

Oseraient-ils pour autant s'opposer à Degbert ?

Celui-ci invita Dreng à prendre la parole.

« Je ne suis pas coupable, déclara-t-il. L'enfant était mort-né. Il ne vivait plus quand je l'ai pris. C'est pour cela que je l'ai jeté dans le fleuve.

— Ce n'est pas vrai ! Il n'était pas mort ! protesta Edgar, offusqué par ce mensonge éhonté.

— Bien sûr que si. J'ai essayé de le dire sur le

moment, mais personne ne m'écoutait. Leaf hurlait à tue-tête, et toi, tu as plongé dans le fleuve. »

L'aplomb de Dreng accrut la fureur d'Edgar.

« Il a crié quand vous l'avez lancé – je l'ai entendu ! Puis il s'est tu quand il est tombé, tout nu, dans l'eau froide. »

Une femme, dans la foule murmura : « Oh, le pauvre petit bout de chou ! » Edgar reconnut Ebba, qui faisait la lessive pour le moustier. Même ceux dont la vie dépendait de Degbert étaient indignés. Mais serait-ce suffisant ? « Comment as-tu pu l'entendre crier alors que Leaf hurlait à pleins poumons ? » poursuivit Dreng sur le même ton narquois.

L'espace d'un instant, Edgar fut déconcerté par cette question. Comment avait-il pu l'entendre, effectivement ? Puis il répondit :

« De la même façon qu'on peut entendre parler deux personnes en même temps. Leurs voix sont différentes.

— Non, mon garçon, fit Dreng en secouant la tête. Tu as commis une erreur. Tu as cru voir un meurtre là où il n'y en avait pas. Et maintenant tu es trop fier pour admettre que tu t'es trompé. »

La voix de Dreng était déplaisante et son attitude arrogante, mais sa version des faits était malheureusement plausible, et Edgar se prit à craindre que les gens y ajoutent foi.

« Mère Agatha, demanda Degbert, l'enfant était-il mort ou vivant quand vous l'avez trouvé sur la berge ?

— Il était très mal en point, mais il vivait encore », répondit la religieuse.

Une voix s'éleva dans la foule, et Edgar reconnut Theodberht Pied-Bot, un éleveur de moutons qui avait des pâtures à quelques lieues en aval du fleuve.

« Dreng a-t-il touché le corps ? Après, je veux dire ? »

Edgar savait pourquoi il posait la question. On

croyait que si l'assassin touchait le corps de sa victime, il se remettait à saigner. Edgar ignorait si c'était vrai ou non. « Non, il ne l'a pas touché ! s'écria Blod. Je n'ai pas laissé ce monstre porter la main sur le corps de mon petit.

— Qu'as-tu à répondre, Dreng ? demanda Degbert.

— Je ne sais plus si je l'ai touché ou non, répondit Dreng. Je l'aurais fait si cela avait été nécessaire, mais je ne crois pas avoir eu de raison de le faire. »

Ce n'était pas concluant.

Degbert se tourna alors vers Leaf.

« Tu étais la seule à être présente, à part Dreng et son accusateur, quand Dreng a jeté l'enfant au fleuve. » C'était exact : Ethel s'était évanouie dans la taverne. « Tu as crié, mais es-tu sûre, maintenant, qu'il était vivant ? Ne crois-tu pas que tu aurais pu te tromper ? »

Edgar ne demandait qu'une chose : que Leaf dise la vérité. En aurait-elle cependant le courage ?

Elle déclara, sur un ton de défi :

« L'enfant est né vivant.

— Mais il est mort avant que Dreng jette son corps dans le fleuve, insista Degbert. Ce qui n'empêche pas que pendant tout ce temps, tu as imaginé qu'il vivait encore. Tu t'es trompée, n'est-ce pas ? »

Degbert intimidait Leaf outrageusement, mais personne ne pouvait l'en empêcher.

Le regard paniqué de Leaf passa de Degbert à Edgar avant de se poser sur Dreng. Enfin, elle baissa les yeux. Elle garda le silence un long moment, et quand elle reprit la parole, ce fut presque un murmure.

« Je pense... » On n'entendait plus un bruit dans la foule, tout le monde tendant l'oreille pour écouter ses paroles. « Il se peut que je me sois trompée », dit-elle.

Edgar était désespéré. C'était évidemment une femme terrifiée que l'on contraignait à faire un faux témoignage. Elle n'en avait pas moins dit ce que Dreng voulait qu'elle dise.

Degbert se tourna vers la foule.

« L'affaire est claire, annonça-t-il. L'enfant était mort. L'accusation d'Edgar ne tient pas. »

Edgar regarda les villageois. Ils n'avaient pas l'air contents, mais il constata immédiatement qu'ils n'étaient pas assez furieux pour se dresser contre les deux hommes les plus puissants du lieu. Il en avait la nausée. Dreng allait être disculpé. C'était un déni de justice. « Dreng est tout de même coupable d'atteinte aux règles concernant les funérailles », poursuivit Degbert.

C'était habile, se dit amèrement Edgar. L'enfant avait été inhumé dans le cimetière de l'église, mais Dreng avait commencé, de son propre aveu, par se débarrasser du cadavre de façon illicite. Surtout, il allait être puni pour un délit mineur, de sorte que les villageois accepteraient un peu plus facilement qu'il ait été innocenté du crime le plus grave. « Il est condamné à payer une amende de six pence », déclara Degbert.

C'était dérisoire et les villageois grommelèrent, mais ils étaient plus mécontents que révoltés.

Blod s'écria alors :

« Six pence ? »

La foule se tut. Tous les regards étaient rivés sur elle. Les larmes ruisselaient sur son visage.

« Six pence pour mon enfant ? » s'indigna-t-elle.

Elle tourna ostensiblement le dos à Degbert et s'éloigna d'un pas furieux, pour s'arrêter après une dizaine de pas. Se retournant, elle reprit la parole :

« Maudits Anglais ! » lança-t-elle d'une voix étranglée par le chagrin et la colère.

Elle cracha par terre.

Puis elle s'éloigna.

*

Dreng avait gagné, mais quelque chose avait changé dans le hameau. Les gens le traitaient autrement, songea Edgar tout en prenant son repas de midi à la taverne. Autrefois, des femmes comme Edith, l'épouse de Degbert, et Bebbe, qui approvisionnait le moustier, se seraient arrêtées pour bavarder avec lui quand elles le croisaient ; elles se contentaient maintenant de le saluer d'un mot avant de poursuivre leur chemin. La plupart des soirs, la taverne était déserte, ou presque : si Degbert venait parfois boire la bière forte de Leaf, les autres se tenaient à l'écart. Les gens étaient polis et même déférents à l'égard de Degbert et de Dreng, mais leur attitude était sans chaleur. C'était comme si les habitants voulaient se faire pardonner de n'avoir pas exigé que justice soit faite. Edgar estimait que Dieu ne s'en contenterait pas.

Quand ceux qui avaient témoigné en faveur de Dreng passaient devant Edgar occupé à construire la nouvelle brasserie, ils avaient l'air penaud et fuyaient son regard. Un jour, sur l'île aux Lépreux, alors qu'il livrait un tonneau de bière aux religieuses, mère Agatha sortit de sa réserve et lui dit qu'il avait bien agi. « Justice sera rendue dans l'au-delà », avait-elle ajouté. Edgar lui avait été reconnaissant de son soutien, mais il tenait à ce que la justice soit également rendue ici-bas.

À la taverne, Dreng était de plus méchante humeur que jamais. Il avait giflé Leaf parce qu'il y avait du dépôt au fond du gobelet de bière qu'elle lui avait servi, il avait asséné un coup de poing dans le ventre d'Ethel parce que son gruau était froid, et avait mis Blod à terre en la frappant à la tête, sans raison. Chaque fois, il agissait rapidement, ne laissant pas à

Edgar le temps d'intervenir ; puis il lui jetait un regard provoquant, le mettant au défi de réagir. Ne pouvant empêcher ce qui avait déjà été fait, Edgar se contentait de détourner les yeux.

Dreng ne frappait jamais Edgar, qui s'en félicitait. Il avait accumulé en lui une telle rage que si une bagarre avait éclaté, elle n'aurait peut-être pris fin qu'avec la mort de Dreng. Celui-ci semblait le sentir, et se retenait.

Blod était d'un calme étrange. Elle faisait son travail et obéissait aux ordres sans rechigner. Dreng continuait à la traiter avec mépris. Mais quand elle le regardait, c'était avec des yeux brûlants de haine, et les jours passant, Edgar comprit que Dreng avait peur d'elle. Peut-être craignait-il qu'elle le tue. Et peut-être le ferait-elle.

Edgar mangeait encore quand Brindille poussa un aboiement d'alerte. Un étranger approchait. Comme il s'agissait probablement d'un passager pour le bac, Edgar se leva de table et sortit. Deux hommes modestement vêtus, accompagnés d'un cheval de bât, approchaient depuis le nord. Un épais tas de peaux tannées était empilé sur le dos du cheval.

Edgar salua les arrivants et demanda :

« Vous voulez traverser le fleuve ?

— Oui, répondit le plus âgé. Nous allons à Combe vendre notre cuir à un exportateur. »

Edgar hocha la tête. Les Anglais abattaient beaucoup de vaches, et leurs peaux étaient souvent vendues en France. Mais quelque chose chez ces hommes l'incita à se demander s'ils avaient acquis ce cuir honnêtement.

« Le passage coûte un farthing par personne ou par animal, annonça-t-il, se demandant s'ils avaient la somme nécessaire.

— Entendu, mais avant, nous allons manger un morceau et boire un pichet de bière, si ce bâtiment est une taverne.

— Oui, oui, c'en est une. »

Ils déchargèrent l'animal pour qu'il se repose et le mirent à paître puis ils entrèrent dans le bâtiment. Edgar se remit à manger, et Leaf apporta de la bière aux voyageurs pendant qu'Ethel leur servait le ragoût qui mijotait dans la marmite. Dreng leur demanda quelles étaient les nouvelles.

« La fiancée de l'ealdorman est arrivée de Normandie, répondit l'aîné des visiteurs.

— Nous le savons. Dame Ragna a passé une soirée ici, avant de se rendre à Shiring, répondit fièrement Dreng.

— Quand le mariage doit-il avoir lieu ? demanda Edgar.

— Le jour de la Toussaint.

— Déjà !

— Wilwulf est impatient.

— Cela ne m'étonne pas, fit Dreng. C'est une beauté.

— C'est vrai, mais il doit aussi combattre les envahisseurs gallois, et ne partira pas avant d'être marié.

— On ne peut pas lui en vouloir, reprit Dreng. Ce serait grand dommage de mourir en la laissant pucelle.

— Les Gallois ont profité de ce répit.

— Évidemment. Ces barbares ! »

Edgar étouffa un rire. Il aurait volontiers demandé si les Gallois étaient assez barbares pour tuer des nouveau-nés, mais il tint sa langue. Il jeta un coup d'œil à Blod, apparemment sourde à cette insulte envers son peuple.

« Personne, de mémoire d'homme, ne les avait jamais vus s'aventurer aussi loin, continua l'aîné des voyageurs, et le mécontentement grandit. Certains disent que l'ealdorman ferait mieux de protéger la population d'abord, et de se marier ensuite.

— Qu'ils se mêlent de leurs affaires, rétorqua Dreng, qui n'aimait pas qu'on critique la noblesse. Je me demande pour qui ces gens-là se prennent.

— Il paraît que les Gallois sont arrivés jusqu'à Trench. »

Edgar fut surpris, au même titre que Dreng qui s'exclama :

« Mais ce n'est qu'à quelques jours d'ici !

— Je sais. Dieu merci, nous nous dirigeons dans l'autre sens avec notre précieux chargement. »

Edgar finit son repas et se remit au travail. La brasserie montait vite, une rangée de pierres après l'autre. Il lui faudrait bientôt tailler les poutres du toit.

Dreng's Ferry n'avait aucun moyen de se défendre contre une incursion galloise, se dit-il. Pas plus, d'ailleurs, que contre une attaque des Vikings, si ceux-ci remontaient un jour aussi loin en amont. D'un autre côté, d'éventuels pillards pouvaient penser qu'il n'y avait pas grand-chose à voler dans un trou perdu comme celui-ci – à moins qu'ils n'aient eu vent de l'existence de Cuthbert et de son atelier d'orfèvrerie. L'Angleterre était un lieu dangereux, songea Edgar, avec les Vikings à l'est, les Gallois à l'ouest, et des hommes comme Dreng au milieu.

Au bout d'une heure, les voyageurs rechargèrent leur cheval et Edgar leur fit traverser le fleuve.

À son retour, il trouva Blod cachée dans la brasserie en cours de construction. Elle pleurait, et sa robe était tachée de sang.

« Que s'est-il passé ? demanda-t-il.

— Ces deux hommes ont payé pour me foutre.

— Mais il n'y a même pas deux semaines que tu as accouché ! » s'exclama Edgar, outré.

Il ne savait pas très bien combien de temps les femmes étaient censées s'abstenir, mais certainement un mois ou deux n'étaient pas trop pour se remettre de ce que Blod avait subi sous ses yeux.

« C'est pour cela que j'ai eu tellement mal, répondit-elle. En plus, le deuxième n'a pas voulu me payer tout ce qu'il devait parce qu'il a dit que j'avais tout gâché en pleurant. Et maintenant, Dreng va me battre.

— Oh, mon Dieu ! Qu'est-ce que tu vas faire ?

— Le tuer avant qu'il me tue. »

Tout en songeant que c'était une mauvaise idée, Edgar lui posa une question pratique :

« Comment ? »

Blod avait un couteau, comme tout le monde à partir de cinq ans, mais le sien n'était qu'un petit couteau d'enfant, et elle n'avait pas le droit de l'affûter. Elle ne tuerait personne avec une arme pareille.

« Cette nuit, répondit-elle, j'irai prendre ta hache sur le mur et j'enfoncerai le fer dans le cœur de Dreng.

— Ils t'exécuteront.

— Mais je mourrai contente.

— J'ai peut-être une meilleure solution à te proposer. Et si tu t'enfuyais ? Tu pourrais te glisser au-dehors quand ils iront se coucher – ils sont généralement ivres à la tombée de la nuit et ne se réveilleront pas. C'est le bon moment pour le faire : les Gallois ne sont qu'à deux jours d'ici. Voyage de nuit et cache-toi dans la journée. Tu pourrais retrouver ton peuple.

— Et la clameur de haro ? »

Edgar acquiesça. La clameur de haro était un des moyens utilisés pour arrêter les criminels. La loi faisait obligation à tous les hommes de poursuivre quiconque commettait un délit à l'intérieur du cent. Ceux qui refusaient devaient payer le montant des dommages liés au délit, généralement équivalent à la valeur des biens volés. Les hommes se dérobaient rarement à cette obligation : il était dans leur intérêt d'appréhender les criminels, et puis la poursuite elle-même était excitante. Si Blod s'enfuyait, Dreng déclencherait une clameur de haro et, selon toute probabilité, elle serait reprise.

Mais Edgar y avait réfléchi.

« Après ton départ, je conduirai le bac vers l'aval, je l'échouerai quelque part et je reviendrai à pied. Quand ils constateront sa disparition, ils penseront que tu l'as utilisé pour t'enfuir, ils supposeront que tu as descendu le courant pour aller plus vite et mettre le plus de distance possible entre eux et toi. Ils te chercheront le long du fleuve, vers l'est, et toi, pendant ce temps, tu auras filé dans la direction opposée. »

Le visage blême de Blod s'illumina d'espoir. « Tu crois vraiment que je pourrais m'échapper ?

— Je ne sais pas », répondit Edgar.

Edgar ne mesura que plus tard la portée de sa promesse.

En aidant Blod à fuir, il commettrait un crime. Quelques jours plus tôt, il se tenait devant la cour du cent pour exiger le respect de la loi, et voilà qu'il s'apprêtait à l'enfreindre. S'il se faisait prendre, ses voisins n'auraient guère pitié de lui : ils le traiteraient d'hypocrite. Il serait condamné à verser à Dreng le prix d'une nouvelle esclave et s'endetterait pour de longues années. Il se pourrait qu'il soit lui-même réduit en esclavage.

Il ne pouvait pourtant pas revenir sur sa parole. D'ailleurs, il n'en avait pas envie. La façon dont Dreng traitait Blod le rendait malade, et il ne pouvait pas le laisser continuer à la brutaliser. Peut-être y avait-il des principes plus importants que le respect de la loi.

Il n'aurait qu'à se débrouiller pour ne pas se faire prendre.

Depuis la cour du cent, Dreng buvait plus que de coutume, et ce soir-là ne fit pas exception. Au crépuscule, il avait la voix pâteuse. Ses femmes l'encourageaient, parce que quand il était saoul, ses coups manquaient souvent leur cible. À la tombée de la nuit, c'est tout juste s'il réussit à défaire son ceinturon et à s'enrouler dans sa cape avant de s'écrouler sur les joncs qui couvraient le sol.

Leaf buvait toujours beaucoup. Edgar la soupçonnait de chercher ainsi à se rendre repoussante aux yeux de Dreng. Edgar n'avait jamais vu ces deux-là s'enlacer. Pour le sexe, Dreng choisissait Ethel, quand il était assez sobre, ce qui n'était pas fréquent.

Ethel s'endormit moins rapidement que les autres, et Edgar écouta sa respiration, attendant qu'elle prenne le rythme régulier du sommeil. Cela lui rappela la nuit, quatre mois auparavant, où il était resté éveillé dans la maison familiale, à Combe. Il fut transpercé de chagrin en repensant à l'avenir radieux qui l'attendait alors au côté de Sunni, et à la tristesse de la vie sans elle.

Leaf et Dreng ronflaient, Leaf produisant un bourdonnement régulier et Dreng de grands reniflements suivis de hoquets. Enfin, le souffle d'Ethel devint régulier. Edgar tourna les yeux vers Blod, à l'autre bout de la pièce. Il voyait son visage à la lueur du feu. Les yeux ouverts, elle attendait son signal.

C'était le moment ou jamais.

Edgar se redressa et Dreng remua.

Edgar se rallongea.

Dreng cessa de ronfler, se retourna, respira normalement pendant une minute, puis se leva laborieusement. Il prit un gobelet, le remplit au seau d'eau, but et se recoucha.

Peu après, il se remit à ronfler.

Il n'y aurait pas de meilleur moment, songea Edgar. Il s'assit. Blod l'imita.

Ils se levèrent tous les deux. Edgar tendait l'oreille, à l'affût du moindre changement de respiration des dormeurs. Il décrocha sa hache du mur, s'approcha de la porte à pas de loup et jeta un coup d'œil derrière lui.

Blod ne l'avait pas suivi. Elle était penchée sur Dreng. Edgar fut pris de panique : allait-elle tuer son persécuteur ? Pensait-elle pouvoir lui trancher la gorge en silence et s'en aller ? Edgar serait alors complice d'un meurtre.

La ceinture de Dreng à laquelle était attaché le fourreau renfermant sa dague était posée sur les joncs, à côté de lui. Il s'en servait pour toutes sortes de tâches, notamment pour couper sa viande, mais elle était plus longue et plus affûtée que le couteau de Blod. Edgar retint son souffle. Blod sortit silencieusement la lame du fourreau. Edgar était convaincu qu'elle s'apprêtait à poignarder le meurtrier de son enfant. Elle se redressa, l'arme à la main. Puis elle entortilla la poignée de la dague dans la corde qui lui servait de ceinture et se tourna vers la porte.

Edgar étouffa un soupir de soulagement.

Il devina que Blod avait volé la dague de Dreng par mesure de précaution, dans l'éventualité où elle rencontrerait des hommes dangereux pendant ses équipées nocturnes, sachant que son petit couteau ne lui serait pas d'une grande utilité en pareil cas.

Il ouvrit doucement la porte. Elle grinça, mais pas très fort.

Il la tint ouverte pour laisser sortir Blod, suivie par Brindille. Par bonheur, la chienne était assez intelligente pour ne pas faire de bruit.

Edgar se retourna une dernière fois vers les dormeurs. À sa grande horreur, il constata qu'Ethel le regardait, les yeux écarquillés. Il crut que son cœur allait cesser de battre.

Il soutint son regard. Qu'allait-elle faire ? Pendant un long moment, ils restèrent figés. Peut-être rassemblait-elle le courage nécessaire pour pousser un cri qui réveillerait Dreng.

Mais elle ne dit rien.

Edgar sortit et referma doucement la porte derrière lui.

Dehors, il demeura immobile et silencieux, attendant un cri d'alarme, mais il n'entendait que le doux murmure du fleuve. Ethel avait décidé de les laisser partir. Une fois de plus, les épaules d'Edgar s'affaissèrent de soulagement.

Il attacha sa hache à sa ceinture.

Le ciel était partiellement couvert et la lune brillait derrière un nuage. Le fleuve étincelait, mais le hameau était plongé dans l'obscurité. Edgar et Blod remontèrent la côte entre les maisons. Edgar craignait qu'un chien aboie sur leur passage, mais tout resta silencieux. Les chiens du village reconnaissaient probablement leurs pas, ou alors ils sentaient Brindille, ou encore les deux. Pour une raison ou pour une autre, ils jugèrent inutile de donner l'alerte.

Lorsque Edgar et Blod passèrent devant l'église, Blod entra dans le cimetière. Edgar était inquiet. Qu'avait-elle en tête ?

L'herbe n'avait pas encore poussé sur la tombe de son enfant. Sur la terre retournée, des galets étaient disposés en forme de croix. Sans doute était-ce l'œuvre de Blod. Elle s'agenouilla au pied de la croix, les mains jointes, et Edgar l'imita.

Du coin de l'œil, il vit quelqu'un sortir de la maison des prêtres.

Il effleura le bras de Blod pour l'avertir. Il avait

reconnu le père Deorwin. Le vieil homme fit quelques pas mal assurés et releva le bas de sa robe. Ils s'immobilisèrent. Ils n'étaient pas invisibles, loin de là, mais Edgar ne pouvait qu'espérer qu'ils se fondaient suffisamment dans les ténèbres pour échapper à la vue d'un vieillard.

Comme tous les enfants, Edgar avait appris qu'il était mal élevé de regarder quelqu'un se soulager, ce qui ne l'empêcha pas d'observer Deorwin avec prudence, priant pour que le vieil homme ne lève pas les yeux. Heureusement, il était concentré sur ce qu'il faisait et ne songea pas à parcourir du regard le hameau endormi. Enfin, il laissa retomber sa robe et se retourna lentement. L'espace d'un instant, il fit face à Edgar et Blod, et le jeune homme se crispa dans l'attente de sa réaction ; mais Deorwin sembla ne pas les voir et rentra chez lui.

Ils poursuivirent leur chemin en se félicitant que le vieil homme ait une mauvaise vue.

Ils continuèrent leur ascension. Au sommet, la route bifurquait. Blod prendrait vers le nord-ouest, en direction de Trench.

« Au revoir, Edgar », dit-elle.

Elle paraissait triste alors qu'elle aurait dû se réjouir : la liberté l'attendait.

« Bonne chance, répondit Edgar.

— Je ne te reverrai jamais. »

J'espère bien, songea Edgar. Si nous nous rencontrons à nouveau, cela voudra dire que tu t'es fait attraper. Mais il reprit :

« Tu diras bonjour de ma part à Brioc et Eleri.

— Tu te rappelles le nom de mes parents ! »

Il haussa les épaules.

« J'ai trouvé ces noms jolis.

— Je raconterai à tout le monde ce que tu as fait

pour moi. » Elle déposa un baiser sur sa joue. « Tu as été un ami, ajouta-t-elle. Mon seul ami. »

Il n'avait fait que la traiter humainement.

« C'était peu de chose.

— C'était tout pour moi. »

Elle le prit dans ses bras, posa sa tête sur son épaule et le serra très fort contre elle. Elle montrait rarement ses émotions, et la passion de cette étreinte le surprit.

Elle le lâcha et s'éloigna sur la route sans ajouter un mot. Elle ne se retourna pas.

Il la suivit du regard jusqu'à ce qu'elle ait disparu.

Il redescendit la colline en marchant toujours furtivement. Apparemment, personne n'était réveillé. Tant mieux : si on le voyait maintenant, il n'aurait aucune excuse valable à présenter. Une esclave s'était échappée, Edgar se promenait dehors en pleine nuit : sa complicité ne ferait aucun doute. Il n'osait pas penser aux conséquences possibles.

Il eut envie de regagner la taverne et de s'allonger confortablement, en sécurité, mais il avait promis de créer une fausse piste pour faciliter la fuite de Blod.

Il gagna le bord du fleuve et détacha le bac. Brindille sauta à bord. Edgar embarqua et saisit la perche sans bruit.

Une poussée suffit pour mettre l'embarcation à flot. Le courant l'emmena vers la rive nord de l'île aux Lépreux. Edgar s'aida de la perche pour se tenir à l'écart des berges des deux côtés.

Il passa ainsi devant la ferme, porté par le courant. Erman et Eadbald avaient labouré le champ, et la lune luisait sur les sillons humides. Aucune lumière ne brillait depuis la maison, pas même la lueur de l'âtre, parce qu'elle n'avait pas de fenêtres.

Le courant était un peu plus rapide sur la droite du cours d'eau. Brindille montait la garde à l'avant, humant l'air, les oreilles dressées à l'affût du moindre bruit. Ils traversèrent des bois épais entre lesquels étaient nichés des villages et des habitations isolées. Une chouette hulula et Brindille grogna.

Au bout d'une heure, Edgar commença à scruter la rive gauche en quête d'un lieu propice où abandonner le bac. Il fallait que la végétation de la berge soit assez touffue pour que l'embarcation ait pu s'y empêtrer, sans qu'une jeune fille petite et mince soit parvenue à la dégager. Il devait laisser des indices qui raconteraient une histoire limpide. À la moindre faille, les soupçons retomberaient sur lui. Il ne devait pas laisser place au doute.

L'endroit qu'il choisit était une petite plage de galets surplombée par des arbres aux branches pendantes et par des buissons. Il s'approcha du rivage à la perche et sauta. Il dut faire un effort pour tirer partiellement la lourde embarcation hors de l'eau, et la pousser dans les broussailles.

Il recula pour examiner la scène. On aurait vraiment dit qu'une personne inexpérimentée avait perdu le contrôle du bac et l'avait laissé s'échouer, prisonnier de la végétation.

Il avait fait son devoir. Maintenant, il fallait rentrer.

La première chose à faire était de franchir le fleuve. Il retira sa tunique et ses chaussures et en fit un paquet. Il entra dans l'eau en tenant ses vêtements au-dessus de sa tête d'une main pour les maintenir au sec, et traversa à la nage. Arrivé de l'autre côté, il se rhabilla rapidement, grelottant, pendant que Brindille s'ébrouait vigoureusement pour se sécher.

Côte à côte, Edgar et sa chienne prirent le chemin du retour.

La forêt n'était pas déserte. Mais Face-de-Fer lui-même devait dormir, à cette heure de la nuit. Si quelqu'un était éveillé et se déplaçait à proximité,

Brindille l'avertirait. Edgar tira tout de même sa hache de sa ceinture, pour parer à toute éventualité.

Sa ruse prendrait-elle ? Dreng et les autres habitants du hameau parviendraient-ils à la fausse conclusion vers laquelle Edgar cherchait à les conduire ? Il se trouva soudain incapable d'évaluer la vraisemblance de sa supercherie. Le doute le tenaillait. Il avait du mal à supporter l'idée que Blod puisse se faire reprendre, après tout ce qu'elle avait subi.

Il passa devant la bergerie de Theodberht Pied-Bot, et le chien de Theodberht aboya. Son cœur se serra : si le berger le voyait, son stratagème perdrait toute crédibilité. Il pressa le pas et le chien se tut. Personne ne sortit.

Marchant ainsi le long de la rive, parfois obligé de se frayer un chemin à travers les broussailles, il se rendit compte qu'il progressait plus lentement que sur le bac, et mit près de deux heures à rentrer. La lune se couchait lorsqu'il passa devant la ferme, et les étoiles étaient masquées par les nuages, de sorte qu'il parcourut la dernière étape dans une obscurité totale.

Il regagna la taverne au jugé, en se fiant à sa mémoire. C'était le dernier moment dangereux. Il s'arrêta devant la porte et tendit l'oreille. Les seuls bruits qui provenaient de l'intérieur étaient des ronflements. Il souleva doucement le loquet et ouvrit la porte. Les ronflements se poursuivirent immuablement. Il entra. À la lumière du feu, il aperçut trois formes endormies : Dreng, Leaf et Ethel.

Il raccrocha sa hache à sa place et s'assit sans bruit dans la paille. Brindille s'étendit devant le feu.

Edgar retira ses chaussures et sa ceinture, ferma les yeux et s'allongea. Après toutes ces émotions, il pensait qu'il aurait du mal à s'endormir, mais il s'assoupit en quelques secondes.

*

Il fut réveillé par quelqu'un qui le secouait par l'épaule. Il ouvrit les yeux. Il faisait jour. C'était Ethel. Un rapide coup d'œil lui montra que Dreng et Leaf étaient encore profondément endormis.

D'un geste de la tête, Ethel lui fit signe de la suivre. Elle sortit. Il lui emboîta le pas.

Il referma la porte derrière lui et lui dit tout bas :

« Merci de ne pas nous avoir trahis. »

Il était trop tard pour qu'elle le fasse, car cela l'aurait obligée à avouer qu'elle les avait vus partir et n'avait rien dit. Maintenant, elle était complice, elle aussi.

« Que s'est-il passé ? chuchota-t-elle.

— Blod est partie.

— J'ai cru que vous aviez fui ensemble !

— Ensemble ? Pourquoi aurais-je fui ?

— Tu n'es pas amoureux de Blod ?

— Mais non.

— Oh. » Ethel eut l'air pensif, comme si elle révisait ses hypothèses. « Mais alors pourquoi es-tu sorti avec elle en pleine nuit ?

— Simplement pour la mettre sur la bonne route. »

Edgar n'aimait pas mentir, et commençait à se rendre compte qu'une tromperie conduisait à une autre.

« Le bac a disparu, remarqua alors Ethel.

— Je vous raconterai toute l'histoire une autre fois. En attendant, il faut agir normalement. Dire que nous ne savons pas où est Blod, que nous ne comprenons pas sa disparition, mais que nous ne sommes pas inquiets, qu'elle finira bien par revenir.

— Entendu.

— Pour commencer, je vais vous chercher du bois pour le feu. »

Ethel rentra dans la taverne. Quand Edgar revint avec le bois, Dreng et Leaf étaient réveillés.

« Où est ma dague ? demanda Dreng.

— Là où tu l'as laissée hier soir ! » rétorqua Leaf, grincheuse.

Elle était toujours de mauvaise humeur le matin.

« Je l'ai laissée ici, dans son fourreau, attaché à ma ceinture. Voici ma ceinture, le fourreau y est, mais ma dague a disparu.

— En tout cas, moi, je ne l'ai pas. »

Edgar déposa sa brassée de bois et Ethel commença à faire le feu.

Dreng regarda autour de lui.

« Où est l'esclave ? »

Personne ne répondit.

Dreng reporta son attention sur Edgar.

« Pourquoi es-tu allé chercher le bois ? C'est à elle de le faire.

— Elle a dû aller au cimetière, sur la tombe de son enfant, répondit Edgar. Elle y va parfois, très tôt le matin, quand vous dormez encore à poings fermés.

— Elle devrait être ici ! » s'exclama Dreng, indigné.

Edgar ramassa le seau.

« Ne vous en faites pas. Je vais chercher l'eau.

— C'est son travail, pas le tien. »

Alors qu'Edgar s'apprêtait à faire une nouvelle remarque conciliante, il songea qu'être trop complaisant risquait de paraître suspect. Aussi exprima-t-il le fond de sa pensée :

« Vous voulez que je vous dise, Dreng ? La vie vous rend tellement malheureux que je me demande pourquoi vous ne sautez pas dans ce satané fleuve pour noyer votre misérable personne.

— Espèce de petit insolent ! » s'exclama Dreng, piqué au vif.

Edgar s'éclipsa.

Aussitôt sorti, il se rendit compte qu'il fallait qu'il feigne d'être étonné par la disparition du bac.

Il rouvrit la porte.

« Où est le bac ? demanda-t-il.

— Au même endroit que d'habitude, espèce d'âne, répondit Dreng.

— Mais non, il n'y est pas. »

Dreng s'approcha de la porte et jeta un coup d'œil au-dehors.

« Où est-il passé ?

— C'est ce que je vous ai demandé.

— Ma foi, c'est à toi de le savoir.

— C'est votre bac.

— Il a dû être emporté par le courant. Tu ne l'auras pas amarré correctement.

— J'ai bien serré la corde. Comme toujours.

— Dans ce cas, les fées l'auront dénouée, railla Dreng. C'est ce que tu veux dire ?

— Les fées, ou bien Face-de-Fer.

— Que veux-tu que Face-de-Fer fasse d'un bateau ?

— Et les fées ? »

Un soupçon germa alors dans la tête de Dreng.

« Où est l'esclave ?

— Vous l'avez déjà demandé. »

Dreng était méchant, mais il n'était pas stupide.

« Le bateau a disparu, ma dague a disparu et l'esclave a disparu.

— Où voulez-vous en venir, Dreng ?

— L'esclave s'est enfuie avec le bac, bougre d'idiot. C'est évident. »

Pour une fois, l'injure de Dreng laissa Edgar indifférent. Il était ravi que Dreng ait sauté sur la conclusion souhaitée.

« Je vais voir du côté du cimetière, proposa-t-il.

— Arrête-toi à toutes les maisons, ça ne te prendra pas longtemps. Dis à tous qu'il faut crier le haro contre elle, à moins qu'on ne la retrouve dans les minutes à venir. »

Edgar obtempéra. Il gagna le cimetière, regarda à l'intérieur de l'église et entra dans la maison des prêtres. Les mères nourrissaient les enfants. Il annonça aux hommes qu'une clameur de haro allait probablement être lancée – à moins que Blod ne réapparaisse tout de suite. Les jeunes prêtres commencèrent à lacer leurs souliers et à enfiler leurs houppelandes. Edgar fixa Deorwin du regard, mais le vieil homme l'ignora, apparemment inconscient qu'il s'était produit un événement fâcheux pendant la nuit.

Edgar se rendit chez la grosse Bebbe, juste pour pouvoir dire qu'il y avait cherché Blod. Bebbe dormait, il ne la réveilla pas. Les femmes n'étaient pas tenues de participer au haro, et de toute façon, elle aurait été trop lente.

Les autres habitants étaient des petites familles de serviteurs employés par le moustier pour faire la cuisine, le ménage, la lessive et d'autres corvées domestiques. Il réveilla Cerdic, qui leur apportait du bois de chauffage de la forêt, et Hadwine, surnommé Had, qui changeait les nattes de joncs.

Quand il regagna la taverne, le groupe était déjà en train de se constituer. Degbert et Dreng étaient à cheval. Tous les chiens du hameau étaient là car ils pouvaient débusquer un fugitif au fond de sa cachette. Degbert suggéra qu'on leur fasse flairer un vieux vêtement de Blod pour qu'ils puissent la pister à l'odeur, mais Dreng expliqua que Blod portait sur elle tous les vêtements qu'elle possédait.

« Edgar, ordonna-t-il ensuite, va chercher une corde dans le coffre de la maison. Nous aurons peut-être à la ligoter. »

Edgar obéit.

Quand il ressortit de la taverne, Dreng éleva la voix pour s'adresser à tous :

« Elle a volé le bac. Une fille aurait du mal à faire remonter le courant à une embarcation aussi lourde, je suis donc convaincu qu'elle a descendu le fleuve. »

Edgar se réjouit de voir que Dreng s'apprêtait à les lancer sur la fausse piste. Mais Degbert était moins crédule.

« Tu ne penses pas qu'elle aurait pu détacher le bac et le laisser dériver pour nous lancer dans cette direction pendant qu'elle en suivait une autre ?

— Elle n'est pas assez intelligente », objecta Dreng.

Le scénario de Degbert présentait une autre faille, qu'Edgar préféra ne pas relever, de crainte d'éveiller les soupçons en insistant pour lancer les recherches vers l'aval. Cuthbert s'en chargea pour lui :

« Le bac n'aurait pas pu aller bien loin tout seul. Le courant l'aurait poussé vers la berge en face de l'île aux Lépreux. »

Les autres opinèrent : la plupart des débris s'accumulaient à cet endroit.

« Il existe un autre bateau, intervint Cerdic. Celui des religieuses. Nous pourrions le leur emprunter.

— Mère Agatha ne nous le prêtera pas volontiers, objecta Cuthbert. Elle nous en veut de la mort du nourrisson. Elle jugera sans doute que nous ferions mieux de laisser Blod partir. »

Cerdic haussa les épaules.

« Nous n'avons qu'à le prendre quand même.

— C'est une petite barque qui ne peut transporter que deux personnes, intervint Edgar. Elle ne nous servirait pas à grand-chose.

— Je ne veux pas d'ennuis avec Agatha, trancha Dreng. J'ai assez de soucis comme cela. Allons-y. Plus nous tardons, plus l'esclave prend d'avance sur nous. »

À l'heure qu'il était, songea Edgar, elle était cachée dans les bois au nord-ouest, à mi-chemin de Trench. Elle avait dû se réfugier au milieu d'un épais fourré, hors de vue, et essayer de dormir un peu, roulée en boule sur le sol glacé. La plupart des créatures sylvestres étaient craintives et ne s'approcheraient pas d'elle. Même un sanglier ou un loup agressifs n'attaqueraient pas un être humain sans provocation, à moins qu'il ne soit visiblement blessé ou incapable de se défendre pour une raison ou une autre. Le plus grand danger venait de brigands comme Face-de-Fer. Edgar ne pouvait qu'espérer qu'elle ne tomberait pas entre les griffes d'un malandrin de son espèce.

Les hommes de Dreng's Ferry se mirent en route, longeant le fleuve vers l'aval, et Edgar commença à penser que son plan était un succès. Ils s'arrêtèrent à la ferme, où Erman et Eadbald se joignirent au groupe. À la dernière minute, Cwenburg décida de les accompagner. Elle était enceinte de près de quatre mois, mais cela se voyait à peine, et elle était robuste.

Les chevaux se révélèrent plus embarrassants qu'utiles. Tout allait bien tant que la rive était herbeuse, mais le fleuve traversait souvent des zones de forêt touffue, et il fallait alors les mener par la bride à travers d'épaisses broussailles et des halliers de jeunes arbres. La progression se faisant plus pénible, l'ardeur et l'enthousiasme des hommes et des chiens faiblirent.

« Sommes-nous sûrs qu'elle est venue par ici ? s'interrogea Degbert. Après tout, sa patrie est dans l'autre sens. »

Cette réflexion inquiéta Edgar.

Par bonheur, Dreng n'était pas d'accord avec son frère.

« Elle est certainement partie pour Combe, décréta-t-il. Elle doit penser que là-bas, elle n'attirera pas l'attention. Il y a toujours des étrangers dans les gros bourgs. Ce n'est pas comme dans les villages, où tous les voyageurs doivent expliquer d'où ils viennent.

— Je n'en sais rien», répondit Degbert.

Personne n'en savait rien, heureusement, pensa Edgar. Ils en étaient réduits à des suppositions, rien de plus.

Ils arrivèrent bientôt chez Theodberht Pied-Bot. Un esclave gardait les moutons avec l'aide d'un chien. Le chien aboya et Edgar reconnut celui qu'il avait entendu au milieu de la nuit. Il se félicita que les chiens ne puissent pas parler.

Theodberht sortit de chez lui en boitant, suivi de sa femme.

«Pourquoi cette clameur de haro ? s'étonna-t-il.

— Mon esclave s'est enfuie cette nuit, expliqua Dreng.

— Je la connais, dit Theodberht. Je l'ai remarquée à la taverne. Elle doit avoir dans les quatorze ans.»

Il s'apprêtait à ajouter quelque chose, quand il jeta un coup d'œil à sa femme et se ravisa. Edgar devina qu'il ne s'était pas contenté de remarquer Blod.

«Vous ne l'avez pas vue ces douze dernières heures ? demanda Dreng.

— Non, mais quelqu'un est passé par ici pendant la nuit. Le chien a aboyé.

— C'était sûrement elle», affirma Dreng d'un ton péremptoire.

Tous acquiescèrent avec enthousiasme, et le moral remonta. Edgar était ravi. Le chien de Theodberht lui avait rendu un service inattendu.

«À quel moment votre chien a-t-il aboyé ? demanda Dreng. Au début de la nuit, ou plutôt vers l'aube ?

— Aucune idée.

— Je pense que c'était vers le milieu de la nuit, intervint la femme de Theodberht. J'ai été réveillée, moi aussi.

— Elle doit être loin d'ici à présent, reprit Theodberht.

— Peu importe, répliqua Dreng. Nous la rattraperons, cette petite garce.

— Je me joindrais volontiers à vous, ajouta Theodberht, mais je ne ferais que vous ralentir.»

Dreng grommela, et le groupe poursuivit sa route.

Ils arrivèrent peu après à un endroit qu'Edgar n'avait pas vu dans le noir. À quelques pas du fleuve, trois chevaux piaffaient dans un enclos fermé. Un mastiff plus gros qu'Edgar n'en avait jamais vu était couché sous un abri rudimentaire près de l'entrée de l'enclos. Il était attaché à une corde juste assez longue pour lui permettre d'attaquer quiconque tenterait de s'approcher des chevaux. L'enclos était flanqué d'une masure en piteux état.

«Les attrapeurs de chevaux, annonça Degbert. Ulf et Wyn.»

Des chevaux sauvages vivaient dans la forêt, farouches et vifs, difficiles à repérer, presque impossibles à capturer et rétifs à toute tentative de dressage. Le mode de vie de ceux qui les domptaient était très particulier, et c'étaient des hommes frustes, violents avec les animaux et asociaux avec les humains.

Deux personnes sortirent de la cabane : un homme de petite taille, tout en muscles, et sa femme, un peu plus grande, tous deux vêtus de guenilles et chaussés de solides bottes de cuir.

«Qu'est-ce que vous voulez ? demanda Ulf.

— Auriez-vous vu mon esclave ? s'enquit Dreng. Une petite Galloise d'environ quatorze ans.

— Non.

— Quelqu'un est-il passé ici pendant la nuit ? Votre chien a-t-il aboyé ?

— Il est pas là pour aboyer. Il est là pour mordre.

— Accepteriez-vous de nous donner un gobelet de bière ? Nous vous la paierons.

— Y'a pas de bière ici. »

Edgar réprima un sourire. Dreng avait trouvé quelqu'un d'encore plus désagréable que lui.

« Vous devriez vous joindre à la clameur de haro, et nous aider à la retrouver, reprit Dreng.

— Comptez pas sur moi.

— C'est la loi.

— J'habite pas dans votre cent. »

Selon toute probabilité, se dit Edgar, personne ne savait dans quel cent vivaient Ulf et Wyn. Ce qui les exemptait de redevances et de dîmes. De plus, leurs richesses étaient manifestement si modestes que personne ne prendrait la peine d'essayer de les estimer.

« Où est votre frère ? demanda Dreng à Wyn. Je croyais qu'il vivait ici, avec vous.

— Begstan est mort, répondit-elle.

— Alors, où est son corps ? Vous ne l'avez pas enterré au moustier.

— Nous l'avons emmené à Combe.

— Vous mentez.

— C'est la vérité. »

Edgar les suspecta d'avoir enterré Begstan dans les bois, pour faire l'économie d'un prêtre. Mais cela n'avait guère d'importance, et Dreng était impatient.

« Allons-y ! » lança-t-il.

Le groupe arriva bientôt près de l'endroit où Edgar avait échoué le bac. Edgar le repéra avant les autres, mais préféra ne pas être le premier à le voir de crainte d'éveiller les soupçons. Il attendit que quelqu'un d'autre le remarque. Ils étaient concentrés sur le chemin qui s'enfonçait dans la forêt, et il commença à craindre qu'il ne passe inaperçu.

Enfin, son frère Erman s'écria :

« Regardez ! Ce ne serait pas le bac d'Edgar, là-bas, sur l'autre rive ?

— Ce n'est pas son bac, c'est le mien, rétorqua aigrement Dreng.

— Mais qu'est-ce qu'il fait là ?

— Il faut croire que si elle est allée jusque-là, elle aura décidé, Dieu sait pourquoi, de continuer à pied de l'autre côté », répondit Degbert.

Il avait renoncé à sa théorie d'un autre itinéraire, releva Edgar avec satisfaction.

Cuthbert était en nage et à bout de souffle : il était beaucoup trop corpulent pour une telle expédition.

« Comment allons-nous traverser ? demanda-t-il. Le bateau est sur l'autre rive.

— Edgar ira le chercher, répondit Dreng. Il sait nager. »

Edgar n'avait rien contre cette idée, mais il fit mine de renâcler. Il prit son temps pour ôter ses chaussures et sa tunique et, lorsqu'il fut nu, il se glissa en grelottant dans l'eau froide. Il gagna l'autre rive à la nage, monta sur le bac et le ramena à la perche.

Il se rhabilla pendant que le groupe embarquait. Il fit traverser tout le monde et amarra le bachot.

« Elle est sur cette rive du fleuve, dit Degbert. Quelque part entre ici et Combe. »

Combe était à deux jours de Dreng's Ferry. Le haro n'irait pas jusque-là.

Vers la mi-journée, ils s'arrêtèrent dans un village appelé Longmede, qui marquait la limite sud-est du cent. Personne n'y avait aperçu d'esclave en fuite, ce qu'Edgar savait déjà. Ils achetèrent du pain et de la bière aux villageois et s'assirent pour se reposer.

Quand ils eurent fini de manger, Degbert remarqua :

« Nous n'avons plus vu trace d'elle depuis la bergerie de Theodberht.

— Je crains que nous ayons perdu sa piste », renchérit Cuthbert.

Son seul désir était de renoncer et de rentrer chez lui, devina Edgar.

« Mais c'est une esclave de valeur ! protesta Dreng. Je ne peux pas me permettre d'en acheter une autre. Je ne suis pas riche.

— Il est midi largement passé, observa Degbert. Si nous voulons être rentrés avant la nuit, il nous faut rebrousser chemin sans tarder.

— Nous pourrions retourner au bac et rentrer avec, suggéra Cuthbert.

— Edgar n'a qu'à nous ramener, proposa Dreng.

— Non, objecta Edgar. Pour remonter le courant, il est indispensable que deux hommes manient la perche en même temps, et ils seraient fatigués au bout d'une heure. Il faudrait se relayer.

— Je ne peux pas. J'ai le dos faible, se récusa Dreng.

— Nous avons suffisamment de jeunes gens pour manœuvrer le bac sans difficulté, affirma Degbert. Mais nous ferions bien de partir tout de suite », ajouta-t-il après avoir jeté un coup d'œil au soleil, et il se leva.

Le groupe prit le chemin du retour.

Blod avait réussi à s'enfuir, songeait Edgar avec jubilation. Sa ruse avait pris. La clameur de haro s'était épuisée dans une expédition inutile. Elle devait être à mi-chemin de Trench, à présent.

Il marcha la tête baissée pour dissimuler le sourire de triomphe qui lui montait aux lèvres malgré lui.

13

Fin octobre 997

Aldred savait que l'évêque Wynstan serait furieux.

L'orage éclata la veille du mariage. Ce matin-là, Aldred fut convoqué par l'abbé. Le novice qui lui apporta le message ajouta que le frère Wigferth de Canterbury était arrivé, et Aldred comprit tout de suite ce que cela signifiait.

Le novice le trouva dans le passage couvert qui reliait le bâtiment principal de l'abbaye de Shiring à l'église des moines. C'est là qu'Aldred avait installé son scriptorium, qui se composait en tout et pour tout de trois tabourets et d'un coffre contenant le matériel d'écriture. Il rêvait de disposer un jour d'un scriptorium à part entière, une pièce chauffée où une dizaine de moines consacreraient leurs journées à copier et enluminer des textes. Pour le moment, il avait un seul assistant, Tatwine, auquel s'était joint récemment un novice boutonneux appelé Eadgar. Ils étaient tous trois assis sur des tabourets et écrivaient sur des planches inclinées posées sur leurs genoux.

Aldred mit son travail de côté pour le laisser sécher, avant de rincer le bec de sa plume d'oie dans un bol d'eau et de l'essuyer sur la manche de sa robe. Il se dirigea vers le bâtiment principal et monta au dortoir par l'escalier extérieur. Les serviteurs de l'abbaye secouaient les matelas et balayaient le plancher. Il traversa la pièce dans toute sa longueur et entra dans l'appartement privé de l'abbé Osmund.

La pièce réussissait à allier un aspect dépouillé, fonctionnel, à un confort discret dispensé par un certain nombre de détails. Le lit étroit poussé contre le mur était pourvu d'un épais matelas et de chaudes couvertures. Un simple crucifix en argent était accroché au mur est. Un prie-Dieu était placé devant, ainsi qu'un coussin de velours posé à même le sol, usé et passé, mais bien rembourré afin de ménager les vieux genoux d'Osmund. La cruche de grès qui trônait sur la table ne contenait pas de bière mais du vin, côtoyant une portion de fromage.

Il suffisait de le voir pour comprendre qu'Osmund n'était pas un adepte de la mortification de la chair. Il portait la robe monastique de tissu noir grossier et sa tête présentait la tonsure de rigueur, mais il avait le visage rose et rond, et ses chaussures étaient fourrées d'épaisses toisons d'écureuil.

Hildred, le trésorier, se tenait à son côté. La scène était familière à Aldred. Elle signifiait d'ordinaire qu'Hildred désapprouvait quelque chose que faisait Aldred – généralement parce que cela coûtait de l'argent – et qu'il avait persuadé Osmund de lui en faire le reproche. Aldred observa attentivement le visage mince d'Hildred, avec ses joues creuses qui paraissaient sombres même quand il était rasé de près, et remarqua qu'exceptionnellement, il n'affichait pas l'expression suffisante qui suggérait généralement qu'il l'attendait au tournant. À vrai dire, il avait presque l'air affable.

Le troisième moine présent dans la pièce portait une robe maculée de la boue inévitable lors d'un long trajet en Angleterre au mois d'octobre.

« Frère Wigferth ! s'exclama Aldred. Quel plaisir de te voir. »

Ils avaient fait leur noviciat ensemble à Glastonbury, mais Wigferth avait bien changé : les années avaient arrondi son visage, le chaume qui couvrait son menton s'était épaissi et son corps maigre s'était étoffé.

Wigferth venait souvent dans la région, et la rumeur disait qu'il avait une maîtresse dans le village de Trench. Il était l'envoyé de l'archevêque et collectait les redevances dues aux moines de Canterbury.

« Wigferth nous apporte une lettre d'Elfric, annonça Osmund.

— Parfait ! » répondit Aldred, non sans un frémissement d'inquiétude.

Elfric était l'archevêque de Canterbury, le chef de l'Église chrétienne dans la moitié sud de l'Angleterre. Il avait été précédemment évêque de Ramsbury, non loin de Shiring, et Osmund le connaissait bien.

Ce dernier prit une feuille de parchemin sur la table et lut à haute voix :

« Soyez remercié de m'avoir adressé votre rapport sur la situation affligeante qui règne à Dreng's Ferry. »

Aldred avait rédigé ce rapport, qu'Osmund avait signé. Il décrivait dans le détail l'église qui tombait en ruine, les offices sommaires et la demeure luxueuse des prêtres mariés. Aldred avait également écrit à Wigferth à titre privé pour lui parler de Dreng, qui avait deux femmes et une esclave prostituée sans que le doyen Degbert, frère de Dreng, y vît à redire.

Cette lettre ne manquerait pas de provoquer la colère de l'évêque Wynstan quand il en serait informé, car c'était lui qui avait nommé Degbert, lequel était son cousin. Aussi Osmund avait-il préféré écrire directement à l'archevêque Elfric : il était inutile de s'adresser à Wynstan.

Osmund poursuivit sa lecture :

« Vous affirmez que la meilleure solution à ce problème serait de révoquer Degbert et son clergé, et de les remplacer par des moines. »

Il s'agissait, là encore, d'une suggestion d'Aldred, mais l'idée ne venait pas de lui. Elfric lui-même avait pris des mesures similaires à son arrivée à Canterbury, où il avait chassé les prêtres paresseux et fait venir des moines plus stricts en matière de discipline. Aldred espérait vivement qu'Elfric accepterait d'en faire autant à Dreng's Ferry.

« J'approuve votre proposition, lut Osmund.

— Excellente nouvelle ! s'exclama Aldred.

— Le nouveau monastère dépendra de l'abbaye de Shiring, et sera dirigé par un prieur, placé sous l'autorité de l'abbé de Shiring. »

C'était aussi une proposition d'Aldred. Il était satisfait. Le moustier de Dreng's Ferry, qui était une abomination, avait été condamné.

« Frère Wigferth est également chargé d'apporter une lettre à Wynstan, notre frère dans le Christ, pour l'informer de ma décision, Dreng's Ferry relevant de son évêché.

— La réaction de Wynstan sera intéressante, commenta Aldred.

— Il ne sera pas content, remarqua Hildred.

— C'est le moins qu'on puisse dire.

— Mais Elfric est archevêque, et Wynstan ne peut que s'incliner. »

Pour Hildred, la règle était la règle, point à la ligne.

« Wynstan est d'avis que tout le monde doit respecter les règles – sauf lui, ajouta Aldred.

— C'est exact, mais il a également un sens aigu de la politique ecclésiastique, ajouta calmement Osmund. Je n'imagine pas un instant qu'il puisse s'engager dans une querelle avec son archevêque pour un trou perdu comme Dreng's Ferry. Si l'enjeu était plus important, ce serait sans doute différent. »

Aldred espérait qu'il disait vrai.

« Je vais t'accompagner au palais de l'évêque », proposa-t-il à Wigferth.

Ils empruntèrent l'escalier extérieur.

« Merci pour ces bonnes nouvelles ! reprit Aldred alors qu'ils traversaient la place qui occupait le centre de la ville. Cet épouvantable moustier m'avait mis hors de moi.

— Tout comme l'archevêque lorsqu'il en a entendu parler. »

Ils passèrent devant la cathédrale de Shiring, une vaste église anglaise typique aux petites fenêtres placées très haut dans ses murs épais. La résidence de l'évêque Wynstan était juste à côté : avec le monastère, c'était le seul bâtiment à étage de Shiring. Aldred frappa à la porte. Un jeune ecclésiastique apparut, et Aldred lui annonça :

« Voici le frère Wigferth, qui vient de Canterbury avec une lettre de l'archevêque Elfric pour l'évêque Wynstan.

— L'évêque est sorti, mais vous pouvez me donner la lettre », répondit l'ecclésiastique.

Aldred se rappela le nom du jeune homme : Ithamar. Il était diacre, et servait de secrétaire à Wynstan. Il avait un visage poupin et des cheveux blond cendré, mais Aldred avait peine à croire à son innocence.

« Ithamar, cet homme est un messager du maître de votre maître, dit-il sévèrement. Vous devez l'accueillir, l'inviter à entrer, lui offrir à boire et à manger, et lui demander quels autres services vous pouvez lui rendre. »

Ithamar lui jeta un regard venimeux, mais Aldred ayant évidemment raison, il répondit après un instant de silence :

« Veuillez entrer, frère Wigferth. »

Wigferth ne bougea pas.

« Combien de temps pensez-vous que l'évêque Wynstan sera absent ? demanda-t-il.

— Une heure ou deux.

— Je l'attendrai. Je reviendrai dès que je lui aurai remis la lettre, ajouta Wigferth en se tournant vers Aldred. Je préfère coucher à l'abbaye. »

Sage décision, pensa Aldred ; la vie dans la résidence d'un évêque offrait parfois des tentations auxquelles un moine pouvait préférer ne pas avoir à résister.

Ils se quittèrent. Aldred prit le chemin de l'abbaye, avant de se raviser. Il était grand temps qu'il rende visite à la future épouse de l'ealdorman Wilwulf. Dame Ragna l'avait aimablement accueilli à Cherbourg, et il tenait à lui rendre la pareille ici, à Shiring. En allant la voir maintenant, il pourrait lui présenter ses vœux de bonheur.

Il traversa le centre-ville, avec ses boutiques et ses ateliers.

La ville de Shiring, en rapide expansion, était au service de trois institutions : le domaine de l'ealdorman, avec ses hommes d'armes et son entourage ; la cathédrale et le palais de l'évêque, avec leurs prêtres et leurs serviteurs ; et l'abbaye, avec ses moines et ses frères lais. Les artisans et commerçants du bourg comprenaient des fabricants de marmites, de seaux, de couteaux de table et d'autres ustensiles ménagers ; des tisserands et des tailleurs, des selliers et des bourreliers ; des bûcherons et des charpentiers ; des armuriers qui forgeaient des cottes de mailles, des épées et des casques ; des archers et des fléchiers ; des laitiers, des boulangers, des brasseurs et des bouchers qui fournissaient la viande à tous les autres.

Mais l'industrie la plus lucrative était celle de la broderie. En ville, une bonne dizaine de femmes passaient leurs journées à décorer de laine teinte des étoffes de lin blanchi. Les motifs représentaient généralement des scènes bibliques et des images de la vie des saints, souvent agrémentées d'oiseaux étranges et de bordures géométriques. La toile de lin ou parfois la laine de tons clairs, qui paraient ensuite les vêtements des prêtres et les robes royales, se vendaient dans toute l'Europe.

Aldred était bien connu, et les gens le saluaient dans la rue. Il dut s'arrêter plusieurs fois en chemin pour bavarder avec un tisserand qui louait sa maison à l'abbaye et était en retard pour le paiement de son loyer, avec le fournisseur de vin de l'abbé Osmund, qui avait du mal à récupérer son dû auprès du trésorier Hildred, et avec une femme qui souhaitait que les moines prient pour sa fille malade, parce que tout le monde savait que les prières des religieux célibataires étaient plus efficaces que celles des prêtres séculiers.

Quand il arriva enfin au domaine de l'ealdorman, il constata que tous étaient occupés aux préparatifs du mariage. Le portail était encombré de charrettes qui livraient des tonneaux de bière et des sacs de farine. Des serviteurs dressaient de longues tables sur des tréteaux, en plein air : les invités seraient manifestement bien trop nombreux pour que tous puissent dîner dans la grande salle. Un boucher abattait le bétail destiné à être mis à la broche, et un bœuf était suspendu par les pattes arrière à un solide chêne. Le sang chaud, jaillissant de son cou, giclait dans un tonneau.

Aldred trouva Ragna dans la maison précédemment occupée par Wigelm, le plus jeune des trois frères. La porte était ouverte. Ragna était en compagnie de trois de ses serviteurs de Cherbourg : la jolie servante, Cat, la couturière, Agnès, et le garde du corps à la barbe rousse appelé Bern. Offa, le chef de Mudeford, était également présent, et Aldred se demanda un instant ce qu'il faisait là, mais son attention se reporta rapidement sur Ragna. Avec ses deux servantes, elle examinait des pantoufles en soie de différentes teintes. Elle leva les yeux et son visage s'éclaira d'un large sourire lorsqu'elle reconnut Aldred.

« Bienvenue en Angleterre, lui dit-il. Je suis venu voir si vous étiez bien installée dans votre nouvelle demeure.

— Il y a tant à faire ! répondit-elle. Mais tout cela est un peu grisant. »

Il observa son visage animé. Il se rappela l'avoir trouvée belle, mais ses souvenirs n'étaient qu'un pâle reflet de la réalité. Son esprit n'avait pas retenu la couleur à nulle autre pareille de ses yeux d'aigue-marine, la courbe gracieuse de ses hautes pommettes, ni l'épaisseur de sa luxuriante chevelure d'or rouge, dont quelques boucles s'échappaient d'un voile de soie brune. Contrairement à la plupart des hommes, les seins des femmes ne lui inspiraient aucune pensée luxurieuse, mais force lui était de reconnaître qu'elle avait une silhouette irréprochable.

« Quel sentiment éprouvez-vous à la perspective de votre mariage ? lui demanda-t-il.

— Je bous d'impatience ! » répondit-elle en rougissant.

Voilà qui est parfait, pensa Aldred.

« Je suppose que Wilf est tout aussi impatient que vous, poursuivit-il.

— Il veut un fils », lui confia Ragna.

Aldred changea de sujet pour lui éviter d'autres motifs de s'empourprer :

« J'imagine que Wigelm n'a pas apprécié de se faire expulser de chez lui.

— Il ne pouvait guère prétendre passer avant la future épouse de l'ealdorman, répondit Ragna. De plus, il est seul – sa femme est restée à Combe –, alors il n'a pas vraiment besoin de cette maison. »

Aldred regarda autour de lui. La maison de bois était bien construite, mais aurait pu être plus confortable. Après une vingtaine d'années, les maisons en bois nécessitaient d'importantes réparations et elles tombaient complètement en ruine au bout de cinquante. Il repéra un volet de guingois à la fenêtre, un banc avec un pied cassé et une fuite dans le toit.

« Vous devriez faire venir un charpentier », suggéra-t-il.

Elle soupira.

« Ils sont tous occupés à fabriquer des bancs et des tables pour le mariage. Et le charpentier chef, Dunnere, est généralement ivre dès le début de l'après-midi. »

Aldred fronça les sourcils. La femme de l'ealdorman aurait dû avoir la préséance, assurément.

« Vous ne pouvez pas faire remplacer Dunnere ?

— C'est le neveu de Gytha. Mais je vous avouerai que remanier l'équipe d'entretien du domaine est une de mes priorités.

— Il y avait un garçon, à Dreng's Ferry, qui m'a paru être un bon artisan : un certain Edgar.

— Je me souviens de lui. Pensez-vous que je pourrais lui demander d'arranger cette maison ?

— Inutile de demander quand vous pouvez exiger. Le maître d'Edgar s'appelle Dreng. C'est le cousin de Wilwulf. Vous n'avez qu'à ordonner à Dreng de vous envoyer son employé.

— Je ne sais pas encore très bien ce que j'ai le droit de faire ici, répondit-elle en souriant. Mais je suivrai votre conseil. »

Une vague pensée trottait dans la tête d'Aldred. Il avait l'impression que Ragna avait dit quelque chose d'important, dont la signification lui avait échappé sur le moment. Et maintenant, il ne savait plus ce que c'était.

« Comment vous entendez-vous avec la famille de Wilwulf ? lui demanda-t-il.

— J'ai parlé à Gytha, et je lui ai fait comprendre que je tenais à être la maîtresse de ce domaine, mais j'ai beaucoup à apprendre, et j'aurais été heureuse de pouvoir compter sur son aide.

— Je suis sûr que vous gagnerez l'affection de tous. Je vous ai vue à l'œuvre.

— Puissiez-vous avoir raison. »

Elle était prudente, et pourtant Aldred n'était pas sûr qu'elle comprenne parfaitement où elle avait mis les pieds.

« Il n'est pas habituel que deux frères soient respectivement évêque et ealdorman du même territoire, remarqua-t-il. Cela confère beaucoup de pouvoir à une seule famille.

— C'est pourtant compréhensible. Wilf a besoin que l'évêque soit un homme en qui il ait toute confiance.

— Je ne dirais pas qu'il a toute confiance en Wynstan », répondit Aldred après une hésitation.

Ragna eut l'air très intéressée.

Aldred devait surveiller ses propos. À ses yeux, Wilwulf et sa famille étaient des chats sauvages enfermés dans une cage, toujours sur le point de s'attaquer mutuellement, et seuls leurs intérêts personnels les empêchaient de recourir à la violence. Mais il ne voulait pas le dire aussi brutalement à Ragna, de crainte de la décourager. Il fallait la mettre en garde sans l'effrayer.

« Je dirais que ses frères ont moins de chances de le surprendre que d'autres, c'est tout.

— Le roi apprécie certainement cette famille, pour lui avoir donné autant de pouvoir.

— C'était peut-être le cas, autrefois.

— Que voulez-vous dire ? »

Elle ne savait rien, comprit Aldred.

« Wilwulf est tombé en disgrâce auprès du roi Ethelred à la suite du traité conclu avec votre père. Il aurait dû demander la permission du roi.

— Il nous a dit qu'il n'aurait pas de peine à l'obtenir.

— Il se trompait.

— Mon père s'inquiétait à ce sujet. Wilf aurait-il été puni ?

— Il a été mis à l'amende par le roi. Mais il ne l'a pas payée. Il estime qu'Ethelred est déraisonnable.

— Que va-t-il se passer ?

— Pas grand-chose dans l'immédiat. Si un noble a l'audace de défier la cour royale, le roi est plus ou moins impuissant à court terme. Mais à long terme, qui sait ?

— Y a-t-il quelqu'un qui fasse contrepoids au pouvoir de la famille ? Existe-t-il une fonction que Wilf n'ait pas réussi à faire confier à l'un de ses hommes ? »

C'était la question clé, et pour l'avoir posée, Ragna monta dans l'estime d'Aldred. Elle avait retenu tout ce que son père avait à lui apprendre, devina le moine, et peut-être même y ajoutait-elle une sagesse personnelle.

« Oui, répondit-il. Denewald, le shérif.

— Le shérif ? Nous n'en avons pas en Normandie.

— C'est le chef du comté, le représentant local du roi. Wilwulf aurait voulu que Wigelm obtienne ce poste, mais le roi Ethelred a refusé et l'a confié à un homme à lui. On a beau l'appeler Ethelred le Malavisé, il est loin d'être stupide.

— C'est un rôle important ?

— Le pouvoir des shérifs s'est accru récemment.

— Pour quelle raison ?

— À cause des Vikings. Par deux fois, au cours des six dernières années, Ethelred a évité une invasion des Vikings en leur versant une somme d'argent, mais cela coûte très cher. Il y a six ans, il leur avait remis dix mille livres ; il y a trois ans, la somme était passée à seize mille.

— Nous en avons entendu parler en Normandie. Mon père disait que cela revenait à nourrir un lion dans l'espoir de le dissuader de vous dévorer.

— Beaucoup de gens ici disent à peu près la même chose.

— Mais pourquoi le pouvoir des shérifs en a-t-il été plus grand ?

— Ce sont eux qui ont été chargés de percevoir les redevances, ce qui a imposé de leur donner un pouvoir de contrainte. Maintenant, un shérif dispose de sa propre force militaire, modeste mais correctement rémunérée, et bien armée.

— Ce qui lui confère un pouvoir qui contrebalance celui de Wilf.

— Exactement.

— Mais le rôle du shérif n'entre-t-il pas en conflit avec celui de l'ealdorman ?

— Si, constamment. L'ealdorman est responsable de la justice, mais c'est au shérif qu'il incombe de sanctionner les infractions commises contre le roi, notamment le défaut de paiement de l'impôt. Et, bien sûr, certaines situations épineuses provoquent des frictions.

— Comme c'est intéressant… »

On aurait dit, songea Aldred, une musicienne qui aurait posé les doigts sur les cordes d'une lyre pour s'exercer avant d'exécuter un air. Elle allait jouer un rôle majeur dans la région. Elle pourrait faire beaucoup de bien. Mais elle risquait aussi de se faire broyer.

Si Aldred pouvait l'aider, il le ferait.

« S'il y a quoi que ce soit que je puisse faire pour vous, faites-le-moi savoir. Venez me voir à l'abbaye. »

Il songea alors que pour quelques jeunes moines, la vue d'une femme comme Ragna pourrait être trop difficile à supporter. « Ou faites-moi porter un message.

— Merci. »

Comme il se tournait vers la porte, son regard fut à nouveau attiré par la silhouette imposante et le nez cassé d'Offa. En tant qu'employé subalterne de l'ealdorman, il avait un logis en ville, mais pour autant qu'Aldred le sût, il n'avait rien à faire avec Ragna.

Surprenant son regard, elle lui demanda :

« Vous connaissez Offa, le chef de Mudeford ?

— Oui, bien sûr. »

Aldred vit Ragna jeter un coup d'œil à Agnès, laquelle baissa timidement les yeux, et il comprit aussitôt qu'Offa était venu faire la cour à Agnès, avec l'approbation de Ragna, manifestement. Peut-être celle-ci désirait-elle que certaines de ses servantes s'implantent en Angleterre.

Il prit congé et quitta le domaine. En ville, alors qu'il traversait la place située entre la cathédrale et l'église de l'abbaye, il tomba sur Wigferth qui quittait la résidence de l'évêque.

« Tu as remis la lettre à Wynstan ? lui demanda-t-il.

— Oui, il y a quelques instants.

— Et alors ? Il s'est emporté ?

— Il a pris la lettre et dit qu'il la lirait plus tard.

— Hum. »

Aldred regrettait presque que Wynstan ne se soit pas mis en colère : l'attente devenait insoutenable.

Les deux moines regagnèrent l'abbaye. Le cuisinier servait le repas de midi : de l'anguille bouillie avec des oignons et des fèves. Pendant qu'ils mangeaient, frère Godleof lut le prologue de la règle de saint Benoît : « *Obsculta, o fili, praecepta magistri, et incline aurem cordis tui.* » (Écoute, ô mon fils, les préceptes du maître et incline l'oreille de ton cœur.) Aldred adorait la formule *aurem cordis*, « l'oreille du cœur ». Elle suggérait une écoute plus intense, plus réfléchie que la normale.

Les moines se rendirent ensuite à l'église pour none, la prière de l'après-midi, en empruntant le passage couvert. L'église était plus grande que celle de Dreng's Ferry, mais moins vaste que la cathédrale de Shiring. Elle se composait de deux salles, une nef de quinze pas de long et un chœur plus petit, séparés par une arche étroite. Les moines entraient par une porte latérale. Les plus âgés prenaient place dans le chœur, autour de l'autel, tandis que les autres restaient debout, formant trois rangées bien alignées dans la nef où se rassemblait aussi la congrégation, généralement peu nombreuse.

En psalmodiant les prières aux côtés de ses frères, Aldred commença à se sentir en paix avec lui-même, avec Dieu et avec le monde. Cela lui avait manqué pendant ses voyages.

Ce jour-là, la paix fut pourtant de courte durée.

Quelques minutes après le début de l'office, un grincement annonça l'ouverture de la porte ouest, l'entrée principale, rarement utilisée. Tous les jeunes moines se retournèrent pour voir qui arrivait. Aldred reconnut les cheveux blond clair du diacre Ithamar, le jeune secrétaire de l'évêque Wynstan.

Les aînés des moines poursuivirent la prière avec détermination. Aldred décida d'aller voir ce qu'Ithamar voulait. Sortant du rang, il s'adressa à lui dans un murmure :

« Qu'y a-t-il ? »

Le diacre avait l'air nerveux, mais répondit d'une voix forte :

« L'évêque Wynstan convoque Wigferth de Canterbury. »

Aldred jeta involontairement un coup d'œil vers Wigferth qui lui rendit son regard, l'inquiétude se peignant sur son visage poupin. Aldred lui-même n'était pas rassuré, mais il ne voulut pas le laisser affronter seul la fureur de Wynstan : certains hommes réagissaient encore à une nouvelle contrariante en renvoyant la tête du messager dans un sac. Il était peu probable que Wynstan recoure à pareilles extrémités, mais ce n'était pas impossible.

« Veuillez avoir l'amabilité de présenter nos excuses à monseigneur l'évêque, dit alors Aldred avec une fausse assurance, et expliquez-lui que le frère Wigferth est en prière. »

De toute évidence, Ithamar n'avait pas envie de transmettre une telle réponse.

« Monseigneur n'appréciera pas qu'on lui demande d'attendre. »

Aldred le savait. Il s'efforça de garder un ton calme et raisonnable :

« Je suis sûr que Wynstan ne voudra pas interrompre un homme de Dieu en prière. »

L'expression d'Ithamar disait sans ambiguïté que pareils scrupules n'arrêtaient pas Wynstan, mais il hésita à exprimer cette pensée tout haut.

Si tous les moines n'étaient pas prêtres, Aldred était les deux, et son rang était supérieur à celui d'Ithamar, qui n'était que diacre. Celui-ci était donc contraint de lui céder bon gré mal gré. Au terme d'un long moment de réflexion, il parvint à la même conclusion, et quitta l'église à contrecœur.

Première victoire pour les moines, pensa Aldred, comme grisé. Son sentiment de triomphe était néanmoins terni par la pensée que la bataille ne faisait que commencer.

Il revint à sa prière, mais il avait l'esprit ailleurs.

Qu'adviendrait-il après l'office, quand Wigferth n'aurait plus d'excuse pour différer l'entrevue ? Aldred et Wigferth se rendraient-ils ensemble au palais de l'évêque ? Aldred n'était pas taillé pour jouer les gardes du corps, mais peut-être était-ce mieux que rien. Parviendrait-il à convaincre l'abbé Osmund de les accompagner ? Wynstan hésiterait sûrement à brutaliser un abbé. D'un autre côté, Osmund n'était pas courageux. Il était parfaitement capable de répondre lâchement que c'était Elfric de Canterbury qui avait rédigé la lettre et envoyé Wigferth, et que c'était donc à lui de protéger son messager.

Mais l'explosion se produisit plus tôt que prévu.

La porte principale se rouvrit, à grand bruit, cette fois. Les psalmodies s'interrompirent brusquement et tous les moines se retournèrent vers le fond de l'église. L'évêque Wynstan entra à grands pas, sa houppelande flottant derrière lui. Il était suivi de Cnebba, un de ses hommes d'armes. Wynstan était grand, mais Cnebba l'était plus encore.

Aldred parvint à dissimuler sa terreur.

« Qui d'entre vous est Wigferth de Canterbury ? » rugit Wynstan.

Aldred s'avança instinctivement pour affronter Wynstan :

« Monseigneur, vous interrompez les moines pendant l'office de none.

— J'interromps qui je veux ! hurla Wynstan.

— Même Dieu ? » répliqua Aldred.

Wynstan s'empourpra de colère et ses yeux semblèrent lui sortir de la tête. Aldred faillit reculer d'un pas, mais il s'obligea à tenir bon. Il vit la main de Cnebba se poser sur son épée.

Dans le dos d'Aldred, l'abbé Osmund prit la parole depuis l'autel d'une voix frémissante, mais résolue :

« Je vous déconseille de tirer cette épée dans l'église, Cnebba, si vous ne voulez pas que la malédiction éternelle de Dieu s'abatte sur votre âme mortelle. »

Cnebba blêmit et leva précipitamment la main comme si la poignée de l'épée l'avait brûlé.

Peut-être Osmund ne manquait-il pas entièrement de courage, songea Aldred.

Wynstan avait perdu un peu de son assurance. Sa colère était redoutable, mais les moines n'avaient pas cédé.

Wynstan tourna son regard furieux vers l'abbé.

« Osmund, comment osez-vous vous plaindre à l'archevêque d'un moustier placé sous mon autorité ? Vous n'y avez même jamais mis les pieds !

— Moi, si, intervint Aldred. Et j'ai constaté, de mes propres yeux, la dépravation et le péché qui règnent à l'église de Dreng's Ferry. Il était de mon devoir de rapporter ce que j'ai vu.

— Taisez-vous, blanc-bec, lança Wynstan, qui n'avait pourtant que quelques années de plus que lui. C'est au sorcier que je m'adresse et non à son chat. Ce n'est pas vous mais votre abbé qui cherche à s'emparer de mon moustier pour l'ajouter à son empire.

— Le moustier n'appartient pas aux hommes mais à Dieu », répliqua Osmund.

C'était une nouvelle riposte courageuse, et un coup de plus porté à Wynstan. Aldred commença à se demander si Wynstan ne finirait pas par être contraint de s'en retourner, la queue entre les jambes.

Conscient d'avoir le dessous dans cette joute verbale, Wynstan se fit au contraire encore plus menaçant :

« C'est Dieu qui m'a confié le moustier, rugit-il en s'avançant vers Osmund, qui recula. Maintenant, l'abbé, vous allez m'écouter. Ne comptez pas que je vous laisse reprendre l'église de Dreng's Ferry. »

La réponse d'Osmund était tranchante, mais sa voix tremblait :

« La décision a été prise.

— Je la contesterai devant la cour du comté !

— Une querelle publique entre les deux principaux hommes de Dieu de Shiring serait inconvenante, fit valoir Osmund, visiblement ébranlé.

— Vous auriez dû y penser avant d'écrire sournoisement cette lettre à l'archevêque de Canterbury.

— Vous devez vous soumettre à son autorité.

— Je n'en ferai rien. S'il le faut, je me rendrai à Canterbury dénoncer vos péchés.

— L'archevêque Elfric les connaît déjà, tels qu'ils sont.

— Je suis certain d'en trouver quelques-uns dont il n'a jamais entendu parler. »

Osmund n'était pas homme à commettre des péchés capitaux, Aldred le savait, mais Wynstan n'hésiterait pas, pour arriver à ses fins, à en inventer et trouverait même des gens prêts à jurer qu'il disait vrai.

« Vous auriez tort de défier la volonté de votre archevêque, reprit Osmund.

— Vous avez eu tort de me pousser à cette extrémité. »

Aldred était franchement intrigué. Wynstan n'avait été poussé à rien. Dreng's Ferry était un lieu insignifiant et Aldred était convaincu qu'il ne valait pas une querelle. Wynstan était pourtant prêt à partir en guerre.

Pourquoi ? Le moustier reversait à Wynstan une partie de ses revenus, mais la somme était forcément modeste. Il offrait un emploi à Degbert, peu prestigieux cependant. Degbert n'était même pas un parent proche, et en tout état de cause Wynstan pourrait aisément lui trouver une autre charge.

Pour quelle raison attachait-il une telle importance à Dreng's Ferry ?

Wynstan vitupérait toujours :

« Cette lutte durera de longues années, Osmund – à moins que vous ne fassiez aujourd'hui la seule chose raisonnable : vous rétracter.

— Comment cela ?

— Adressez une réponse à Elfric, répondit Wynstan d'un ton pondéré au point d'en être caricatural. Dites-lui que, dans un esprit chrétien, vous refusez de vous quereller avec votre frère dans le Christ, l'évêque de Shiring, qui vous a promis en toute sincérité de rétablir l'ordre à Dreng's Ferry. »

Wynstan n'avait fait aucune promesse en ce sens, releva Aldred.

« Expliquez que la décision d'Elfric risque de faire scandale dans le comté, poursuivit Wynstan, et que vous ne pensez pas que ce modeste moustier mérite que les esprits s'échauffent ainsi. »

Osmund hésita.

« L'œuvre de Dieu mérite toujours que les esprits s'échauffent, s'indigna Aldred. Notre-Seigneur n'a pas hésité à faire un esclandre quand il a chassé les marchands du temple. L'Évangile… »

Cette fois, ce fut Osmund qui le fit taire :

« Laissez cela à vos aînés.

— Oui, Aldred, taisez-vous, lança Wynstan. Vous avez fait suffisamment de dégâts. »

Aldred baissa la tête, tout en bouillant intérieurement. Osmund n'avait aucune raison de battre ainsi en retraite : l'archevêque était de son côté !

« Je réfléchirai à votre requête en priant », déclara Osmund.

Wynstan n'était pas disposé à s'en contenter.

« J'écrirai à Elfric aujourd'hui même. Je lui dirai que

sa suggestion – sa *suggestion* – n'est pas opportune; que nous en avons discuté, vous et moi, et qu'il me semble que vous êtes d'accord avec moi, après mûre réflexion, pour reconnaître que pour le moment, il ne convient pas de transformer le moustier en monastère.

— Je vous ai dit, insista Osmund sur un ton maussade, que j'allais y réfléchir. »

Wynstan l'ignora, sentant qu'Osmund faiblissait.

« Frère Wigferth pourra emporter ma lettre. » Il parcourut les rangées de moines du regard, ignorant lequel était Wigferth. « Et sachez que si ma lettre devait ne pas être transmise à l'archevêque, je trancherais personnellement les couilles de Wigferth avec un couteau rouillé. »

Les moines furent heurtés par la grossièreté de son langage.

« Sortez de notre église à présent, monseigneur, dit Osmund, avant de souiller davantage la maison de Dieu.

— Écrivez cette lettre, Osmund, ordonna Wynstan. Dites à l'archevêque Elfric que vous avez changé d'avis. Faute de quoi, vos oreilles entendront bien pire. »

Sur ces mots, Wynstan fit demi-tour et sortit de l'église à grands pas.

Il pense avoir gagné, se dit Aldred. Et il a sans doute raison.

14

1er novembre 997

Ragna épousa Wilf le 1er novembre, jour de la Toussaint. Ce jour-là, le soleil alternait avec les averses.

Ragna se sentait désormais chez elle dans le domaine. Il y régnait des odeurs d'écuries, de corps mal lavés et de poisson bouilli. Le bruit était incessant : les chiens aboyaient, les enfants criaient, les hommes hurlaient et les femmes jacassaient, le forgeron martelait des fers à cheval et les charpentiers fendaient des troncs à grands coups de hache. Dans le ciel, le vent d'ouest chassait les nuages, dont les ombres se couraient après sur les toits de chaume.

Ragna prit son petit déjeuner chez elle, en présence de ses seuls serviteurs. Elle avait besoin d'une matinée paisible pour se préparer en vue de la cérémonie. Elle s'inquiétait de l'image qu'elle offrirait, et espérait jouer correctement son rôle. Elle voulait que tout soit parfait pour Wilf.

Alors qu'elle avait attendu ce jour avec une extrême impatience, elle avait hâte à présent que le soir vienne. Faste et rituels lui étaient coutumiers ; ce qui lui manquait, c'était de pouvoir se coucher avec son mari la nuit. Elle avait résisté à la tentation de devancer les noces, mais l'épreuve avait été dure. Elle se réjouissait cependant d'avoir tenu bon, sachant que chaque journée d'attente n'avait fait que renforcer le désir de Wilf. Elle le lisait dans ses yeux, elle le constatait à la main qui s'attardait sur son bras et à l'ardeur de son baiser du soir.

Ils avaient passé de longues heures à deviser. Il lui avait parlé de son enfance, de la mort de sa mère, du choc qu'avaient été pour lui le remariage de son père avec Gytha et l'arrivée dans sa vie de deux demi-frères cadets.

En revanche, il n'aimait pas répondre aux questions. Elle s'en était aperçue quand elle avait cherché à en savoir plus long sur son différend avec le roi Ethelred. Il était trop fier pour supporter d'être interrogé comme un prisonnier de guerre.

Ragna et Wilf étaient allés ensemble à la chasse dans la forêt qui s'étendait entre Shiring et Dreng's Ferry. Ils avaient passé la nuit dans le pavillon de chasse de Wilf, un lieu isolé, loin de tout, composé d'écuries, de chenils, de dépendances, ainsi que d'une grande maison où tout le monde dormait par terre, sur des joncs. Ce soir-là, Wilf lui avait longuement parlé de son père, qui avait lui-même été ealdorman de Shiring. Ce n'était pas une fonction héréditaire, et Wilf lui avait décrit la lutte de pouvoir qui avait suivi la mort de son père. Ragna avait ainsi appris bien des choses sur la politique anglaise.

Le jour de ses noces était venu et elle était heureuse de connaître Wilf beaucoup mieux qu'à son arrivée à Shiring.

Elle dut rapidement renoncer à son aspiration à passer une matinée tranquille. Son premier visiteur fut l'évêque Wynstan. Il arriva, sa houppelande ruisselante de pluie, suivi de Cnebba, chargé d'une balance romaine et d'une petite boîte qui contenait probablement des poids.

« Bonjour, monseigneur, dit courtoisement Ragna. Je vous espère en bonne santé. »

Sans perdre de temps en gracieusetés, Wynstan alla droit au but :

« Je suis venu vérifier votre dot.

— Fort bien. »

Ragna, qui s'y attendait, fut aussitôt à l'affût des tours que Wynstan pourrait lui réserver.

Plusieurs cordes destinées à différents usages, et notamment à tenir la nourriture hors de portée des souris, étaient suspendues aux poutres. Cnebba attacha la balance à l'une d'elles.

Le fléau de fer de la balance possédait deux bras de taille différente : le plus court était muni d'un plateau dans lequel on plaçait l'objet à peser, tandis que l'autre supportait un contrepoids qui coulissait le long d'une échelle graduée. Quand le plateau était vide et que le contrepoids coulissant était placé sur la première graduation, les deux bras étaient en équilibre et le fléau oscillait doucement dans l'air.

Cnebba déposa ensuite sa boîte sur la table et l'ouvrit. Elle contenait des poids, des cylindres de plomb trapus dont la face supérieure était incrustée d'une pièce d'argent garantissant qu'ils avaient été officiellement vérifiés.

« Je les ai empruntés à l'hôtel de la monnaie de Shiring », expliqua Wynstan.

Cat s'apprêtait à aller chercher la cassette renfermant la dot, quand Ragna leva la main pour la retenir. Elle n'avait pas confiance en Wynstan. Cnebba étant là pour le défendre, Wynstan pourrait être tenté de partir, le coffret sous le bras, sans plus de cérémonie.

« Cnebba peut nous laisser, maintenant, déclara Ragna.

— Je préfère qu'il reste, objecta Wynstan.

— Pourquoi ? demanda Ragna. Saurait-il peser les pièces mieux que vous ?

— C'est mon garde du corps.

— De qui avez-vous peur ? De moi ? De Cat, ma servante ? »

Wynstan se tourna vers Bern mais préféra ne pas répondre à la question de Ragna.

« Très bien, dit-il. Cnebba, attends-moi dehors. »

Le garde du corps sortit.

« Vérifions d'abord la balance », annonça Ragna.

Elle posa un poids de cinq livres sur le plateau, ce qui fit descendre le bras court de la balance, puis elle déplaça la réglette du côté opposé jusqu'à ce que les deux bras soient horizontaux. La réglette s'arrêta sur la graduation de cinq livres. La balance était juste.

Ragna fit signe à Bern, qui prit le coffret et le posa sur la table. Ragna l'ouvrit avec une clé qu'elle portait autour du cou, au bout d'un cordon.

La cassette contenait quatre petits sacs de cuir. Ragna en mit un sur le plateau de la balance, à la place du poids de cinq livres. Les deux bras s'équilibraient presque parfaitement ; le sac était légèrement plus lourd.

« L'excédent de poids est dû au cuir », expliqua Ragna.

Wynstan fit un geste évasif de la main. Il avait un souci plus pressant.

« Montrez-moi les pièces », exigea-t-il.

Ragna vida le sac sur la table. Plusieurs centaines de petites pièces d'argent se déversèrent, toutes anglaises, avec une croix sur une face et l'effigie du roi Ethelred sur l'autre. Le contrat de mariage précisait qu'il devait s'agir de pennies anglais, d'une teneur en argent supérieure à celle des deniers français.

Wynstan hocha la tête, satisfait.

Ragna remit les pièces d'argent dans le sac et répéta l'opération avec les trois autres sacs. Chacun pesait exactement cinq livres. La dot était conforme. Elle rangea les sacs dans le coffret.

« C'est bien, déclara Wynstan. Je vais l'emporter.

— Pas avant que j'aie épousé Wilf, répondit Ragna en tendant la cassette à Bern.

— Mais vous vous mariez aujourd'hui à midi !

— Dans ce cas, la dot sera remise à douze heures.

— Cette vérification aura donc été inutile. Vous pouvez très bien voler cinquante pièces dans chacun des sacs au cours des deux heures à venir. »

Ragna verrouilla le coffret et remit la clé à Wynstan.

« Voilà, dit-elle. Maintenant, je ne peux plus l'ouvrir, et vous, vous ne pouvez pas le voler. »

Wynstan fit mine de trouver toutes ces précautions ridicules.

« Les invités arrivent déjà ! Les bœufs et les porcs ont rôti toute la nuit. Les tonneaux de bière ont été mis en perce. Les boulangers ont enfourné une centaine de pains. Croyez-vous sérieusement que Wilf va faire main basse sur votre dot et annuler votre mariage ?

— Je serai bientôt votre belle-sœur, Wynstan, répondit Ragna avec un doux sourire. Vous devez apprendre à me faire confiance. »

Wynstan grommela et sortit.

Cnebba vint récupérer la balance et les poids. Il repartait lorsque Wigelm arriva. Il avait le nez et le menton forts de la famille, les mêmes cheveux et moustache blonds, mais son visage avait quelque chose de renfrogné, comme s'il se sentait perpétuellement victime d'une injustice. Il portait les mêmes vêtements que la veille, une tunique noire et une houppelande brune, sans doute pour clamer à la face du monde que cette journée n'avait rien de particulier à ses yeux.

« Alors, ma sœur, dit-il, c'est aujourd'hui que vous perdez votre virginité. »

Ragna rougit : elle l'avait perdue quatre mois plus tôt.

Par bonheur, Wigelm se trompa sur les raisons de sa gêne.

« Voyons, ne soyez pas timide, reprit-il avec un gloussement lubrique. Vous allez adorer ça, croyez-moi. »

Vous ne savez pas à quel point, pensa Ragna.

Wigelm était suivi d'une petite femme plantureuse du même âge que lui environ, une trentaine d'années. Elle était séduisante dans le genre pulpeux, et sa démarche était celle d'une femme consciente de son charme. Elle ne se présenta pas, et Wigelm ne prit pas la peine d'expliquer sa présence.

« Je ne crois pas vous avoir déjà rencontrée », dit alors Ragna.

Comme elle ne répondait pas, Wigelm annonça :

« Ma femme, Milly.

— Je suis ravie de vous voir, Milly, s'écria Ragna en s'avançant impulsivement pour l'embrasser sur la joue. Nous allons être sœurs.

— Comme c'est curieux, rétorqua fraîchement Milly. Alors que c'est à peine si nous parlons respectivement la langue de l'autre.

— Oh, tout le monde peut apprendre une nouvelle langue, reprit Ragna. Il suffit d'un peu de patience. »

Milly parcourut du regard l'intérieur de la maison.

« J'ai entendu dire que vous aviez fait venir un charpentier pour apporter quelques transformations.

— Oui, le jeune Edgar, de Dreng's Ferry. Il a travaillé ici la semaine dernière.

— Je ne vois guère de différences. »

La maison était un peu décrépite quand Milly en était responsable, ce qui expliquait sans doute son hostilité. Elle avait dû être blessée que Ragna juge indispensable d'y apporter des améliorations. Ragna minimisa alors son intervention :

« Quelques réparations courantes, c'est tout », répondit-elle avec un haussement d'épaules.

Gytha fit alors son entrée.

« Bonjour, mère », la salua Wigelm.

Gytha portait une robe neuve, gris foncé avec une doublure rouge qu'on entrevoyait par éclairs, et ses longs cheveux gris étaient remontés à l'aide d'épingles sous une coiffe élaborée.

Ragna fut immédiatement sur ses gardes. Elle savait par Cat que Gytha faisait rire les servantes en imitant son accent. Ragna avait vaguement remarqué qu'il arrivait aux femmes de sourire quand elle disait quelque chose qui n'avait pourtant rien d'amusant, et devinait que sa prononciation était devenue un sujet de moquerie dans le domaine. Elle pouvait s'en accommoder, mais était déçue par Gytha, dont elle avait espéré se faire une amie.

Celle-ci la surprit pourtant par ses propos aimables :

« Avez-vous besoin d'aide pour arranger votre robe et vos cheveux, Ragna ? Je suis déjà prête, et ne demande qu'à vous envoyer une ou deux de mes servantes, si cela peut vous rendre service.

— Je n'en ai pas besoin, mais je vous remercie de cette délicate attention », répondit Ragna.

Elle était sincère : Gytha était le quatrième membre de sa belle-famille à venir la voir ce matin-là, et la première à faire preuve de gentillesse. Ragna n'avait pas encore réussi à gagner l'affection de la famille de son mari. Elle avait cru que ce serait plus facile.

Quand Dreng entra en boitant, elle étouffa un gémissement : le tavernier était coiffé d'un chapeau conique si grand qu'il en était comique.

« Je viens présenter mes hommages à dame Ragna en cette heureuse matinée, dit-il en s'inclinant profondément. Nous nous connaissons déjà, n'est-ce pas, ma future cousine par alliance ? Vous avez honoré mon humble taverne de votre présence alors que vous étiez en route pour Shiring. Bien le bonjour, cousin Wigelm. J'espère que vous êtes en bonne santé. Et vous aussi, cousine Milly. Et lady Gytha, bien sûr – je ne sais jamais si je dois vous appeler cousine ou tante.

— Nous ne sommes pas si proches », rétorqua aigrement Gytha.

Ragna remarqua le peu de chaleur de l'accueil réservé à Dreng ; sans doute la famille lui reprochait-elle d'exagérer l'étroitesse de leurs liens dans l'espoir de rehausser son propre prestige.

Dreng fit mine de ne pas comprendre la rebuffade de Gytha.

« Je viens de fort loin, en effet, merci de votre sollicitude. Il est vrai que j'ai le dos faible – un Viking m'a fait tomber de cheval à la bataille de Watchet, comme vous le savez, mais pour rien au monde je n'aurais manqué cette grande occasion. »

C'est alors que Wilf parut, et Ragna en fut immédiatement rassérénée. Il la prit dans ses bras et l'embrassa passionnément devant tout le monde. Il l'adorait, et l'animosité de sa famille n'avait aucune importance.

Elle se dégagea, le souffle court, et s'efforça de ne pas avoir un air trop triomphant.

« Le vent a chassé les nuages et le ciel est bleu, annonça Wilf. Je craignais que nous ne soyons obligés de déplacer le banquet à l'intérieur, mais il me semble à présent que nous pourrons manger dehors comme prévu.

— Cousin Wilf ! s'exclama Dreng, frémissant d'une telle excitation que sa voix se brisa en un bêlement de fausset. J'espère que tu es en bonne santé. Quel plaisir d'être ici ! Je te félicite un millier de fois, ta future épouse est un ange, que dis-je, un archange ! »

Wilf esquissa un hochement de tête patient et tolérant, comme pour reconnaître que si Dreng était un imbécile, il n'en faisait pas moins partie de la famille.

« Je te souhaite la bienvenue, Dreng, mais il me semble qu'il commence à y avoir trop de monde dans cette maison. Ma fiancée a besoin d'un peu de temps pour elle. Elle doit se préparer pour le mariage. Allons, tout le monde dehors ! »

C'était exactement ce que Ragna voulait qu'il dise, et elle lui sourit, pleine de gratitude.

La famille sortit. Avant de repartir, Wilf l'embrassa encore, plus longuement cette fois, au point qu'elle craignit qu'ils ne commencent leur lune de miel sur-le-champ. Il finit par s'écarter en respirant bruyamment.

« Je vais accueillir les invités, lui dit-il. Barrez votre porte et accordez-vous une heure de paix. »

Sur ces mots, il sortit.

Ragna poussa un long soupir. Quelle famille, pensa-t-elle : un homme divin, et des parents qui avaient tout d'une meute de chiens glapissants. Mais c'était Wilf qu'elle épousait, et non Wigelm, Dreng, Gytha ou Milly.

Elle s'assit sur un tabouret pour que Cat la coiffe. Tandis que sa servante la brossait, la peignait et lui épinglait les cheveux, Ragna reprit son calme. Les cérémonies ne lui faisaient pas peur : elle savait se déplacer lentement, sourire à la ronde, faire ce qu'on lui disait de faire, et ne rien faire si on ne lui disait rien. Wilf lui avait annoncé le programme de la journée, et elle en avait retenu chaque mot. Peut-être commettrait-elle tout de même quelque impair, car elle ignorait tout des rites anglais, mais si cela se produisait, elle se contenterait de sourire et de recommencer.

Cat compléta sa coiffure d'un voile de soie couleur châtaigne qui lui couvrait la tête et le cou, maintenu en place par un bandeau brodé. Ragna était prête pour enfiler sa robe. Elle avait pris son bain plus tôt dans la matinée, et portait déjà le fond de robe en lin ocre uni que l'on verrait à peine. Par-dessus, elle revêtit une robe de laine d'une teinte entre bleu et vert qui mettait ses yeux en valeur. La robe avait des manches évasées aux poignets brodés d'un motif géométrique au fil d'or. Cat lui glissa autour du cou une croix d'argent sur un ruban de soie qui reposait sur la robe. Une houppelande bleue à la doublure or achevait sa tenue.

Quand elle fut entièrement habillée, Cat la regarda et fondit en larmes.

« Qu'y a-t-il ? s'étonna Ragna.

— Rien, sanglota Cat en secouant la tête. Vous êtes si belle. »

Quelqu'un frappa à la porte et une voix annonça : « L'ealdorman est prêt.

— Il est un peu en avance ! protesta Bern.

— Tu connais Wilf, répondit Ragna. Il est impatient ! » Elle poursuivit en haussant le ton pour se faire entendre de l'homme qui se tenait au-dehors : « La fiancée est prête. Wilf peut venir la chercher.

— Je vais le prévenir. »

Quelques minutes passèrent, puis on frappa à nouveau à la porte, et la voix de Wilf se fit entendre : « L'ealdorman vient chercher sa fiancée ! »

Bern prit le coffret contenant la dot. Cat ouvrit la porte. Wilf se tenait sur le seuil, vêtu d'une houppelande rouge. Ragna redressa la tête et sortit.

Wilf la prit par le bras et ils traversèrent lentement le domaine jusqu'à l'entrée de la maison commune. Une immense clameur monta de la foule qui attendait. Malgré les averses de la matinée, les villageois avaient revêtu leurs plus beaux atours. Seuls les plus riches pouvaient se permettre de s'habiller entièrement de neuf, mais la plupart arboraient un nouveau chapeau ou un nouveau voile, et l'océan de brun et de noir était illuminé par des touches festives de jaune et de rouge.

Le cérémonial était important. Ragna avait appris de son père qu'il était plus facile de conquérir le pouvoir que de le conserver. Il pouvait suffire, pour s'en emparer, de tuer des hommes et d'entrer dans une forteresse. Conserver le pouvoir n'était jamais aussi aisé – et les apparences jouaient un rôle capital. La population voulait un chef grand et fort, beau et riche, doté d'une épouse jeune et belle. Wilf le savait aussi bien que Ragna, et à eux deux, ils offraient à ses sujets ce qu'ils voulaient, consolidant ainsi son autorité.

La famille de Wilf formait un demi-cercle au premier rang de la foule. Sur le côté, Ithamar était assis à une table avec un parchemin, de l'encre et des plumes. Bien que le mariage ne fût pas un sacrement religieux, les détails des transferts de propriété devaient être enregistrés devant témoin, et les gens qui savaient écrire appartenaient le plus souvent au clergé.

Wilf et Ragna étaient debout face à face, se tenant par les mains. Quand les acclamations refluèrent, Wilf déclara d'une voix forte :

« Moi, Wilwulf, ealdorman de Shiring, je te prends, Ragna de Cherbourg, pour épouse, et je fais serment de t'aimer, de te protéger et de t'être fidèle pour le restant de mes jours. »

Ragna ne pouvait égaler la puissance de sa voix, mais elle parla clairement et avec assurance :

« Moi, Ragna, fille du comte Hubert de Cherbourg, je te prends, Wilwulf de Shiring, pour époux, et je fais serment de t'aimer, de te protéger et de t'être fidèle pour le restant de mes jours. »

Ils échangèrent un baiser, et des vivats s'élevèrent de la foule.

Après que l'évêque Wynstan eut béni le mariage et dit une prière, Wilf prit à sa ceinture une grande clé ornementée.

« Je te donne la clé de ma maison, car c'est désormais ta maison, afin que tu en fasses mon foyer à tes côtés. »

Cat remit à Ragna une épée neuve dans un fourreau richement décoré, et elle l'offrit à Wilf en disant :

« Je te donne cette épée afin que tu puisses garder notre maison et protéger nos fils et nos filles. »

Les présents symboliques ayant été échangés, ils passèrent aux transactions financières plus importantes.

« Comme mon père l'a promis à ton frère, l'évêque Wynstan, dit Ragna, je te remets vingt livres d'argent. »

Bern s'avança et déposa la cassette aux pieds de Wilwulf.

Wynstan sortit de la foule, et déclara :

« Je témoigne que le coffret contient la somme convenue », et il en remit la clé à Wilf.

Wilf répondit :

« Que le secrétaire consigne que je te donne le val d'Outhen, avec ses cinq villages, sa carrière, et tous les revenus y afférents, à toi ainsi qu'à tes héritiers qui les conserveront jusqu'au Jugement dernier. »

Ragna ne connaissait pas encore le val d'Outhen. On lui avait dit que c'était un endroit prospère. Elle possédait déjà le district de Saint-Martin en Normandie, et l'ajout du val d'Outhen doublerait ses revenus. Quels que fussent les problèmes que l'avenir lui réservait, l'argent ne risquait guère d'en faire partie.

Les dons de terres étaient courants en politique en Normandie aussi bien qu'en Angleterre. Le souverain accordait de grands domaines aux nobles de haute extraction, qui les démembraient pour les offrir à leur tour à des dignitaires de second rang – nommés chevaliers en Normandie et thanes en Angleterre –, créant ainsi un réseau de vassaux loyaux parce qu'ils s'étaient enrichis et espéraient continuer à le faire. Tous les nobles devaient veiller à maintenir un délicat équilibre : il leur fallait distribuer de quoi obtenir suffisamment de soutiens, et conserver assez de terres pour assurer leur supériorité.

C'est alors qu'à la surprise générale, Wigelm sortit de la foule et s'écria :

« Attendez ! »

Allons bon, pensa Ragna, il faut qu'il vienne gâcher mon mariage.

« Le val d'Outhen est dans notre famille depuis plusieurs générations, déclara Wigelm. Je conteste le droit de mon frère Wilf de le céder.

— Cela figure dans le contrat de mariage ! protesta Wynstan.

— Ce n'est pas une raison, répliqua Wigelm. Le val appartient à la famille.

— Et il reste dans la famille, rétorqua Wynstan. Il appartient désormais à l'épouse de Wilf.

— Qui le transmettra à sa mort à ses enfants.

— Lesquels seront les enfants de Wilf, et tes neveux et nièces. Pourquoi soulèves-tu cette objection aujourd'hui ? Cela fait des mois que tu connais les détails du contrat.

— Je la soulève devant témoins.

— Cela suffit, intervint Wilf. Wigelm, ce que tu dis n'a pas de sens. Retire-toi.

— Au contraire…

— Tais-toi, ou je vais me fâcher. »

Wigelm se tint coi. La cérémonie se poursuivit, mais Ragna était perplexe. Wigelm ne pouvait que se douter que sa réclamation serait rejetée. Pourquoi s'était-il exposé à une telle rebuffade, et de façon aussi publique ? Il ne s'attendait certainement pas à ce que Wilf change d'avis sur Outhen. Pourquoi provoquer une controverse dont il ne pouvait sortir que vaincu ? Elle décida de réfléchir plus tard à ce mystère.

Wilf reprit la parole :

« À titre de pieuse offrande, et en l'honneur de mon mariage, je fais don du village de Wigleigh à l'Église, et plus précisément au moustier de Dreng's Ferry, en demandant à son clergé de prier pour mon âme, l'âme de ma femme et les âmes de mes enfants. »

Ce genre de présent était habituel. Quand un homme avait acquis fortune et pouvoir et prenait une épouse pour avoir des enfants, ses pensées s'éloignaient des appétits terrestres pour se tourner vers les grâces célestes, et il faisait ce qu'il pouvait pour assurer la béatitude de son âme dans l'au-delà.

Les formalités touchaient à leur terme, et Ragna se réjouissait que la cérémonie se soit déroulée sans incident, hormis l'étrange intervention de Wigelm. Ithamar était en train de consigner les noms de tous les hommes importants qui avaient pris part au mariage, en commençant par Wilf lui-même, suivi de tous les notables : Wynstan, Osmund, Degbert et le shérif Denewald. La liste n'était pas longue. Ragna aurait cru que d'autres membres du clergé, peut-être les évêques voisins – de Winchester, Sherborne et Northwood – et les moines de haut rang, comme l'abbé de Glastonbury, auraient fait le déplacement. Mais sans doute les coutumes anglaises étaient-elles différentes.

Elle regrettait l'absence de membres de sa famille, mais elle n'avait pas de parenté en Angleterre, et le voyage depuis Cherbourg pouvait être long – elle était bien placée pour le savoir. Un comte avait évidemment du mal à s'éloigner de son domaine, mais elle avait espéré que sa mère ferait l'effort de venir, emmenant peut-être même son frère, Richard. Néanmoins, comme la comtesse Geneviève s'était opposée au mariage, il était possible qu'elle ne veuille pas bénir cette union.

Elle chassa ces pensées de son esprit.

Wilf haussa à nouveau la voix :

« Et maintenant, amis et voisins, festoyons ! »

La foule applaudit, et le personnel de cuisine entreprit de sortir de grands plats de viande, de poisson, de légumes et de pain, ainsi que des cruches de bière pour les gens du peuple et de l'hydromel pour les invités de marque.

Ragna n'avait qu'un désir, aller se coucher avec son mari ; elle savait pourtant qu'ils ne pouvaient échapper au banquet. Elle ne mangerait pas beaucoup, mais devrait faire en sorte de parler au plus grand nombre d'invités possible. C'était une occasion unique de faire bonne impression aux habitants du bourg, et elle ne la manquerait pas.

Aldred la présenta à l'abbé Osmund. Elle s'assit à côté de lui et le questionna pendant plusieurs minutes sur le monastère. Elle en profita pour faire l'éloge d'Aldred et faire savoir à l'abbé qu'elle approuvait son idée de faire de Shiring un centre international d'érudition – sous la houlette d'Osmund, évidemment, lequel se rengorgea.

Elle parla à la plupart des personnalités de la ville : à Elfwine, le maître de l'hôtel de la monnaie, à la riche veuve Ymma, négociante en fourrures, à la propriétaire de la Taverne de l'Abbaye, le débit de boissons le plus populaire de la ville, puis au fabricant de parchemins, à l'orfèvre et au teinturier. Ils étaient flattés de son attention, qui les désignait aux yeux de leurs voisins comme des personnages importants.

La boisson coulant à flots, il lui fut plus facile de converser aimablement avec ces étrangers. Ragna se présenta au shérif Denewald, que l'on appelait Den, un homme d'une quarantaine d'années, aux cheveux gris et à l'air pugnace. Il lui témoigna d'abord de la méfiance, et elle comprit pourquoi : en tant que rival de Wilf, il s'attendait à ce qu'elle lui soit hostile. Mais il était venu avec sa femme, et Ragna l'interrogea sur leurs enfants. Elle apprit ainsi qu'ils venaient d'avoir leur premier petit-fils ; dès cet instant, le shérif coriace se mua en grand-père gâteau aux yeux embués.

Comme Ragna prenait congé du shérif Den, Wynstan s'approcha d'elle et lui lança d'un ton provocant :
« De quoi parliez-vous tous les deux ?
— J'ai promis de lui révéler tous vos secrets, répondit-elle, et elle fut récompensée par la brève lueur d'angoisse qui passa dans son regard avant qu'il comprenne qu'elle se moquait de lui. En fait, poursuivit-elle, j'ai parlé à Den de son petit-fils qui vient de naître. Et maintenant, j'ai une question à vous poser. Parlez-moi un peu du val d'Outhen, puisqu'il m'appartient désormais.
— Oh, ne vous inquiétez pas de cela. Je perçois les redevances pour Wilf, et continuerai à le faire pour vous. Vous n'aurez qu'à prendre l'argent qui vous sera versé quatre fois par an. »
Elle ignora sa réponse.
« Si j'ai bien compris, le val se compose de cinq villages et d'une carrière.
— En effet, acquiesça-t-il sans autre commentaire.
— Y a-t-il des moulins ? insista-t-elle.
— Ma fois, il y a une meule dans chaque village.
— Pas de moulin à eau ?
— Deux, me semble-t-il. »
Elle le gratifia d'un charmant sourire, comme s'il se montrait coopératif.
« Des mines ? Du minerai de fer, de l'argent ?
— Assurément pas de métaux précieux. Il y a peut-être un ou deux groupes de fonderies de fer dans les bois.
— Tout cela est un peu vague, dit-elle doucement, réprimant son agacement. Si vous ne savez pas ce qui s'y trouve, comment pouvez-vous être sûr que les gens s'acquittent de ce qu'ils doivent ?
— Je leur fais peur, répondit-il avec détachement. Ils n'oseraient pas me gruger.

— Faire peur aux gens n'est pas une bonne méthode selon moi.

— Ne vous inquiétez pas, répondit Wynstan. Laissez-moi faire. »

Il s'éloigna.

Cette conversation n'est pas terminée, pensa Ragna.

Quand les invités furent repus et les tonneaux vides, les gens commencèrent à quitter la table. Ragna respira enfin et s'assit devant une platée de porc rôti et de chou. Pendant qu'elle mangeait, le jeune Edgar s'approcha, la salua poliment et s'inclina devant elle.

« Je crois, milady, dit-il, que mon travail sur votre maison est fini. Avec votre permission, je repartirai demain pour Dreng's Ferry en même temps que Dreng.

— Merci pour ce que tu as fait, répondit-elle. Ma demeure est infiniment plus confortable à présent.

— C'était un honneur. »

Elle attira l'attention d'Edgar sur Dunnere, le charpentier, qui était affalé sur la table, ivre mort.

« Voilà mon problème, commenta-t-elle.

— Je suis navré de voir cela.

— La cérémonie d'aujourd'hui t'a plu ?

— Non, pas vraiment, répondit-il pensivement.

— Pourquoi ? s'étonna-t-elle.

— Parce que je suis jaloux. »

Elle haussa les sourcils.

« De Wilf ?

— Non.

— De moi ? »

Il eut un sourire.

« J'ai beau admirer l'ealdorman, je n'ai aucune envie de l'épouser. Contrairement à Aldred, peut-être. »

Ragna rit sous cape.

Edgar reprit son sérieux.

« J'envie tous ceux qui ont le bonheur d'épouser

celle qu'ils aiment. J'ai été privé de cette chance et maintenant, les mariages m'attristent. »

Sa franchise n'étonna Ragna qu'à moitié. Les hommes se confiaient facilement à elle. Elle l'encouragea : elle était captivée par les amours et les haines d'autrui.

« Comment s'appelait la femme que tu as aimée ?

— Sungifu, mais tout le monde disait Sunni.

— Tu penses toujours à elle et à tout ce que vous avez fait ensemble.

— Ce qui m'afflige le plus, c'est tout ce que nous n'avons pas fait. Nous n'avons jamais préparé un repas ensemble, jamais épluché les légumes, jeté les herbes dans le chaudron, disposé les bols sur la table. Je ne l'ai jamais emmenée pêcher dans mon bateau – j'avais construit un bateau superbe, ce qui explique que les Vikings me l'aient volé. Nous avons fait l'amour plusieurs fois, mais nous n'avons jamais passé toute une nuit éveillés dans les bras l'un de l'autre, à ne faire que parler. »

Elle observa son visage, les poils follets de son menton et ses yeux noisette, et pensa qu'il était terriblement jeune pour un tel chagrin.

« Je crois que je comprends, murmura-t-elle.

— Je me souviens qu'au printemps, quand nous étions petits, mes deux frères et moi, nos parents nous emmenaient au bord du fleuve, couper des joncs frais pour la maison. Sans doute un souvenir sentimental les liait-il à cette berge, avec ses joncs ; peut-être mes parents y avaient-ils fait l'amour avant de se marier. Je n'y pensais pas, à l'époque – j'étais trop petit –, mais j'avais conscience qu'ils partageaient un secret délicieux dont ils chérissaient le souvenir. C'est le genre de choses qui font une vie, quand on les met bout à bout », conclut-il avec un sourire attristé.

Ragna s'aperçut avec étonnement qu'elle avait les larmes aux yeux.

Edgar parut soudain gêné.

« Je ne sais pas pourquoi je vous raconte tout cela.

— Tu tomberas amoureux d'une autre femme, un jour.

— Je pourrais, bien sûr. Le problème est que je n'en *veux* pas d'autre. C'est Sunni que je veux. Et elle n'est plus là.

— Je suis vraiment navrée.

— Je ne devrais pas vous raconter des histoires tristes le jour de votre mariage. Je ne sais pas ce qui m'a pris. Je vous prie de m'excuser. »

Il s'inclina et s'éloigna.

Ragna réfléchit à ce qu'il lui avait dit. Son deuil lui rappela qu'elle avait beaucoup de chance d'avoir Wilf.

Elle vida son gobelet de bière, se leva de table et rentra chez elle. Elle était soudain prise d'une étrange lassitude, sans trop savoir pourquoi : elle n'avait pourtant rien fait de physiquement épuisant. Peut-être était-ce la tension d'avoir été en représentation plusieurs heures d'affilée.

Elle se défit de sa houppelande et de sa robe et s'allongea sur son matelas. Cat barra la porte pour éviter l'irruption d'importuns comme Dreng. Ragna songea à la soirée qui l'attendait. À un moment ou à un autre, elle serait appelée dans la maison de Wilf. À sa grande surprise, elle constata qu'elle était un peu nerveuse. C'était ridicule. Elle avait déjà couché avec lui : de quoi pouvait-elle encore s'inquiéter ?

Elle éprouvait aussi une certaine curiosité. Quand ils s'étaient glissés au crépuscule dans le fenil, au château de Cherbourg, tout s'était fait furtivement, précipitamment, et dans la pénombre. Désormais, ils n'auraient plus à se presser pour faire l'amour. Elle voulait passer du temps à regarder son corps, à l'explorer du bout des doigts, à observer et sentir les muscles, les poils, la peau et les os de l'homme qui était à présent son mari. Il est à moi, pensa-t-elle. Rien qu'à moi.

Elle avait dû s'endormir, car un coup frappé à la porte la réveilla en sursaut.

Elle entendit un dialogue étouffé, puis la voix de Cat annonçant :

« C'est l'heure. »

Elle paraissait aussi émue que s'il s'était agi de sa propre nuit de noces.

Ragna se leva. Bern se détourna pendant qu'elle retirait son fond de robe et enfilait sa chemise de nuit toute neuve, d'un jaune ocre foncé, confectionnée spécialement pour l'occasion. Elle se rechaussa, ne voulant pas entrer dans le lit de Wilf avec des pieds crottés. Enfin, elle remit sa houppelande.

« Vous deux, restez ici, ordonna-t-elle. Je veux éviter tout tapage. »

Sur ce point, elle fut déçue.

Quand elle sortit, elle constata que Wigelm et les hommes d'armes avaient formé une haie d'honneur. Complètement saouls pour la plupart, ils soufflaient dans des sifflets et tapaient sur des casseroles et des poêlons. Cnebba, l'homme d'armes de Wynstan, caracolait, un manche à balai entre les jambes dressé comme un énorme pénis de bois, et les autres hurlaient de rire.

Ragna était mortifiée, mais s'efforça de n'en rien montrer : protester eût été considéré comme de la faiblesse. Elle s'avança lentement et dignement entre les deux rangées d'hommes moqueurs. Devant la noblesse de son attitude, ils redoublèrent de vulgarité, mais elle savait qu'elle ne devait pas s'abaisser à leur niveau.

Elle arriva enfin à la porte de Wilf, l'ouvrit et se

retourna vers les hommes, qui se continrent alors, se demandant ce qu'elle allait dire ou faire.

Elle leur adressa un sourire, leur envoya un baiser du bout des doigts et entra prestement dans la maison, dont elle referma la porte derrière elle.

En entendant leurs acclamations, elle sut qu'elle avait bien agi.

Wilf l'attendait, debout à côté de son lit.

Il portait, lui aussi, une chemise de nuit neuve, du bleu d'un œuf d'étourneau. Le dévisageant attentivement, elle remarqua qu'il était remarquablement sobre pour un homme qui avait paru bambocher toute la journée. Elle devina qu'il avait veillé à ne pas trop boire.

D'un geste impatient, elle laissa tomber sa houppelande, envoya promener ses chaussures, passa sa robe de nuit par-dessus sa tête et se dressa, nue, devant lui.

Il la couva d'un regard avide.

« Mon âme immortelle, murmura-t-il. Tu es encore plus belle que dans mon souvenir.

— À toi, maintenant. Je veux te regarder à mon tour », dit-elle, en tendant le doigt vers sa chemise de nuit.

Il la retira.

Elle revit les cicatrices de ses bras, les poils clairs de son ventre, les muscles longs de ses cuisses. Elle observa sans honte son sexe, qui grossissait de seconde en seconde.

Puis elle fut lasse de le regarder.

« Couchons-nous », suggéra-t-elle.

Elle ne voulait pas d'agaceries, de caresses, de murmures et de baisers : elle le voulait en elle, tout de suite. Il sembla le deviner car, au lieu de s'allonger à côté d'elle, il se mit sur elle immédiatement.

Lorsqu'il la pénétra, Ragna poussa un profond soupir.

« Enfin », dit-elle.

15

31 décembre 997

La plupart des servantes et des hommes d'armes de Ragna devaient regagner la Normandie. Après le mariage, elle les avait gardés auprès d'elle aussi longtemps qu'il était raisonnablement possible, mais vint un moment où elle dut céder, et ils repartaient en ce dernier jour de décembre.

Ils portèrent leurs sacs aux écuries et chargèrent les chevaux de bât sous un crachin typiquement anglais. Seuls Cat et Bern resteraient avec elle, ainsi qu'il avait été convenu d'emblée.

Ragna ne pouvait s'empêcher d'être triste et angoissée. Elle avait beau être follement heureuse avec Wilf, elle appréhendait cet instant. Elle était anglaise, désormais, et vivait entourée de gens dont elle ignorait jusqu'à l'existence quelques semaines auparavant. Ses parents, ses amis, les voisins et les serviteurs qui la connaissaient depuis toujours lui manquaient. C'était comme si elle avait perdu un membre.

Elle songea que des milliers de nobles épouses avaient dû éprouver le même sentiment. Il était fréquent que les jeunes aristocrates se marient loin de chez elles. Les plus raisonnables embrassaient leur nouvelle vie avec énergie et enthousiasme, à l'image de Ragna.

Mais ce jour-là, c'était une piètre consolation. Elle avait vécu des heures où elle avait l'impression que le monde entier se liguait contre elle. La prochaine fois que cela se produirait, vers qui pourrait-elle se tourner ?

Vers Wilf, évidemment. Il serait son ami et son conseiller aussi bien que son amant.

Ils faisaient l'amour le soir, recommençaient souvent le matin, et parfois aussi en pleine nuit. Au bout d'une semaine, il avait repris ses tâches habituelles et se rendait tous les jours à cheval dans une partie ou une autre de son domaine. Par bonheur, il n'avait pas à livrer bataille : les pillards gallois étaient rentrés chez eux de leur propre initiative, et Wilf disait qu'il leur ferait payer leur incursion le moment venu.

Pourtant, certaines de ses expéditions exigeant plus d'une journée, il commença à passer parfois la nuit au loin. Ragna aurait été heureuse de l'accompagner, mais elle était désormais responsable de la demeure de son époux et, n'ayant pas encore affermi son autorité, elle restait chez elle. Cet arrangement n'avait pas que des inconvénients : Wilf rentrait de ces déplacements plus affamé d'elle que jamais.

Elle vit avec plaisir que la plupart des occupants du domaine étaient venus dire au revoir aux Normands sur le départ. Dans un premier temps, certains Anglais s'étaient méfiés des étrangers, mais ces préventions avaient rapidement disparu et des amitiés s'étaient nouées.

Alors qu'ils se préparaient à entreprendre leur long voyage de retour, Agnès, la couturière, s'approcha de Ragna, en larmes.

« Madame, je suis amoureuse de l'Anglais Offa, sanglota-t-elle. Je n'ai pas envie de partir. »

La seule chose qui étonnait Ragna était qu'Agnès ait mis aussi longtemps à se décider. Les indices de cette idylle lui avaient sauté aux yeux depuis longtemps. Elle chercha Offa du regard et le héla :

« Venez ici, Offa. »

Il s'approcha. Ce n'était pas l'homme que Ragna aurait choisi. Il avait la silhouette lourde et le visage rougeaud d'un homme qui buvait et mangeait un peu trop. Sans doute n'était-il pas responsable de son nez cassé, mais Ragna ne pouvait s'empêcher de se défier de lui. Après tout, c'était le choix d'Agnès, et non le sien.

Agnès était une petite femme et Offa un grand gaillard, et lorsqu'ils étaient côte à côte, l'effet était un peu comique. Ragna dut réprimer un sourire.

« Vous avez quelque chose à me dire, Offa ? lui demanda-t-elle.

— Milady, je souhaiterais que vous m'accordiez la permission de demander à Agnès de devenir ma femme.

— Vous êtes le chef de Mudeford.

— Mais j'ai une maison à Shiring. Agnès pourrait continuer à s'occuper de vos vêtements. »

Agnès ajouta hâtivement :

« Si tel est votre désir, madame.

— Je le désire, en effet, répondit Ragna. Et c'est avec joie que je donne mon consentement à votre mariage. »

Ils la remercièrent avec effusion. Il était si facile parfois de faire le bonheur des gens, songea Ragna.

Enfin, le groupe quitta l'enceinte. Ragna se leva et agita la main jusqu'à ce qu'ils aient disparu.

Elle ne reverrait probablement jamais aucun d'eux.

Elle chassa promptement de son esprit toute pensée mélancolique. Qu'avait-elle à faire à présent ? Elle décida d'aller dire son fait à Dunnere, le charpentier. Il avait beau être le neveu de Gytha, il n'était pas question qu'elle tolère sa négligence plus longtemps.

Elle rentra chez elle et envoya Bern chercher Dunnere et ses hommes. Pour les recevoir, elle prit place sur le genre de siège dont son père se servait pour les grandes occasions, un large tabouret rectangulaire à quatre pieds, recouvert d'un coussin pour plus de confort.

Il y avait trois charpentiers : Dunnere, Edric et Hunstan, le fils d'Edric. Elle ne les invita pas à s'asseoir.

« À partir d'aujourd'hui, leur déclara-t-elle, vous irez en forêt une fois par semaine pour abattre des arbres.

— Pour quoi faire ? demanda Dunnere d'un ton revêche. Nous allons chercher du bois quand nous en avons besoin.

— Je veux que vous fassiez des réserves, ce qui vous fera gagner du temps. »

Dunnere fit mine de protester, mais Edric répondit :

« C'est une bonne idée. »

Ragna releva qu'il était plus consciencieux que Dunnere.

« En outre, ajouta-t-elle, vous y consacrerez toujours le même jour de la semaine. Le vendredi.

— Pourquoi ? demanda Dunnere. Tous les jours se valent.

— Pour vous aider à vous en souvenir. »

En réalité, c'était pour l'aider, elle, à les tenir à l'œil.

Dunnere n'était cependant pas prêt à céder.

« Et si quelqu'un nous demande une réparation un vendredi ? Milly, ou Gytha, par exemple ?

— Vous quitterez le domaine de si bonne heure que vous n'en saurez rien. Vous pourrez emporter votre petit déjeuner avec vous. Mais si quelqu'un vous confie une autre tâche un vendredi – Milly, Gytha ou n'importe qui –, vous n'aurez qu'à me l'envoyer, car c'est moi qui suis responsable de vous et vous n'êtes pas autorisés à changer votre emploi du temps sans ma permission. Est-ce clair ? »

Dunnere se renfrogna, mais Edric répondit :

« C'est très clair, maîtresse. Merci.

— Vous pouvez partir à présent. »

Ils sortirent ensemble.

Ragna savait que cette initiative allait créer des problèmes, mais elle ne pouvait s'en dispenser. Elle n'en serait pas moins avisée de se prémunir contre une éventuelle contre-attaque. Gytha pourrait fort bien aller se plaindre à Wilf dans son dos et elle ferait mieux de préparer le terrain pour être sûre qu'il prendrait son parti.

Elle sortit de chez elle et se rendit chez Wilf. Elle passa devant la maison que ses hommes d'armes avaient occupée au cours des douze dernières semaines, et qui était vide à présent : elle devrait réfléchir à ce qu'il convenait d'en faire. Elle s'étonna de voir une inconnue sortir de ce bâtiment.

Elle ne connaissait pas encore tout le monde à Shiring, mais cette femme présentait un aspect peu ordinaire. Âgée d'une trentaine d'années, elle portait des vêtements moulants, des souliers rouges, tandis qu'une grande coiffe souple ne parvenait pas à domestiquer tout à fait son abondante chevelure à l'air indomptable. Les femmes respectables ne montraient pas autant de cheveux en public. Quelques mèches éparses pouvaient s'échapper d'un voile, mais la femme aux souliers rouges frôlait les limites de la décence. Elle n'avait pourtant pas l'air gênée et marchait d'un pas assuré. Ragna eut envie de lui parler, mais à cet instant, elle aperçut Wilf. Elle remit ce projet à plus tard et suivit son mari chez lui.

Il l'embrassa avec sa fougue habituelle avant de lui annoncer :

« Il faut que j'aille à Wigleigh aujourd'hui. Je veux m'assurer que les habitants ont versé au doyen Degbert les redevances qui lui sont dues.

— J'ai demandé à nos charpentiers d'aller chaque vendredi en forêt pour abattre un arbre, lui dit-elle. Il serait bon qu'ils disposent d'une réserve de bois pour être en mesure de faire les réparations qui s'imposent sans perdre de temps.

— C'est une bonne idée», acquiesça Wilf avec une pointe d'impatience: les questions domestiques avaient le don de l'ennuyer.

« Si je te parle des charpentiers, c'est parce que j'ai un problème avec Dunnere, reprit Ragna. Il est paresseux, et c'est un ivrogne.

— Tu n'as qu'à le réprimander sévèrement. »

Malgré l'impatience de Wilf, Ragna insista, cherchant à lui faire dire ce qu'elle voulait entendre:

« Tu n'estimes pas qu'il mérite une indulgence particulière parce que c'est le neveu de Gytha ?

— Non ! Peu m'importe qui il est, il est tenu de travailler correctement pour moi.

— Je suis bien de ton avis, et me réjouis d'avoir ton soutien. »

Elle l'embrassa à pleine bouche, et, oubliant son agacement, il réagit avec ardeur.

« Maintenant, dit-elle, il faut que tu y ailles. »

Ils quittèrent la maison ensemble. Les hommes d'armes se rassemblaient pour le voyage. Elle regarda Wilf les rejoindre et échanger une plaisanterie ou quelques mots avec trois ou quatre d'entre eux. Comme ils s'apprêtaient à partir, un jeune homme d'environ seize ans se mêla au groupe, et Ragna s'étonna de voir Wilf l'embrasser affectueusement. Ils se mirent en selle et s'éloignèrent sans qu'elle ait eu le temps de lui demander qui il était.

Dès que Wilf fut parti, Gytha s'approcha de Ragna. Voilà, songea Ragna. Elle est sûrement fâchée à cause des charpentiers. Dunnere n'aura pas perdu de temps pour aller se plaindre à sa tante.

Mais à sa grande surprise, Gytha aborda un autre sujet:

« La maison qu'occupaient vos hommes d'armes est vide à présent.

— En effet.

— Puis-je me permettre une suggestion ? »

La politesse précautionneuse de Gytha était une seconde surprise.

« Mais bien sûr, répondit Ragna.

— Peut-être pourrions-nous autoriser Wigelm et Milly à s'y réinstaller. »

Ragna hocha la tête.

« Pourquoi pas ? À moins que quelqu'un d'autre n'en ait besoin ?

— Cela m'étonnerait.

— J'ai vu quelqu'un la regarder, tout à l'heure. Une femme à souliers rouges.

— Ah ! C'est Inge, la sœur de Milly. Elle pourrait s'en occuper quand Wigelm et Milly seront à Combe.

— Cet arrangement me paraît raisonnable.

— Merci », dit Gytha, dont la voix n'exprimait pourtant aucune reconnaissance. Ragna lui trouva plutôt un ton triomphant.

Gytha s'éloigna, et Ragna rentra chez elle, les sourcils froncés. Pourquoi cette conversation la mettait-elle aussi mal à l'aise ? Elle n'éprouvait aucune confiance en Gytha et percevait une hostilité sous-jacente sous sa courtoisie de surface.

Son intuition lui disait qu'il y avait anguille sous roche.

*

L'appréhension de Ragna ne fit que croître au fil de la journée. Qui était le jeune garçon que son mari avait embrassé ? Un proche parent, un neveu bien-aimé ? Peut-être, mais dans ce cas, pourquoi n'avait-il pas assisté au mariage ? Leur baiser n'avait rien de sexuel : Ragna était aussi sûre qu'on peut l'être que Wilf n'était pas attiré par les hommes. Et quelles manigances se cachaient derrière l'amabilité soudaine de Gytha ?

Ragna décida d'interroger Wilf dès son retour. Mais au fil des heures, sa résolution commença à vaciller. Elle devait agir plus prudemment. Il se passait quelque chose qu'elle ne comprenait pas, et son ignorance la plaçait en situation d'infériorité. Son père n'aurait jamais assisté à une réunion importante sans s'être soigneusement informé de tout ce qui risquait d'être évoqué. Ragna se trouvait dans un pays étranger dont les coutumes ne lui étaient pas entièrement familières. La prudence était de mise.

Wigleigh n'était pas loin, et Wilf rentra au milieu de l'après-midi. Mais les journées étaient courtes en décembre, et la lumière déclinait déjà. Une servante allumait les torches disposées dans des corbeilles métalliques devant les principaux bâtiments. Ragna suivit Wilf chez lui et lui servit un gobelet de bière.

Il le vida d'un trait et l'embrassa alors qu'il avait encore le goût de la bière sur la langue. Il sentait la sueur, le cheval et le cuir. Elle était assoiffée de son amour, peut-être en raison de l'inquiétude qui l'avait tenaillée toute la journée. Elle lui prit la main et la pressa entre ses cuisses. Elle n'eut guère besoin d'insister, et ils firent l'amour sur-le-champ.

Après cela, il sombra dans un sommeil léger, ses bras musclés étendus et ses longues jambes écartées, un homme fort se reposant après une journée bien remplie.

Ragna le laissa pour se rendre aux cuisines vérifier les préparatifs du dîner. Elle s'assura que la maison commune était prête pour le repas du soir, puis se promena à travers le domaine, regardant qui travaillait et qui paressait, qui était sobre et qui avait trop bu, quel cheval était nourri et abreuvé et qui n'avait même pas encore dessellé le sien.

Elle achevait sa tournée quand elle vit Wilf parler à la femme aux souliers rouges.

Quelque chose dans leur attitude l'arrêta. Elle se figea et les observa de loin. Ils se tenaient devant la porte de Wilf, éclairés par la lumière mouvante de la torche.

Rien ne leur interdisait de se parler, bien sûr : Inge était la belle-sœur de Wilf, et ils éprouvaient peut-être de l'affection l'un pour l'autre, en toute innocence. Ragna n'en fut pas moins ébranlée par l'intimité que suggérait leur comportement : ils étaient debout tout près l'un de l'autre, et la femme toucha Wilf à plusieurs reprises, lui prenant négligemment l'avant-bras pour faire valoir un argument, lui effleurant la poitrine du dos de la main dans un geste condescendant, comme pour lui reprocher sa sottise, et allant jusqu'à planter affectueusement le bout de son index sur sa joue.

Pétrifiée, Ragna ne pouvait détacher son regard de la scène.

Puis elle vit le garçon que Wilf avait embrassé. Il était jeune, imberbe et, malgré sa haute stature, il donnait l'impression de ne pas être encore tout à fait adulte, comme si ses membres trop longs et ses larges épaules ne s'étaient pas encore fondus pour constituer un corps d'homme. Il rejoignit Wilf et Inge, et ils bavardèrent tous les trois pendant quelques instants sur un mode familier, détendu.

Ces gens font visiblement partie de la vie de mon mari depuis de nombreuses années, songea Ragna. Comment se fait-il que je ne sache absolument pas qui ils peuvent être ?

Ils se séparèrent enfin sans l'avoir remarquée. Wilf se dirigea vers l'écurie, sans doute pour s'assurer que les palefreniers s'étaient occupés de son cheval. Inge et le garçon entrèrent dans la maison que Ragna avait accepté de céder à Wigelm, Milly et Inge.

Ragna ne supportait pas de vivre plus longtemps dans le doute et l'incertitude, cependant elle hésitait encore à exiger des explications de Wilf. À qui d'autre pouvait-elle s'adresser ?

À une seule personne en réalité : Gytha.

Cette idée lui faisait horreur. Elle serait contrainte d'avouer son ignorance et sa faiblesse et accorderait à Gytha la position de la femme avisée, de celle qui savait – juste au moment où celle-ci avait paru accepter de ne plus régir la maison de Wilf.

Mais avait-elle le choix ? S'adresser à Wynstan ? Ce serait pire que Gytha. Aldred devait être à la prière, à cette heure-ci. Elle ne connaissait pas assez bien le shérif Den. Et elle ne pouvait pas s'abaisser à interroger Gilda, la fille de cuisine.

Elle se rendit donc chez Gytha.

Par bonheur, celle-ci était seule. Gytha lui offrit un gobelet de vin, que Ragna accepta, pour se donner du courage. Elles s'assirent près du feu, face à face sur des tabourets. Gytha semblait sur ses gardes, mais Ragna sentit intuitivement que son aînée savait pourquoi elle était venue, connaissait les questions qu'elle allait lui poser et avait même attendu ce moment.

Ragna but une gorgée de vin et prit son ton le plus désinvolte pour demander :

« J'ai aperçu un nouveau venu dans le domaine, un jeune homme d'environ seize ans, de haute taille.

— C'est probablement Garulf, répondit Gytha en hochant la tête.

— Qui est-ce et que fait-il ici ? »

Gytha lui sourit et Ragna constata avec horreur que ce sourire était lourd de malveillance.

« C'est le fils de Wilf.

— Son fils ? s'étrangla Ragna. Wilf a un fils ?

— Oui. »

Cela expliquait au moins le baiser.

« Wilf a quarante ans. Vous croyiez avoir épousé un puceau ? ajouta Gytha.

— Non, bien sûr. » Les pensées se bousculaient dans la tête de Ragna. Elle savait que Wilf avait déjà été marié, mais elle ignorait qu'il avait eu un enfant. « Il en a d'autres ?

— Pas que je sache. »

Bien, il avait un fils. C'était inattendu, mais elle pourrait le supporter. Elle avait pourtant encore une question à poser :

« Quel est le lien entre Garulf et la femme aux souliers rouges ? »

Le sourire éclatant de Gytha ne permit pas à Ragna, atterrée, d'ignorer qu'elle vivait son heure de triomphe.

« Eh bien, répondit-elle, Inge est la première épouse de Wilf. »

Ragna fut tellement bouleversée qu'elle se leva d'un bond en laissant tomber son gobelet. Elle ne le ramassa pas.

« Mais sa première femme est morte !

— Qui vous a dit cela ?

— Wynstan.

— En êtes-vous bien sûre ? »

Ragna s'en souvenait parfaitement.

« Voici ce qu'il a dit : "Malheureusement, sa femme n'est plus parmi nous." J'en suis certaine.

— C'est bien ce que je pensais. "N'est plus parmi nous" ne signifie pas "Elle est morte". En aucun cas. »

Ragna n'en croyait pas ses oreilles.

« Il m'aurait trompée, ainsi que mon père et ma mère ?

— Il n'y a pas eu tromperie. Après vous avoir rencontrée, Wilf a répudié Inge.

— Répudié ? Au nom du ciel, qu'est-ce que cela signifie ?

— Qu'elle n'est plus son épouse.

— Ils ont donc divorcé ?

— En quelque sorte.

— Mais alors, que fait-elle ici ?

— Qu'elle ne soit plus sa femme ne lui interdit pas de la revoir. Après tout, ils ont un enfant commun. »

Ragna était épouvantée. L'homme qu'elle venait d'épouser avait déjà une famille : il avait eu une femme pendant de longues années, dont il était « en quelque sorte » divorcé, et un fils qui était presque un homme. Il éprouvait manifestement une grande tendresse pour eux. Et voilà qu'ils s'étaient installés dans le domaine.

C'était comme si la terre s'ouvrait sous ses pieds, et elle dut faire un effort pour garder l'équilibre. Cela ne pouvait pas être vrai : cette pensée tournait en boucle dans son esprit. Il était impossible que tout ce qu'elle avait cru au sujet de Wilf ne soit que mensonge.

Elle ne pouvait admettre qu'il se soit joué d'elle à ce point.

Mais pour le moment, elle n'avait qu'une idée en tête : échapper au plus vite au sourire exultant de Gytha. Elle ne supportait pas de sentir sur elle son regard entendu. Elle se dirigea vers la porte avant de se retourner brusquement. Une image plus cruelle encore venait de lui traverser l'esprit.

« Wilf ne continue certainement pas à avoir des relations conjugales avec Inge.

— Croyez-vous ? fit Gytha en haussant les épaules. Ma chère, il faudra lui poser la question. »

Deuxième partie

LE PROCÈS

998

16

Janvier 998

Il était bien plus de minuit quand Ragna cessa enfin de pleurer.

Elle passa la nuit chez elle. Elle se sentait incapable de parler à Wilf. Elle ordonna à Cat de lui dire qu'elle ne pouvait coucher chez lui en raison de l'indisposition mensuelle qui touchait les femmes. Cette excuse lui permettait de gagner un peu de temps.

Assises au coin du feu, ses servantes lui jetaient des regards inquiets, mais elle ne pouvait se résoudre à leur expliquer sa peine.

« Demain, ne cessait-elle de leur répéter. Je vous dirai tout demain. »

Elle était convaincue de ne plus jamais trouver le sommeil, mais ses larmes tarirent comme un puits asséché, et elle sombra dans un sommeil agité. En rêve, elle revit pourtant la tragédie qui avait détruit sa vie, se réveilla en sursaut, prise d'une horreur soudaine, et se remit à pleurer.

En cette période de l'année, le domaine commençait à s'animer bien avant la venue tardive de l'aube et les bruits matinaux ramenèrent définitivement Ragna à la réalité : les hommes qui se hélaient, les chiens qui aboyaient, les oiseaux qui pépiaient, les claquements et les cliquetis d'une grande cuisine qui s'activait pour nourrir une centaine de personnes.

Une nouvelle journée commence, pensa Ragna, et je ne sais pas quoi faire. Je suis perdue.

Si seulement elle avait su la vérité un jour plus tôt, elle aurait pu rentrer chez elle, à Cherbourg, avec ses hommes d'armes, songea-t-elle. Mais elle comprit immédiatement qu'elle s'abusait. Wilf aurait envoyé une armée à sa recherche, elle aurait été prise et ramenée à Shiring. Aucun noble ne permettrait à sa femme de le quitter. L'humiliation serait trop grande.

Pourrait-elle s'éclipser discrètement et prendre ainsi quelques jours d'avance ? Mais non, c'était impossible. Elle était l'épouse de l'ealdorman : son absence serait remarquée en quelques heures, voire quelques minutes. Et elle ne connaissait pas assez bien le pays pour échapper aux poursuites.

Qui plus est, elle était bien forcée de s'avouer qu'elle n'avait pas vraiment envie de partir. Elle aimait Wilf, elle le désirait. Il l'avait trahie, trompée, et pourtant elle ne pouvait supporter l'idée de vivre sans lui. Elle se maudissait de sa faiblesse.

Elle éprouvait le besoin impérieux de parler à quelqu'un.

Elle se redressa sur sa couche et repoussa sa couverture. Cat, Agnès et Bern la regardaient, attendant avec appréhension ce qu'elle allait dire ou faire.

« L'évêque Wynstan nous a tous leurrés, leur dit-elle. La première femme de Wilf n'est pas morte. Elle s'appelle Inge, et elle a été "répudiée", ce qui semble être une curieuse sorte de divorce puisqu'elle s'est installée dans la maison que nos hommes d'armes ont libérée hier.

— Personne ne nous a prévenus ! s'exclama Bern.

— Les gens nous croyaient sans doute informés de la situation. Qu'un homme ait plus d'une épouse ne semble pas troubler ces Anglais. Rappelez-vous Dreng, le tavernier. »

Cat avait l'air pensif.

« Edgar me l'avait dit, plus ou moins, murmura-t-elle.

— Vraiment ?

— La première fois que nous l'avons rencontré, quand il nous a fait traverser le fleuve, je lui ai dit que madame allait épouser l'ealdorman, et il m'a répondu : "Je le croyais déjà marié." Alors j'ai expliqué : "Il l'était, mais sa femme est morte." Edgar a dit qu'il n'en savait rien.

— Ce qu'on ne nous a pas dit non plus, reprit Ragna, c'est qu'Inge a eu un fils de Wilf, un jeune homme appelé Garulf, qui s'est installé avec sa mère.

— Il est tout de même curieux que personne ne nous ait parlé de sa première épouse, intervint Bern.

— C'est plus que curieux, approuva Ragna. Ils ne se sont pas contentés de garder le silence. Ils ont veillé à ce qu'Inge et Garulf ne reviennent qu'après le mariage et quand presque tous mes gens étaient repartis en Normandie. Ce n'est pas un hasard. C'est Wynstan qui a organisé tout cela. » Elle resta muette un instant, avant d'énoncer l'atroce pensée qui s'était imposée à elle : « Et Wilf a forcément été complice. »

Les autres ne répondirent pas, et Ragna comprit qu'ils ne pouvaient que lui donner raison.

Ragna avait terriblement envie de s'épancher auprès de quelqu'un d'autre qu'un de ses serviteurs. Elle avait besoin d'un point de vue plus distant, qui l'aiderait à voir plus clair dans ce cataclysme. Elle pensa soudain à Aldred. Ne lui avait-il pas dit : « S'il y a quoi que ce soit que je puisse faire pour vous, faites-le-moi savoir. Venez me voir à l'abbaye » ?

« Je vais parler au frère Aldred », annonça-t-elle.

Puis elle se rappela qu'Aldred s'était repris et avait ajouté : « Ou faites-moi porter un message. »

« Bern, va à l'abbaye, dit-elle. Non, attends. Laisse-moi réfléchir. »

Elle ne voulait pas qu'Aldred se rende au domaine. Quelque chose la retenait instinctivement. S'interrogeant sur ses motifs, elle comprit qu'elle ne voulait pas que des gens comme Gytha et Inge sachent qui pouvaient être ses alliés.

Mais alors, où rencontrer Aldred ?

À la cathédrale.

« Demande à Aldred de venir à la cathédrale, reprit-elle. Dis-lui que je l'y attendrai. » Les portes de la grande église étaient rarement closes. « Attends encore. Je voudrais que tu m'y accompagnes. »

Elle s'essuya les yeux et se passa quelques gouttes d'huile sur le visage. Agnès lui apporta sa houppelande que Ragna revêtit, relevant le capuchon sur sa tête.

Elle quitta le domaine avec Bern et descendit la colline. Elle garda la tête baissée pendant tout le trajet et n'adressa la parole à personne : elle se sentait incapable de converser normalement. Quand ils arrivèrent sur la place, Bern gagna le monastère et Ragna entra dans la cathédrale.

Elle y était déjà venue plusieurs fois pour des offices. C'était la plus vaste église qu'elle ait vue jusque-là en Angleterre, avec une nef de trente ou quarante pas de long et plus de dix pas de large, et tous les habitants du bourg s'y pressaient pour les grandes occasions comme Noël. Il y faisait toujours froid. Les murs de pierre étaient épais, et elle songea qu'ils devaient conserver la fraîcheur même au cœur de l'été. Ce jour-là, la température était glaciale. Debout à côté des fonts baptismaux de pierre taillée, elle regarda autour d'elle. Les petites fenêtres éclairaient faiblement un intérieur coloré : des dalles à motif rouge et des tapisseries murales figurant des scènes bibliques ainsi qu'une grande sculpture en bois peint représentant la Sainte Famille. Elle jeta un coup d'œil par le passage voûté qui donnait sur le chœur et aperçut un autel de pierre recouvert d'un linge blanc. Derrière l'autel se dressait une peinture murale de la crucifixion dans des tons bleus et jaunes criards.

La tempête qui lui agitait le cœur s'apaisa un peu. La pénombre et le froid qui régnaient à l'intérieur des épais murs de pierre lui donnaient une impression d'éternité. Les peines terrestres, même les plus affreuses, étaient éphémères, semblait lui dire l'église. Les battements de son cœur avaient repris un rythme normal. Elle se rendit compte qu'elle pouvait respirer sans haleter. Elle savait qu'elle avait encore le visage rougi malgré l'huile, mais ses yeux étaient secs. Ses larmes avaient cessé de couler.

Elle entendit la porte s'ouvrir et se refermer, et un instant plus tard Aldred se tenait à son côté.

« Vous avez pleuré, remarqua-t-il.

— Oui. Toute la nuit.

— Mais que s'est-il passé ?

— Mon mari a une autre épouse.

— Vous ignoriez l'existence d'Inge ? demanda Aldred, interloqué.

— Oui.

— Et je ne vous en ai jamais rien dit. Je pensais que vous préfériez ne pas en parler. » Une pensée traversa soudain la tête d'Aldred. « Il veut un fils.

— Pardon ?

— C'est ce que vous m'avez dit, à propos de Wilf : "Il veut un fils." J'avais eu un sentiment étrange lors de notre conversation mais j'avais été incapable de mettre le doigt sur ce qui me tracassait. Maintenant, je le sais. Wilf avait déjà un fils, et vous l'ignoriez. Comment ai-je pu être aussi stupide !

— Je ne suis pas venue ici pour vous faire des reproches. »

Dans le mur nord était encastré un banc de pierre. Lors de la messe de Noël, quand toute la ville était réunie, les plus âgés des habitants, qui avaient du mal à rester debout toute une heure, s'asseyaient, blottis les uns contre les autres, sur cette étroite saillie glacée. Ragna la désigna d'un geste du menton.

« Allons nous asseoir, proposa-t-elle.

— C'est à cause d'Inge que le roi Ethelred a refusé d'approuver votre mariage », expliqua Aldred dès qu'ils furent assis.

Elle en fut décontenancée.

« Mais Wynstan avait déjà obtenu l'assentiment du roi – c'est ce qu'il nous a dit ! s'exclama-t-elle avec indignation.

— Soit Wynstan vous a menti, soit Ethelred a changé d'avis. Quoi qu'il en soit, je pense que l'existence d'Inge n'était qu'un prétexte. Ethelred en voulait à Wilf de ne pas avoir payé l'amende.

— Voilà pourquoi les évêques ne sont pas venus à mon mariage : le roi désapprouvait cette union.

— J'en ai bien peur. Ethelred a ensuite infligé à Wilf une amende de soixante livres parce qu'il vous avait épousée, mais Wilf ne s'en est pas acquitté. De ce fait, il est encore plus en disgrâce. »

Ragna était consternée.

« Ethelred ne peut-il rien faire ?

— Il pourrait dévaster Shiring. C'est ce qu'il a fait à Rochester, il y a une quinzaine d'années, après s'être querellé avec l'évêque Elfstan, mais la mesure était extrême, et Ethelred l'a regrettée par la suite.

— Autrement dit, un noble peut défier le roi et s'en sortir impunément ?

— Pas indéfiniment, répondit Aldred. Tout cela me

rappelle le célèbre cas du thane Wulfbald. Il a régulièrement ignoré les édits de la cour royale et refusé de payer les amendes, sans conséquences. Pour finir, le roi s'est emparé de ses terres, mais seulement après la mort de Wulfbald.

— J'ignorais que mon mari avait un différend aussi grave avec son roi – personne ne m'avait prévenue !

— Je pensais que vous le saviez, mais que vous ne souhaitiez pas en parler. Wynstan a dû conseiller à la famille de Wilf de ne rien vous dire. Les serviteurs ignorent probablement tout, encore qu'ils semblent toujours finir par avoir vent de ce genre de chose.

— Mon mariage avec Wilf est-il au moins valable ?

— Oui. Inge a été répudiée, et Wilf vous a épousée. L'église désapprouve la répudiation et le remariage, mais la loi anglaise ne les interdit pas.

— Que dois-je faire ?

— Riposter.

— Le problème est qu'il n'y a pas qu'Inge. Il y a Wynstan, Gytha, Wigelm, Milly, et même Garulf.

— Je sais. Ils forment une puissante faction. Mais vous avez une arme magique qui les vaincra tous. »

Elle se demanda s'il allait se lancer dans un sermon.

« Vous voulez parler de Dieu ?

— Non, bien qu'il soit toujours sage de lui demander Son aide.

— Alors, quelle est cette arme extraordinaire ?

— L'amour de Wilf. »

Ragna lui jeta un regard dubitatif. Que savait-il de l'amour ?

Aldred lut dans ses pensées.

« Oh, je sais que tout le monde s'imagine que les moines ignorent tout de l'amour et du mariage, mais ce n'est pas tout à fait vrai. En outre, il suffit d'avoir des yeux pour constater que Wilf vous aime passionnément. C'en est franchement gênant. Il vous regarde tout le temps. On sent bien que ses mains le démangent de vous toucher. »

Ragna hocha la tête. Depuis leur mariage, son ardeur avait cessé de la mettre mal à l'aise.

« Il vous adore, il vous vénère, poursuivit Aldred. Cela vous rend plus forte que tous les autres réunis.

— Je ne vois pas l'avantage que cela m'apporte. Wilf n'en a pas moins installé sa première femme juste à côté de chez moi.

— Ce n'est pas la fin, ce n'est que le début.

— Je ne comprends pas ce que vous voulez que je fasse.

— Pour commencer, ne perdez pas son amour. Je ne puis vous dire comment le conserver, mais je suis sûr que vous, vous le savez. »

En effet, pensa Ragna.

« Imposez votre volonté, poursuivit Aldred. Provoquez des conflits mineurs avec Gytha, Wynstan et Inge, et remportez de petites victoires, puis de plus grandes. Que chacun sache qu'en cas de désaccord, la première réaction de Wilf sera toujours de prendre votre parti. »

Comme à propos de la maison de Wigelm, pensa-t-elle, ou de Dunnere, le charpentier.

« Et puis, renforcez votre camp. Faites-vous des alliés. Je suis avec vous, mais il vous faudra d'autres appuis – tous ceux que vous pourrez trouver. Des hommes de pouvoir.

— Comme le shérif Den.

— Parfait. Et l'évêque Elfheah de Winchester : il déteste Wynstan, alors faites-en votre ami.

— On dirait que vous parlez de guerre, pas de vie conjugale. »

Aldred haussa les épaules.

« Il y a vingt ans que je vis parmi les moines. Un monastère ressemble beaucoup à une grande et puissante famille, avec tout ce que cela comporte de rivalités, de jalousies, de querelles, de hiérarchie – et d'amour. Il est difficile d'y échapper. Je me réjouis de déceler les signes avant-coureurs de difficultés, parce que cela me permet de les affronter. Le vrai danger vient des surprises. »

Ils restèrent assis en silence pendant quelques instants.

« Vous êtes un excellent ami, murmura enfin Ragna.

— Je l'espère.

— Merci. »

Elle se leva, et Aldred l'imita.

« Avez-vous déjà parlé d'Inge à Wilf ? demanda-t-il.

— Non. Je ne sais pas encore très bien quoi lui dire.

— Quoi que vous fassiez, évitez qu'il se sente coupable. »

Ragna s'empourpra d'indignation.

« Mais pourquoi ? Il a toutes les raisons du monde de se sentir coupable !

— Vous ne devez pas être celle qui le rendra malheureux.

— Voyons, c'est scandaleux ! Il mérite d'être malheureux de ce qu'il m'a fait.

— Je vous l'accorde. Mais vous ne gagnerez rien à le lui faire remarquer.

— Je ne sais pas. »

Quittant la cathédrale, ils s'éloignèrent dans des directions opposées. Ragna remonta, songeuse, le coteau où se trouvait le domaine. Elle commençait à comprendre que les dernières remarques d'Aldred étaient loin d'être insensées. Elle ne devait pas faire triste figure ce matin, ni se conduire en vaincue. Elle était celle que Wilf avait choisie, son épouse, la femme qu'il aimait. Elle devait montrer, par son attitude et ses paroles, qu'elle ne doutait pas de sa victoire.

Elle rentra chez elle. L'heure du repas de midi approchait. Elle demanda à Cat de la peigner et de la coiffer, avant de choisir sa tenue préférée, une robe de soie de la couleur profonde des feuilles d'automne. Elle enfila un collier de perles d'ambre, puis se dirigea vers la maison commune et prit sa place habituelle à la droite de Wilf.

Pendant tout le repas, elle devisa comme elle le faisait d'ordinaire, demandant à ses voisins de table ce qu'ils avaient fait ce matin-là, plaisantant avec les hommes et échangeant des ragots avec les femmes. Elle surprit quelques regards étonnés, probablement de gens informés de la blessure qui lui avait été infligée la veille. Ils s'attendaient à la voir accablée de chagrin. Elle l'était, mais elle le cachait.

Elle partit ensuite avec Wilf et ils marchèrent côte à côte vers sa maison à lui. Comme d'habitude, il n'eut pas besoin de beaucoup d'encouragements pour lui faire l'amour. Elle commença par feindre son ardeur coutumière, mais constata bientôt qu'elle n'avait pas à faire semblant, et pour finir son plaisir fut presque aussi grand que d'habitude.

Pour autant, elle n'avait rien oublié.

Quand Wilf se laissa retomber à côté d'elle, elle l'empêcha de sombrer dans sa somnolence habituelle.

« Je ne savais pas que tu avais un fils », dit-elle d'un ton désinvolte.

Elle sentit son corps se raidir, mais il lui répondit d'une voix qu'il cherchait à rendre naturelle :

« Oui. Garulf.

— J'ignorais aussi qu'Inge était encore en vie.

— Je ne t'ai jamais dit qu'elle était morte. »

La réponse semblait préparée, tenue en réserve pour le jour où il en aurait besoin.

Ragna l'ignora. Elle ne voulait pas s'engager dans une vaine querelle. Peu importait qu'il lui ait menti ou qu'il se soit contenté de ne pas lui dire toute la vérité.

« Je veux tout savoir de toi », reprit-elle.

Il l'observait avec méfiance, s'interrogeant manifestement sur ses intentions. Sans doute se demandait-il s'il devait se préparer à affronter des invectives, ou à présenter des excuses.

Il pouvait bien se tracasser un peu, pensa-t-elle. Elle ne voulait pas l'accuser, mais ne voyait pas d'inconvénient à ce que sa conscience le tourmente.

« Vos coutumes ne sont pas celles des Normands, dit-elle. Je devrais te poser davantage de questions. »

Il ne pouvait rien objecter à cela.

« Très bien. »

Il paraissait soulagé, comme s'il s'était attendu à pire.

« Je ne veux plus de surprises de ce genre », déclara-t-elle d'un ton dont elle perçut elle-même la dureté.

Il ne savait visiblement pas quoi en penser. Elle devina qu'il s'était attendu à de la colère ou à des larmes, et son attitude le prenait au dépourvu. L'air déconcerté, il répondit simplement :

« Je vois. »

Au cours des dernières heures, son angoisse s'était concentrée sur deux questions brûlantes, qu'elle décida de poser sans attendre. Elle le sentait prêt à lui accorder ce qu'elle voulait.

Elle croisa les mains pour les empêcher de trembler.

« J'ai deux ou trois choses à te demander, là, maintenant.

— Je t'écoute.

— D'où vient Inge ? Qui était sa famille ?

— Son père était prêtre. C'était le secrétaire de mon père. »

Ragna imaginait facilement comment les choses s'étaient passées : le fils et la fille de deux hommes qui collaboraient étroitement, deux enfants qui passaient beaucoup de temps ensemble, un amour d'adolescents, peut-être une grossesse non désirée, et enfin, un mariage précoce.

« Si je comprends bien, Inge n'est pas de sang noble.

— Non.

— Quand mon père a accepté que je t'épouse, il a évidemment prévu que mes enfants seraient tes héritiers.

— Ils le seront », répondit-il sans hésiter.

C'était un point important. Cela voulait dire qu'elle était l'épouse officielle de l'ealdorman et n'était pas qu'une femme parmi d'autres, au statut indéfini. Elle ne serait jamais reléguée en seconde position.

Soucieuse de s'en assurer, elle s'obstina :

« Et pas Garulf.

— Non ! dit-il, agacé par son insistance.

— Merci. Je suis heureuse que tu te sois engagé solennellement. »

Elle se félicitait de lui avoir arraché une promesse aussi importante. Peut-être n'avait-il jamais eu d'autre intention, mais le temps où elle tenait ce genre de chose pour acquis était révolu.

Il était vaguement irrité d'avoir été ainsi mis au pied du mur.

« Autre chose ? demanda-t-il alors d'une voix où perçait une certaine impatience.

— Oui, encore une question. Tu as l'intention de coucher avec Inge ?

— Encore faudrait-il qu'il me reste assez d'énergie, gloussa-t-il.

— Je ne plaisante pas. »

Son visage se durcit.

« Il y a une chose que tu dois bien comprendre, fit-il. Jamais tu ne me diras qui je peux ou ne peux pas mettre dans mon lit. »

Ragna eut l'impression d'avoir été giflée.

« Je suis un homme, poursuivit Wilf. Un Anglais, l'ealdorman de Shiring, et je ne reçois d'ordres d'aucune femme. »

Ragna détourna le regard pour cacher sa peine.

« Je vois. »

Lui prenant le menton, il l'obligea à tourner la tête pour le regarder dans les yeux.

« Je couche avec qui je veux ; c'est clair ?

— Parfaitement clair », répondit Ragna.

*

L'orgueil de Ragna avait subi un rude coup, mais elle s'en remettrait. La blessure de son cœur était infiniment plus douloureuse.

Elle ménageait sa fierté en marchant la tête haute et en dissimulant son chagrin. Se rappelant également les conseils d'Aldred, elle ne manquait pas une occasion d'affirmer son autorité. Mais rien n'apaisait la souffrance de son cœur. Elle se contentait de panser ses plaies en espérant qu'elles finiraient par cicatriser.

On avait offert une balle à Garulf, un morceau de cuir cousu avec de la grosse ficelle et bourré de chiffons. En janvier, les jeunes garçons du domaine commencèrent à jouer à un jeu brutal dans lequel deux équipes se faisaient face et cherchaient à mettre la balle dans le « château » de l'adversaire, délimité par un carré tracé sur le sol. Garulf était capitaine de l'une des équipes, forcément, tandis que l'autre était dirigée par son ami Stigand, dit Stiggy. Ils jouaient entre les écuries et la mare, et – chose agaçante – près de la porte principale du domaine.

Leur tapage dérangeait les adultes, mais Garulf étant le fils de l'ealdorman, il bénéficiait évidemment d'une certaine indulgence. Au fil des jours, Ragna remarqua cependant que les parties devenaient plus violentes, et que les garçons faisaient moins attention à ne pas gêner les passants. Ils se déchaînaient encore plus quand Wilf était absent, et Ragna commença à y voir un défi à son autorité.

Un jour où Wilf n'était pas là, la balle heurta à la tête la fille de cuisine, Gilda, la faisant tomber.

Ragna, qui assistait par hasard à la scène, s'empara de la balle pour mettre fin à la partie et s'agenouilla à côté de Gilda.

Celle-ci avait les yeux ouverts, et au bout d'un moment elle réussit à se rasseoir, en se tenant la tête.

« J'ai mal », gémit-elle.

Les garçons se rassemblèrent autour d'elle, encore tout essoufflés. Garulf n'exprima aucun regret pour cet incident et ne manifesta à Gilda aucune compassion. Il paraissait plus agacé qu'autre chose par cette interruption et son attitude contraria Ragna.

« Reste tranquille une minute, conseilla-t-elle à Gilda. Reprends ton souffle. »

Mais Gilda s'impatientait déjà.

« Je me sens bête, assise comme ça, dans la boue », dit-elle, et elle se mit tant bien que mal à genoux.

Ragna l'aida à se relever.

« Viens chez moi. Je te donnerai un peu de vin, cela te fera du bien. »

Elles marchèrent jusqu'à la porte de Ragna, suivies par Garulf.

« Je veux ma balle », réclama-t-il.

Ragna se rendit compte qu'elle la tenait toujours à la main.

Elle fit entrer Gilda dans la maison puis, tenant la porte, elle se tourna vers Garulf.

« Ce que tu mérites, c'est une bonne correction », répliqua-t-elle, avant d'entrer et de claquer la porte derrière elle.

Elle jeta la balle dans un coin.

Ragna persuada Gilda de s'allonger sur son lit et Cat lui apporta un peu de vin dans un gobelet. Gilda se sentit bientôt mieux. S'étant assurée qu'elle n'avait pas le vertige et pouvait marcher sans aide, Ragna la laissa retourner aux cuisines.

Quelques instants plus tard, Gytha fit irruption, l'air hautain.

« J'ai offert une balle à mon petit-fils », déclara-t-elle.

Garulf n'était pas à proprement parler le petit-fils de Gytha, mais Ragna ne discuta pas.

« Ainsi, c'est de vous qu'il la tient, répondit-elle.

— Il prétend que vous la lui avez prise.

— C'est vrai. »

Gytha regarda autour d'elle, aperçut la balle dans un coin et s'en empara prestement, d'un air de triomphe.

« Vous a-t-il expliqué pourquoi je la lui avais retirée ? demanda Ragna.

— Il m'a vaguement parlé d'un accident mineur.

— Une fille de cuisine a été jetée à terre. Ce jeu est devenu dangereux.

— Il faut bien que jeunesse se passe. Ce sont des garçons !

— Peut-être, mais alors qu'ils sortent du domaine. Je ne leur permettrai pas de continuer à jouer ici.

— Je me charge de veiller au comportement de mon petit-fils », déclara Gytha et elle partit avec la balle.

La partie reprit peu après.

Ragna appela Bern et ils sortirent tous deux pour regarder. Les ayant vus, les garçons cherchèrent à se tenir à l'écart, mais il était impossible de canaliser l'action – c'était le nœud du problème –, et la balle ne tarda pas à revenir vers Ragna.

Elle la ramassa.

Garulf et Stiggy s'approchèrent d'elle. Stiggy était un garçon costaud, qui jouait de sa force pour compenser sa sottise.

« C'est ma balle, déclara Garulf.

— Je ne veux pas que vous jouiez à la balle à l'intérieur du domaine », rétorqua Ragna.

S'avançant brusquement, Stiggy frappa du poing le bras de Ragna pour lui faire lâcher la balle. Le coup était douloureux et sa main s'ouvrit, mais elle réussit à rattraper la balle de l'autre et recula pour se mettre hors de portée de Stiggy.

Bern asséna à Stiggy un violent coup de poing sur le côté de la tête, et le garçon tomba.

« Quelqu'un d'autre a-t-il l'intention de porter la main sur l'épouse de l'ealdorman ? » demanda Bern en adressant un regard insistant à Garulf.

Garulf réfléchit un instant. Ses yeux passèrent du corps massif de Bern au précieux corps de l'épouse de l'ealdorman, avant de revenir se poser sur Bern. Puis il s'éloigna.

« Donne-moi ton couteau », dit Ragna à Bern.

Le couteau que Bern portait à la ceinture était une large dague acérée. Ragna posa la balle par terre, glissa la pointe de la lame sous la couture et trancha la ficelle.

Garulf poussa un cri de protestation et fit un pas en avant.

Ragna pointa la dague vers lui.

Bern s'avança vers Garulf.

Ragna continua à couper la ficelle jusqu'à ce que la balle s'ouvre, laissant échapper toute sa bourre.

Elle se leva alors et jeta l'enveloppe de cuir déchiquetée au milieu de la mare.

Elle tendit son couteau à Bern en le tenant par la lame, la poignée vers lui.

« Merci », dit-elle.

Toujours flanquée de Bern, elle regagna sa maison. Elle avait le bras gauche meurtri à l'endroit où Stiggy l'avait frappée, mais son cœur exultait.

Wilf regagna le domaine dans l'après-midi, et Ragna ne tarda pas à être convoquée chez lui. Elle ne fut pas étonnée d'y trouver Gytha.

Wilf avait l'air de mauvaise humeur.

« Qu'est-ce que c'est que cette histoire de balle ? lui demanda-t-il.

— Mon mari bien-aimé ne devrait pas avoir à se soucier de querelles stupides, lui répondit Ragna tout sourire.

— Ma belle-mère est venue se plaindre. Il paraît que tu as volé un cadeau qu'elle avait fait à mon fils. »

Ragna était ravie, mais n'en montra rien. Gytha avait laissé l'indignation altérer son jugement. Elle était sur le point de perdre. Cette fois, elle ne pouvait pas l'emporter.

Ragna reprit la parole d'un ton léger, approprié à un incident dérisoire.

« Ce jeu de balle était devenu trop violent. Une de tes servantes a été blessée aujourd'hui.

— Elle a glissé dans la boue, rétorqua Gytha avec un reniflement méprisant.

— Elle a été frappée à la tête. Comme on pouvait s'attendre à de plus graves blessures, je leur ai demandé d'aller jouer à l'extérieur du domaine. Ils m'ont désobéi, alors j'ai mis fin à la partie et j'ai détruit la balle.

Franchement, Wilf, je suis navrée qu'on t'importune avec une histoire pareille.

— Ne s'est-il vraiment rien passé d'autre ? demanda-t-il sur un ton dubitatif.

— Eh bien si, répondit Ragna en remontant sa manche gauche pour exhiber une ecchymose toute fraîche. Stiggy m'a frappée. Et Bern l'a étendu à terre d'un coup de poing. »

Wilf jeta un regard noir à Gytha.

« Un garçon a porté la main sur la femme de l'ealdorman ? Vous ne m'aviez pas dit cela, mère.

— Il voulait simplement reprendre la balle. »

Mais l'hématome était suffisamment parlant, et Gytha était sur la défensive.

« Et qu'a fait Garulf ? s'enquit Wilf.

— Il a regardé, c'est tout, répondit Ragna.

— Il n'a pas défendu la femme de son père ?

— Non. »

Wilf était furieux, comme l'avait prévu Ragna.

« Stiggy sera fouetté, décréta-t-il. Un châtiment d'enfant pour un homme qui se conduit comme un enfant. Douze coups de fouet. Mais je ne sais que faire avec Garulf. Mon fils devrait savoir distinguer le bien et le mal.

— Puis-je te faire une suggestion ? intervint Ragna.

— Je t'en prie.

— Dis à Garulf d'exécuter la sanction.

— Très bonne idée », répondit Wilf en hochant la tête.

*

Stiggy fut déshabillé et attaché, nu, face à un poteau. L'humiliation faisait partie de la punition.

Garulf prit place derrière lui, tenant un fouet de cuir

dont l'extrémité se divisait en trois lanières incrustées de pierres pointues. Il avait l'air furieux et mécontent.

Tous les habitants du domaine, hommes, femmes et enfants, assistaient au châtiment. La correction était censée donner une leçon à tout le monde, et pas seulement au coupable.

Wilf, debout à son côté, déclara:

« Stiggy a porté la main sur mon épouse. Voici sa punition. »

La foule était silencieuse. On n'entendait que le ramage des oiseaux dans le soir.

« Commence, ordonna Wilf. Un. »

Garulf leva le fouet et frappa le dos nu de Stiggy. On entendit un claquement cinglant, et Stiggy tressaillit.

Ragna frémit, regrettant d'être obligée d'assister à la scène. Mais se retirer à cet instant eût été un aveu de faiblesse.

Wilf secoua la tête.

« Ce n'est pas assez fort. Recommence. Un. »

Garulf frappa Stiggy plus violemment. Cette fois, Stiggy étouffa un cri de douleur. Le fouet laissa des stries rouges sur sa peau blanche.

Une femme dans la foule pleurait tout bas et Ragna reconnut la mère de Stiggy.

Mais Wilf ne se laissa pas attendrir.

« C'est encore trop mou. Recommence. Un. »

Garulf leva le bras plus haut et abattit le fouet de toutes ses forces. Stiggy poussa un cri de douleur et des gouttes de sang perlèrent là où les pierres avaient entamé la peau.

Son cri fit taire les oiseaux.

« Deux », compta Wilf.

17

Février 998

Edgar ne supportait pas l'idée qu'on puisse voler Ragna.

Il ne s'était guère soucié que Gab, le carrier, gruge l'ealdorman Wilwulf. Wilf avait beaucoup d'argent, et de toute façon cela ne regardait pas Edgar. Mais ses sentiments étaient tout autres quand la victime de Gab était Ragna, peut-être parce qu'elle était étrangère, et donc vulnérable – à moins, songea-t-il avec un sourire en coin, que ce ne fût à cause de sa beauté.

Il avait failli lui en toucher un mot après le mariage, mais il avait hésité. Il voulait être absolument sûr de lui et ne pas risquer de l'alarmer à tort.

De toute façon, il devait retourner à Outhenham. Il avait fini de monter les murs de la taverne et mis en place les poutres de la charpente, mais il avait l'intention d'utiliser pour la couverture des lauzes qui ne risqueraient pas de brûler. Il avait expliqué à Dreng que s'il les transportait lui-même, il pourrait les avoir à moitié prix, ce qui était vrai, et Dreng, toujours soucieux d'éviter une dépense, avait accepté.

Edgar construisit un simple radeau de rondins, long et large. La dernière fois qu'il était allé à Outhenham, il avait remonté le fleuve et savait qu'il n'y avait pas d'obstacles majeurs à la navigation, sinon deux endroits où l'eau était peu profonde et où il faudrait remorquer le radeau à l'aide de cordes sur une courte distance.

Remonter le courant à la perche n'en serait pas moins une tâche ardue, et haler le radeau sur les hauts-fonds serait encore plus pénible. Aussi persuada-t-il Dreng de payer Erman et Eadbald un penny chacun pour quitter la ferme pendant deux jours afin de lui prêter main-forte.

Dreng remit à Edgar une petite bourse de cuir en lui disant :

« Elle contient douze pennies. Cela devrait suffire. »

Ethel leur donna du pain et du jambon pour le voyage, et Leaf ajouta un cruchon de bière pour étancher leur soif.

Ils partirent de bonne heure. Dès qu'ils furent montés sur le radeau, Brindille les rejoignit à bord. Selon la philosophie canine, il était toujours préférable d'aller n'importe où plutôt que nulle part. Edgar se demanda si c'était également sa philosophie, sans être vraiment capable de répondre.

Erman et Eadbald étaient minces, et Edgar supposait qu'il l'était aussi. L'année précédente, quand ils vivaient à Combe, personne n'aurait eu l'idée de les trouver bien en chair, et ils avaient encore maigri au cours de l'hiver. Ils étaient toujours solides, mais efflanqués ; ils avaient les joues creuses, les muscles noueux, la taille étroite.

Malgré le froid qui régnait en ce matin de février, manier la perche pour faire avancer le radeau à contre-courant les mit en nage. Un homme seul aurait pu manœuvrer l'embarcation, mais c'était plus facile à deux, un de chaque côté, pendant que le troisième se reposait. Ils n'étaient pas très bavards en général, mais comme il n'y avait rien d'autre à faire que parler pendant le trajet, Edgar demanda :

« Comment ça se passe avec Cwenburg ?

— Erman couche avec elle le lundi, le mercredi et le vendredi, et moi le mardi, le jeudi et le samedi », répondit Eadbald. Puis il ajouta en souriant : « Le dimanche est son jour de repos. »

Ils en parlaient tous deux avec bonhomie, et Edgar

en conclut que ce mariage peu orthodoxe était étonnamment satisfaisant.

« En ce moment, nous dormons ensemble, c'est tout, précisa Erman. Elle est trop grosse pour faire autre chose. »

Edgar calcula quand le bébé était attendu. Ils étaient arrivés à Dreng's Ferry trois jours avant le solstice d'été, et Cwenburg était tombée enceinte presque aussitôt.

« Le bébé devrait naître trois jours avant l'Annonciation », dit-il.

Erman lui jeta un regard mauvais. Edgar avait un don pour les chiffres qui tenait presque du miracle, et ses frères lui en voulaient.

« De toute façon, reprit Erman, Cwen ne pourra pas nous aider pour les labours de printemps. Il faudra que nous tirions la charrue et que Ma la guide. »

Le sol, à Dreng's Ferry, était léger et limoneux, mais leur mère n'était plus de première jeunesse.

« Qu'en dit Ma ? demanda Edgar.

— Elle trouve les travaux des champs pénibles. »

Edgar voyait sa mère environ une fois par semaine, alors que ses frères étaient avec elle tous les jours.

« Est-ce qu'elle dort bien ? demanda-t-il. A-t-elle bon appétit ? »

Ils n'y avaient pas prêté grande attention. Eadbald haussa les épaules, et Erman répondit d'un ton sec :

« Tu sais, Edgar, elle est vieille. Un jour, elle mourra, et Dieu seul sait quand ce sera. »

Après cela, ils cessèrent de parler.

Songeant à la journée qui les attendait, Edgar se dit qu'il ne serait peut-être pas facile d'acquérir la certitude que Gab fraudait. Il faudrait agir sans éveiller son hostilité. S'il se montrait trop inquisiteur, l'autre serait sur ses gardes. Et s'il exprimait ses soupçons, il se fâcherait. C'était étrange, mais il n'était pas rare que les malfaiteurs démasqués s'indignent à grands cris, comme si le vrai délit était sa révélation et non le forfait qui l'avait provoquée. Chose plus grave, si Gab savait qu'on se méfiait de lui, rien ne l'empêcherait de dissimuler ses malversations.

Le trajet en radeau était plus rapide qu'à pied, et ils atteignirent le gros village d'Outhenham vers la mi-journée. Là, le sol était argileux, et un attelage de huit bœufs tirait une lourde charrue dans le champ le plus proche, les grosses mottes de terre se soulevant et retombant comme des vagues de boue s'écrasant sur une plage. Au loin, les hommes arpentaient les sillons en semant, suivis de petits enfants qui faisaient fuir les oiseaux en poussant des cris perçants.

Ils tirèrent le radeau sur la berge et, par mesure de précaution, Edgar l'attacha à un arbre. Ils marchèrent ensuite jusqu'au village.

Seric était à nouveau dans son verger, où cette fois il taillait les arbres. Edgar s'arrêta pour lui parler.

« Dois-je m'attendre à de nouveaux ennuis avec Dudda ? » lui demanda-t-il.

Seric jeta un coup d'œil au soleil pour vérifier l'heure.

« Il est trop tôt pour cela, répondit-il. Dudda n'a pas encore dîné.

— Parfait.

— Encore qu'il n'ait rien d'un agneau même quand il est sobre.

— Je le crois volontiers. »

Poursuivant leur chemin, ils ne tardèrent pas à rencontrer Dudda devant la taverne.

« Bonjour à vous, les gars, dit-il. Que venez-vous faire par ici ? »

Son agressivité était indéniablement tempérée par la vue de trois jeunes gens robustes. Brindille n'en grogna pas moins, sensible à l'hostilité latente.

« Voici Dudda, le chef du village d'Outhenham », expliqua Edgar à ses frères. Et il poursuivit en s'adressant à Dudda : « Je suis venu acheter de la pierre à la carrière, comme la dernière fois. »

Dudda lui jeta un regard vide. Il n'avait manifestement aucun souvenir de la première visite d'Edgar.

« Prenez la direction de l'ouest après le village et suivez le sentier vers le nord », répondit-il.

Edgar connaissait le chemin, mais il se contenta de le remercier et se remit en marche.

Gab et sa famille travaillaient à la carrière, comme la fois précédente. Un gros tas de pierres taillées au milieu de la clairière suggérait que les affaires marchaient au ralenti, ce qui était de bon augure pour Edgar, l'acheteur. Une charrette à bras attendait à côté de la pile.

Quand j'aurai acheté les pierres qu'il me faut, je n'aurai qu'à observer les marques que Gab fait sur sa taille, pensa Edgar. Si le nombre d'encoches est exact, cela voudra dire que mes soupçons sont sans fondement. Sinon, j'aurai prouvé sa culpabilité.

La dalle sur laquelle Gab travaillait tomba à terre dans un grand bruit accompagné d'un nuage de poussière, et Gab toussa. Il posa ses outils et vint parler aux trois frères. Reconnaissant Edgar, il demanda :

« Dreng's Ferry, c'est bien ça ?

— Oui. Je suis Edgar, et voici mes frères, Erman et Eadbald.

— Tu les as amenés avec toi pour te défendre contre Dudda ? » demanda Gab d'un ton facétieux.

Il était visiblement au courant de l'altercation qui avait éclaté entre Edgar et le chef du village lors de sa dernière visite.

Edgar ne trouva pas la plaisanterie amusante.

« Je n'ai pas besoin qu'on me défende contre un gros

ivrogne grisonnant, répliqua-t-il fraîchement. Je suis venu acheter des pierres. Cette fois, je les transporterai moi-même, avec l'aide de mes frères. Cela nous permettra d'économiser un penny par pierre.

— Ah oui, vraiment ? » fit ironiquement Gab. Il n'appréciait pas qu'Edgar connaisse ses prix à l'avance. « Et qui t'a dit cela ? »

C'était Cuthbert, mais Edgar préféra ignorer la question.

« Il me faut dix pierres », annonça-t-il.

Il ouvrit la bourse que Dreng lui avait remise. À sa grande surprise, il constata qu'elle contenait plus que les douze pennies qu'il lui avait annoncés – en fait, il en dénombra vingt-quatre d'un seul coup d'œil. Erman et Eadbald le virent marquer un temps d'arrêt et froncer les sourcils. Ils remarquèrent tous deux les pièces, mais Edgar ne leur laissa pas le loisir de commenter : il ne voulait pas avoir l'air d'hésiter devant Gab. Il remit à plus tard la résolution de ce mystère et compta rapidement dix pennies.

Gab les recompta et les empocha, mais, à la déception d'Edgar, il ne fit pas d'encoches sur une taille. Il se contenta d'indiquer le tas de pierres et de leur dire : « Servez-vous. »

Edgar n'avait pas prévu cette éventualité. Il décida d'y réfléchir tout en transportant les pierres.

« Nous devons les porter jusqu'au fleuve, annonça-t-il à Gab. Pouvons-nous utiliser votre charrette ?

— Non, répondit Gab avec un petit sourire sournois. Vous voulez faire des économies ? Eh bien, vous n'avez qu'à les porter vous-mêmes, ces pierres. »

Il s'éloigna.

Edgar haussa les épaules. Il détacha sa hache et la tendit à Erman.

« Vous deux, allez dans les bois chercher de quoi

faire deux solides pieux pour le transport, leur ordonna-t-il. Je vais jeter un coup d'œil aux pierres. »

Pendant l'absence de ses frères, il examina la pile. Il avait déjà essayé de tailler une pierre en lauzes, et avait pu se convaincre que la tâche était délicate. L'épaisseur devait être juste la bonne : trop minces, les pierres risquaient de se briser, trop épaisses, elles seraient trop lourdes pour que les poutres résistent. Mais il était confiant : avec un peu d'expérience, il y parviendrait.

Quand ses frères revinrent, il élagua les troncs qu'ils avaient apportés et les posa parallèlement sur le sol. Ils prirent une pierre, Erman et lui, et la placèrent à cheval sur les pieux, avant de s'accroupir, l'un devant, l'autre derrière. Ils empoignèrent les pieux et se relevèrent, soulevant la charge à hauteur de hanches.

Ils s'engagèrent sur le sentier qui descendait vers le fleuve. Edgar héla Eadbald, resté en arrière :

« Viens avec nous, il faudra quelqu'un pour monter la garde sur le radeau ! »

Ils effectuèrent le transport par roulement, le frère qui se reposait restant au bord du fleuve pour éviter qu'un voyageur audacieux ne décide de partir avec une ou deux pierres. Lorsque le jour commença à décliner, ils avaient les épaules endolories, les jambes douloureuses, et il restait une pierre à déplacer.

Mais Edgar n'avait pas réalisé son second objectif : démontrer la malhonnêteté de Gab.

La carrière était déserte. Gab et ses fils étaient probablement rentrés chez eux. Edgar frappa à la porte et entra. La famille était attablée pour le souper. Gab leva les yeux et lui jeta un regard agacé.

« Pouvons-nous passer la nuit ici ? lui demanda Edgar. Vous aviez eu la bonté de me proposer un endroit où dormir, la dernière fois.

— Pas question, répondit Gab. Vous êtes trop

nombreux. Et puis, tu as encore des pennies dans ta bourse – vous n'avez qu'à aller à l'auberge. »

Edgar ne fut pas surpris : sa demande n'était guère raisonnable. Il n'avait posé la question que parce qu'il cherchait un prétexte pour entrer chez le carrier.

« Il y a parfois un peu de bagarre à l'auberge, mais la nourriture est correcte, ajouta Bee, la femme de Gab.

— Merci. »

Edgar se retourna lentement, en prenant le temps de regarder attentivement les baguettes accrochées au mur. Il en remarqua une qui venait manifestement d'être taillée, claire et neuve.

Il vit immédiatement qu'elle comportait cinq encoches.

Il avait la preuve qu'il lui fallait.

Il masqua sa satisfaction, feignant d'être déçu et d'en vouloir un peu au carrier de leur refuser l'hospitalité.

« Eh bien, au revoir », dit-il, et il sortit.

C'est en jubilant qu'il transporta la dernière pierre jusqu'au fleuve avec Eadbald. Il ne savait pas très bien pourquoi, mais il était heureux de pouvoir rendre service à Ragna. Il avait hâte de lui parler de tout cela.

Quand la dernière pierre eut été ajoutée à la pile, Edgar dit :

« Je pense que les pierres ne risquent rien pendant une heure si je laisse Brindille ici, d'autant plus qu'il commence à faire noir. Nous souperons à la taverne. Vous pourrez y dormir, mais moi je passerai la nuit sur le radeau. Il ne fait pas trop froid. »

Il attacha Brindille à une longue corde, et les trois frères se dirigèrent vers la taverne. On leur servit des écuelles de ragoût de mouton et tout le pain de seigle qu'ils voulurent, accompagnés d'un pichet de bière chacun. Edgar aperçut Gab dans un coin, en grande discussion avec Dudda.

« J'ai remarqué qu'il y a trop d'argent dans cette bourse », dit Eadbald.

Edgar s'était demandé quand le sujet viendrait sur le tapis. Il ne répondit pas.

« Qu'allons-nous faire de ce qu'il y a en trop ? » demanda Erman.

Edgar releva l'utilisation du « nous » mais ne le commenta pas.

« Eh bien, dit-il, je pense que nous pouvons l'utiliser pour payer notre souper et vos lits pour la nuit, mais le reste reviendra à Dreng, cela va de soi.

— Pourquoi ? » demanda Erman.

La question contraria Edgar.

« Parce que c'est son argent !

— Il a dit qu'il te donnait douze pennies. Combien y en avait-il ?

— Vingt-quatre.

— Cela en fait combien de trop ? » Erman n'était pas doué pour les chiffres.

« Douze.

— Il se sera trompé. Nous n'avons qu'à garder les douze de plus. Ça fait… beaucoup par personne.

— Quatre, précisa Eadbald qui comptait plus vite qu'Erman.

— Autrement dit, vous me demandez de voler douze pennies et de vous en redonner huit ! protesta Edgar.

— Nous sommes tous ensemble sur ce coup, commenta Erman.

— Et si Dreng se rend compte de son erreur ?

— Nous jurerons qu'il n'y avait que douze pennies dans la bourse.

— Erman a raison, approuva Eadbald. C'est une bonne aubaine. »

Edgar secoua fermement la tête.

« Je lui rendrai l'excédent.

— Si tu comptes sur Dreng pour te dire merci, tu peux courir, répondit Erman sur un ton railleur.

— Dreng ne me dit jamais merci.

— Il n'hésiterait pas à te voler, lui, s'il le pouvait, insista Eadbald.

— C'est vrai, mais grâce au ciel, je ne suis pas comme lui. »

Ils n'insistèrent pas.

Edgar n'était pas un voleur, contrairement à Gab. Il n'avait fait que cinq encoches sur sa taille, alors qu'Edgar lui avait acheté dix pierres. Si Gab n'enregistrait que la moitié de ce qu'il vendait, il ne verserait à Ragna que la moitié de ce qu'il lui devait. Mais cette malhonnêteté exigeait la complicité du chef du village, chargé de veiller à ce que les villageois s'acquittent de leur dû. Dudda ne pouvait que dénoncer Gab – à moins qu'il ne soit payé pour se taire. Or, en cet instant précis et sous les yeux d'Edgar, Gab et Dudda buvaient ensemble et s'entretenaient avec le plus grand sérieux, comme s'ils discutaient d'un sujet d'intérêt capital pour eux deux.

Edgar décida d'en parler à Seric. Celui-ci était à l'auberge, où il bavardait avec un homme tonsuré en robe noire, sans doute le curé du village. Edgar attendit qu'il sorte et lui emboîta le pas après avoir dit à ses frères :

« Je vous attends à l'aube. »

Il suivit Seric vers une maison près du verger. Arrivé devant la porte, Seric se retourna et lui demanda :

« Où vas-tu ?

— Je vais passer la nuit au bord du fleuve pour surveiller mes pierres. »

Seric haussa les épaules.

« C'est sûrement inutile, mais je ne t'en dissuaderai pas. Et puis, la nuit est douce.

— Puis-je vous poser une question en toute confidence ?

— Entre. »

Une femme aux cheveux gris assise près du feu donnait la becquée à un petit enfant. Edgar haussa les sourcils : Seric et sa femme paraissaient trop vieux pour être ses parents.

« Ma femme, Eadgyth, et notre petit-fils, Aaldwine, dit Seric. Notre fille est morte en couches, et son mari est parti pour Shiring. C'est un des hommes d'armes de l'ealdorman. »

Tout s'expliquait.

« Je voulais vous demander…, commença Edgar avec un regard en direction d'Eadgyth.

— Tu peux parler librement, le rassura Seric.

— Gab est-il honnête ? »

La question n'étonna pas Seric.

« Je ne saurais te répondre. Il a essayé de te duper ?

— Moi, non, mais j'ai acheté dix pierres et j'ai remarqué qu'il n'avait fait que cinq encoches sur sa nouvelle taille.

— Disons les choses ainsi : si on me demandait de jurer de l'honnêteté de Gab, je refuserais. »

Edgar hocha la tête. Cette réponse lui suffisait. Seric ne pouvait rien prouver, mais n'avait guère de doutes.

« Merci », répondit Edgar, et il prit congé.

Le radeau était remonté sur la plage. Les frères ne l'avaient pas chargé : il n'aurait été que trop facile de voler les pierres. Edgar s'allongea sur l'embarcation et s'enroula dans sa cape. Il ne dormirait sans doute pas, mais c'était peut-être préférable, puisqu'il gardait un chargement de valeur.

Brindille gémit et Edgar l'attira sous sa cape. Elle lui tiendrait chaud et le préviendrait si quelqu'un approchait.

Edgar devait avertir Ragna que Gab et Dudda la roulaient. Il pouvait arriver à Shiring le lendemain, se dit-il. Erman et Eadbald n'auraient qu'à redescendre le fleuve avec le radeau, et il rentrerait chez lui par la route, en passant par la ville. Il avait besoin de chaux pour le mortier ; il pourrait l'acheter à Shiring et la rapporter sur son épaule.

Edgar dormit d'un sommeil agité et se réveilla aux premières lueurs du jour. Erman et Eadbald apparurent peu après, portant le pichet de Leaf rempli de bière d'Outhenham, et un grand pain de seigle à manger en route. Edgar leur annonça qu'il passait par Shiring acheter de la chaux.

« Cela veut dire que nous devrons ramener le radeau à la perche sans ton aide ! s'exclama Erman, indigné.

— L'effort ne sera pas très grand, fit patiemment valoir Edgar. Vous serez portés par le courant. Il faudra simplement que vous mainteniez le radeau loin des berges. »

À trois, ils poussèrent à l'eau le radeau encore amarré et chargèrent les pierres. Edgar insista pour les empiler en les imbriquant, pour éviter que le chargement glisse pendant le transport, mais en réalité le fleuve était si calme que ce n'était pas vraiment nécessaire.

« Vous feriez bien de décharger le radeau avant de franchir les hauts-fonds, conseilla Edgar, faute de quoi vous risquez de vous échouer.

— Et tout recharger ensuite ? C'est un sacré travail, grommela Erman.

— Et il faudra encore décharger les pierres à l'arrivée ! soupira Eadbald.

— Vous avez intérêt ! Vous êtes payés pour cela.

— C'est bon, c'est bon. »

Edgar détacha le radeau et les trois hommes

montèrent à bord. « Traversez et déposez-moi sur l'autre rive », demanda Edgar.

Ils franchirent le fleuve. Edgar débarqua près du bord. Ses frères reconduisirent le radeau au milieu du fleuve, et lentement le courant l'emporta au loin.

Edgar le regarda disparaître et prit la route de Shiring.

*

Le bourg était en pleine ébullition. Les maréchaux-ferrants ferraient les chevaux, les selliers n'avaient plus rien à vendre, deux rémouleurs affûtaient toutes sortes de lames sur leurs meules portatives et les fléchiers vendaient leurs flèches à peine fabriquées. Edgar découvrit bientôt la raison de toute cette agitation : l'ealdorman Wilwulf s'apprêtait à attaquer les Gallois.

Les habitants sauvages de l'Ouest avaient fait une incursion dans le territoire de Wilf à l'automne, mais il n'avait pas riposté, car il était trop occupé par son mariage. Il n'avait pourtant rien oublié et rassemblait à présent une petite armée pour lancer une opération de représailles.

Les Gallois avaient tout à perdre d'un tel coup de main. Il perturberait le cycle agricole. Des hommes et des femmes seraient tués, et ils seraient moins nombreux pour les labours et les semailles. Des garçons et des filles adolescents seraient capturés et vendus comme esclaves. L'ealdorman et ses hommes d'armes s'enrichiraient, les Gallois compteraient moins de couples en âge d'enfanter et, à long terme, il y aurait ainsi moins de pillards gallois, en théorie.

L'objectif était de décourager les incursions, mais comme les Gallois n'attaquaient généralement qu'en cas de famine, Edgar estimait que l'effet de dissuasion était mince. La véritable motivation était la vengeance, selon lui.

Il se dirigea vers l'abbaye, où il prévoyait de passer la nuit. Ce monument de paix en pierre claire se dressait au milieu d'une ville qui s'apprêtait à faire la guerre. Aldred parut content de voir Edgar ; les moines se préparaient à aller à l'église en procession pour none, l'office du milieu de l'après-midi, mais Aldred n'était pas tenu d'y assister.

Edgar avait fait une longue marche dans le froid de février.

« Il faut te réchauffer, lui dit Aldred. Il y a du feu chez Osmund – allons nous asseoir dans sa chambre. »

Edgar accepta avec reconnaissance.

Tous les autres moines étaient sortis et le monastère était plongé dans le silence. Edgar éprouva un instant d'embarras : l'affection d'Aldred à son égard était un peu trop vive à son goût. Il espérait que cette rencontre ne donnerait pas lieu à une scène gênante. Il ne voulait pas blesser Aldred, mais n'avait aucune envie qu'il l'étreigne.

Il n'avait pas lieu de s'inquiéter. Aldred avait d'autres soucis en tête.

« Je viens d'apprendre que Ragna ne savait rien du premier mariage de Wilf avec Inge », dit-il.

Edgar se rappela une conversation avec Agnès, la couturière.

« Ils la croyaient morte, confirma-t-il.

— Wilf a attendu que le mariage ait eu lieu et que la plupart des serviteurs de Ragna aient regagné Cherbourg pour faire revenir Inge au domaine en compagnie de Garulf, leur fils. »

L'angoisse serra le cœur d'Edgar.

« Comment va-t-elle ?

— Elle est désemparée. »

Il était terriblement navré pour elle, pour cette étrangère loin de son pays et de sa famille, prise à un piège cruel par les Anglais.

« La pauvre, dit-il, mais l'expression lui parut bien faible.

— Ce n'est pas pour cela pourtant que je suis impatient de te parler, reprit Aldred. Il s'agit de Dreng's Ferry. »

Edgar écarta Ragna de ses pensées.

« Après avoir constaté l'état du moustier, poursuivit Aldred, j'ai proposé qu'il soit confié à des moines, et l'archevêque a accepté. Mais Wynstan a tempêté tant et si bien que l'abbé Osmund a fait marche arrière. »

Edgar fronça les sourcils.

« Pourquoi Wynstan s'en soucie-t-il à ce point ?

— C'est exactement la question que je me pose. L'église n'est pas riche, et Degbert n'est qu'un membre éloigné de sa famille.

— Mais alors pourquoi Wynstan prend-il le risque de s'opposer à son archevêque pour une affaire aussi mineure ?

— Je m'apprêtais à te le demander. Tu vis à la taverne, tu pilotes le bac, tu assistes à toutes les allées et venues. Tu sais probablement presque tout ce qui se passe là-bas. »

Edgar aurait volontiers aidé Aldred, mais il ne pouvait pas répondre à ses questions. Il secoua la tête en signe de dénégation.

« Je n'ai pas la moindre idée de ce que Wynstan peut avoir dans le crâne. » Pourtant, une pensée lui traversa soudain l'esprit. « Il nous rend visite, cependant.

— Vraiment ? fit Aldred, intrigué. Souvent ?

— Il est venu deux fois depuis que je suis là. La première fois, huit jours après la Saint-Michel, la deuxième, il y a à peine six semaines.

— Tu as une bonne mémoire des dates. Les deux visites ont eu lieu peu après l'échéance des redevances. Dans quel but ?

— Aucune idée.

— Et que fait-il lorsqu'il vient ?

— À la Noël, il a offert un porcelet à chaque foyer.

— C'est curieux. Il n'est pourtant pas d'un naturel généreux. Bien au contraire.

— Ensuite, il est allé à Combe avec Degbert. Les deux fois. »

Aldred gratta sa tonsure.

« Il se passe quelque chose, et je ne comprends pas quoi. »

Edgar avait une idée, mais il hésitait à l'exprimer.

« Wynstan et Degbert pourraient être… Je veux dire, ils pourraient avoir une sorte de…

— Une relation intime ? C'est possible, mais cela m'étonnerait. Je suis un peu au fait de ce genre de chose, et aucun des deux ne me donne l'impression d'être de ce bord. »

Edgar ne put qu'acquiescer.

« Ils pourraient organiser des orgies avec des esclaves au moustier, ajouta Aldred. Ce serait plus plausible. »

Ce fut au tour d'Edgar d'avoir l'air dubitatif.

« Je ne vois pas comment ils pourraient garder le secret sur pareilles débauches. Où dissimuleraient-ils les esclaves ?

— Tu as raison. Ils pourraient aussi organiser des rites païens : ils n'auraient pas forcément besoin d'esclaves pour cela.

— Des rites païens ? Pourquoi Wynstan y participerait-il ?

— Pourquoi qui que ce soit y participerait-il ? Il n'empêche qu'il y a des païens. »

Edgar n'était pas convaincu.

« En Angleterre ?

— Peut-être pas. »

Une nouvelle idée vint à l'esprit d'Edgar.

« Je me rappelle vaguement que Wynstan est venu à Combe quand nous y habitions. Les jeunes gens ne s'intéressent pas beaucoup aux hommes d'Église, et je n'y avais jamais prêté grande attention, mais il logeait chez son frère, Wigelm – je me rappelle que ma mère disait qu'on aurait plutôt attendu d'un évêque qu'il loge au monastère.

— Et que venait-il faire à Combe ?

— C'est un endroit idéal pour se livrer à la luxure. Ça l'était, du moins, avant que les Vikings ne l'incendient, mais le bourg s'en est probablement très vite remis. Il y a une femme, Mags, qui tient un bordel, plusieurs établissements où les hommes jouent de fortes sommes, et les tavernes y sont plus nombreuses que les églises.

— Les lieux de plaisir de Babylone.

— Il y a aussi beaucoup de gens ordinaires comme moi, ajouta Edgar en souriant, qui vaquent à leurs affaires. Mais il est vrai que le bourg accueille de nombreux visiteurs, des marins surtout, ce qui lui donne un caractère bien particulier. »

Comme ils se taisaient tous les deux, ils perçurent un léger bruit derrière la porte. Aldred se leva d'un bond et l'ouvrit à la volée.

Edgar aperçut la silhouette d'un moine qui s'éloignait.

« Hildred ! s'exclama Aldred. Je vous croyais à none. Vous écoutiez aux portes ?

— J'étais revenu chercher quelque chose.

— Quoi donc ? »

Hildred hésita.

« Peu importe », dit Aldred, et il claqua la porte.

*

Le domaine de l'ealdorman était encore plus animé que le reste de la cité. L'armée devait se mettre en route à l'aube, et tous les hommes se préparaient, affûtant leurs flèches, fourbissant leurs casques et remplissant les sacoches de leurs selles de poisson fumé et de fromage sec.

Edgar remarqua que certaines femmes semblaient avoir revêtu leurs plus beaux atours, et il se demanda pourquoi. Il songea alors qu'elles craignaient peut-être que cette nuit ne soit la dernière qu'elles passeraient jamais avec leur époux et voulaient en faire un moment mémorable.

Ragna avait changé. La dernière fois qu'Edgar l'avait vue, c'était à son mariage ; elle rayonnait alors de bonheur et d'espoir. Elle était toujours belle, mais différemment. À présent, la lumière qu'elle répandait était plutôt celle de la pleine lune, vive mais froide. Elle était toujours aussi calme et posée, et magnifiquement vêtue des bruns profonds qui lui allaient si bien. Mais elle avait perdu un certain enthousiasme juvénile, qui avait laissé place à une expression de détermination farouche.

Observant attentivement sa silhouette – ce qui était toujours un plaisir –, il en conclut qu'elle n'était pas encore enceinte. Elle n'était mariée que depuis un peu plus de trois mois ; c'était encore tôt.

Elle l'accueillit chez elle et lui offrit du pain avec du fromage à pâte molle et un gobelet de bière. Il aurait voulu qu'elle lui parle de Wilf et d'Inge, mais n'osa pas aborder un sujet aussi personnel. Aussi se contenta-t-il de dire :

« Je reviens d'Outhenham.

— Qu'es-tu allé faire là-bas ?

— Acheter de la pierre pour la brasserie que je construis à Dreng's Ferry.

— Sais-tu que je suis le nouveau seigneur du val d'Outhen ?

— Oui, je le sais. C'est même pour cela que je voulais vous voir. J'ai l'impression que vous vous faites flouer.

— Continue, je t'en prie. »

Il lui raconta l'histoire de Gab et de ses tailles.

« Je suis convaincu qu'il vous vole, mais je ne peux pas le prouver, conclut-il. Vous pourriez peut-être vérifier cela.

— Je n'y manquerai pas. Si Dudda, le chef du village, m'escroque de la sorte, il le fait probablement aussi d'une dizaine d'autres façons. »

Edgar n'y avait pas songé. Ragna savait gouverner d'instinct, comme lui-même construisait d'instinct des formes en bois et en pierre. Il en éprouva encore plus d'estime pour elle.

Elle demanda, songeuse :

« Que penses-tu des autres villageois ? Je ne suis encore jamais allée là-bas.

— J'ai fait la connaissance d'un ancien appelé Seric qui me paraît plus sensé que beaucoup.

— C'est bon à savoir. Merci. Et toi, comment vas-tu ? demanda-t-elle plus vivement et d'une voix un peu plus fragile. Tu es en âge de te marier. Y a-t-il une fille dans ta vie ? »

Edgar fut décontenancé. Après leur conversation lors de son mariage où il lui avait parlé de Sungifu, comment pouvait-elle l'interroger sur ses sentiments avec une telle désinvolture ?

« Je n'ai pas l'intention de me marier, répondit-il laconiquement.

— Pardon, dit-elle, percevant sa réaction. J'ai oublié, l'espace d'un instant, à quel point tu es sérieux pour quelqu'un de ton âge.

— Il me semble que nous nous ressemblons sur ce point. »

Elle réfléchit. Il craignit d'avoir été effronté, mais elle répondit simplement : « Oui. »

Il profita de ce moment d'intimité pour prendre son courage à deux mains et glisser :

« Aldred m'a dit, pour Inge. »

Une expression blessée passa sur le joli visage de Ragna.

« J'ai du mal à m'en remettre », avoua-t-elle.

Edgar devina qu'elle ne faisait pas preuve de la même franchise avec tout le monde, et se sentit privilégié.

« J'en suis vraiment désolé. Je suis fâché que vous ayez été abusée ainsi par les Anglais. »

Au fond de lui-même, il était conscient de ne pas être aussi triste qu'il aurait dû l'être. En un sens, l'idée que Wilf se soit révélé un mari insatisfaisant ne lui déplaisait pas tant que cela. Il chassa cette pensée mesquine de son esprit et poursuivit :

« Voilà pourquoi j'en veux tellement à Gab, le carrier. Vous savez tout de même que nous ne sommes pas tous pareils, nous, les Anglais, n'est-ce pas ?

— Bien sûr. Mais je n'en ai épousé qu'un. »

Edgar se risqua à poser une question audacieuse :

« Vous l'aimez toujours ? »

Elle répondit sans hésitation.

« Oui. »

Remarquant son étonnement, elle poursuivit :

« Je sais. Il m'a trompée, il m'est infidèle, mais je l'aime.

— Je vois, répondit-il, ce qui n'était pas vrai.

— Tu ne devrais pas t'en formaliser, reprit-elle. Toi, tu aimes une morte. »

Ces paroles étaient dures, mais ils se parlaient franchement.

« Je pense que vous avez raison », convint-il.

Elle parut soudain estimer qu'ils étaient allés assez loin.

« J'ai beaucoup à faire, dit-elle en se levant.

— Je suis heureux de vous avoir vue. Merci pour le fromage. »

Il s'apprêtait à se retirer, mais elle l'arrêta en posant la main sur son bras.

« Merci à toi de m'avoir prévenue pour le carrier d'Outhenham. J'apprécie. »

Il rayonna de satisfaction.

À sa grande surprise, elle lui posa alors un baiser sur la joue.

« Au revoir, dit-elle. J'espère te revoir bientôt. »

*

Le lendemain matin, Aldred et Edgar allèrent assister au départ de l'armée.

Aldred ruminait encore le mystère de Dreng's Ferry. Ce hameau avait quelque chose à cacher. Il s'était demandé pourquoi ses villageois étaient hostiles aux étrangers. C'était évidemment parce qu'ils gardaient un secret – tous, sauf Edgar et sa famille, qui n'étaient pas dans la confidence.

Et Aldred était décidé à faire la lumière sur cette affaire.

Edgar était chargé du sac de chaux qu'il allait transporter pendant les deux journées à venir.

« Heureusement que tu es fort, dit Aldred. Je me demande si je serais capable de le porter ne fût-ce que deux heures.

— J'y arriverai, répondit Edgar. Et cela valait largement la peine puisque cela m'a permis de parler à Ragna.

— Tu l'aimes beaucoup. »

Les yeux noisette d'Edgar pétillaient d'une façon qui faisait battre le cœur d'Aldred plus vite.

« Pas comme vous semblez le penser, répondit-il. Ce qui est préférable, car les filles de comtes n'épousent jamais les fils de charpentiers de marine. »

Les amours impossibles, Aldred connaissait cela. Il faillit le dire, mais il se mordit la langue. Il ne voulait pas que la tendresse qu'il éprouvait pour Edgar soit source de gêne entre eux. Cela aurait risqué de mettre fin à leur amitié, or l'amitié était tout ce qu'il avait.

Il jeta un coup d'œil à Edgar et observa avec soulagement qu'il n'avait pas l'air troublé.

Un bruit se fit entendre au sommet de la colline, des piétinements de sabots, des acclamations. Le vacarme s'amplifia, et l'armée surgit. À sa tête marchait un grand étalon gris fer avec une lueur de folie dans le regard. Son cavalier, en houppelande rouge, était certainement Wilf, mais son visage était dissimulé par un heaume orné d'un plumet. En regardant plus attentivement Aldred s'aperçut que le casque était composé de plusieurs métaux et gravé de motifs complexes impossibles à distinguer de loin. Il était purement décoratif, devina Aldred, destiné à impressionner. Au combat, Wilf porterait probablement un casque moins précieux.

Le frère de Wilf, Wigelm, et son fils, Garulf, venaient ensuite, chevauchant côte à côte ; ils étaient suivis des hommes d'armes, vêtus moins luxueusement, mais arborant encore des couleurs vives. Après eux marchait une troupe de jeunes hommes, des paysans et citadins pauvres, portant leurs tuniques brunes élimées de tous les jours et armés pour certains d'épées de bois improvisées, les autres n'ayant qu'un couteau de cuisine ou une simple hache ; tous espéraient que la bataille changerait le cours de leur destinée et qu'ils reviendraient chargés d'un précieux butin, d'un sac de bijoux pillés ou de deux ou trois jeunes prisonniers qu'ils pourraient vendre comme esclaves à bon prix.

Ils traversèrent tous la place en saluant de la main les habitants de la ville, qui applaudissaient et poussaient des vivats sur leur passage ; puis ils disparurent en direction du nord.

Edgar se rendait vers l'est ; il hissa son sac sur son épaule et prit congé.

Aldred regagna l'abbaye. C'était presque l'heure de l'office de tierce, mais il fut convoqué chez l'abbé Osmund.

Comme d'habitude, celui-ci était en compagnie d'Hildred.

Que me veulent-ils encore ? se demanda Aldred.

« J'irai droit au but, frère Aldred, commença Osmund. Je ne veux pas que vous vous mettiez l'évêque Wynstan à dos. »

Aldred, qui avait parfaitement saisi, fit semblant de ne pas comprendre.

« L'évêque est notre frère dans le Christ, évidemment. »

Osmund était trop fin pour se laisser distraire par de telles platitudes.

« On vous a entendu parler au jeune garçon de Dreng's Ferry.

— En effet. J'ai surpris le frère Hildred en train d'écouter aux portes.

— Et j'ai bien fait ! s'exclama Hildred. Vous complotiez contre votre abbé !

— Je posais des questions.

— Écoutez-moi, reprit Osmund. Nous avons eu

un léger différend avec Wynstan au sujet de Dreng's Ferry, mais la question a été réglée, et l'affaire est close.

— Je ne dirais pas cela. Ce moustier reste une abomination aux yeux de Dieu.

— C'est possible, mais j'ai décidé de ne pas me quereller avec l'évêque. Je ne vous accuse pas de comploter contre moi, malgré les propos enflammés d'Hildred, mais en vérité, Aldred, vous ne devez pas saper mon autorité. »

Aldred éprouva un mélange de honte et d'indignation. Il n'avait pas l'intention d'offenser son supérieur, un homme paresseux mais plein de bonté. D'un autre côté, un homme de Dieu ne devait pas fermer les yeux sur la perversité. Osmund était prêt à tout pour vivre tranquillement, pourtant la vocation d'un moine n'était pas d'aspirer à la tranquillité.

Néanmoins, le moment était mal choisi pour défendre sa position.

« Je suis désolé, dit-il. Je ferai de mon mieux pour me rappeler mon vœu d'obéissance.

— J'étais sûr que vous entendriez raison », répondit Osmund.

Hildred avait l'air sceptique. Il ne croyait pas à la sincérité d'Aldred.

Et il avait raison.

*

Edgar arriva à Dreng's Ferry dans l'après-midi du lendemain. Il était épuisé. Il n'aurait jamais dû transporter un sac de chaux sur une telle distance. Il avait beau être fort, il n'avait rien d'un surhomme. Son dos le faisait à présent horriblement souffrir.

La première chose qu'il vit fut un tas de pierres sur la berge du fleuve. Ses frères avaient déchargé le radeau mais n'avaient pas pris la peine de porter les pierres jusqu'à la brasserie. En cet instant, il aurait pu les tuer.

Trop fatigué ne fût-ce que pour entrer dans la taverne, il laissa tomber son sac près des pierres et s'allongea par terre, sur place.

Dreng sortit et le vit.

« Alors tu es revenu, constata-t-il.

— Oui, je suis là.

— Les pierres sont arrivées.

— C'est ce que je vois.

— Que rapportes-tu ?

— Un sac de chaux. Je vous ai épargné le prix d'un transport à cheval, mais je ne le referai pas.

— Autre chose ?

— Non. »

Dreng sourit avec une curieuse expression de satisfaction malveillante.

« Ah si, une chose encore, reprit Edgar en lui tendant la bourse. Vous m'aviez donné trop d'argent. »

Dreng parut surpris.

« Les pierres coûtaient un penny pièce, continua Edgar. Nous avons payé un penny à la taverne d'Outhenham pour souper et dormir. La chaux coûtait quatre pennies. Il en reste donc neuf. »

Dreng prit la bourse et compta les pièces.

« En effet, dit-il. Bien, bien. »

Edgar était perplexe. Un homme aussi avaricieux que Dreng aurait dû être horrifié d'apprendre qu'il avait donné plus que nécessaire. Or il n'était que vaguement étonné.

« Bien, bien », répéta Dreng, et il entra dans la taverne.

Allongé par terre, attendant que son dos cesse de le faire souffrir, Edgar réfléchit. On aurait presque dit que Dreng savait pertinemment qu'il lui avait donné une trop grosse somme et n'en revenait pas qu'il lui en rende une partie.

Évidemment, pensa Edgar. C'était cela.

Il l'avait mis à l'épreuve. Dreng l'avait délibérément soumis à la tentation, pour voir comment il allait réagir.

Ses frères auraient mordu à l'hameçon. Ils auraient volé l'argent et se seraient fait prendre. Alors qu'Edgar l'avait simplement rendu.

Erman et Eadbald avaient tout de même eu raison sur un point. Ils l'avaient prévenu que Dreng ne lui ferait pas la grâce d'un merci. Et c'était exactement ce qu'Edgar avait obtenu : pas un merci.

18

Mars 998

Le voyage de Ragna au val d'Outhen n'aurait pas dû présenter de difficultés.

Lorsqu'elle avait mentionné son intention de s'y rendre, la veille du départ de Wilf pour le pays de Galles, son mari avait hoché la tête, lui donnant son accord sans hésiter. Mais une fois l'armée partie, Wynstan vint la trouver.

« Le moment est mal choisi pour une visite à Outhen, lui dit-il de la voix onctueuse assortie du sourire hypocrite dont il usait quand il feignait de parler le langage de la raison. C'est l'époque des labours de printemps. Il ne faudrait pas distraire les paysans. »

Ragna fut sur ses gardes. Jamais Wynstan n'avait manifesté d'intérêt pour l'agriculture.

« Je ne veux évidemment rien faire qui risque de les gêner dans leur travail, répondit-elle, en atermoyant.

— Bien. Repoussez votre visite. Entre-temps, je percevrai vos redevances et vous remettrai les recettes, comme je l'ai fait à la Noël. »

Wynstan lui avait effectivement donné une large somme d'argent quelques jours après Noël, mais comme il ne lui avait pas présenté de registre de comptes, elle n'avait aucun moyen de savoir s'il lui avait versé son dû. À ce moment-là, elle était trop désemparée par l'affaire d'Inge pour s'en soucier, mais elle n'avait pas l'intention de laisser se perpétuer cette négligence. Comme il se tournait pour partir, elle lui posa la main sur le bras.

« Quelle date suggérez-vous ?

— Laissez-moi le temps d'y réfléchir. »

Ragna soupçonnait qu'elle connaissait mieux que lui le calendrier agricole.

« Voyez-vous, il y a toujours des tâches urgentes à faire dans les champs, dit-elle.

— Oui, mais...

— Après les labours viennent les semailles.

— Oui...

— Puis le sarclage, et ensuite les moissons, le battage et la mouture.

— Je sais.

— Vient ensuite la saison des labours d'hiver. » Il avait l'air agacé.

« Je vous avertirai en temps voulu. »

Ragna secoua fermement la tête.

« J'ai une meilleure idée. Je me rendrai au val d'Outhen pour l'Annonciation. Comme c'est un jour férié, ils ne travailleront pas de toute façon. »

Il hésita, mais parut ne rien trouver à lui opposer.

« Fort bien », dit-il avec brusquerie.

En le regardant s'éloigner, Ragna sut qu'il n'en resterait pas là. Elle n'était pas intimidée pour autant. Le jour de l'Annonciation, elle percevrait ses redevances à Outhenham. Et elle confondrait Gab le carrier.

Souhaitant qu'Edgar assiste à cette confrontation, elle envoya un messager à Dreng's Ferry pour le convoquer sous prétexte de lui confier de nouveaux travaux de menuiserie.

Une autre raison l'incitait à s'éloigner de Shiring : en l'absence des maris, l'atmosphère était devenue pesante à l'intérieur du domaine. Les seuls hommes restants étaient soit trop jeunes, soit trop âgés pour se battre. Ragna découvrit que les femmes se comportaient mal quand leurs époux n'étaient pas là pour les voir. Elles se querellaient, criaient et se dénigraient d'une manière qu'ils auraient tournée en dérision. Sans doute l'attitude des hommes laissait-elle également à désirer quand les représentantes du sexe opposé n'étaient pas là pour les remettre à leur place : elle devrait poser la question à Wilf.

Elle décida de rester au val d'Outhen pendant environ une semaine après l'Annonciation, le temps de parcourir en personne son domaine pour savoir avec précision ce qu'elle possédait. Elle se montrerait à ses tenanciers et à ses sujets, et ferait leur connaissance. Elle tiendrait une audience dans chaque village et commencerait à établir sa réputation de juge impartial.

Quand elle alla parler à Wignoth, le chef palefrenier, il secoua la tête et aspira l'air entre ses dents noircies.

« Nous n'avons pas assez de chevaux, objecta-t-il. Toutes les bêtes ont été réquisitionnées pour l'attaque contre les Gallois. »

Ragna ne pouvait décemment pas arriver à pied. Le peuple, qui jugeait sur les apparences, estimerait qu'un noble sans cheval manquait d'autorité.

« Mais Astrid est encore là », répondit-elle.

Elle avait amené de Cherbourg sa jument préférée.

« Vous serez accompagnée d'une suite pour votre visite, fit remarquer Wignoth.

— Oui.

— Astrid mise à part, nous n'avons qu'une vieille jument, un poney borgne et un cheval de bât qui n'a jamais été monté. »

Il y avait d'autres chevaux au bourg : l'évêque et l'abbé en possédaient plusieurs, et le shérif disposait d'une vaste écurie. Mais ils en avaient besoin pour leur propre usage.

« Nous devrons nous contenter de ceux-là, conclut Ragna d'un ton ferme. Ce n'est pas l'idéal, mais je m'en arrangerai. »

En s'éloignant de l'écurie, elle vit deux jeunes gens du bourg qui traînaient près de la cuisine, parlant à Gilda et aux autres filles. Ragna s'arrêta, sourcils froncés. Elle n'avait pas d'objection morale au badinage – elle-même n'hésitait pas à y recourir quand cela servait ses intérêts. Mais les maris étant partis au combat, cela pouvait devenir dangereux. En général, les liaisons illicites ne restaient pas secrètes très longtemps, et les soldats de retour de bataille étaient prompts à dégainer leurs armes.

Ragna changea de direction et s'approcha des deux hommes.

Eadhild, une cuisinière, écaillait un poisson avec un couteau aiguisé, les mains pleines de sang. Aucune des filles de cuisine n'avait aperçu Ragna. Eadhild disait aux jeunes gens de s'éloigner, mais son ton espiègle manquait de conviction.

« Nous ne voulons pas de gars comme vous par ici », dit-elle, tout en pouffant de rire.

Ragna remarqua l'air réprobateur de Gilda.

« Les femmes ne veulent jamais de gars comme nous… jusqu'à ce qu'elles changent d'avis ! lança l'un des deux garçons.

— Non, mais écoutez-le ! » commenta Eadhild.

Ragna intervint brusquement :

« Qui êtes-vous ? »

Ils parurent surpris et ne répondirent pas tout de suite.

« Donnez-moi vos noms, reprit Ragna, ou je vous ferai fouetter tous les deux. »

Gilda pointa une broche vers eux.

« Lui, c'est Wiga, et l'autre s'appelle Tata. Ils travaillent à la Taverne de l'Abbaye.

— Et que croyez-vous qu'il arrivera, Wiga et Tata, quand les maris de ces femmes reviendront, avec leurs épées aussi sanglantes que le couteau d'Eadhild, et qu'ils apprendront que vous avez conté fleurette à leurs femmes ? » demanda Ragna.

L'air penaud, Wiga et Tata restèrent silencieux.

« Des meurtres, reprit Ragna. Voilà ce qui arrivera. À présent, retournez à votre taverne, et que je ne vous revoie plus ici jusqu'au retour de l'ealdorman Wilf. »

Ils déguerpirent sur-le-champ.

« Merci, milady, dit Gilda. Je suis bien contente d'être débarrassée de ces deux-là. »

Ragna rentra chez elle et réfléchit de nouveau à sa visite au val d'Outhen. Elle décida de partir la veille de l'Annonciation. Le trajet prendrait la matinée. Elle consacrerait l'après-midi à s'entretenir avec les villageois, puis tiendrait audience le lendemain matin.

La veille de son départ, Wignoth vint la voir, apportant une odeur d'écurie dans sa maison. Il avait l'air faussement désolé.

« La route d'Outhenham est coupée à cause d'une inondation », annonça-t-il.

Elle le dévisagea. C'était un homme costaud, mais gauche.

« Elle est complètement impraticable ? lui demanda-t-elle.

— Oui, complètement. »

Il mentait mal, et son regard était fuyant.

« Qui te l'a dit ?

— Hum, lady Gytha. »

Ragna n'en fut pas surprise.

« J'irai à Outhenham, dit-elle. Si la route est inondée, je ferai un détour. »

Wynstan semblait résolu à empêcher sa visite, songea-t-elle, puisqu'il avait recruté Gytha et Wignoth pour l'en dissuader. Sa propre détermination s'en trouva renforcée.

Alors qu'elle s'attendait à voir Edgar arriver de Dreng's Ferry ce jour-là, il ne se montra pas. La présence du jeune homme lui semblait nécessaire pour donner du poids à ses accusations. Pourrait-elle démasquer Gab sans le témoignage d'Edgar ? Elle n'en était pas sûre.

Le lendemain, elle se leva de bonne heure.

Elle se vêtit d'étoffes de prix aux couleurs sombres, marron foncé et noir profond, afin de souligner son sérieux. Elle était tendue et chercha à se rassurer en se disant qu'elle allait simplement rencontrer ses gens, comme elle l'avait déjà fait des dizaines de fois – mais jamais en Angleterre. Rien ne serait exactement tel qu'elle le prévoyait : l'expérience lui avait appris que les choses ne l'étaient jamais dans ce pays. L'important était de faire bonne impression. Les paysans avaient malheureusement une excellente mémoire et il fallait parfois des années pour rattraper un mauvais départ.

L'apparition d'Edgar la rasséréna. Il lui présenta ses excuses pour ne pas s'être présenté la veille, expliquant qu'il était arrivé tard et s'était rendu directement à l'abbaye pour y passer la nuit. Ragna fut soulagée à la pensée qu'elle ne serait pas seule pour affronter Gab.

Ils rejoignirent l'écurie, où ils trouvèrent Bern et Cat en train de charger le cheval de bât et de seller la vieille jument et le poney borgne. Ragna sortit Astrid de sa stalle et remarqua tout de suite que quelque chose n'allait pas.

En marchant, le cheval agitait la tête d'une manière inhabituelle. L'ayant observé un instant, Ragna s'aperçut qu'il relevait l'encolure au moment où l'antérieur gauche touchait le sol, à la manière d'une bête qui cherche à réduire le poids sur un membre blessé.

Elle s'agenouilla près d'Astrid et toucha le canon à deux mains, palpant d'abord délicatement avant d'augmenter la pression. Quand elle appuya énergiquement, Astrid remua et tenta de libérer sa jambe.

Dans son état, la jument ne pourrait pas la porter.

Furieuse, Ragna se releva et fixa Wignoth d'un regard mauvais.

« Mon cheval a été blessé, dit-elle, maîtrisant à grand-peine sa colère.

— Une des autres bêtes a dû lui donner un coup de sabot », suggéra Wignoth, visiblement inquiet.

Ragna regarda les autres montures. Elles faisaient peine à voir.

« Laquelle de ces fougueuses créatures soupçonnes-tu ? » demanda-t-elle d'un ton sarcastique.

La voix du palefrenier se fit plaintive.

« Il arrive à tous les chevaux de ruer. »

Ragna parcourut l'écurie du regard et aperçut une caisse à outils. Les sabots des chevaux étaient protégés par des fers cloués. Parmi les outils se trouvait un marteau à ferrer en bois, court et lourd. Son instinct lui souffla que Wignoth avait frappé l'antérieur d'Astrid avec ce brochoir. Mais elle n'avait aucun moyen de le prouver.

« Pauvre bête, murmura-t-elle à Astrid avant de se retourner vers Wignoth. Si tu n'es pas capable d'assurer la sécurité des chevaux, tu ne peux pas être responsable des écuries. »

Il prit l'air buté, comme s'il s'estimait victime d'une injustice.

Ragna avait besoin de temps pour réfléchir.

« Restez ici, dit-elle à Bern et à Cat. Ne déchargez pas les chevaux. »

Elle quitta l'écurie et prit la direction de sa maison. Edgar la suivit.

« Cet affreux Wignoth a délibérément estropié ma jument, lui expliqua-t-elle alors qu'ils passaient devant la mare. Il a dû la frapper avec son marteau à ferrer. L'os n'est pas cassé, mais elle est gravement meurtrie.

— Pourquoi Wignoth aurait-il fait une chose pareille ?

— C'est un lâche. Quelqu'un a dû le lui ordonner et il n'a pas eu le courage de refuser.

— Qui aurait pu lui donner cet ordre ?

— Wynstan ne veut pas que j'aille au val d'Outhen. Il n'a cessé de me mettre des bâtons dans les roues. Il a toujours perçu les redevances à la place de Wilf et veut continuer de le faire pour moi.

— En se servant au passage, j'imagine.

— Oui. Je le soupçonne d'être déjà en route. »

Ils pénétrèrent dans la maison, mais elle ne s'assit pas.

« Je ne sais pas quoi faire, soupira-t-elle. L'idée de céder me fait horreur.

— Y a-t-il quelqu'un qui pourrait vous aider ? »

Ragna se remémora sa conversation avec Aldred à propos d'alliés. Elle en avait quelques-uns.

« Aldred m'aiderait s'il le pouvait. Ainsi que le shérif Den.

— L'abbaye a des chevaux, le shérif aussi. »

Ragna réfléchissait.

« Si je me rends à Outhen maintenant, les choses risquent de mal se passer. Wynstan est très déterminé : je crains qu'il ne refuse de me laisser percevoir mes redevances. Je devrai alors trouver un moyen de l'obliger à respecter la loi.

— Dans ce cas, il faudra en appeler à la cour du comté. »

Elle secoua la tête. En Normandie, il arrivait que les liens du sang priment sur le droit, et, d'après ce qu'elle avait vu, le système judiciaire anglais ne valait guère mieux.

« La cour du comté est présidée par Wilf.

— Votre mari. »

Songeant à Inge, Ragna haussa les épaules. Wilf prendrait-il le parti de sa femme ou celui de son frère ? Elle n'était sûre de rien. Cette pensée l'attrista une seconde, mais elle chassa sa mélancolie et changea de sujet.

« Je déteste me plaindre.

— Alors, vous devez tout faire pour que ce ne soit pas Wynstan qui touche les redevances, mais vous. Vous lui laisserez ainsi le rôle de plaignant. »

La logique était infaillible, mais la mise en œuvre moins évidente.

« J'aurais besoin de soutiens de poids.

— Aldred accepterait peut-être de nous accompagner. Un moine possède une autorité morale.

— Je ne suis pas sûre que l'abbé lui en donnerait l'autorisation. Osmund est timoré. Il ne veut pas de querelle.

— Laissez-moi parler à Aldred. Il m'aime bien.

— Cela vaut la peine d'essayer. Mais l'autorité morale risque de ne pas suffire. Il me faut des hommes d'armes. Bern est le seul dont je dispose.

— Et le shérif Den ? Il a des hommes. En vous soutenant, il ferait respecter les lois du roi, rien de plus, ce qui est son devoir. »

C'était une possibilité, admit Ragna en son for intérieur. Comme elle l'avait tardivement découvert, Wilf et Wynstan avaient défié le roi à propos du traité de Cherbourg et de son mariage. Le shérif avait pu en être durablement contrarié.

« Den ne serait sans doute pas mécontent d'avoir l'occasion de contrecarrer l'évêque Wynstan.

— J'en suis certain. »

Ragna commençait à entrevoir une solution.

« Va parler à Aldred. Pendant ce temps, j'irai voir Den.

— Nous ferions mieux de partir séparément, pour ne pas donner l'impression de comploter.

— Bonne idée. Laisse-moi sortir la première. »

Ragna quitta la maison et traversa le domaine à grands pas. Elle ne parla à personne : ils n'avaient qu'à trembler en essayant de deviner les conséquences possibles de sa rage.

Elle descendit le coteau et se dirigea vers l'endroit où vivait Den, à la lisière du bourg.

Que Wynstan ait réussi à monter Wignoth contre elle la décevait profondément. Après avoir déployé tant d'efforts pour gagner la loyauté des serviteurs du domaine, elle avait cru y être parvenue. Gilda avait été la première à se rallier à elle, et les autres filles de cuisine avaient suivi. Elle n'espérait pas conquérir les hommes d'armes, qui appréciaient Garulf – ils souriaient en disant que c'était un sacré gaillard. Mais elle s'était mise en quatre pour amadouer les palefreniers et constatait qu'elle avait échoué. Si les gens la préféraient certainement à Wynstan, conclut-elle, ils le craignaient davantage.

À présent, elle avait besoin de tout le soutien qu'elle pourrait obtenir. Den viendrait-il à son aide ? Elle pensait avoir des chances de le convaincre. Il n'avait aucune raison d'avoir peur de Wynstan. Et Aldred ? Il l'aiderait s'il en avait la possibilité. Mais si aucun des deux ne répondait présent, elle serait seule.

La résidence du shérif paraissait aussi imposante que celle de l'ealdorman, une impression sûrement intentionnelle. Son domaine, ceint d'une palissade, comprenait des logis pour les hommes d'armes, des écuries, une maison commune et plusieurs autres bâtisses plus petites.

Den avait refusé de se joindre à l'armée de Wilf, affirmant qu'il avait la charge de maintenir la paix du roi dans le comté de Shiring et que sa présence était d'autant plus nécessaire en l'absence de l'ealdorman – à en juger par l'attitude de Wynstan, il avait raison.

Ragna trouva Den chez lui, en compagnie de sa femme et de sa fille, ainsi que du petit-fils dont il était si fier. Le shérif parut content de la voir, comme les hommes l'étaient généralement. Après avoir passé quelques minutes à s'extasier sur le nourrisson, qui lui sourit et gazouilla en retour, Ragna entra dans le vif du sujet.

« Wynstan tente de me dépouiller de mes redevances du val d'Outhen », déclara-t-elle.

Elle jubila en entendant la réponse de Den.

« Vraiment ? dit-il avec un sourire réjoui. Dans ce cas, nous devons intervenir. »

*

Ragna et ses alliés veillèrent à garder leurs plans secrets. Leur départ inopiné, à l'aube, empêcha quiconque d'en avertir Wynstan. Il ne s'y attendait certainement pas.

Le 25 mars, jour de l'Annonciation, on célébrait la visite qu'avait faite l'archange Gabriel à Marie pour lui annoncer qu'elle allait concevoir un enfant miraculeusement. La journée était froide, mais ensoleillée. Le moment idéal, songea Ragna, pour faire savoir à la population de la vallée qu'elle était leur nouveau seigneur.

Elle quitta Shiring sur une jument grise appartenant au shérif Den. Il chevaucha à son côté, avec une escorte de douze hommes d'armes conduits par Wigbert, leur capitaine. Le soutien du shérif l'enchantait : il lui prouvait qu'elle n'était pas une faible femme entièrement à la merci de la famille de son mari. Le conflit n'était pas encore terminé, mais elle avait déjà prouvé qu'elle ne se laisserait pas faire.

Bern, Cat et Edgar marchaient à côté des chevaux. À la sortie du bourg, ils retrouvèrent Aldred, qui avait quitté l'abbaye en catimini, sans prévenir Osmund.

Ragna éprouva un sentiment de triomphe. Elle avait surmonté tous les problèmes, évité toutes les embûches placées sur sa route. Elle avait refusé de céder au découragement.

Elle se remémora la grossière intervention de Wigelm à son mariage. Il s'était opposé à ce qu'elle reçoive le val d'Outhen, et Wilf l'avait promptement remis à sa place. Ragna s'était interrogée sur cette contestation si malvenue. À présent, elle croyait comprendre. Wigelm avait posé un jalon. Wynstan et lui caressaient le projet à long terme de lui reprendre Outhen et voulaient pouvoir dire qu'ils n'avaient jamais accepté la légitimité de ce présent.

La paternité du plan revenait sûrement à Wynstan.

Wigelm n'était pas assez intelligent. Elle était remplie de dégoût envers l'évêque, qui déshonorait ses habits sacerdotaux en profitant de sa position pour satisfaire son avidité. Cette simple idée lui donnait la nausée.

Si elle les avait tenus en échec jusqu'ici, elle savait qu'il était trop tôt pour crier victoire. Elle avait déjoué les tentatives de Wynstan pour la confiner chez elle, mais ce n'était qu'un début.

Elle réfléchit à ce qu'il lui fallait accomplir durant cette visite. Gagner l'affection de ses gens n'était plus son principal objectif. Elle devait avant tout leur faire comprendre que c'était elle leur seigneur, et non Wynstan. Une meilleure occasion ne se représenterait peut-être pas. Le shérif ne l'accompagnerait pas chaque fois.

Elle questionna Edgar sur les habitants d'Outhenham et mémorisa les noms des plus importants. Elle lui demanda ensuite de rester à l'arrière du groupe lorsqu'ils entreraient dans le village et de ne pas se faire voir avant qu'elle l'appelle.

À leur arrivée, Ragna remarqua avec plaisir que la localité était riche. La plupart des maisons possédaient une porcherie, un poulailler ou une étable, voire les trois pour certaines. La prospérité allait toujours de pair avec le commerce, elle le savait, et la situation d'Outhenham, à l'embouchure de la vallée, en faisait un lieu d'échanges naturel pour la région.

Il incomberait à Ragna de préserver et d'augmenter cette prospérité, pour son bien autant que pour celui de son peuple. Son père disait toujours que les nobles avaient autant de devoirs que de privilèges.

Les abords du village étaient presque déserts. Une minute plus tard, elle constata que la plupart des habitants s'étaient rassemblés au centre, entre l'église et la taverne.

Wynstan était assis au milieu de la place, sur un large tabouret à quatre pieds garni d'un coussin, le genre de siège utilisé pour les occasions officielles. Deux hommes l'entouraient. Celui qui avait le crâne tondu devait être Draca, le curé du village – Ragna se souvenait de son nom grâce à sa conversation avec Edgar. L'autre, un costaud au visage rougeaud, était sûrement le chef, nommé Dudda.

Ils étaient entourés de toutes sortes de denrées agricoles. Si des pièces de monnaie circulaient à la campagne, de nombreux paysans payaient leurs redevances en nature. On était en train de charger deux grandes charrettes de tonneaux et de sacs, de poules en cage, de viande et de poisson fumés et salés. Des porcelets et des agneaux attendaient dans des enclos provisoires installés contre le mur de l'église.

Sur une table à tréteaux se trouvaient de nombreux bâtons de taille et plusieurs piles de pennies d'argent. Assis à cette table, Ithamar, le secrétaire de Wynstan, tenait une longue feuille de parchemin, tachée et usée sur les bords, couverte de lignes d'écriture serrée, peut-être en latin. C'était sans doute la liste des redevances dues par chaque tenancier. Ragna résolut de mettre la main sur ce document.

La scène lui était familière car elle en avait vu de semblables en Normandie, aussi concentra-t-elle son attention sur Wynstan.

Il se leva et demeura bouche bée devant les dimensions et l'autorité du contingent qui arrivait. L'étonnement et la consternation se lurent sur son visage. En faisant estropier Astrid, il avait évidemment cru pouvoir empêcher Ragna de quitter Shiring et comprenait à présent à quel point il l'avait sous-estimée.

« Comment avez-vous… ? » commença-t-il, puis il

changea d'avis et s'interrompit sans achever sa question.

Elle dirigea son cheval vers lui, et la foule s'ouvrit sur son passage. Elle tenait les rênes de la main gauche et une cravache dans la droite.

Wynstan, l'esprit toujours vif, changea de ton.

« Lady Ragna, soyez la bienvenue au val d'Outhen, dit-il. Nous sommes surpris, mais fort honorés, de votre visite. »

Il parut sur le point d'attraper le cheval par la bride, mais Ragna ne le laissa pas faire : elle leva à peine sa cravache, comme pour écarter la main de Wynstan et, voyant sa détermination, il suspendit son geste.

Elle le dépassa.

S'étant souvent adressée à des assemblées en plein air, elle savait faire porter sa voix.

« Habitants du val d'Outhen, déclara-t-elle, je suis lady Ragna, votre seigneur. »

Il y eut un moment de silence. Ragna attendit. Un homme dans la foule mit un genou à terre. D'autres l'imitèrent et, bientôt, tout le monde s'agenouilla.

Elle se tourna vers son groupe.

« Saisissez ces charrettes », ordonna-t-elle.

Le shérif adressa un signe de tête à ses hommes d'armes.

Wigbert, leur capitaine, était un petit homme sec, à l'air méchant et au caractère soupe au lait. Son lieutenant, Godwine, était grand et massif. Sa stature intimidait les gens, mais il était le plus bonhomme des deux. C'était Wigbert qu'il fallait craindre.

« Ces charrettes m'appartiennent, protesta Wynstan.

— Et elles vous seront restituées… mais pas aujourd'hui », répliqua Ragna.

Les compagnons de Wynstan, des serviteurs pour la plupart et non des hommes d'armes, s'écartèrent des charrettes dès que Wigbert et Godwine s'en approchèrent.

Les villageois étaient toujours agenouillés.

« Attendez ! dit Wynstan. Allez-vous vous laisser gouverner par une simple femme ? »

Les villageois ne réagirent pas. Ils étaient toujours à genoux, certes, mais cela ne leur coûtait rien. La vraie question n'était pas de savoir devant qui ils s'inclinaient, mais à qui ils payaient leurs redevances.

Ragna avait une réponse toute prête pour Wynstan.

« Ne connaissez-vous pas la grande princesse Ethelfled, fille du roi Alfred et seigneur de toute la Mercie ? » demanda-t-elle. Aldred lui avait raconté que la plupart des gens avaient entendu parler de cette femme remarquable, morte huit ans auparavant seulement. « Elle a été l'un des plus grands souverains que l'Angleterre ait jamais connu !

— Elle était anglaise, contrairement à vous, remarqua Wynstan.

— Mais c'est vous, monseigneur, qui avez négocié mon contrat de mariage. Vous qui avez décidé que je recevrais le val d'Outhen. Lorsque vous étiez à Cherbourg pour sceller l'accord avec le comte Hubert, n'avez-vous pas remarqué que vous vous trouviez en Normandie et que vous traitiez avec un noble normand, pour obtenir la main de sa fille normande ? »

Des rires montèrent de la foule, et Wynstan s'empourpra de colère.

« C'est à moi que le peuple a l'habitude de payer ses redevances, dit-il. Le père Draca vous le confirmera. »

Il regarda fixement le prêtre, qui parut terrifié.

« L'évêque dit vrai, parvint-il à répondre.

— Père Draca, qui est le seigneur du val d'Outhen ? demanda Ragna.

— Milady, je ne suis qu'un pauvre curé de village…

— Vous savez cependant qui est le seigneur de ce village.

— Oui, milady.

— Dans ce cas, répondez à ma question.

— Milady, nous avons été informés que vous êtes le nouveau seigneur d'Outhen.

— À qui le peuple doit-il donc ses redevances ?

— À vous, marmonna Draca.

— Plus fort, je vous prie, afin que les villageois vous entendent. »

Draca n'avait pas d'échappatoire.

« C'est à vous que le peuple doit ses redevances, milady.

— Merci. » Elle parcourut la foule des yeux, marqua une pause, puis déclara : « Levez-vous tous. »

Ils obéirent.

Ragna était satisfaite. Elle avait pris le contrôle de la situation. Mais ce n'était pas encore fini.

Elle descendit de cheval et s'approcha de la table. Tout le monde l'observait en silence, se demandant ce qu'elle allait faire.

« Tu es bien Ithamar, n'est-ce pas ? » demanda-t-elle au secrétaire de Wynstan.

Il leva vers elle un regard inquiet. Elle saisit le parchemin qu'il avait en main ; surpris, le secrétaire n'opposa aucune résistance. Le document, rédigé en latin, inventoriait les redevances dues par chaque homme du village. Il était visiblement ancien et abondamment corrigé ; les tenanciers d'aujourd'hui devaient être les fils et petits-fils de ceux qui avaient été recensés à l'origine.

Ragna décida d'impressionner les villageois par son instruction.

« Jusqu'où êtes-vous allés, ce matin ? demanda-t-elle à Ithamar.

— Jusqu'à Wilmund le boulanger. »

Elle parcourut la liste du doigt.

« Wilmundus Pistor, lut-elle tout haut. Il est écrit ici qu'il doit trente-six pence par trimestre. »

Un murmure de surprise parcourut la foule : non seulement elle savait lire, mais elle était capable de traduire le latin.

« Approche, Wilmund. »

Le boulanger était un homme jeune et replet, à la barbe noire maculée de traînées de farine. Il s'avança avec sa femme et leur fils adolescent, tous trois tenant une petite bourse. Wilmund compta lentement vingt pence en pièces entières, puis sa femme en compta dix en demi-pennies.

« Comment t'appelles-tu ? lui demanda Ragna.

— Regenhild, milady, répondit-elle nerveusement.

— Et c'est ton fils ?

— Oui, milady, il s'appelle Penda.

— C'est un beau garçon. »

Regenhild se détendit un peu.

« Merci, milady.

— Quel âge as-tu, Penda ?

— Quinze ans, milady.

— Tu es grand, pour ton âge.

— Oui », acquiesça Penda en rougissant.

Il compta six pence en quarts de pennies : la famille avait payé son dû. Ils allèrent reprendre leur place parmi la foule, souriant de l'attention que leur avait portée une noble dame. Elle n'avait rien fait de plus que s'intéresser à eux à titre personnel au lieu de ne les considérer que comme des tenanciers, mais ils s'en souviendraient pendant des années.

Ragna se tourna alors vers Dudda, le chef du village. Feignant l'ignorance, elle lui demanda :

« Parle-moi de ces bâtons de taille.

— Ils sont à Gab, le maître carrier, répondit Dudda. Il utilise une baguette pour chaque client qui lui achète de la pierre. Une pierre sur cinq revient au seigneur.

— C'est-à-dire à moi.

— Il paraît, répondit Dudda d'un ton maussade.

— Lequel d'entre vous est Gab ? »

Un homme mince aux mains couvertes de cicatrices s'avança et toussa.

Il y avait sept baguettes, dont une seule portait cinq encoches. Elle la prit, comme au hasard.

« Dis-moi, Gab, à quel acheteur correspond cette taille ?

— C'est celle de Dreng, le passeur. »

Gab avait une voix rauque, sans doute à force de respirer de la poussière de pierre.

Feignant de chercher à comprendre le système de comptabilité, Ragna reprit :

« Dreng t'a donc acheté cinq pierres.

— Oui, milady. » Gab paraissait mal à l'aise, comme s'il se demandait où cette conversation allait mener. « Et je vous dois le prix de l'une d'elles », ajouta-t-il.

Elle se tourna vers Dudda.

« Est-ce exact ? »

L'air inquiet, il semblait redouter une mauvaise surprise sans savoir vraiment de quoi il retournait.

« Oui, milady.

— Le maçon de Dreng est ici avec moi aujourd'hui », annonça Ragna.

En entendant deux ou trois exclamations d'étonnement vite réprimées, elle devina que certains villageois n'ignoraient rien des malversations de Gab. Le carrier se décomposa, et le visage rougeaud de Dudda pâlit.

« Viens ici, Edgar », ordonna Ragna.

Edgar se dégagea du groupe d'hommes d'armes

et de serviteurs pour aller se placer à côté de Ragna. Dudda lui jeta un regard haineux.

« Combien de pierres as-tu achetées à ma carrière, Edgar ? demanda-t-elle.

— Cinq, c'était bien cela, jeune homme ? se hâta de dire Gab.

— Non. Cinq pierres n'auraient pas suffi pour couvrir le toit d'une brasserie. J'en ai acheté dix. »

Gab s'affola.

« Une innocente erreur, milady, je vous le jure.

— Il n'y a pas d'erreur innocente, rétorqua Ragna froidement.

— Mais, milady…

— Tais-toi. »

Ragna aurait bien aimé se débarrasser de Gab, mais elle avait besoin d'un carrier et n'avait personne pour le remplacer. Elle décida de faire de nécessité vertu.

« Je ne te punirai pas, déclara-t-elle. Je te dirai seulement ce que Notre-Seigneur a dit à la femme adultère : Va, et ne pèche plus. »

La foule parut surprise, mais approbatrice. Ragna espéra avoir montré qu'elle ne se laisserait pas berner, mais qu'elle savait aussi faire preuve de clémence.

Elle se tourna alors vers Dudda.

« Toi, en revanche, je ne te pardonne pas. Ton devoir était de t'assurer que ton seigneur ne se faisait pas duper, et tu as échoué. Tu n'es plus chef de ce village. »

Une fois encore, elle prêta attention aux réactions de la foule. Les villageois semblaient choqués, mais elle ne perçut aucune réprobation, et elle en conclut qu'ils ne regretteraient guère Dudda.

« Que Seric s'avance. »

Un homme d'une cinquantaine d'années, à l'allure alerte, sortit de la foule et s'inclina devant elle.

Elle se tourna vers les villageois et déclara :

« Il paraît que Seric est un honnête homme. »

Ce n'était pas une question – elle ne voulait pas leur donner l'impression que c'était à eux de décider. Elle n'en guetta pas moins leur comportement. Plusieurs personnes manifestèrent leur approbation à voix haute, d'autres en hochant la tête. L'instinct d'Edgar concernant Seric ne l'avait manifestement pas trompé.

« Seric, tu seras désormais le chef du village.

— Merci, milady, dit-il. Je serai honnête et juste.

— Bien. »

Elle regarda le secrétaire de Wynstan.

« Ithamar, ta présence n'est plus nécessaire. Père Draca, vous pouvez prendre sa place. »

Bien que visiblement anxieux, Draca s'assit à la table, et Seric s'installa à côté de lui.

Wynstan s'éloigna d'un pas furieux, ses hommes se précipitant à sa suite.

Ragna regarda autour d'elle. Les villageois, silencieux, l'observaient, dans l'expectative. Elle avait leur attention pleine et entière, et ils étaient prêts à lui obéir. Elle s'était imposée. Elle était satisfaite.

« Très bien, dit-elle. Continuons. »

19

Juin 998

Monté sur Dismas, son poney, Aldred quitta Shiring pour se rendre à Combe. Par souci de sécurité, il chemina en compagnie du chef Offa, qui regagnait Mudeford. Aldred emportait une lettre de l'abbé

Osmund adressée au prieur Ulric, à propos d'une banale affaire concernant une terre appartenant curieusement aux deux monastères. Dans sa sacoche de selle, soigneusement enveloppé de lin, se trouvait un précieux volume des *Dialogues* du pape Grégoire le Grand, copié et enluminé dans son scriptorium, un cadeau destiné au prieuré de Combe. Aldred espérait recevoir un présent en retour, un autre livre qui enrichirait la bibliothèque de Shiring. S'il arrivait que des ouvrages soient achetés et vendus, l'échange de cadeaux était plus fréquent. Cependant, la vraie raison de son voyage à Combe était sans rapport avec la lettre, ou le livre. Aldred enquêtait sur l'évêque Wynstan.

Il tenait à se trouver à Combe au lendemain du solstice d'été, moment où Wynstan et Degbert s'y rendraient s'ils étaient fidèles à leurs habitudes. Il était décidé à découvrir ce que les cousins corrompus y faisaient et si leurs activités étaient en lien avec le mystère de Dreng's Ferry. Malgré l'ordre formel qu'il avait reçu d'oublier toute cette affaire, il n'hésiterait pas à désobéir.

La situation qui régnait au moustier de Dreng's Ferry l'affectait profondément. Il se sentait souillé. Comment s'enorgueillir d'être un serviteur de Dieu quand d'autres hommes d'Église avaient un comportement aussi dissolu ? Degbert et son groupe semblaient jeter une ombre sur tout ce qu'Aldred entreprenait. Pour mettre un terme à l'existence du moustier, il était prêt à rompre son vœu d'obéissance.

Maintenant qu'il était en chemin, les doutes l'assaillaient. Comment dévoiler les manigances de Wynstan et de Degbert ? Il pourrait les suivre à la trace, mais courrait le risque de se faire remarquer. Pis, il existait à Combe des maisons où un homme de Dieu ne devait pas entrer. Wynstan et Degbert s'y rendraient peut-être discrètement, ou au vu de tous, mais jamais

Aldred ne réussirait à s'y faire passer pour un habitué ; il se ferait sûrement repérer et devrait s'attendre à de sérieux ennuis.

Comme il passait par Dreng's Ferry, il décida de demander son aide à Edgar.

À son arrivée dans le hameau, il s'arrêta d'abord au moustier. Il y entra la tête haute. S'il n'avait jamais été le bienvenu en ce lieu, il y était désormais détesté. Cela n'avait rien d'étonnant. Les prêtres ne lui pardonnaient pas d'avoir tenté de les expulser et de les priver de leur vie d'aisance et d'oisiveté. Le pardon et la miséricorde faisaient partie des nombreuses vertus chrétiennes dont ils étaient dépourvus. Aldred n'en insista pas moins pour qu'ils lui offrent l'hospitalité due à tout membre du clergé. Pas question d'aller passer discrètement la nuit à la taverne : il n'avait aucune honte à avoir. Le comportement de Degbert et de ses prêtres avait heurté les sensibilités au point que l'archevêque avait accepté de les renvoyer : c'étaient à eux d'être contrits. Ils ne devaient leur maintien en ces lieux qu'aux intérêts clandestins de l'évêque Wynstan qu'ils servaient – et c'était là le secret qu'Aldred entendait percer à jour.

Ne voulant pas révéler qu'il se rendait à Combe et s'y trouverait en même temps que Wynstan et Degbert, il recourut à un pieux mensonge et prétendit être en route pour Sherborne, situé à plusieurs journées de voyage de sa véritable destination.

Après avoir pris un souper offert à contrecœur et assisté à une lecture bâclée des Conférences, Aldred partit à la recherche d'Edgar. Il le trouva devant la taverne, en train de bercer un nourrisson sur ses genoux dans la chaleur du soir. Leurs chemins ne s'étaient pas croisés depuis leur triomphe d'Outhenham, et Edgar parut content de voir Aldred.

Ce dernier fut stupéfait en découvrant l'enfant.

« C'est le tien ? » demanda-t-il.

Edgar sourit et secoua la tête.

« C'est la fille de mes frères. Elle s'appelle Wynswith, et nous la surnommons Winnie. Elle a presque trois mois. Elle est belle, n'est-ce pas ? »

Aux yeux d'Aldred, elle ressemblait à n'importe quel autre nourrisson : le visage rond, chauve comme un moine, bavant et dénuée de tout charme.

« Oui, très belle », acquiesça-t-il.

C'était son deuxième petit mensonge de la journée. Il devrait prier pour que Dieu lui pardonne.

« Qu'est-ce qui vous amène ici ? demanda Edgar. Sûrement pas le plaisir de rendre visite à Degbert.

— Y a-t-il un endroit où nous puissions discuter sans craindre des oreilles indiscrètes ?

— Je vais vous montrer ma brasserie, répondit Edgar avec enthousiasme. Attendez-moi une minute. »

Il entra dans la taverne et en ressortit sans la petite.

La brasserie se trouvait en amont et à proximité du fleuve, afin que l'eau n'ait pas à être transportée trop loin. Comme dans tous les villages bâtis à côté d'un cours d'eau, les habitants remplissaient leurs seaux en amont et jetaient leurs déchets en aval.

La nouvelle construction disposait d'un toit en tuiles de chêne.

« Je croyais que tu avais prévu un toit de lauzes, fit remarquer Aldred.

— Je me suis trompé, répondit Edgar visiblement penaud. Je n'ai pas réussi à tailler la pierre en lauzes. Elles étaient soit trop épaisses, soit trop fines. J'ai dû changer de plan. À l'avenir, je tâcherai de me rappeler que toutes mes brillantes idées ne sont pas réalisables. »

À l'intérieur, une forte odeur épicée de fermentation montait d'un grand chaudron de bronze suspendu au-dessus d'un foyer carré surélevé bâti en pierre. Les tonneaux et les sacs étaient entreposés dans une pièce à part. Le sol en pierre était propre.

« C'est un petit palais ! » s'écria Aldred.

Edgar sourit.

« Je l'ai conçue pour qu'elle résiste au feu. Pourquoi vouliez-vous me parler en privé ? Je suis curieux de le savoir.

— Je suis en route pour Combe. »

Edgar comprit aussitôt.

« Wynstan et Degbert y seront dans quelques jours.

— Oui. Et je veux voir de mes propres yeux ce qu'ils manigancent. Mais j'ai un problème. Je ne pourrai pas les suivre partout sans me faire remarquer, surtout s'ils fréquentent des lieux de débauche.

— Alors comment comptez-vous faire ?

— Je voudrais que tu m'aides à les garder à l'œil. Tu risques moins d'attirer l'attention.

— C'est bien un moine qui me demande de me rendre chez Mags ? demanda Edgar avec un petit sourire.

— J'ai du mal à le croire moi-même », répondit Aldred avec une grimace de dégoût.

Edgar recouvra son sérieux.

« Je peux aller à Combe acheter du matériel. Dreng me fait confiance.

— Vraiment ? s'étonna Aldred.

— Il a essayé de me tendre un piège en me confiant trop d'argent pour acheter les pierres. Il s'attendait à ce que je garde le surplus et a été stupéfait quand je le lui ai rendu. À présent, il est ravi que je fasse le travail à sa place, ce qui soulage son dos qui lui fait si mal, comme chacun sait.

— Tu as besoin de quelque chose à Combe ?

— Nous devrons bientôt acheter de nouvelles

cordes, et elles sont moins chères là-bas. Je pense pouvoir partir demain.

— Il vaut mieux éviter de voyager ensemble. Je ne veux pas que les gens sachent que nous collaborons.

— Dans ce cas, je partirai le lendemain du solstice et prendrai le radeau.

— Parfait », approuva Aldred avec reconnaissance.

Ils sortirent de la brasserie. Le soleil déclinait.

« Une fois là-bas, tu me trouveras au prieuré, précisa Aldred.

— Faites bon voyage. »

*

Cinq jours après le solstice d'été, Edgar mangeait du fromage à la Taverne des Marins, quand il apprit que Wynstan et Degbert étaient arrivés à Combe le matin même et logeaient chez Wigelm.

Le thane avait reconstruit la résidence détruite par les Vikings un an plus tôt. Comme elle ne possédait qu'une entrée, Edgar n'eut pas de mal à la surveiller, d'autant qu'il y avait une taverne à un jet de pierre.

La tâche était fastidieuse et, pour passer le temps, il s'interrogea sur le secret de Wynstan. Il eut beau imaginer une multitude d'activités abjectes dont il croyait l'évêque capable, il ne parvenait pas à comprendre quel rôle Dreng's Ferry pouvait y jouer, et ses spéculations n'aboutirent à rien.

Ce premier soir, Wynstan, son frère et son cousin restèrent chez Wigelm à faire ribote. Edgar surveilla le portail jusqu'à ce que les lumières commencent à s'éteindre à l'intérieur de la résidence, puis il retourna à l'abbaye pour la nuit et prévint Aldred qu'il n'avait rien à lui apprendre.

Il craignait de se faire remarquer. La plupart des

habitants de Combe le connaissaient et ne tarderaient pas à se demander ce qu'il venait faire. Il avait acheté de la corde et d'autres fournitures ; il avait bu de la bière avec quelques vieux amis ; il avait examiné la ville rebâtie ; à présent, il lui fallait un prétexte pour s'attarder.

C'était le mois de juin, et il se souvint d'un coin de la forêt où poussaient des fraises des bois. Elles étaient délicieuses et très prisées en cette saison, mais difficiles à trouver. Il quitta le bourg à l'heure où les moines se levaient pour l'office des matines et marcha une demi-lieue en s'enfonçant dans le bois. Il eut de la chance : les fraises étaient mûres. Il en cueillit un plein sac, retourna en ville et entreprit de les vendre devant le portail de la demeure de Wigelm. Beaucoup de gens entraient et sortaient, ce qui en faisait un lieu propice pour un marchand. Il les vendait un farthing les deux douzaines.

En début d'après-midi, il avait écoulé tous ses fruits et avait la poche pleine. Il retourna s'asseoir devant la taverne et commanda un gobelet de bière.

Brindille avait un comportement étrange à Combe. La chienne semblait désorientée dans ce lieu familier, mais changé. Elle courait dans les rues, renouant avec les chiens du bourg et reniflant avec perplexité les maisons reconstruites. Elle avait aboyé joyeusement en reconnaissant la laiterie en pierre, qui avait résisté au feu ; puis elle avait passé une demi-journée assise sur le seuil, comme si elle attendait Sungifu.

« Je sais ce que tu ressens », lui murmura Edgar.

En début de soirée, Wynstan, Wigelm et Degbert sortirent de la résidence du thane. Edgar prit garde à ne pas croiser le regard du premier : l'évêque aurait pu le reconnaître.

Mais ce soir-là, Wynstan avait l'esprit aux plaisirs.

Ses compagnons étaient richement vêtus, et lui-même avait troqué sa longue robe noire d'ecclésiastique pour une tunique courte sous une houppelande légère fermée par une épingle en or. Une élégante toque couvrait son crâne tonsuré. Les trois hommes avancèrent en zigzag dans les rues poussiéreuses à la lumière du soir.

Ils se rendirent aux Marins, la plus grande taverne de la ville et la plus achalandée. L'endroit étant toujours très animé, Edgar estima pouvoir entrer et commander un gobelet de bière, tandis que Wynstan réclamait un pichet d'hydromel, cette boisson forte au miel fermenté, qu'il paya avec quelques pièces sorties d'une bourse de cuir pleine à craquer.

Edgar sirota lentement sa bière. Wynstan ne fit rien de remarquable. Il but, rit, commanda une assiette de crevettes et glissa la main sous la jupe d'une servante. Il ne cherchait pas à se cacher, même s'il se gardait de toute ostentation.

Le jour déclinait, et l'évêque devait être de plus en plus ivre. Quand il quitta la taverne avec ses comparses, Edgar leur emboîta le pas, jugeant qu'il n'y avait pas grand risque qu'ils le remarquent. Il les suivit pourtant à distance respectueuse.

Il songea que s'ils le repéraient, ils pourraient n'en rien montrer, afin de lui tendre un guet-apens. Le cas échant, ils le battraient jusqu'à le laisser pour mort. Il ne serait pas de taille à se défendre contre trois hommes. Il tenta de maîtriser sa peur.

Ils se rendirent chez Mags, et Edgar y entra à leur suite.

La tenancière avait rebâti sa maison et l'avait meublée dans un style aussi luxueux qu'un palais. Les murs s'ornaient de tapisseries, d'épaisses nattes recouvraient le sol et des coussins agrémentaient les sièges.

Deux couples copulaient sous des couvertures, et des paravents cachaient ceux dont les pratiques étaient trop gênantes ou trop obscènes pour s'offrir aux regards. Il semblait y avoir huit ou dix filles et deux garçons, dont certains parlaient avec un accent étranger ; Edgar devina que la plupart étaient des esclaves, achetés par Mags au marché de Bristol.

Wynstan, le client le plus éminent, fut aussitôt au centre de l'attention. Mags en personne lui apporta un gobelet de vin, l'embrassa sur les lèvres puis prit place à son côté pour lui vanter les charmes de différentes filles : celle-ci avait de gros seins, celle-là suçait comme personne et cette autre était intégralement rasée.

Pendant quelques minutes, personne ne remarqua Edgar, puis une jeune et jolie Irlandaise lui montra ses seins roses et lui demanda ce qui lui ferait plaisir. Marmonnant qu'il s'était trompé de maison, il repartit précipitamment.

Wynstan se livrait donc à des activités interdites à un évêque, sans chercher vraiment à être discret, mais Edgar ne voyait toujours pas quel pouvait être le grand mystère.

Il faisait nuit noire quand les trois compères ressortirent en titubant de chez Mags, mais leur soirée n'était pas encore terminée. Edgar les suivit sans trop craindre de se faire voir. Ils se rendirent dans une maison proche de la plage qu'Edgar reconnut : elle appartenait à Cynred, le marchand de laine, qui était sans doute l'homme le plus riche de Combe après Wigelm. La porte était ouverte pour laisser pénétrer l'air nocturne, et ils entrèrent.

Edgar ne pouvait pas les suivre dans une maison privée. Regardant par l'entrebaillement, il les vit s'installer autour d'une table, conversant de manière détendue et affable. Wynstan sortit sa bourse.

Edgar se dissimula dans une ruelle sombre de l'autre côté de la rue.

Bientôt, un homme bien habillé, qu'il ne reconnut pas, s'approcha de la maison et passa la tête à l'intérieur, comme s'il n'était pas sûr d'être au bon endroit. Grâce à la lumière qui venait du dedans, Edgar constata qu'il portait des vêtements onéreux, peut-être étrangers. L'inconnu posa une question qu'Edgar n'entendit pas.

« Entrez, entrez ! » cria quelqu'un, et l'homme s'exécuta.

Puis la porte se referma.

Edgar réussit tout de même à percevoir un peu de ce qui se passait à l'intérieur. Le volume de la conversation ne tarda pas à augmenter. Il distingua le bruit caractéristique des dés secoués dans un gobelet. Puis des exclamations :

« Dix pence !

— Double six.

— J'ai gagné ! J'ai gagné !

— Ces dés sont possédés ! »

Ayant eu son content d'alcool et de prostituées, Wynstan s'était manifestement tourné vers le jeu.

Après avoir longuement fait le pied de grue dans l'allée, Edgar entendit la cloche du monastère sonner minuit et l'office des vigiles, le premier du jour nouveau. La partie s'acheva peu après. Les joueurs ressortirent dans la rue, portant des brandons pour éclairer leurs pas. Edgar se rencogna dans l'allée, mais entendit distinctement Wynstan dire :

« La chance était avec vous, ce soir, sieur Robert !

— Vous acceptez la défaite de bonne grâce », répondit une voix entachée d'un fort accent.

Edgar en déduisit que l'inconnu à l'allure étrangère était un négociant français ou normand.

« J'espère que vous me donnerez un jour l'occasion de prendre ma revanche !

— Avec plaisir. »

Wynstan était donc beau joueur : voilà tout ce qu'Edgar avait appris de sa soirée de surveillance, songea-t-il, déçu.

Wynstan, Wigelm et Degbert repartirent vers la demeure de Wigelm, tandis que Robert prenait la direction opposée. Obéissant à une impulsion soudaine, Edgar le suivit.

L'étranger gagna la plage. Puis il souleva le bas de sa tunique et entra dans l'eau. Edgar l'observa, suivant des yeux l'éclat de la flamme, jusqu'à ce qu'il monte à bord d'un bateau. À la lumière du brandon, Edgar vit qu'il s'agissait d'un vaisseau de grande largeur et à la cale profonde, certainement un navire de commerce normand.

Puis la lumière s'éteignit et l'homme disparut.

*

Edgar retrouva Aldred de bonne heure le lendemain matin, et lui avoua qu'il n'avait fait aucun progrès.

« Wynstan dépense l'argent de l'Église en vin, en femmes et aux dés, mais il n'y a aucun mystère là-dessous », lui raconta-t-il.

Un détail qu'il avait jugé sans importance intrigua cependant Aldred.

« Wynstan n'a pas paru contrarié d'avoir perdu de l'argent, as-tu dit ?

— Ou alors, il le cachait bien », fit Edgar en haussant les épaules.

Aldred secoua la tête, sceptique.

« Les joueurs sont toujours contrariés de perdre, observa-t-il. C'est ce qui fait l'excitation du jeu.

— Il s'est contenté de serrer la main de son adversaire en disant qu'il espérait avoir l'occasion de prendre sa revanche.

— Ce n'est pas normal.

— Je ne vois pas ce qu'on peut en conclure.

— Tu dis qu'ensuite, ce sieur Robert a embarqué sur un bateau. C'était probablement le sien. » Aldred pianotait sur la table. « Il faut que je lui parle.

— Je peux vous y conduire.

— Parfait. Dis-moi, y a-t-il un changeur à Combe ? Certainement, puisque c'est un port.

— Wyn l'orfèvre achète des pièces étrangères et les fond.

— Un orfèvre ? Il doit donc posséder une balance et des poids précis pour peser de petites quantités de métaux précieux.

— J'en suis certain.

— Nous aurons peut-être besoin de lui plus tard. »

Edgar était intrigué. Le raisonnement d'Aldred lui échappait.

« Mais pourquoi ? s'enquit-il.

— Sois patient. Ce n'est pas encore tout à fait clair dans mon esprit. Allons bavarder avec ce Robert. »

Ils quittèrent le prieuré. Jusqu'alors, ils avaient évité de se faire voir ensemble à Combe, mais Aldred semblait trop pressé d'agir pour s'en inquiéter ce matin-là. Edgar lui montra le chemin qui menait à la plage.

Edgar était impatient, lui aussi. Bien que déconcerté, il devinait qu'ils approchaient de la solution du mystère.

Le navire marchand normand était en train d'être chargé. Sur la plage, des hommes pelletaient un monticule de minerai de fer pour en remplir des tonneaux qu'ils transportaient à bord et vidaient dans la cale. Sieur Robert dirigeait les opérations. Edgar remarqua la bourse de cuir bien remplie solidement attachée à sa ceinture.

«C'est lui», dit-il à Aldred.

Celui-ci s'approcha et se présenta.

«J'ai une importante confidence à vous faire, sieur Robert. Je crois que des tricheurs vous ont abusé, hier soir.

— Des tricheurs? s'étonna Robert. Mais j'ai gagné!»

Edgar partageait la stupéfaction de Robert. Comment avait-il pu se faire berner puisqu'il était reparti la bourse pleine?

«Si vous voulez bien m'accompagner chez l'orfèvre, je vous expliquerai tout. Soyez assuré que vous ne perdrez pas votre temps.»

Robert dévisagea longuement Aldred, puis sembla décider de lui faire confiance.

«Fort bien», dit-il.

Edgar les conduisit chez Wyn, dont la maison de pierre avait résisté à l'incendie des Vikings. Ils trouvèrent l'orfèvre en train de déjeuner avec sa famille. Wyn était un petit homme d'une cinquantaine d'années au crâne dégarni. Il avait une jeune épouse – sa seconde, Edgar s'en souvenait – et deux enfants en bas âge.

«Bonjour, maître Wyn. J'espère que vous vous portez bien.

— Bonjour, Edgar, répondit l'artisan d'un ton aimable. Comment va ta mère?

— Elle prend de l'âge, en vérité.

— Comme nous tous, n'est-ce pas? Tu es de retour à Combe?

— Juste pour une visite. Je vous présente le frère Aldred, l'armarius de l'abbaye de Shiring, qui séjourne au prieuré de Combe pour quelques jours.

— Heureux de faire votre connaissance, frère Aldred », dit poliment Wyn.

Il était perplexe mais patient, attendant de voir de quoi il retournait.

« Et voici sieur Robert, propriétaire d'un bateau amarré au port.

— Content de vous rencontrer, sieur Robert. »

Aldred prit alors le relais.

« Wyn, auriez-vous la gentillesse de peser quelques pièces anglaises qui ont été remises à sieur Robert ? »

Commençant à comprendre où Aldred voulait en venir, Edgar fut captivé.

Wyn n'hésita qu'un instant. Rendre service à un moine haut placé était un investissement qui serait récompensé un jour.

« Bien sûr, répondit-il. Accompagnez-moi dans mon atelier. »

Il passa devant eux. Si Robert semblait toujours perplexe, il suivit pourtant sans réticence.

L'atelier de Wyn ressemblait à celui de Cuthbert, au moustier. Edgar remarqua le foyer, l'enclume, une panoplie de petits outils et un solide coffre de bois cerclé de fer, qui contenait probablement des métaux précieux. Sur l'établi était posée une balance d'aspect fragile, en forme de T, constituée de deux plateaux accrochés à chaque extrémité du fléau.

« Sieur Robert, pouvons-nous peser les pennies que vous avez gagnés chez Cynred hier soir ? demanda Aldred.

— Ah ! » lâcha Edgar, devinant enfin comment Robert avait pu se faire duper.

Le Normand décrocha la bourse de sa ceinture et l'ouvrit. Elle contenait un mélange de monnaies anglaises et étrangères. Les autres attendirent patiemment pendant qu'il sortait les pièces anglaises, qui portaient toutes une croix d'un côté et l'effigie du roi Ethelred de l'autre. Il referma sa bourse avec soin et la raccrocha à sa ceinture. Puis il compta les pennies : il y en avait soixante-trois.

« Vous les avez tous gagnés hier soir ? demanda Aldred.

— La plupart, répondit Robert.

— Posez soixante pennies sur un des plateaux, s'il vous plaît, peu importe lequel », dit Wyn.

Pendant que Robert s'exécutait, Wyn choisit plusieurs petits poids dans un coffret. Ils étaient en forme de disque et Edgar pensa qu'ils devaient être en plomb.

« Soixante pence devraient peser exactement trois onces », déclara Wyn.

Il posa trois poids sur le plateau opposé, qui pencha immédiatement presque jusqu'à toucher l'établi. Edgar en resta bouche bée.

« Vos pennies sont trop légers, annonça Wyn à Robert.

— Qu'est-ce que cela signifie ? » demanda Robert.

Edgar connaissait la réponse, mais garda le silence pendant l'explication de Wyn.

« La plupart des pièces d'argent contiennent du cuivre afin qu'elles soient plus résistantes. Les pennies anglais sont composés de dix-neuf parts d'argent pour une part de cuivre. Attendez une seconde. » Il retira un poids d'une once du plateau et le remplaça par des poids plus petits qu'il posa l'un après l'autre. « Le cuivre est plus léger que l'argent. »

Quand les deux plateaux s'équilibrèrent, il conclut :

« Vos pennies contiennent environ dix parts de cuivre pour dix parts d'argent. La différence est si faible qu'elle est presque imperceptible dans un usage courant. Il n'empêche que c'est de la fausse monnaie. »

Edgar hocha la tête. Le mystère était résolu :

Wynstan était un faussaire. Et le jeu lui permettait d'échanger de fausses pièces contre des bonnes, comprit Edgar. Quand Wynstan l'emportait aux dés, il empochait d'authentiques pennies d'argent, mais quand il perdait, il ne sacrifiait que des contrefaçons. À long terme, il était sûr d'être gagnant.

Le visage de Robert s'empourpra de colère.

« Je ne vous crois pas, protesta-t-il.

— Je vais vous le prouver. L'un d'entre vous a-t-il un vrai penny ? »

Edgar, qui avait en poche l'argent de Dreng, tendit une pièce à Wyn. Ce dernier tira le couteau à sa ceinture et érafla la pièce du côté portant l'effigie d'Ethelred. La griffure se vit à peine.

« Cette pièce a la même couleur argent sur toute son épaisseur, dit Wyn en montrant la pièce à Robert. Maintenant, grattez une des vôtres. »

Robert rendit son penny à Edgar, prit une de ses pièces sur le plateau de la balance et recommença l'exercice. Cette fois, du brun apparut sous l'éraflure.

« L'alliage d'une même quantité d'argent et de cuivre présente une couleur brune. Pour que leurs pièces ressemblent à de l'argent, les faussaires les plongent dans du vitriol, qui élimine le cuivre en surface. Mais dessous, le métal reste brun.

— Ces maudits Anglais jouaient avec de la fausse monnaie ! enragea Robert.

— L'un d'eux, du moins, précisa Aldred.

— Je m'en vais de ce pas accuser Cynred !

— Ce n'est peut-être pas lui le coupable. Combien étiez-vous autour de la table ?

— Cinq.

— Qui accuserez-vous ? »

Robert comprit le problème.

« Le tricheur va donc s'en tirer impunément ?

— Pas si je peux l'en empêcher, répondit Aldred avec conviction. Mais si vous lancez maintenant une accusation au hasard, ils nieront tous. Pire encore, le scélérat sera averti, et il sera plus difficile de saisir une cour de justice.

— Que vais-je faire de toute cette fausse monnaie ? »

Aldred ne compatit guère.

« Vous l'avez gagnée au jeu, sieur Robert. Faites fondre ces fausses pièces et transformez-les en une bague qui vous rappellera qu'il n'est pas bon de jouer. Souvenez-vous des soldats romains qui ont joué aux dés les vêtements de Notre-Seigneur au pied de la croix.

— J'y penserai », répondit Robert d'un ton maussade.

Edgar doutait que le Normand suive les recommandations du moine. Il était plus probable qu'il écoulerait ses pennies un par un ou deux par deux, afin qu'on ne remarque pas leur poids. En réalité, cela servait les desseins d'Aldred, comprit aussi Edgar. Robert ne parlerait à personne de cette fausse monnaie s'il projetait de la dépenser. Et ainsi, Wynstan ne saurait pas que son secret avait été percé à jour.

Aldred se tourna vers Wyn.

« Puis-je vous demander la plus grande discrétion sur toute cette affaire, pour la même raison ?

— Fort bien.

— Croyez que je suis déterminé à traîner le coupable devant la justice.

— Heureux de l'entendre, répondit Wyn. Bonne chance.

— Amen », dit Robert.

*

Tout triomphant qu'il fût, Aldred s'aperçut rapidement que la bataille n'était pas encore gagnée.

« Tous les religieux du moustier sont manifestement complices, dit-il, pensif, alors qu'Edgar manœuvrait la perche pour faire remonter le fleuve au radeau. Pareils agissements seraient difficiles à cacher. Mais ils ont gardé le silence et en sont récompensés par une vie de luxe et d'oisiveté. »

Edgar hocha la tête.

« Les villageois aussi. Ils soupçonnent sans doute des activités illicites, mais Wynstan les achète en leur apportant des cadeaux quatre fois l'an.

— Voilà pourquoi ma proposition de transformer son moustier corrompu en un pieux monastère l'a mis dans une telle fureur. Il serait obligé de tout recommencer de zéro dans un autre village isolé, ce qui ne serait pas facile.

— Cuthbert doit être le faussaire. Il est le seul à posséder les compétences nécessaires pour graver les coins servant à fabriquer les pièces, murmura Edgar visiblement mal à l'aise. Ce n'est pas un si mauvais bougre, mais il est faible. Il ne pourrait jamais tenir tête à une brute comme Wynstan. Il me fait presque pitié. »

Toujours désireux d'éviter d'attirer l'attention sur leur association, ils se séparèrent à Mudeford Crossing. Edgar continua vers l'amont et Aldred, monté sur Dismas, rentra à Shiring par un chemin détourné. Il eut la chance de rejoindre deux mineurs conduisant une charrette pleine de ce qui ressemblait à du charbon, mais était en réalité de la cassitérite, le minerai dont on extrayait le précieux étain. Si le brigand Face-de-Fer se trouvait dans les parages, Aldred était sûr que la simple vue des robustes mineurs et de leurs marteaux à tête de fer suffirait à le décourager.

Les voyageurs adoraient parler, mais les mineurs

n'avaient pas grand-chose à dire, de sorte qu'Aldred eut tout loisir de réfléchir à la façon dont il pourrait conduire Wynstan devant une cour de justice, puis le faire condamner et châtier. La tâche s'annonçait cependant ardue, malgré tout ce qu'Aldred savait désormais. L'évêque disposerait d'innombrables cojureurs prêts à certifier qu'il était un honnête homme et ne disait que la vérité.

Quand les témoins n'étaient pas d'accord entre eux, il existait une procédure pour les départager : l'un d'eux devait subir une ordalie, telle que saisir une barre de fer chauffée à blanc et faire dix pas sans la lâcher, ou plonger les mains dans l'eau bouillante pour en sortir un caillou. En théorie, Dieu était censé protéger celui qui disait la vérité. En pratique, Aldred n'avait jamais connu personne qui fût prêt à subir ce genre d'épreuve.

Il était souvent facile de savoir quelle partie disait vrai, et la cour ajoutait foi au témoignage le plus plausible. Mais le procès de Wynstan se tiendrait devant la cour du comté, présidée par l'ealdorman Wilwulf. Celui-ci trancherait sans scrupule en faveur de son frère. La seule chance d'Aldred serait de présenter des preuves tellement irréfutables, étayées par les serments de personnalités si éminentes, que le frère de Wynstan lui-même ne pourrait se prétendre convaincu de son innocence.

Il se demanda ce qui poussait un homme tel que Wynstan à devenir faussaire. L'évêque jouissait d'une vie facile, pleine d'agréments : que lui manquait-il ? Pourquoi risquer de tout perdre ? Aldred supposa que l'avidité de Wynstan était insatiable. Peu importait l'argent ou le pouvoir qu'il avait, il en voudrait toujours davantage. Voilà ce qui conduisait les hommes au péché.

Il arriva à l'abbaye de Shiring tard le lendemain soir. Le monastère était silencieux. De l'église lui parvinrent les psaumes chantés pour les complies, la prière marquant la fin de la journée. Il rentra son poney à l'écurie et alla tout droit au dortoir.

Sa sacoche de selle contenait un présent de l'abbaye de Combe, une copie de l'Évangile selon saint Jean, qui s'ouvrait sur ces mots pleins de profondeur: *In principio erat Verbum et Verbum erat apud Deum, et Deus erat Verbum.* «Au commencement était le verbe, et le verbe était auprès de Dieu, et le verbe était Dieu.» Aldred avait le sentiment qu'il pourrait passer sa vie à tenter de saisir ce mystère.

Il décida d'offrir le nouvel ouvrage à l'abbé Osmund à la première occasion. Alors qu'il défaisait son sac, le frère Godleof sortit de la chambre d'Osmund, située au fond du dortoir.

Godleof, du même âge qu'Aldred, avait le teint mat et le corps maigre et sec. C'était le fils d'une trayeuse qui avait été abusée par un noble de passage. Godleof ignorait le nom de l'homme et laissait croire que sa mère ne le connaissait pas non plus. Comme la plupart des plus jeunes moines, il partageait les vues d'Aldred et avait de plus en plus de mal à supporter la circonspection et la pingrerie d'Osmund et d'Hildred.

Aldred fut frappé par son air inquiet.

«Que s'est-il passé?» lui demanda-t-il.

Il comprit que Godleof était préoccupé, mais hésitait à se confier.

«Parle donc.

— Je me suis occupé d'Osmund.»

Godleof, un ancien vacher, était un homme de peu de mots.

«Pourquoi?

— Il a dû garder le lit.

— Je suis navré de l'apprendre, dit Aldred, mais ce n'est pas une grande surprise. Il est malade depuis longtemps. Ces derniers temps, il peinait à descendre l'escalier et plus encore à le monter. »

Il s'interrompit et examina Godleof.

« Il y a autre chose, n'est-ce pas ?

— Tu ferais mieux d'interroger Osmund.

— Fort bien, j'y vais. »

Aldred prit le livre qu'il avait rapporté de Combe et se rendit dans la chambre d'Osmund.

Il trouva l'abbé assis dans son lit, adossé à une pile de coussins. Il était mal en point, mais confortablement installé, et Aldred devina qu'il serait volontiers demeuré au lit pour le restant de ses jours, quelle que fût sa durée.

« Je suis navré de vous voir souffrant, mon père », dit Aldred.

Osmund soupira.

« Dieu, dans sa sagesse, ne m'a pas accordé la force de poursuivre ma mission. »

Tout en doutant que la décision fût entièrement celle de Dieu, Aldred se contenta de commenter :

« Le Seigneur n'est que sagesse.

— Je dois me reposer sur des hommes plus jeunes », continua Osmund.

L'abbé avait l'air légèrement embarrassé. Comme Godleof, il semblait accablé par un fardeau dont il aurait préféré ne pas parler. Aldred fut pris d'un sombre pressentiment.

« Envisageriez-vous de désigner un remplaçant pour diriger le monastère pendant votre maladie ? » demanda-t-il.

C'était une décision importante. Le moine nommé à cette fonction serait le mieux placé pour succéder à Osmund à la mort de celui-ci.

L'abbé ne répondit pas, ce qui était de mauvais augure. « Le problème avec les jeunes gens est que ce sont des fauteurs de troubles », dit-il enfin. À l'évidence, la pique visait Aldred. « Ils sont idéalistes, poursuivit-il. Il leur arrive de froisser les gens. »

Il était temps de cesser de tourner autour du pot.

« Avez-vous déjà nommé quelqu'un ? demanda Aldred de but en blanc.

— Oui. Hildred, répondit Osmund, avant de détourner les yeux.

— Merci, mon père », dit Aldred.

Il jeta le livre sur le lit d'Osmund et quitta la pièce.

20

Juillet 998

L'absence de Wilf se prolongea trois mois de plus que prévu, soit le tiers de la durée de son mariage avec Ragna jusque-là. Il lui avait fait parvenir un unique message, six semaines plus tôt, pour lui annoncer qu'il poussait plus loin en terre galloise qu'il ne l'avait projeté et qu'il était en bonne santé.

Il lui manquait. Elle aimait avoir un homme avec qui bavarder, résoudre les problèmes et auprès de qui coucher la nuit. Même si l'émotion de la découverte d'Inge avait jeté une ombre sur ce plaisir, Ragna se languissait de Wilf.

Elle voyait Inge presque tous les jours dans le domaine. Ragna était l'épouse officielle, elle gardait la tête haute et évitait de parler à sa rivale ; elle n'en éprouvait pas moins une humiliation permanente.

Elle se demandait avec appréhension quels seraient les sentiments de Wilf à son égard lorsqu'il reviendrait. Il aurait sûrement couché avec d'autres femmes durant son expédition. Il lui avait fait comprendre brutalement – après leur mariage qui plus est – que l'amour qu'il éprouvait pour elle ne l'empêcherait jamais d'avoir des relations charnelles avec d'autres. Avait-il rencontré des filles plus jeunes et plus belles au pays de Galles ? Ou rentrerait-il assoiffé du corps de son épouse ? Ou les deux ?

La veille de son retour, il envoya un messager sur un cheval rapide pour la prévenir de son arrivée. Ragna mobilisa tout le domaine. Les cuisiniers préparèrent un festin, tuèrent un jeune bœuf, allumèrent un feu pour le faire rôtir à la broche, mirent des tonneaux de bière en perce et firent cuire du pain. Ceux qui n'étaient pas utiles en cuisine furent chargés d'aller balayer les écuries, de répandre de la paille et des joncs frais sur les sols, de battre les paillasses et d'aérer les couvertures.

Dans la maison de Wilf, Ragna brûla du seigle pour chasser les insectes, retira les vantaux pour aérer et répandit de la lavande et des pétales de roses sur le lit afin de le rendre plus accueillant. Elle disposa des fruits dans une corbeille, prépara un pichet de vin et un petit tonneau de bière, du pain, du fromage et du poisson fumé.

Toute cette activité lui permit d'oublier son anxiété.

Le lendemain matin, elle ordonna à Cat de faire chauffer un chaudron d'eau et se lava de la tête aux pieds, en insistant sur les parties pileuses. Elle frictionna ensuite son cou, ses seins, ses cuisses et ses pieds d'huile parfumée, enfila une robe fraîchement lavée et des chaussures de soie neuves, et attacha son voile à l'aide d'un bandeau brodé de fil d'or.

Il arriva à midi. Avertie par les clameurs qui

montèrent du bourg quand il le traversa à la tête de son armée, elle se hâta de rejoindre une position stratégique devant la maison commune.

Il passa le portail au petit galop, sa houppelande rouge flottant derrière lui, suivi de près par ses lieutenants. Dès qu'il la vit, il éperonna son cheval pour fondre sur elle. Elle faillit s'écarter mais résista à cet instinct : elle savait qu'elle devait lui montrer – et montrer à la foule – qu'elle avait une entière confiance dans ses talents de cavalier. Elle eut juste le temps de remarquer qu'il avait les cheveux et la moustache en bataille, que son menton habituellement rasé était couvert d'une barbe hirsute et qu'une nouvelle cicatrice lui barrait le front. Il tira sur les rênes au tout dernier moment, obligeant son cheval à se cabrer à quelques pieds de Ragna dont le cœur battait à tout rompre ; mais son sourire de bienvenue ne vacilla pas.

Il sauta à bas de son cheval et la serra dans ses bras, exactement comme elle l'avait espéré. Autour d'eux, des rires et des acclamations retentirent : les gens adoraient voir la passion qu'elle lui inspirait. Elle n'ignorait pas qu'il se donnait en spectacle pour ses hommes, et elle l'acceptait puisque cela faisait partie de son rôle de chef. Elle n'avait cependant aucun doute sur la sincérité de son étreinte. Il l'embrassa lascivement, à pleine bouche, et elle lui répondit pareillement.

Au bout d'une minute, il rompit leur enlacement et se baissa pour soulever Ragna, passant un bras sous ses épaules, l'autre sous ses cuisses. De joie, elle éclata de rire. Dépassant la maison commune, il la porta chez lui, sous les cris d'approbation de la population. Elle se réjouit d'autant plus d'avoir nettoyé sa maison pour la rendre accueillante.

Il tâtonna à la recherche du loquet, ouvrit la porte à la volée et entra. Puis il la posa au sol et claqua la porte.

Elle retira son voile pour laisser ses cheveux retomber librement, ôta sa robe d'un geste vif et s'allongea, nue, sur le lit.

Il contempla son corps avec délice et désir. Il ressemblait à un homme assoiffé sur le point de s'abreuver à un torrent de montagne. Toujours vêtu de son pourpoint de cuir et de ses chausses en toile, il se laissa tomber sur elle.

Elle enroula ses bras et ses jambes autour de lui pour l'attirer profondément en elle.

Ce fut vite terminé. Il roula sur le côté et s'endormit en quelques secondes.

Elle resta allongée un moment à l'observer. La barbe lui plaisait, mais elle savait qu'il la raserait le lendemain, car les nobles anglais ne la portaient pas. Elle effleura la nouvelle cicatrice sur son front, qui partait de sa tempe droite, au niveau de l'implantation des cheveux, et descendait en dessinant une ligne irrégulière jusqu'à son sourcil gauche. Ragna la suivit du doigt, et il remua dans son sommeil. Un demi-pouce de plus… C'était l'œuvre d'un valeureux Gallois, devina-t-elle. Qui l'avait probablement payé de sa vie.

Elle se servit un gobelet de vin et mangea un morceau de fromage, appréciant le bonheur simple de le regarder et de le retrouver vivant. Si les Gallois n'étaient pas des combattants très féroces, ils n'étaient pas inoffensifs pour autant, et elle était sûre qu'en ce moment même, à l'intérieur du domaine, certaines épouses pleuraient en apprenant que leur mari ne reviendrait pas.

Dès qu'il se réveilla, ils refirent l'amour, plus lentement cette fois. Il se dévêtit, et elle eut tout le temps de savourer chaque sensation, de lui caresser les épaules et le torse, d'enfoncer les doigts dans ses cheveux et de lui mordiller les lèvres.

Quand ce fut fini, il déclara : « Par tous les dieux, je pourrais manger un bœuf !

— J'en ai justement fait rôtir un pour ton souper. Mais je vais te servir quelque chose tout de suite. »

Elle lui apporta du vin, ainsi que du pain frais et de l'anguille fumée qu'il mangea avec gourmandise.

« J'ai croisé Wynstan en chemin, lui annonça-t-il.

— Ah.

— Il m'a raconté ce qui s'est passé à Outhenham. »

Ragna se raidit. Elle s'était doutée que Wynstan n'accepterait pas facilement sa défaite et chercherait à se venger en semant la discorde entre Wilf et elle. Mais elle n'avait pas anticipé la promptitude de la contre-attaque. Dès que le messager était arrivé, la veille, Wynstan avait dû partir à la rencontre de Wilf pour être le premier à donner sa version des faits, espérant mettre ainsi Ragna sur la défensive.

Mais elle avait eu le temps de préparer sa stratégie. Toute cette affaire était la faute de Wynstan, et non la sienne, et elle n'avait pas l'intention de présenter d'excuses. Elle aborda immédiatement la discussion sous un autre angle.

« Ne sois pas fâché contre Wynstan, dit-elle. Il ne doit pas y avoir de querelle entre frères. »

Wilf ne s'y attendait manifestement pas.

« Mais c'est Wynstan qui est en colère contre toi, répliqua-t-il.

— Bien sûr. Il a tenté de me voler quand tu n'étais pas là, croyant pouvoir profiter de ton absence pour me berner. Mais ne t'inquiète pas, je l'en ai empêché.

— Est-ce donc ainsi que cela s'est passé ? »

Jusqu'ici, Wilf n'avait manifestement pas envisagé qu'un homme puissant ait pu s'en prendre à une femme sans défense.

« Il a échoué, et c'est pourquoi il est furieux. Mais je

suis parfaitement capable de tenir tête à Wynstan, et je ne veux pas que tu te fasses de souci pour moi. Ne le réprimande pas, je t'en prie. »

Wilf cherchait encore à se faire une idée plus précise de l'incident.

« Wynstan prétend que tu l'as humilié en public.

— Un voleur pris la main dans le sac se sent toujours humilié.

— Sans doute.

— Le remède consiste à cesser de voler, ne crois-tu pas ?

— C'est vrai. »

Wilf sourit, et Ragna constata qu'elle avait mené à bien une conversation délicate.

« Peut-être Wynstan a-t-il enfin trouvé un adversaire à sa mesure.

— Oh, je ne suis pas sa rivale », protesta-t-elle, persuadée du contraire.

Mais la discussion étant allée assez loin et s'étant terminée à son avantage, elle changea de sujet.

« Raconte-moi tes aventures. As-tu donné une bonne leçon à ces Gallois ?

— En effet, et j'ai ramené une centaine de prisonniers à vendre comme esclaves. Nous en tirerons une petite fortune.

— Bien joué », approuva Ragna, qui n'en pensait pourtant pas un mot.

L'esclavage était un trait de la vie anglaise qu'elle avait du mal à accepter. Cette pratique avait été plus ou moins abandonnée en Normandie, mais ici, elle était monnaie courante. Il y avait une centaine d'esclaves à Shiring, dont plusieurs vivaient et travaillaient dans le domaine. Beaucoup se chargeaient des tâches ingrates, pelletaient le fumier et nettoyaient les écuries, ou effectuaient des travaux de force, creuser des fossés ou transporter du bois, par exemple. Les plus jeunes travaillaient certainement dans les bordels de la ville, même si Ragna ne le savait pas d'expérience puisqu'elle n'était jamais entrée dans une de ces maisons. Les esclaves n'étaient généralement pas enchaînés. Ils pouvaient s'enfuir, et certains le faisaient, mais on les reconnaissait facilement à leurs haillons, à leurs pieds nus et à leur accent étranger. La plupart des fugitifs étaient rattrapés et rendus à leur propriétaire en échange d'une récompense.

« Tu n'as pas l'air particulièrement réjouie », remarqua Wilf.

Ragna n'avait aucune intention de se lancer dans une discussion sur l'esclavage.

« Je suis ravie de ton triomphe, dit-elle. Et je me demande si tu es assez viril pour m'honorer trois fois en un après-midi.

— Assez viril ? répéta-t-il faussement indigné. Mets-toi à quatre pattes, et tu verras. »

*

Les captifs furent exhibés le lendemain, debout en rangs sur le sol poussiéreux, sur la place du bourg, entre la cathédrale et l'abbaye. Ragna sortit en compagnie de Cat pour les regarder.

Ils étaient sales et épuisés par la longue marche, et certains portaient des blessures légères, sans doute parce qu'ils s'étaient débattus. Les plus grièvement blessés avaient certainement été abandonnés à leur sort, imagina Ragna. Sur la place se trouvaient des hommes et des femmes, des filles et des garçons, âgés de onze à trente ans environ. C'était l'été et, malgré le soleil impitoyable, ils n'avaient aucune possibilité de se mettre à l'ombre. Ils étaient attachés de différentes manières : beaucoup avaient les pieds entravés, pour les empêcher de courir ; certains étaient enchaînés par deux ; d'autres étaient liés à celui qui les avait capturés et qui se tenait à leur côté, prêt à marchander leur prix. Les simples soldats en avaient un ou deux à vendre, mais Wigelm, Garulf et les autres capitaines en avaient tous plusieurs.

Ragna déambula entre les rangs, accablée par ce spectacle. Les gens disaient que les esclaves avaient fait quelque chose pour mériter ce sort, et c'était peut-être vrai parfois, mais pas toujours. Quel crime de jeunes garçons et de toutes jeunes filles avaient-ils pu commettre pour être condamnés à la prostitution ?

Les esclaves obéissaient aux ordres, mais bâclaient généralement leurs tâches ; et puisqu'il fallait les nourrir, les loger et les vêtir, même mal, ils ne revenaient pas tellement moins cher que les travailleurs libres les plus mal payés. C'était pourtant moins l'aspect financier que la dimension spirituelle qui troublait Ragna. La possession d'un autre être humain était forcément mauvaise pour l'âme. La cruauté n'avait rien d'exceptionnel, et s'il existait des lois protégeant les esclaves des mauvais traitements, elles n'étaient guère appliquées et les châtiments étaient cléments. Cette liberté de battre, violer ou même tuer faisait ressortir ce que la nature humaine avait de pire.

En dévisageant les gens qui se pressaient sur la place, elle reconnut Stigand, l'ami de Garulf auquel elle s'était heurtée à propos de la partie de balle. Il lui adressa un salut, trop appuyé pour être sincère, mais pas suffisamment effronté pour appeler une réflexion. Elle l'ignora et regarda ses trois captifs.

Elle prit conscience avec stupéfaction qu'elle en reconnaissait une.

Âgée d'environ quinze ans, la jeune fille avait les

cheveux noirs et les yeux bleus caractéristiques du peuple gallois : les Bretons qui vivaient de l'autre côté de la Manche leur ressemblaient. Sans la crasse qui couvrait son visage, elle aurait pu être jolie. Elle soutint son regard, et son expression de défi qui cachait mal sa détresse raviva les souvenirs de Ragna.

« Tu es la fille de Dreng's Ferry. »

La captive ne dit rien.

Ragna se rappela alors son nom.

« Blod. »

L'autre demeura silencieuse, mais ses traits s'adoucirent.

Ragna baissa la voix pour ne pas se faire entendre de Stiggy.

« J'ai su que tu t'étais enfuie. Ils t'ont reprise, c'est cela ? »

Quelle terrible malchance, pensa-t-elle dans un élan de compassion.

Un autre souvenir lui revint alors.

« J'ai appris que Dreng… »

Elle s'interrompit en se rendant compte de ce qu'elle s'apprêtait à dire et porta la main à sa bouche.

Blod avait compris ce que Ragna s'apprêtait à dire.

« Oui. Dreng a tué mon enfant.

— Je suis désolée. Personne ne t'a aidée ?

— Edgar s'est jeté dans le fleuve pour le sauver, mais il ne l'a pas trouvé dans le noir.

— Je connais Edgar. C'est un homme bon.

— C'est le seul Anglais honnête que j'aie rencontré », acquiesça Blod avec amertume.

Ragna remarqua la lueur qui éclaira soudain ses yeux.

« Tu es amoureuse de lui ?

— Il en aime une autre.

— Sungifu. »

Blod lui jeta un regard énigmatique, mais resta muette.

« La femme que les Vikings ont tuée, ajouta Ragna.

— Oui, c'est elle. »

Blod parcourut la place d'un air anxieux.

« Tu t'inquiètes de savoir qui va t'acheter cette fois ?

— J'ai peur de Dreng.

— Il n'est pas au bourg, j'en suis sûre. S'il était là, il serait passé me voir. Il se plaît à prétendre que nous sommes de la même famille. »

Ragna remarqua l'évêque Wynstan, flanqué de Cnebba, son garde du corps, de l'autre côté de la place.

« Mais il y a beaucoup d'autres hommes cruels.

— Je sais.

— Et si je t'achetais ? »

L'espoir illumina le visage de Blod.

« Vous feriez cela ? »

Ragna se tourna vers Stiggy.

« Combien comptes-tu tirer de cette esclave ?

— Une livre. Elle a quinze ans, elle est jeune.

— C'est trop cher. Je t'en donne la moitié.

— Non, elle vaut plus que cela.

— Coupons la poire en deux, veux-tu ? »

Stiggy fronça les sourcils.

« Cela ferait combien ? »

Il connaissait l'expression couper la poire en deux, mais était incapable de faire le calcul.

« Cent quatre-vingts pence. »

Soudain, Wynstan se dressa à côté d'eux.

« Vous achetez une esclave, lady Ragna ? s'étonna-t-il. Je croyais que les Normands à l'âme noble désapprouvaient cet usage.

— À l'image des évêques à l'âme noble qui réprouvent la fornication, il m'arrive de passer outre à mes principes.

— Vous avez toujours réponse à tout. »

Ayant dévisagé Blod avec curiosité, il lui demanda : « Je te connais, n'est-ce pas ?

— Vous m'avez foutue, si c'est ce que vous voulez dire », répondit Blod d'une voix forte.

Wynstan eut l'air gêné, ce qui n'était pas dans ses habitudes.

« Ne dis pas n'importe quoi.

— Deux fois, même. Comme c'était avant que je sois grosse, vous avez donné trois pence à Dreng chaque fois. »

Wynstan avait beau déployer peu d'efforts pour faire croire à sa vertu sacerdotale, il n'en fut pas moins contrarié de voir sa chasteté publiquement contestée.

« Sornettes. Tu affabules. Tu t'es enfuie de chez Dreng, je m'en souviens.

— Il a tué mon fils.

— Eh bien, qu'importe ? L'enfant d'une esclave...

— C'était peut-être le vôtre. »

Wynstan pâlit. L'idée ne l'avait manifestement pas effleuré. Il lutta pour recouvrer sa dignité.

« Tu devrais être fouettée pour t'être enfuie.

— Si vous voulez bien m'excuser, monseigneur, intervint Ragna, j'étais en train de marchander le prix de cette esclave. »

Wynstan afficha un sourire mauvais.

« Vous ne pouvez pas l'acheter.

— Je vous demande pardon ?

— Elle ne peut pas être vendue.

— Bien sûr que si ! protesta Stiggy.

— Non. C'est une fugitive. Elle doit être restituée à son légitime propriétaire.

— Je vous en supplie, ne faites pas cela, murmura Blod.

— La décision ne m'appartient pas, rétorqua

Wynstan d'un ton réjoui. Même si cette esclave ne m'avait pas manqué de respect, l'issue serait la même. »

Malgré son envie de contester ses propos, Ragna savait qu'il avait raison : une fugitive appartenait encore légalement à son propriétaire d'origine, même après des mois de liberté.

« Tu dois reconduire cette fille à Dreng's Ferry », annonça Wynstan à Stiggy.

Blod fondit en larmes.

Stiggy n'avait pas compris.

« Mais c'est moi qui l'ai capturée !

— Dreng te donnera la récompense habituelle lors de la restitution d'un fugitif. Tu ne seras pas lésé. »

Le jeune homme demeurait perplexe.

Ragna estimait qu'il fallait respecter la loi. Aussi cruelle qu'elle fût parfois, elle était préférable à l'anarchie. Dans ce cas précis, cependant, elle n'aurait pas hésité à l'enfreindre. Quelle triste ironie de voir Wynstan s'ériger en défenseur du droit.

« Je prendrai la fille et je dédommagerai Dreng, proposa-t-elle en désespoir de cause.

— Non, non, répondit Wynstan. Vous ne pouvez pas faire cela, pas à mon cousin. Si Dreng accepte de vous vendre l'esclave, libre à lui, mais elle doit d'abord lui être restituée.

— Je la prends chez moi. J'enverrai un message à Dreng. »

Wynstan se tourna vers Cnebba.

« Emmène cette fille et enferme-la dans la crypte de la cathédrale. Quant à toi, ajouta-t-il à l'intention de Stiggy, on te la rendra quand tu seras prêt à la conduire à Dreng's Ferry. »

Il se tourna enfin vers Ragna.

« Si cela ne vous plaît pas, vous pouvez toujours vous plaindre à votre mari. »

Cnebba commença à détacher Blod.

Ragna comprit qu'elle avait eu tort de venir sans Bern. S'il avait été là pour faire contrepoids à Cnebba, elle aurait au moins pu retarder toute décision définitive sur le sort de Blod. Or c'était impossible dans ces conditions.

Cnebba saisit fermement Blod par le bras et l'emmena.

« Elle n'échappera pas au fouet quand Dreng remettra la main sur elle », lança Wynstan.

Ragna en aurait hurlé de rage et de contrariété. Ravalant son ressentiment, elle quitta la place la tête haute et gravit la colline pour regagner le domaine.

*

Juillet était le mois où l'on se serrait la ceinture, songea Edgar en contemplant la ferme de ses frères. Les réserves hivernales étaient presque épuisées, et tout le monde attendait la moisson d'août et de septembre. En cette saison, les vaches donnaient du lait et les poules pondaient, ce qui permettait à ceux qui en possédaient de ne pas mourir de faim. Les autres devaient se contenter des fruits et légumes cueillis en forêt, de feuilles comestibles, de baies et d'oignons : une misérable pitance. Les paysans qui étaient à la tête de grandes fermes pouvaient planter au printemps quelques fèves qu'ils récoltaient en juin et juillet, mais ils étaient peu nombreux à avoir suffisamment de terres pour cela.

Les frères d'Edgar avaient faim, mais plus pour longtemps. Pour la deuxième année consécutive, ils avaient fait une bonne récolte de foin sur les terres basses voisines du fleuve. Il avait plu pendant trois semaines avant le solstice d'été et le niveau de l'eau avait monté, mais le temps s'était miraculeusement amélioré, et ils avaient fauché les hautes herbes. Edgar était parti récurer une marmite dans le fleuve, à soixante pas en aval du lieu où il puisait l'eau propre, et de là, il distinguait plusieurs arpents d'herbe coupée en train de sécher et de jaunir au soleil. Bientôt, ses frères vendraient le foin et auraient de l'argent pour acheter à manger.

Au loin, il vit un cheval descendre la colline en direction du hameau et songea que c'étaient peut-être Aldred et Dismas. Peu de temps avant qu'ils se séparent à Mudeford Crossing, Edgar avait demandé au moine ce qu'il comptait faire à propos des activités de faussaire de Wynstan, et Aldred lui avait répondu qu'il devait encore y réfléchir. Edgar se demanda s'il avait imaginé un plan.

Mais le cavalier n'était pas Aldred. Comme le cheval approchait, Edgar vit qu'une deuxième personne suivait à pied. Il repartit vers la taverne où l'on aurait peut-être besoin de lui pour manœuvrer le bac. Un instant plus tard, il remarqua que la deuxième personne était attachée à la selle. C'était une femme, pieds nus et déguenillée. Et puis, avec consternation, il reconnut Blod.

Il était pourtant certain qu'elle avait réussi à s'enfuir. Comment avait-elle pu se faire reprendre après si longtemps ? Il se souvint alors que l'ealdorman Wilwulf était parti pourchasser les Gallois : elle devait faire partie de ses prisonniers. Quelle tragique infortune de recouvrer la liberté pour être réduite en esclavage une seconde fois !

Elle leva la tête et le vit, mais sembla ne pas avoir la force de le saluer. Elle avait les épaules basses et les pieds en sang.

Le cavalier avait à peu près l'âge d'Edgar, mais il était plus corpulent et portait une épée.

« C'est toi, le passeur ? » lui demanda-t-il.

Edgar eut l'impression que le jeune homme n'était pas très malin.

« Je travaille pour Dreng le batelier.

— Je lui ramène son esclave.

— Je vois cela. »

Dreng sortit de la taverne et reconnut le cavalier.

« Bonjour, Stiggy, que veux-tu ? Ma parole, mais c'est cette petite garce de Blod !

— Si j'avais su qu'elle vous appartenait, je l'aurais laissée au pays de Galles et j'en aurais capturé une autre.

— Il n'empêche qu'elle est à moi.

— Vous devez me payer pour vous l'avoir ramenée.

— Ah oui, vraiment ? »

L'idée ne plaisait pas à Dreng.

« C'est l'évêque Wynstan qui l'a dit, précisa Stiggy.

— Ah, bon. Et il t'a dit combien ?

— La moitié de ce qu'elle vaut.

— Elle ne vaut pas grand-chose, cette misérable putain.

— J'en demandais une livre et lady Ragna m'en a proposé la moitié.

— Autrement dit, je te dois la moitié d'une demi-livre, soit soixante pence.

— Lady Ragna aurait pu m'en donner cent quatre-vingts.

— Mais elle ne l'a pas fait. Allez, détache cette garce et entre.

— Donnez-moi mon argent d'abord. »

Dreng changea de ton, faisant mine d'être aimable.

« Tu n'as pas envie d'un bol de ragoût et d'un gobelet de bière ?

— Non. Il n'est que midi. Je préfère repartir tout de suite. »

Stiggy n'était pas complètement stupide, et il connaissait sans doute les astuces des taverniers. S'il s'enivrait ici et y passait la nuit, Dieu sait combien l'autre déduirait de ses soixante pence le lendemain matin.

« Comme tu veux », dit Dreng.

Il rentra, pendant que Stiggy descendait de cheval et détachait Blod. Elle s'assit par terre et attendit.

Au bout d'un long moment, Dreng revint avec de l'argent enveloppé dans un morceau de tissu. Il le tendit à Stiggy, qui le rangea dans la bourse qu'il portait à sa ceinture.

« Tu ne le comptes pas ? demanda Dreng.

— Je vous fais confiance. »

Edgar faillit s'étrangler de rire. Seul un sot pouvait faire confiance à Dreng. Mais Stiggy ne savait probablement pas compter jusqu'à soixante.

Le jeune homme remonta en selle.

« Tu es sûr de ne pas te laisser tenter par la fameuse bière de ma femme ? » insista Dreng.

Il espérait encore récupérer une partie de ses pennies.

« Tout à fait sûr. »

Stiggy fit faire demi-tour à son cheval et rebroussa chemin.

« Toi, rentre », ordonna Dreng à Blod.

Quand elle passa devant lui, il lui flanqua un coup de pied dans le derrière. Elle poussa un cri de douleur et tituba, avant de reprendre l'équilibre.

« Et ce n'est qu'un début », annonça-t-il.

Edgar les suivit, mais arrivé à la porte, Dreng fit volte-face.

« Toi, tu restes dehors », aboya-t-il.

Il entra et referma derrière lui.

Edgar se retourna et porta le regard sur l'autre rive

du fleuve. Un instant plus tard, il entendit crier Blod. C'était inévitable, songea-t-il : une esclave qui s'était enfuie ne pouvait pas échapper au châtiment. Les esclaves ne possédant rien ou presque, et étant dans l'incapacité de payer une amende, les coups étaient la seule punition possible. C'était une pratique courante et légale.

Blod cria encore avant de se mettre à sangloter. Edgar entendit Dreng grogner sous l'effort tout en injuriant sa victime.

Dreng était dans son droit, se répéta Edgar. De plus, il était son maître à lui aussi. Il n'avait pas le droit d'intervenir.

Blod se mit à l'implorer. Edgar entendit les voix de Leaf et d'Ethel, mais leurs protestations restèrent vaines.

Puis Blod hurla.

Edgar ouvrit la porte et se précipita à l'intérieur. Blod était à terre, se tordant de douleur, le visage couvert de sang, tandis que Dreng la rossait à coups de pied. Quand elle se protégeait la tête, il la frappait au ventre, et quand elle protégeait son corps, il visait la tête. Leaf et Ethel lui tenaient les bras et le tiraient en arrière pour l'arrêter, mais il était bien plus fort qu'elles.

S'il continuait, il allait finir par la tuer.

Edgar saisit Dreng par-derrière et le tira énergiquement.

Dreng se dégagea, se retourna brusquement et lui balança son poing dans la figure. C'était un homme robuste, et le coup fit mal. Réagissant instinctivement, Edgar le frappa à la pointe du menton. La tête de Dreng partit en arrière comme le couvercle d'un coffre qui s'ouvre, et il tomba au sol.

Sans se relever, il pointa le doigt vers Edgar en

vociférant : « Sors de cette maison et ne remets plus jamais les pieds ici ! »

Mais Edgar n'avait pas terminé. Se laissant tomber à genoux sur la poitrine de Dreng, il lui prit la gorge à deux mains et serra. Le souffle coupé, le tavernier battit des bras.

Leaf hurla.

Edgar se pencha et approcha son visage à quelques pouces seulement de celui de Dreng.

« Si jamais vous la battez de nouveau, je reviendrai, murmura-t-il. Et je jure devant Dieu que je vous tuerai. »

Il relâcha sa prise. Dreng haleta, la respiration rauque. Edgar regarda les deux femmes du tavernier, qui se tenaient à l'écart, visiblement effrayées.

« Je parle sérieusement », ajouta-t-il.

Puis il se leva et s'en alla.

Alors qu'il longeait le fleuve pour regagner la ferme, il se frotta la pommette gauche : il aurait un œil au beurre noir. Il se demanda si son intervention avait servi à quelque chose. Dreng ne recommencerait-il pas à frapper Blod dès qu'il aurait repris son souffle ? Il ne pouvait qu'escompter que sa menace lui donnerait à réfléchir.

Edgar avait perdu son emploi. Dreng chargerait sans doute Blod de manœuvrer le bac : elle serait en mesure de le faire dès qu'elle serait remise de cette raclée. Cela dissuaderait peut-être Dreng de l'estropier. Du moins, on pouvait l'espérer.

Erman et Eadbald n'étaient pas dans les champs. Comme il était midi, Edgar devina qu'ils étaient en train de dîner. En approchant, il les vit devant la maison, assis au soleil, à la table à tréteaux qu'il leur avait fabriquée. Ils venaient de terminer leur repas. Leur mère tenait Winnie, à présent âgée de quatre mois, et lui chantait une petite chanson qui lui parut familière. Était-ce un souvenir de son enfance ? Ma avait remonté les manches de sa robe, et il fut bouleversé par la maigreur de ses bras. Elle avait beau ne jamais se plaindre, elle était manifestement malade.

Eadbald le dévisagea.

« Qu'est-ce que tu as au visage ?

— Je me suis disputé avec Dreng.

— À quel propos ?

— Blod l'esclave a été reprise. Il était en train de la tuer, mais je l'ai arrêté.

— Pourquoi ? Elle lui appartient, il peut la tuer si ça lui chante. »

C'était presque vrai. Quelqu'un qui tuait un esclave sans raison valable devrait peut-être se repentir ou jeûner pour faire pénitence, mais il était facile d'inventer une justification, et le jeûne n'était pas vraiment une punition.

« Je ne pouvais tout de même pas le laisser la massacrer sous mes yeux », s'indigna Edgar.

Les frères avaient élevé la voix, dérangeant Winnie qui se mit à pleurnicher.

« Alors, tu n'es qu'un idiot, réagit Erman. Si tu continues comme ça, Dreng te renverra.

— C'est fait. »

Edgar s'assit à table. La marmite était vide, mais il y avait un pain à l'orge, dont il arracha un gros morceau.

« Je ne retournerai pas à la taverne, ajouta-t-il en commençant à manger.

— J'espère que tu ne comptes pas sur nous pour te nourrir. Si tu es assez stupide pour perdre ta place, c'est ton problème. »

Cwenburg prit l'enfant des bras de leur mère en disant : « J'ai déjà à peine assez de lait pour Winnie. »

Elle découvrit sa poitrine et mit Winnie au sein,

gratifiant Edgar d'un regard aguicheur sous ses paupières mi-closes.

« Si je ne suis pas le bienvenu ici, je m'en vais, dit celui-ci en se levant.

— Ne sois pas ridicule, intervint sa mère. Assieds-toi. » Elle regarda les autres. « Nous sommes une famille. Tous mes enfants – et petits-enfants – auront une place à ma table tant qu'il restera un quignon dans cette maison. Tâchez de ne jamais l'oublier. »

*

La tempête fit rage cette nuit-là. Le vent secoua la charpente en bois de la maison et des trombes d'eau s'abattirent sur le chaume du toit. Tous furent réveillés, même Winnie qui pleura et prit le sein.

Edgar entrouvrit la porte et jeta un coup d'œil audehors, mais la nuit était noire et il ne distingua qu'un rideau de pluie semblable à un miroir craquelé reflétant le rougeoiement du feu derrière lui. Il referma soigneusement la porte.

Winnie se rendormit et les autres parurent somnoler, mais Edgar ne retrouva pas le sommeil. Il s'inquiétait pour le foin. S'il restait mouillé longtemps, il pourrirait. Réussiraient-ils à le faire sécher si le temps changeait à nouveau et qu'au matin, le soleil brillait ? Ses maigres connaissances en agriculture ne lui permettaient pas de le savoir.

Au point du jour, le vent tomba et la pluie s'apaisa, sans s'arrêter pour autant. Edgar rouvrit la porte.

« Je vais voir où en est le foin », dit-il en enfilant sa cape.

Ses frères et leur mère l'accompagnèrent, tandis que Cwenburg restait à la maison avec la petite.

Dès qu'ils arrivèrent à la parcelle de terre bordant le

fleuve, ils ne purent que constater les dégâts. Le champ était inondé. Le foin n'était pas seulement mouillé, il flottait.

Ils restèrent là tous les quatre, à le contempler à la lueur de l'aube, horrifiés et angoissés.

« Il est fichu, conclut leur mère. Il n'y a rien à faire. »

Elle tourna les talons et regagna la maison.

« Si Ma dit qu'il n'y a plus d'espoir, c'est qu'il n'y a plus d'espoir, renchérit Eadbald.

— J'essaie de comprendre comment cela a pu arriver, murmura Edgar.

— À quoi bon ? demanda Erman.

— La pluie a été trop abondante pour que le sol puisse l'absorber, je suppose, si bien que l'eau a dévalé la colline et s'est accumulée en formant une mare en contrebas.

— Mon frère, le grand savant. »

Edgar ignora le sarcasme.

« Si l'eau avait pu s'évacuer, le foin aurait peut-être été sauvé.

— Et alors ? Elle ne s'est pas évacuée.

— Je me demande combien de temps il faudrait pour creuser une rigole qui traverserait le champ depuis le sommet de la pente jusqu'à la berge, pour canaliser l'eau et la diriger vers le fleuve.

— C'est trop tard, maintenant ! »

Le champ était long et étroit, et Edgar estima qu'il faisait environ trente perches de large. Un homme vigoureux mettrait environ une semaine à creuser cette tranchée, peut-être deux si le sol était difficile à piocher.

« Il y a une légère déclivité vers le milieu du champ, observa-t-il, plissant les yeux pour mieux voir sous la pluie. Ce serait le meilleur endroit pour faire une rigole.

— Ce n'est pas le moment de creuser des rigoles, objecta Erman. Il y a l'avoine à sarcler et ensuite, il faudra la faucher. Et Ma ne travaille plus ces derniers temps.

— Je me charge de la rigole.

— Et qu'allons-nous manger entre-temps… maintenant que nous sommes six ?

— Je ne sais pas », répondit Edgar.

D'un pas lourd, ils reprirent tous les trois le chemin de la ferme sous la pluie. À leur arrivée, Edgar constata que leur mère n'était pas là.

« Où est Ma ? » demanda-t-il à Cwenburg.

Sa belle-sœur haussa les épaules.

« Je la croyais avec vous.

— Elle est partie devant. Je pensais qu'elle était rentrée.

— Eh bien, non.

— Où a-t-elle bien pu aller par un temps pareil ?

— Comment veux-tu que je le sache ? C'est ta mère.

— Je vais voir dans la grange. »

Edgar ressortit sous le crachin. Ma n'était pas dans la grange. Il fut pris d'un mauvais pressentiment.

Il scruta le champ. Avec cette pluie, il ne voyait pas jusqu'au hameau – mais elle n'avait pas pris cette direction et, si elle avait changé d'avis, ils l'auraient croisée.

Où était-elle donc allée ?

Edgar lutta contre un sentiment de panique. Il se rendit jusqu'à la lisière du bois. Mais que serait-elle allée faire dans la forêt sous la pluie ? Il redescendit la colline jusqu'au fleuve. Elle n'avait pas pu le traverser, car elle ne savait pas nager. Il inspecta la berge.

Il crut apercevoir quelque chose à une bonne centaine de pas en aval, et son cœur s'accéléra. On aurait dit un tas de guenilles trempées, mais quand il regarda plus attentivement, il distingua, émergeant du ballot, ce qui ressemblait affreusement à une main.

Il courut le long de la rive, repoussant avec impatience les buissons et les branches basses. À mesure qu'il approchait, ses craintes se renforcèrent. Le ballot, à demi immergé, prit peu à peu forme humaine. Les vieux vêtements marron étaient ceux d'une femme. Le visage était plongé dans l'eau, mais la silhouette était terriblement familière.

Le corps ne bougeait pas.

Edgar s'agenouilla à côté de lui et le retourna délicatement. Comme il l'avait redouté, il découvrit les traits de Ma.

Elle ne respirait plus. Il tâta sa poitrine. Le cœur ne battait pas.

Edgar baissa la tête sous la pluie et, la main posée sur le corps immobile, il pleura.

Au bout d'un moment, il commença à réfléchir. Elle s'était noyée – mais pourquoi ? Elle n'avait aucune raison d'aller au bord du fleuve. À moins que…

À moins que sa mort n'ait été volontaire. Avait-elle mis fin à ses jours pour que ses fils aient suffisamment à manger ? Cette idée lui donna la nausée.

Il sentait un poids en lui, comme un bloc de plomb froid dans le cœur. Ma était partie. Il imaginait son raisonnement : elle était malade, ne pouvait plus travailler, n'avait plus beaucoup de temps à passer ici-bas et ne faisait que manger une nourriture dont sa famille avait grand besoin. Elle s'était sacrifiée pour eux, peut-être surtout pour sa petite-fille. Si elle s'était confiée à Edgar, il aurait protesté avec vigueur ; mais elle avait gardé ses pensées pour elle et en avait tiré les conséquences aussi logiques que terribles.

Il prit la décision de mentir. Au moindre soupçon de suicide, elle risquait d'être privée de sépulture chrétienne. Pour éviter cela, Edgar prétendrait l'avoir trouvée dans la forêt. La pluie expliquerait ses vêtements mouillés. Elle était malade, peut-être perdait-elle la tête, elle s'était égarée et la pluie avait eu raison de son corps déjà affaibli. Il raconterait même cette histoire à ses frères. Leur mère pourrait ainsi reposer dans le cimetière le long de l'église.

De l'eau s'échappa de sa bouche quand il la souleva. Elle ne pesait presque rien : elle avait maigri depuis leur arrivée à Dreng's Ferry. Son corps était encore chaud au toucher.

Il lui embrassa le front.

Puis il la porta jusqu'à la maison.

*

Les trois frères creusèrent la tombe dans la terre détrempée du cimetière et enterrèrent leur mère le lendemain. À l'exception de Dreng, tous les habitants du hameau assistèrent à l'inhumation ; Ma avait gagné leur respect par sa sagesse et sa détermination.

En à peine plus d'un an, les frères avaient perdu père et mère.

« En qualité d'aîné, je suis désormais le chef de famille », déclara Erman.

Personne n'y crut. C'était Edgar le plus intelligent, le plus ingénieux, celui qui trouvait des solutions à tous les problèmes. Il ne l'aurait jamais dit, mais dans les faits, c'était lui le chef de famille. Famille qui incluait l'agaçante Cwenburg et son enfant.

La pluie cessa le lendemain de l'enterrement, et Edgar s'attaqua à la rigole. Il ignorait si c'était une initiative judicieuse ou une fausse bonne idée, à l'instar des lauzes du toit de la brasserie. Pour le savoir, il fallait essayer.

Il utilisa une bêche en bois dotée d'une pointe en fer rouillé. Il ne voulait pas que sa rigole ait des bords élevés – cela aurait été contraire au but recherché –, ce qui l'obligea à descendre la terre extraite jusqu'au fleuve, où elle servirait à relever la berge.

Sans Ma, la vie à la ferme était à peine supportable. Erman observait Edgar pendant qu'il mangeait, suivant des yeux le trajet de chaque morceau de nourriture, du bol à la bouche de son frère. Cwenburg cherchait encore inlassablement à lui faire regretter de ne pas l'avoir épousée. Eadbald se plaignait d'avoir mal au dos à force de sarcler. Seule la petite Winnie était d'une compagnie agréable.

Il mit deux semaines à creuser son fossé. L'eau s'y amassa d'emblée : un ruisselet coulant lentement le long de la pente, ce qu'il prit pour un signe encourageant. Il ouvrit une brèche dans la berge du fleuve pour évacuer l'eau. Une mare se forma à cet endroit, sa surface étant à la même hauteur que celle du fleuve, et Edgar en déduisit qu'il existait une loi de la nature voulant que l'eau cherche toujours à rejoindre un même niveau.

Pieds nus dans la mare, il consolidait la berge avec des pierres quand il sentit quelque chose bouger sous ses orteils. Il y avait des poissons, comprit-il. Il marchait sur des anguilles. Comment cela s'était-il produit ?

Il observa ce qu'il avait créé, imaginant la vie des créatures aquatiques. Elles semblaient nager plus ou moins au hasard, et certaines étaient manifestement passées du fleuve à la mare par la brèche qu'il avait aménagée dans la berge. Mais comment en ressortiraient-elles ? Elles étaient prises au piège, provisoirement en tout cas.

Il commença à entrevoir une solution à leur problème de nourriture.

La pêche à la ligne était un moyen lent et peu

efficace pour se procurer à manger. Les pêcheurs de Combe fabriquaient de grands filets et partaient sur de gros bateaux pour rejoindre des endroits connus où nageaient des bancs de milliers de poissons. Mais il existait une autre méthode.

Edgar avait déjà vu des nasses en vannerie et s'estimait capable d'en fabriquer une. Il alla en forêt chercher de longs rameaux verts et souples qu'il coupa dans les buissons et sur de jeunes arbres. Puis il s'assit par terre devant la maison et commença à tordre les petites branches pour leur donner la forme qu'il avait gardée en mémoire.

Le voyant, Erman lui lança :

« Quand tu auras fini de jouer, tu pourras peut-être venir nous aider aux champs. »

Edgar confectionna un grand panier avec un goulot étroit. Cette nasse serait comme la mare : les poissons y entreraient facilement, mais auraient du mal à en ressortir – si elle fonctionnait.

Il la termina le soir même.

Le lendemain matin, il se rendit jusqu'au tas de fumier de la taverne, cherchant quelque chose qui puisse servir d'appât. Il trouva une tête de poulet et deux pattes de lapin en décomposition, qu'il fourra au fond de la nasse.

Il ajouta une pierre, pour la stabilité, et plongea le piège dans la mare qu'il avait créée.

Puis il s'obligea à le laisser en place vingt-quatre heures, sans aller l'inspecter.

Le lendemain matin, alors qu'il quittait la ferme, Eadbald lui demanda où il allait.

« Voir ma nasse, répondit-il.

— C'est ça que tu fabriquais ?

— Je ne sais pas si ça va marcher.

— Je t'accompagne. »

Tous le suivirent : non seulement Eadbald, mais aussi Erman et Cwenburg avec la petite.

Edgar pénétra dans la mare, dont l'eau lui arrivait aux cuisses. Ne sachant pas exactement où il avait plongé la nasse, il dut se pencher et tâtonner dans la boue. Elle s'était peut-être déplacée au cours de la nuit.

« Tu l'as perdue ! » se moqua Erman.

C'était impossible : la mare n'était pas assez grande. La prochaine fois cependant, il marquerait l'endroit avec un flotteur, par exemple un morceau de bois relié à la nasse par un fil suffisamment long pour qu'il flotte à la surface de l'eau.

S'il y avait une prochaine fois.

Enfin, ses mains entrèrent en contact avec le casier.

Il adressa au ciel une prière silencieuse.

Repérant le goulot au toucher, il tourna la nasse pour orienter l'entrée vers le haut puis la souleva.

Elle lui parut lourde, et il craignit qu'elle se soit coincée.

Il tira plus fort. La nasse perça la surface, et de l'eau dégoulina par les petits trous entre les rameaux entrecroisés.

Quand toute l'eau se fut écoulée, il put voir à l'intérieur du piège : il était plein d'anguilles.

« Vous avez vu ça ? » s'exclama Eadbald, ravi.

Cwenburg tapa dans ses mains.

« Nous sommes riches !

— Ça a marché », constata Edgar avec une profonde satisfaction.

Avec cela, ils auraient de quoi manger correctement pendant au moins une semaine.

« Je vois deux truites et quelques petits poissons que je ne connais pas, remarqua Eadbald.

— Le fretin servira d'appât pour la prochaine fois, dit Edgar.

— La prochaine fois ? Tu crois pouvoir recommencer toutes les semaines ? »

Edgar haussa les épaules.

« Je n'en suis pas certain, mais je ne vois pas pourquoi ce ne serait pas possible. Tous les jours, même. Il y a des millions de poissons dans le fleuve.

— Nous en aurons plus que nous ne pourrons en manger !

— Dans ce cas, nous en vendrons une partie pour acheter de la viande. »

Ils reprirent le chemin de la ferme, Edgar portant la nasse sur son épaule.

« Je me demande pourquoi personne ne l'a jamais fait, murmura Eadbald.

— Je suppose que le précédent tenancier n'y a pas pensé, répondit Edgar, puis il ajouta, après mûre réflexion : Et personne ici n'a suffisamment faim pour faire l'essai de nouvelles idées. »

Ils plongèrent les poissons dans un grand récipient d'eau. Cwenburg nettoya une grosse anguille qu'elle fit griller sur le feu pour le petit déjeuner. Brindille mangea la peau.

Ils décidèrent de garder la truite pour le dîner et de préparer le reste pour le fumer. Les anguilles seraient suspendues aux poutres de la maison et conservées pour l'hiver.

Edgar remit le fretin dans la nasse pour servir d'appât et alla la replonger dans la mare. Il se demanda combien de poissons il attraperait la deuxième fois. Si la pêche était seulement à moitié aussi bonne que celle qu'il venait de faire, il aurait de quoi en vendre.

Il s'assit et contempla la rigole, la berge du fleuve et la mare. Non seulement il avait résolu le problème des inondations, mais grâce à lui toute la famille aurait sans doute de quoi manger à sa faim dans l'avenir immédiat.

Pourtant, il n'était pas heureux et se demanda pourquoi.

Il ne lui fallut pas longtemps pour trouver la réponse.

Il n'avait pas envie d'être pêcheur. Pas plus que fermier. Dans ses rêves d'avenir, il n'avait jamais envisagé que sa grande œuvre serait une nasse à poissons. Il avait l'impression d'être comme une de ces anguilles qui nageaient en rond dans leur cage sans jamais trouver la sortie.

Il savait qu'il possédait un don. Certains hommes savaient se battre, d'autres pouvaient réciter un poème des heures durant, d'autres encore piloter un navire en se guidant d'après les étoiles. Edgar était doué pour les formes, et pour les nombres ; de là lui venait une compréhension intuitive et mystérieuse des poids et des tensions, de la pression et de la résistance, de la force de rotation.

Fut un temps où il n'avait pas eu conscience d'être exceptionnel. Aussi lui était-il arrivé d'irriter les gens, en particulier les hommes plus âgés que lui, en faisant des remarques comme : « N'est-ce pas évident ? »

Il visualisait certaines choses, voilà tout. Il avait imaginé que l'excédent de pluie s'écoulerait du champ dans sa rigole, puis se déverserait jusqu'au fleuve, et sa vision était devenue réalité.

Il était capable de bien plus que cela. Il avait construit un bateau viking, une brasserie en pierre, et creusé un fossé de drainage, mais ce n'était qu'un début. Il devait placer son talent au service de plus grandes ambitions. Il le savait, tout comme il avait su que les poissons se feraient prendre dans sa nasse.

Tel était son destin.

21

Septembre 998

Aldred jouait à un jeu dangereux en cherchant à faire tomber un évêque. Tous les évêques étaient puissants, mais Wynstan était également cruel et sans pitié. L'abbé Osmund avait raison de le craindre. S'opposer à lui, c'était mettre sa tête dans la gueule d'un lion.

Mais les chrétiens ne devaient-ils pas parfois s'y risquer ?

Plus Aldred réfléchissait, plus il se persuadait que le shérif Den était le mieux placé pour déférer Wynstan à la justice. En premier lieu, le faux-monnayage était un crime de lèse-majesté ; or le shérif était le représentant du roi, lui-même garant de la fiabilité de la monnaie. Ensuite, le shérif et ses hommes constituaient une force influente, rivalisant avec celle de Wilwulf et ses frères : chacune limitait le pouvoir de l'autre, ce qui suscitait l'animosité des deux camps. Aldred était convaincu que Den détestait Wilf. Enfin, réussir à faire condamner un faussaire de haut rang serait un triomphe personnel pour le shérif. Le roi, satisfait, ne manquerait pas de le récompenser généreusement.

Aldred parla au shérif après la messe dominicale. Il veilla à ce que la rencontre paraisse banale – simple échange de politesses entre deux personnalités de la ville –, pour éviter qu'on ne les soupçonne de complot. L'abordant avec un sourire aimable, il lui adressa la parole d'une voix douce.

« Il faut que je vous parle en privé. Puis-je passer chez vous demain ? »

Le regard de Den trahit sa surprise. Doté d'une vive intelligence, il devinait certainement qu'il ne s'agissait pas d'une visite de courtoisie.

« Bien sûr, répondit-il d'un air tout aussi dégagé. Avec plaisir.

— Dans l'après-midi, si cela vous convient. »

C'était le moment où les devoirs religieux des moines étaient réduits.

« C'est parfait.

— Et si cela pouvait rester entre nous…

— Je comprends. »

Le lendemain, Aldred quitta discrètement l'abbaye après le repas de midi, quand les habitants du bourg somnolents digéraient leur mouton et leur bière, et qu'il y avait peu de monde dans les rues susceptible de le remarquer. Maintenant qu'il s'apprêtait à tout raconter au shérif, il commençait à s'inquiéter de sa réaction. Den aurait-il le courage de s'attaquer au puissant Wynstan ?

Il le trouva dans la grande salle de son domaine, en train d'affûter son épée préférée à l'aide d'une pierre à aiguiser. Aldred débuta son récit en décrivant sa première visite à Dreng's Ferry : l'hostilité des habitants, l'atmosphère décadente qui régnait au moustier, et son intuition que l'endroit cachait un coupable secret. Den parut intrigué par les visites qu'y faisait Wynstan quatre fois par an et par les cadeaux qu'il apportait ; puis il fut amusé à l'idée qu'Aldred avait chargé quelqu'un de suivre l'évêque dans les lieux de débauche de Combe. Mais quand Aldred en arriva à l'épisode de la pesée des pièces, Den reposa son épée et sa pierre, soudainement tout ouïe.

« Il me semble évident que Wynstan et Degbert se rendent à Combe pour dépenser leur fausse monnaie et en échanger une partie contre des pièces de bon aloi. Dans une grande ville où il y a beaucoup de commerce, les contrefaçons ont peu de chances d'être remarquées. »

Den hocha la tête.

« C'est fort possible. En ville, les pennies changent rapidement de main.

— Mais les pièces sont forcément produites à Dreng's Ferry. Seul un orfèvre pourrait fabriquer des copies parfaites des coins utilisés dans les hôtels de la monnaie royaux – or il y en a un au moustier de Dreng's Ferry. Il se nomme Cuthbert. »

Den paraissait sincèrement outré par l'énormité du délit, et impatient d'agir.

« Un évêque ! murmura-t-il, visiblement ému. Qui contrefait de la monnaie royale ! » En même temps, il avait du mal à cacher sa jubilation. « Si je dévoile ce crime, le roi Ethelred n'oubliera jamais mon nom ! »

Lorsqu'il eut recouvré son calme, Aldred l'incita à réfléchir à la manière d'intervenir.

« Il faut les prendre sur le fait, expliqua Den. Je dois voir les matériaux, les outils, le processus. Je dois être témoin de la fabrication de fausse monnaie.

— Cela devrait être possible, répondit Aldred, affichant une feinte assurance. Ils opèrent à dates fixes, toujours quelques jours après le terme des redevances. Wynstan touche son dû, apporte ses pièces authentiques à Dreng's Ferry et les convertit en deux fois autant de fausses pièces.

— C'est diabolique. Mais si nous voulons les prendre, il faut éviter de leur mettre la puce à l'oreille, commenta Den, soudain pensif. Il faudrait que je quitte Shiring avant Wynstan, pour qu'il n'ait pas l'impression d'être suivi. J'aurais besoin d'un prétexte : partir à la recherche de Face-de-Fer dans les bois autour de Bathford, par exemple.

— Bonne idée. J'ai entendu parler d'un vol de chèvres là-bas il y a quelques semaines.

— Ensuite, nous pourrions nous cacher dans la forêt voisine de Dreng's Ferry, bien à l'écart de la route. Il faudra tout de même que quelqu'un nous prévienne quand Wynstan arrivera au moustier.

— Je peux m'en occuper. J'ai un allié au village.

— Digne de confiance ?

— Il est déjà informé de tout. C'est Edgar le bâtisseur.

— Excellent choix. Il a aidé lady Ragna à Outhenham. Il est très jeune, mais intelligent. Il faudrait qu'il nous avertisse dès qu'ils commenceront à fabriquer les pièces. Pensez-vous qu'il accepterait ?

— Oui.

— Il me semble que nous avons ainsi l'amorce d'un plan. Mais je veux encore y réfléchir soigneusement. Nous en reparlerons plus tard.

— Quand vous voudrez, shérif. »

*

Le vingt-neuvième jour de septembre, à la Saint-Michel, l'évêque Wynstan toucha ses redevances dans sa résidence de Shiring.

Tout le jour, des richesses vinrent remplir encore ses coffres, lui procurant autant de plaisir que lui en donnaient les femmes. Les chefs des villages avoisinants défilèrent dans la matinée, menant du bétail, conduisant des charrettes chargées, portant des sacs et des coffrets pleins de pennies d'argent. Le tribut des villages plus distants arriva dans l'après-midi. En tant qu'évêque, Wynstan était également le seigneur de villages situés dans d'autres comtés, qui viendraient payer leur dû le lendemain ou le surlendemain. Il compta tout avec autant de soin qu'un paysan affamé dénombre les poussins de son poulailler. Il appréciait particulièrement les pennies d'argent, car il pourrait les emporter à Dreng's Ferry où ils se multiplieraient miraculeusement.

Il manquait douze pence au chef de Meddock. Le mauvais payeur était Godric, le fils du prêtre, qui était venu s'expliquer.

« Monseigneur, j'implore votre miséricorde, balbutia Godric.

— Que m'importent tes suppliques. Où est mon argent ? demanda Wynstan.

— Nous avons eu des pluies diluviennes, avant et après le solstice d'été. J'ai une femme et deux enfants, et je ne sais pas comment je réussirai à les nourrir cet hiver. »

La situation n'avait rien à voir avec la calamité qui s'était abattue sur Combe l'année précédente et avait appauvri la ville entière.

« Tous les autres habitants de Meddock ont payé leur dû, fit remarquer Wynstan.

— Ma terre se trouve sur une pente orientée à l'ouest, et mes cultures ont été emportées par la pluie. Je vous paierai le double l'année prochaine.

— Voilà qui m'étonnerait fort. Tu trouveras bien une autre fable à me raconter.

— Je vous le jure.

— Si j'acceptais des serments à la place des redevances, je serais pauvre et tu serais riche.

— Que dois-je faire, alors ?

— Emprunte.

— J'ai demandé à mon père, le prêtre, mais il n'a pas assez d'argent.

— Si ton propre père refuse de te secourir, pourquoi serait-ce à moi de t'aider ?

— Dans ce cas, que puis-je faire ?

— Débrouille-toi pour trouver cet argent. Si tu ne peux pas l'emprunter, vends-toi et vends ta famille en esclavage.

— Nous accepteriez-vous comme esclaves, monseigneur ?

— Ta famille est-elle ici ? »

Godric désigna une femme et deux enfants qui attendaient, anxieux, dans le fond.

« Ta femme est trop vieille pour valoir grand-chose, rétorqua Wynstan, et tes enfants trop petits. Je ne veux pas de vous. Essaie auprès de quelqu'un d'autre. La veuve Ymma, qui fait commerce de fourrures, est riche.

— Monseigneur…

— Disparais. Chef, si Godric n'a pas payé d'ici à la fin de la journée, trouve un autre paysan pour la terre sur la pente orientée à l'ouest. Et assure-toi que le nouveau fermier comprenne la nécessité de creuser des sillons de drainage. Nous sommes dans l'ouest de l'Angleterre, pour l'amour du ciel… il pleut par ici. »

Ce jour-là, plusieurs hommes étaient dans la même situation que Godric, et Wynstan leur réserva un traitement similaire. Si l'on faisait grâce d'un paiement à certains paysans, tous se présenteraient le jour du terme avec les mains vides et une histoire navrante à raconter.

Wynstan percevait aussi les redevances à la place de Wilwulf. Assis à son côté, Ithamar veillait scrupuleusement à maintenir les deux comptabilités séparées. Wynstan ne détournait qu'une part minime des profits de Wilf. Parfaitement conscient que sa richesse et son pouvoir étaient décuplés par sa parenté avec l'ealdorman, l'évêque n'avait pas l'intention de mettre cette relation en péril.

À la fin de l'après-midi, Wynstan ordonna à des serviteurs d'apporter les redevances en nature destinées à Wilf dans son domaine, mais il se chargea lui-même des pièces d'argent, qu'il aimait livrer en personne pour donner à son frère l'impression qu'il lui faisait un cadeau. Il trouva Wilf dans la maison commune.

« Le coffre est moins plein qu'il ne l'était avant que tu offres le val d'Outhen à lady Ragna.

— Elle s'y trouve en ce moment même », lui apprit Wilf.

Wynstan hocha la tête. C'était la troisième fois que Ragna collectait elle-même ses redevances. Depuis leur différend le jour de l'Annonciation, elle n'était manifestement pas pressée de déléguer cette tâche à un subalterne.

« Elle est remarquable, dit-il d'un ton destiné à faire croire qu'il l'appréciait. Si belle, et d'une telle intelligence ! Je comprends que tu lui demandes aussi souvent son avis – bien qu'elle ne soit qu'une femme. »

Le compliment était à double tranchant. Un homme dominé par son épouse était la cible de nombreuses moqueries, le plus souvent obscènes. La nuance n'échappa pas à Wilf.

« Je te demande bien le tien, et tu n'es qu'un prêtre.

— C'est exact. »

Wynstan encaissa l'affront avec le sourire. Il s'assit, et une servante lui servit un gobelet de vin.

« Elle a ridiculisé ton fils lors de cette partie de balle. »

Wilf fit la grimace.

« Garulf est un sot, je suis bien obligé d'en convenir. Il en a donné la preuve lors de notre expédition au pays de Galles. Ce n'est pas un lâche ; il est prêt à se battre contre vents et marées. Mais il n'a pas l'étoffe d'un général. Sa conception de la stratégie se résume à se jeter dans la bataille en hurlant le plus fort possible. Et pourtant, les hommes le suivent. »

Ils abordèrent ensuite le sujet des Vikings. Leurs attaques de l'année s'étaient concentrées plus à l'est, dans le Hampshire et le Sussex, et le comté de Shiring avait été largement épargné, contrairement à l'année précédente, où Combe et d'autres bourgs du fief de Wilf avaient été ravagés. En revanche, Shiring avait souffert de pluies diluviennes.

« Dieu est peut-être en colère contre les habitants de Shiring, suggéra Wilf.

— Parce qu'ils n'ont pas donné suffisamment d'argent à l'Église, sans doute », commenta Wynstan, ce qui fit rire son frère.

Avant de rentrer chez lui, Wynstan passa voir sa mère, Gytha. Il l'embrassa et s'assit près du feu.

« Le frère Aldred est allé voir le shérif Den, lui apprit-elle.

— Vraiment ? demanda Wynstan, intrigué.

— Il s'y est rendu seul, et dans la plus grande discrétion. Il croit sans doute que personne ne l'a vu. Mais j'en ai entendu parler.

— C'est un sournois. Il a rendu visite à l'archevêque de Canterbury derrière mon dos et a tenté de mettre la main sur mon moustier, à Dreng's Ferry.

— A-t-il un point faible ?

— Il a été autrefois mêlé à un incident, une relation illicite avec un autre jeune moine.

— Autre chose depuis ?

— Non.

— On pourrait peut-être utiliser cette affaire contre lui, mais s'il n'a pas récidivé, cela ne suffira pas. Dans la mesure où ils vivent sans femmes, je suppose que la moitié de ces moines forniquent ensemble dans leur dortoir.

— Aldred ne m'inquiète pas. Je l'ai déjà remis à sa place une fois, je peux recommencer. »

Gytha n'était pas rassurée pour autant.

« Je ne comprends pas ce qui se passe, insista-t-elle, visiblement tracassée. Qu'est-ce qu'un moine irait faire chez le shérif ?

— La garce normande m'inquiète davantage.

— Ragna est intelligente et elle n'a pas froid aux yeux, acquiesça Gytha.

— Elle a manœuvré plus habilement que moi à Outhenham. Peu en sont capables.

— Et elle a persuadé Wilf de renvoyer Wignoth, le chef palefrenier, qui avait estropié son cheval sur mon ordre. »

Wynstan soupira.

« Nous n'aurions jamais dû laisser Wilf l'épouser.

— Quand tu as négocié ce mariage, tu espérais consolider le traité avec le comte Hubert.

— C'était surtout parce que Wilf tenait absolument à l'avoir.

— Tu aurais pu empêcher cette union.

— Je sais, répondit Wynstan avec regret. À mon retour de Cherbourg, j'aurais pu prétendre que nous étions arrivés trop tard et qu'elle était déjà fiancée à Guillaume de Reims. »

Wynstan réfléchit : il pouvait dire la vérité à sa mère, en général elle se rangeait toujours de son côté.

« Wilf venait juste de me nommer évêque. La triste réalité est que j'ai manqué de courage. J'ai craint qu'il ne me perce à jour. Je pensais que sa colère serait terrible. En fait, j'aurais très certainement pu m'en tirer. Mais je l'ignorais alors.

— Ne te soucie pas trop de Ragna, le rassura Gytha. Nous pourrons la neutraliser. Elle n'a pas conscience des forces qui sont mobilisées contre elle.

— Je n'en suis pas si sûr.

— Quoi qu'il en soit, il serait insensé de la défier maintenant. Elle tient encore le cœur de Wilf au creux de sa main, fit Gytha avec un sourire en coin. Mais l'amour d'un homme est éphémère. Avec le temps, Wilf se lassera d'elle.

— Combien de temps faudra-t-il ?

— Je ne sais pas. Sois patient. Le jour viendra.

— Je t'aime, mère.

— Moi aussi, je t'aime, mon fils. »

*

La nasse était pleine certains matins, à moitié pleine d'autres fois ou seulement remplie de fretin, mais elle fournissait toutes les semaines à la famille plus de nourriture qu'elle n'en pouvait consommer. Ils continuaient de suspendre les poissons aux poutres de la maison pour les fumer, au point qu'il semblait pleuvoir des anguilles. Un vendredi, quand Edgar remonta une nasse pleine, il décida de vendre une partie de sa pêche.

Il trouva un bâton long de trois pieds et y attacha douze grosses anguilles, utilisant des rameaux encore verts en guise de cordes, avant de se rendre à la taverne. Ethel, la plus jeune des femmes de Dreng, était assise devant le seuil, profitant du soleil de cette fin d'été, en train de plumer des pigeons destinés à la marmite. Ses mains maigres étaient rouges et pleines de graisse.

« Vous voulez des anguilles ? demanda-t-il. Un farthing les deux.

— Où les as-tu trouvées ?

— Dans notre prairie inondée.

— Beau travail. Elles sont belles et grasses. Oui, je t'en prends deux. »

Elle rentra demander de l'argent à Dreng et revint avec lui.

« D'où sortent-elles ? demanda-t-il à Edgar.

— D'un nid d'anguilles que j'ai découvert dans un arbre.

— Toujours aussi impertinent. »

Dreng lui donna tout de même le quart d'un penny d'argent, et Edgar poursuivit son chemin.

Il vendit deux poissons à Ebba, la lavandière, et quatre à la grosse Bebbe. Elfburg, qui faisait le ménage au moustier, lui répondit qu'elle n'avait pas d'argent, mais qu'elle connaissait un autre moyen de le payer, puisque Hadwine, son mari, était parti pour la journée ramasser des noix dans la forêt. Edgar déclina l'offre et lui donna tout de même deux anguilles.

Avec quatre farthings dans la bourse accrochée à sa ceinture, Edgar alla proposer les poissons restants aux prêtres.

Edith, la femme de Degbert, allaitait un nourrisson devant leur maison.

« Elles sont belles, dit-elle.

— Vous pouvez avoir les quatre pour un demi-penny.

— Tu ferais mieux d'aller lui poser la question », conseilla-t-elle, en pointant le menton vers la porte ouverte.

Entendant leurs voix, Degbert sortit.

« Où les as-tu trouvées ? » demanda-t-il à Edgar.

Edgar ravala une réponse sarcastique.

« L'inondation a créé une mare dans notre prairie.

— Et qui t'a dit que tu avais le droit d'y prendre des anguilles ?

— Les poissons n'ont pas demandé la permission de nager jusque chez nous. »

Degbert regarda le bâton d'Edgar.

« J'ai l'impression que tu en as déjà vendu.

— Oui, j'en ai vendu huit, répondit Edgar à contrecœur.

— Tu oublies que c'est moi, le propriétaire. Vous louez la ferme, pas le fleuve. Si tu veux aménager un bassin, il te faut mon autorisation.

— Vraiment ? Je croyais que vous étiez le seigneur de la terre, pas du fleuve.

— Tu n'es qu'un paysan sans instruction qui ne sait rien du tout. Le moustier est régi par une charte qui m'octroie le droit de pêche.

— Depuis que je suis arrivé ici, vous n'avez pas pêché un seul poisson.

— Peu importe. Ce qui est écrit est écrit.

— Où est cette charte ?

— Attends-moi ici », fit Degbert avec un sourire.

Il rentra et revint en tenant une feuille de parchemin pliée.

« Voilà, dit-il en montrant un paragraphe du doigt. Si un homme pêche dans le fleuve, il devra au doyen un poisson sur trois. »

Il souriait toujours.

Edgar ne regarda pas le parchemin. Il ne savait pas lire, et Degbert ne l'ignorait pas : le doyen pouvait faire dire n'importe quoi à la charte. Il songea, humilié, qu'il n'était effectivement qu'un paysan ignorant.

« Tu as attrapé douze anguilles, donc tu m'en dois quatre », reprit Degbert triomphant.

Edgar lui tendit son bâton auquel étaient accrochés les poissons.

C'est alors qu'il entendit un martèlement de sabots.

Il leva les yeux vers le sommet de la colline, imité par Degbert et Edith. Six cavaliers dévalèrent la pente en direction du moustier, avant de ralentir. À leur tête, Edgar reconnut l'évêque Wynstan.

Edgar s'éloigna d'un bon pas, laissant Degbert souhaiter la bienvenue à son éminent cousin. Il passa devant la taverne et traversa le champ où ses frères liaient en gerbes les tiges d'avoine coupées, mais il ne leur parla pas. Il dépassa la ferme et pénétra discrètement dans la forêt.

Il connaissait le chemin. Marchant entre les bosquets de chênes et de charmes, il suivit un passage de cerf à peine visible sur environ une demi-lieue, avant d'arriver à une clairière. Le shérif Den s'y trouvait avec frère Aldred et une vingtaine d'hommes et de chevaux. Les hommes, équipés d'épées, de boucliers et de casques, formaient un groupe impressionnant avec leurs bêtes musculeuses. Deux d'entre eux sortirent leurs armes en voyant apparaître Edgar, et il les reconnut : le petit à l'air mauvais était Wigbert, le grand, Godwine. Edgar leva les mains pour montrer qu'il n'était pas armé.

« Laissez-le passer, c'est notre espion au hameau », ordonna Aldred, et les hommes rengainèrent leurs lames.

Edgar fit la grimace. Il n'aimait pas être traité d'espion.

La question l'avait beaucoup tourmenté. Les faussaires seraient démasqués et subiraient un châtiment cruel. Degbert méritait tout ce qui lui arriverait, mais Cuthbert ? C'était un homme faible qui ne faisait qu'obéir aux ordres. On l'avait contraint à commettre un crime.

Edgar détestait pourtant qu'on viole la loi. Sa mère se disputait fréquemment avec les représentants de l'autorité, mais elle ne fraudait jamais. L'illégalité était incarnée par les Vikings qui avaient tué Sunni, par Face-de-Fer le bandit et par des gens tels Wynstan et Degbert qui spoliaient les pauvres tout en prétendant se soucier de leurs âmes. Les gens estimables étaient au contraire respectueux de la loi, qu'ils fussent ecclésiastiques comme Aldred ou nobles comme Ragna.

Edgar soupira.

« Oui, je suis l'espion, acquiesça-t-il. Et l'évêque Wynstan vient tout juste d'arriver.

— Parfait », approuva Den.

Il leva les yeux. On distinguait très peu de ciel entre les feuilles, mais l'intense éclat de midi avait laissé place à une luminosité plus douce de fin de journée.

Edgar répondit à la question que le shérif n'avait pas formulée.

« Ils ne feront pas grand-chose à la forge aujourd'hui. Il faut du temps pour allumer le feu et faire fondre les pennies.

— Ils commenceront donc demain.

— À mon avis, ils seront en pleine activité en milieu de matinée. »

Den parut mal à l'aise.

« Nous ne pouvons prendre aucun risque. Peux-tu surveiller l'avancement de leur travail et nous avertir le moment venu ?

— Oui.

— Ils te laisseront entrer dans l'atelier ?

— Non, mais c'est comme cela que j'en serai informé. Il m'arrive d'aller discuter avec l'orfèvre quand il travaille. Nous parlons outils, métaux et…

— Comment le sauras-tu ? coupa Den avec impatience.

— Les seules fois où Cuthbert ferme sa porte, c'est quand Wynstan est là. Je vais donc frapper et demander à voir Cuthbert. S'ils refusent d'ouvrir, cela voudra dire qu'ils sont en pleine activité. »

Den hocha sa tête grisonnante.

« Cela se tient, conclut-il. Viens me prévenir aussitôt. Nous serons prêts. »

*

Ce soir-là, Wynstan fit le tour du hameau et distribua une demi-carcasse de porc salé à chaque foyer.

Le lendemain matin, Cuthbert entra dans son atelier avant le petit déjeuner et alluma le feu en utilisant du charbon de bois, dont la combustion dégageait plus de chaleur que celle du bois ou du charbon.

Wynstan s'assura que la porte de l'atelier était fermée et barricadée, et posta Cnebba à l'extérieur pour monter la garde. Enfin il tendit à Cuthbert un coffre cerclé de fer, rempli de pennies d'argent.

Cuthbert prit un grand creuset en argile et l'enfonça dans le charbon de bois jusqu'au bord. En chauffant, le récipient prit la couleur rouge du soleil levant.

Il mélangea soigneusement cinq livres de fines lamelles de cuivre découpées dans un lingot cylindrique, et le même poids de pennies d'argent, avant de verser l'amalgame dans le creuset. Après avoir attisé les flammes à l'aide d'un soufflet, il remua avec un bâton la mixture en fusion. Le bois roussit dans le métal brûlant, mais cela n'avait pas d'importance. Le creuset d'argile continua de changer de couleur, prenant cette fois l'éclatante teinte jaune du soleil de midi. Le métal en fusion était d'une nuance de jaune plus sombre.

Cuthbert aligna dix moules en argile sur son établi. Une fois rempli à ras bord, chacun contiendrait une livre de la mixture en fusion, ainsi que Wynstan et lui l'avaient établi précédemment, à force de tâtonnements.

Enfin, Cuthbert retira le creuset du feu en utilisant deux tenailles à long manche et versa le mélange dans les moules d'argile.

La première fois que Wynstan avait assisté à ce

processus, il avait été terrifié. Toute altération de la monnaie était un crime de haute trahison contre le roi. En théorie, elle était punie de l'amputation d'une main, mais une peine plus lourde pouvait être prononcée.

Lors de cette toute première fois, alors que Wynstan n'était encore qu'archidiacre, il avait fait les cent pas dans le moustier, entrant et sortant de la forge, aux aguets, redoutant de voir arriver quelqu'un. L'image même de l'homme coupable, se rendait-il compte à présent. Mais personne n'avait osé lui poser de question.

Il s'était vite rendu compte que la plupart des gens préféraient ne rien savoir des crimes de leurs supérieurs, craignant de s'attirer des ennuis, et il les avait confortés dans ce sentiment grâce à ses cadeaux. À présent encore, il doutait que les habitants du hameau aient deviné à quelle activité on se livrait quatre fois par an dans la forge de Cuthbert.

Wynstan espérait ne pas être devenu négligent, mais seulement plus confiant.

Quand le métal eut refroidi et durci, Cuthbert retourna les moules et en sortit de gros disques en alliage de fer et de cuivre. Puis il les martela pour les élargir et les aplatir, jusqu'à ce que chacun remplisse un large cercle dont le contour avait été tracé sur l'établi à l'aide d'un compas. Chacun de ces disques, Wynstan le savait, permettrait de fabriquer deux cent quarante pièces nues, appelées des flans.

Cuthbert avait fabriqué une perforeuse du diamètre exact d'un penny, qu'il utilisa pour découper les flans dans le disque d'alliage. Il récupéra les fragments restants, qui seraient fondus une deuxième fois.

Sur son établi étaient posés trois lourds objets en fer de forme cylindrique. Deux étaient des coins que Cuthbert avait laborieusement gravés pour imiter les deux faces du penny du roi Ethelred. Le coin inférieur, ou coin de pile, montrait l'effigie du roi, de profil, avec la mention «Roi des Anglais» inscrite en latin. Cuthbert l'inséra solidement dans la fente de l'enclume. Le coin supérieur, appelé le trousseau, portait une croix et l'attribution – fallacieuse – «Frappé par Elfwine à Shiring», également en latin. L'année précédente, le dessin avait été modifié et les bras de la croix allongés ; un changement qui avait compliqué la tâche des faussaires – ce qui était précisément la raison pour laquelle le roi avait procédé à cette modification. À son autre extrémité, le trousseau avait une forme de champignon à force d'avoir été frappé par le maillet. Le troisième objet était une virole qui maintenait les deux coins parfaitement alignés.

Cuthbert posa un flan sur le coin de pile, fixa la virole et y inséra le trousseau, le poussant jusqu'à ce qu'il repose sur le flan. Puis il frappa le trousseau d'un coup sec de son maillet à tête de fer.

Il souleva le trousseau et retira la virole. La croix était maintenant imprimée sur la face supérieure du flan de métal. Cuthbert utilisa un couteau émoussé pour dégager la pièce du coin de pile et la retourna, révélant l'effigie du roi sur l'autre face.

La pièce n'avait pas la bonne couleur, l'alliage étant brun au lieu d'être argenté. Mais ce problème pouvait être facilement résolu. Se servant de ses tenailles, l'orfèvre chauffa la pièce dans le feu avant de la plonger dans un bol de vitriol dilué. Sous le regard de Wynstan, l'acide élimina le cuivre à la surface de la pièce, laissant une sorte de pellicule d'argent pur.

Wynstan sourit. De l'argent gratuit, songea-t-il. Peu de spectacles le ravissaient davantage.

Deux choses étaient pour lui source de joie : l'argent et le pouvoir. Les deux allaient de pair, en réalité. Il aimait exercer son pouvoir sur les gens, et l'argent lui en donnait. Il n'imaginait pas posséder un jour l'un ou l'autre en suffisance. Évêque, il souhaitait devenir archevêque ; une fois cette position atteinte, il s'efforcerait de devenir chancelier du roi, et pourquoi pas roi ; et même alors, il désirerait encore davantage de pouvoir et d'argent. La vie était ainsi faite, songea-t-il ; on pouvait manger à satiété un soir et avoir à nouveau faim à l'heure du petit déjeuner.

Cuthbert remit le creuset en argile dans le feu et le remplit d'une nouvelle fournée de vraies pièces et d'autant de morceaux de cuivre.

Pendant que le mélange fondait, il frappa une fois encore le trousseau et dégagea un nouveau penny.

« Aussi neuf qu'un téton de vierge », remarqua Wynstan d'un ton approbateur.

Cuthbert plongea la pièce dans le vitriol.

C'est alors qu'un bruit résonna au-dehors.

Cuthbert et Wynstan se figèrent, l'oreille tendue.

Ils entendirent Cnebba dire : « Va-t'en. »

Puis la voix d'un jeune homme.

« Je suis venu voir Cuthbert.

— C'est Edgar le bâtisseur », murmura l'orfèvre.

Wynstan se détendit.

« Pourquoi veux-tu voir Cuthbert ? demanda Cnebba.

— Pour lui offrir une anguille.

— Donne-la-moi.

— Je pourrais la donner au diable, mais elle est pour Cuthbert.

— Cuthbert est occupé. Va donc voir ailleurs !

— Une très bonne journée à vous aussi, mon bon seigneur.

— Petit insolent. »

Ils attendirent en silence, mais la conversation

s'arrêta là et Cuthbert se remit bientôt au travail. Il mit les bouchées doubles, insérant les flans, tapant sur le trousseau et extrayant les pièces presque aussi vite qu'une fille de cuisine écossant des pois. Le batteur de monnaie officiel, Elfwine de Shiring, assisté de deux compagnons, réussissait à produire environ sept cents pièces en une heure. Cuthbert plongeait les pennies bruns dans l'acide et interrompait sa frappe toutes les quelques minutes pour récupérer les pièces argentées.

Fasciné, Wynstan ne voyait pas le temps passer. Le plus compliqué, songea-t-il avec ironie, était d'écouler toute cette monnaie. Le cuivre n'étant pas aussi lourd que l'argent, les fausses pièces ne pouvaient pas être utilisées pour les grosses transactions nécessitant une pesée de la somme payée. Wynstan s'en servait donc dans les tavernes, au bordel ou aux tables de jeu, où il aimait dépenser sans compter.

Il regardait Cuthbert sortir pour la deuxième fois le creuset de métal en fusion du charbon de bois quand un nouveau bruit venu de l'extérieur perturba sa rêverie.

« Quoi encore ? » marmonna-t-il, irrité.

Cnebba avait changé de ton. Méprisant lorsqu'il s'adressait à Edgar, il semblait à présent surpris et intimidé, ce qui alerta Wynstan.

« Qui êtes-vous ? demanda Cnebba, d'une voix forte, mais inquiète. D'où venez-vous tous ? En voilà une façon d'arriver sans crier gare ! »

Cuthbert reposa le creuset sur l'établi.

« Que Dieu me garde. Qui est-ce ? »

Quelqu'un frappa à la porte, mais elle était solidement barricadée.

Wynstan entendit une voix qu'il lui sembla reconnaître.

« Il y a une autre entrée, disait-elle. Par la maison principale. »

De qui s'agissait-il? Le nom lui revint aussitôt: c'était le frère Aldred, de l'abbaye de Shiring.

Wynstan se rappela avoir dit à sa mère qu'il n'y avait rien à craindre d'Aldred.

« Je le ferai étriper », murmura-t-il.

Cuthbert s'était immobilisé, paralysé d'effroi.

Jetant un rapide coup d'œil autour de lui, Wynstan aperçut des indices compromettants partout: du métal altéré, des coins frauduleux et des fausses pièces. Il serait impossible de tout cacher: un creuset brûlant rempli de métal en fusion ne se rangeait pas dans un coffre. Son seul espoir était d'empêcher les visiteurs de pénétrer dans l'atelier.

Il passa par la porte intérieure donnant sur le moustier. Les prêtres et leurs familles étaient dispersés dans la pièce: les hommes parlaient, les femmes épluchaient des légumes et les enfants jouaient. Tous levèrent promptement la tête quand Wynstan claqua la porte derrière lui.

Un instant plus tard, Den pénétrait par l'entrée principale.

L'espace d'une seconde, Wynstan et lui se dévisagèrent. L'évêque était aussi stupéfait qu'atterré. À l'évidence, c'était Aldred qui avait conduit le shérif ici, et il ne pouvait y avoir qu'une raison à cela.

Ma mère m'avait prévenu, songea-t-il, et je ne l'ai pas écoutée.

Il fit un effort pour se ressaisir.

« Shérif Den ! s'écria-t-il. Quelle bonne surprise ! Entrez et asseyez-vous. Vous prendrez bien un gobelet de bière. »

Aldred apparut à son tour et désigna la porte située derrière Wynstan.

« L'atelier est par là », dit-il.

Deux hommes armés les suivaient, et Wynstan reconnut Wigbert et Godwine.

Wynstan avait quatre hommes d'armes. Cnebba gardait la porte extérieure de l'atelier. Les trois autres avaient passé la nuit dans les écuries. Où se trouvaient-ils à présent ?

Alors que d'autres hommes du shérif pénétraient dans le moustier, Wynstan comprit que la réponse importait peu : où qu'ils fussent, ils n'étaient pas assez nombreux. Ces misérables lâches s'étaient probablement déjà rendus.

Aldred traversa la pièce à grandes enjambées, mais Wynstan, debout devant la porte de l'atelier, lui barra le passage. Sans quitter l'évêque des yeux, le moine s'adressa à Den.

« C'est là.

— Écartez-vous, monseigneur », ordonna Den.

Wynstan savait que son rang d'évêque constituait sa seule défense.

« Sortez, ordonna-t-il. Vous êtes ici dans la maison d'hommes de Dieu. »

Den jeta un coup d'œil aux prêtres et à leurs familles, tous témoins silencieux de la scène.

« Cela n'y ressemble guère, fit-il.

— Vous en répondrez devant la cour du comté, tonna Wynstan.

— Nous irons effectivement devant la cour du comté, ne vous inquiétez pas, rétorqua le shérif. Maintenant, écartez-vous. »

Aldred repoussa Wynstan et posa la main sur la porte. Furieux, l'évêque le frappa violemment au visage, le faisant reculer. Ses articulations étaient douloureuses : il n'avait pas l'habitude de jouer des poings. Il frotta sa main droite avec la gauche.

Den fit signe à ses hommes d'armes.

Wigbert s'avança vers Wynstan. Ce dernier était plus grand, mais le capitaine semblait plus dangereux.

« Ne vous avisez pas de porter la main sur un évêque, si vous ne voulez pas attirer la malédiction de Dieu sur vous ! » s'exclama Wynstan d'un ton rageur.

Les hommes hésitèrent.

« Un individu aussi abject que Wynstan ne peut invoquer la malédiction divine, tout évêque qu'il soit », intervint Den.

Le mépris qui transparaissait dans sa voix attisa la colère de Wynstan.

« Saisissez-vous de lui », ajouta Den.

Wynstan bougea, mais Wigbert fut plus rapide. Avant que l'évêque ait pu l'esquiver, il l'empoigna, le souleva de terre et l'écarta de la porte. Wynstan se débattit en vain : les muscles du capitaine étaient puissants comme des cordages de navire.

Wynstan bouillait d'une rage aussi incandescente que le métal dans le creuset de Cuthbert.

Aldred se précipita dans l'atelier, Den et Godwine sur ses talons.

Wynstan était toujours immobilisé par la poigne de Wigbert. Pendant un moment, il ne chercha même pas à se dégager, n'en revenant pas de se faire malmener par un lieutenant du shérif. Wigbert relâcha légèrement sa prise.

Wynstan entendit Aldred dire :

« Regardez ! Du cuivre pour couper l'argent, des coins pour contrefaire la monnaie du roi et des pièces toutes neuves qui jonchent l'établi. Cuthbert, mon ami, qu'est-ce qui vous a pris ?

— Ils m'ont obligé à le faire, répondit l'orfèvre. Moi, je voulais seulement fabriquer des ornements pour l'église. »

Satané menteur, songea Wynstan. Cuthbert ne s'était pas fait prier pour accomplir ce travail et se goinfrer avec les profits !

« Depuis combien de temps cet évêque malhonnête vous oblige-t-il à altérer la monnaie du roi ? demanda Den.

— Cinq ans.

— Eh bien, c'est fini à présent. »

Wynstan vit un fleuve d'argent changer subitement de cours et s'éloigner de lui. Sa rage déborda et il s'arracha à l'étreinte de Wigbert.

*

Tout en frottant le haut de sa pommette gauche contusionné, Aldred contemplait avec étonnement le matériel perfectionné de contrefaçon qui s'étalait dans l'atelier de Cuthbert : le maillet et les cisailles, le creuset dans le feu, les coins et les moules, la pile de faux pennies étincelants. C'est alors qu'il entendit le cri de rage de l'évêque, suivi d'un juron de Wigbert. Wynstan fit irruption dans l'atelier.

Le visage écarlate, il avait la bave aux lèvres, tel un cheval malade couvert d'écume, et hurlait des obscénités comme un dément.

Aldred l'avait déjà vu en colère, mais jamais à ce point : il semblait avoir perdu toute maîtrise de lui-même. Vociférant des paroles incohérentes et haineuses, il se jeta sur le shérif Den qui, pris par surprise, alla heurter le mur. Mais Den, sans doute habitué à ce genre d'échauffourées, leva une jambe et frappa son assaillant à la poitrine, le projetant en arrière.

Wynstan se tourna alors vers Cuthbert, qui recula. L'évêque empoigna l'enclume et la renversa, éparpillant les outils et les faux pennies, avant de saisir le maillet à tête de fer qu'il brandit au-dessus de sa tête.

En voyant son regard assassin, Aldred se sentit, pour la première fois de sa vie, en présence du diable.

Godwine s'avança vaillamment. Se ravisant, Wynstan recula son bras et jeta le maillet vers le creuset de métal en fusion posé sur l'établi. L'argile vola en éclats et le métal gicla.

Aldred vit une éclaboussure brûlante toucher le visage de Godwine, lequel poussa un hurlement de terreur et de souffrance, qui s'interrompit presque immédiatement. Quelque chose frappa alors la jambe d'Aldred sous le genou. En proie à une douleur telle qu'il n'en avait jamais éprouvée, il s'évanouit.

*

Aldred cria en revenant à lui et continua de crier pendant plusieurs minutes. Ses cris se muèrent ensuite en gémissements. Quelqu'un lui fit boire du vin très fort, dont le seul effet fut de lui brouiller l'esprit sans apaiser sa terreur.

Quand il se calma enfin, il regarda sa jambe. Il avait un trou de la taille d'un œuf de rouge-gorge dans le mollet et la chair était carbonisée. La douleur était atroce. Le métal responsable de cette blessure avait dû refroidir et tomber par terre.

La femme d'un des prêtres apporta un onguent pour sa plaie, mais il le refusa : qui pouvait savoir quels ingrédients de magie noire, cervelle de chauve-souris, gui écrasé ou fiente de merle, étaient entrés dans sa composition ? Apercevant le fidèle Edgar, il lui demanda de faire chauffer un peu de vin et de le verser dans la plaie pour la nettoyer, puis de trouver un linge propre.

Juste avant de perdre connaissance, Aldred avait vu une grande gerbe de métal en fusion atteindre le visage de Godwine. L'homme d'armes était mort, lui apprit le shérif, et Aldred n'en fut pas surpris. Si une seule goutte de ce métal avait suffi à lui creuser un trou dans la jambe, la grosse éclaboussure sur le visage de Godwine avait dû le brûler presque instantanément jusqu'à la cervelle.

« J'ai arrêté Degbert et Cuthbert, lui annonça Den. Ils seront mes prisonniers jusqu'au procès.

— Et Wynstan ?

— J'hésite à arrêter un évêque. Je ne souhaite pas me mettre à dos toute la hiérarchie de l'Église. Mais ce n'est pas vraiment nécessaire : Wynstan ne risque pas de s'enfuir et, le cas échéant, je le rattraperai.

— J'espère que vous avez raison. Je le connais depuis des années, et je ne l'avais encore jamais vu dans un tel état de rage. Il a dépassé toute mesure et paraissait possédé.

— C'est vrai, acquiesça Den. On aurait dit le mal incarné. Mais ne vous inquiétez pas. Nous sommes intervenus juste à temps. »

22

Octobre 998

Il y aurait des conséquences, Edgar le savait. Wynstan n'accepterait pas ce qui s'était passé. Il contre-attaquerait et serait sans pitié pour tous ceux qui avaient participé à la dénonciation de son crime. Edgar sentait une petite boule d'angoisse au creux de son ventre. Que risquait-il au juste ?

Il avait joué un rôle important, mais toujours clandestin. Pendant l'intervention du shérif, il était resté à l'abri des regards et avait attendu que l'agitation soit retombée pour se rendre au moustier avec un groupe de villageois curieux. Wynstan n'avait pas pu le remarquer, il en était sûr.

Il se trompait.

Ithamar, le secrétaire de l'évêque au visage rond et aux cheveux blond pâle, se rendit à Dreng's Ferry une semaine après l'incident et fit une annonce officielle après la messe : en l'absence de Degbert, le père Derwin, le plus âgé des prêtres qui restaient au moustier, assumerait temporairement la charge de doyen. La nouvelle ne méritait pas un voyage depuis Shiring, alors qu'une lettre aurait suffi.

Tandis que les paroissiens quittaient la petite église, Ithamar s'approcha d'Edgar qu'accompagnait sa famille : Erman, Eadbald, Cwenburg et Winnie, maintenant âgée de six mois. Ithamar ne s'embarrassa pas de politesses.

« Tu es un ami du frère Aldred, de l'abbaye de Shiring », dit-il à Edgar de but en blanc.

Était-ce la vraie raison de sa venue ? Un frisson de crainte parcourut Edgar.

« Je ne vois pas pourquoi vous dites cela, répondit-il.

— Parce que c'est vrai, nigaud », intervint bêtement Erman.

Edgar l'aurait volontiers frappé.

« Ce n'est pas à toi qu'on parle, Erman, alors taistoi. »

Il se retourna vers Ithamar.

« Je connais ce moine, c'est exact.

— Tu as nettoyé sa plaie quand il s'est brûlé.

— Comme n'importe qui l'aurait fait. Pourquoi cette question ?

— On t'a vu avec Aldred ici à Dreng's Ferry, ainsi qu'à Shiring et à Combe. Et moi-même je t'ai vu avec lui à Outhenham. »

Ithamar ne faisait qu'affirmer qu'Edgar connaissait Aldred ; il ne paraissait pas savoir qu'il avait été l'espion du moine. Alors, que cherchait-il ? Edgar décida de l'interroger sans ambages.

« Où voulez-vous en venir, Ithamar ?

— Seras-tu un des cojureurs d'Aldred ? »

C'était donc cela. Ithamar avait pour mission de découvrir qui prêterait serment en faveur du moine. Edgar fut soulagé ; cela aurait pu être bien pire.

« On ne m'a pas demandé de l'être », répondit-il.

C'était exact, sans être parfaitement honnête. Edgar espérait bien être sollicité. Quand un cojureur avait personnellement connaissance de faits concernant une affaire, sa déposition avait encore plus de poids. Or Edgar était entré dans l'atelier, il avait vu les métaux, les coins et les pièces à peine frappées, de sorte que sa parole serait utile à Aldred – et préjudiciable à Wynstan.

Ithamar le savait également.

« Il est probable qu'on te le demandera, poursuivit-il tandis qu'une grimace mauvaise déformait son visage poupin. Et dans ce cas, je te conseille vivement de refuser.

— Il a raison, Edgar, intervint à nouveau Erman. Les gens comme nous n'ont pas à se mêler des querelles de prêtres.

— Ton frère est sage, approuva Ithamar.

— Merci pour vos conseils à tous deux, mais je vous répète que je n'ai pas été convoqué au procès de l'évêque Wynstan. »

Ithamar n'était pas satisfait.

« N'oublie pas que le doyen Degbert est ton seigneur », ajouta-t-il en agitant l'index.

Edgar fut déconcerté. Il ne s'était pas attendu à des menaces.

« Qu'entendez-vous par là, au juste ? » interrogea-t-il en faisant un pas vers Ithamar.

Visiblement intimidé, le secrétaire commença par reculer, avant d'afficher une expression belliqueuse et de déclarer d'un ton de défi :

« Nous attendons de nos fermiers qu'ils soutiennent l'Église, pas qu'ils la discréditent.

— Jamais je ne discréditerais l'Église. Jamais je ne frapperais de fausses pièces dans un moustier, par exemple.

— Ne fais pas le malin. Je t'avertis que si tu irrites ton seigneur, il vous chassera de votre ferme.

— Dieu nous en garde, s'écria Erman. Nous ne pouvons pas perdre la ferme. Nous commençons juste à nous en sortir. Edgar, écoute ce que te dit cet homme. Ne fais pas l'idiot. »

Edgar dévisagea Ithamar, incrédule.

« Nous sommes dans une église, et vous venez d'assister à la messe, remarqua-t-il. Les anges et les saints nous entourent, invisibles mais réels. Ils savent tous ce que vous êtes en train de faire. Vous cherchez à empêcher un homme de dire la vérité et vous protégez un malfaiteur des conséquences de ses crimes. Que croyez-vous que les anges se murmurent entre eux, en vous voyant commettre ces péchés, alors que vous avez encore le vin de la communion sur les lèvres ?

— Edgar, c'est lui le prêtre, pas toi ! » protesta Eadbald.

Ithamar pâlit et prit un instant pour réfléchir.

« Je protège l'Église, et les anges le savent, répondit-il enfin, d'un ton apparemment peu convaincu. Et je te conseille d'en faire autant si tu ne veux pas que la colère des hommes de Dieu s'abatte sur toi.

— Tu dois lui obéir, Edgar, plaida Erman, une note de désespoir dans la voix, sans quoi nous nous retrouverons au même point qu'il y a quinze mois, sans abri et sans ressources.

— J'avais compris», répliqua Edgar.

Il était ébranlé et indécis, mais ne voulait pas le montrer.

«Promets-nous de ne pas témoigner, Edgar, je t'en prie, intervint Eadbald.

— Pense à ma petite, renchérit Cwenburg.

— Écoute ta famille, Edgar», dit Ithamar.

Puis il se détourna avec l'air de penser avoir fait tout ce qu'il pouvait.

Edgar se demanda ce que lui aurait conseillé sa mère. Il aurait eu grand besoin de sa sagesse en cet instant. Les autres ne lui étaient d'aucun secours.

«Vous feriez mieux de rentrer à la ferme, dit-il à ses frères. Je vous rattraperai.

— Que vas-tu faire ? demanda Erman, soupçonneux.

— Parler à Ma.»

Et il s'éloigna.

Il sortit de l'église et traversa le cimetière jusqu'au lieu où reposait leur mère, sous un tapis d'herbe tendre d'un vert éclatant. Là, il joignit les mains dans une attitude de prière.

«Je ne sais pas quoi faire, Ma», murmura-t-il.

Les yeux fermés, il imagina qu'elle était en vie et se tenait à son côté, l'écoutant avec attention.

«Si je témoigne sous serment, nous serons tous expulsés de la ferme par ma faute.»

Il savait que sa mère ne pouvait pas lui répondre. Mais comme elle était présente dans sa mémoire et que son esprit se tenait sûrement près de lui, elle pouvait lui parler en pensée s'il gardait l'esprit suffisamment ouvert.

«Juste au moment où nous commençons à pouvoir

mettre un petit peu d'argent de côté, poursuivit-il. De quoi acheter des couvertures, des souliers et du bœuf. Erman et Eadbald ont travaillé dur, ils méritent d'être récompensés. »

Il savait qu'elle ne pouvait que l'approuver.

« Mais si je cède à Ithamar, j'aiderai un évêque corrompu à échapper à la justice. Wynstan pourra poursuivre ses agissements impunément. Ce n'est pas ce que tu attendrais de moi, je le sais. »

Il avait résumé la situation en quelques mots.

Dans sa tête, il entendit distinctement la réponse maternelle :

« La famille passe en premier. Veille sur tes frères.

— Je dois donc refuser d'aider Aldred.

— Oui. »

Edgar ouvrit les yeux.

« Je savais que tu dirais cela. »

Mais alors qu'il s'apprêtait à partir, elle reprit la parole.

« Tu pourrais aussi faire quelque chose d'intelligent.

— Quoi donc ? »

Il n'y eut pas de réponse.

« Que pourrais-je faire d'intelligent ? »

Elle n'en révéla pas davantage.

*

L'ealdorman Wilwulf fit une visite à l'abbaye de Shiring.

Un novice haletant vint prévenir Aldred qui se trouvait au scriptorium.

« L'ealdorman est ici ! »

Une peur soudaine étreignit Aldred.

« Il veut voir l'abbé Osmund et vous ! » ajouta le jeune moine.

Aldred vivait déjà à l'abbaye du temps où le père de Wilwulf était ealdorman et ne se rappelait pas avoir vu l'un ou l'autre des deux hommes pénétrer dans le monastère. L'affaire était grave. Il attendit une minute pour que sa respiration et les battements de son cœur s'apaisent.

Il devinait sans mal ce qui motivait cette visite sans précédent. L'irruption du shérif au moustier de Dreng's Ferry était sur toutes les lèvres d'un bout du comté à l'autre, sinon dans tout l'ouest de l'Angleterre. Et s'en prendre à Wynstan était un affront personnel à son frère Wilwulf.

Sans doute ce dernier considérait-il Aldred comme le fauteur de troubles.

À l'instar de tous les puissants, Wilwulf ne reculerait pas devant grand-chose pour conserver le pouvoir. Mais irait-il jusqu'à menacer un moine ?

Un ealdorman devait apparaître comme un juge équitable, sous peine de perdre son autorité morale et d'avoir ensuite du mal à imposer ses décisions. Se faire obéir n'était pas toujours chose aisée. Un ealdorman pouvait se servir de sa modeste garde personnelle d'hommes d'armes pour sanctionner occasionnellement un acte de désobéissance mineur, et il avait la capacité de lever une armée – aussi coûteux et compliqué que ce fût – pour combattre les Vikings ou pourchasser les Gallois, mais affronter l'indiscipline latente et persistante d'un peuple qui avait perdu confiance en ses supérieurs constituait un autre genre de défi. Wilwulf était-il prêt, malgré cela, à s'attaquer à Aldred ?

Le moine avait la nausée et du mal à déglutir. Quand il avait commencé à enquêter sur Wynstan, il n'ignorait pas qu'il se dressait contre des hommes impitoyables et s'était dit que c'était son devoir. Mais s'il était facile de prendre des risques purement théoriques, la réalité le rattrapait à présent.

Il monta l'escalier en boitant. Sa jambe le faisait encore souffrir, surtout quand il marchait. Le métal en fusion était pire qu'un couteau enfoncé dans la chair.

Wilwulf n'étant pas homme à attendre à la porte, il était déjà entré dans la chambre d'Osmund. Vêtu de sa houppelande jaune, il incarnait de façon éclatante l'irruption du monde temporel dans l'univers gris et blanc du monastère. Il était campé au pied du lit, jambes écartées, mains sur les hanches, image même de l'agressivité.

L'abbé, toujours souffrant, était assis dans son lit, coiffé d'un bonnet de nuit, l'air effrayé.

Aldred afficha plus d'assurance qu'il n'en ressentait.

« Bonjour, ealdorman, fit-il sèchement.

— Entrez, frère Aldred », dit Wilwulf, comme s'il était chez lui et s'adressait à un visiteur.

Avec une pointe de satisfaction, il ajouta :

« J'ai cru comprendre que mon frère était responsable de votre œil au beurre noir.

— Ne vous inquiétez pas pour cela, répondit Aldred d'un ton délibérément dédaigneux. Si l'évêque Wynstan se confesse et implore le pardon, Dieu aura pitié de sa violence fort peu cléricale.

— Il a été provoqué !

— Dieu n'accepte pas cette excuse. Jésus nous a demandé de tendre l'autre joue. »

Wilwulf poussa un grognement d'exaspération et changea d'angle d'attaque.

« Je suis fort mécontent de ce qui s'est passé à Dreng's Ferry.

— Moi aussi, répondit Aldred, passant à l'offensive. Commettre un crime aussi odieux contre le roi ! Sans parler du meurtre de Godwine, l'homme du shérif. »

Osmund intervint timidement.

« Taisez-vous, Aldred. Laissez l'ealdorman parler. »

La porte s'ouvrit alors sur Hildred.

Les deux interruptions contrarièrent Wilwulf.

« Je ne vous ai pas convoqué, lança-t-il au nouveau venu. Qui êtes-vous ? »

Ce fut Osmund qui répondit.

« Voici Hildred, notre trésorier. Je l'ai chargé de me remplacer dans mes fonctions d'abbé pendant la durée de mon alitement. Il serait bon qu'il entende ce que vous avez à dire.

— Fort bien. » Wilwulf reprit alors le fil de leur conversation. « Un crime a été commis, et c'est honteux, admit-il. La question est de savoir ce qu'il convient de faire à présent.

— Justice, dit Aldred. Il faut que justice soit faite. Cela va de soi.

— Taisez-vous, ordonna Wilwulf.

— Aldred, vous ne faites qu'aggraver votre cas, intervint Osmund d'une voix suppliante.

— Aggraver mon cas ? s'indigna Aldred. Ce n'est pas moi qui ai à répondre de mes actes. Je n'ai pas falsifié la monnaie royale. Contrairement au frère de Wilwulf. »

L'ealdorman était sur un terrain glissant.

« Je ne suis pas ici pour discuter du passé, déclara-t-il, évasif. La question, comme je viens de le dire, est de savoir ce qu'il convient de faire à présent. » Il se tourna vers Aldred. « Et si vous vous obstinez à me répondre "justice", je vous arrache la tête. »

Aldred demeura silencieux. À quoi bon faire remarquer à quel point il était indigne pour un noble de menacer un moine de violence physique ? Wilwulf changea de ton, comprenant sans doute qu'il s'était déconsidéré.

« Notre devoir, mon père, dit-il, flattant l'abbé en se plaçant sur un pied d'égalité avec lui, est de faire en sorte que cet incident n'ébranle ni l'autorité de la noblesse ni celle de l'Église.

— J'en conviens », acquiesça Osmund.

Cela ne présageait rien de bon, pensa Aldred. La brutalité de Wilwulf ne le surprenait pas ; une attitude conciliante de sa part l'inquiétait bien davantage.

« La fabrication de fausse monnaie a pris fin. Le shérif a confisqué les coins. À quoi bon intenter un procès ? »

Aldred en resta bouche bée. Pareille impudence le stupéfiait. Pas de procès ? C'était proprement scandaleux.

« Un procès ne servirait à rien, sinon à déshonorer un évêque qui est également mon demi-frère, poursuivit l'ealdorman. Ne serait-il pas infiniment préférable que l'on n'entende plus parler de cet incident ? »

Préférable pour ton abominable frère, songea Aldred.

Osmund tergiversa.

« Je comprends votre point de vue, ealdorman.

— Vous perdez votre temps, Wilwulf, intervint alors Aldred. Quoi que nous puissions dire, le shérif n'acceptera jamais votre proposition.

— C'est possible. Mais privé de votre soutien, il hésitera peut-être à agir.

— Où voulez-vous en venir exactement ?

— Je suppose qu'il vous demandera d'être son cojureur. Je vous prie de refuser, pour le bien de l'Église et de la noblesse.

— Je dois dire la vérité.

— Il existe des circonstances où il vaut mieux la taire. Les moines eux-mêmes doivent savoir cela.

— L'ealdorman n'a pas tort, Aldred », fit Osmund d'un ton suppliant.

Aldred inspira profondément.

« Imaginons que Wynstan et Degbert soient deux prêtres dévoués et pleins d'abnégation qui consacrent leur vie à Dieu et s'abstiennent des plaisirs de la chair. Imaginons qu'ils aient commis une erreur stupide qui risque de mettre un terme à leurs carrières. Dans ce cas, effectivement, nous devrions nous demander si le châtiment ne ferait pas plus de mal que de bien. Mais les hommes dont nous parlons ne sont pas des prêtres de cette espèce, vous en conviendrez. » Aldred marqua une pause, comme s'il attendait une réponse de Wilwulf, mais l'ealdorman eut la sagesse de garder le silence. « Wynstan et Degbert dépensent l'argent de l'Église dans des tavernes, des maisons de jeu et des bordels, reprit Aldred, et beaucoup de gens le savent. S'ils étaient tous deux défroqués demain, l'autorité de la noblesse et de l'Église aurait tout à y gagner. »

La colère se peignit sur le visage de Wilwulf.

« Vous ne cherchez sans doute pas à faire de moi votre ennemi, frère Aldred.

— Sûrement pas, répondit le moine, avec une surprenante sincérité.

— Dans ce cas, faites ce que je vous dis et retirez votre soutien au shérif.

— Non.

— Prenez le temps de réfléchir, Aldred, plaida Osmund.

— Non. »

Hildred prit alors la parole pour la première fois.

« N'accepterez-vous pas de vous soumettre à l'autorité, comme le doit un moine, et d'obéir à votre abbé ?

— Non », répéta Aldred.

*

Ragna était enceinte.

Elle n'en avait encore parlé à personne, mais elle en était sûre. Si Cat l'avait sans doute deviné, elle était la seule. Ragna gardait le secret en son sein, un petit corps tout neuf qui grandissait en elle. Elle y songeait tout en faisant le tour du domaine, donnant des ordres – ranger, nettoyer, réparer –, veillant à la bonne marche des activités quotidiennes, évitant à Wilf tout tracas superflu.

L'annoncer trop tôt portait malheur, elle le savait. De nombreuses grossesses se terminaient en fausses couches. Sa mère en avait subi plusieurs au cours des six ans qui avaient séparé la naissance de Ragna de celle de son frère. Tant que les plis de sa robe dissimuleraient le renflement de son ventre, Ragna n'en dirait rien à personne.

Elle était aux anges. Contrairement à beaucoup de jeunes filles, elle n'avait jamais rêvé d'avoir un enfant, mais maintenant que c'était une réalité, elle découvrait qu'elle avait hâte de dorloter et d'aimer ce petit être.

Elle se félicitait aussi de remplir son rôle dans la société anglaise. En tant que femme de la noblesse mariée à un noble, elle avait le devoir de donner naissance à des héritiers. Ce qui contrarierait ses ennemis et renforcerait ses liens avec Wilf.

Elle n'en avait pas moins peur. L'enfantement était dangereux et douloureux, tout le monde le savait. Lorsqu'une femme mourait jeune, c'était le plus souvent à la suite d'un accouchement difficile. Cat serait à ses côtés, mais sa servante n'avait jamais eu d'enfant. Ragna regrettait que sa mère ne soit pas là. Heureusement, il y avait une excellente sage-femme à Shiring. Ragna l'avait rencontrée : c'était une femme aux cheveux gris, calme et compétente. Elle se nommait Hildithryth, mais tout le monde l'appelait Hildi.

En attendant, elle se réjouissait que Wynstan ait enfin à répondre de ses péchés. Le faux-monnayage n'était sans doute qu'un de ses crimes, mais c'était celui qui avait été révélé, et elle espérait un châtiment sévère. L'expérience inciterait peut-être l'évêque à être moins arrogant. Elle admirait Aldred de l'avoir démasqué.

Ce serait le premier procès majeur auquel elle assisterait en Angleterre, et elle avait hâte d'en apprendre davantage sur le système judiciaire du pays. Elle savait qu'il était différent de celui de la Normandie. Le principe biblique œil pour œil, dent pour dent ne s'appliquait pas ici. Un meurtre était généralement sanctionné d'une amende à verser à la famille de la victime. Le prix du sang, appelé *wergild*, variait en fonction de la fortune et du rang du défunt : un thane valait soixante livres d'argent ; un simple paysan, dix.

Elle en apprit davantage quand Edgar vint la voir. Elle triait des pommes sur une table, mettant de côté les fruits talés qui ne se conserveraient pas jusqu'à la fin de l'hiver, pour pouvoir apprendre à Gilda, la fille de cuisine, à faire du bon cidre, quand elle le vit franchir le portail principal. Edgar traversa le domaine, silhouette robuste à la démarche assurée.

« Vous avez changé, lui dit-il avec un sourire dès qu'il l'aperçut. Que vous est-il arrivé ? »

Il était perspicace, surtout quand il s'agissait de formes, bien sûr.

« J'ai mangé trop de miel anglais », répondit-elle.

C'était vrai : elle avait tout le temps faim.

« Cela vous réussit. » Se rappelant ses bonnes manières, il ajouta : « Si vous me permettez de le dire, milady. »

Il prit place de l'autre côté de la table et l'aida à trier les pommes, manipulant délicatement les beaux fruits et lançant ceux qui étaient abîmés dans un tonneau. Elle sentit que quelque chose le tracassait.

« Dreng t'a-t-il envoyé ici acheter des fournitures ?

— Je ne suis plus au service de Dreng. Il m'a mis à la porte. »

Peut-être souhaitait-il travailler pour elle ? L'idée la tentait.

« Pour quelle raison ? lui demanda-t-elle.

— Quand on lui a rendu Blod, il l'a battue si brutalement que j'ai bien cru qu'il allait la tuer, et je suis intervenu. »

Edgar cherchait toujours à bien faire, songea-t-elle. Mais quelle était la gravité de ses ennuis actuels ?

« Peux-tu retourner à la ferme ? lui demanda-t-elle, songeant que c'était peut-être cela qui le préoccupait. Si je me rappelle bien, elle n'est pas très productive.

— En effet, mais j'ai créé un vivier, si bien que nous avons maintenant suffisamment à manger et même un excédent de poissons à vendre.

— Et Blod, comment va-t-elle ?

— Je ne sais pas. J'ai menacé Dreng de le tuer s'il s'en prenait encore à elle, et peut-être y réfléchira-t-il à deux fois avant de la rosser.

— Sais-tu que j'ai essayé de l'acheter, pour qu'elle puisse lui échapper ? Mais Wynstan m'en a empêchée. »

Il hocha la tête.

« À propos de Wynstan… »

Il s'était raidi et Ragna devina qu'il s'apprêtait à lui révéler la vraie raison de sa visite.

« Oui ?

— Il a envoyé Ithamar me menacer.

— Te menacer de quoi ?

— De chasser ma famille de la ferme si je témoigne au procès.

— Quel motif a-t-il invoqué ?

— L'Église a besoin de fermiers qui soutiennent le clergé.

— C'est honteux. Que vas-tu faire ?

— Je voudrais bien défier Wynstan et témoigner en faveur d'Aldred. Mais ma famille a besoin d'une ferme. J'ai une belle-sœur et une petite nièce à présent, en plus de mes frères. »

Ragna compatit en le voyant ainsi écartelé.

« Je comprends.

— C'est pour cela que je suis venu vous voir. Sur tout le territoire du val d'Outhen, il doit bien y avoir une ferme qui se libère de temps en temps.

— Plusieurs fois par an, oui. En général, un fils ou un gendre est prêt à la reprendre, mais ce n'est pas toujours le cas.

— Si je savais pouvoir compter sur vous pour confier une ferme à ma famille, j'accepterais d'être le cojureur d'Aldred et de tenir tête à Wynstan.

— Je te donnerai une ferme si vous vous faites expulser, dit-elle sans hésitation. Bien sûr. »

Elle vit ses épaules se relâcher de soulagement.

« Merci. Vous n'imaginez pas à quel point… »

À la surprise de Ragna, les yeux d'Edgar se remplirent de larmes.

Elle tendit la main par-dessus la table pour prendre la sienne.

« Tu peux compter sur moi. » Elle retint sa main un instant, avant de desserrer son étreinte.

*

Hildred tenta de piéger Aldred lors de la réunion du chapitre.

À cette heure de la journée, les moines se rappelaient

leurs origines démocratiques. Ils étaient tous frères, semblables aux yeux de Dieu et égaux dans l'administration de l'abbaye. Ces principes étant en contradiction avec leur vœu d'obéissance, ils n'étaient pas pleinement respectés. Dans leur vie quotidienne, les moines faisaient ce que leur abbé leur demandait de faire ; mais à la réunion du chapitre, ils s'asseyaient en cercle et prenaient collectivement de grandes décisions fondamentales – parmi lesquelles l'élection d'un nouvel abbé à la mort du précédent. Si aucun consensus n'émergeait, ils votaient.

Hildred commença par annoncer qu'il se devait d'exposer aux moines un problème qui les chagrinait, le pauvre abbé Osmund, là-haut dans son lit de douleur, et lui-même. Il raconta ensuite la visite de Wilwulf. Pendant qu'il parlait, Aldred observa les visages des moines qui l'entouraient. Remarquant qu'aucun des plus âgés ne paraissait surpris, il comprit qu'Hildred s'était assuré leur soutien avant la réunion. Les plus jeunes eurent l'air étonnés et bouleversés. Ils n'avaient pas été prévenus, pour éviter d'offrir à Aldred une possibilité de préparer sa défense.

Hildred conclut en expliquant qu'il abordait le sujet devant le chapitre car le rôle d'Aldred dans l'enquête visant Wynstan et dans le procès à venir était une question de fond.

« Quelle est la raison d'être de cette abbaye ? interrogea-t-il. Quel est notre rôle ? Sommes-nous ici pour participer aux luttes de pouvoir entre la noblesse et le haut clergé ? Ou avons-nous le devoir de nous tenir à l'écart du monde pour adorer Dieu dans la quiétude, en ignorant les tempêtes du monde temporel qui font rage autour de nous ? L'abbé a demandé à Aldred de ne pas prendre part à ce procès, et Aldred a refusé. J'estime que les frères ici rassemblés ont le droit d'examiner quelle est la volonté de Dieu pour notre monastère. »

Aldred constata que la plupart l'approuvaient. Même ceux qui n'avaient pas été entrepris par Hildred au préalable estimaient que les moines n'avaient pas à se mêler de politique. La majorité des frères préféraient Aldred à Hildred, mais ils appréciaient encore plus une vie paisible.

Ils attendaient qu'il prenne la parole. On se serait cru à un combat de gladiateurs, songea-t-il. Hildred et lui étaient les deux moines les plus influents après l'abbé. Tôt ou tard, l'un d'eux prendrait la place d'Osmund. La passe d'armes actuelle pourrait peser sur l'issue de la bataille finale.

Il était prêt à exposer son point de vue, mais craignait que trop de moines n'aient déjà pris leur décision. La raison ne suffirait peut-être pas.

Il décida de faire monter les enchères.

« J'approuve en grande partie ce qu'a dit frère Hildred, commença-t-il, sachant que dans une discussion il était toujours préférable de montrer du respect pour son adversaire et que les gens détestaient l'agressivité. Il s'agit en effet d'une question de principe, celle du rôle des moines dans le monde. Et je sais que le souci d'Hildred pour notre monastère est sincère. »

C'était pousser la générosité un peu loin, et Aldred estima que cela suffisait.

« Cependant, poursuivit-il, permettez-moi de vous présenter une opinion légèrement différente. »

Le silence s'était fait dans la salle ; ils étaient tout ouïe.

« Les moines doivent se soucier de ce monde autant que de l'autre. La Bible nous invite à amasser une fortune au ciel, mais c'est grâce à nos bonnes œuvres ici-bas que nous y parvenons. Nous vivons dans un monde de cruauté, d'ignorance et de douleur, que nous avons pourtant la capacité de rendre meilleur. Quand le mal se commet sous nos yeux, nous ne pouvons pas rester silencieux. Je ne le peux pas, en tout cas. »

Il marqua une pause pour renforcer ses propos.

« On m'a demandé de ne pas participer au procès. Je refuse. Ce n'est pas ce que Dieu attend de moi. Je vous demande, mes frères, de respecter ma décision. Mais si vous préférez me renvoyer de cette abbaye, dans ce cas, bien sûr, je partirai. »

Il parcourut l'assemblée du regard.

« Ce serait pour moi un jour d'immense tristesse. »

Ils étaient tous frappés de stupeur. Ils ne s'attendaient pas à ce qu'il mette sa démission dans la balance. Aucun – à l'exception d'Hildred, peut-être – ne souhaitait en arriver là.

Il y eut un long silence. Il aurait fallu qu'un des amis d'Aldred suggère une solution de compromis. Mais n'ayant pas pu en discuter à l'avance avec eux, il en était réduit à espérer que l'un d'eux ait une idée.

Finalement, ce fut le frère Godleof, l'ancien vacher taciturne, qui proposa une issue.

« Inutile de parler d'expulsion, affirma-t-il avec sa concision habituelle. Nul ne doit forcer un homme à agir contre sa conscience.

— Et le vœu d'obéissance ? » s'indigna Hildred.

Godleof était avare de mots, mais ne manquait pas d'intelligence, et, dans un débat, il était de taille à rivaliser avec Hildred.

« Il y a des limites », se contenta-t-il de dire.

Aldred constata que de nombreux moines l'approuvaient. Leur obéissance n'était pas absolue. Il sentit que l'humeur générale commençait à pencher de son côté.

À la surprise d'Aldred, le vieux scribe Tatwine, son

collaborateur du scriptorium, leva la main. Aldred n'avait pas souvenir qu'il eût jamais pris la parole au chapitre.

« Je n'ai pas quitté l'enceinte de cette abbaye depuis vingt-trois ans, déclara Tatwine. Aldred, lui, est allé à Jumièges. Ce n'est même pas en Angleterre ! Et il en a rapporté de merveilleux ouvrages, des livres que nous n'avions jamais vus auparavant. Extraordinaires. Il y a plus d'une manière d'être moine, voyez-vous. » Il sourit et hocha la tête, comme pour souligner son propos. « Plus d'une manière. »

Les frères les plus âgés furent d'autant plus émus par son intervention que ses déclarations étaient rares. Tatwine travaillant tous les jours avec Aldred, son opinion n'en avait que plus de poids.

Reconnaissant sa défaite, Hildred n'insista pas pour mettre la question aux voix.

« Si le chapitre est prêt à pardonner sa désobéissance à Aldred, déclara-t-il, tentant de cacher son mécontentement sous un masque de tolérance, je suis sûr que l'abbé Osmund n'y verra pas d'objection. »

La plupart des moines hochèrent la tête pour manifester leur assentiment.

« Passons à la question suivante, poursuivit Hildred. J'ai cru comprendre qu'il y avait eu une plainte à propos de pain moisi… »

*

La veille du procès, Aldred et Den partagèrent un gobelet de bière et évaluèrent leurs chances de succès.

« Wynstan a tout fait pour décourager nos cojureurs, mais je ne crois pas qu'il soit arrivé à ses fins », déclara le shérif.

Aldred acquiesça.

« Il a envoyé Ithamar menacer Edgar d'expulsion, mais Edgar a persuadé Ragna de lui promettre une ferme en cas de besoin. Nous pouvons donc compter sur lui.

— Et si j'ai bien compris, vous avez obtenu gain de cause à la réunion du chapitre.

— Wilwulf a tenté d'intimider l'abbé Osmund, mais le chapitre a fini par me soutenir, de justesse il est vrai.

— Wynstan n'est pas très apprécié dans la communauté religieuse – sa conduite jette le discrédit sur tous les membres du clergé.

— Cette affaire suscite un vif intérêt, à Shiring comme ailleurs. Plusieurs évêques et abbés seront présents, et j'ai bon espoir qu'ils nous soutiennent. »

Den proposa encore un peu de bière à Aldred, qui déclina l'offre. Le shérif se resservit un gobelet.

« Quel châtiment risque Wynstan ? demanda Aldred.

— Une loi dit qu'un faussaire doit avoir la main coupée et clouée à la porte de l'hôtel de la monnaie. Mais une autre prévoit la peine de mort pour les faussaires qui travaillent au fond des bois, ce qui pourrait concerner Dreng's Ferry. En tout état de cause, les juges ne lisent pas toujours les registres de lois. Ils agissent souvent à leur guise, surtout quand ce sont des hommes comme Wilwulf. Mais il faut d'abord obtenir la condamnation de Wynstan. »

Aldred fronça les sourcils.

« Je ne vois pas comment la cour pourrait ne pas le condamner. L'année dernière, le roi Ethelred a fait prêter serment à chaque ealdorman, accompagné des douze principaux notables de son comté. Ils ont dû jurer de ne jamais dissimuler un coupable. »

Den haussa les épaules.

« Wilwulf violera ce serment. Wigelm aussi.

— Les évêques et les abbés respecteront le leur.

— Et d'autres thanes, sans lien avec Wilwulf, n'ont aucune raison de mettre leur âme éternelle en péril pour sauver Wynstan.

— Que la volonté de Dieu soit faite », conclut Aldred.

23

1er novembre 998

Durant l'office des matines, avant l'aube, l'esprit d'Aldred vagabonda. Il tenta de se concentrer sur les prières et sur leur signification, mais Wynstan occupait toutes ses pensées. Aldred avait attrapé un lion par la queue et, s'il ne tuait pas la bête, ce serait elle qui le tuerait. Un échec en justice aujourd'hui serait catastrophique, et la vengeance de Wynstan, brutale.

Les moines retournèrent se coucher après matines, mais se relevèrent un peu plus tard pour les laudes. Ils traversèrent la cour dans l'air froid de novembre et entrèrent dans l'église en frissonnant.

Dans tous les hymnes, psaumes et lectures qu'entendit Aldred, quelque chose lui rappelait le procès. L'un des psaumes du jour était le septième, dont il chanta les paroles avec ferveur :

« Sauve-moi de tous mes persécuteurs et délivre-moi ! Sinon, comme des lions, ils m'égorgeront. »

Il mangea peu au petit déjeuner, mais vida d'un trait son gobelet de bière et regretta de ne pas en avoir davantage. Avant l'office de tierce où il était question de la crucifixion, le shérif Den frappa à la porte de l'abbaye. Aldred enfila sa cape et sortit.

Den était accompagné d'un serviteur chargé d'un panier.

« Tout est là-dedans, annonça le shérif. Les coins, le métal altéré, les fausses pièces.

— Parfait. »

Les preuves matérielles pouvaient se révéler importantes, surtout si quelqu'un était prêt à jurer de leur authenticité.

Ils se dirigèrent vers le domaine de l'ealdorman, où Wilwulf tenait habituellement la cour de justice devant la maison commune, mais Ithamar les arrêta lorsqu'ils passèrent devant la cathédrale.

« Le procès se tiendra ici, annonça le secrétaire d'un ton suffisant. Devant le porche ouest de l'église.

— Qui a décidé cela ? s'indigna Den.

— L'ealdorman Wilwulf, bien sûr. »

Den se tourna vers Aldred.

« C'est signé Wynstan. »

Aldred hocha la tête.

« Ainsi, personne ne pourra oublier le haut rang de l'évêque. Ils seront réticents à le condamner devant la cathédrale. »

Den se tourna vers Ithamar.

« L'évêque n'en reste pas moins coupable, et nous sommes en mesure de le prouver.

— Il est le représentant de Dieu sur terre, rappela Ithamar, avant de tourner les talons.

— Ce n'est peut-être pas une si mauvaise chose, fit remarquer Aldred. Les gens seront probablement plus nombreux à venir assister au procès – et ils seront hostiles à Wynstan : quiconque altère la monnaie est assuré d'être impopulaire, car ce sont les marchands de la ville qui se retrouvent avec des fausses pièces dans leur bourse. »

Den parut sceptique.

« Je doute que les sentiments de la foule aient une grande influence. »

Aldred craignait qu'il n'ait raison.

Les habitants du bourg commencèrent à se rassembler, les premiers arrivés se réservant les meilleures places. Le contenu du panier de Den éveilla leur curiosité, et Aldred incita le shérif à les autoriser à y jeter un coup d'œil.

« Wynstan tentera peut-être de vous empêcher de montrer les preuves durant le procès, dit-il. Mieux vaut que tout le monde les ait vues avant. »

Un groupe se forma autour d'eux, et Den répondit aux questions. Tout le monde avait déjà eu vent des activités de faux-monnayage, mais la vue des coins, des pièces parfaitement imitées et du gros morceau d'alliage froid donna une réalité au crime, et l'indignation redoubla.

Wigbert, le capitaine des hommes du shérif, amena les deux prisonniers, Cuthbert et Degbert, les mains liées, attachés ensemble par les chevilles, afin qu'ils ne puissent pas s'enfuir.

Un serviteur arriva, portant le siège de l'ealdorman couvert de son coussin de peluche rouge, qu'il installa juste devant la grande porte en chêne. Un prêtre plaça ensuite une petite table à côté, sur laquelle il posa une châsse en argent gravé contenant les reliques d'un saint, sur laquelle les participants seraient appelés à prêter serment.

Comme la foule se faisait plus nombreuse, l'air se chargea de l'odeur âcre des corps mal lavés. Bientôt, la cloche sonna, annonçant l'arrivée de la cour. Les notables de la région – les thanes et les membres du haut clergé – prirent place autour du siège toujours vide de l'ealdorman, repoussant la populace. Aldred salua Ragna lorsqu'elle apparut et adressa un signe de tête à Edgar, qui se tenait à côté d'elle.

Lorsque la cloche se tut, un chœur entonna un cantique à l'intérieur de l'église. Den était furieux.

« C'est une cour de justice, pas un office religieux ! s'exclama-t-il. À quoi joue Wynstan ? »

Aldred le savait très bien. Un instant plus tard, l'évêque sortit par le grand porche ouest, vêtu d'une robe sacerdotale blanche brodée de scènes bibliques et coiffé d'un haut chapeau conique bordé de fourrure. Il faisait tout pour que le peuple ait du mal à le considérer comme un criminel.

Wynstan se dirigea vers le siège de l'ealdorman et se plaça à côté, les yeux fermés, les mains jointes en prière.

« C'est révoltant ! enragea Den.

— Cela ne prendra pas, le rassura Aldred. Les gens le connaissent trop bien. »

Enfin, Wilwulf arriva, accompagné d'une imposante escorte d'hommes d'armes. L'espace d'un instant, Aldred se demanda pourquoi il s'était entouré d'une telle garde. La foule se tut. Le bruit d'un marteau frappant le fer résonna quelque part, un forgeron poursuivant sa tâche, insensible à l'attrait d'un grand procès. Wilwulf fendit la foule à grandes enjambées, adressant un signe de tête aux notables assemblés, et s'installa confortablement sur le coussin. Il était le seul à être assis.

Le procès s'ouvrit par les prestations de serment. Accusés, accusateurs ou cojureurs, tous devaient poser la main sur le reliquaire d'argent et s'engager devant Dieu à dire la vérité, à condamner les coupables et à libérer les innocents. Wilwulf semblait s'ennuyer, mais Wynstan observait la scène avec attention, comme s'il cherchait à prendre quelqu'un en défaut. D'ordinaire si insouciant des détails rituels, il feignait aujourd'hui d'être pointilleux.

Les serments prêtés, Aldred sentit le shérif Den se raidir, prêt à entamer son exposé d'accusation. Mais Wilwulf se tourna vers Wynstan et hocha la tête. Au grand étonnement d'Aldred, l'évêque s'adressa alors à la cour.

« Un crime terrible a été commis, dit-il d'une voix sonore empreinte d'un profond chagrin. Un crime, doublé d'un horrible péché. »

Den s'avança d'un pas.

« Attendez ! s'écria-t-il. Ce n'est pas correct !

— Voyons, Den, c'est parfaitement correct, répliqua Wilwulf.

— Je suis le shérif, et c'est à moi de porter l'accusation. Le faux-monnayage est un crime contre le roi.

— Vous aurez l'occasion de parler. »

Aldred fronça les sourcils avec inquiétude. S'il ne comprenait pas exactement ce que les deux frères avaient en tête, il s'attendait au pire.

« J'insiste ! reprit Den. Je parle au nom du roi, et le roi doit être entendu !

— Moi aussi, je parle au nom du roi qui m'a nommé ealdorman, rétorqua Wilwulf. Maintenant, taisez-vous, Den, ou c'est moi qui vous ferai taire. »

Den posa la main sur la poignée de son épée.

Les hommes d'armes de Wilwulf bombèrent le torse.

Regardant rapidement autour de lui, Aldred en dénombra douze. Il comprenait à présent pourquoi ils étaient aussi nombreux. N'ayant pas prévu de devoir recourir à la force, Den ne pouvait compter que sur Wigbert.

Le shérif fit le même calcul et retira la main de son épée.

« Poursuivez, monseigneur », déclara Wilwulf.

C'était pour cette raison que le roi Ethelred voulait

imposer une procédure précise aux cours de justice, songea Aldred ; afin que les nobles ne puissent pas prendre de décisions arbitraires comme Wilwulf venait de le faire. Les adversaires de la réforme d'Ethelred soutenaient que les règles ne servaient à rien ; d'après eux, il suffisait de s'en remettre au discernement d'un noble avisé pour garantir la justice. Une opinion exprimée le plus souvent par ces mêmes nobles.

Wynstan tendit le bras vers Degbert et Cuthbert.

« Détachez ces deux prêtres, ordonna-t-il.

— Ce sont mes prisonniers ! protesta Den.

— Ce sont les prisonniers de la cour, objecta Wilwulf. Qu'on les détache. »

Den dut s'incliner. Il fit signe à Wigbert, qui dénoua les cordes.

Les deux prêtres parurent aussitôt moins coupables.

Wynstan éleva à nouveau la voix pour se faire entendre de tous.

« Leur crime, qui est aussi un péché, est d'avoir fabriqué de la fausse monnaie. » Il tendit le doigt vers Wigbert, qui parut alarmé. « Avance, ajouta-t-il, montre à la cour ce qu'il y a dans ton panier. »

Wigbert jeta un regard à Den, qui haussa les épaules.

Aldred n'en revenait pas. Il s'était attendu à ce que Wynstan tente de dissimuler les preuves matérielles, or l'évêque exigeait qu'elles soient exhibées. Qu'avait-il en tête ? Après une mise en scène élaborée visant à afficher son innocence, il semblait s'accuser lui-même.

Wynstan sortit les objets du panier un par un.

« Le métal altéré ! annonça-t-il d'un ton théâtral. Le coin de pile. Le trousseau. La virole. Et pour finir, les pièces, composées pour moitié d'argent et pour moitié de cuivre. »

Les notables réunis semblaient tout aussi perplexes

qu'Aldred. Pourquoi Wynstan mettait-il sa propre infamie en relief?

« Et le pire, s'écria l'évêque, c'est que ces objets appartenaient à un prêtre ! »

Oui, pensa Aldred, ils vous appartenaient.

Puis, dans un geste grandiloquent, Wynstan pointa le doigt en disant : « Cuthbert ! »

Tout le monde se tourna vers le petit orfèvre.

« Imaginez ma surprise, imaginez mon effroi, quand j'ai appris que ce crime épouvantable se commettait sous mon nez ! »

Aldred en resta bouche bée.

Un silence abasourdi s'abattit sur la foule. Tout le monde avait pensé que le coupable était Wynstan.

« J'aurais dû le savoir, reprit-il. J'avoue ma négligence. J'ai manqué au devoir de vigilance exigé d'un évêque. »

Aldred recouvra alors l'usage de sa voix.

« Mais vous étiez l'instigateur de ce crime ! cria-t-il.

— Ah, soupira Wynstan d'un ton peiné. Je savais que des hommes fourbes essaieraient de me mêler à cette affaire. C'est ma faute après tout. Je leur ai tendu les verges pour me battre.

— C'est vous qui m'avez ordonné de fabriquer de la fausse monnaie, protesta Cuthbert. Moi, je voulais créer des ornements pour l'église, rien d'autre. Vous m'avez obligé à le faire ! »

Il pleurait.

Wynstan affichait toujours son expression contrite.

« Mon fils, sans doute croyez-vous atténuer la gravité de votre crime en prétendant avoir agi sur l'ordre de vos supérieurs...

— C'est la vérité ! »

Wynstan secoua tristement la tête.

« Vous ne convaincrez personne. Vous avez fait ce

que vous avez fait. N'ajoutez pas le parjure à la liste de vos crimes. »

Cuthbert se tourna vers Wilwulf.

« Je l'avoue, murmura-t-il, l'air pitoyable. J'ai fabriqué de faux pennies. Je sais que je serai puni. Mais c'est l'évêque qui a conçu tout le projet. Ne le laissez pas se dérober à ses responsabilités.

— N'oubliez pas qu'il est grave de porter une accusation mensongère, Cuthbert, intervint Wilwulf avant de se tourner vers Wynstan. Poursuivez, monseigneur. »

Wynstan reporta son attention sur les notables réunis, qui observaient la scène, captivés.

« Le crime était fort bien dissimulé, dit-il. Le doyen Degbert lui-même ignorait à quels agissements se livrait Cuthbert dans son petit atelier jouxtant le moustier.

— Degbert savait tout, protesta Cuthbert piteusement.

— Avancez, Degbert », ordonna Wynstan.

Degbert obtempéra, et Aldred constata qu'il se tenait à présent parmi les notables, comme s'il faisait partie de leur groupe au lieu d'être un criminel qu'ils étaient censés juger.

« Le doyen reconnaît sa faute, reprit Wynstan. Comme moi, il s'est montré négligent – bien que dans son cas, la faute soit plus grave, puisqu'il était tous les jours au moustier, alors que je n'y faisais que des visites occasionnelles.

— Degbert vous a aidé à écouler l'argent ! » intervint Aldred.

Wynstan ignora l'interruption.

« En qualité d'évêque, j'ai pris la décision de sanctionner Degbert. Il a été expulsé du moustier et privé de son titre de doyen. Aujourd'hui, il n'est plus qu'un simple et humble prêtre, placé sous mon autorité personnelle. »

Il passe donc du moustier à la cathédrale, songea Aldred – on pouvait imaginer pire sanction.

Il avait du mal à croire ce qui se déroulait sous ses yeux.

« Ce n'est pas le châtiment prévu pour un faussaire ! s'écria Den.

— C'est exact, acquiesça Wynstan. Et Degbert n'est pas un faussaire. » Il regarda autour de lui. « Personne ici ne nie que celui qui a fabriqué les pièces est Cuthbert. »

C'était la vérité, pensa Aldred tristement. Ce n'était pas toute la vérité, loin de là, mais ce n'était pas un mensonge.

Il s'aperçut alors que les notables commençaient à accepter la version des événements présentée par Wynstan. Ils ne le croyaient peut-être pas – après tout, ils le connaissaient –, mais sa culpabilité était impossible à prouver. Et il était évêque.

Le coup de maître de Wynstan avait été d'exposer lui-même l'accusation, privant ainsi le shérif de la possibilité de convaincre l'assistance par un récit complet : les visites de Wynstan à Dreng's Ferry quatre fois l'an après le jour du terme, ses cadeaux aux habitants du hameau, ses voyages à Combe avec Degbert et leurs soirées de débauche dans les tavernes et les bordels du bourg. Rien de tout cela n'avait été évoqué – et si elles étaient faites maintenant, ces révélations paraîtraient faibles et peu concluantes.

Wynstan avait joué avec de la fausse monnaie, mais personne ne pouvait le prouver. Sa victime, le sieur Robert, capitaine d'un navire de haute mer, pouvait se trouver dans n'importe quel port d'Europe à l'heure qu'il était.

Que Wynstan n'ait « découvert » le crime de Cuthbert qu'au moment où le shérif avait fait irruption au moustier constituait la seule faille du récit de l'évêque. Les notables auraient sûrement du mal à croire à pareille coïncidence.

Aldred s'apprêtait à la relever quand Wynstan le prit de court.

« Je vois la main de Dieu dans cette affaire, déclara-t-il, d'une voix qui, telle une cloche d'église, devenait de plus en plus sonore. Par la volonté divine, à l'heure même où je découvrais le crime de Cuthbert, le shérif Den arrivait à Dreng's Ferry – juste à temps pour arrêter ce prêtre dévoyé ! Loué soit le Seigneur. »

Aldred était stupéfait par l'impudence de Wynstan. La main de Dieu ! Cet homme ne se souciait-il pas des explications qu'il devrait fournir au Jugement dernier ? Wynstan ne cessait de changer de visage. À Combe, il avait donné l'impression de n'être qu'un esclave du plaisir, un ecclésiastique égaré sur les chemins de la perdition ; quand il s'était fait surprendre à Dreng's Ferry, il avait paru possédé, hurlant, l'écume aux lèvres ; il avait retrouvé à présent sa santé mentale, mais se montrait plus retors que jamais et s'enfonçait plus profondément encore dans l'ignominie. Sans doute était-ce ainsi que le diable prenait possession d'un homme, songea Aldred ; par étapes, un péché conduisant à un autre péché, plus grave.

La logique de Wynstan et l'assurance avec laquelle il contait son histoire mensongère étaient tellement irrésistibles qu'Aldred lui-même faillit envisager qu'elle pût être vraie ; et il devinait à l'expression des notables qu'ils y souscriraient, même s'ils éprouvaient encore quelques réserves en leur for intérieur.

Sentant le vent tourner, Wilwulf fut prompt à en tirer parti.

« Puisque le sort de Degbert est réglé, il ne reste qu'à condamner Cuthbert.

— C'est faux ! cria le shérif Den. Vous devez instruire l'accusation contre Wynstan.

— Personne n'a accusé Wynstan.

— Si. Cuthbert. »

Wilwulf feignit l'étonnement.

« Suggéreriez-vous que la parole d'un membre du bas clergé pèse davantage que celle d'un évêque ?

— Puisqu'il en est ainsi, c'est moi qui accuse Wynstan. Quand je suis entré au moustier, je l'ai trouvé avec Cuthbert dans l'atelier, en pleine activité délictueuse !

— L'évêque Wynstan a expliqué qu'il venait à l'instant de découvrir le crime – sans doute grâce à l'intervention de la divine providence. »

Den parcourut des yeux l'assemblée, soutenant le regard des notables.

« Y a-t-il quelqu'un parmi vous pour croire cela ? Wynstan se trouvait dans l'atelier, il se tenait au côté de Cuthbert pendant que l'orfèvre fabriquait des fausses pièces à partir de vil métal, mais il prétend qu'il venait à peine de constater ce qui se passait ? » Il pivota pour faire face à Wynstan. « Et ne venez pas nous dire que c'était la main de Dieu. Nous sommes en présence d'une réalité infiniment plus terrestre – d'un mensonge tout ce qu'il y a de plus humain. »

Wilwulf s'adressa aux notables.

« Nous conviendrons, me semble-t-il, que l'accusation portée contre l'évêque Wynstan est fausse et calomnieuse. »

Aldred fit une dernière tentative.

« Le roi en entendra parler, naturellement. Imaginez-vous vraiment qu'il croira cette fable ? Et que pensera-t-il des notables qui auront disculpé Wynstan et Degbert pour ne châtier qu'un simple prêtre ? »

Lesdits notables parurent mal à l'aise, mais aucune voix ne s'éleva pour soutenir Aldred.

« La cour déclare donc Cuthbert coupable. En raison de sa tentative pernicieuse pour rejeter sa faute sur deux ecclésiastiques de haut rang, il subira un châtiment plus sévère que de coutume. Je condamne Cuthbert à être énucléé et castré.

— Non ! » se récria Aldred.

Mais il était inutile de protester davantage.

Les jambes de Cuthbert se dérobèrent sous lui et il s'effondra.

« Faites exécuter la sentence, shérif », ordonna Wilwulf.

Den hésita puis, non sans réticence, fit signe à Wigbert, qui releva Cuthbert et l'emmena.

Wynstan reprit alors la parole. Aldred pensait que l'évêque avait obtenu tout ce qu'il voulait, mais un nouveau coup de théâtre se préparait.

« Je plaide coupable ! » dit alors Wynstan.

Wilwulf ne manifesta aucune surprise, et Aldred en déduisit que l'intervention avait été préparée à l'avance, comme tout ce qui avait précédé.

« Quand j'ai découvert ce crime, poursuivit Wynstan, j'ai été pris d'une telle colère que j'ai détruit une grande partie du matériel du faussaire. Avec son maillet, j'ai fracassé un creuset brûlant ; du métal en fusion a jailli et tué un innocent nommé Godwine. C'était un accident, mais j'en assumerai la responsabilité. »

Aldred comprit qu'une nouvelle fois, Wynstan prenait l'avantage en menant lui-même l'accusation. Il pouvait ainsi présenter ce meurtre sous un meilleur jour.

« Cela n'en reste pas moins un crime, et l'évêque vient d'avouer en être responsable », observa Wilwulf avec gravité.

Wynstan baissa la tête en signe d'humilité. Aldred se demanda combien de personnes étaient dupes.

« Il devra donc payer le prix du sang à la veuve de la victime », poursuivit l'ealdorman.

Une séduisante jeune femme, portant un nourrisson dans ses bras, sortit de la foule, visiblement intimidée.

« Le prix du sang pour un homme d'armes s'élève à cinq livres d'argent », déclara Wilwulf.

Ithamar s'avança et tendit à Wynstan un petit coffre de bois.

Wynstan s'inclina devant la veuve et lui donna le coffret.

« Je ne cesse de prier pour que Dieu et toi me pardonniez ce que j'ai fait », lui dit-il.

Autour de lui, de nombreux notables hochaient la tête en signe d'approbation. Aldred fulminait. Ils connaissaient pourtant tous Wynstan ! Comment pouvaient-ils croire à cet humble repentir ? Son étalage de remords chrétien leur avait fait oublier sa véritable nature. Et l'importance de l'amende en faisait une punition sévère – qui détournait également l'attention de l'habileté avec laquelle il avait échappé à une accusation infiniment plus grave.

La veuve prit le coffret et repartit sans rien dire.

C'est ainsi que les puissants commettent des péchés en toute impunité, songea Aldred, alors que des hommes modestes sont impitoyablement châtiés. Quel pouvait être le dessein de Dieu dans cette parodie de justice ? Mais peut-être y avait-il tout de même quelque avantage à gagner ? Si Aldred voulait agir, c'était maintenant, tant que Wynstan jouait encore les hommes vertueux. Presque sans réfléchir, il s'adressa à Wilwulf.

« Après ce que nous avons entendu aujourd'hui, ealdorman Wilwulf, il conviendrait indéniablement de fermer le moustier de Dreng's Ferry. »

Il était grand temps de nettoyer cette tanière, mais il était inutile de le préciser : c'était une évidence.

Il vit une lueur de rage traverser le regard de Wynstan, mais elle s'effaça aussitôt et l'homme reprit son expression de pieuse humilité.

« L'archevêque a déjà donné son accord à un projet visant à transformer le moustier en dépendance de l'abbaye de Shiring et à y installer des moines, poursuivit Aldred. Après avoir été annoncé, ce projet a été remisé, mais le moment paraît venu de le réexaminer. »

Wilwulf quêta l'avis de Wynstan du regard.

Aldred n'avait pas de mal à deviner les réflexions de l'évêque. Le moustier n'avait jamais été riche, et il ne lui rapporterait plus grand-chose maintenant que l'escroquerie à la fausse monnaie avait pris fin. Il avait assuré une sinécure utile à son cousin Degbert, mais ce dernier avait dû être déplacé. La perte de cet établissement ne lui coûterait presque rien.

Wynstan rechignait certainement à accorder ne fût-ce que cette modeste victoire à Aldred, mais il ne pouvait ignorer l'image qu'il donnerait de lui s'il s'obstinait à protéger le moustier. Puisqu'il avait fait mine d'être bouleversé et ulcéré par les crimes qui s'y étaient commis, les gens s'attendraient à ce qu'il renonce volontiers au lieu où ils avaient été perpétrés. S'il réaffirmait son opposition au projet d'Aldred, les sceptiques le soupçonneraient peut-être même de vouloir rouvrir son atelier de fausse monnaie.

« J'approuve la proposition de frère Aldred, acquiesça Wynstan. Que tous les prêtres se voient assigner d'autres tâches et que le moustier devienne un monastère. »

Aldred remercia Dieu pour cette unique bonne nouvelle.

Wilwulf se tourna vers Hildred.

« Frère Hildred, est-ce toujours le souhait de l'abbé Osmund ? »

Aldred se demanda comment allait réagir le trésorier. Hildred s'opposait en effet généralement à toutes ses initiatives. Cette fois pourtant, il abonda dans son sens.

« Oui, ealdorman, répondit-il. L'abbé est très désireux de voir ce projet se concrétiser.

— Qu'il en soit donc ainsi », conclut Wilwulf.

Hildred n'avait cependant pas fini.

« Par ailleurs…

— Oui, frère Hildred ?

— Transformer le moustier en monastère était une idée d'Aldred, et il vient de la défendre une nouvelle fois. L'abbé Osmund a toujours pensé que s'il fallait nommer un prieur à la tête de ce nouvel établissement, le meilleur choix serait… le frère Aldred lui-même. »

Aldred fut pris au dépourvu. Il n'avait pas imaginé une chose pareille et ne la souhaitait pas. Il n'avait aucune envie de diriger un minuscule monastère perdu au milieu de nulle part. Son ambition était de devenir abbé de Shiring et de fonder un centre d'érudition et d'enseignement capable de rivaliser avec les plus grands.

Hildred avait trouvé ce moyen de se débarrasser de lui. Aldred écarté, le trésorier pouvait être assuré de prendre la succession d'Osmund.

« Je vous remercie, frère Hildred, mais je ne suis pas digne d'une telle position. »

Wynstan intervint avec une jubilation à peine dissimulée.

« Bien sûr que si, Aldred », protesta-t-il.

Encore un qui cherchait à l'éloigner, pensa Aldred.

« Et en tant qu'évêque, je suis heureux de donner mon accord immédiat à cette promotion.

— Ce n'est pas vraiment une promotion, puisque je suis déjà armarius de l'abbaye.

— Ne manifestez pas tant d'aigreur, voyons, le

rabroua Wilwulf avec un sourire. Vous aurez ainsi tout loisir d'exprimer vos qualités de meneur.

— C'est à l'abbé Osmund de nommer le prieur. Cette cour chercherait-elle à usurper ses prérogatives ?

— Bien sûr que non, répondit Wynstan d'un ton mielleux. Mais cela ne nous interdit pas d'approuver la proposition d'Hildred. »

Aldred comprit qu'il s'était fait manipuler. Cette nomination ayant recueilli l'approbation des puissants de Shiring, Osmund n'aurait jamais le courage de revenir sur leur décision. Aldred était piégé. Et dire que je me croyais malin, songea-t-il.

« Il reste un détail que je souhaiterais évoquer, reprit Wynstan. Puis-je, mon frère ? »

Qu'est-ce encore ? se demanda Aldred.

L'ealdorman hocha la tête.

« Au fil des ans, des hommes pieux ont consenti des dons de terres pour l'entretien du moustier de Dreng's Ferry. »

Aldred eut un mauvais pressentiment.

« Ces terres ont été offertes au diocèse de Shiring et demeurent la propriété de la cathédrale. »

Aldred était outré. Quand Wynstan disait « le diocèse » et « la cathédrale », il n'entendait que lui-même.

« C'est absurde ! protesta-t-il.

— J'accorde le village de Dreng's Ferry au nouveau monastère, en gage de bonne volonté, ajouta Wynstan d'un ton condescendant. Mais le village de Wigleigh, offert par l'ealdorman à l'occasion de son mariage, ainsi que les autres terres dont les revenus ont assuré l'entretien du moustier restent la propriété du diocèse.

— C'est tout à fait irrégulier, protesta Aldred. Quand l'archevêque Elfric a transformé Canterbury en monastère, les prêtres qui sont partis n'ont pas emporté tous les biens de la cathédrale !

— Les circonstances étaient tout à fait différentes, fit remarquer Wynstan.

— Je ne suis pas de cet avis.

— Dans ce cas, l'ealdorman devra trancher.

— Non, rétorqua Aldred. C'est du ressort de l'archevêque.

— Je souhaitais que mon présent bénéficie au moustier, et non à un monastère, déclara Wilwulf, et je suis convaincu que les autres donateurs avaient les mêmes intentions.

— Comment prétendez-vous connaître les intentions des autres donateurs !

— Je donne raison à l'évêque Wynstan, déclara Wilwulf visiblement en colère.

— C'est à l'archevêque de se prononcer, et non à vous », insista Aldred.

Wilwulf ne supporta pas de voir son autorité contestée. « C'est ce que nous verrons », dit-il furieux.

Aldred savait ce qui se passerait. L'archevêque ordonnerait à Wynstan de rendre les terres au nouveau monastère, mais ce dernier n'en tiendrait aucun compte. Par deux fois déjà, Wilwulf avait défié le roi, à propos d'abord du traité avec le comte Hubert, puis de son mariage avec Ragna, et il ferait aussi peu de cas de la décision de l'archevêque. Or un roi ou un archevêque ne pouvait pas faire grand-chose contre un dirigeant local qui refusait d'obéir aux ordres.

Il remarqua que Wigbert glissait un mot à Den. Wilwulf s'en aperçut, lui aussi.

« Tout est prêt pour le châtiment ? demanda-t-il.

— Oui », répondit Den à contrecœur.

Wilwulf se leva. Entouré de ses hommes d'armes, il se fraya un chemin à travers la foule pour rejoindre le centre de la place. Les notables lui emboîtèrent le pas.

Un grand pieu s'y dressait, prévu pour ce genre

d'occasion. Pendant que tout le monde regardait Wilwulf trônant sur son siège et écoutait les arguments des uns et des autres, le malheureux Cuthbert avait été dévêtu et attaché si solidement au poteau qu'il ne pouvait plus bouger la moindre partie de son corps, pas même la tête. Les habitants du bourg firent cercle autour de lui, se bousculant pour mieux voir.

Wigbert s'était muni d'une grande paire de cisailles, dont les lames récemment affûtées étincelaient. Un murmure s'éleva de la foule. Observant les visages de ses voisins, Aldred remarqua avec dégoût que nombre d'entre eux étaient assoiffés de sang.

Le shérif Den prit la parole :

« Wigbert, exécute la peine prononcée par l'ealdorman. »

Le but de ce châtiment n'était pas de faire mourir le criminel, mais de le condamner à une vie inhumaine. Wigbert manipula les cisailles de manière que les lames se referment sur les testicules de Cuthbert sans couper sa verge.

Cuthbert gémissait, priait et pleurait tout à la fois.

Aldred se sentit mal.

D'un geste décidé, Wigbert sectionna les testicules de Cuthbert. Ce dernier hurla, et du sang ruissela le long de ses jambes.

Un chien surgi de nulle part attrapa les testicules entre ses crocs et s'enfuit. La foule éclata de rire.

Wigbert reposa les cisailles ensanglantées. Se plaçant face à Cuthbert, il mit les mains sur les tempes du prêtre et posa les pouces sur ses paupières avant de les enfoncer profondément dans ses orbites d'un nouveau geste assuré. Cuthbert hurla de plus belle, et le liquide de ses globes oculaires coula sur ses joues.

Wigbert dénoua les cordes qui maintenaient Cuthbert au pieu, et le supplicié s'effondra.

Aldred aperçut le visage de Wynstan. L'évêque se tenait près de Wilwulf, et les deux frères observaient l'homme sanguinolent qui gisait à terre.

Wynstan souriait.

24

Décembre 998

Par le passé, il n'était arrivé qu'une fois à Aldred de se sentir complètement démoralisé, humilié et abattu en songeant à l'avenir. Il était alors novice à Glastonbury et s'était fait surprendre en train d'embrasser Leofric dans le jardin de plantes aromatiques. Jusque-là, il faisait figure d'étoile montante parmi les jeunes moines : le meilleur en lecture et en écriture aussi bien que dans la pratique du chant et la mémorisation de textes bibliques. Soudain, sa faiblesse était devenue l'objet de toutes les conversations et avait même été abordée au chapitre. Au lieu de s'extasier sur l'avenir brillant qui s'ouvrait devant lui, ses supérieurs se demandaient que faire d'un garçon aussi dépravé. Il avait eu l'impression d'être un cheval rétif ou un chien qui avait mordu son maître, et n'avait plus eu qu'une envie : se terrer au fond d'un trou et dormir pendant cent ans.

Ce sentiment lui revenait à présent. Toutes les qualités qu'il avait manifestées en tant qu'armarius de Shiring et la perspective de devenir abbé un jour étaient réduites à néant. Ses ambitions – l'école, la bibliothèque, le scriptorium d'envergure mondiale – n'étaient plus que chimères. Il avait été exilé dans le hameau reculé de Dreng's Ferry, placé à la tête d'un prieuré sans ressources, et l'histoire de sa vie s'arrêterait là.

L'abbé Osmund lui avait fait comprendre qu'il était trop passionné.

« Un moine doit apprendre la résignation, lui avait-il dit au moment des adieux. Nous ne pouvons pas redresser tout le mal du monde. »

Combien de nuits sans sommeil Aldred n'avait-il pas passées à remâcher ces propos, rongé par la colère et l'amertume ? Deux passions avaient causé sa perte : d'abord, son amour pour Leofric ; ensuite, sa rage contre Wynstan. Mais au fond de son cœur, il ne pouvait donner raison à Osmund. Les moines ne devraient jamais se résigner au mal. Ils devaient le combattre.

Si le désespoir l'accablait, il ne l'empêchait pas d'agir. Aldred ayant affirmé que le vieux moustier était une honte, il pouvait désormais mobiliser son énergie pour faire du nouveau prieuré un brillant exemple de ce que les hommes de Dieu avaient pour mission d'accomplir. La petite église avait déjà changé d'aspect : le sol avait été balayé et les murs blanchis à la chaux. Le vieux scribe Tatwine, un des moines qui avaient choisi de l'accompagner à Dreng's Ferry, avait commencé à peindre une fresque murale représentant la Nativité, une scène de naissance pour symboliser la renaissance de l'église.

Edgar avait réparé l'entrée. Il avait déposé une à une les pierres de l'arche, les avait taillées pour leur donner la forme désirée avant de les remonter en les disposant soigneusement comme sur les rayons d'une roue imaginaire. Il n'en fallait pas davantage pour consolider l'ouvrage, avait-il expliqué. La seule consolation d'Aldred à Dreng's Ferry était qu'il voyait plus souvent le jeune homme charmant et intelligent qui avait ravi son cœur.

La maison n'était plus la même non plus. En partant, Degbert et ses comparses avaient évidemment emporté tout ce qui faisait le luxe de l'habitation, tentures murales, ornements et couvertures. L'endroit était désormais nu et fonctionnel, comme il seyait à une résidence de moines. En cadeau de bienvenue, Edgar avait offert à Aldred un lutrin en chêne de sa fabrication, si bien que pendant les repas, les moines pouvaient écouter un des leurs lire un passage de la règle de saint Benoît ou d'une vie de saint. L'objet avait été fait avec amour, et même si ce n'était pas le genre d'amour fait de baisers, de caresses et d'étreintes nocturnes dont il arrivait à Aldred de rêver, le présent ne lui en avait pas moins fait monter les larmes aux yeux.

Aldred savait que le travail était le plus grand des réconforts. Il expliqua aux frères que l'histoire d'un monastère débutait d'ordinaire quand les moines retroussaient leurs manches et défrichaient le terrain. Ici, à Dreng's Ferry, ils avaient déjà entrepris d'abattre des arbres sur le versant boisé qui s'élevait au-dessus de l'église. Un monastère avait besoin de terres pour aménager un potager, un verger, une mare aux canards et un pâturage où ils pourraient élever quelques chèvres, et une vache ou deux. Edgar avait fabriqué des haches, martelant les lames sur l'enclume de l'ancien atelier de Cuthbert, et avait appris à Aldred et à ses compagnons à couper des arbres efficacement et en toute sécurité.

Les redevances touchées par Aldred en tant que seigneur du hameau ne suffisant pas à nourrir les moines, l'abbé Osmund avait accepté de verser un subside mensuel au prieuré. Hildred avait évidemment proposé un montant tout à fait insuffisant.

« Si ce n'est pas assez, vous n'aurez qu'à revenir et nous en discuterons », avait-il argué, mais Aldred savait qu'une fois la somme fixée, le trésorier n'accepterait jamais de l'augmenter.

L'allocation obtenue permettrait aux moines de survivre et d'entretenir l'église, sans plus. Si Aldred voulait acheter des livres, planter un verger et bâtir une étable, il devrait trouver lui-même les fonds nécessaires.

Lorsque les moines avaient découvert les lieux à leur arrivée, le vieux scribe avait dit à Aldred, sans méchanceté :

« Peut-être Dieu veut-il vous apprendre les vertus de l'humilité. »

Tatwine avait sans doute raison, songeait Aldred. L'humilité n'avait jamais été une de ses qualités maîtresses.

Le dimanche, Aldred célébra la messe dans la petite église. Il était debout derrière l'autel dressé dans le minuscule chœur, tandis que les six moines – tous volontaires – qui l'avaient accompagné lui faisaient face, en deux rangées irréprochables alignées dans la nef, correspondant au rez-de-chaussée du clocher. Les villageois prirent place derrière eux, plus silencieux que d'ordinaire et intimidés par l'atmosphère inhabituelle de discipline et de vénération.

Pendant l'office, on entendit un cheval au-dehors. Peu après, Wigferth de Canterbury, le vieil ami d'Aldred, entra dans l'église. Wigferth se rendait fréquemment dans l'ouest de l'Angleterre pour percevoir des redevances. D'après les ragots monastiques, sa maîtresse, qui vivait à Trench, avait récemment donné naissance à un enfant. Wigferth était un bon moine par ailleurs, et Aldred lui conservait son amitié, s'en tenant à un froncement de sourcils désapprobateur quand Wigferth commettait l'indélicatesse de mentionner sa famille clandestine.

Dès la fin de la messe, Aldred alla lui parler.

« Quel plaisir de te voir ! J'espère que tu as le temps de rester pour le souper.

— Bien volontiers.

— Nous ne sommes pas riches. Notre repas te préservera au moins du péché de gloutonnerie. »

Wigferth sourit et se tapota le ventre.

« Cela ne peut que m'être profitable.

— Quelles sont les nouvelles de Canterbury ?

— J'en ai deux à te communiquer. L'archevêque Elfric a ordonné à Wynstan de restituer la propriété du village de Wigleigh à l'église de Dreng's Ferry, c'est-à-dire à toi.

— Parfait !

— Attends, ne te réjouis pas trop vite. J'ai déjà transmis le message à Wynstan, qui a déclaré que l'affaire n'était pas du ressort de l'archevêque.

— En d'autres termes, il ignorera cette décision.

— Oui, mais ce n'est pas tout. Wynstan a nommé Degbert archidiacre de la cathédrale de Shiring.

— Dans les faits, il en a ainsi fait son adjoint et son probable successeur.

— Exactement.

— Tu parles d'une sanction. »

Cette promotion, survenant si peu de temps après le procès et la rétrogradation de Degbert, était une manière de signifier à tout le monde que les protégés de Wynstan s'en sortiraient toujours, alors que ceux qui, tel Aldred, s'opposaient à lui, en subiraient les conséquences.

« L'archevêque a refusé de ratifier cette nomination – et Wynstan l'a ignoré, cette fois encore. »

Aldred gratta son crâne chauve.

« Wynstan défie l'archevêque et Wilwulf défie le roi. Combien de temps cela peut-il durer ?

— Je l'ignore. Peut-être jusqu'au Jugement dernier. »

Aldred regarda autour de lui. Deux paroissiens semblaient l'attendre.

« Nous en reparlerons au souper, dit-il à Wigferth. Je dois parler aux villageois. Ils ne sont jamais contents. »

Wigferth s'éloigna, et Aldred porta son attention sur le couple qui patientait. Une femme du nom d'Ebba, aux mains gercées, lui dit :

« Avant, les prêtres me payaient pour que je fasse leur lessive. Pourquoi pas vous ?

— La lessive ? s'étonna Aldred. Nous la faisons nous-mêmes. »

Il n'y en avait pas beaucoup. En général, les moines lavaient leur robe deux fois par an. Le reste de la population portait occasionnellement un sous-vêtement, une bande de tissu passée entre les jambes, enroulée autour de la taille et nouée devant. Les femmes en utilisaient pendant leurs menstrues et les lavaient ensuite ; les hommes en mettaient pour monter à cheval et ne les lavaient probablement jamais. Les nourrissons étaient parfois emmaillotés de langes assez semblables. Les moines n'en avaient pas l'utilité.

« Et moi, dit Cerdic, le mari de la femme, je ramassais du bois de chauffage pour les prêtres, des joncs pour recouvrir leurs sols, et j'allais leur chercher de l'eau au fleuve tous les jours.

— Je n'ai pas d'argent pour vous payer, expliqua Aldred. L'évêque Wynstan a volé toutes les richesses de cette église.

— L'évêque était un homme très généreux », rétorqua Cerdic.

Grâce aux revenus du faux-monnayage, songea Aldred ; mais il ne servait à rien de présenter de telles accusations aux villageois. Soit ils croyaient à l'innocence de Wynstan, soient ils feraient semblant : toute autre attitude les désignerait comme complices. Aldred avait perdu devant la cour et n'avait pas l'intention de ressasser son réquisitoire jusqu'à la fin de sa vie.

« Un jour, le monastère sera prospère et apportera travail et commerce à Dreng's Ferry, dit-il, mais cela exigera du temps, de la patience et beaucoup d'efforts, car je n'ai rien d'autre à offrir. »

Il abandonna le couple maussade et s'éloigna. Les propos qu'il leur avait tenus le déprimaient lui-même. Ce n'était pas l'existence dont il avait rêvé : batailler pour rendre un nouveau monastère viable. Il voulait des livres, des plumes et de l'encre, pas un potager et une mare aux canards.

Il s'approcha d'Edgar, qui avait encore le pouvoir d'ensoleiller sa journée. Une fois par semaine, le jeune homme installait un étal de poissons à Dreng's Ferry. Il n'y avait pas de grands villages à proximité, mais de nombreux petits hameaux et des fermes isolées, telle la bergerie de Theodberht Pied-Bot. Tous les vendredis, une poignée de gens, des femmes surtout, venaient acheter le poisson d'Edgar. Mais Degbert avait décrété qu'un tiers de la pêche du jeune homme lui revenait.

« Tu m'as interrogé sur la charte de Degbert, lui dit Aldred. Elle est jointe à celle du nouveau monastère, puisque certains droits sont les mêmes.

— Alors, Degbert a-t-il dit la vérité à propos des poissons ? » demanda Edgar.

Aldred secoua la tête.

« Il n'en est pas question dans la charte. Il n'avait pas le droit d'exiger une part de ta pêche.

— C'est bien ce que je pensais. Quel sale voleur !

— Je le crains.

— Tout le monde cherche à m'escroquer, se plaignit Edgar. Mon frère Erman prétend que je devrais partager l'argent avec lui. C'est moi qui ai créé la mare et fabriqué les nasses, je les relève tous les matins et je leur donne tout le poisson dont ils ont besoin pour se nourrir, et en plus, ils me réclament de l'argent.

— Les hommes sont cupides.

— Les femmes aussi. C'est sûrement Cwenburg, ma belle-sœur, qui lui a soufflé ce qu'il devait dire. Peu importe. Puis-je vous montrer quelque chose ?

— Bien sûr.

— Venez avec moi au cimetière. »

Sortant de l'église, ils la contournèrent par le côté nord.

« Mon père m'a enseigné que les assemblages d'un bateau bien construit, dit Edgar sur le ton de la conversation, ne devraient jamais être trop serrés. Un léger jeu entre les planches absorbe une partie des chocs causés par les assauts permanents du vent et des vagues. Mais ce n'est pas le cas d'une construction de pierre. »

Arrivé près de l'endroit où l'extension formée par le petit chœur rejoignait le clocher, il pointa le doigt vers le haut.

« Vous voyez cette fissure ? »

Aldred la voyait parfaitement : la fente était assez large pour qu'il puisse y glisser le pouce.

« Mon Dieu, murmura-t-il.

— Les bâtiments bougent, mais comme il n'y a pas de jeu entre les pierres jointes au mortier, des fissures apparaissent. Elles sont utiles à certains égards, car elles nous apprennent ce qui se passe dans la structure et nous avertissent qu'il y a un problème.

— Peux-tu reboucher la fissure avec du mortier ?

— Bien sûr, mais cela ne suffira pas. Le vrai souci est que le clocher s'incline lentement en se dissociant du chœur. Même si je rebouche le trou, il continuera de bouger et la fissure finira par réapparaître. Mais ce n'est pas le pire.

— Ah bon ?

— Le clocher va s'écrouler.

— Quand ?

— Je ne peux pas vous le dire. »

Aldred avait envie de pleurer. Comme si ses épreuves n'étaient pas déjà plus qu'un homme ne pouvait supporter, voilà que son église s'effondrait.

Voyant l'expression du moine, Edgar lui posa une main légère sur le bras.

« Ne désespérez pas. »

Ce geste rasséréna Aldred.

« Les chrétiens ne désespèrent jamais.

— Tant mieux, parce que je peux empêcher le clocher de s'effondrer.

— Comment ?

— En construisant des contreforts pour le soutenir du côté où il penche. »

Aldred secoua la tête.

« Je n'ai pas d'argent pour acheter de la pierre.

— Eh bien, je pourrais peut-être en obtenir gratuitement. »

Le visage d'Aldred s'illumina.

« Vraiment ?

— Je ne sais pas, dit Edgar. Je peux essayer. »

*

Edgar alla solliciter l'aide de Ragna. Elle avait toujours fait preuve de bonté envers lui. Certains la disaient redoutable et la présentaient comme une sorte de dragon, une femme qui savait exactement ce qu'elle voulait et était bien décidée à l'obtenir. Elle semblait cependant avoir un faible pour lui – ce qui ne signifiait pas qu'elle lui donnerait tout ce qu'il lui réclamerait.

Il avait hâte de la voir et se demanda pourquoi. Bien sûr, il souhaitait aider Aldred à sortir de sa morosité. Mais Edgar se demandait s'il n'éprouvait pas un désir qu'il méprisait chez les autres, celui de frayer avec les aristocrates. Il songea à l'attitude de Dreng, rampant devant Wilwulf et Wynstan et mentionnant à tout bout de champ leurs liens de parenté. Il espéra que son empressement à parler à Ragna ne relevait pas de la même aspiration honteuse.

Il descendit le fleuve jusqu'à Outhenham et passa la nuit chez Seric, sa femme et leur petit-fils. Peut-être était-ce le fruit de son imagination, mais Edgar trouva le village plus calme et plus heureux depuis qu'il avait un nouveau chef à sa tête.

Au matin, il confia son radeau aux bons soins de Seric et poursuivit le trajet à pied jusqu'à Shiring. Si son plan réussissait, il pourrait rentrer à Dreng's Ferry en transportant un chargement de pierres sur le radeau.

Il souffrit du froid au cours du trajet. La pluie glaciale se transforma en neige fondue. Ses souliers en cuir furent trempés et il eut mal aux pieds. Si un jour j'ai de l'argent, songea-t-il, je m'achèterai un poney.

Repensant à Aldred, il fut pris de pitié pour le moine, un homme qui n'avait d'autre ambition que de bien faire. Il avait eu beaucoup de courage de s'en prendre à un évêque. Trop sans doute: peut-être la justice était-elle illusoire ici-bas, simple espoir pour l'au-delà.

Les rues de Shiring étaient presque désertes. Par ce temps, la plupart des habitants restaient à l'intérieur, pelotonnés autour du feu. Il y avait tout de même un petit attroupement devant la maison en pierre d'Elfwine, là où il frappait les pennies d'argent avec l'autorisation du roi. Le batteur de monnaie se tenait devant sa demeure avec sa femme, qui était en pleurs. Le shérif Den était là avec ses hommes. Edgar vit qu'ils sortaient le matériel d'Elfwine dans la rue et le détruisaient.

« Que se passe-t-il ? demanda-t-il à Den.

— Le roi Ethelred m'a ordonné de fermer l'hôtel de la monnaie, répondit le shérif. Il est mécontent de ce qui s'est passé à Dreng's Ferry et estime que le procès n'était qu'un simulacre ; c'est sa manière de le faire savoir. »

Edgar n'avait pas prévu ces représailles, pas plus, manifestement, que Wilwulf et Wynstan. Toutes les grandes villes d'Angleterre possédaient un atelier monétaire. En priver Shiring porterait un rude coup à l'ealdorman, en termes de prestige mais aussi d'économie : cet atelier attirait dans le bourg des activités commerciales qui se dirigeraient désormais ailleurs. Un roi disposait de peu de moyens pour faire respecter sa volonté, mais la frappe monétaire était sa prérogative, et la fermeture d'un hôtel de la monnaie figurait parmi les sanctions qu'il pouvait infliger. Cela suffirait-il cependant à modifier le comportement de Wilwulf ? Edgar en doutait.

Il trouva Ragna dans un pâturage jouxtant le domaine de l'ealdorman. Elle avait décidé qu'il faisait trop mauvais pour laisser les chevaux dehors et surveillait les palefreniers qui rassemblaient les bêtes pour les mettre à l'abri. Vêtue d'une pelisse de renard d'un roux doré comme ses cheveux, elle ressemblait à une femme sauvage de la forêt, belle, mais dangereuse. Edgar se surprit à se demander si sa pilosité corporelle avait la même couleur, et se le reprocha aussitôt : comment un simple ouvrier pouvait-il concevoir de telles pensées à propos d'une noble dame ?

Elle lui sourit en le voyant.

« Tu es venu à pied jusqu'ici par ce temps ? Ton nez paraît sur le point de se détacher ! Viens avec moi prendre une bière chaude. »

Ils entrèrent dans le domaine. Ici aussi, la plupart des habitants étaient cloîtrés chez eux, même si quelques personnes affairées se hâtaient d'une maison à l'autre, cape rabattue sur la tête. Ragna fit entrer Edgar chez elle. Lorsqu'elle retira sa pelisse, il crut remarquer qu'elle avait pris du poids.

Ils s'assirent près du feu. Cat, sa servante, chauffa un tisonnier et le plongea dans un gobelet de bière. Elle l'offrit à Ragna, qui lui dit :

« Donne-le à Edgar, il a plus froid que moi. »

Cat lui tendit le gobelet avec un sourire aimable. Peut-être devrais-je épouser une fille comme elle, songea-t-il. J'ai de quoi nourrir une épouse grâce au vivier, et ce serait agréable de dormir avec quelqu'un. Mais il sut que c'était une mauvaise idée à l'instant même où elle prit forme dans son esprit. Cat était tout à fait charmante, mais il n'éprouvait pas pour elle les sentiments que lui avait inspirés Sungifu. Soudain mal à l'aise, il dissimula son visage en buvant quelques gorgées. La bière le réchauffa.

« Je t'avais trouvé une jolie petite ferme au val d'Outhen, mais tu n'en as finalement pas eu besoin, lui dit Ragna. Puisque Aldred est maintenant votre seigneur, vous devriez être tranquilles. »

Elle paraissait un peu distraite, et Edgar se demanda si quelque chose la préoccupait.

« Je vous en suis tout de même reconnaissant, répondit-il. Vous m'avez donné le courage d'être un des cojureurs d'Aldred. »

Elle hocha la tête, mais n'avait visiblement pas envie de revenir sur ce qui s'était passé au procès. Edgar décida d'aller droit au but, pour ne pas mettre sa patience à l'épreuve.

« Je suis venu vous demander une nouvelle faveur, déclara-t-il.

— Je t'écoute.

— L'église de Dreng's Ferry menace de s'effondrer, mais Aldred n'a pas les moyens de la réparer.

— En quoi puis-je vous aider ?

— En nous donnant la pierre qu'il faut. Je la taillerais moi-même, de sorte que cela ne vous coûterait rien. Et ce serait une pieuse offrande.

— En effet.

— Vous accepteriez ? »

Elle soutint son regard, avec une expression où l'amusement le disputait à un autre sentiment qu'il ne sut déchiffrer.

« Bien sûr », répondit-elle.

Son prompt acquiescement faillit faire monter les larmes aux yeux d'Edgar. Il fut envahi d'une vague de gratitude qui se rapprochait de l'amour. Pourquoi n'y avait-il pas davantage de gens comme elle sur terre ?

« Merci », dit-il.

Elle se recula sur son siège, rompant le charme.

« De combien de pierres as-tu besoin ? » demanda-t-elle d'un ton vif.

Refoulant son émotion, il se concentra sur les questions pratiques.

« L'équivalent de cinq chargements de radeau, en pierres et en blocaille, je dirais. Je vais devoir bâtir des contreforts reposant sur de profondes fondations.

— Je te remettrai une lettre pour Seric, précisant que tu peux prendre toutes les pierres que tu veux.

— Vous êtes vraiment bonne. »

Elle haussa les épaules.

« Pas vraiment. Il y a assez de pierres à Outhenham pour un siècle.

— En tout cas, je vous en suis très reconnaissant.

— Toi aussi, tu pourrais faire quelque chose pour moi.

— Tout ce que vous voudrez. »

Rien n'aurait pu lui faire plus plaisir que de lui rendre service.

« Gab est toujours mon carrier.

— Pourquoi gardez-vous un homme qui vous a volée ?

— Parce que je n'ai trouvé personne d'autre. Mais tu pourrais peut-être prendre la place de maître carrier, et le surveiller. »

L'idée de travailler pour Ragna enthousiasma Edgar. Mais comment réussirait-il à faire tout cela ?

« Et réparer l'église en même temps ? s'inquiéta-t-il.

— Rien ne t'empêcherait de passer la moitié du temps à Outhenham et l'autre moitié à Dreng's Ferry. »

Il hocha lentement la tête. C'était envisageable.

« J'aurai à faire de fréquents trajets à Outhenham pour aller chercher de la pierre. »

Mais il devrait alors confier le vivier à ses frères, et perdrait les revenus de la vente des poissons.

Ragna régla ce problème d'une phrase.

« Je te paierai six pence la semaine, plus un farthing par bloc de pierre vendu. »

C'était beaucoup plus que ne lui rapportait sa pêche.

« Vous êtes généreuse.

— Tu devras veiller à ce que Gab ne recommence pas ses mauvais tours.

— Rien de plus facile. Je sais quelle quantité de pierre il a extraite rien qu'en regardant la carrière.

— De plus, il est paresseux. Outhenham pourrait produire davantage de pierre si quelqu'un voulait bien se donner la peine de la vendre.

— Et ce quelqu'un, c'est moi ?
— Tu es capable de tout faire – tu es comme cela, c'est tout. »
Il était surpris. Même si ce n'était pas vrai, il était heureux qu'elle le pense.
« Ne rougis pas ! » dit-elle.
Il rit.
« Merci de m'accorder votre confiance. J'espère ne jamais la trahir.
— À présent, j'ai une nouvelle à t'annoncer. »
Ah, songea-t-il ; sans doute cela expliquait-il qu'elle ait paru distraite un peu plus tôt.
« J'attends un enfant.
— Oh ! »
Il en eut le souffle coupé – ce qui était étrange, car il n'était pas surprenant qu'une jeune épouse en bonne santé soit enceinte. Au demeurant, il avait lui-même remarqué qu'elle avait pris du poids.
« Un enfant, répéta-t-il bêtement. Mon Dieu.
— La naissance est prévue pour mai. »
Il ne savait que dire. Quelle question posait-on à une femme enceinte ?
« Espérez-vous avoir une fille ou un garçon ?
— Un garçon, pour faire plaisir à Wilf. Il veut un héritier.
— Bien sûr. »
Un noble désirait toujours des héritiers.
Elle sourit.
« Tu es content pour moi ?
— Oui, répondit Edgar. Très content. »
Il se demanda pourquoi il avait l'impression de mentir.

*

Le soir de Noël tombait un samedi cette année-là. Le matin de bonne heure, Aldred reçut un message de mère Agatha lui demandant de passer la voir. Il enfila une cape et descendit jusqu'au bac.

Edgar était en train de décharger son radeau.

« Ragna a accepté de nous donner les pierres gratuitement, annonça-t-il, souriant de son triomphe.

— Excellente nouvelle ! C'est parfait.

— Je ne peux pas encore commencer à construire : le mortier risquerait de geler au cours de la nuit au lieu de prendre. Mais au moins, tout sera prêt.

— Quant à moi, je ne peux toujours pas te payer.

— Ne vous en faites pas, je ne mourrai pas de faim.

— Y a-t-il quelque chose que je puisse faire pour toi en guise de dédommagement, quelque chose qui ne me coûte rien ? »

Edgar haussa les épaules.

« S'il me vient une idée, je vous le dirai.

— Entendu. » Aldred jeta un coup d'œil vers la taverne. « Je dois traverser le fleuve pour me rendre au couvent. Blod est-elle dans les parages ?

— Je vais vous conduire. »

Edgar détacha le bac pendant qu'Aldred embarquait, puis il saisit une perche et poussa le bateau à travers la passe étroite pour rejoindre l'île.

Edgar attendit sur la berge pendant qu'Aldred frappait à la porte du couvent. Agatha sortit, vêtue d'une cape. Il n'était pas question de laisser un homme pénétrer dans le couvent, mais le froid était tel qu'elle fit entrer Aldred dans l'église déserte.

À l'extrémité est, près de l'autel, se trouvait un siège taillé dans un bloc de pierre, doté d'un dossier arrondi et d'une assise plate.

« Un siège de paix », commenta-t-il.

Selon la tradition, quiconque s'asseyait sur ce siège

dans une église échappait à toute poursuite pénale, quels que fussent ses crimes ; en revanche, ceux qui, enfreignant cette règle, capturaient ou tuaient quelqu'un qui y avait trouvé asile risquaient la peine de mort.

Agatha hocha la tête.

« Évidemment, il n'est pas très facile d'accès sur cette île. Mais un fugitif innocent ne peut qu'être déterminé.

— A-t-il souvent été utilisé ?

— Trois fois en vingt ans, chaque fois par une femme qui avait décidé de devenir religieuse contre la volonté de sa famille. »

Ils s'assirent sur un banc de pierre froid contre le mur nord.

« Je vous admire, dit Agatha. Il faut une grande hardiesse pour tenir tête à un homme tel que Wynstan.

— La hardiesse ne suffit pas pour le confondre, hélas, répondit tristement Aldred.

— Il n'en faut pas moins essayer. C'est notre mission.

— Je suis bien de votre avis. »

Elle changea de ton pour passer à un sujet plus concret.

« J'ai une proposition à vous faire. De quoi nous mettre du baume au cœur en cette période hivernale.

— À quoi pensez-vous ?

— J'aimerais conduire les religieuses à l'église demain pour l'office de Noël.

— Qu'est-ce qui vous a donné cette idée ? » demanda Aldred, intrigué.

Agatha sourit.

« Le fait que Notre-Seigneur est né d'une femme.

— Vous avez raison. Il serait bon que des voix féminines se joignent à notre chœur pour les cantiques de Noël.

— C'est ce que j'ai pensé.

— D'autant qu'elles embelliraient probablement nos chants.

— C'est fort possible, surtout si je laisse sœur Frith ici.

— N'en faites rien ! protesta Aldred en riant. Amenez tout le monde.

— Je suis ravie que l'idée vous plaise.

— Je la trouve excellente. »

Agatha se leva, et Aldred l'imita. Leur conversation avait été brève, mais la mère supérieure n'était pas une adepte des bavardages inutiles. Ils sortirent de l'église.

Aldred vit Edgar parler à un homme vêtu d'une robe souillée, pieds nus malgré le froid. Sans doute était-ce l'un des pauvres hères que nourrissaient les sœurs.

« Oh, voilà que le pauvre Cuthbert s'est à nouveau perdu », s'écria Agatha.

Aldred fut bouleversé. En s'approchant, il vit l'affreux chiffon qui bandait les yeux du malheureux. Quelque bonne âme avait dû le ramener de Shiring, pour qu'il rejoigne la communauté des lépreux et autres miséreux qui dépendaient des religieuses, songea Aldred ; il se sentit alors coupable de n'avoir pas été cette bonne âme. Il avait été trop préoccupé par ses propres problèmes pour penser à aider son prochain dans l'esprit du Christ.

Cuthbert s'adressait à Edgar d'une voix basse et accusatrice.

« C'est ta faute si je suis comme ça, fulminait-il. Ta faute !

— Je sais », répondit Edgar.

Agatha intervint.

« Cuthbert, vous vous êtes encore égaré dans l'espace des religieuses. Je vais vous raccompagner.

— Attendez ! dit Edgar.
— Qu'y a-t-il ? interrogea Agatha.
— Aldred, reprit Edgar, tout à l'heure, vous m'avez proposé ce que je souhaitais en échange des contreforts que je veux construire.
— En effet.
— J'ai une idée. Je voudrais que vous accueilliez Cuthbert dans votre prieuré. »
Cuthbert poussa une exclamation de surprise.
Aldred fut si ému qu'il resta sans voix l'espace d'un instant. Puis il balbutia :
« Voudriez-vous devenir moine, Cuthbert ?
— Oui, je vous en prie, frère Aldred. J'ai toujours été un homme de Dieu – c'est la seule vie que je connaisse.
— Vous devrez apprendre nos règles. Un monastère n'est pas exactement comme un moustier.
— Dieu voudra-t-il d'un homme comme moi ?
— Il a grande affection pour les gens comme vous.
— Mais je suis un criminel.
— Jésus a dit : “Je ne suis point venu appeler à la repentance des justes, mais des pécheurs.”
— Vous ne cherchez pas à me jouer un mauvais tour, n'est-ce pas ? Ce n'est pas un piège pour me torturer ? Certaines personnes sont très cruelles avec les aveugles.
— Il n'y a pas de piège, mon ami. Venez avec moi, nous allons prendre le bac.
— Tout de suite ?
— Tout de suite. »
Cuthbert était secoué de sanglots. Aldred passa un bras autour de ses épaules, ignorant son odeur épouvantable.
« Venez. Montons sur le bateau.
— Merci, Aldred, merci.

— Remerciez plutôt Edgar. J'ai honte de ne pas y avoir pensé moi-même. »

Ils agitèrent la main pour saluer Agatha.

« Que Dieu vous bénisse », dit-elle.

Alors qu'ils traversaient le fleuve, Aldred songea que, s'il n'était pas en mesure de réaliser ses grandes ambitions dans ce prieuré isolé, il pouvait au moins faire le bien.

Ils débarquèrent, et Edgar amarra le bac.

« Cela ne compte pas, Edgar, fit alors Aldred. Je te dois toujours un dédommagement.

— Eh bien, il y a autre chose dont j'ai envie. »

Il sembla gêné.

« Parle, l'encouragea Aldred.

— Vous parliez d'ouvrir une école.

— C'est mon rêve. »

Edgar hésita encore, puis il se lança :

« Accepteriez-vous de m'apprendre à lire ? »

Troisième partie

LE MEURTRE

Années 1001-1003

25

Janvier 1001

Le deuxième enfant de Ragna était en train de naître et l'accouchement semblait difficile. Depuis la maison de sa mère, l'évêque Wynstan entendait les hurlements de la jeune femme, à peine étouffés par la pluie qui tombait sans discontinuer. Les cris de Ragna lui donnaient de l'espoir.

« Si la mère et l'enfant meurent, ce sera la fin de tous nos problèmes », dit-il.

Gytha prit une cruche.

« Cela s'est passé de la même manière pour toi. Tu as mis une journée et une nuit à sortir. Tout le monde pensait que nous n'y survivrions ni l'un ni l'autre. »

La remarque sonna comme une accusation aux oreilles de Wynstan.

« Je n'y étais pour rien », récrimina-t-il.

Elle lui resservit du vin.

« Et puis tu es né, braillant et agitant les poings. »

Wynstan n'était pas à l'aise dans la maison de sa mère. Elle avait toujours du vin sucré et de la bière forte à disposition, des coupes de prunes et de poires lorsque c'était la saison, une assiette de jambon et de fromage, et d'épaisses couvertures pour les nuits froides, mais malgré tout, il ne s'y sentait jamais bien.

« J'étais un enfant sage, protesta-t-il. Un élève studieux.

— Oui, quand on t'y obligeait. Mais dès que j'avais le dos tourné, tu abandonnais tes leçons en douce pour aller jouer. »

Un souvenir de jeunesse revint soudain à Wynstan.

« Tu ne m'as pas permis d'aller voir l'ours.

— Quel ours ?

— Un bateleur était venu avec un ours enchaîné. Tout le monde est allé le voir. Mais le frère Aculf a exigé que je finisse d'abord de recopier les Dix Commandements, et tu as abondé dans son sens. » Assis avec une tablette d'ardoise et un stylet, il avait entendu les autres garçons rire et crier au-dehors. « Je n'arrêtais pas de faire des erreurs en latin, et quand j'ai eu fini, l'ours était parti.

— Je ne m'en souviens pas. »

Wynstan, lui, se le rappelait très bien.

« Je t'ai détestée pour cela.

— Pourtant, j'agissais par amour.

— Oui, peut-être. »

Elle perçut ses doutes.

« Il fallait que tu deviennes prêtre. Jouer, c'était bon pour les petits paysans.

— Pourquoi tenais-tu à ce que je sois prêtre ?

— Parce que tu es un fils puîné, et que je suis une deuxième épouse. Wilwulf allait hériter de la fortune de ton père et sans doute devenir ealdorman, et toi, tu risquais d'être une personne sans importance, qui n'aurait d'utilité qu'en cas de décès de Wilf. J'étais décidée à nous éviter ce sort. L'Église était ton chemin vers le pouvoir, la richesse et le prestige.

— Ton chemin, également.

— Je ne suis rien », dit-elle.

Il préféra ignorer cet étalage de fausse modestie.

« Après moi, tu n'as plus eu d'enfant durant cinq ans. Était-ce voulu ? À cause de ma naissance difficile ?

— Non, répondit-elle avec indignation. Une noble ne se dérobe pas à son devoir.

— Évidemment.

— Mais j'ai fait deux fausses couches entre ta naissance et celle de Wigelm, sans parler de l'enfant mort-né que j'ai eu plus tard.

— Je me souviens de l'arrivée de Wigelm, dit Wynstan. J'avais cinq ans et j'avais envie de le tuer.

— Un aîné éprouve souvent ce genre de sentiment. Cela montre qu'il a du caractère. Il passe rarement à l'action, mais je veillais tout de même à te tenir à distance du berceau de Wigelm.

— Comment s'est passée sa naissance ?

— Pas trop mal, même si un accouchement est rarement facile. Le deuxième est en général moins douloureux que le premier. » Elle se tourna en direction du bruit. « Bien que ce ne soit manifestement pas le cas pour Ragna. Les choses ont décidément l'air de mal se passer.

— La mort en couches est fréquente », remarqua Wynstan visiblement réjoui.

Surprenant le regard noir de sa mère, il comprit qu'il était allé trop loin. Quoi qu'il fasse, elle prendrait toujours le parti de son fils, mais n'en restait pas moins femme.

« Qui s'occupe de Ragna ? demanda-t-il.

— Hildi, une sage-femme de Shiring.

— Une paysanne adepte des remèdes de bonne femme, j'imagine.

— Oui. Mais même si Ragna et le nouveau-né devaient disparaître, il resterait Osbert. »

Le premier-né de Ragna allait sur ses deux ans : un petit Normand aux cheveux roux, baptisé en l'honneur du père de Wilwulf. Osbert était l'héritier légitime de l'ealdorman, et le resterait même s'il perdait sa mère. Wynstan balaya pourtant la remarque d'un geste dédaigneux.

« Un enfant sans mère n'est pas très menaçant. »

Il n'était pas difficile de se débarrasser d'un bambin de deux ans, songeait-il ; mais il garda cette pensée pour lui, se rappelant le regard noir de sa mère.

Celle-ci se contenta de hocher la tête.

Il la dévisagea attentivement. Trente ans plus tôt, ce visage le terrifiait. La cinquantaine largement passée, elle avait les cheveux gris depuis des années, mais dernièrement ses sourcils noirs avaient commencé à grisonner eux aussi et de nouvelles petites rides verticales étaient apparues au-dessus de sa lèvre supérieure. Quant à sa silhouette, elle était désormais moins voluptueuse qu'avachie. Elle conservait cependant le pouvoir d'instiller la peur dans le cœur de son fils.

Elle était patiente et tranquille, comme savent l'être les femmes. Wynstan, en revanche, en était incapable. Il remua les pieds, s'agita sur son siège et demanda :

« Mon Dieu, combien de temps cela va-t-il encore durer ?

— Si l'enfant n'arrive pas à sortir, il y a de fortes chances pour que sa mère et lui en meurent.

— Prions-en le Seigneur. Il faut que Garulf succède à son père. C'est notre seule assurance de conserver tout ce que nous avons gagné.

— Tu as raison, bien sûr, reconnut Gytha avec une grimace. Même si Garulf n'est pas le plus malin des hommes. Heureusement, nous pourrons le contrôler.

— Il est populaire. Les hommes d'armes l'apprécient beaucoup.

— Je me demande bien pourquoi.

— Il est toujours prêt à leur payer un tonnelet de bière et les laisse violer les prisonnières à tour de rôle. »

Cette remarque lui valut un nouveau regard noir.

Mais les scrupules de sa mère importaient peu. En définitive, elle ferait ce qui était bon pour la famille.

Les cris cessèrent. Wynstan et Gytha se turent et attendirent, aux aguets. Wynstan commença à croire que son vœu avait été exaucé.

Ils entendirent alors un bruit différent, qu'ils reconnurent immédiatement : le vagissement d'un nouveau-né.

« Il est vivant, maugréa Wynstan. Enfer et damnation. »

Une minute plus tard, la porte s'ouvrit et une servante de quinze ans nommée Winthryth, la fille de Gilda, passa la tête dans l'embrasure, les cheveux mouillés de pluie.

« C'est un garçon, annonça-t-elle avec un grand sourire. Fort comme un veau et avec le menton volontaire de son père. »

Elle s'éclipsa.

« Au diable ce menton, marmonna Wynstan.

— Hélas, la roue n'a pas tourné en notre faveur.

— Cela change tout.

— En effet. » Gytha eut l'air pensif. « Il va nous falloir une tout autre stratégie.

— Vraiment ? s'étonna Wynstan.

— Nous n'avons pas abordé la situation sous le bon angle. »

Wynstan ne comprenait pas pourquoi, mais sa mère avait généralement raison.

« Continue, dit-il.

— Le vrai problème n'est pas Ragna.

— Ah bon ? fit Wynstan en haussant les sourcils.

— Le problème, c'est Wilf. »

Wynstan secoua la tête. Il ne voyait pas où elle voulait en venir. Mais comme elle était loin d'être sotte, il attendit patiemment ses explications.

Au bout d'un moment, elle reprit la parole.

« Wilf est très épris d'elle. C'est la première fois qu'il est aussi amoureux d'une femme. Il l'apprécie, il l'aime, et elle semble savoir le satisfaire, au lit et ailleurs.

— Ce qui ne l'empêche pas de foutre Inge quand bon lui semble.

— L'amour d'un homme n'est jamais absolu, poursuivit Gytha avec un haussement d'épaules. Mais Inge ne constitue pas une grave menace pour Ragna. Si Wilf devait choisir entre les deux, il élirait Ragna sans hésiter.

— Crois-tu qu'elle puisse être amenée à le tromper un jour ? »

Gytha secoua la tête.

« Elle apprécie ce jeune homme intelligent de Dreng's Ferry, mais cela n'ira jamais plus loin. Il est d'un rang beaucoup trop inférieur au sien. »

Wynstan se rappelait le constructeur de bateaux de Combe qui s'était installé à la ferme de Dreng's Ferry. C'était un être insignifiant.

« Effectivement, dit-il avec dédain. Si elle succombe, ce sera à un beau garçon de la ville qui réussira à trouver le chemin de sa couche pendant que Wilf sera parti combattre les Vikings.

— J'en doute. Elle est trop maligne pour risquer sa position pour la bagatelle.

— Tu as raison, hélas. »

Winthryth ressurgit inopinément sur le seuil, encore plus mouillée qu'avant et souriant encore plus largement.

« Un deuxième garçon ! annonça-t-elle.

— Des jumeaux ! s'exclama Gytha.

— Celui-ci est plus petit et il a les cheveux bruns, mais il est en bonne santé, précisa Winthryth avant de repartir.

— Maudits soient-ils tous les deux, murmura Wynstan.

— Ce sont désormais trois héritiers mâles qui font obstacle à Garulf, au lieu d'un. »

Ils restèrent silencieux un instant. C'était un changement majeur dans l'équilibre politique du comté. Wynstan réfléchit aux conséquences de cette évolution, certain que sa mère faisait de même.

« Il doit y avoir un moyen d'éloigner Wilf de Ragna, dit-il, exaspéré. Elle n'est pas la seule femme désirable au monde.

— Il faudrait qu'une autre fille parvienne à l'ensorceler. Elle devrait être plus jeune que Ragna, bien sûr, et avoir probablement un tempérament encore plus ardent.

— Pouvons-nous forcer le destin ?

— Peut-être.

— Penses-tu que cela aurait une chance de réussir ?

— Ce n'est pas impossible. Et je ne vois pas de meilleur plan.

— Où pourrions-nous trouver cette femme ?

— Je ne sais pas, répondit Gytha. Peut-être en l'achetant. »

*

En janvier, après un Noël paisible, Face-de-Fer frappa de nouveau.

Par une matinée froide et ensoleillée, Edgar déchargeait des pierres de son radeau sur la berge près de la ferme, avec l'intention de construire un fumoir sur les terres de la famille. Ils avaient souvent plus de poissons qu'ils ne pouvaient en vendre, et leur plafond ressemblait de plus en plus à une forêt hivernale à l'envers, les anguilles pendant comme des arbrisseaux sans feuilles, tête en bas. S'ils avaient un fumoir en pierre, ils auraient beaucoup plus d'espace et le bâtiment ne risquerait pas de prendre feu.

Edgar gagnait en assurance dans le travail de la pierre. Il avait achevé depuis longtemps les travaux de consolidation de l'église, qui ne risquait plus de s'écrouler. Depuis deux ans, il dirigeait la carrière de Ragna à Outhenham, vendant plus de pierre que jamais et gagnant de l'argent pour elle et pour lui. Mais la demande diminuant pendant l'hiver, il en avait profité pour faire des réserves destinées à son projet personnel.

Son frère Eadbald apparut, poussant un tonneau vide sur le sentier accidenté qui longeait le fleuve.

« Nous n'avons plus de bière », expliqua-t-il.

Ils avaient désormais les moyens d'en acheter, grâce au vivier.

« Je vais te donner un coup de main », proposa Edgar.

Deux hommes ne seraient pas de trop pour faire rouler un tonneau plein sur un sol inégal.

Les frères apportèrent le fût vide jusqu'à la taverne, Brindille trottinant derrière eux. Pendant qu'ils payaient Leaf, deux voyageurs arrivèrent pour prendre le bac. Edgar reconnut Odo et Adélaïde, un couple de messagers originaires de Cherbourg. Le mari et la femme étaient passés à Dreng's Ferry deux semaines plus tôt, en route pour Shiring. Escortés par deux hommes d'armes, ils apportaient alors des lettres et de l'argent à Ragna.

Edgar les salua.

« Vous rentrez chez vous ? leur demanda-t-il.

— Oui, répondit Odo. Nous espérons trouver un navire à Combe. »

Il s'exprimait avec un fort accent français. C'était un

homme corpulent d'une trentaine d'années, aux cheveux blonds rasés dans la nuque, à la mode normande. Il portait une imposante épée.

Ils n'avaient plus d'escorte, mais cette fois ils ne transportaient plus de grosse somme d'argent.

« Nous sommes pressés de rentrer chez nous pour annoncer la bonne nouvelle, s'enthousiasma Adélaïde. Dame Ragna a donné naissance à des jumeaux – deux garçons ! »

Petite et blonde, elle arborait en pendentif une perle d'ambre montée sur un fil d'argent ; le bijou irait bien à Ragna, songea Edgar.

Il se réjouissait qu'elle ait eu des jumeaux. L'héritier de Wilwulf serait donc probablement un des fils de Ragna, et non celui d'Inge, Garulf, un garçon aussi stupide que brutal.

« C'est merveilleux pour Ragna », dit-il.

Dreng, qui avait entendu la nouvelle, lança :

« Je suis sûr que vous boirez tous volontiers un godet en l'honneur des petits princes ! »

À l'entendre, on aurait pu imaginer que la bière serait offerte par la maison, mais Edgar reconnut une des ruses du tavernier.

Les Normands ne se laissèrent pas abuser.

« Nous tenons à arriver à Mudeford Crossing avant la tombée de la nuit », expliqua Odo, et ils prirent congé.

Edgar et Eadbald roulèrent leur tonneau plein jusqu'à la ferme, puis Edgar recommença à décharger son radeau, encordant les pierres sur la berge pour les hisser sur la pente jusqu'au site du futur fumoir.

Le soleil d'hiver était haut, et il allait s'attaquer au dernier bloc de pierre lorsqu'il entendit crier sur la rive opposée.

« À l'aide, au secours ! »

Regardant de l'autre côté du fleuve, il aperçut un homme qui portait une femme dans ses bras. Tous deux étaient nus, et la femme paraissait inconsciente. Mettant la main en visière, Edgar reconnut Odo et Adélaïde.

Il sauta sur le radeau et poussa sur la perche pour traverser le fleuve. Les deux Normands s'étaient fait dépouiller de tout, même de leurs vêtements, devina-t-il.

Dès qu'Edgar atteignit la rive opposée, Odo prit pied sur le radeau, Adélaïde toujours dans ses bras, et se laissa tomber lourdement sur la dernière pierre mal équarrie. Il avait le visage maculé de sang, une paupière à demi close et une jambe blessée. Adélaïde avait les yeux fermés et du sang coagulait dans ses cheveux blonds, mais elle respirait encore.

Edgar ressentit un élan de compassion pour la jeune et mince femme, et une bouffée de haine pour les hommes qui l'avaient mise dans cet état.

« Il y a un couvent sur l'île. Mère Agatha saura s'occuper d'elle. Voulez-vous que je vous y conduise immédiatement ?

— Oui, je t'en prie, fais vite. »

Edgar mania vigoureusement la perche vers l'amont du fleuve.

« Que s'est-il passé ? demanda-t-il.

— C'était un homme coiffé d'un casque.

— Face-de-Fer, murmura Edgar avant d'ajouter d'un ton féroce : Le suppôt de Satan.

— Il avait au moins un compagnon. J'ai perdu connaissance quand ils m'ont assommé. Je suppose qu'ils nous ont laissés pour morts. Quand je suis revenu à moi, nous étions nus.

— Ils ont besoin d'armes. C'est peut-être votre épée qui les a attirés. Ainsi que le pendentif d'Adélaïde.

— Si vous savez que ces hommes vivent dans la forêt, pourquoi ne les capturez-vous pas ? »

À son ton agressif, on aurait pu croire qu'Odo soupçonnait Edgar d'excuser les voleurs.

Edgar fit comme s'il n'avait pas remarqué l'accusation voilée.

« Nous avons essayé, croyez-moi. Nous avons fouillé chaque arpent de la rive sud. Mais ils disparaissent dans les fourrés comme des belettes.

— Ils avaient un bateau. Je l'ai vu juste avant qu'ils nous attaquent.

— Quel genre de bateau ? demanda Edgar, interloqué.

— Une petite barque.

— Alors ça, je l'ignorais. »

Tout le monde avait toujours supposé que Face-de-Fer se cachait sur la rive sud, puisque c'était là qu'il commettait ses larcins ; mais s'il disposait d'un bateau, son repaire pouvait aussi bien se trouver sur la rive nord.

« Vous l'avez déjà vu ? demanda Odo.

— Je lui ai même planté une hache dans le bras une nuit, quand il a tenté de nous voler notre truie, mais il s'est enfui. Voilà, c'est ici. »

Edgar accosta sur l'île aux Lépreux et tint la corde pendant qu'Odo débarquait avec Adélaïde.

Il la porta jusqu'à l'entrée du couvent et mère Agatha leur ouvrit. Ignorant la nudité du visiteur, elle regarda la femme blessée.

« Mon épouse…, commença Odo.

— La pauvre, dit Agatha. Je vais voir ce que je peux faire pour elle. »

Elle tendit les bras vers la forme inconsciente.

« Je vais la déposer à l'intérieur », proposa Odo.

Agatha se contenta de secouer la tête en silence.

Odo lui abandonna alors Adélaïde. La religieuse la

porta comme si elle ne pesait rien et regagna l'intérieur du couvent. Une main invisible referma la porte.

Odo garda un instant les yeux fixés sur le battant, puis tourna les talons.

Ils remontèrent sur le radeau.

« Je ferais mieux d'aller à la taverne, remarqua le Normand.

— Sans argent, vous n'y serez pas le bienvenu, répondit Edgar. Mais le monastère vous accueillera certainement. Le prieur Aldred vous donnera une robe de moine et des souliers, il nettoiera vos blessures et vous nourrira aussi longtemps qu'il le faudra.

— Que Dieu bénisse les moines. »

Edgar traversa le fleuve et amarra le radeau sur la berge.

« Venez avec moi », dit-il.

Odo chancela en descendant du radeau et tomba à genoux.

« Désolé, murmura-t-il. Je ne sens plus mes jambes. Je l'ai portée longtemps. »

Edgar l'aida à se relever.

« Ce n'est plus très loin. »

Il soutint Odo jusqu'à l'ancienne maison des prêtres qui abritait désormais le monastère, souleva le loquet et traîna Odo à l'intérieur tant bien que mal. Les moines dînaient, assis autour de la table, à l'exception d'Aldred qui, debout derrière le lutrin fabriqué par Edgar, leur faisait la lecture.

Il s'interrompit en les voyant entrer.

« Que s'est-il passé ? demanda-t-il.

— Alors qu'ils rentraient chez eux à Cherbourg, Odo et sa femme ont été battus, volés, dévêtus et laissés pour morts », répondit Edgar.

Aldred referma le livre et prit doucement Odo par le bras.

« Venez par ici et allongez-vous près du feu, dit-il. Frère Godleof, apporte-moi du vin pour nettoyer ses plaies. »

Il aida Odo à se coucher.

Godleof apporta un bol de vin et un linge propre, et Aldred commença à laver le visage ensanglanté du blessé.

« Je vous laisse, dit Edgar à Odo. Vous êtes entre de bonnes mains.

— Merci, voisin », répondit Odo.

Edgar sourit.

*

Ragna donna à l'aîné de ses jumeaux le prénom de son père, Hubert, et appela le plus jeune Colinan. Ce n'étaient pas de vrais jumeaux et il était facile de les différencier, puisque l'un était grand et blond, l'autre petit et brun. Ragna avait suffisamment de lait pour nourrir les deux : ses seins étaient lourds et gonflés.

Elle ne manquait pas d'aide pour s'occuper d'eux. Cat, présente à la naissance, s'était immédiatement prise d'affection pour eux. Elle avait épousé Bern le Géant et avait un enfant du même âge qu'Osbert, le premier-né de Ragna. Elle paraissait heureuse avec Bern, même si elle avait confié aux autres femmes qu'il avait un si gros ventre qu'elle était toujours obligée de se mettre au-dessus de lui. Elles avaient pouffé en chœur, et Ragna s'était demandé ce que penseraient les hommes s'ils savaient comment les femmes parlaient d'eux.

Agnès, la couturière, aimait beaucoup les jumeaux, elle aussi. Elle avait épousé Offa, le chef de Mudeford, mais comme ils n'avaient pas d'enfant, elle reportait tous ses sentiments maternels frustrés sur les nourrissons de Ragna.

Lorsqu'elle apprit ce qui était arrivé à Odo et Adélaïde, Ragna laissa ses jumeaux pour la première fois.

Elle était terriblement inquiète. Ces messagers étant venus en Angleterre en mission pour elle, elle s'en sentait responsable. Sa compassion était d'autant plus profonde qu'ils étaient normands, comme elle. Elle tenait à aller les voir, à évaluer la gravité de leurs blessures et à faire tout ce qu'elle pourrait pour les secourir.

Elle confia les enfants à Cat, assistée de deux nourrices pour s'assurer qu'ils n'auraient pas faim. Elle se fit accompagner d'Agnès comme servante, et de Bern comme garde du corps. Ayant appris qu'on avait retrouvé Odo et Adélaïde dans le plus simple appareil, elle emporta des vêtements. Elle quitta le domaine le cœur lourd, affligée de se séparer de ses petits. Mais le devoir l'appelait.

Ses enfants lui manquèrent à chaque instant des deux journées de voyage jusqu'à Dreng's Ferry.

Elle arriva en fin d'après-midi et prit aussitôt le bac pour rejoindre l'île aux Lépreux, laissant Bern à la taverne. Mère Agatha l'accueillit d'un baiser et la serra contre son corps osseux.

« Comment va Adélaïde ? demanda Ragna sans préambule.

— Elle récupère vite, répondit Agatha. Elle s'en remettra. »

Ragna en fut profondément soulagée.

« Dieu merci.

— Amen.

— De quoi souffre-t-elle ?

— Elle a reçu un violent coup à la tête, mais elle est jeune et solide, et ne gardera probablement pas de séquelles.

— J'aimerais lui parler.

— Bien sûr. »

Adélaïde se trouvait dans le dortoir. Un linge propre ceignait sa tête blonde et elle portait une triste robe de religieuse, mais elle était assise dans son lit, et sourit joyeusement en voyant Ragna.

« Dame Ragna ! Vous n'auriez pas dû vous donner la peine de venir jusqu'ici.

— Je tenais à m'assurer que tu te remettais.

— Mais vos enfants !

— Je ne vais pas tarder à les retrouver, puisque me voici rassurée sur ton état. Et qui d'autre vous aurait apporté des vêtements propres ?

— Vous êtes si bonne.

— Sornettes. Comment va Odo ? Il paraît que ses blessures sont moins graves que les tiennes.

— Il va bien, apparemment, mais je ne l'ai pas vu – les hommes ne sont pas autorisés à pénétrer ici.

— Je demanderai à Bern le Géant de vous escorter jusqu'à Combe, lorsque vous serez tous deux suffisamment rétablis pour reprendre la route.

— Je peux partir dès demain. Je ne me sens pas du tout malade.

— Je vous prêterai tout de même un cheval.

— Merci.

— Tu pourras monter celui de Bern, et il le ramènera à Shiring après vous avoir fait embarquer sur un navire pour Cherbourg. »

Ragna donna de l'argent à Adélaïde et quelques affaires féminines indispensables : un peigne, un petit pot d'huile pour se nettoyer les mains et un linge de corps. Puis elle prit congé – non sans un nouveau baiser d'Agatha – et regagna Dreng's Ferry.

Odo était au prieuré avec Aldred. Il avait le visage contusionné et dut prendre appui sur sa jambe gauche lorsqu'il se leva pour saluer Ragna, mais il avait l'air enjoué. Elle lui tendit les vêtements d'homme qu'elle avait apportés de Shiring.

« Adélaïde souhaite repartir dès demain, lui annonça-t-elle. Comment te sens-tu ?

— Je crois que je suis complètement remis.

— Obéis aux recommandations de mère Agatha. Elle a déjà soigné de nombreux malades.

— Oui, dame Ragna. »

Ragna quitta le monastère et se dirigea vers le fleuve. Elle prendrait le bac pour regagner l'île et passerait la nuit au couvent.

Elle croisa Edgar devant la taverne.

« Je suis navré de ce qui est arrivé à vos messagers, lui dit-il, bien qu'il n'y fût évidemment pour rien.

— Crois-tu qu'ils ont été attaqués par les bandits qui m'ont dérobé le cadeau de noces que j'avais apporté pour Wilf il y a trois ans ?

— J'en suis certain. Odo a décrit un homme portant un casque de fer.

— J'ai cru comprendre que toutes les tentatives pour le capturer avaient échoué. » Ragna fronça les sourcils. « Quand il vole des bêtes, sa bande et lui les mangent ; ils gardent les armes et l'argent, mais doivent convertir vêtements et bijoux en monnaie sonnante et trébuchante. Je me demande comment ils font…

— Face-de-Fer apporte peut-être son butin à Combe, suggéra Edgar, pensif. Il y a plusieurs fripiers là-bas, et deux ou trois orfèvres. Les bijoux peuvent être fondus ou du moins transformés pour être méconnaissables, et les vêtements trop identifiables peuvent être retaillés.

— Mais les bandits ont une allure patibulaire.

— Il y a sûrement des gens prêts à leur acheter tout de même des objets sans poser trop de questions.

— Des brigands ne peuvent tout de même pas

passer inaperçus, objecta Ragna en plissant le front. Les rares fois où j'ai croisé ce genre d'individus, ils étaient sales, déguenillés et visiblement en mauvaise santé. Toi qui as habité à Combe, te souviens-tu d'avoir vu des hommes de cette espèce venir au bourg vendre des objets ?

— Non. Et je ne me souviens pas non plus d'avoir entendu parler de visiteurs de ce genre. Pensez-vous que Face-de-Fer ait recours à un intermédiaire ?

— Oui. Il s'agit sûrement d'une personne respectable qui a de bonnes raisons de se rendre à Combe.

— Il y en a des centaines. C'est un gros bourg. Les gens viennent y faire du commerce.

— Qui soupçonnerais-tu, Edgar ?

— Dreng serait assez malhonnête pour cela, mais il n'aime pas voyager. »

Ragna hocha la tête.

« Cela mérite plus ample réflexion, murmura-t-elle. Je tiens à mettre un terme aux activités de ces hors-la-loi, et le shérif Den me soutient.

— Comme nous tous », renchérit Edgar.

*

Ragna et Cat couchaient les jumeaux dans leurs berceaux pour la sieste quand elles entendirent du vacarme au-dehors. Une fille poussait des hurlements furieux et plusieurs femmes se mirent à crier, sous les rires et les huées d'un grand nombre d'hommes. Les jumeaux fermèrent les yeux, inconscients du tumulte, et s'endormirent en quelques secondes. Ragna en profita pour sortir voir ce qui se passait.

Il faisait froid. Le vent du nord balayait le domaine de ses rafales glaciales. Une foule s'était massée autour d'une barrique d'eau. En s'approchant, Ragna vit qu'une jeune fille nue se tenait au centre de l'attroupement, folle de rage. Gytha et deux ou trois autres femmes s'efforçaient de la laver à l'aide de brosses, de chiffons, d'huile et d'eau, tandis que d'autres cherchaient à l'empêcher de se débattre. Quand elles versèrent de l'eau froide sur elle, la jeune fille fut prise de tremblements incontrôlables et lâcha un chapelet de ce qui ressemblait à des jurons en gallois.

« Qui est-ce ? » demanda Ragna.

Wuffa, le nouveau palefrenier en chef, debout devant elle, répondit sans se retourner.

« La nouvelle esclave de Gytha, dit-il avant de crier : Frottez-lui bien les tétons ! », ce qui fit s'esclaffer les hommes qui l'entouraient.

Ragna aurait pu intervenir s'il s'était agi d'une jeune femme ordinaire, mais elle ne pouvait pas porter secours à une esclave. La cruauté envers les esclaves était parfaitement tolérée. S'il existait quelques vagues lois interdisant de les tuer sans bonne raison, il était difficile de les faire respecter, et les peines encourues restaient légères.

La fille devait avoir environ treize ans, estima Ragna. Débarrassée de sa crasse, sa peau était claire. Ses cheveux et sa toison pubienne étaient sombres, presque noirs. Elle avait les bras et les jambes minces, et des petits seins parfaits. Malgré la grimace de fureur qui déformait ses traits, elle était jolie.

« Pourquoi Gytha veut-elle une esclave ? » demanda Ragna.

Wuffa se tourna pour répondre, tout sourire, puis se ravisa en voyant à qui il s'adressait. Son sourire disparut.

« Je ne sais pas », marmonna-t-il.

Manifestement, il savait, mais n'osait pas le dire.

Wilf sortit alors de la maison commune et s'approcha

de la foule, poussé lui aussi par la curiosité. Ragna l'observa, se demandant comment il réagirait. Gytha ordonna aussitôt à ses compagnes de cesser de laver la fille et de l'immobiliser afin que Wilf puisse la regarder.

Les gens s'écartèrent respectueusement pour laisser passer l'ealdorman. La fille était plus ou moins propre à présent. Ses cheveux noirs et mouillés encadraient son visage, et sa peau énergiquement récurée luisait. Sa mine rebelle ajoutait encore à sa beauté. Wilf sourit jusqu'aux oreilles.

« Qui est-ce ? demanda-t-il.

— Elle s'appelle Carwen, répondit Gytha. C'est un présent que je vous fais, pour vous remercier d'être le meilleur beau-fils qu'une mère puisse souhaiter. »

Ragna réprima un cri de protestation. Comment osait-elle ! Ragna avait tout fait pour satisfaire Wilf et s'assurer de sa loyauté, et pendant leurs trois années de mariage, il s'était montré remarquablement plus fidèle que la plupart des nobles anglais. Il couchait de temps en temps avec Inge, peut-être en souvenir du passé, et culbutait sans doute quelques paysannes lorsqu'il s'absentait, mais quand il était là, c'était à peine s'il regardait les autres femmes. Et voilà que tous ses efforts risquaient d'être réduits à néant par une esclave – offerte par Gytha ! L'objectif de cette dernière était évident : elle cherchait à éloigner Wilf d'elle.

Wilf s'avança, les bras ouverts comme pour étreindre Carwen.

Elle lui cracha au visage.

Wilf s'arrêta, et la foule fit silence.

Une esclave risquait la mort pour un tel geste. Wilf était en droit de dégainer son couteau et de lui trancher la gorge sur-le-champ.

Il s'essuya le visage d'un revers de manche et posa la main sur la poignée de la dague qu'il avait à sa ceinture.

Il garda les yeux fixés sur Carwen un long moment. Ragna se demandait ce qu'il allait faire.

Il retira sa main du couteau.

Il pouvait encore refuser Carwen, tout simplement. Qui voudrait d'un cadeau qui vous crache au visage ? Ragna songea que cela la sauverait peut-être.

Puis Wilf se détendit. Il sourit et regarda autour de lui. Des gloussements gênés s'élevèrent de la foule. Wilf éclata de rire.

Les spectateurs l'imitèrent, et Ragna comprit qu'elle avait perdu la partie.

Wilf recouvra son sérieux, et la foule se tut.

Il gifla l'esclave violemment, une seule fois. Il avait de grandes mains puissantes. Carwen cria et se mit à pleurer. Sa joue s'empourpra et un filet de sang ruissela de ses lèvres jusqu'à son menton.

Wilf se tourna vers Gytha.

« Qu'on l'attache et qu'on la mette dans ma maison, dit-il. Par terre. »

Il regarda les femmes lier tant bien que mal les mains de l'esclave récalcitrante dans son dos. Elles lui entravèrent ensuite les chevilles.

Alors que les hommes attroupés reluquaient la fille nue, les femmes jetaient de discrets coups d'œil à Ragna, se demandant comment elle allait réagir. Elle s'efforça de rester digne et impassible.

Les servantes de Gytha soulevèrent l'esclave ligotée pour la porter chez Wilf.

Ragna se détourna et s'éloigna lentement, éperdue de douleur. Le père de ses trois fils allait passer la nuit avec une esclave. Que devait-elle faire ?

Il n'était pas question que son mariage en soit ébranlé, décida-t-elle. Gytha pouvait la blesser, mais pas la détruire. D'une manière ou d'une autre, elle conserverait son emprise sur Wilf.

Elle rentra chez elle. Ses servantes ne lui adressèrent pas la parole. Elles avaient appris ce qui se passait et l'expression de leur maîtresse était suffisamment éloquente.

Elle s'assit pour réfléchir. Essayer d'empêcher Wilf de coucher avec Carwen serait une erreur, elle le comprit aussitôt. Elle n'obtiendrait pas gain de cause – un homme comme lui ne recevait pas d'ordres d'une femme, même s'il l'aimait –, et elle ne réussirait qu'à l'irriter. Devait-elle faire semblant de s'en moquer ? Non, ce serait exagéré. La bonne attitude consistait sans doute à accepter, quoi qu'il lui en coûtât, les désirs de son mari. Quitte à feindre au besoin.

L'heure du souper approchait. Il ne fallait surtout pas paraître vaincue ou triste. Au contraire, elle tenait à être si belle ce soir-là qu'il éprouverait peut-être même un pincement de regret à l'idée de passer la nuit avec une autre.

Elle choisit une robe d'un jaune sombre qu'il aimait, elle le savait. Le vêtement la serrait un peu à la poitrine, mais ce n'était pas plus mal. Elle chargea Cat de lui nouer les cheveux sous un foulard de soie marron, puis enfila une houppelande de laine rouge foncé, pour protéger son dos des courants d'air froids qui traversaient les murs en bois de la grande salle. Elle compléta sa tenue par une broche incrustée d'émail doré.

Au souper, elle prit place à la droite de Wilf, comme d'habitude. Il était d'humeur joviale et plaisantait avec les hommes, mais elle le surprit plusieurs fois à la regarder avec dans les yeux une lueur qui l'intrigua. Ce n'était pas vraiment de la peur, mais cela dépassait la simple appréhension, et elle comprit qu'il était anxieux.

Comment devait-elle réagir ? Si elle montrait son chagrin, il se sentirait manipulé et se fâcherait ; il chercherait ensuite à lui donner une leçon, sans doute en accordant encore plus d'attention à Carwen. Non, elle devait agir plus subtilement.

Pendant tout le repas, Ragna s'efforça d'être plus séduisante que jamais, malgré sa peine. Elle rit aux plaisanteries de Wilf et, chaque fois qu'il faisait une allusion à l'amour ou lançait quelque remarque grivoise, elle lui adressait un regard par en dessous dont elle avait le secret et auquel il ne pouvait jamais résister.

Une fois le souper fini et alors que les hommes continuaient de s'enivrer, elle quitta la table en compagnie de la plupart des femmes. Éclairant son chemin à l'aide d'une torche en jonc, elle regagna sa maison. Elle ne retira pas sa houppelande, mais resta dans l'embrasure de la porte à regarder au-dehors, surveillant les ombres à peine perceptibles qui se mouvaient dans le domaine, ruminant et répétant dans sa tête toutes sortes de discours.

« Que faites-vous ? lui demanda Cat.

— J'attends un moment tranquille.

— Pourquoi ?

— Je ne veux pas que Gytha me voie aller chez Wilf.

— L'esclave y est, s'inquiéta Cat. Qu'allez-vous lui faire ?

— Je ne sais pas encore. Je réfléchis.

— Prenez garde de ne pas provoquer la colère de Wilf !

— Nous verrons. »

Quelques minutes plus tard, Ragna vit une silhouette munie d'une chandelle sortir de la maison de Gytha pour rejoindre celle de Wilf. Elle devina que Gytha allait vérifier que son cadeau était encore présentable.

Ragna attendit patiemment. Gytha ressortit bientôt et rentra chez elle. Ragna lui laissa une minute pour s'installer. Une femme et son mari ivre quittèrent la maison commune et traversèrent le domaine en titubant. Enfin, la voie fut libre, et Ragna parcourut en hâte la courte distance qui la séparait de la maison de Wilf.

Carwen était toujours attachée, mais pouvait se tenir assise. Étant nue, elle avait froid et s'était tortillée pour se rapprocher du feu. Sa joue gauche portait une énorme ecchymose violette, là où Wilf l'avait giflée.

Ragna s'assit sur un tabouret et se demanda si l'esclave parlait anglais.

« Je suis désolée de ce qui t'est arrivé », murmura-t-elle.

Carwen ne réagit pas.

« Je suis sa femme, reprit Ragna.

— Ah ! »

Elle comprenait donc.

« Ce n'est pas un homme cruel, poursuivit Ragna. Du moins, pas plus que la plupart des hommes. »

Le visage de Carwen se décrispa légèrement, peut-être de soulagement.

« Il ne m'a jamais frappée comme il t'a frappée aujourd'hui. Il est vrai que j'ai toujours veillé à ne pas le contrarier. » Elle leva une main, comme pour prévenir toute contestation. « Je ne te juge pas, je te dis simplement les choses telles qu'elles sont. »

Carwen hocha la tête.

C'était un progrès.

Ragna prit une couverture sur le lit de Wilf et la posa sur les minces épaules blanches de la jeune fille.

« Veux-tu un peu de vin ?

— Oui. »

Ragna s'approcha de la table et remplit un gobelet en bois, puis s'agenouilla près de Carwen et porta le gobelet à ses lèvres. L'esclave but. Ragna n'aurait pas été surprise qu'elle lui recrache le vin à la figure, mais elle l'avala avec reconnaissance.

C'est alors que Wilf entra.

« Que diable fais-tu ici ? » demanda-t-il aussitôt.

Ragna se leva.

« Je suis venue te parler de cette esclave. »

Wilf croisa les bras.

« Souhaites-tu un gobelet de vin ? » lui proposa-t-elle.

Sans attendre sa réponse, elle en servit deux, lui en tendit un et s'assit.

Il but une gorgée et prit place en face d'elle. Son expression disait clairement que si elle cherchait la bagarre, elle la trouverait.

Une vague pensée se précisa peu à peu dans l'esprit de Ragna.

« Il me semble que Carwen ne devrait pas vivre dans la maison des esclaves », dit-elle.

Wilf parut surpris et ne sut comment réagir. C'était la dernière chose à laquelle il s'était attendu.

« Pourquoi ? Parce que cette maison est trop sale ? »

Ragna haussa les épaules.

« Elle est sale parce qu'on les y enferme la nuit et qu'ils ne peuvent pas sortir se soulager. Mais ce n'est pas ce qui me tracasse.

— Qu'est-ce, alors ?

— Si elle passe ses nuits là-bas, elle se fera foutre par un des hommes, voire par plusieurs, probablement atteints d'infections répugnantes qu'elle te transmettra.

— Je n'y avais pas pensé. Où faut-il l'installer, selon toi ?

— Il n'y a pas actuellement de maison vide dans le domaine et, de toute façon, une esclave ne peut pas avoir de logis personnel. Puisque c'est Gytha qui l'a achetée, peut-être pourrait-elle vivre chez Gytha… lorsqu'elle n'est pas avec toi.

— Bonne idée », approuva-t-il, manifestement soulagé.

Alors qu'il s'était attendu à une scène, elle n'avait fait que lui présenter un problème concret, accompagné de sa solution.

Gytha serait furieuse, mais Wilf ne changerait pas d'avis après avoir donné son accord. Pour Ragna, c'était une vengeance modeste, mais plaisante.

Elle se leva.

« Passe un agréable moment, dit-elle, tout en espérant le contraire.

— Merci. »

Elle gagna la porte.

« Et quand tu seras las de cette fillette et auras envie de retrouver une femme, tu sais où me trouver. » Elle ouvrit la porte. « Bonne nuit », ajouta-t-elle avant de sortir.

26

Mars 1001

Les choses ne se passèrent pas comme Ragna l'avait prévu. Wilf passa toutes ses nuits avec Carwen pendant huit semaines, puis il partit pour Exeter.

Ragna fut d'abord décontenancée. Comment supportait-il de rester ainsi avec une fille de treize ans ? De quoi Carwen et lui discutaient-ils ? Que pouvait bien avoir à dire une adolescente qui soit susceptible d'intéresser un homme de l'âge et de l'expérience de

Wilf ? Au lit avec Ragna, le matin, ils évoquaient des problèmes liés au gouvernement du comté : la perception des impôts, l'arrestation des criminels et, surtout, la défense de la région contre les attaques des Vikings. Il n'abordait certainement pas pareilles questions avec Carwen.

Il lui arrivait encore de bavarder avec Ragna, mais plus au lit.

Gytha était enchantée et ne s'en cachait pas, ne manquant jamais une occasion de mentionner Carwen en présence de Ragna. Bien qu'humiliée, celle-ci cachait ses sentiments derrière un sourire.

Inge, qui la détestait pour lui avoir pris Wilf, était tout aussi ravie de la voir supplantée et, à l'instar de Gytha, n'hésitait pas à enfoncer le couteau dans la plaie. Elle ne possédait cependant pas l'aplomb de Gytha.

« Eh bien, Ragna, lui avait-elle dit un jour, voici plusieurs semaines que vous n'avez pas passé la nuit avec Wilf !

— Vous non plus », avait rétorqué Ragna, ce qui avait suffi à lui clouer le bec.

Ragna tira le meilleur parti de sa nouvelle vie, malgré son amertume. Elle invita des poètes et des musiciens à Shiring. Elle doubla les dimensions de son logis, le transformant en seconde maison commune pour accueillir ses visiteurs – tout cela avec l'autorisation de Wilf, qui accepta sans barguigner, préférant l'apaiser pour pouvoir coucher en paix avec son esclave.

Craignant de voir sa position politique s'affaiblir en même temps que la passion de Wilf à son égard, Ragna renforça ses relations avec d'autres puissants : l'évêque de Norwood, l'abbé de Glastonbury, le shérif Den et d'autres. L'abbé Osmund de Shiring était toujours en vie, mais alité, aussi se rapprocha-t-elle du trésorier

Hildred. Elle les invitait chez elle pour écouter de la musique et des récitations de poèmes. Wilf voyait d'un très bon œil que son domaine se transforme en centre culturel : cela rehaussait son prestige. Sa propre maison commune, cependant, continuait d'accueillir bouffons et jongleurs et, après le souper, on y parlait toujours épées, chevaux et navires de guerre.

Puis les Vikings arrivèrent.

L'été précédent, ils étaient restés paisiblement en Normandie. Personne en Angleterre ne savait pourquoi, mais tous s'en félicitaient, et le roi Ethelred s'était senti suffisamment confiant pour partir vers le nord attaquer les Bretons du royaume de Strathclyde. Mais le printemps venu, les Vikings revinrent en force à bord d'une centaine de bateaux à la proue en forme de sabre incurvé, qui remontèrent l'Exe toutes voiles dehors. Ils trouvèrent la ville d'Exeter puissamment défendue, mais ravagèrent impitoyablement la campagne alentour.

Shiring apprit tout cela par des messagers venus demander des secours. Wilf n'hésita pas un instant. Si les Vikings prenaient le contrôle de la région d'Exeter, ils disposeraient d'une base facilement accessible depuis la mer, d'où ils pourraient attaquer les terres de l'Ouest quand et où ils voudraient. Ils risqueraient alors d'entreprendre la conquête de toute la région et de s'emparer du comté de Wilf – comme ils l'avaient déjà fait d'une grande partie du nord-est de l'Angleterre. Refusant d'envisager pareille issue, Wilf rassembla une armée.

Il discuta stratégie avec Ragna. Elle estimait qu'il aurait tort de se précipiter là-bas avec sa petite troupe pour attaquer les Vikings dès qu'il les trouverait. La vitesse et l'effet de surprise étaient toujours efficaces, mais devant une force ennemie de cette importance, une prompte et humiliante défaite n'était pas exclue. Se rangeant à son avis, Wilf décida de commencer par faire le tour des terres de l'Ouest afin de recruter des hommes et de grossir ses rangs, dans l'espoir de disposer d'une armée invincible lors de l'affrontement avec les Vikings.

Ragna savait que les jours qui s'annonçaient seraient périlleux pour elle. Avant le départ de Wilf, elle devait établir publiquement qu'elle le représentait en son absence. Dès qu'il ne serait plus là pour la protéger, ses ennemis chercheraient à l'abattre. Wynstan ne partirait pas avec son frère pour combattre les Vikings : en tant qu'homme de Dieu, il lui était interdit de répandre le sang, et il respectait généralement cette règle, même s'il en violait beaucoup d'autres. Il resterait à Shiring et tenterait sans doute de prendre le contrôle du comté, avec le soutien de Gytha. Ragna devrait être sur ses gardes en permanence.

Elle pria pour que Wilf passe une nuit avec elle avant de partir, mais son vœu ne fut pas exaucé et son amertume augmenta.

Le jour du départ, Ragna se tint à côté de lui devant la porte de la maison commune, pendant que Wuffa lui amenait son cheval préféré, un étalon gris fer nommé Nuage. Carwen n'était pas là : Wilf avait dû lui faire ses adieux en privé, ce dont Ragna lui sut gré.

Devant tout le monde, Wilf embrassa Ragna sur les lèvres – pour la première fois depuis deux mois.

Elle parla d'une voix forte, de manière à se faire entendre de tous.

« Je te promets, mon cher époux, de bien gouverner ton comté en ton absence, déclara-t-elle en appuyant sur le mot *gouverner*. Je rendrai la justice comme tu le ferais, protégerai ton peuple et tes richesses, et ne permettrai à personne de m'empêcher d'accomplir mon devoir. »

Le défi adressé à Wynstan était flagrant, et Wilf le comprit. Son sentiment de culpabilité l'incita encore à accorder à Ragna tout ce qu'elle lui demandait.

« Merci, mon épouse, dit-il d'une voix tout aussi sonore. Je sais que tu gouverneras comme je le ferais si j'étais là. » Lui aussi insista sur le mot *gouverneras*. « Qui s'oppose à lady Ragna s'oppose à moi », ajouta-t-il.

Ragna baissa le ton.

« Merci, murmura-t-elle. Et reviens-moi sain et sauf. »

*

Ragna devint plus silencieuse ; elle restait plongée dans ses pensées et ne parlait presque plus à ceux qui l'entouraient. Elle comprit progressivement qu'elle devait se faire à cette réalité : jamais plus Wilf ne l'aimerait comme elle voulait être aimée.

Il l'appréciait, la respectait et, tôt ou tard, recommencerait probablement à passer quelques nuits avec elle. Mais elle ne serait qu'une des juments de son écurie. Ce n'était pas la vie dont elle avait rêvé lorsqu'elle était tombée amoureuse de lui. Pourrait-elle s'y habituer ?

Cette question lui faisait venir les larmes aux yeux. Dans la journée, en présence d'autrui, elle dissimulait ses sentiments, mais la nuit, elle laissait libre cours à son chagrin, sachant que seuls les intimes qui vivaient sous son toit entendraient ses pleurs. C'était comme un deuil, songeait-elle ; elle avait perdu son mari, qui lui avait été ravi non par la mort, mais par une autre femme.

Elle décida de faire sa visite habituelle à Outhenham le jour de l'Annonciation, dans l'espoir d'oublier sa vie dévastée. Elle confia les enfants à Cat et emmena Agnès comme servante.

Elle entra à Outhenham le sourire aux lèvres mais le cœur gros. L'aspect du village lui remonta cependant le moral. Il avait prospéré en trois ans, sous son autorité. On la surnommait Ragna la Juste. Personne ne s'était enrichi du temps où tout le monde volait et trichait. Maintenant que Seric était chef, les villageois payaient plus volontiers leurs redevances, sachant qu'on ne les escroquait plus, et ils travaillaient plus dur puisqu'ils étaient assurés de récolter les fruits de leur labeur.

Elle passa la nuit chez Seric et tint audience le lendemain matin. À midi, elle se contenta d'un repas léger, puis sachant qu'il y aurait un banquet plus tard. Elle avait prévu de visiter la carrière dans l'après-midi et, quand elle fut prête, trouva Edgar qui l'attendait, vêtu d'une cape bleue. Il possédait maintenant son propre cheval, une robuste jument noire nommée Lambourde.

« Puis-je vous montrer quelque chose en chemin ? demanda-t-il lorsqu'elle monta en selle.

— Bien sûr. »

Il lui parut inhabituellement nerveux. Quoi qu'il eût à lui dire, c'était manifestement important pour lui, devina-t-elle. Tout le monde avait des choses importantes à communiquer à l'épouse de l'ealdorman, mais Edgar n'était pas n'importe qui, et Ragna était intriguée.

Ils chevauchèrent jusqu'au fleuve puis empruntèrent le chemin de terre menant à la carrière. D'un côté se trouvait l'arrière des maisons du village, chacune possédant un petit lopin avec un potager, quelques arbres fruitiers, un ou deux abris pour les bêtes et un tas de fumier. De l'autre, les sillons de glaise humide d'un champ en partie labouré scintillaient, bien que personne n'y travaillât en ce jour férié.

« Voyez-vous tout l'espace qu'il y a entre le champ et les jardins des villageois ? demanda Edgar.

— Oui, il est bien plus large que nécessaire, et suffirait pour deux routes.

— Exactement. Par ce chemin, il faut presque toute une journée à deux hommes pour transporter un chargement de pierres de la carrière jusqu'au fleuve. Cela augmente le prix de nos pierres. Avec une charrette, la tâche est plus aisée mais elle n'est pas plus rapide. »

Elle devina qu'il soulevait un point important, sans comprendre encore où il voulait en venir.

« Est-ce cela que tu souhaitais me montrer ?

— Quand j'ai voulu vendre de la pierre au monastère de Combe, ils m'ont répondu qu'ils avaient commencé à se fournir à Caen, en Normandie, parce que c'était moins cher. »

Il avait éveillé son intérêt.

« Comment est-ce possible ?

— Le chargement de pierres fait tout le trajet sur un unique bateau, qui descend l'Orne jusqu'à la mer, puis traverse la Manche jusqu'au port de Combe.

— Notre problème est donc que notre carrière ne se trouve pas au bord d'un cours d'eau.

— Pas exactement.

— Comment cela ?

— Le fleuve n'est qu'à deux cent cinquante perches.

— Mais nous ne pouvons pas les faire disparaître.

— Je crois que si. »

Elle sourit, s'apercevant qu'il prenait plaisir à faire durer le mystère.

« Comment ?

— En creusant un canal.

— Un canal ?

— Ils l'ont fait à Glastonbury, dit-il, avec la mine du joueur qui sort un atout de sa manche. Aldred m'en a parlé.

— Creuser notre propre cours d'eau ?

— J'ai tout calculé. Dix hommes munis de pelles et de pioches mettraient environ vingt jours pour creuser un canal de trois pieds de profondeur et d'une largeur légèrement supérieure à celle de mon radeau, allant du fleuve à la carrière.

— C'est tout ?

— C'est la partie la plus facile. Il faudra peut-être consolider les berges, en fonction de la nature du sol que nous rencontrerons en creusant, mais je peux m'en charger moi-même. Le plus difficile sera d'estimer la bonne profondeur. Elle devra être suffisante pour que l'eau du fleuve remplisse le canal. Mais je crois être capable de la calculer. »

Il était plus intelligent que Wilf, et peut-être même qu'Aldred, songea-t-elle, mais elle se contenta de demander :

« Combien cela coûterait-il ?

— En supposant que nous ne fassions pas appel à des esclaves…

— Je préfère l'éviter, en effet.

— Dans ce cas, il faut compter un demi-penny la journée par homme, plus un penny la journée pour un contremaître, ce qui fait un total de cent vingt pennies, soit une demi-livre d'argent. Il faudrait aussi les nourrir, puisque la plupart seraient loin de chez eux.

— Et nous économiserions de l'argent à long terme.

— Beaucoup d'argent. »

Ragna se sentit toute ragaillardie par ce projet. Ce serait une remarquable innovation. Coûteuse, certes, mais elle pouvait se le permettre.

Ils arrivèrent à la carrière. Il y avait à présent deux maisons. Edgar s'en était construit une, pour ne pas avoir à s'installer avec Gab et sa famille. C'était une jolie bâtisse, aux murs en planches verticales assemblées à rainure et languette. Elle avait deux fenêtres pourvues de volets, et la porte, constituée d'une seule pièce de bois, était munie d'une serrure. Edgar inséra une clé et la tourna pour ouvrir.

L'intérieur était un domaine masculin, où les outils, les rouleaux de corde, les bobines de ficelle et les harnais tenaient la place d'honneur. Il y avait un tonneau de bière, mais pas de vin, une meule de fromage sec, mais ni fruits ni fleurs.

Ragna remarqua au mur une feuille de parchemin accrochée à un clou. En s'approchant, elle vit qu'il s'agissait d'une liste de clients, accompagnée de chiffres indiquant la quantité de pierres qu'ils avaient achetée et le prix qu'ils avaient payé. La plupart des artisans faisaient leur comptabilité sur des tailles.

« Tu sais écrire ? s'étonna Ragna.

— Aldred m'a appris », répondit-il tout fier.

Il avait gardé cela pour lui.

« Et aussi lire, forcément.

— Je pourrais, si j'avais un livre. »

Ragna résolut de lui en offrir un lorsqu'il aurait achevé son canal.

Elle s'assit sur le banc, pendant qu'il allait lui tirer un gobelet de bière au tonneau.

« Je suis content que vous ne vouliez pas faire travailler d'esclaves, remarqua-t-il.

— Pourquoi ?

— C'est une pratique qui fait ressortir ce qu'il y a de pire chez l'être humain. Les propriétaires d'esclaves se conduisent en sauvages. Ils frappent, tuent et violent sans vergogne. »

Ragna soupira.

« Si tous les hommes pouvaient être comme toi… »

Il rit.

« Qu'y a-t-il ? demanda-t-elle.

— Je me souviens d'avoir eu exactement la même

pensée à votre sujet. Le jour où je vous ai demandé de me trouver une ferme, vous avez accepté sans hésiter, et je me suis dit : "Pourquoi tout le monde n'est-il pas comme elle ?"

— Tu me mets du baume au cœur, dit Ragna en souriant. Merci. »

Impulsivement, elle se leva et l'embrassa.

Elle avait eu l'intention de l'embrasser sur la joue, mais sans le vouloir, elle trouva sa bouche. Leurs lèvres ne firent que s'effleurer, et elle n'en aurait fait aucun cas s'il n'avait pas réagi aussi vivement. Il fit un bond en arrière pour s'écarter d'elle, et son visage s'empourpra violemment.

Elle comprit sur-le-champ qu'elle avait commis une erreur.

« Je suis navrée, s'écria-t-elle. Je n'aurais pas dû faire cela. Je voulais simplement te remercier de m'avoir réconfortée.

— J'ignorais que vous étiez triste. »

Il commençait à reprendre contenance, mais elle remarqua qu'il se touchait la bouche du bout des doigts.

Elle n'allait certainement pas lui expliquer ce qui se passait avec Carwen.

« Mon mari me manque, dit-elle. Il lève une armée pour combattre les Vikings. Ils ont remonté le fleuve Exe. Wilf est très inquiet. » Voyant une ombre traverser le visage d'Edgar à la mention des Vikings, elle se souvint qu'ils avaient tué la femme qu'il aimait. « Je suis navrée », répéta-t-elle.

Il secoua la tête.

« Je vous en prie. Mais il y a autre chose dont je voudrais vous parler. »

Ragna lui sut gré de changer de sujet.

« Je t'écoute.

— J'ai remarqué qu'Agnès, votre servante, porte une nouvelle bague.

— Oui. C'est un cadeau de son mari.

— Elle est faite de fils d'argent torsadés et est ornée d'une perle d'ambre.

— En effet. C'est un bel objet.

— Cette bague m'a rappelé le pendentif dérobé à votre messagère, Adélaïde. Il était lui aussi en fil d'argent avec un cabochon d'ambre.

— Je ne l'avais pas remarqué ! fit Ragna, surprise.

— Je me rappelle avoir pensé que l'ambre vous irait bien.

— Mais comment Agnès pourrait-elle posséder une bague faite avec le pendentif d'Adélaïde ?

— Le bijou volé a pu être transformé pour qu'on ne puisse pas le reconnaître. La question est de savoir comment son mari se l'est procuré.

— Elle a épousé Offa, le thane de Mudeford. » Ragna commençait à deviner les tenants et les aboutissants de cette affaire. « Il l'a probablement acheté chez un orfèvre de Combe. Cet orfèvre connaît forcément l'intermédiaire qui lui a vendu le pendentif, et cet intermédiaire sait évidemment où trouver Face-de-Fer.

— Oui, acquiesça Edgar.

— Il faut que le shérif interroge Offa.

— Oui.

— Offa a peut-être acheté cette bague en toute innocence.

— Peut-être.

— Je ne voudrais pas causer d'ennuis au mari d'Agnès.

— Il le faut pourtant », dit Edgar.

*

Edgar raccompagna Ragna au centre du village et la laissa entourée d'une foule. Il s'éclipsa pour retourner à la carrière et mit Lambourde à paître à la lisière du bois. Enfin, il alla s'allonger dans sa maison et repensa à ce baiser.

Il avait été surpris et déconcerté. Il savait qu'il avait dû rougir. Il s'était écarté d'un bond. S'en apercevant, elle lui avait demandé pardon de l'avoir embarrassé. Mais elle n'avait vu que la surface des choses. Son baiser avait produit un autre effet, au plus profond de lui, qu'il avait réussi à garder secret. Quand les lèvres de Ragna avaient touché les siennes, il avait été instantanément et intégralement submergé par l'amour.

Un coup de tonnerre, un éclair, un homme foudroyé en une seconde.

Non, ce n'était là qu'apparence. Étendu sur les joncs devant sa cheminée, seul, les yeux fermés, il scruta son âme et dut convenir qu'il était amoureux d'elle depuis longtemps déjà. Pendant des années, il s'était répété que son cœur appartenait tout entier à Sungifu et que personne ne pourrait jamais la remplacer. Et pourtant, à un certain moment – il n'aurait su dire quand –, il avait commencé à aimer Ragna. Il ne s'en était pas rendu compte sur le coup, mais cela lui semblait maintenant évident.

En faisant défiler les quatre dernières années dans sa mémoire, il ne put se cacher que Ragna était devenue la personne la plus importante de sa vie. Ils s'aidaient mutuellement. Il ne goûtait rien tant que parler avec elle – depuis combien de temps était-ce son occupation favorite ? Il admirait son intelligence et sa détermination et, surtout, ce mélange d'autorité inflexible et d'empathie qui la faisait aimer des petites gens.

Il l'appréciait, il l'admirait et la trouvait très belle. Ses sentiments n'avaient pas été ardents comme le feu de la passion, ils avaient été plus proches d'un tas de bois sec prêt à s'embraser à la moindre étincelle. Et ce baiser avait été l'étincelle. Il mourait d'envie de l'embrasser encore, de l'embrasser le jour comme la nuit.

Cela n'arriverait jamais. C'était la fille d'un comte : même si elle avait été célibataire, elle n'aurait jamais épousé un simple maçon. De plus, elle n'était pas célibataire. Elle était l'épouse d'un homme qui ne devait jamais rien savoir de ce baiser, sans quoi il ferait exécuter Edgar sur-le-champ. Pire, elle semblait aimer son mari. Et, pour couronner le tout, elle lui avait donné trois fils.

Qu'est-ce qui ne tourne pas rond chez moi ? se demanda Edgar. J'ai aimé une morte, et maintenant j'aime une femme qui pourrait aussi bien l'être, tant elle est inaccessible.

Il songea à ses frères, heureux de partager une épouse vulgaire, égoïste et plutôt sotte. Pourquoi ne puis-je pas être comme eux et me contenter de la première venue ? Comment ai-je pu être stupide au point de m'éprendre d'une femme noble et mariée ? Et dire qu'on me prétend plus intelligent qu'eux.

Il rouvrit les yeux. Il y aurait un banquet ce soir au village. Il pourrait passer toute la soirée près de Ragna. Et le lendemain, il commencerait à travailler sur le canal, un projet qui lui offrirait de nombreuses raisons de s'entretenir avec elle au cours des semaines à venir. Plus jamais elle ne l'embrasserait, mais elle ferait partie de sa vie.

Il devrait s'en contenter.

*

Ragna parla au shérif Den dès son retour à Shiring. Elle avait hâte de capturer Face-de-Fer, qui était un fléau pour toute la région. Et Wilf serait satisfait, en rentrant chez lui, de découvrir qu'elle avait réglé ce problème – le genre d'exploit hors de portée de Carwen.

Le shérif, qui partageait son impatience, reconnut qu'Offa pourrait peut-être leur fournir des indices sur la cachette du bandit. Ils décidèrent de l'interroger dès le lendemain matin. Ragna espérait de tout son cœur qu'Agnès et Offa ne s'étaient pas rendus coupables d'un délit tel que le recel d'objets volés.

Le lendemain à l'aube, elle retrouva Den devant la maison du couple. Il avait plu toute la nuit, et le sol était trempé. Den était accompagné du capitaine Wigbert, de deux autres hommes d'armes et de deux serviteurs munis de pelles. Ragna se demanda à quoi elles étaient destinées.

Agnès ouvrit la porte. En voyant le shérif et ses hommes, elle parut effrayée.

« Offa est là ? demanda Ragna.

— Pourquoi donc voulez-vous voir Offa, dame Ragna ? »

Aussi désolée fût-elle pour sa couturière, Ragna devait rester ferme. Puisque c'était elle qui gouvernait le comté en l'absence de son mari, elle ne pouvait pas se permettre la moindre indulgence dans une enquête criminelle.

« Tais-toi, Agnès, contente-toi de répondre aux questions qu'on te pose. Tu sauras tout bien assez tôt. À présent, laisse-nous entrer. »

Wigbert ordonna aux deux hommes d'armes de rester au-dehors, mais fit signe aux serviteurs de le suivre.

Ragna constata que la maison était confortablement aménagée : il y avait des tentures murales pour arrêter les courants d'air, un lit muni d'un matelas et une rangée de gobelets et de bols cerclés de métal sur la table.

Offa se redressa dans son lit, repoussa une épaisse couverture de laine et se leva.

« Que se passe-t-il ?

— Agnès, dit Ragna, montre au shérif la bague que tu portais à Outhenham.

— Elle est à mon doigt. »

Elle tendit sa main gauche à Den.

« Offa, où t'es-tu procuré ce bijou ? » demanda Ragna.

Il réfléchit un instant, grattant son nez tordu comme s'il fouillait dans sa mémoire – ou cherchait à gagner du temps pour inventer une histoire plausible.

« Je l'ai acheté à Combe.

— Qui te l'a vendu ? »

Elle espérait obtenir le nom d'un orfèvre, mais fut déçue.

« Un marin français, répondit Offa.

— Son nom ?

— Richard de Paris. »

C'était le genre de nom qu'on pouvait lancer tout à trac. Il existait sans doute plusieurs centaines d'hommes appelés Richard de Paris. Elle commença à douter de la sincérité d'Offa, tout en espérant encore, pour le bien d'Agnès, que ses soupçons étaient infondés.

« Pourquoi un marin français vendait-il des bijoux féminins ?

— Il m'a dit l'avoir acheté pour sa femme, mais avoir regretté ensuite son achat parce qu'il avait perdu tout son argent aux dés. »

D'ordinaire, Ragna savait reconnaître quand les gens mentaient, mais elle en était incapable avec Offa.

« Où ce Richard de Paris avait-il acheté la bague ?

— Chez un joaillier de Combe, j'imagine, mais il ne me l'a pas dit. Que se passe-t-il ? Pourquoi ces questions ? J'ai payé cette bague soixante pennies. Y a-t-il un problème ? »

Ragna devina qu'Offa avait dû savoir ou du moins soupçonner que la bague était un bijou volé, mais qu'il cherchait à couvrir celui qui la lui avait vendue. Elle ne savait pas comment poursuivre son interrogatoire. Après un silence, Den prit le relais. Se tournant vers les deux serviteurs, il ordonna sèchement :

« Fouillez la maison. »

Ragna n'en voyait pas très bien l'utilité. Ils devaient délier la langue d'Offa, et non inspecter son logis.

Il y avait deux coffres verrouillés et plusieurs boîtes où était conservée la nourriture. Ragna regarda patiemment les serviteurs remuer toute la maison. Ils palpèrent les vêtements suspendus à des patères, plongèrent les mains jusqu'au fond d'un tonneau de bière et retournèrent tous les joncs répandus sur le sol. Ragna ignorait ce qu'ils cherchaient, mais quoi que ce fût, ils ne trouvèrent rien d'intéressant.

Elle était soulagée. Elle voulait absolument qu'Offa soit innocent, pour Agnès.

« La cheminée », déclara ensuite Den.

Ragna comprit l'utilité des pelles. Les deux serviteurs s'en servirent pour retirer les braises du feu et les jeter à l'extérieur. Les bûches brûlantes sifflèrent en heurtant le sol mouillé.

Bientôt, la terre sous le foyer apparut et les serviteurs se mirent à creuser.

À une dizaine de pouces de profondeur, les pelles heurtèrent du bois.

Offa se précipita alors hors de la maison. Il agit si rapidement que personne ne put l'arrêter. Mais deux hommes d'armes étaient postés devant la porte. Ragna entendit un grognement de protestation et le bruit d'un corps lourd tombant dans la boue. Une minute plus tard, les hommes du shérif ramenèrent Offa, chacun le tenant fermement par un bras.

Agnès fondit en larmes.

« Continuez à creuser », ordonna Den aux serviteurs.

Au bout de quelques minutes, ils sortirent du trou un coffre en bois d'un pied de long. À la façon dont ils le manipulaient, Ragna devina qu'il était lourd.

Il n'était pas verrouillé et Den souleva le couvercle. Il contenait plusieurs milliers de pennies d'argent, ainsi que quelques bijoux.

« Le butin de longues années de rapine, plus quelques souvenirs », déclara Den.

Sur le dessus reposait une ceinture de cuir souple à boucle et mordant d'argent. Ragna poussa une exclamation.

« Vous reconnaissez quelque chose ? lui demanda Den.

— La ceinture. Le cadeau que je destinais à Wilf – et que Face-de-Fer m'a dérobé. »

Den se tourna vers Offa.

« Quel est le vrai nom de Face-de-Fer et où se cache-t-il ?

— Je ne sais pas, répondit Offa. J'ai acheté cette ceinture. Je sais que je n'aurais pas dû. Pardonnez-moi. »

Den adressa un signe de tête à Wigbert, qui se plaça devant Offa. Les deux hommes d'armes raffermirent leur prise.

Wigbert tira de sa ceinture un lourd gourdin en chêne poli. D'un mouvement vif, il l'écrasa sur le visage d'Offa. Ragna poussa un cri, mais Wigbert l'ignora. En une rapide succession de coups précis, il frappa Offa à la tête, aux épaules et aux genoux. En entendant le craquement du bois dur sur les os, Ragna fut prise de nausée.

Lorsque le capitaine s'arrêta, le visage d'Offa était couvert de sang. Incapable de tenir sur ses jambes, il se serait effondré sans la poigne des hommes d'armes. Agnès gémissait comme si elle-même souffrait.

« Quel est le vrai nom de Face-de-Fer et où se cache-t-il ? répéta Den.

— Je vous jure que je ne sais pas », bredouilla Offa entre ses dents cassées et ses lèvres sanglantes.

Wigbert brandit une nouvelle fois son gourdin.

« Non, je vous en prie, arrêtez ! s'écria Agnès. Je sais qui est Face-de-Fer, c'est Ulf ! Ne frappez plus Offa ! »

Den se tourna vers Agnès.

« L'attrapeur de chevaux ?

— Oui, je le jure.

— J'espère pour toi que tu dis la vérité », lança Den.

*

Edgar ne croyait pas qu'Ulf, l'attrapeur de chevaux, pût être Face-de-Fer. Il l'avait croisé plusieurs fois et se rappelait un homme petit, quoique énergique et puissant, comme il devait l'être pour dompter les poneys sauvages de la forêt. Ses deux rencontres avec Face-de-Fer lui avaient également laissé des souvenirs précis, et il était certain que l'individu était de taille et de corpulence moyennes.

« Agnès se trompe peut-être, dit-il à Den quand le shérif passa à Dreng's Ferry, en route pour aller arrêter Ulf.

— Ou alors, c'est toi qui te trompes », répliqua Den.

Edgar haussa les épaules. Agnès aurait aussi pu mentir. Ou lâcher un nom au hasard, uniquement pour faire cesser la torture, sans avoir aucune idée de l'identité de celui qui se cachait sous le casque de fer rouillé.

Edgar et les autres hommes du village accompagnèrent Den et son groupe. Le shérif n'avait pas besoin de renforts, mais les villageois n'auraient manqué cette distraction pour rien au monde, et avaient le prétexte d'être responsables du respect de la loi dans leur partie du comté.

Lorsqu'ils passèrent devant la ferme, Erman et Eadbald se joignirent à eux.

Un chien aboya quand ils approchèrent de la bergerie de Theodberht Pied-Bot. Sa femme et lui leur demandèrent la raison de leur venue.

« Nous cherchons Ulf, l'attrapeur de chevaux, répondit Den.

— À cette période de l'année, vous le trouverez chez lui, répondit Theodberht. Les chevaux sauvages ont faim. Il lui suffit d'étaler du foin, et les bêtes viennent à lui.

— Merci. »

Environ un quart de lieue plus loin, ils arrivèrent à l'enclos d'Ulf. Le mâtin attaché à côté de la barrière n'aboya pas, mais les chevaux hennirent, et Ulf et Wyn, sa femme, sortirent aussitôt de la maison. La mémoire d'Edgar ne l'avait pas trompé : Ulf était un homme maigre aux muscles noueux, un peu plus petit que sa femme. Tous deux avaient le visage et les mains crasseux. Edgar se souvint que Wyn avait eu un frère du nom de Begstan, mort à l'époque où Edgar et sa famille s'étaient installés à Dreng's Ferry. Sur le moment, ce décès avait éveillé les soupçons de Dreng, étonné que le corps ne soit pas enterré au cimetière du moustier.

Les hommes du shérif les encerclèrent.

« On m'a dit que tu es Face-de-Fer, déclara Den à Ulf.

— On vous a trompé », répondit Ulf.

Edgar eut l'intuition qu'il disait la vérité sur ce point, mais qu'il dissimulait autre chose.

Den ordonna à ses hommes de fouiller les lieux.

« Je te conseille d'attacher ce mâtin tout près de la clôture, parce que s'il s'en prend à un de mes hommes, je lui transpercerai sur-le-champ le poitrail avec ma lance. »

Ulf raccourcit la corde afin que le molosse ne puisse pas bouger de plus de quelques pieds.

Ils fouillèrent la maison délabrée. Wigbert en ressortit avec un coffre.

« Le bougre est plus riche qu'on n'aurait pu le croire – à vue de nez, il y a bien quatre ou cinq livres d'argent là-dedans.

— Les économies de toute une vie. Vingt ans de dur labeur, voilà tout. »

Ulf disait peut-être vrai, songea Edgar. En tout cas, cette somme ne suffisait pas à prouver des agissements délictueux.

Deux hommes munis de pelles firent le tour de l'enclos par l'extérieur, scrutant le sol pour chercher les traces d'un endroit où Ulf aurait pu enterrer quelque chose. Ils escaladèrent ensuite la clôture et poursuivirent leur inspection à l'intérieur de l'enclos, effarouchant les chevaux sauvages qui s'éloignèrent. Ils ne trouvèrent rien.

L'impatience de Den était manifeste. Il s'adressa à Wigbert et Edgar à voix basse.

« Je ne crois pas qu'Ulf soit innocent.

— Je ne le crois pas non plus, approuva Edgar. Mais ce n'est pas Face-de-Fer. Maintenant que je le revois, j'en suis certain.

— Qu'est-ce qui te fait penser qu'il n'est pas innocent, dans ce cas ?

— Une simple intuition. Peut-être sait-il qui est Face-de-Fer.

— Je vais l'arrêter tout de même. Mais j'aurais préféré trouver des objets compromettants. »

Edgar regarda autour de lui. Le toit de la masure s'affaissait et il y avait des trous dans les murs en torchis ; pourtant, Wyn paraissait bien nourrie et portait un manteau doublé de fourrure. Le couple n'était pas pauvre, seulement négligé.

La niche du mâtin attira alors son attention.

« Ulf traite bien son chien », remarqua-t-il.

Rares étaient ceux qui se souciaient d'abriter un chien de garde de la pluie. Sourcils froncés, il s'approcha. Le mâtin gronda, menaçant, mais il était solidement attaché. Edgar tira sa hache viking de sa ceinture.

« Que fais-tu ? » demanda Ulf.

Edgar ne répondit pas. En quelques coups de hache, il détruisit la niche. Puis il creusa le sol avec le fer. Au bout de quelques minutes, celui-ci tinta en heurtant du métal.

Il s'agenouilla au bord du trou qu'il avait creusé et entreprit de dégager la terre avec les mains. Peu à peu, le contour arrondi d'un objet en fer rouillé se dessina.

« Ah, dit-il en reconnaissant la forme.

— Qu'est-ce ? » demanda Den.

Edgar sortit l'objet du trou et le brandit triomphalement.

« Le casque de Face-de-Fer, annonça-t-il.

— La question est réglée, dit Den. Ulf et Face-de-Fer ne font qu'un.

— C'est faux, je le jure ! protesta Ulf.

— Alors, à qui appartient ce casque ? »

Ulf hésita.

« Si tu ne réponds pas, tu te condamnes toi-même. »

Ulf désigna sa femme du doigt.

« C'est elle ! Je le jure ! C'est Wyn !

— Une femme ? » s'étonna Den.

Wyn prit soudain ses jambes à son cou, évitant les deux hommes du shérif qui se tenaient près d'elle. Ils se retournèrent pour la poursuivre et se heurtèrent. Les autres suivirent, mais avec quelques secondes de retard : la femme semblait sur le point de s'échapper.

C'est alors que Wigbert brandit sa lance. Elle atteignit Wyn à la hanche et la femme tomba à terre.

Gisant à plat ventre, elle gémissait de douleur. Wigbert s'approcha et retira sa lance du corps de la fugitive.

La manche gauche de Wyn s'était retroussée dans sa chute. Une cicatrice barrait la peau douce et blanche de la partie supérieure de son bras, sur l'arrière.

Edgar se rappela cette nuit à la ferme, quelques jours seulement après l'arrivée de sa famille à Dreng's Ferry. Les aboiements de Brindille avaient soudain rompu le silence. À la lumière de la lune, Edgar avait aperçu une silhouette coiffée d'un casque de fer s'enfuir avec le porcelet sous le bras, et il avait fait tomber le voleur avec sa hache de Viking.

Ma avait tranché la gorge d'un des deux autres brigands. C'était probablement Begstan, le frère de Wyn.

Edgar s'agenouilla à côté d'elle et compara la cicatrice au fer de sa hache. Ils avaient exactement la même taille.

« Le doute n'est plus permis, conclut-il. C'est moi qui lui ai infligé cette cicatrice. Wyn est bien Face-de-Fer. »

*

Ragna avait terriblement mauvaise conscience. Après avoir fait venir Agnès de Cherbourg et consenti avec joie au mariage de sa couturière avec Offa, elle était obligée de présider un procès dont l'issue pouvait fort bien être la condamnation à mort de ce dernier. Elle avait une folle envie d'accorder sa grâce à Offa, mais devait faire respecter la loi.

La cour du comté attira peu de gens cette fois. La plupart des thanes et des autres notables qui y participaient d'ordinaire étaient partis avec Wilf combattre les Vikings. Ragna siégeait sous un dais de fortune. Le monde semblait attendre l'arrivée du printemps : c'était une journée froide et nuageuse, ponctuée d'averses, qui ne laissait présager aucune éclaircie.

Le grand événement du jour serait le procès de Wyn, dont on savait à présent qu'elle n'était autre que Face-de-Fer. Offa et Ulf figuraient également au banc des accusés, en tant que complices. Tous trois risquaient la peine de mort.

Jusqu'à quel point Agnès avait-elle eu connaissance des crimes de son mari ? Ragna n'en savait rien. Dans un instant de désespoir, elle avait crié qu'Ulf était Face-de-Fer, laissant à penser qu'elle nourrissait des soupçons ; mais elle avait nommé la mauvaise personne, ce qui suggérait qu'elle ignorait la vérité. Selon un principe juridique généralement admis, une femme n'était pas coupable des crimes de son mari à moins d'y avoir collaboré, et, après mûre réflexion, Ragna et le shérif Den avaient décidé de ne pas poursuivre Agnès en justice.

Ragna n'en était pas moins tiraillée. Pouvait-elle condamner Offa à mort et condamner ainsi Agnès au veuvage ?

Elle savait qu'elle risquait d'avoir à le faire. Elle avait toujours défendu le respect de la loi et jouissait d'une réputation de scrupuleuse impartialité. En Normandie, on la surnommait Deborah, en référence à la juge de la Bible, et à Outhenham, on l'appelait Ragna la Juste. Elle estimait que la justice devait être objective et trouvait inacceptable que des puissants se permettent d'influencer un tribunal pour qu'il tranche en faveur de leur famille – une position qu'elle avait affirmée avec force. Elle avait été scandalisée de voir Wilwulf condamner Cuthbert comme faux-monnayeur et accorder l'impunité à Wynstan. Elle ne pouvait pas en faire autant à présent.

Les trois accusés, debout en rang, avaient les pieds et les mains liés pour décourager toute tentative d'évasion. Ulf et Wyn étaient sales et déguenillés, tandis qu'Offa était bien habillé et se tenait droit. Le casque de fer rouillé de Wyn était posé sur une table basse devant le siège de Ragna, à côté des saintes reliques sur lesquelles les témoins devaient jurer.

Le shérif Den représentait l'accusation. Parmi ses cojureurs de serment figuraient le capitaine Wigbert, Edgar le bâtisseur et Dreng le batelier.

Wyn et Ulf reconnurent tous deux leur culpabilité et déclarèrent qu'Offa leur achetait une partie de leur butin pour aller la revendre à Combe.

Offa nia tout, mais il n'avait qu'un cojureur, Agnès. Au fond d'elle-même, Ragna espérait encore qu'il présenterait une défense qui lui permettrait de le déclarer innocent, ou, du moins, de ne lui infliger qu'une peine clémente.

Le shérif Den fit le récit de l'arrestation, puis dressa la liste des gens qui s'étaient fait détrousser – et, dans quelques cas, tuer – par le porteur du casque. Les notables présents, essentiellement des membres du haut clergé et les thanes trop âgés ou infirmes pour combattre, exprimèrent à voix basse leur colère à l'égard de ces bandits qui avaient semé la terreur sur la route de Combe, fréquentée par la plupart d'entre eux.

Offa se défendit avec fougue. Il affirma que Wyn

et Ulf mentaient. Il jura que les objets volés retrouvés chez lui avaient été achetés en toute bonne foi dans des échoppes d'orfèvre. Et que seul un accès de panique l'avait poussé à tenter d'échapper au shérif Den. Quant à sa femme, soutint-il, elle avait lancé le nom d'Ulf au hasard.

Personne ne crut un mot de son discours.

Ragna déclara que, de l'avis général, les trois accusés étaient coupables, et personne ne manifesta de désaccord.

Agnès se jeta alors sur le sol mouillé aux pieds de Ragna en sanglotant.

« Oh, dame Ragna, mais c'est un homme bon, et je l'aime ! »

Ragna eut l'impression qu'on lui enfonçait un poignard dans le cœur, mais elle se força à garder une voix impassible.

« Tous les hommes qui ont volé, violé ou tué un jour avaient une mère, et beaucoup avaient des épouses qui les aimaient et des enfants qui avaient besoin d'eux. Mais ils ont tué les maris d'autres femmes, vendu comme esclaves les enfants d'autres hommes, et dépouillé de toutes leurs économies des innocents pour les dépenser dans des tavernes et des bordels. Ils méritent d'être châtiés.

— Je vous ai servie fidèlement pendant dix ans ! Vous devez m'aider ! Vous devez accorder votre grâce à Offa, sans quoi il sera pendu !

— Je suis au service de la justice, poursuivit Ragna. Songe à tous ceux qui ont été blessés ou volés par Face-de-Fer ! Que penseraient-ils si je libérais Offa sous prétexte qu'il est l'époux de ma couturière ?

— Mais vous êtes mon amie ! » cria Agnès d'une voix stridente.

Ragna mourait d'envie de dire : Oh, très bien, Offa

n'avait peut-être pas de mauvaises intentions, je ne vais pas le condamner à mort. Mais c'était impossible.

« Je suis ta maîtresse et je suis l'épouse de l'ealdorman. Je ne peux pas faire d'entorse à la justice pour toi.

— Je vous en prie, madame ! Je vous implore !

— La réponse est non, Agnès, et l'affaire est close. Que quelqu'un l'emmène.

— Comment pouvez-vous me faire cela ? »

Alors que les hommes du shérif s'emparaient d'Agnès, la haine déforma son visage.

« Si vous tuez mon mari, vous serez une meurtrière ! cria-t-elle, l'écume aux lèvres. Espèce de sorcière ! Diablesse ! »

Elle cracha, et sa salive atterrit sur le bas de la robe verte de Ragna.

« J'espère que votre mari mourra aussi ! » hurla-t-elle, pendant que les hommes l'emmenaient de force.

*

Wynstan avait suivi l'altercation entre Ragna et Agnès avec un vif intérêt. La couturière éprouvait une rage venimeuse et Ragna se sentait coupable. Wynstan pourrait certainement en tirer parti, même s'il ne voyait pas encore comment.

Les condamnés furent pendus le lendemain à l'aube. Plus tard, Wynstan donna un modeste banquet pour les notables qui avaient assisté au procès. Mars n'était pas un mois propice pour festoyer, car les veaux et les agneaux de l'année n'étaient pas encore nés ; on servit donc à la table de l'évêque des poissons fumés et de la viande salée, accompagnés de différents plats de fèves aux fruits secs. Wynstan compensa la simplicité des mets par une abondance de vin.

Au cours du repas, il écouta plus qu'il ne parla. Il

aimait savoir qui faisait de bonnes affaires ou connaissait des revers de fortune, quels conflits opposaient les nobles et quelles affreuses rumeurs couraient, vraies ou fausses. Le sort d'Agnès lui donnait aussi à réfléchir. Il ne fit qu'une contribution notable à la conversation, qui eut trait au prieur Aldred.

Cenbryht, le frêle thane de Trench, trop vieux pour aller guerroyer, mentionna qu'Aldred lui avait rendu visite pour lui demander de faire un don au prieuré de Dreng's Ferry, soit sous forme pécuniaire soit – et c'était sa préférence – en concession de terre.

Wynstan savait que le prieur Aldred cherchait de nouvelles sources de revenus. Il avait malheureusement remporté quelques succès, modiques cependant : le prieuré avait obtenu la tenure de cinq hameaux en plus de Dreng's Ferry. Wynstan faisait toutefois tout ce qu'il pouvait pour décourager les donateurs.

« J'espère que vous n'avez pas été trop généreux, observa-t-il.

— Je suis trop pauvre pour être généreux, répondit le thane. Mais pourquoi dites-vous cela ?

— Eh bien… »

Wynstan ne laissait jamais passer une occasion de dénigrer Aldred.

« Des histoires déplaisantes me sont arrivées aux oreilles…, commença-t-il, feignant d'hésiter à poursuivre. Je ne devrais pas en dire trop, car il ne s'agit peut-être que de ragots, mais il est question d'orgies avec des esclaves. »

Ce n'étaient même pas des ragots : Wynstan venait d'inventer cette fable.

« Ciel, s'exclama le thane. Je ne lui ai fait don que d'un cheval, mais je le regrette déjà. »

Wynstan fit mine de battre en retraite.

« Ces rumeurs sont peut-être infondées – même si

Aldred s'est déjà mal conduit par le passé, lorsqu'il était novice à Glastonbury. Vrai ou faux, je serais intervenu sur-le-champ, ne fût-ce que pour faire taire ces bruits, mais je n'ai plus d'autorité sur Dreng's Ferry. »

L'archidiacre Degbert intervint à l'autre bout de la table.

« C'est d'autant plus regrettable », remarqua-t-il.

Le thane Deglaf de Wigleigh se mit à parler des nouvelles en provenance d'Exeter, et rien d'autre ne fut dit à propos d'Aldred. Mais Wynstan était satisfait. Il avait semé le doute, et ce n'était pas la première fois. La capacité d'Aldred à obtenir des dons se voyait sévèrement limitée par la propagation constante de vilaines rumeurs. Wynstan tenait à ce que le monastère de Dreng's Ferry demeure un coin perdu, où Aldred serait condamné à passer le restant de ses jours.

Après le départ de ses hôtes, Wynstan se retira dans sa chambre privée avec Degbert, et ils s'entretinrent du déroulement du procès. Ragna avait rendu la justice avec promptitude et équité, nul ne pouvait le nier. Elle possédait un instinct sûr en matière de culpabilité et d'innocence. Elle avait manifesté une grande pitié envers les malheureux et aucune envers les malfaiteurs. Naïvement, elle n'avait pas cherché à utiliser la loi pour servir ses propres intérêts en se faisant des amis et en châtiant ses ennemis.

En réalité, elle s'était même fait une ennemie d'Agnès – une erreur stupide, de l'avis de Wynstan, mais qu'il réussirait peut-être à exploiter.

« Où crois-tu qu'on puisse trouver Agnès à cette heure ? » demanda-t-il à Degbert.

L'archidiacre passa sa paume sur son crâne chauve.

« Elle est en deuil et ne sortira pas de chez elle sans raison impérieuse.

— Je devrais peut-être lui rendre visite. »

Wynstan se leva.

« Veux-tu que je t'accompagne ? proposa Degbert.

— Non, je ne crois pas. Ce sera une petite conversation en tête à tête : la veuve éplorée et son évêque venu lui apporter un réconfort spirituel. »

Degbert lui indiqua où vivait Agnès, et Wynstan revêtit sa houppelande avant de sortir.

Il trouva Agnès assise à sa table, devant un bol de ragoût qui paraissait avoir refroidi sans avoir été touché. Stupéfaite de le voir, elle se leva d'un bond.

« Monseigneur !

— Assieds-toi, Agnès, assieds-toi », dit Wynstan d'une voix basse et apaisante.

Il l'examina avec intérêt, ne lui ayant jamais prêté beaucoup d'attention jusqu'ici. Elle avait des yeux bleus lumineux et le nez pointu. Son visage avait une expression rusée que Wynstan trouva attirante.

« Je suis venu t'offrir la consolation de Dieu dans ton deuil.

— La consolation ? Je ne veux pas de consolation – je veux mon mari. »

Elle était en colère, et Wynstan commença à entrevoir comment il pourrait en tirer profit.

« Je ne peux pas te rendre ton Offa, mais je puis peut-être t'offrir autre chose.

— Quoi ?

— La vengeance.

— C'est Dieu qui me l'offre ? » demanda-t-elle, sceptique.

Elle avait l'esprit vif, songea-t-il. Elle n'en serait que plus utile.

« Les voies du Seigneur sont impénétrables. »

Wynstan prit place sur le banc et tapota la place à côté de lui. Agnès s'assit.

« M'offrez-vous de me venger du shérif qui a accusé

Offa ? Ou de dame Ragna, qui l'a condamné à mort ? Ou de Wigbert, qui l'a pendu ?

— Lequel détestes-tu le plus ?

— Ragna. J'aimerais lui arracher les yeux.

— Du calme !

— Je vais la tuer.

— Non, ce n'est pas ce qu'il faut faire. » Un plan s'était formé peu à peu dans l'esprit de Wynstan, et il le voyait maintenant dans son intégralité. Mais fonctionnerait-il ? « Tu feras quelque chose de beaucoup plus intelligent : tu te vengeras d'elle d'une manière qu'elle ne soupçonnera jamais.

— Dites-moi, dites-moi, demanda Agnès d'une voix haletante. Pourvu qu'elle souffre, je le ferai.

— Retourne chez elle et reprends ton ancien emploi de couturière.

— Non ! Jamais !

— Si. Tu seras mon espionne dans la maison de Ragna. Tu me rapporteras tout ce qui s'y passe, notamment tout ce qui est censé demeurer secret – surtout ces choses-là.

— Elle ne me reprendra jamais à son service. Elle se méfiera. »

C'était effectivement la crainte de Wynstan. Sa belle-sœur n'était pas sotte. Mais l'instinct de Ragna la poussait à chercher le meilleur chez autrui, et non le pire. De plus, elle était navrée de ce qui était arrivé à Agnès – il s'en était bien rendu compte pendant le procès.

« Je crois que Ragna se sent terriblement coupable d'avoir condamné ton mari à mort. Elle ferait n'importe quoi pour se racheter.

— Vous croyez ?

— Elle hésitera peut-être, mais elle le fera. » Au moment même où il prononçait ces mots, il se demanda si c'était vrai. « Alors que toi, tu la trahiras, comme elle t'a trahie. Tu détruiras sa vie. Et elle ne le saura jamais. »

Le visage d'Agnès s'illumina tel celui d'une femme dans l'extase de l'amour.

« Oui ! dit-elle. Oui, je le ferai.

— Tu es une bonne fille », approuva Wynstan.

*

Déchirée par les remords et la mauvaise conscience, Ragna regarda Agnès.

Et ce fut pourtant Agnès qui lui demanda pardon.

« J'ai très mal agi envers vous, madame », dit-elle.

Ragna était assise sur un tabouret à quatre pieds près de la cheminée. Il lui semblait que c'était elle qui avait fait du tort à Agnès en condamnant son mari. Et si sa décision avait été juste, elle n'en paraissait pas moins atrocement cruelle.

Elle hésita à montrer ses sentiments, et laissa Agnès debout. Que dois-je faire ? se demandait-elle.

« Vous auriez pu ordonner qu'on me fouette pour ce que je vous ai dit, mais vous ne l'avez pas fait. Je ne méritais pas tant de bonté. »

Ragna balaya la remarque d'un geste de la main. Les insultes proférées sous le coup de la colère ne lui importaient guère.

Cat, qui assistait à leur conversation, n'était pas de cet avis.

« Il est vrai que tu ne méritais pas autant de bonté, Agnès.

— Cela suffit, Cat, intervint Ragna. Je peux parler en mon propre nom.

— Je vous prie de m'excuser, dame Ragna.

— Je suis venue implorer votre pardon, reprit Agnès, même si je sais que je n'en suis pas digne. »

Aux yeux de Ragna, elles avaient l'une comme l'autre besoin de pardon.

« J'ai passé des nuits à réfléchir, poursuivit Agnès, et je me rends compte à présent que vous avez fait ce qu'il fallait, que vous ne pouviez pas agir autrement. Je suis désolée. »

Ragna n'aimait pas les excuses. Les brouilles ne se réglaient pas à grand renfort de paroles convenues. Elle tenait pourtant à apaiser cette querelle.

« Je n'avais plus toute ma tête, poursuivit Agnès, j'étais tellement désespérée. »

Moi aussi, je pourrais maudire celui qui ferait exécuter mon mari, songea Ragna, même s'il mérite son châtiment.

Elle ne savait que dire. Pouvait-elle se réconcilier avec Agnès ? Wilf se serait moqué de cette idée, mais c'était un homme.

D'un point de vue pratique, le retour d'Agnès lui tirerait une épine du pied. Cat avait du mal à s'occuper des trois petits en plus de ses deux filles, tous âgés de moins de deux ans. Depuis le départ d'Agnès, Ragna lui cherchait une remplaçante, sans trouver la perle rare. Si Agnès recommençait à travailler pour elle, le problème serait réglé. En outre, les enfants l'aimaient bien.

Pouvait-elle faire confiance à Agnès après ce qui s'était passé ?

« Vous ne savez pas ce que ça fait, madame, de découvrir qu'on a choisi le mauvais mari. »

Oh si, songea Ragna avant de prendre conscience que c'était la première fois qu'elle se faisait cet aveu.

Elle fut prise d'un élan de compassion. Quels qu'aient été les péchés d'Agnès, ils avaient été commis sous la puissante influence d'Offa. Elle avait épousé un homme malhonnête, ce qui ne faisait pas d'elle une femme malhonnête.

« Je serais tellement soulagée que vous m'adressiez un mot gentil avant que je m'en aille, reprit Agnès d'un ton pitoyable. Dites seulement "Que Dieu te bénisse", je vous en prie, madame. »

Ragna n'eut pas le cœur de lui refuser cela.

« Que Dieu te bénisse, Agnès.

— Puis-je embrasser les jumeaux ? Ils me manquent si cruellement. »

Elle n'avait pas eu la chance d'avoir un enfant, songea Ragna.

« Oui, bien sûr. »

Agnès souleva d'un geste expérimenté les deux petits en même temps, et en tint un dans chaque bras.

« Je vous aime, tous les deux », murmura-t-elle.

Colinan, le plus jeune de quelques minutes, était le plus avancé. Il croisa le regard d'Agnès, gazouilla et sourit.

Ragna soupira.

« Agnès, veux-tu revenir ? » lui demanda-t-elle.

27

Avril 1001

Le père Aldred comptait beaucoup sur le thane Deorman de Norwood. Il était riche. Norwood était une ville marchande, or qui disait marché disait prospérité. La femme de Deorman, son épouse de longue date, était morte le mois précédent. Ce qui devait le rendre plus soucieux de l'au-delà. Après la mort d'un proche, les nobles étaient plus enclins à accorder de pieuses donations.

Aldred avait grand besoin de dons. Le prieuré n'était plus aussi pauvre que trois ans auparavant puisqu'il possédait désormais trois chevaux, un troupeau de moutons et quelques vaches laitières. Aldred avait pourtant de plus hautes ambitions. Il s'était fait à l'idée qu'il n'obtiendrait jamais la direction de l'abbaye de Shiring, mais pensait pouvoir transformer le prieuré en centre d'érudition. Pour cela, il ne pouvait se contenter de quelques hameaux. Il lui fallait davantage, un village florissant, un petit bourg, ou une entreprise qui lui permettrait de gagner de l'argent, comme un port ou des droits de pêche.

La grande salle du thane Deorman était richement meublée, ornée de tentures et d'une profusion de couvertures et de coussins. Les serviteurs étaient en train de dresser la table pour le dîner, qui s'annonçait copieux ; il régnait une forte odeur de viande rôtie. Deorman était un homme d'âge mûr, affligé d'une vue basse qui l'empêchait d'aller combattre les Vikings avec Wilwulf. Il était accompagné de deux femmes vêtues de couleurs vives qui lui semblaient trop attachées pour être de simples servantes. Aldred se demandait quelle était leur fonction exacte. Six petits enfants au moins couraient dans tous les sens, entrant et sortant de la maison en poussant des cris perçants.

Indifférent aux petits et insensible aux caresses et aux sourires des femmes, le thane réservait toute sa tendresse à un grand chien noir assis près de lui.

Aldred alla droit au but.

« J'ai été peiné d'apprendre la mort de votre chère épouse, Godgifu. Que son âme repose en paix.

— Merci. J'ai deux autres femmes, mais Godgifu vivait avec moi depuis trente ans. Elle me manque. »

Aldred ne fit aucun commentaire sur la polygamie

de Deorman. Il lui en parlerait peut-être une autre fois. Pour le moment, il tenait à se concentrer sur son objectif. Il poursuivit, d'une voix plus grave, plus passionnée.

« Les moines de Dreng's Ferry seraient heureux de dire des prières quotidiennes pour le salut de son âme, si vous le souhaitez.

— J'ai une cathédrale pleine de prêtres qui prient pour elle ici, à Norwood.

— Vous avez bien de la chance, et elle encore plus. Mais vous n'ignorez pas que les prières des moines célibataires ont plus de poids dans l'autre monde qui nous attend tous que celles des prêtres mariés.

— Il paraît. »

Aldred adopta un ton plus direct.

« Outre Norwood, vous êtes aussi seigneur du petit hameau de Southwood, qui possède une mine de fer. »

Il s'interrompit. Le moment était venu de présenter sa demande clairement. Après une courte prière silencieuse, il reprit :

« Accepteriez-vous de faire don au prieuré de Southwood et de sa mine de fer en mémoire de lady Godgifu ? »

Il retint son souffle. Deorman allait-il accueillir sa demande avec mépris ? Éclater de rire devant son impertinence ? Prendre la mouche ?

Sa réaction fut débonnaire. Il eut l'air étonné, mais amusé.

« Vous ne manquez pas d'audace », remarqua-t-il prudemment.

« *Demandez, et l'on vous donnera ; cherchez, et vous trouverez ; frappez, et l'on vous ouvrira.* » Aldred rappelait souvent ce verset de l'Évangile selon saint Matthieu quand il sollicitait des dons.

« Il est certain qu'on n'obtient pas grand-chose en

ce bas monde si l'on ne demande pas, admit Deorman. Mais cette mine me rapporte beaucoup d'argent.

— Elle changerait le destin du prieuré.

— Je n'en doute pas. »

Deorman ne disait pas non, mais Aldred le sentait réticent. Il attendit de voir ce qui le faisait hésiter.

« Combien êtes-vous de moines dans votre prieuré ? » demanda Deorman.

Il gagne du temps, se dit Aldred.

« Huit avec moi.

— Tous d'honnêtes hommes ?

— Assurément.

— Parce que, voyez-vous, il y a des rumeurs. »

Nous y voilà, pensa Aldred. Sentant une bouffée de colère lui monter à la gorge, il se força à garder son calme.

« Des rumeurs, répéta-t-il.

— Pour être franc, j'ai ouï dire que vos moines organisaient des orgies avec des esclaves.

— Je sais de qui vous tenez ces calomnies. » Sans parvenir tout à fait à dissimuler sa fureur, il réussit néanmoins à parler posément.

« Il y a quelques années, j'ai, pour mon malheur, démasqué un puissant personnage coupable d'un grave délit et j'en paie encore les conséquences.

— Vous en payez les conséquences, *vous* ?

— Oui, par ce genre de calomnies.

— Vous êtes en train de me dire que cette histoire d'orgie est un mensonge pur et simple ?

— Je suis en train de vous dire que les moines de Dreng's Ferry respectent à la lettre la règle de saint Benoît. Nous n'avons ni esclaves, ni concubines, ni amants. Nous sommes chastes.

— Hum.

— Vous n'êtes pas obligé de me croire sur parole.

Venez vérifier par vous-même, de préférence sans nous prévenir. Arrivez à l'improviste et vous nous verrez tels que nous sommes au quotidien. Nous travaillons, nous prions et nous dormons. Nous vous inviterons à partager notre repas de poisson et de légumes. Vous verrez que nous n'avons pas de serviteurs, pas d'animaux de compagnie, aucun luxe d'aucune sorte. Nos prières ne sauraient être plus pures.

— Eh bien, nous verrons. » Deorman était ébranlé, mais l'avait-il convaincu ? « En attendant, mangeons. »

Aldred s'assit à table avec les membres de la famille de Deorman et ses principaux serviteurs. Une jolie jeune femme vint s'asseoir près de lui et l'assaillit de propos lestes. Tout en restant poli, Aldred se montra imperméable à son badinage. Si l'on cherchait ainsi à le mettre à l'épreuve, on s'y prenait mal : il aurait peut-être été moins insensible aux taquineries d'un beau jeune homme.

La nourriture, cochon de lait et chou de printemps, était bonne et le vin fort. Aldred mangea peu et ne but qu'une gorgée, comme toujours.

À la fin du repas, alors qu'on débarrassait la table, Deorman annonça sa décision.

« Je ne vous donnerai pas Southwood. Mais je vous offrirai deux livres d'argent pour prier pour l'âme de Godgifu. »

Aldred dissimula sa déconvenue.

« Je vous remercie de votre bonté. Soyez assuré que Dieu entendra nos prières. Ne pourriez-vous pas cependant aller jusqu'à cinq livres ? »

Deorman éclata de rire.

« Pour récompenser votre persévérance, j'irai jusqu'à trois, à condition que vous ne me demandiez rien de plus.

— Je vous en suis très reconnaissant», dit Aldred, le cœur rempli de rage et d'amertume.

Il aurait pu obtenir bien davantage si Wynstan ne lui avait pas mis des bâtons dans les roues. Même si Deorman n'ajoutait pas vraiment foi à ses mensonges, ils lui donnaient une excuse pour se montrer moins généreux.

Le trésorier de Deorman prit l'argent dans un coffre et Aldred le rangea dans sa sacoche de selle.

«Je ne veux pas voyager seul avec cet argent, annonça-t-il. Je vais passer à l'auberge du Chêne chercher des compagnons de route pour demain.»

Il prit congé. Le centre du bourg n'étant qu'à quelques pas du domaine de Deorman, il s'y rendit à pied, sans monter Dismas, ruminant son échec. Il avait espéré que la malveillance de Wynstan n'aurait pas atteint Norwood, qui avait sa propre cathédrale et son propre évêque. Il avait été déçu.

Arrivé à l'auberge du Chêne, il passa devant la taverne, d'où s'échappait le tapage d'un groupe de buveurs turbulents, et se dirigea directement vers l'écurie. En entrant, il reconnut avec surprise la mince silhouette familière de frère Godleof occupé à desseller un cheval pie. Il avait l'air inquiet et semblait s'être dépêché.

«Que se passe-t-il ? demanda Aldred.

— J'ai pensé que vous souhaiteriez apprendre la nouvelle au plus vite.

— Quelle nouvelle ?

— L'abbé Osmund est mort.

— Paix à son âme, fit Aldred en se signant.

— Hildred a été nommé abbé.

— Cela n'a pas tardé.

— L'évêque Wynstan a tenu à procéder immédiatement à l'élection et l'a présidée lui-même.»

Wynstan avait veillé à faire gagner son candidat préféré, et avait aussitôt ratifié la décision des moines. En théorie, l'archevêque et le roi avaient leur mot à dire, mais Wynstan les ayant mis devant le fait accompli, il leur serait désormais difficile de s'y opposer.

« Comment sais-tu tout cela ? s'étonna Aldred.

— L'archidiacre Degbert est venu l'annoncer au prieuré. Je pense qu'il espérait vous l'apprendre en personne. D'autant plus qu'il a été question d'argent.

— Dis-moi.

— Hildred a annulé le subside accordé par l'abbé à notre prieuré. Dorénavant, nous devrons nous contenter des sommes que nous parviendrons à obtenir par nous-mêmes… ou fermer. »

Le coup était rude. Aldred bénissait soudain les trois livres de Deorman qui mettaient le prieuré à l'abri d'une fermeture immédiate.

« Va te chercher quelque chose à manger, dit-il à Godleof. Il nous faut partir dès que possible. »

Ils s'assirent par terre près du chêne auquel la taverne devait son nom. Pendant que Godleof mangeait du pain et du fromage arrosés d'un pichet de bière, Aldred réfléchissait. Cette nouvelle situation présentait certains avantages. Dans les faits, le prieuré jouirait désormais d'une totale indépendance : l'abbé ne pourrait plus les régenter en les menaçant de leur couper les vivres. Cette flèche ne pouvait être tirée qu'une fois. Aldred demanderait à l'archevêque de Canterbury une charte officialisant cette indépendance.

Cependant, la somme offerte par Deorman ne durerait pas indéfiniment et il devenait urgent de trouver le moyen d'assurer la sécurité financière du prieuré. Que faire ?

La plupart des monastères vivaient grâce à l'accumulation de richesses provenant de multiples donations. Certains avaient de grands troupeaux de moutons, d'autres touchaient des redevances de bourgs et de villages, d'autres enfin possédaient des pêcheries et des carrières. Depuis trois ans, Aldred s'échinait à obtenir de tels présents, avec un résultat des plus modestes.

Il songea alors à Winchester et à saint Swithun qui y avait été évêque au IXe siècle. Il avait accompli un miracle sur le pont enjambant l'Itchen. Pris de pitié devant une pauvre femme qui avait laissé tomber son panier d'œufs qui s'étaient brisés, il les avait reconstitués. Sa sépulture dans la cathédrale était devenue un haut lieu de pèlerinage. Des malades y avaient miraculeusement recouvré la santé. Les pèlerins offraient de l'argent à la cathédrale. Ils achetaient aussi des souvenirs, logeaient dans des auberges appartenant aux moines et contribuaient plus généralement à la prospérité de la ville. Grâce à ces revenus, les moines avaient agrandi l'église afin qu'elle puisse accueillir davantage de pèlerins, qui rapportaient encore plus d'argent.

Beaucoup d'églises possédaient de saintes reliques : les os blanchis d'un saint, un fragment de la vraie croix, un carré d'étoffe ancienne portant miraculeusement l'empreinte du visage du Christ. Si les moines menaient habilement leurs affaires, en veillant au bon accueil des pèlerins, en exposant les objets sacrés dans une châsse imposante, en répandant des récits de miracles, les reliques attiraient des pèlerins qui faisaient la fortune de la ville et du monastère.

Malheureusement, il n'y avait pas de reliques à Dreng's Ferry.

Il était possible d'en acheter, mais Aldred n'en avait pas les moyens. Qui pourrait lui offrir un bien aussi précieux ? Il pensa alors à l'abbaye de Glastonbury.

Il y avait été novice et se souvenait qu'elle contenait une collection de reliques si importante que frère Theodric, le sacristain, ne savait qu'en faire.

Il se sentit tout ragaillardi.

L'abbaye abritait la tombe de saint Patrick, patron de l'Irlande, et vingt-deux squelettes complets d'autres saints. L'abbé ne lui céderait aucun de ces trésors, mais l'abbaye détenait aussi quantité d'ossements divers et de fragments de tissu, une des flèches ensanglantées qui avaient tué saint Sébastien et une cruche bouchée contenant du vin des noces de Cana. Ses vieux amis auraient-ils pitié de lui ? Sans doute avait-il quitté Glastonbury couvert d'opprobre, mais c'était du passé. En général, les moines se tenaient les coudes face aux évêques et personne n'appréciait Wynstan : il y avait une chance que cela réussisse, se dit-il, de plus en plus optimiste.

De toute façon, il n'avait pas de meilleure idée.

Ayant terminé son repas, Godleof rapporta son gobelet de bois à la taverne. En ressortant, il demanda :

« Alors, retournons-nous à Dreng's Ferry ?

— Changement de programme, annonça Aldred. Je vais t'accompagner un bout de chemin… ensuite, j'irai à Glastonbury. »

*

Il ne s'attendait pas à éprouver pareille nostalgie en arrivant en vue du lieu où il avait passé son adolescence.

Du haut d'une modeste colline, il découvrit une plaine marécageuse, couverte d'une verdure printanière émaillée de mares et de ruisselets luisant au soleil ; un canal de six pas de large entaillait le coteau de sa ligne droite qui aboutissait à un embarcadère sur une place de marché étincelante de couleurs – rouge des balles d'étoffe, jaune des roues de fromage, vert des empilements de choux.

Avant de construire celui d'Outhenham, Edgar avait harcelé Aldred de questions au sujet de ce canal, mettant sa mémoire à rude épreuve.

Au-delà du village se dressaient deux bâtiments en pierre grise, une église et un monastère. Une bonne dizaine de bâtisses en bois étaient réparties tout autour : étables et écuries, resserres, cuisines et maisons des serviteurs. Aldred apercevait même le jardin d'herbes aromatiques où, surpris en train d'embrasser Leofric, il avait attiré sur lui un déshonneur qui le poursuivait depuis.

Il n'avait pas revu Leofric depuis vingt ans. Il se souvenait d'un grand garçon filiforme au teint rose, à la lèvre supérieure barrée d'un duvet blond, un adolescent plein de vitalité. Il avait dû changer. Comme Aldred d'ailleurs : il était devenu plus lent, plus posé dans ses gestes, compassé dans son attitude, et son visage gardait une ombre sombre même quand il venait de se raser.

Une immense tristesse l'envahit. Il regrettait l'infatigable jeune homme qu'il avait été, ce garçon qui lisait, apprenait, absorbait les connaissances comme un parchemin absorbe l'encre et qui, ses leçons terminées, dépensait une énergie égale à enfreindre les règles. En allant à Glastonbury, il avait l'impression de se rendre sur la tombe de sa jeunesse.

Il tenta de chasser ces pensées mélancoliques en traversant le village vibrant de bruits divers, marchandages, menuiserie, ferronnerie, cris d'hommes, rires de femmes.

L'écurie du monastère sentait bon la paille propre et les chevaux bouchonnés. Il dessella Dismas et laissa l'animal épuisé boire son content à l'abreuvoir.

Le passé d'Aldred jouerait-il en faveur de sa mission ou lui nuirait-il ? Se souviendrait-on de lui avec affection, chercherait-on à l'aider, ou serait-il traité en réprouvé chassé pour inconduite, en homme dont nul ne souhaitait le retour ?

Il ne connaissait aucun des valets d'écurie. Ce n'étaient pas des moines mais des serviteurs. Il demanda à l'un des plus âgés si Elfweard était toujours abbé.

« Oui, et toujours en bonne santé, grâce à Dieu, répondit l'homme.

— Et Theodric, le sacristain ?

— Toujours là, lui aussi, mais il se fait vieux.

— Et frère Leofric ? ajouta Aldred d'un air dégagé.

— Le cellérier ? Oui, il va bien. »

Chargé de l'achat de toutes les provisions, le cellérier était un personnage important au sein du monastère.

« Il est bien nourri en tout cas », remarqua un des palefreniers, provoquant un éclat de rire général.

Aldred en conclut qu'il avait pris du poids. Manifestement intrigué, le plus âgé reprit :

« Voulez-vous que je vous conduise quelque part dans l'abbaye, ou auprès d'un moine en particulier ?

— Je souhaite avant tout présenter mes respects à l'abbé Elfweard. Je suppose que je le trouverai chez lui ?

— Très certainement. Les moines ont fini de déjeuner. Ils ne devraient pas sonner none avant une heure ou deux. »

None était l'office de l'après-midi.

« Merci. »

Aldred s'éloigna sans satisfaire la curiosité du palefrenier.

Au lieu de se rendre chez l'abbé, il se dirigea vers les cuisines.

Dans un monastère de cette importance, le cellérier n'était pas chargé de transporter des sacs de farine et des quartiers de bœuf jusqu'aux feux de l'office. Il était assis à une table et tenait un crayon. Un cellérier avisé travaillait cependant à proximité des cuisiniers pour surveiller les entrées et sorties des denrées et décourager les vols.

Un bruit de vaisselle s'échappait de la cuisine où les serviteurs récuraient les ustensiles. Aldred se rappelait que, de son temps, le cellérier était installé sous un appentis qui y était adossé et constata qu'il avait été remplacé par un bâtiment plus important, prolongé par une extension en pierre qui devait servir de réserve.

Inquiet de l'accueil que lui réserverait Leo, il s'approcha avec circonspection et s'arrêta sur le seuil. Leo était assis sur un banc devant une table, de profil par rapport à l'entrée pour profiter de la lumière du jour. Il prenait des notes sur une tablette de cire avec le stylet qu'il tenait à la main. Comme il gardait les yeux baissés, Aldred eut un instant pour l'observer. Sans être franchement replet, il n'avait plus rien du garçon squelettique qu'Aldred avait connu. Les cheveux entourant sa tonsure étaient toujours aussi blonds et son visage plus rose encore. Aldred s'émut en pensant à l'amour passionné qui l'avait lié à cet homme. Et maintenant, vingt ans plus tard ?

Aldred n'eut pas le temps de sonder son cœur car Leo leva les yeux.

Il ne reconnut pas tout de suite son ancien compagnon de noviciat. En homme occupé accueillant courtoisement un importun, il demanda, un sourire de pure forme aux lèvres :

« En quoi puis-je vous aider ?

— En me reconnaissant, idiot », répondit Aldred en entrant.

Leo se leva, ébahi, un pli d'incertitude au front.
« Aldred ?
— Lui-même. »
Aldred s'avança vers lui, les bras grands ouverts. Leo leva les mains comme pour se protéger et Aldred comprit immédiatement qu'il ne voulait pas de son étreinte. Il avait raison : ceux qui connaissaient leur histoire pourraient croire qu'ils renouaient leur ancienne liaison. Aldred s'arrêta net et recula d'un pas sans cesser de sourire.
« Je suis content de te voir.
— Moi aussi.
— Nous pourrions nous serrer la main.
— Certes. »
Leurs mains se joignirent au-dessus de la table. Aldred garda celle de Leo entre les siennes pendant un court instant. S'il avait toujours beaucoup d'affection pour Leo, il se rendit compte qu'il avait perdu tout désir d'intimité physique. Il éprouva la même bouffée de tendresse que celle qui le saisissait parfois devant Tatwine, le vieux scribe, le pauvre aveugle Cuthbert ou mère Agatha. Mais il était délivré de l'irrésistible envie de se repaître du contact d'un corps contre un corps, d'une peau contre une peau.
« Prends un tabouret, dit Leo. Puis-je t'offrir du vin ?
— Je préférerais de la bière. Moins elle sera forte, mieux ce sera. »
Leo disparut dans son cellier et revint avec un grand gobelet de bois contenant un liquide noirâtre. Aldred but avec avidité.
« La route a été longue et poussiéreuse.
— Et dangereuse, avec tous ces Vikings.
— Je suis passé par le nord. Les combats se déroulent au sud, me semble-t-il.

— Qu'est-ce qui t'amène ici après toutes ces années ? »

Aldred lui raconta toute l'histoire. Leo était au courant de l'affaire de fausse monnaie, comme tout le monde, mais il ignorait tout de la campagne de représailles fomentée par Wynstan contre Aldred. En écoutant ce dernier, Leo se détendait, rassuré sur ses intentions à son égard.

« En effet, nous avons plus de vieux ossements que nous n'en avons besoin, reconnut-il quand Aldred eut achevé son récit. Quant à savoir si Theodric acceptera d'en céder quelques-uns, c'est une autre question. »

Leo se montrait désormais nettement plus affable – mais pas tout à fait. Il restait sur la réserve, à cause, peut-être d'un secret qu'il préférait garder. Qu'il en soit ainsi, se dit Aldred ; je n'ai pas à tout savoir de sa vie pourvu qu'il se range de mon côté.

« Theodric était un vieux barbon grincheux quand j'étais ici, se souvint Aldred. Il avait l'air de détester particulièrement les jeunes.

— Il ne s'est pas arrangé. Mais allons le voir tout de suite, avant none. Après son dîner, il lui arrive d'être d'assez bonne humeur. »

Aldred se réjouit intérieurement : Leo était devenu son allié.

Comme Leo se levait, un autre moine surgit et entra tout en parlant. Beau, les cheveux noirs, les lèvres charnues, il devait avoir une dizaine d'années de moins qu'Aldred et Leo.

« Ils veulent nous faire payer quatre roues de fromage alors qu'ils n'en ont livré que trois. » Apercevant Aldred, il écarquilla les yeux. « Oh ! Qui est-ce ? »

Il contourna la table pour se placer à côté de Leo.

« Voici mon aide, Pendred, dit Leo.

— Je suis Aldred, le prieur de Dreng's Ferry.

— Aldred et moi étions novices ensemble ici », expliqua Leo.

À la façon dont Pendred se tenait près de Leo et à la pointe de nervosité qui faisait trembler la voix de ce dernier, Aldred devina qu'ils étaient amis intimes – jusqu'à quel point, il l'ignorait et ne voulait pas le savoir. Sans doute était-ce le secret que Leo avait préféré celer.

Aldred sentit que Pendred risquait d'être dangereux s'il était pris de jalousie et tentait de dissuader Leo de l'aider. Il fallait tout de suite le convaincre qu'il n'avait rien à craindre. Il le regarda droit dans les yeux.

« Je suis heureux de faire ta connaissance, Pendred, dit-il avec gravité pour faire comprendre au moine qu'il ne s'agissait pas d'une simple politesse.

— Aldred et moi étions de grands amis, précisa Leo.

— C'était il y a bien longtemps », s'empressa de préciser Aldred.

Pendred hocha lentement la tête trois fois de suite.

« Je suis heureux de faire votre connaissance, frère Aldred. »

Il avait compris le message, au grand soulagement d'Aldred.

« J'emmène Aldred chez Theodric, annonça Leo. Donne au fromager le prix de trois fromages et dis-lui que nous paierons le quatrième quand nous l'aurons reçu. »

Il sortit avec Aldred.

Un allié sûr, pensa Aldred et un ennemi potentiel écarté. Pour le moment, tout va bien.

En traversant le domaine, Aldred aperçut le canal.

« L'eau coule-t-elle sur un lit d'argile sur toute la longueur ? demanda-t-il.

— Presque. Sauf à l'extrémité, de ce côté-ci, où le

sol est un peu sablonneux. Il faut le recouvrir d'argile malaxée et les berges sont renforcées – le terme technique est "revêtues" – de planches. Je le sais parce que c'est moi qui ai commandé le bois la dernière fois. Pourquoi me demandes-tu cela ?

— Edgar, un bâtisseur, m'a posé des questions sur le canal de Glastonbury parce qu'il en creuse un à Outhenham. C'est un jeune homme brillant, mais il n'a encore jamais construit de canal. »

Ils entrèrent dans l'église de l'abbaye. De jeunes moines chantaient. Peut-être apprenaient-ils un nouveau cantique ou en répétaient-ils un ancien. Leo entraîna Aldred vers le transept sud. Une lourde porte ceinte de ferrures et munie de deux serrures était ouverte dans sa partie est. Dans le souvenir d'Aldred, c'était là que se trouvait le trésor. Ils pénétrèrent dans une pièce aveugle, sombre et froide, qui sentait la poussière et le passage du temps. Quand ses yeux se furent accoutumés à la faible lueur du brûle-jonc, Aldred découvrit, sur tous les murs, des étagères chargées de coffrets d'or, d'argent et de bois.

Au fond de la pièce, dans la partie orientée à l'est et donc la plus sacrée, un moine était agenouillé devant un petit autel austère sur lequel reposait un coffre ouvragé en argent et ivoire sculpté, sûrement un reliquaire.

« La fête de saint Savann a lieu la semaine prochaine, expliqua Leo à voix basse. Les ossements seront portés en procession dans l'église pour la célébration. Je pense que Theodric demande pardon au saint de le déranger ainsi. »

Aldred acquiesça. Les saints vivaient en quelque sorte à travers leurs ossements et étaient très présents dans tous les lieux où leurs reliques étaient conservées. Ils étaient heureux qu'on perpétue leur souvenir et qu'on les vénère, mais il convenait de les traiter avec prévenance et respect.

« Il ne faut pas le contrarier », murmura Aldred.

Malgré leur discrétion, Theodric les avait entendus chuchoter. Il se leva avec peine, se retourna, les dévisagea et s'approcha d'un pas incertain. D'après Aldred, il devait avoir dans les soixante-dix ans. Il avait le visage affaissé et ridé. Étant naturellement chauve, il n'avait pas besoin de raser sa tonsure.

« Nous sommes désolés d'interrompre vos prières, frère Theodric, dit Leo.

— Ne vous souciez pas de moi. Espérons en revanche que le saint ne vous en tiendra pas rigueur, répliqua Theodric d'un ton sec. Allez, sortons, avant que vous ne parliez davantage. »

Au lieu d'obtempérer, Aldred désigna un coffret en bois d'if mordoré qui servait habituellement à ranger des arcs. Il lui semblait l'avoir déjà vu.

« Que contient-il ?

— Des os de saint Adolphe de Winchester. Le crâne, un bras et une main.

— Cela me rappelle quelque chose. Il a été tué par un roi saxon ?

— Oui, parce qu'il détenait un livre chrétien. Maintenant, dehors, je vous prie. »

Ils passèrent dans le transept et Theodric referma la porte derrière eux.

« Frère Theodric, dit Leo. Je ne sais pas si vous vous souvenez de frère Aldred.

— Je n'oublie jamais rien. »

Aldred fit mine de le croire.

« Je suis content de vous revoir.

— Ah, c'est toi ! s'exclama Theodric en reconnaissant sa voix. Aldred, oui. Tu étais un vrai fauteur de troubles.

— Je suis maintenant prieur de Dreng's Ferry… Où je mène moi-même la vie dure aux fauteurs de troubles.

— Alors pourquoi ne t'y trouves-tu pas en ce moment ? »

Aldred sourit. Leo avait raison, l'âge n'avait guère adouci le caractère de Theodric.

« J'ai besoin de votre aide.

— Que veux-tu ? »

Aldred lui raconta l'histoire de Wynstan et de Dreng's Ferry et lui expliqua qu'il lui fallait trouver un moyen d'attirer les pèlerins.

« Tu voudrais que je te donne de précieuses reliques ? protesta Theodric avec une feinte indignation.

— Mon prieuré n'a pas de saint pour veiller sur lui. Glastonbury en a au moins une vingtaine. Je vous demande d'avoir pitié de vos frères moins favorisés.

— Je suis allé à Dreng's Ferry. Il y a cinq ans, l'église tombait en ruine.

— J'ai fait consolider l'extrémité ouest par un arc-boutant. Maintenant, elle tient parfaitement debout.

— Avec quoi ? Je croyais que tu n'avais pas d'argent, rétorqua Theodric d'un air triomphant, convaincu d'avoir pris Aldred en flagrant délit de mensonge.

— Lady Ragna m'a fait don des pierres et un jeune bâtisseur du nom d'Edgar s'est chargé des travaux en échange de leçons de lecture et d'écriture. Je n'ai donc rien eu à payer.

— Cette église est un piètre écrin pour les reliques d'un saint », fit Theodric, changeant de stratégie.

Ce n'était pas faux et Aldred fut contraint d'improviser.

« Si vous m'en offrez, frère Theodric, j'agrandirai l'église, toujours avec le concours de lady Ragna et d'Edgar.

— Cela ne change rien. L'abbé ne m'autorisera pas à laisser partir des reliques, même si je le voulais.

— Vous avez peut-être raison, Theodric, intervint Leo. Mais posons la question à l'abbé lui-même.

— Si tu insistes », acquiesça Theodric en haussant les épaules.

Ils quittèrent l'église et se dirigèrent vers la maison de l'abbé. Un allié et un ennemi, songea Aldred. Maintenant, tout est entre les mains de l'abbé Elfweard.

Tout en marchant, Leo demanda à Aldred : « Cet Edgar, comment est-il ?

— C'est un merveilleux ami pour le prieuré. Pourquoi ?

— Tu as cité son nom trois fois. »

Aldred lui jeta un regard perçant.

« Comme tu l'as deviné, je l'aime beaucoup. Lui, en revanche, est entièrement dévoué à lady Ragna. »

Sans le dire explicitement, Aldred lui faisait comprendre qu'Edgar n'était pas son amant.

Leo saisit le message.

« Très bien, je comprends. »

L'abbé vivait dans une maison commune. Étant munie de deux portes sur la façade, elle devait comporter deux pièces. Aldred supposa qu'il dormait dans l'une et tenait des réunions dans l'autre. C'était un luxe de dormir seul, mais l'abbé de Glastonbury était un notable.

Leo les conduisit dans ce qui était manifestement la salle de réunion. En l'absence de feu, l'air était d'une fraîcheur agréable. L'un des murs était recouvert d'une grande tapisserie de l'Annonciation montrant la Vierge Marie en robe bleue bordée d'un coûteux fil d'or. Un jeune homme, sans doute le serviteur de l'abbé, leur dit :

« Je vais le prévenir que vous êtes ici. »

Elfweard arriva presque aussitôt.

Abbé depuis un quart de siècle, c'était désormais un vieil homme. Il marchait avec une canne qu'il tenait d'une main tremblante. Il avait l'air grave, mais ses yeux brillaient d'intelligence.

Leo présenta Aldred.

« Je me souviens de toi, dit Elfweard d'un ton sévère. Tu avais commis le péché de Sodome. J'ai dû t'éloigner pour te séparer de ton complice en infamie. »

Cela s'annonçait mal.

« Vous m'avez dit que la vie est dure et qu'être moine la rend plus dure encore.

— Je suis heureux que tu ne l'aies pas oublié.

— Je ne cesse de m'en souvenir depuis vingt ans.

— Tu as fait du chemin depuis que tu nous as quittés, remarqua Elfweard visiblement radouci. Je dois le reconnaître.

— Merci.

— Cependant, tu n'as pas toujours su éviter les ennuis.

— C'étaient de bons ennuis.

— Peut-être. Qu'est-ce qui t'amène aujourd'hui ? »

Aldred raconta son histoire pour la troisième fois.

Quand il eut fini, Elfweard se tourna vers Theodric.

« Qu'en dit notre sacristain ?

— Je ne crois pas qu'un saint nous saurait gré d'envoyer ses reliques dans un minable prieuré perdu au milieu de nulle part. »

Leofric vola au secours d'Aldred.

« D'un autre côté, un saint qui bénéficie de peu d'attention ici serait peut-être heureux d'aller accomplir des miracles ailleurs. »

Aldred eut beau observer l'abbé, son visage demeurait impénétrable.

« D'après mes souvenirs, intervint Aldred, lorsque

j'étais ici, certains trésors n'étaient jamais exposés dans l'église à la vue des moines et encore moins des fidèles.

— Des ossements, des lambeaux d'étoffes ensanglantées, une mèche de cheveux, énuméra Theodric d'un air dédaigneux. Précieux, oui, mais insignifiants comparés à un squelette entier. »

Il avait eu tort de se montrer aussi méprisant car Aldred saisit la balle au bond.

« Précisément ! Insignifiants ici, à Glastonbury, comme le reconnaît frère Theodric. Mais à Dreng's Ferry, ces reliques accompliraient des miracles ! »

Elfweard interrogea Theodric du regard.

« Je n'ai pas dit "insignifiants", j'en suis sûr, se défendit Theodric.

— Si, tu l'as dit », confirma l'abbé.

Acculé, Theodric se rétracta.

« Dans ce cas, je n'aurais pas dû. Je le retire. »

Sentant la victoire à portée de main, Aldred poussa l'avantage, au risque de paraître insistant.

« L'abbaye possède des ossements de saint Adolphe, son crâne et un bras.

— Adolphe ? demanda Elfweard. Martyrisé pour avoir détenu l'Évangile selon saint Marc, si je me rappelle bien.

— Oui. On l'a tué à cause d'un livre. Voilà pourquoi je me souviens de lui.

— Il devrait être le saint patron des bibliothécaires. »

Aldred se sentait à deux doigts de l'emporter.

« Mon vœu le plus cher est de créer une bibliothèque à Dreng's Ferry.

— Une ambition respectable, admit Elfweard. Eh bien, Theodric, les restes de saint Adolphe ne représentent certainement pas le trésor le plus important que possède Glastonbury. »

Aldred se tut de crainte de rompre le charme.

« Je pense que personne ne remarquera leur absence », reconnut Theodric.

Aldred se retint d'exulter.

Le serviteur de l'abbé reparut portant une chape, un vêtement liturgique en laine blanche à large carrure, orné de scènes bibliques en broderies rouges.

« C'est l'heure de none », annonça-t-il.

Elfweard se leva. Son serviteur ajusta la cape sur ses épaules et la noua sur le devant. Ainsi vêtu pour l'office, l'abbé se tourna vers Aldred :

« Tu auras compris, je pense, que la nature des reliques importe moins que l'usage que l'on en fait. Ce sera à toi de créer les conditions qui rendront les miracles possibles.

— Je vous promets de tirer le meilleur parti des ossements de saint Adolphe.

— Et tu devras les transporter à Dreng's Ferry avec toute la pompe nécessaire. Il ne faudrait pas mettre d'emblée le saint dans de mauvaises dispositions.

— N'ayez crainte. J'ai de grands projets. »

*

Penché à une fenêtre de son palais de Shiring, l'évêque Wynstan observait le monastère silencieux au-delà de la place animée du marché. La fenêtre n'avait pas de vitre – le verre étant un luxe réservé aux rois – et le volet avait été ouvert pour laisser entrer la fraîche brise printanière.

Une charrette à quatre roues tirée par un bœuf s'avançait sur la route de Dreng's Ferry. Un petit groupe l'escortait sous la conduite d'Aldred, le prieur.

Comment le prieur désargenté d'un obscur monastère pouvait-il se montrer aussi contrariant ? Cet homme ne s'avouait jamais vaincu. Wynstan s'adressa à l'archidiacre Degbert, qui était là avec sa femme, Edith. À eux deux, ils savaient toujours tout ce qui se disait en ville.

« Que manigance encore ce diable de moine ?

— Je vais aller voir, proposa Edith en quittant la pièce.

— Je crois savoir, intervint Degbert. Il y a deux semaines, il s'est rendu à Glastonbury. L'abbé lui a donné un fragment du squelette de saint Adolphe.

— Adolphe ?

— Il a été supplicié par un roi saxon.

— Ah oui, je m'en souviens.

— Aldred retourne à Glastonbury, cette fois pour accomplir le rituel nécessaire au déplacement des reliques. Mais il ne s'agit que d'un coffret d'ossements. Je ne vois pas pourquoi il a besoin d'une charrette. »

Celle-ci s'arrêta à l'entrée de l'abbaye de Shiring. Un attroupement de curieux se forma. Wynstan vit Edith les rejoindre.

« Comment Aldred peut-il se payer une charrette à quatre roues et un bœuf ? » s'étonna-t-il.

Degbert connaissait la réponse.

« Le thane Deorman de Norwood lui a donné trois livres.

— Quel idiot, ce Deorman. »

Les gens entourèrent la charrette. Aldred souleva la toile qui la recouvrait, mais Wynstan ne put voir ce qu'elle dissimulait. La toile retomba, la charrette entra dans l'abbaye et la foule se dispersa.

Edith revint presque aussitôt.

« C'est une statue grandeur nature de saint Adolphe ! annonça-t-elle, tout excitée. Il a un beau visage, recueilli et triste à la fois.

— Une idole à livrer à l'adoration des ignorants,

lança Wynstan d'un ton méprisant. Je suppose qu'en plus, elle est peinte ?

— Le visage est blanc, ainsi que les mains et les pieds. La tunique est grise. Mais les yeux sont d'un bleu si vif qu'on se sent transpercé ! »

Le bleu, obtenu à partir de poudre de lapis-lazuli broyé, était la couleur la plus coûteuse.

Wynstan murmura alors lentement :

« Je sais ce que ce rusé renard mijote.

— J'aimerais bien le savoir, moi aussi, dit Degbert.

— Il va faire une tournée avec les reliques. Il s'arrêtera à toutes les églises entre Glastonbury et Dreng's Ferry. Depuis qu'Hildred lui a coupé les vivres, il a besoin d'argent. Il va se servir du saint pour recueillir des dons.

— Cela pourrait être efficace, déclara Degbert.

— Sauf si j'ai mon mot à dire. »

28

Mai 1001

Aux abords du village de Trench, les moines entonnèrent un cantique.

Les huit occupants du prieuré de Dreng's Ferry étaient là, dont Cuthbert l'aveugle, auxquels s'ajoutait Edgar, chargé d'actionner le mécanisme. Ils avançaient de part et d'autre de la charrette en procession solennelle, Godleof conduisant le bœuf par l'anneau passé dans ses naseaux.

La statue du saint et le coffret en bois d'if contenant les ossements se trouvaient dans la charrette, recouverts d'étoffes qui amortissaient également les cahots.

Les villageois travaillaient aux champs. Ils s'affairaient, mais c'était la saison du sarclage, une tâche facile à interrompre. En entendant chanter, ils se redressèrent en se massant le dos au milieu des jeunes pousses d'orge et de seigle et, apercevant la procession, convergèrent vers la route pour voir ce qui se passait.

Aldred avait interdit aux moines de parler à quiconque pour le moment. La mine solennelle, ils continuèrent donc à chanter en regardant droit devant eux. Les villageois rejoignirent la procession et suivirent la charrette en échangeant tout bas des propos animés.

Aldred avait tout préparé avec soin, mais c'était la première fois qu'il tentait l'expérience. Il pria pour qu'elle réussisse.

La charrette passa entre les maisons, attirant dans son sillage tous ceux qui n'étaient pas occupés aux champs : les hommes et les femmes âgés, les enfants trop petits pour faire la différence entre céréales et mauvaises herbes, un berger portant un agneau malade dans ses bras, un charpentier armé d'un marteau et d'un ciseau à bois, une laitière chargée d'une baratte qu'elle continuait à faire tourner tout en marchant. Les chiens se mirent aussi de la partie, reniflant avec intérêt les robes des moines.

Ils arrivèrent tous au milieu du village. Il y avait une mare, des communaux sans clôture où paissaient quelques chèvres, une taverne et une petite église en bois. La grande maison appartenait probablement au vieux thane Cenbryht, mais on ne le vit pas. Sans doute était-il absent.

Godleof manœuvra la charrette de manière à placer l'arrière face à la porte de l'église, puis il détacha le bœuf qu'il mena au pré.

Les moines n'avaient plus qu'à porter précautionneusement les reliques et la statue à l'intérieur de l'église : ils avaient assez souvent répété l'opération pour être sûrs de l'exécuter avec dignité.

C'était du moins ce qu'Aldred avait prévu. Il aperçut alors le jeune curé du village debout, bras croisés, devant la porte de son église, l'air inquiet, mais déterminé.

C'était étrange.

« Continuez à chanter, dit-il aux moines avant de s'approcher du prêtre. Bonjour, mon père.

— Bonjour.

— Je suis Aldred, le prieur de Dreng's Ferry. J'apporte les reliques sacrées de saint Adolphe.

— Je sais. »

Aldred fronça les sourcils. Comment pouvait-il le savoir ? Aldred n'avait parlé à personne de ses projets. Il préféra cependant éviter de s'engager dans une discussion.

« Le saint souhaite passer la nuit dans votre église.

— C'est impossible, répondit l'homme, vaguement embarrassé.

— Êtes-vous prêt à provoquer la colère du saint en présence même de ses saints ossements ?

— J'obéis aux ordres, murmura le curé en déglutissant avec peine.

— Vous obéissez à la volonté de Dieu, bien sûr.

— À la volonté de Dieu telle que me l'ont exposée mes supérieurs.

— Quel supérieur aurait pu vous ordonner d'interdire à saint Adolphe de se reposer dans votre église ?

— Mon évêque.

— Wynstan.

— Oui. »

Wynstan avait interdit au prêtre d'accueillir les

reliques ! Et il avait sans doute transmis le même message à toutes les églises situées entre Glastonbury et Dreng's Ferry. Il avait dû faire vite ! Dans quel dessein ? Simplement pour empêcher Aldred de recueillir de l'argent ? La malveillance de cet évêque était-elle donc sans bornes ?

Aldred tourna le dos au prêtre. Le pauvre homme redoutait plus Wynstan que saint Adolphe, et Aldred ne pouvait pas lui en vouloir. Il n'était cependant pas prêt à renoncer. Les villageois attendaient un spectacle, et il le leur offrirait. Sinon dans l'église, alors à l'extérieur.

« Le mécanisme peut fonctionner si la statue est dans la charrette, n'est-ce pas ? demanda-t-il tout bas à Edgar.

— Oui, il peut fonctionner n'importe où.

— Alors, prépare-toi. »

Aldred prit place devant la charrette, face aux villageois, et leur imposa le silence d'un regard circulaire. Il commença en latin. Les gens ne comprenaient pas les paroles, mais ils en avaient l'habitude : le latin convaincrait ceux qui en doutaient peut-être encore qu'il s'agissait d'un office religieux dans les règles.

Il passa ensuite à l'anglais.

« Ô Dieu éternel et tout puissant qui nous révèles ta grâce et ta miséricorde à travers les mérites de saint Adolphe, permets à ton saint d'intercéder en notre faveur. »

Il prononça le Notre Père que les villageois récitèrent avec lui.

Aldred raconta alors la vie et la mort du saint. On n'en connaissait que quelques bribes, mais Aldred broda allègrement. Il dépeignit le roi saxon sous les traits d'un féroce égocentrique et le saint comme un doux au cœur pur, ce qui ne pouvait pas être très éloigné de la vérité, il en était certain. Il attribua à Adolphe toutes sortes de miracles inventés pour l'occasion, convaincu qu'il avait dû accomplir sinon ceux-ci, du moins d'autres du même genre. La foule l'écoutait, subjuguée.

Il s'adressa enfin directement au saint pour rappeler aux fidèles qu'il était présent parmi eux dans leur village, qu'il les voyait et les entendait.

« Ô très saint Adolphe, si quelqu'un ici, en ce bourg chrétien de Trench, est aujourd'hui en proie au chagrin, apporte-lui la consolation, nous t'en prions. »

C'était un signal pour Edgar. Aldred résista à la tentation de regarder derrière lui. Il faisait confiance à Edgar pour agir comme prévu.

La voix d'Aldred tonnait au-dessus de la foule :

« Si quelqu'un ici a perdu un objet précieux, fais qu'il le retrouve, ô très saint Adolphe, nous t'en prions. »

Un faible grincement dans son dos lui apprit que, derrière la charrette, Edgar tirait doucement sur un robuste câble.

« Si l'un d'eux a été victime d'un vol ou d'une duperie, fais-lui obtenir justice. »

Soudain, l'assistance s'anima. Certains pointèrent le doigt en direction de la charrette. D'autres reculèrent, saisis. Aldred savait pourquoi : la statue, qui était restée allongée sur le dos au fond de la charrette, commençait à se dresser en se dégageant des étoffes qui l'enveloppaient.

« Si l'un d'eux est malade, rends-lui la santé. »

Tous regardaient, bouche bée, ce qui se passait derrière Aldred. Il comprit ce qui les captivait. Il avait maintes fois répété ce numéro avec Edgar. La statue se relevait verticalement sans que ses pieds quittent le plancher de la charrette. S'ils pouvaient voir Edgar tirer sur une corde, le mécanisme qu'il actionnait demeurait invisible. Aux yeux des paysans qui ignoraient tout des leviers et des poulies, la statue semblait se mouvoir de son propre chef.

Une exclamation étouffée jaillit de la foule. Aldred supposa que le visage avait dû apparaître.

« Si l'un d'eux est tourmenté par des démons, chasse-les ! »

Aldred avait convenu avec Edgar que la statue se dresserait d'abord lentement puis de plus en plus vite ; quand elle s'immobilisa brusquement, ses yeux apparurent distinctement. Une femme hurla et deux enfants s'enfuirent. Plusieurs chiens affolés aboyèrent. La moitié des gens se signèrent.

« Si l'un d'eux a commis un péché, pose ton regard sur lui, ô très saint Adolphe, et donne-lui le courage de se confesser. »

Au premier rang, une jeune femme tomba à genoux en gémissant, le visage levé vers la statue.

« C'est moi qui l'ai volé, balbutia-t-elle, les joues inondées de larmes. J'ai volé le couteau d'Abbe. Je regrette, pardonne-moi, je regrette. »

Plus loin dans la foule, la voix indignée d'une autre femme s'éleva.

« Frigyth ! C'était donc toi ! »

Aldred n'avait pas prévu cela. Il avait espéré une guérison miraculeuse, mais saint Adolphe lui offrait autre chose. Il décida d'improviser.

« Le saint a touché ton cœur, ma sœur. Où est ce couteau ?

— Chez moi.

— Va le chercher et apporte-le-moi. »

Frigyth se leva.

« Fais vite, cours ! »

Elle fendit la foule et entra dans une maison voisine.

« Je croyais l'avoir perdu », déclara Abbe.

Aldred se remit à prier.

« Ô très grand saint, nous te rendons grâce d'avoir ému le cœur de la pécheresse et de l'avoir incitée à confesser sa faute ! »

Frigyth revint avec un couteau à la lame étincelante et au manche en os finement ouvragé. Elle le tendit à Aldred. Il appela Abbe. Celle-ci s'avança, l'air vaguement sceptique. Plus âgée que Frigyth, elle n'était peut-être pas aussi encline qu'elle à croire aux miracles.

« Pardonnes-tu à ta voisine ? lui demanda Aldred.

— Oui, répondit Abbe sans enthousiasme.

— Dans ce cas, donne-lui le baiser de paix. »

Abbe embrassa Frigyth sur la joue. Aldred lui rendit son couteau et commanda d'une voix forte :

« Tous à genoux ! »

Il commença une prière en latin. À ce signal, les moines se répandirent au milieu de la foule avec des sébiles. « Un don pour le saint, s'il vous plaît », disaient-ils aux villageois qui, étant à genoux, ne pouvaient s'échapper. Certains secouaient la tête en murmurant : « Je n'ai pas d'argent, je suis navré. » Mais la plupart fouillaient dans les bourses qu'ils portaient à la ceinture et en sortaient des farthings et des demi-pennies. Deux hommes allèrent chercher des pièces d'argent chez eux. Le tavernier donna un penny.

Les moines les remerciaient en disant :

« Saint Adolphe vous bénit. »

Aldred était aux anges. Les villageois avaient été fascinés. Une femme avait confessé un larcin. La plupart des gens avaient donné de l'argent. La représentation avait eu l'effet escompté malgré les tentatives de Wynstan pour la contrarier. Si son stratagème avait réussi à Trench, il en irait de même ailleurs. Peut-être le prieuré survivrait-il après tout.

Aldred avait prévu que les moines dormiraient dans l'église pour garder les reliques. Il ne fallait plus y songer. Il prit aussitôt une décision.

« Nous quitterons le village en procession et trouverons un autre endroit où passer la nuit », annonça-t-il à Godleof.

Il lui restait un message à adresser aux villageois.

« Vous pourrez revoir le saint. Venez à l'église de Dreng's Ferry à la Pentecôte. Amenez les malades, les égarés et les affligés. »

Il s'apprêtait à leur dire de transmettre cette invitation autour d'eux quand il s'avisa que c'était inutile : ils ne manqueraient pas de raconter les événements du jour au cours des semaines et des mois à venir.

« Je me réjouis de vous y accueillir tous », conclut-il.

Les moines revinrent avec leurs sébiles. Edgar recoucha lentement la statue et la recouvrit d'étoffes. Godleof réattela le bœuf aux brancards.

L'animal se mit en marche. Les moines entonnèrent un cantique et s'éloignèrent lentement du village.

*

Le dimanche de la Pentecôte, Aldred conduisit comme d'ordinaire les moines à l'église pour matines, l'office de la fin de la nuit. C'était un clair matin de mai, la saison de l'espoir, où le monde regorge de pousses vertes prometteuses, de porcelets grassouillets, de faons et de veaux en pleine croissance. Aldred espérait que la tournée de saint Adolphe produirait l'effet attendu en attirant des pèlerins à Dreng's Ferry.

Il avait projeté d'ajouter une extension à l'église mais, faute de temps, Edgar en avait construit une version provisoire en bois. Une grande arche menait de la nef à une chapelle latérale où la statue de saint

Adolphe reposait sur un socle. Les fidèles assemblés dans l'église assisteraient à l'office célébré dans le chœur puis, au point culminant de la liturgie, verraient le saint se dresser miraculeusement et poser sur eux son regard bleu.

Et alors, espérait Aldred, ils feraient des dons.

Les moines s'étaient traînés de village en village avec la charrette et la statue, Aldred avait répété son sermon édifiant tous les jours pendant deux semaines et le saint avait semé effroi et admiration dans le cœur du peuple. Il s'était même produit un miracle, modeste, il est vrai : une adolescente souffrant de violents maux de ventre avait soudain été soulagée en voyant le saint se dresser.

Les gens avaient donné de l'argent, surtout des farthings et des demi-pennies qui, accumulés, représentaient près d'une livre au moment où Aldred était arrivé chez lui. C'était fort utile, mais les moines ne pouvaient pas passer leur vie sur les routes. Il fallait que les fidèles viennent à eux.

Aldred avait invité tout le monde à se réunir le dimanche de la Pentecôte. Tout était désormais entre les mains de Dieu. Un simple être humain ne pouvait faire davantage.

Après matines, Aldred resta devant l'église à observer le hameau à la lueur de l'aube. Il s'était un peu développé depuis son arrivée. Le premier à venir s'installer avait été Bucca le pêcheur, troisième fils d'un poissonnier de Combe et vieil ami d'Edgar. Ce dernier l'avait convaincu de monter un étal où il vendrait des poissons frais et fumés. Aldred avait soutenu le projet dans l'espoir qu'un approvisionnement régulier en poisson inciterait les habitants à observer avec plus de rigueur les jeûnes imposés par l'Église : ils ne devaient pas manger de viande le vendredi ni les douze jours de fête des apôtres, ni en plusieurs autres occasions particulières. La demande étant forte, Bucca vendait tout ce qui venait se prendre dans les nasses d'Edgar.

Aldred et Edgar avaient discuté du lieu où Bucca devrait construire sa maison et la question les avait conduits à dresser un plan du village. Alors qu'Aldred avait suggéré d'affecter à la construction de maisons familiales un ensemble de terrains disposés en carrés juxtaposés, selon la pratique habituelle, Edgar avait fait une proposition tout à fait nouvelle, une rue principale montant à l'assaut de la colline, traversée à angle droit par une rue secondaire courant le long de la crête. À l'est de la grand-rue, ils délimitèrent un site destiné à l'édification d'une future église plus importante et d'un nouveau monastère. C'était sans doute un rêve, se disait Aldred, mais c'était un beau rêve.

Edgar avait passé une journée à marquer les emplacements des maisons dans la grand-rue et Aldred avait décrété que ceux qui voudraient y bâtir leur logis pourraient couper du bois dans la forêt et seraient dispensés de redevances pendant un an. Edgar lui-même se construisait une maison : même s'il passait beaucoup de temps à Outhenham, il préférait, quand il était à Dreng's Ferry, éviter de dormir chez ses frères pour ne pas avoir à entendre leurs ébats bruyants avec Cwenburg.

Suivant l'exemple de Bucca, trois autres personnes étaient venues s'établir à Dreng's Ferry : un cordier, qui utilisait toute la longueur de son arrière-cour pour tresser ses cordes, un tisserand, qui s'était construit une maison toute en longueur et avait installé son métier à tisser à une extrémité et sa famille à l'autre, et un cordonnier, qui avait bâti sa demeure à côté de celle de Bucca.

Aldred avait aménagé une école d'une seule pièce. Au début, Edgar avait été son unique élève. Désormais, trois petits garçons, les fils d'hommes fortunés de la campagne avoisinante, venaient tous les samedis en serrant un demi-penny dans leurs mains sales pour apprendre les chiffres et les lettres.

Tout cela était fort bien, mais ce n'était pas suffisant. À cette allure, Dreng's Ferry ne serait pas un grand monastère avant un siècle. Pourtant, Aldred avait fait de son mieux jusqu'à la mort d'Osmund qui avait entraîné la suppression des subsides par Wynstan.

En portant le regard de l'autre côté du fleuve, il remarqua avec plaisir un petit groupe de pèlerins assis par terre au bord de l'eau, attendant le bac. C'était bon signe à cette heure matinale. Mais apparemment, Dreng dormait encore et personne ne s'occupait du bac. Aldred dévala la colline pour aller le réveiller.

La porte de la taverne était fermée et les volets clos. Aldred frappa sans obtenir de réponse. Comme il n'y avait pas de verrou, Aldred souleva le loquet et entra.

La maison était vide.

Il resta sur le seuil, ébahi, et regarda autour de lui. Les couvertures étaient soigneusement empilées, la paille du sol avait été ratissée. Les cruches et les tonneaux avaient disparu, rangés sans doute dans la brasserie, qui était fermée à clé. Il flottait une odeur de cendres froides : le feu était éteint.

Les habitants étaient partis.

Il n'y avait personne pour manœuvrer le bac. Quelle déconvenue !

Eh bien, se dit Aldred, nous nous en chargerons nous-mêmes. Il faut faire traverser les pèlerins. Les moines se relaieront. Nous y arriverons.

Déconcerté mais résolu, il ressortit. C'est alors qu'il remarqua que le bac n'était plus amarré à sa place habituelle. Pris d'appréhension, il scruta les berges en amont et en aval. L'embarcation était introuvable.

Il réfléchit. De toute évidence, Dreng était parti avec ses deux femmes et son esclave et ils avaient pris le bateau.

Où était-il allé ? Dreng n'aimait pas voyager. Il ne quittait le hameau qu'environ une fois l'an, le plus souvent pour se rendre à Shiring, qui n'était pas accessible par le fleuve.

À Bathford et Outhenham, en amont ? Ou bien à Mudeford ou Combe, vers l'aval ? Aucune de ces destinations ne paraissait vraisemblable, d'autant plus qu'il avait emmené sa famille.

Mais alors où étaient-ils partis ? Peut-être Aldred aurait-il pu le deviner si au moins il avait su pourquoi. Qu'est-ce qui avait pu pousser Dreng à quitter la taverne ?

Il comprit non sans amertume que ce n'était pas une coïncidence. Dreng n'ignorait rien de l'existence de saint Adolphe et de l'invitation pour la Pentecôte. Le malveillant batelier disparaissait précisément le jour où Aldred attendait plusieurs centaines de personnes. Il savait qu'en son absence, le projet du moine était voué à l'échec.

C'était intentionnel. Et une seconde conclusion s'imposait : Wynstan était derrière tout cela. Aldred aurait volontiers étranglé les deux hommes de ses mains.

Il chassa ces pensées impies. La colère ne menait à rien. Que pouvait-il faire ?

La réponse surgit à son esprit presque sur-le-champ. La barque avait disparu, mais Edgar possédait un radeau. Il n'était pas amarré près de la taverne, ce qui n'avait rien d'inhabituel : Edgar le laissait souvent près de la ferme.

Rasséréné, Aldred s'éloigna du fleuve et gravit la colline à grands pas.

Edgar avait choisi de construire sa maison en face du site de la future église, laquelle n'existait pas encore, cependant, et n'existerait peut-être jamais. Les murs de la maison étaient en place, mais le toit n'était pas encore couvert de chaume. Assis sur une botte de foin, Edgar écrivait avec une pierre sur une grande plaque d'ardoise qu'il avait fixée dans un cadre de bois. Les sourcils froncés, tirant la langue, il alignait des chiffres, calculant peut-être la somme de matériaux dont il aurait besoin pour rebâtir la chapelle du saint en pierre.

« Où est ton radeau ? lui demanda Aldred.

— Sur la rive, près de la taverne. Pourquoi ?

— Il n'y est plus.

— Diable. » Il sortit vérifier, suivi d'Aldred. Ils scrutèrent la berge. Aucune embarcation n'était en vue. « C'est étrange, murmura Edgar. Elles n'ont pas pu se détacher toutes les deux par hasard.

— Ce n'est pas un hasard.

— Qui… ?

— Dreng s'est évaporé. La taverne est déserte.

— Il aura pris le bac… et mon radeau, pour que nous ne puissions pas nous en servir.

— Exactement. Il a dû le laisser dériver à plusieurs lieues d'ici. Il prétendra ne rien savoir. Sans bac ni radeau, impossible de faire traverser le fleuve aux pèlerins.

— Mère Agatha a une barque, s'exclama Edgar en claquant des doigts. Elle est très petite et ne permet d'embarquer qu'un rameur et deux passagers à la fois. Mais elle flotte.

— Un petit bateau vaut mieux que rien, répliqua Aldred, reprenant espoir.

— Je vais traverser à la nage et lui demander de nous la prêter. Agatha nous aidera volontiers, surtout quand elle saura que Dreng et Wynstan cherchent à nous nuire.

— Si tu commences à faire traverser les pèlerins, j'enverrai un moine te relayer dans une heure.

— Ils voudront aussi acheter à manger et à boire à la taverne.

— Il n'y a plus rien là-bas, mais je peux leur vendre tout ce que contiennent les réserves du prieuré. Nous avons de la bière, du pain et des poissons. Il faudra s'en arranger. »

Edgar courut vers la berge tandis qu'Aldred rejoignait hâtivement la maison des moines. Il était encore tôt : ils avaient le temps de conduire les fidèles sur cette rive du fleuve et de transformer le monastère en auberge.

Par bonheur, il faisait beau. Aldred demanda aux moines de dresser des tables à tréteaux à l'extérieur et de faire la tournée du hameau pour rassembler tous les bols et gobelets disponibles. Il sortit des tonneaux de bière des caves, ainsi que des miches de pain, frais et rassis. Il envoya Godleof acheter tout le poisson que Bucca le pêcheur avait dans sa boutique. Il fit un feu, embrocha des poissons frais et les mit à cuire. Il était débordé mais heureux.

Les pèlerins commencèrent bientôt à gravir la colline. D'autres arrivèrent de la direction opposée. Les moines se mirent à vendre. Des murmures de mécontentement s'élevèrent – certains auraient voulu de la viande et de la bière forte –, mais la plupart s'adaptèrent de bon gré à ces dispositions de fortune.

Quand un moine l'eut relayé, Edgar vint annoncer que la file d'attente s'allongeait et que certains, trouvant le temps trop long, préféraient retourner chez eux. Pris d'une nouvelle bouffée de colère contre Dreng, Aldred s'appliqua à garder son calme.

« On ne peut rien y faire », dit-il en versant de la bière dans des gobelets de bois.

Une heure avant midi, les moines rassemblèrent les fidèles dans l'église. Aldred avait espéré que la nef serait comble. Il s'était préparé à répéter l'office pour une seconde assemblée, mais cela ne fut pas nécessaire.

Non sans effort, il se mua de tavernier improvisé en prêtre, pour dire la messe. Les formules latines familières l'apaisèrent. Elles eurent le même effet sur l'assemblée, remarquablement silencieuse.

À la fin de la célébration, Aldred raconta une nouvelle fois l'histoire de saint Adolphe et les fidèles virent la statue se dresser. Ils savaient désormais à quoi s'attendre et peu d'entre eux furent effrayés. Mais le spectacle n'en restait pas moins saisissant et prodigieux.

Puis ils voulurent tous dîner.

Certains demandèrent à rester pour la nuit. Aldred leur annonça qu'ils pouvaient dormir dans la maison des moines ou à l'auberge mais que, le tenancier étant absent, ils n'auraient rien à boire ni à manger.

Aucune de ces solutions ne leur convint. Un pèlerinage était un jour de fête et tous se réjouissaient à l'idée de passer une soirée bon enfant à boire et à chanter avec d'autres pèlerins et, qui sait, à s'amouracher.

Finalement, la plupart rentrèrent chez eux.

À la fin de la journée, assis par terre entre l'église et la maison des moines, Aldred contemplait le fleuve où un soleil rouge s'enfonçait à la rencontre de son reflet. Edgar le rejoignit quelques minutes plus tard. Après un long silence, il murmura :

« Cela n'a pas marché, n'est-ce pas ?

— Si, mais pas assez bien. L'idée est bonne, mais on nous a mis des bâtons dans les roues.

— Vous réessaierez ?

— Je ne sais pas. Dreng est propriétaire du bac, ce qui complique les choses. Qu'en penses-tu ?

— J'ai une idée. »

Aldred sourit. Edgar avait toujours des idées et elles étaient généralement bonnes.

« Je t'écoute.

— Nous n'aurions pas besoin du bac si nous avions un pont.

— Je n'y avais pas pensé.

Vous voulez que votre église devienne un lieu de pèlerinage. Le fleuve représente un obstacle, surtout avec Dreng pour passeur. Un pont rendrait le village facilement accessible. »

Au terme d'une journée chargée en émotions, plaisantes et déplaisantes, Aldred passa d'un coup de l'humeur la plus sombre à l'espoir le plus fou.

« Crois-tu que ce soit faisable ?

— Nous avons beaucoup de bois.

— À ne savoir qu'en faire. Mais saurais-tu construire un pont ?

— J'y ai déjà réfléchi. Le plus difficile consiste à faire tenir les pieux solidement dans le lit du fleuve.

— C'est forcément possible, autrement il n'existerait pas de ponts !

— En effet. Il faut assujettir les pieds des piles dans un grand coffre de pierre reposant sur le lit du fleuve. Le coffre doit être effilé vers l'amont et vers l'aval et être fermement ancré au fond du fleuve pour que le courant ne puisse pas le déplacer.

— Comment as-tu appris cela ?

— En observant les ouvrages existants.

— Et tu as déjà étudié la question.

— J'ai le temps de réfléchir. Je n'ai pas de femme pour me parler.

— Il faut le faire ! s'enthousiasma Aldred. Mais, ajouta-t-il, soudain conscient d'un problème, je ne pourrai pas te payer.

— Vous ne m'avez jamais payé aucun travail. En échange, je continue à prendre des leçons.

— Combien de temps te faudra-t-il ?

— Prêtez-moi deux jeunes moines robustes pour m'assister et il me faudra entre six mois et un an.

— Tu auras fini avant la prochaine Pentecôte ?

— Oui », assura Edgar.

*

La cour du cent, qui se tint le samedi suivant, faillit tourner à l'émeute.

Les pèlerins n'étaient pas les seuls à avoir souffert de la disparition de Dreng. Sam le berger avait tenté de traverser le fleuve pour aller vendre des agneaux à Shiring et avait été contraint de faire demi-tour et de reconduire son troupeau chez lui. Plusieurs paysans qui vivaient sur l'autre rive du fleuve avaient dû renoncer à apporter leurs produits au marché. D'autres, qui aimaient simplement venir à Dreng's Ferry les jours de fête religieuse, étaient repartis chez eux déçus. Tous avaient le sentiment d'avoir été abandonnés par celui sur qui ils devaient pouvoir compter. Les chefs de village accablèrent Dreng de reproches.

« Suis-je donc prisonnier ici ? protesta Dreng. N'ai-je pas le droit de m'absenter ? »

Assis sur le grand tabouret de bois devant l'église, Aldred présidait l'assemblée.

« Où étiez-vous d'ailleurs ?

— Cela ne vous regarde pas. » Des clameurs indignées retentirent. « Bon, bon, concéda Dreng, je suis allé à Mudeford Crossing vendre trois tonneaux de bière.

— Précisément le jour où tu savais que tu aurais des centaines de passagers à faire traverser ?

— On ne m'en avait rien dit.

— Menteur ! » cria-t-on dans l'assistance.

Le tavernier ne pouvait en effet ignorer que l'on préparait un office spécial pour la Pentecôte à l'église du prieuré.

« D'habitude, reprit Aldred, quand tu vas à Shiring, tu confies le bac et la taverne à ta famille.

— J'avais besoin du bac pour transporter la bière et des femmes pour m'aider à manier les tonneaux. J'ai le dos faible. »

Des murmures moqueurs accueillirent ces paroles : tout le monde avait entendu parler des problèmes de dos de Dreng.

« Vous avez une fille et deux gendres robustes, fit observer Edgar. Ils auraient pu ouvrir la taverne.

— À quoi bon ouvrir la taverne s'il n'y a pas de bac ?

— Ils auraient pu m'emprunter mon radeau. Malheureusement, celui-ci a disparu en même temps que vous. Étrange, non ?

— J'en ignore tout.

— Mon radeau n'était-il pas amarré à côté du bac quand vous êtes parti ? »

Dreng avait l'air aux abois. Il ne savait pas s'il devait répondre par oui ou par non.

« Je ne m'en souviens pas.

— L'avez-vous aperçu en descendant le fleuve ?

— Peut-être.

— Avez-vous détaché mon radeau pour le laisser dériver ?

— Non.

— Menteur ! entendit-on à nouveau.

— Écoutez, s'énerva Dreng. Rien ne m'oblige à faire fonctionner le bac tous les jours. Cette charge m'a été confiée par le doyen Degbert. Il était seigneur de ce lieu et il n'a jamais été question que je travaille sept jours sur sept.

— Maintenant, c'est moi le seigneur, lui rappela Aldred, et moi, je dis que les gens doivent pouvoir traverser le fleuve tous les jours. Il y a ici une église et une poissonnerie et nous sommes sur la route entre Shiring et Combe. Votre négligence est inacceptable.

— Voulez-vous dire que vous allez attribuer cette charge à un autre ? »

Plusieurs voix s'élevèrent : « Oui !

— Non, répondit Aldred, je ne confierai pas le bac à un autre.

— Et pourquoi ? grondèrent certains.

— Parce que j'ai une meilleure idée. Je vais faire construire un pont. »

Un silence abasourdi tomba sur l'assistance. Dreng fut le premier à réagir.

« Vous ne pouvez pas faire cela ! Vous allez ruiner mon commerce !

— Ce ne serait que justice, rétorqua Aldred. Mais en réalité, tu ne t'en porteras que mieux. Grâce au pont, les gens viendront en plus grand nombre et tu auras davantage de clients. Tu vas sans doute t'enrichir.

— Je ne veux pas de pont, s'obstina-t-il. Je suis batelier. »

Aldred interpella la foule : « Qu'en pensez-vous, vous autres ? Voulez-vous un pont ? »

Des acclamations enthousiastes lui répondirent. Tous approuvaient ce projet. Un pont leur ferait gagner du temps. Et personne n'aimait Dreng.

Aldred se tourna vers celui-ci.

« Tout le monde veut un pont. Je vais en construire un. »

Dreng tourna les talons et s'éloigna d'un pas lourd.

29

Août-septembre 1001

Ragna contemplait ses trois garçons quand le tapage attira son attention.

Les jumeaux, âgés de sept mois, dormaient côte à côte dans un berceau en bois, Hubert, potelé et satisfait, Colinan, menu et vif. Assis sur le sol, Osbert, deux ans, encore branlant sur ses jambes, tournait une cuiller dans un bol vide, imitant Cat en train de préparer du gruau.

Attirée par le bruit, Ragna glissa la tête par l'embrasure de la porte. C'était un bel après-midi d'été : les cuisiniers transpiraient dans la cuisine, les chiens somnolaient à l'ombre et les enfants s'éclaboussaient au bord de la mare aux canards. Au loin, au-delà des faubourgs de la ville, les blés dorés mûrissaient au soleil.

Dans ce décor paisible, un vacarme de cris et de hennissements montait de la ville. Le cœur battant, Ragna comprit que l'armée était de retour.

Elle portait une robe d'été légère, bleu sarcelle. Elle s'habillait toujours avec soin. Elle s'en félicita car elle n'avait pas le temps de se changer. Elle sortit et alla prendre place devant la maison commune pour attendre son mari. D'autres ne tardèrent pas à la rejoindre.

Le retour de l'armée était un moment d'angoisse extrême pour les femmes. Elles étaient impatientes de retrouver leurs hommes tout en sachant qu'ils ne reviendraient pas tous du champ de bataille. Elles se regardaient en se demandant laquelle d'entre elles verserait bientôt des larmes de chagrin.

Pour sa part, Ragna éprouvait des émotions contradictoires. Au cours des cinq mois qu'avait duré l'absence de Wilf, ses sentiments à son égard s'étaient durcis, passant de la déception et de la tristesse à la colère et au dégoût. Elle avait essayé de ne pas le haïr, de se rappeler combien ils s'étaient aimés autrefois. Puis un incident avait fait pencher la balance. Après son départ, Wilf ne lui avait envoyé aucun message. Et voilà qu'un jour, un soldat blessé était revenu à Shiring en apportant un bracelet viking, fruit d'un pillage, cadeau de Wilf à l'intention de son esclave, Carwen. Ragna avait pleuré, pesté et fulminé, avant de sombrer dans une sorte d'engourdissement.

Cela ne l'empêchait pas de redouter sa mort. Il était le père de ses trois enfants et ils avaient besoin de lui.

Gytha, soigneusement vêtue de rouge comme à son habitude, vint se placer à quelques pas de Ragna, suivie de peu par Inge, la première femme de Wilf, et par Carwen, son esclave. Inge avait commis l'erreur de négliger sa tenue pendant l'absence des hommes et n'était franchement pas à son avantage. La jeune Carwen, mal à l'aise dans les longues robes des Anglaises, était affublée d'une chemise incolore aussi courte que les tuniques des hommes. Ses pieds nus étaient sales. La malheureuse aurait été plus à sa place avec les enfants qui jouaient dans la mare.

Si Wilf était en vie, Ragna ne doutait pas qu'il la saluerait la première. Toute autre attitude constituerait une grossière insulte à son épouse officielle. Mais avec qui passerait-il la nuit ? Cette question, elles se la posaient toutes et cette pensée contribuait à assombrir l'humeur de Ragna.

Dans un premier temps, la rumeur montant de la ville avait eu des airs de fête : voix graves des hommes saluant les guerriers de retour, cris de joie des femmes. Cependant, Ragna n'entendait ni sonneries de cor triomphales ni battements de tambour bravaches. Même les sabots des chevaux paraissaient las. Les exclamations joyeuses laissèrent place à une clameur d'effroi.

Elle s'alarma. Il s'était passé quelque chose de grave.

L'armée apparut alors à l'entrée du domaine. Ragna vit s'avancer une charrette tirée par un bœuf et escortée par deux cavaliers. Assis à l'avant, un homme la conduisait. Derrière lui, une forme allongée reposait au fond de la charrette. C'était un homme. Elle reconnut la barbe et les cheveux blonds de Wilf. Elle laissa échapper un cri. Était-il mort ?

Ceux qui l'entouraient s'approchèrent lentement, mais elle ne put attendre. Elle courut vers lui tout en entendant les autres femmes chuchoter dans son dos. Toute la rancœur que lui inspirait l'infidélité de Wilf s'effaça, emportée par une folle inquiétude.

Quand elle atteignit la charrette, le cortège s'arrêta. Wilf avait les paupières closes. Relevant ses jupes, elle sauta dans la charrette. Elle s'agenouilla, se pencha sur lui, effleura son visage en observant ses yeux fermés. Il était d'une pâleur mortelle. Elle n'arrivait pas à voir s'il respirait.

« Wilf, appela-t-elle, Wilf. »

Pas de réponse.

Il était couché sur une civière posée sur un tas de couvertures et de coussins. Ragna l'inspecta de la tête aux pieds. Le haut de sa tunique était noir de sang séché. En observant son crâne de plus près, elle le trouva déformé. Il était enflé en un ou plusieurs endroits. Il avait été blessé à la tête. Cela ne présageait rien de bon.

Elle jeta un regard interrogateur aux cavaliers qui restèrent muets, le visage impénétrable. Peut-être ne savaient-ils pas s'il était mort ou vif.

« Wilf, répéta-t-elle. C'est moi, Ragna. »

Un sourire furtif passa sur ses lèvres.

« Ragna », murmura-t-il.

Il ouvrit à nouveau la bouche. Elle s'approcha pour l'entendre.

« Suis-je arrivé ?

— Oui. Tu es chez toi.

— C'est bien. »

Levant les yeux, elle constata que tout le monde attendait une décision de sa part.

Ce fut comme une révélation : tant que Wilwulf serait souffrant, celui ou celle qui détiendrait son corps détiendrait aussi son pouvoir.

« Conduisez la charrette chez moi », ordonna-t-elle.

Le charretier fit claquer son fouet. Les bœufs se mirent en marche. La charrette s'ébranla en direction de la maison de Ragna. Cat, Agnès et Bern se tenaient sur le seuil et Osbert se cachait à demi dans les jupes de Cat. Les hommes mirent pied à terre avant de soulever Wilf et la civière avec précaution.

« Arrêtez-vous ! » dit Gytha.

Les hommes s'immobilisèrent.

« Conduisez-le chez moi. Je m'occuperai de lui. »

Elle avait eu la même intuition que Ragna, mais avec un peu de retard. Elle adressa à Ragna un sourire hypocrite.

« Vous avez déjà beaucoup à faire.

— Balivernes, répliqua Ragna, d'une voix fielleuse.

Je suis son *épouse.* » Elle se tourna vers les hommes. « Portez-le à l'intérieur. »

Ils lui obéirent et Gytha n'insista pas.

Ragna les suivit. Ils déposèrent la civière sur les nattes de jonc qui couvraient le sol. Ragna s'agenouilla près de Wilf et posa la main sur son front : il était brûlant.

« Qu'on m'apporte un bol d'eau et un linge propre », dit-elle sans lever les yeux.

Elle entendit Osbert demander :

« Qui est cet homme ?

— C'est ton père. » Wilf avait été absent pendant près d'une demi-année, et l'enfant l'avait oublié. « Il t'aurait embrassé s'il n'était pas blessé. »

Cat posa un bol sur le sol près d'elle et lui tendit un linge que Ragna trempa dans l'eau avant de le passer sur le visage de Wilf. Il parut soulagé, mais peut-être n'était-ce que le fruit de son imagination.

« Agnès, dit-elle, va vite au bourg chercher Hildi, la sage-femme qui m'a assistée lors de la naissance des jumeaux. »

Hildi était la personne de Shiring la plus versée en médecine. Agnès partit aussitôt.

« Et toi, Bern, interroge les soldats et tâche d'en trouver un qui puisse dire ce qui est arrivé à l'ealdorman.

— Tout de suite, dame Ragna. »

Entrant à cet instant, Wynstan observa le corps allongé de Wilf sans rien dire.

Toute l'attention de Ragna se portait sur son mari.

« Wilf, m'entends-tu ? »

Il ouvrit les yeux et mit quelque temps à fixer son regard sur elle. Elle comprit alors qu'il la reconnaissait.

« Oui, dit-il.

— Comment as-tu été blessé ?

— Je ne me souviens pas.

— Souffres-tu ?

— Mal à la tête. »

Il s'exprimait avec lenteur mais clairement.

« Tu as très mal ?

— Non, pas trop.

— Et à part cela ?

— Très fatigué, murmura-t-il dans un soupir.

— C'est grave », commenta Wynstan et il repartit.

Bern revint avec un soldat dénommé Bada.

« Ce n'était même pas une bataille, à peine une escarmouche, dit celui-ci d'un ton penaud, comme s'il regrettait que son chef ait été blessé lors d'un simple accrochage.

— Raconte-moi simplement ce qui s'est passé.

— L'ealdorman Wilwulf montait son cheval Nuage, comme d'habitude. J'étais juste derrière lui. » Il parlait avec concision, tel un soldat faisant son rapport à son supérieur, ce dont Ragna lui sut gré. « Nous sommes tombés sur un groupe de Vikings sur la rive de l'Exe, à quelques lieues d'Exeter. Ils venaient de piller un village et chargeaient leur butin à bord de leur bateau, des poulets, de la bière, de l'argent, un veau, avant de regagner leur campement. Wilf a sauté à bas de sa monture et tué un des Vikings en le transperçant de son épée. Mais ensuite, il a glissé et est tombé dans la boue. Nuage lui a marché sur la tête. Il est resté comme mort. Je n'ai pas pu aller voir sur le moment, parce que j'étais moi-même attaqué. Nous avons tué presque tous les Vikings. Les autres se sont enfuis à bord de leur bateau. Quand je suis retourné auprès de Wilf, il respirait et il est revenu à lui.

— Merci, Bada. »

Hildi se tenait en retrait, attentive. Ragna lui fit signe d'approcher.

Petite, la cinquantaine et les cheveux gris, elle s'agenouilla au chevet de Wilf et l'examina, en prenant son temps. Du bout des doigts, elle effleura doucement la bosse qui déformait sa tête. Quand elle appuya, Wilf grimaça sans ouvrir les yeux.

« Pardon », murmura-t-elle. Elle se pencha et écarta les cheveux pour mieux voir la blessure. « Regardez », dit-elle à Ragna.

Hildi avait soulevé un lambeau de peau détachée, révélant une fente dans le crâne. Il manquait apparemment un mince éclat d'os.

« Voilà qui explique l'abondance de sang sur ses vêtements. Mais l'hémorragie s'est arrêtée depuis longtemps. »

Comme Wilf ouvrait les yeux, elle lui demanda :

« Savez-vous comment vous avez été blessé ?

— Non. »

Elle leva la main droite en montrant trois doigts.

« Combien de doigts ?

— Trois. »

Elle leva la main gauche en montrant quatre doigts.

« Combien en tout ?

— Six.

— Tu ne vois pas bien, Wilf ? » demanda Ragna, consternée.

Il ne répondit pas.

« Sa vision n'a pas souffert, commenta Hildi. Pour ce qui est de son esprit, j'en suis moins sûre.

— Que Dieu lui vienne en aide.

— Wilwulf, comment s'appelle votre femme ? demanda Hildi.

— Ragna », répondit-il avec un sourire.

C'était un soulagement.

« Et le roi, comment s'appelle-t-il ? »

Après un long silence, il répondit :

« Le roi.

— Et son épouse ?

— Je ne sais plus.

— Pouvez-vous me donner le nom d'un des frères de Jésus ?

— Saint Pierre… »

Tout le monde savait que les frères de Jésus s'appelaient Jacques, Joseph, Jude et Simon.

« Quel est le chiffre qui vient après dix-neuf ?

— Je ne sais pas.

— C'est bien. Maintenant, reposez-vous, Wilwulf. »

Il ferma les yeux.

« Guérira-t-il ? s'inquiéta Ragna.

— La peau va repousser et recouvrir le trou. En revanche, j'ignore si l'os se reconstituera. Il faut qu'il reste au repos et qu'il bouge le moins possible pendant plusieurs semaines.

— J'y veillerai.

— Il serait bon d'entourer sa tête d'un bandage pour protéger la plaie. Donnez-lui à boire du vin coupé d'eau ou de la bière légère et du potage pour le nourrir.

— Fort bien.

— Ce qui m'inquiète le plus est la perte de mémoire. Il est difficile d'en évaluer la gravité. Il se souvient de votre nom, mais a oublié celui du roi. Il peut compter jusqu'à trois, mais pas jusqu'à sept, et encore moins jusqu'à vingt. Il n'y a rien à faire, sinon prier. Après une blessure à la tête, certaines personnes retrouvent toutes leurs capacités mentales, d'autres non. Je n'en sais pas plus. » Elle leva les yeux en voyant quelqu'un entrer et ajouta : « Personne, d'ailleurs. »

Ragna suivit son regard. Gytha avait faire venir le père Godmaer, un prêtre de la cathédrale qui avait étudié la médecine. Il était grand, corpulent et avait la tête rasée. Il était accompagné d'un prêtre plus jeune.

« Que fait cette sage-femme ici ? demanda Godmaer. Écarte-toi, femme. Laisse-moi examiner le blessé. »

Ragna avait grande envie de le renvoyer. Elle faisait plus confiance à Hildi qu'à lui. Mais un deuxième avis étant toujours bon à prendre, elle recula comme les autres pour permettre à Godmaer de s'agenouiller auprès de Wilf.

Il n'avait pas la main aussi douce que Hildi. Quand il la posa sur la blessure, Wilf poussa un gémissement.

« Qui êtes-vous ? demanda-t-il en ouvrant les yeux.

— Vous me connaissez, dit Godmaer. Auriez-vous oublié ? »

Wilf ferma les yeux.

Godmaer tourna sa tête d'un côté, examina l'intérieur de son oreille, la tourna de l'autre côté, regarda dans l'autre oreille. Hildi fronça les sourcils. Cette fois, Ragna protesta :

« Doucement, je vous prie, mon père.

— Je sais ce que je fais », répliqua Godmaer d'un ton arrogant.

Il se montra néanmoins un peu moins brusque. Il ouvrit la bouche de Wilf, scruta l'intérieur, souleva ses paupières et pour finir, flaira son haleine.

Il se releva.

« Le problème est dû un excès de bile noire, principalement dans la tête, ce qui provoque fatigue, abattement et perte de mémoire. Le traitement exige une trépanation, afin d'évacuer la bile. Passez-moi le foret à archet. »

Son jeune assistant lui tendit l'instrument en usage chez les charpentiers pour percer de petits trous. La mèche en fer effilée était enroulée dans la corde de l'archet auquel on appliquait un mouvement de va-et-vient. La pointe fermement appuyée contre une planche, en se mettant à tourner très rapidement, perforait le bois.

« Je vais à présent percer un trou dans le crâne du patient pour permettre à la bile de s'épancher », annonça Godmaer.

Hildi poussa un soupir d'exaspération.

« Attendez un instant, s'interposa Ragna. Son crâne est déjà percé. S'il y avait un excès de liquide quel qu'il soit, il se serait sûrement déjà écoulé. »

Devant l'air décontenancé de Godmaer, Ragna se rendit compte qu'il n'avait pas soulevé le lambeau de peau de la blessure et n'avait pas vu la fissure. Cela ne l'empêcha pas de se ressaisir aussitôt. Redressant les épaules, il prit un air indigné.

« J'ose espérer que vous ne mettez pas en doute les décisions d'un homme de l'art expérimenté.

— En tant qu'épouse de l'ealdorman, répliqua Ragna en adoptant la même attitude, je mets en doute toutes les décisions qui ne viennent pas de mon mari. Je vous remercie d'être venu, mon père, bien que je ne vous aie pas invité. Je garderai vos conseils à l'esprit.

— Je l'ai invité, intervint Gytha, parce qu'il est le meilleur praticien de Shiring en matière de médecine. Vous n'avez pas le droit de refuser à l'ealdorman les soins qu'exige son état.

— Je vais vous dire une chose, ma chère belle-mère. Je ferai un trou dans la gorge de quiconque s'avisera de faire un nouveau trou dans la tête de mon époux. Et maintenant, sortez, vous et votre prêtre chéri. »

Godmaer faillit s'étrangler et Ragna comprit qu'elle était allée trop loin. Traiter Godmaer de « prêtre chéri » relevait du sacrilège, mais elle s'en moquait. Godmaer était arrogant, ce qui le rendait dangereux. À sa connaissance, les prêtres instruits dans l'art de la médecine guérissaient rarement les gens et avaient plutôt le don de les rendre encore plus malades.

Gytha murmura quelque chose à l'oreille du prêtre

qui hocha la tête, releva le menton et sortit avec son foret, suivi de son assistant.

Il y avait encore trop de monde dans la pièce.

« Maintenant, partez s'il vous plaît, ordonna Ragna, tous sauf mes serviteurs. L'ealdorman a besoin de calme et de silence pour avoir une chance de se rétablir. »

Ils se retirèrent tous.

Ragna se pencha à nouveau sur Wilf.

« Je vais m'occuper de toi. Je continuerai à agir comme je l'ai fait ces six derniers mois. Je gouvernerai ton territoire comme si tu le gouvernais toi-même. » Il ne répondit pas et Ragna reprit : « Crois-tu pouvoir répondre à une dernière question ? »

Il rouvrit les yeux. Un faible sourire joua sur ses lèvres.

« Quelle est la chose la plus importante que je dois faire à présent en ton nom ? » interrogea Ragna.

Elle vit passer un éclair de conscience dans son regard. « Nommer un nouveau chef à la tête de l'armée », répondit-il.

Ragna s'assit sur un tabouret rembourré en considérant son mari d'un air pensif. Il lui avait donné une instruction claire durant un bref moment de lucidité. Elle en déduisit que l'armée n'avait pas achevé sa mission et n'avait pas encore repoussé les Vikings. Il fallait que les hommes de Shiring se regroupent et repartent à l'attaque. Et pour cela, il leur fallait un chef.

Wynstan aurait certainement choisi son frère Wigelm. Or Ragna n'en voulait pas. Plus Wigelm exercerait de pouvoir, plus il menacerait son autorité. Elle préférait le shérif Den, meneur d'hommes et combattant aguerri.

Aux assemblées du comté, où la plupart des décisions se prenaient par consensus, elle parvenait le plus souvent à imposer ses vues grâce à sa force de persuasion, mais dans ce cas précis, ce serait plus difficile. Les hommes auraient des opinions tranchées sur la question, et seraient prompts à récuser l'avis d'une femme qui ne connaissait pas grand-chose à la guerre. Elle devrait faire preuve d'habileté.

Le soir était venu. Le temps s'était écoulé sans qu'elle s'en aperçoive. Ragna interpella Agnès :

« Va dire au shérif Den que je l'attends. Ne reviens pas avec lui. Je ne veux pas qu'on sache que je l'ai convoqué. Je préfère qu'on pense qu'ayant appris la nouvelle, il vient voir l'ealdorman, comme tout le monde.

— Très bien. »

Agnès partit aussitôt.

Ragna s'adressa alors à Cat.

« Voyons si Wilf accepte de prendre un peu de soupe. Tiède, pas trop chaude. »

Un bouillon d'os de mouton mijotait sur le feu. Cat en versa quelques louches dans un bol en bois et Ragna huma une bonne senteur de romarin. Elle mit dans la soupe quelques morceaux de mie de pain et s'agenouilla près de Wilf avec une cuiller. Elle prit un peu de pain trempé, souffla dessus pour le refroidir et l'approcha des lèvres de son mari. Il l'avala d'un air satisfait et ouvrit la bouche pour qu'elle lui en redonne.

Alors qu'elle finissait de le nourrir, Agnès reparut, suivie de Den quelques minutes plus tard. Il regarda Wilf en secouant la tête avec consternation. Ragna lui relata la visite de Hildi avant de lui parler du désir de Wilf de nommer un nouveau chef à la tête de l'armée.

« C'est vous ou Wigelm, or c'est vous que je veux, conclut-elle.

— Je ferai un meilleur chef que Wigelm. De toute façon, il n'est pas en état de combattre.

— Comment cela ? s'étonna Ragna.

— Il est souffrant. Il n'a pris part à aucune opération depuis deux semaines. Voilà pourquoi il n'est pas ici. Il est resté du côté d'Exeter.

— De quoi souffre-t-il ?

— D'hémorroïdes, aggravées par plusieurs mois de campagne. Il souffre tant qu'il ne peut plus monter à cheval.

— Comment le savez-vous ?

— Par les thanes.

— Eh bien, voilà qui va faciliter les choses. Je ferai semblant de préférer Wigelm et, une fois son infirmité révélée, vous accepterez à contrecœur de prendre sa place. »

Den acquiesça.

« Wynstan et ses amis s'opposeront à ma nomination, mais la plupart des thanes me soutiendront. Ils ne m'apprécient pas particulièrement parce que je les oblige à payer leurs redevances, mais ils savent que je suis compétent.

— Je tiendrai audience demain matin après le petit déjeuner. Je veux montrer dès à présent que je tiens toujours solidement les rênes en main.

— Parfait. »

*

Le lendemain, le temps fut doux dès l'aube, mais il faisait toujours aussi frais dans la cathédrale quand Wynstan y célébra la première messe. Il s'en acquitta avec toute la solennité requise. Il aimait se comporter comme on l'attendait d'un évêque : il était important de sauver les apparences. Il pria ce jour-là pour l'âme des morts tués au combat contre les Vikings et pour la guérison des blessés, et plus particulièrement de l'ealdorman Wilwulf.

Il n'avait pourtant pas la tête à la liturgie. L'état de Wilwulf perturbait l'équilibre du pouvoir à Shiring. Wynstan tenait absolument à connaître les intentions de Ragna. C'était peut-être l'occasion d'affaiblir sa position, voire de se débarrasser d'elle. Il devait rester à l'affût de toutes les possibilités et découvrir ce qu'elle avait en tête.

L'assemblée était plus importante qu'à l'habitude pour un jour de semaine, car elle avait été grossie par les familles éplorées des hommes qui n'étaient pas revenus des combats. En parcourant la nef du regard, il aperçut Agnès, petite femme fluette vêtue de ternes habits de servante. Elle n'avait l'air de rien, mais elle lui adressa un message du regard : elle était venue à l'église pour le voir. Il reprit espoir.

Il y avait six mois que Ragna avait condamné à mort le mari d'Agnès, six mois que celle-ci avait accepté d'être son espionne dans la demeure de Ragna. Depuis, elle ne lui avait confié aucune information intéressante. Il n'en avait pas moins continué à la rencontrer au moins une fois par mois, se disant que sa constance finirait par payer. Craignant que son désir de vengeance ne s'émousse, il avait joué sur ses sentiments, la traitant comme une amie et non comme une servante, lui parlant sur un ton de conspiration, la remerciant de sa loyauté. Il prenait subtilement la place de son mari en se montrant affectueux mais dominateur, attendant qu'elle obéisse sans poser de question. Son instinct lui disait que c'était ainsi qu'il l'aurait à sa main.

Aujourd'hui, sa patience serait peut-être enfin récompensée.

À la fin de la célébration, Agnès s'attarda. Dès

que les derniers fidèles furent sortis, Wynstan lui fit signe de le rejoindre dans le chœur. La prenant par les épaules, il l'attira dans un coin.

« Merci d'être venue, ma chère. J'espérais bien te voir.

— J'ai pensé que vous voudriez connaître ses projets.

— Certainement, certainement », approuva Wynstan, cherchant à se montrer intéressé mais pas trop impatient. « Tu es ma petite souris qui se faufile sans bruit dans ma chambre la nuit venue et se pose sur mon oreiller pour me murmurer des secrets à l'oreille. »

Elle rougit de plaisir. Il se demanda comment elle réagirait s'il glissait la main sous sa jupe, là, dans l'église. Naturellement, il n'en ferait rien : elle se consumait de désir pour ce qu'elle ne pouvait avoir. C'était la plus puissante des motivations.

Comme elle le dévisageait sans mot dire, il éprouva le besoin de rompre le charme.

« Dis-moi tout. »

Elle se ressaisit.

« Ragna va tenir une audience tout à l'heure, après le petit déjeuner.

— Elle ne perd pas de temps. Cela lui ressemble bien. Quel est son programme ?

— Elle va nommer un nouveau chef à la tête de l'armée.

— Ah. »

Il n'y avait pas pensé.

« Elle annoncera vouloir nommer Wigelm.

— Il ne peut pas monter à cheval pour le moment. C'est pourquoi il est absent.

— Elle le sait, mais fera semblant d'en être surprise.

— Ingénieux.

— Quelqu'un dira alors que le shérif Den est le seul à pouvoir le remplacer.

— Son meilleur allié. Mon Dieu, si elle préside la cour du comté et que Den prend la tête de l'armée, la famille de Wilf perd presque tout son pouvoir.

— C'est ce que j'ai pensé.

— Maintenant, au moins, me voilà averti.

— Qu'allez-vous faire ?

— Je ne sais pas encore. » De toute façon, il ne se serait pas confié à elle. « Mais je vais pouvoir y réfléchir, grâce à toi.

— J'en suis heureuse.

— Nous vivons une époque dangereuse. Il faut me dire tout ce qu'elle fait à partir de maintenant. C'est extrêmement important.

— Vous pouvez compter sur moi.

— Retourne là-bas et continue à épier.

— Entendu.

— Merci, ma petite souris. »

Il posa un baiser sur ses lèvres avant de la pousser au-dehors.

*

La cour ne réunit qu'un petit groupe de personnes. Ce n'était pas une assemblée ordinaire et elle n'avait été convoquée qu'une heure à l'avance. Cependant, les principaux thanes étaient arrivés avec l'armée. Ragna présida l'assemblée devant la maison commune, assise sur le tabouret rembourré habituellement occupé par Wilwulf. C'était un choix délibéré.

Elle se leva cependant pour parler. Sa haute taille jouait en sa faveur. Chez un chef, l'intelligence comptait plus que la stature physique, mais elle avait remarqué que les hommes avaient plus de respect pour les grands que pour les petits. Étant une femme, elle usait de toutes les armes dont elle disposait.

Elle portait une robe brun foncé, une couleur sombre destinée à marquer son autorité, un peu ample pour éviter de souligner sa silhouette. Elle arborait des bijoux imposants, collier, bracelets, broche, pendants d'oreille. Rien de trop féminin ni de trop délicat. Vêtue pour commander.

Elle préférait tenir ses audiences le matin. N'ayant bu qu'un godet de bière légère au petit déjeuner, les hommes étaient plus raisonnables, moins turbulents. Ils étaient souvent beaucoup plus agités après le repas de midi.

« L'ealdorman est gravement blessé, commença-t-elle, mais nous avons de bonnes raisons d'espérer qu'il se remettra. Il se battait contre un Viking quand il a glissé dans la boue sur la berge du fleuve et il a reçu un coup de sabot à la tête. » Tous, ou presque, l'avaient entendu dire, mais elle tenait à le rappeler pour leur montrer qu'elle n'ignorait rien des dangers de la guerre. « Vous savez tous que cela peut arriver n'importe quand. » Les hochements de tête approbateurs la rassurèrent. « Le Viking est mort, ajouta-t-elle. Son âme brûle désormais en enfer. » Elle les vit une fois de plus approuver ses paroles. « Wilf a besoin, pour guérir, de calme et de silence, mais surtout, il doit rester allongé sans bouger. C'est pourquoi ma porte est verrouillée de l'intérieur. S'il souhaite voir quelqu'un, il me le dira et je ferai venir la personne en question. Nul ne pourra entrer sans y avoir été invité. »

Elle savait que cette annonce serait mal accueillie et s'attendait à des protestations. En effet, Wynstan s'insurgea aussitôt.

« Vous n'avez pas le droit d'interdire sa porte aux frères de l'ealdorman.

— Je ne peux l'interdire à personne. Tout ce que je puis faire, c'est obéir aux ordres de Wilf. Il va de soi que tous ceux qu'il désirera voir pourront lui rendre visite.

— Ce n'est pas juste, s'insurgea Garulf, le fils que Wilf avait eu d'Inge. Vous pouvez nous dire n'importe quoi et prétendre que l'ordre vient de lui. »

Sa réaction répondait parfaitement aux intentions de Ragna. Elle s'était doutée que quelqu'un soulèverait cette objection et était heureuse qu'elle ait été formulée par un tout jeune homme et non par un aîné respecté : elle serait plus facile à écarter.

« Il est peut-être mort, poursuivit Garulf. Comment pourrions-nous le savoir ?

— À l'odeur, répliqua Ragna sèchement. Ne dis pas de bêtises.

— Pourquoi avez-vous refusé que le père Godmaer le trépane ? demanda alors Gytha.

— Parce que Wilf a déjà un trou dans le crâne. Vous n'avez pas besoin de deux trous dans le derrière, et Wilf n'en a pas besoin de deux à la tête. »

Les hommes s'esclaffèrent et Gytha se tut.

« Wilf m'a informée de la situation militaire », reprit Ragna. En réalité, elle tenait ses informations de Bada, mais mieux valait les attribuer à Wilf pour leur donner plus de poids. « La campagne est restée indécise. Wilwulf souhaite que l'armée se reforme, se réarme et retourne au combat pour en finir. Malheureusement, il ne peut pas vous commander. Cette réunion a donc pour principal objectif de nommer un nouveau chef. Wilf n'a pas exprimé de souhait, mais je suis convaincue que sa préférence serait allée à son frère Wigelm.

— C'est impossible… il ne peut pas monter à cheval », intervint Bada.

Ragna feignit la surprise.
« Pourquoi cela ?
— Il a mal au cul », expliqua Garulf.
Les hommes ricanèrent.
« Il a des hémorroïdes, précisa Bada. Graves.
— Il ne peut vraiment pas monter à cheval ?
— Non.
— Bien, dit Ragna d'un air songeur. Dans ce cas, il me semble que le shérif Den est le seul à pouvoir assumer cette fonction. »
Comme convenu, Den fit mine d'hésiter.
« Un noble serait peut-être plus approprié, milady.
— Si les thanes souhaitent élire l'un des leurs... », suggéra Ragna d'un air dubitatif.
Wynstan se leva de son banc et s'avança pour attirer toute l'attention sur lui.
« La décision qui s'impose est pourtant évidente », déclara-t-il en ouvrant grand les bras, le regard posé sur l'assistance.
Il a un plan, songea Ragna, dépitée. Et je ne l'avais pas prévu.
« Le commandement doit revenir au fils de Wilf, déclara Wynstan.
— Osbert a deux ans ! protesta Ragna.
— Je veux parler de son fils aîné, cela va de soi, précisa Wynstan avec un sourire. Garulf.
— Mais Garulf n'a que... » Ragna s'interrompit. Elle avait beau considérer Garulf comme un jeunet, il avait vingt ans et déjà la barbe et le corps musclé d'un homme. Il avait parfaitement l'âge de conduire une armée. Quant à savoir s'il avait la sagesse nécessaire, c'était une autre question.
« Tout le monde ici connaît sa bravoure ! » insista Wynstan.
Tous acquiescèrent. Garulf était apprécié des

hommes d'armes. Étaient-ils prêts cependant à le laisser définir la stratégie à suivre ?

« Pensons-nous que Garulf a suffisamment de cervelle pour prendre la tête de l'armée ? » demanda-t-elle.

À peine avait-elle prononcé ces mots qu'elle les regretta. Ce doute aurait dû être émis par un thane, par un guerrier. Ils avaient tendance à mépriser les propos d'une femme sur ce sujet et son intervention ne fit que renforcer leur soutien à Garulf.

« Garulf est jeune, mais il est combatif », fit remarquer Bada.

Voyant les hommes hocher la tête, Ragna fit une dernière tentative.

« Le shérif a davantage d'expérience.

— Pour collecter les redevances ! » ironisa Wynstan.

Tous éclatèrent de rire. Ragna comprit qu'elle avait perdu la partie.

*

Edgar n'était pas habitué à l'échec et celui qu'il venait de subir l'accablait.

Il avait essayé de construire un pont sur le fleuve à Dreng's Ferry, mais il avait dû renoncer.

Assis avec Aldred devant la taverne, sur le banc, il écoutait le murmure du fleuve, les yeux rivés sur les vestiges de son projet. Il avait réussi à grand-peine à poser une fondation sur le lit du fleuve pour une des piles du pont, un simple coffre rempli de pierres destiné à tenir fermement la base de la colonne en place. Il avait taillé une grosse poutre dans le cœur d'un chêne, assez robuste pour supporter le poids des hommes et des charrettes qui traverseraient. Mais il n'était pas parvenu à insérer le pilier dans son logement.

Le soir était venu. Il s'était acharné toute la journée

sous un soleil de plomb. À la fin, presque tout le village était venu lui prêter main-forte. Ils avaient mis le pilier en place à l'aide de longues cordes, fabriquées à grand frais par Regenbald le cordier. Depuis les deux rives du fleuve, des hommes avaient tiré sur les cordes pour stabiliser la pile. D'autres étaient montés avec Edgar sur son radeau pour rejoindre le milieu du fleuve et tenter de manœuvrer l'énorme madrier.

Mais tout bougeait : l'eau, le radeau, les cordes et le pilier. La poutre elle-même insistait pour remonter à la surface.

Au début, cela avait été comme un jeu. Tout le monde riait et plaisantait. Plusieurs personnes étaient tombées à l'eau, au milieu de l'hilarité générale.

Il aurait dû être possible de maintenir le poteau sous l'eau tout en le logeant dans son socle, or ils n'y étaient pas parvenus. Tous s'étaient peu à peu laissés gagner par l'exaspération et la mauvaise humeur. Edgar avait fini par abandonner.

Maintenant, le soleil s'enfonçait à l'horizon, les moines avaient regagné leur monastère, les villageois leurs maisons, et Edgar était découragé.

Aldred, lui, n'était pas encore prêt à abandonner.

« C'est faisable. Il nous faut plus d'hommes, plus de cordes et plus de bateaux. »

Edgar n'y croyait plus. Il ne dit rien.

« Le problème, remarqua Aldred, c'est que ton radeau n'arrêtait pas de se déplacer. Chaque fois que tu poussais le pilier dans l'eau, le radeau s'éloignait.

— Je sais.

— Ce qu'il nous faudrait, c'est toute une rangée de barques alignées depuis la rive et attachées les unes aux autres pour les empêcher de trop bouger.

— Je ne vois pas où nous pourrions trouver autant d'embarcations », marmonna Edgar d'un air sombre.

Pourtant, il imaginait déjà la scène. Les bateaux pourraient être encordés, ou même cloués ensemble. Cette rangée flottante ne serait pas complètement immobile, mais ses ballottements seraient plus limités, plus prévisibles, moins capricieux.

Aldred poursuivit son idée.

« Deux rangées peut-être, une de chaque côté du fleuve. » Edgar était trop fatigué et abattu pour avoir envie d'explorer de nouvelles solutions. Malgré tout, la suggestion d'Aldred l'intriguait. Sa méthode leur faciliterait la tâche, mais sans doute pas suffisamment. Cependant, l'image des deux alignements de bateaux s'étirant depuis les berges pour se rejoindre au milieu du fleuve le travaillait. Ils formeraient une plateforme stable et solide sur laquelle ils pourraient se tenir...

« Nous pourrions peut-être construire le pont sur les bateaux ! déclara-t-il soudain.

— Comment cela ?

— La chaussée du pont reposerait sur les embarcations au lieu de s'appuyer sur le lit du fleuve. » Il haussa les épaules. « Enfin, en théorie.

— J'ai déjà vu cela ! s'exclama Aldred en claquant des doigts. Quand je suis passé aux Pays-Bas. Un pont constitué d'un alignement de bateaux. Ils appelaient cela un pont flottant.

— C'est donc possible !

— Oui.

— Je n'en ai jamais vu. » Cela ne l'empêchait pas de le concevoir déjà dans sa tête. « Il faudrait qu'ils soient solidement arrimés à la berge.

— Il y a un problème, objecta Aldred. Nous ne pouvons pas empêcher la circulation sur le fleuve. Elle n'est pas très importante, mais elle existe. L'ealdorman s'y opposerait et le roi aussi.

— Il suffirait de ménager une brèche dans la rangée,

enjambée par la chaussée mais assez large pour permettre le passage d'une embarcation fluviale normale.

— Crois-tu que tu pourrais construire un pont de ce genre ? »

Edgar hésita. Les tracas de la journée avaient miné sa confiance. En même temps, l'idée d'un pont flottant lui paraissait envisageable. Devenu prudent, il répondit simplement :

« Je ne sais pas. Mais je crois que oui. »

*

L'été était passé, les récoltes rentrées, la brise apportait les premières fraîcheurs d'automne. Wynstan chevauchait au côté de Garulf avec l'armée partie soutenir les hommes du Devon.

Les prêtres n'étaient pas censés verser le sang. Si la règle n'était pas toujours respectée, Wynstan pour sa part y puisait en général une bonne excuse pour échapper à l'inconfort et aux dangers de la guerre.

Pour autant, ce n'était pas un lâche. Plus grand et plus fort que la moyenne des hommes, il était de surcroît solidement armé. En plus de la lance que tous portaient, il avait une épée à lame d'acier, un casque et une cotte de mailles.

Il accompagnait l'armée, contrairement à son habitude, pour rester auprès de Garulf. Il avait manœuvré pour faire nommer le jeune homme commandant en chef afin que l'armée reste sous le contrôle de la famille. Mais si Garulf était tué au combat, ce serait une catastrophe. La blessure de Wilf avait rendu le jeune homme indispensable. Tant que les enfants de Ragna étaient en bas âge, Garulf avait une chance d'hériter la fortune de Wilf et son titre. Grâce à lui, la famille pourrait conserver son pouvoir, non seulement sur l'armée, mais sur Shiring.

Ils cheminaient sur un sentier qui traversait des collines boisées. En émergeant d'une forêt la veille du jour où ils devaient rejoindre l'armée du Devon, ils découvrirent une longue vallée au fond de laquelle coulait une rivière. À l'extrémité la plus étroite du vallon, elle formait un cours d'eau impétueux qui se précipitait vers eux puis s'élargissait et cascadait sur des rochers, avant de se faire plus calme et plus profonde.

Six bateaux vikings étaient amarrés juste au-dessous de la cascade, proprement alignés le long de la rive. Ils se trouvaient à une lieue environ de la lisière du bois d'où Wynstan et l'armée les observaient. C'était leur première rencontre avec l'ennemi depuis que Garulf avait pris le commandement. Wynstan sentit l'appréhension lui nouer le ventre. L'homme qui n'éprouvait pas un frisson de peur avant une bataille était un sot.

Les Vikings avaient dressé un petit campement sur la berge boueuse, quelques tentes de fortune et de nombreux foyers d'où s'échappaient des volutes de fumée. On apercevait une centaine d'hommes.

L'armée de Garulf comptait bien trois cents guerriers, cinquante nobles à cheval et deux cent cinquante hommes à pied.

« Nous sommes plus nombreux qu'eux ! » s'exclama Garulf, présageant une victoire facile.

Peut-être avait-il raison, mais Wynstan n'était pas aussi confiant que lui.

« Nous sommes plus nombreux que ceux que nous voyons, remarqua-t-il prudemment.

— Qui d'autre avons-nous à craindre ?

— Chacun de ces bateaux peut transporter cinquante hommes, peut-être plus. Ils sont arrivés en Angleterre avec au moins trois cents hommes à bord. Où sont les autres ?

— Quelle importance ? S'ils ne sont pas là, ils ne peuvent pas se battre.

— Nous ferions mieux d'attendre d'avoir rejoint la troupe du Devon. Nous serions beaucoup plus forts. Elle n'est qu'à une journée, tout au plus.

— Comment ? lança Garulf avec mépris. Nous sommes trois fois plus nombreux que les Vikings et vous voulez attendre que nous soyons à six contre un ? »

Les hommes s'esclaffèrent. Encouragé par leurs rires, Garulf poursuivit :

« Cela me paraît manquer singulièrement d'audace. Nous devons saisir notre chance. »

Peut-être n'a-t-il pas tort, se dit Wynstan. En tout état de cause, les hommes étaient impatients de passer à l'action. Les Vikings paraissaient vulnérables et ils étaient prêts à en découdre. Aucun argument logique ne pourrait leur faire entendre raison. Après tout, peut-être la logique ne remportait-elle pas les batailles.

Pourtant, il hésitait encore.

« Ma foi, allons jeter un coup d'œil de plus près avant de prendre une décision.

— Entendu. » Garulf parcourut ses hommes du regard pour capter leur attention. « Retournons dans la forêt attacher nos chevaux. Nous passerons ensuite derrière cette crête pour rester hors de vue pendant que nous approcherons, dit-il en pointant le doigt vers le lointain. Quand nous aurons atteint le promontoire, nous pourrons observer l'ennemi de tout près. »

C'était parfait, songea Wynstan en attachant son cheval à un arbre. Garulf avait le sens de la stratégie. Jusque-là, il n'avait rien à redire.

L'armée se mit en marche sous le couvert du bois et franchit la ligne de crête à l'abri des arbres. Parvenue de l'autre côté, elle changea de direction pour progresser parallèlement à la vallée vers l'amont. Les hommes plaisantaient, échangeant des bons mots à propos de bravoure et de lâcheté pour se donner du courage. L'un trouvait dommage qu'il n'y eût personne à violer après la bataille. Un autre répliqua que les Vikings feraient l'affaire. Un troisième ajouta que c'était une question de goût et tous éclatèrent de rire. Savaient-ils par expérience qu'ils étaient trop loin pour que les Vikings les entendent, se demanda Wynstan, ou étaient-ils simplement désinvoltes ?

Wynstan eut rapidement du mal à évaluer la distance parcourue. Garulf, cependant, paraissait sûr de lui.

« Nous sommes assez loin », finit-il par annoncer en baissant la voix.

Il entreprit de gravir la pente. Au bout de quelques pas, il s'aplatit pour ramper jusqu'au sommet.

Wynstan constata qu'ils se trouvaient effectivement à proximité du promontoire dont Garulf avait parlé. À leur tour, les thanes grimpèrent à plat ventre jusqu'au point de vue, tête baissée pour ne pas se faire repérer par l'ennemi situé en contrebas. Les Vikings vaquaient à leurs occupations, attisaient les feux, allaient puiser de l'eau à la rivière, ignorant qu'ils étaient surveillés.

Wynstan se sentait nauséeux. Il voyait leurs visages, entendait leur bavardage confus. Leur langue ressemblant à l'anglais, il distinguait même quelques mots. L'idée de devoir taillader ces hommes de sa lame acérée, faire couler leur sang, trancher leurs membres et transpercer les cœurs où battait la vie pour les jeter à terre impuissants et hurlant de douleur lui répugnait. Il passait pour un homme cruel et il l'était. Mais ce qui l'attendait ici relevait d'une autre forme de brutalité.

Il balaya le fleuve du regard. Sur la rive opposée s'élevait un petit coteau. Si d'autres Vikings étaient dans les parages, ils devaient se trouver plus en amont. Peut-être avaient-ils franchi la cascade à gué et étaient-ils partis en quête d'un village ou d'un monastère à piller.

Garulf recula, toujours en rampant. Les autres l'imitèrent. Arrivés assez bas derrière la crête, ils se relevèrent. De la main, Garulf leur fit signe de le suivre. Ils ne prononcèrent pas un mot.

Wynstan pensait qu'ils allaient se retirer pour discuter de la suite, mais il n'en fut rien. Garulf s'éloigna en direction d'un ravin qui descendait vers la berge. Les thanes lui emboîtèrent le pas, suivis de près par le reste de la troupe.

Ils se trouvaient désormais à découvert. Cela s'était fait si vite que Wynstan en fut décontenancé. Les hommes de Shiring descendirent parmi les broussailles vers le fond de la combe, toujours en silence, gagnant ainsi quelques secondes supplémentaires. Mais bientôt, un des Vikings leva les yeux et les aperçut. Il poussa un cri d'alarme. Aussitôt, l'armée rompit le silence. Braillant et hurlant, les hommes dévalèrent la ravine en désordre, armes brandies.

Wynstan dégaina son épée d'une main, empoigna sa lance de l'autre et se joignit à la meute.

Les Vikings comprirent immédiatement qu'ils ne faisaient pas le poids. Abandonnant leurs feux et leurs tentes, ils se précipitèrent vers les bateaux. Ils pataugèrent dans l'eau peu profonde, coupèrent les amarres au couteau et entreprirent de grimper à bord. Entre-temps, les Anglais avaient atteint la berge. Après quelques instants de course, ils les rattrapèrent.

Les deux camps se rencontrèrent au bord de la rivière. Une soif de sang si puissante qu'elle balaya tous ses scrupules s'empara de Wynstan qui entra dans l'eau, enivré par la perspective du massacre. Il plongea sa lance dans la poitrine d'un homme qui lui faisait face tandis que de la main gauche, il tranchait de son épée le cou d'un autre qui tentait de fuir. Ses deux victimes tombèrent dans l'eau. Il ne prit pas le temps de vérifier si elles étaient mortes.

Les Anglais avaient la chance de se trouver dans une eau moins profonde que leurs adversaires, ce qui leur donnait une plus grande liberté de mouvement. Les thanes, aux avant-postes, jouaient de la lance et de l'épée et tuèrent en un rien de temps plusieurs dizaines de Vikings. Leurs ennemis étaient en majorité des hommes âgés, médiocrement armés – certains n'avaient pas d'armes du tout : sans doute avaient-ils fui en les laissant sur la berge. On avait dû envoyer les meilleurs combattants se livrer au pillage, supposa Wynstan.

Après le premier déferlement de haine, il parvint à retrouver suffisamment de sang-froid pour rester auprès de Garulf.

Quelques Vikings réussirent à regagner leurs bateaux, mais ils étaient acculés. Même avec un effectif complet de rameurs, il fallait exécuter des manœuvres complexes pour dégager les bateaux de leur mouillage et leur faire rejoindre le milieu du cours d'eau. Avec insuffisamment d'hommes à bord et dans un état de panique qui empêchait toute coordination, les vaisseaux dérivaient et entraient en collision. De plus, les hommes, debout sur les ponts, offraient des cibles de choix aux archers qui, positionnés en retrait par rapport à la mêlée, tiraient au-dessus des têtes de leurs camarades.

La bataille commença à tourner au carnage. Tous les hommes de Shiring étant engagés dans le combat, il y avait trois Anglais pour tuer un seul Viking. La rivière devint rouge de sang et se mit à charrier les corps de morts et de mourants. Wynstan s'écarta, haletant, tenant toujours ses armes ensanglantées. Garulf avait eu raison de saisir sa chance, pensa-t-il. C'est alors qu'il leva les yeux vers l'autre rive et que son sang se glaça.

Plusieurs centaines de Vikings arrivaient. Les pillards avaient dû se tenir hors de vue, juste derrière la colline. Ils couraient à présent vers la rivière, traversaient la cascade en sautant de pierre en pierre au milieu de gerbes d'eau. En quelques minutes, ils furent sur la berge, brandissant leurs armes, impatients d'en découdre. Les Anglais, atterrés, se préparèrent à les affronter.

Dans un accès d'indicible terreur, Wynstan constata que les Vikings leur étaient désormais supérieurs en nombre. Pire, les nouveaux arrivants étaient solidement armés de lances et de haches et étaient visiblement plus jeunes et plus vigoureux que ceux qu'ils avaient laissés pour surveiller le campement. Ils se précipitèrent le long la rive et se déployèrent sur la berge, cherchant, devina Wynstan, à encercler les Anglais pour les pousser dans l'eau.

Il se tourna vers Garulf. Le garçon était pétrifié.

« Ordonne aux hommes de se replier ! lui cria-t-il. Qu'ils suivent la rive vers l'aval. Sinon, nous serons pris au piège ! »

Mais Garulf semblait incapable de réfléchir et de se battre en même temps.

Je me suis lourdement trompé, se dit Wynstan, submergé par la peur et le désespoir. Garulf est incapable de commander. Il n'est pas assez intelligent pour cela, voilà tout. Et cette erreur va peut-être me coûter la vie aujourd'hui.

Garulf se défendait énergiquement contre un grand Viking à la barbe rousse. Il reçut un coup au bras droit, lâcha son épée, tomba sur un genou et fut frappé à la tête par une masse d'arme que maniait aveuglément un Anglais fou furieux, qui se jeta ensuite sur le barbu roux.

Refoulant ses remords, Wynstan lutta contre la panique et rassembla ses idées. La bataille était perdue. Garulf risquait d'être tué ou fait prisonnier et réduit en esclavage. La retraite était leur seul espoir. Et les premiers à fuir auraient le plus de chances d'avoir la vie sauve.

Le Viking à barbe rousse était aux prises avec l'Anglais déchaîné. Profitant de cet instant de répit, Wynstan rengaina son épée et ficha sa lance dans la boue. Puis il se pencha, ramassa Garulf qui gisait, inconscient, et chargea son corps inerte sur son épaule gauche. Il reprit sa lance dans sa main droite, fit demi-tour et s'éloigna de la bataille.

Garulf était grand et solidement charpenté. Heureusement, Wynstan était robuste lui aussi et n'avait pas encore quarante ans. Il le portait sans trop d'effort, mais son poids le ralentissait. Il escalada tant bien que mal le ravin en trébuchant.

En jetant un regard derrière lui, il vit un Viking quitter la bataille pour se lancer à sa poursuite. Il trouva la force d'accélérer l'allure malgré la pente de plus en plus raide. Le souffle court, il entendait les pas lourds de son poursuivant derrière lui. Il ne cessait de regarder par-dessus son épaule pour constater que l'homme se rapprochait peu à peu.

À la dernière minute, il fit volte-face, se laissa tomber sur un genou, lâcha Garulf et bondit en avant en brandissant sa lance. Comme le Viking levait sa hache pour lui asséner le coup fatal, Wynstan esquiva. Il planta sa lance dans la gorge du Viking et poussa de toutes ses forces. La lame pénétra les chairs tendres, tranchant muscles et tendons, traversa le cerveau et ressortit à l'arrière du crâne. L'homme mourut sans un bruit.

Wynstan ramassa Garulf et reprit sa course. Arrivé au sommet, il se retourna. Les Anglais étaient encerclés.

Leurs cadavres jonchaient la berge. Quelques-uns avaient pris la fuite et couraient le long de la rive vers l'aval. Ils seraient sans doute les seuls survivants.

Personne ne l'avait vu.

Il franchit la crête, redescendit sur l'autre versant et, quand il fut certain d'être hors de vue, se dirigea à flanc de coteau vers le bois où attendaient les chevaux.

*

Profitant d'un moment de lucidité de Wilf, Ragna lui fit le récit de la bataille.

« Wynstan a ramené Garulf, légèrement blessé mais sain et sauf, conclut-elle. Mais l'armée de Shiring a été décimée.

— Garulf est courageux, mais ce n'est pas un meneur d'hommes. Personne n'aurait dû lui confier le commandement.

— C'était une idée de Wynstan. Il a d'ailleurs reconnu à demi-mot qu'il avait eu tort.

— Tu aurais dû l'en empêcher.

— J'ai essayé, mais les hommes voulaient Garulf.

— Ils l'apprécient, c'est vrai. »

C'était comme au bon vieux temps. Wilf et Ragna se parlaient d'égal à égal, curieux de connaître l'opinion l'un de l'autre. Ils passaient ensemble plus de temps que jamais. Elle était restée à son chevet jour et nuit, attentive à ses besoins, tout en gouvernant le comté à sa place. Il lui en était reconnaissant. Sa blessure les avait rapprochés.

Cela s'était fait contre les vœux de Ragna. Quoi qu'il advînt, il ne lui inspirerait plus jamais les sentiments d'autrefois. Et s'il souhaitait reprendre leur relation passionnée ? Comment réagirait-elle ?

Il était prématuré d'y penser. Les relations charnelles

n'étaient pas possibles pour le moment. Hildi leur avait bien recommandé d'éviter tout mouvement brusque. Mais quand il irait mieux, voudrait-il retrouver leurs fougueux ébats des premiers temps ? Frôler la mort lui aurait-il rendu un peu de sagesse ? Peut-être oublierait-il Carwen et Inge pour rester avec celle qui l'aurait soigné jusqu'à la guérison.

Quelle que fût sa décision, elle devrait s'en accommoder. Elle était son épouse, elle n'avait pas le choix. Pourtant, ce n'était pas ce qu'elle souhaitait.

Elle reprit leur conversation.

« Puis les Vikings ont disparu aussi soudainement qu'ils étaient arrivés. Ils ont dû se lasser.

— C'est leur manière de faire : attaque soudaine, pillages au petit bonheur, victoire ou défaite rapide et ils repartent.

— Il semblerait qu'ils aient gagné l'île de Wight. Tout indique qu'ils ont l'intention d'y passer l'hiver.

— Encore ? Cette île est en train de devenir leur base permanente.

— Je crains malheureusement qu'ils ne reviennent.

— Oh, oui, acquiesça Wilf. S'il y a une chose dont tu peux être sûre, c'est qu'ils reviendront. »

30

Février 1002

« Ton pont est une merveille », dit Aldred.

Edgar sourit. Il était ravi, surtout après son premier échec.

« C'était votre idée, rappela-t-il avec modestie.

— Mais c'est toi qui l'as réalisée. »

Debout devant l'église, ils contemplaient le fleuve, emmitouflés dans de lourdes houppelandes pour se protéger de la froidure de l'hiver. Edgar portait un chapeau de fourrure, mais Aldred devait se contenter de son capuchon de moine.

Edgar observait le pont avec fierté. Comme l'avait imaginé Aldred, deux rangées de bateaux s'étiraient de chaque berge vers le milieu du fleuve, telles deux péninsules jumelles. Chaque rangée était arrimée à la rive par un solide amarrage de cordes qui laissait au pont une légère marge de mouvement. Edgar avait construit des barques à fond plat, à bords bas côté terre et de plus en plus élevés vers le centre. Elles étaient reliées entre elles par des poutres de chêne supportant une structure sur laquelle courait la chaussée en planches. Au milieu, sous le point le plus élevé de l'arche, un espace ouvert permettait le passage de la navigation.

Il avait envie de montrer son œuvre à Ragna. C'était de son admiration qu'il avait soif. Il l'imagina posant sur lui son regard bleu-vert et lui disant : « C'est extraordinaire, tu es incroyablement doué, ce pont a l'air parfait », et une douce chaleur l'envahit comme s'il venait de boire un godet d'hydromel.

Portant le regard vers Dreng's Ferry, il se souvint du jour pluvieux où elle y était arrivée avec la grâce d'une colombe se posant sur une branche. Était-il tombé amoureux d'elle dès cet instant ? Peut-être un peu, déjà.

Il se demandait quand elle reviendrait.

« À qui penses-tu ? » lui demanda Aldred. Surpris par l'intuition du moine, Edgar ne sut que répondre. « À quelqu'un que tu aimes, c'est évident. Cela se lit sur ton visage.

— Il faudra entretenir ce pont, déclara Edgar pour dissimuler son embarras. Mais si on en prend soin, il durera cent ans. »

Ragna ne reviendrait peut-être jamais à Dreng's Ferry. C'était un hameau sans importance.

« Regarde tous ces gens qui traversent, dit Aldred. C'est une belle réussite. »

En effet, le pont était déjà très fréquenté. Les gens venaient acheter du poisson ou assister aux offices religieux. Ils avaient été plus d'une centaine à se masser dans l'église à Noël pour voir se dresser saint Adolphe.

Tous ceux qui traversaient payaient un farthing, et un autre farthing au retour. Les moines disposaient ainsi d'un revenu, qui ne cessait de croître.

« C'est grâce à toi, observa Aldred. Merci.

— C'est grâce à votre ténacité, corrigea Edgar en secouant la tête. Vous n'avez cessé d'accumuler les revers, dont la plupart étaient dus à la malveillance d'hommes haineux, mais vous n'avez jamais baissé les bras. Chaque fois que vous êtes à terre, vous vous relevez et vous repartez. Vous me stupéfiez.

— Mon Dieu, s'exclama Aldred, la mine toute réjouie, quel compliment ! »

Aldred était amoureux d'Edgar et celui-ci le savait. C'était un amour sans avenir car il ne serait jamais payé de retour. Edgar ne serait jamais amoureux d'Aldred.

Edgar éprouvait les mêmes sentiments pour Ragna. Il l'aimait, mais son amour ne déboucherait jamais sur rien. Elle ne tomberait jamais amoureuse de lui. C'était sans espoir.

À une différence près, cependant. Aldred paraissait accepter la situation. Il pouvait être assuré de ne jamais pécher avec Edgar car celui-ci ne le permettrait pas.

En revanche, Edgar souhaitait de toute son âme

vivre pleinement son amour pour Ragna. Il voulait faire l'amour avec elle, l'épouser, se réveiller le matin auprès d'elle. Il voulait l'impossible.

Comme il ne servait à rien de ressasser, il reprit, sur le ton de la conversation : « Il y a du monde à la taverne.

— C'est parce que Dreng n'est pas là pour rudoyer les clients, observa Aldred. Ils sont toujours plus nombreux en son absence.

— Où est-il allé ?

— À Shiring. Je ne sais pas pour quelle raison ; quelque sombre affaire, sans doute.

— Il est sûrement allé se plaindre du pont.

— Se plaindre ? À qui ?

— Bonne question. Wilwulf est encore souffrant paraît-il et Dreng a peu de chances de trouver une oreille compatissante auprès de Ragna. »

Edgar était heureux de voir le village grouiller de vie. Comme Aldred, il aimait cet endroit. Ils souhaitaient tous les deux le voir prospérer. Quelques années plus tôt, c'était un trou perdu, un hameau de pauvres masures, régenté par deux frères cupides et paresseux, Degbert et Dreng. On y trouvait désormais un prieuré, une poissonnerie, un saint et un pont.

Ces réflexions inspirèrent une autre idée à Edgar.

« Tôt ou tard, il faudra construire une muraille.

— Je ne me suis jamais senti en danger ici, répondit Aldred, sceptique.

— Chaque année, les Vikings pénètrent plus loin à l'intérieur des terres dans l'ouest de l'Angleterre. Si notre village continue à prospérer, il risque d'intéresser ces pillards un jour ou l'autre.

— Il est vrai qu'ils opèrent toujours en remontant les fleuves. Mais il y a un obstacle à Mudeford, un tronçon d'eau peu profonde. »

Edgar se souvenait de l'épave du navire viking échoué sur la plage, à Combe.

« Ils ont des embarcations légères. Ils peuvent les haler sur les hauts-fonds.

— Dans ce cas, ils nous attaqueront à partir du fleuve et non de la terre.

— Il faudra donc fortifier la rive le long du méandre. » Edgar désigna le coude à angle droit que le fleuve formait en amont. « Je pense à un rempart de terre, renforcé par endroits par un soutènement de bois ou de pierre.

— Et le reste du mur ?

— Il partirait de la berge, juste au-delà de la brasserie de Leaf.

— La ferme de tes frères se trouverait donc à l'extérieur. »

Edgar se souciait de ses frères plus qu'ils ne se souciaient de lui, mais ils ne couraient pas un grave danger.

« Les Vikings ne pillent pas les fermes isolées. Il n'y a pas assez à voler.

— Tu as raison.

— Le rempart se dirigerait vers le haut de la colline, en passant derrière les maisons : celles de Bebbe, de Cerdic et Ebba, puis de Haldwine et Elfburg, de Regenbald le cordier, de Bucca le poissonnier et enfin la mienne. Arrivé là, il obliquerait à droite pour redescendre jusqu'au fleuve afin d'entourer le site de la future église, si nous arrivons à la bâtir un jour.

— Oh, nous y arriverons, assura Aldred.

— Je l'espère.

— Aie confiance. »

*

Hildi, la sage-femme, examinait Wilf sous le regard attentif de Ragna. Elle le fit asseoir sur un tabouret et approcha une chandelle pour inspecter sa plaie.

« Retirez cela, gémit-il. Cela me fait mal aux yeux. »

Elle fit passer la bougie derrière sa tête pour qu'elle ne lui éclaire plus le visage. Elle palpa la blessure et hocha la tête d'un air satisfait.

« Mangez-vous bien ? demanda-t-elle. Qu'avez-vous pris au petit déjeuner ?

— Du gruau salé, répondit-il d'un ton maussade. Et un pichet de bière claire. Une piètre nourriture pour un noble. »

Hildi interrogea Ragna du regard.

« On lui a servi du jambon fumé et du vin, dit Ragna tout bas.

— Ne me contredis pas, protesta Wilf. Je sais ce que j'ai mangé.

— Et comment vous sentez-vous ? reprit Hildi.

— J'ai mal à la tête. Pour le reste, je suis en forme – je ne me suis jamais mieux senti.

— Bien, je crois que vous allez pouvoir reprendre une vie normale. C'est parfait. » Elle se leva. « Sortons un moment, Ragna, voulez-vous ? »

La cloche du repas de midi sonnait quand Ragna la suivit à l'extérieur.

« Il est remis physiquement, lui annonça Hildi. Sa blessure est guérie. Il n'a plus besoin de garder le lit. Il peut aller prendre son repas dans la grande salle dès aujourd'hui. Et il pourra remonter à cheval quand il voudra. » Ragna hocha la tête. « Et même faire l'amour. »

Ragna ne dit rien. Elle avait perdu toute envie de coucher avec Wilf. Pourtant, s'il le souhaitait, elle y consentirait. Elle avait eu amplement le temps d'y réfléchir et s'était faite à l'idée de repartager l'intimité charnelle d'un homme qu'elle n'aimait plus.

« Vous avez dû cependant remarquer que ses facultés mentales ne sont plus ce qu'elles étaient », poursuivit Hildi et Ragna acquiesça. En effet, cela ne lui avait pas échappé. « Il ne supporte pas la lumière vive, il est de mauvaise humeur, déprimé, et sa mémoire lui joue des tours. J'ai vu beaucoup d'hommes atteints de blessures à la tête depuis la recrudescence des incursions des Vikings. Son état est caractéristique. »

Ragna savait tout cela. Hildi avait l'air navrée, comme si elle était responsable de la situation.

« Cela fait déjà cinq mois et je ne constate aucune amélioration.

— Y en aura-t-il une un jour ? soupira Ragna.

— Nul ne peut le savoir. C'est entre les mains de Dieu. »

Ragna prit cela pour une réponse négative. Elle remit à Hildi deux pennies d'argent.

« Merci d'être aussi douce avec lui.

— Je suis à votre service, milady. »

Ragna la laissa et rentra dans la maison.

« Hildi dit que tu peux aller dîner dans la grande salle, annonça-t-elle à Wilf. Le souhaites-tu ?

— Naturellement ! Où veux-tu que j'aille dîner ? »

Bien qu'il n'eût pris aucun repas dans la grande salle depuis près d'un an, Ragna ne chercha pas à le détromper. Elle l'aida à s'habiller, puis lui fit traverser le domaine en le tenant par le bras.

Le repas avait déjà été servi. L'évêque Wynstan et Dreng étaient à table. Quand Wilf et Ragna entrèrent, les rires et les conversations se turent. Tous les yeux se tournèrent vers eux, écarquillés de surprise. Personne n'avait été averti du retour de Wilf. Un tonnerre d'applaudissements et d'acclamations éclata alors, Wynstan se leva et tous l'imitèrent.

Wilf sourit, tout heureux.

Ragna le conduisit à sa place habituelle et s'assit près de lui. Quelqu'un lui servit un gobelet de vin qu'il vida d'un trait avant d'en réclamer un autre.

Il mangea de bon appétit en s'esclaffant bruyamment à toutes les plaisanteries des hommes, redevenu lui-même en apparence. Sachant que cette illusion ne résisterait pas à une amorce de discussion sérieuse, Ragna s'efforça de le protéger. Quand il disait une bêtise, elle riait, comme s'il ne cherchait qu'à être drôle ; s'il proférait une énormité, elle prétendait qu'il avait trop bu. Elle s'étonnait elle-même du nombre d'insanités que l'on pouvait mettre sur le compte de l'ivresse.

Vers la fin du repas, il devint entreprenant. Sous la table, il se mit à lui caresser la cuisse à travers la laine de sa robe, en remontant lentement.

Nous y voilà, songea-t-elle.

Même si elle n'avait pas tenu d'homme dans ses bras depuis un an, cette perspective lui répugnait. Mais elle ne se déroberait pas. Telle était sa vie désormais, et elle devrait se faire une raison.

C'est alors que Carwen entra.

Elle avait dû s'éclipser pour aller se changer car elle portait à présent une robe noire qui lui donnait l'air plus mûr et des chaussures rouges qui auraient convenu à une putain. Elle s'était aussi lavé la figure et rayonnait de vitalité et de santé juvéniles.

Elle accrocha aussitôt le regard de Wilf. Il lui adressa un large sourire, l'air égaré pourtant, comme s'il cherchait à se rappeler qui elle était.

Debout sur le seuil, elle lui rendit son sourire et fit mine de repartir en l'invitant à la suivre d'un mouvement de tête.

Wilf parut balancer. Y a-t-il vraiment à hésiter ? pensa Ragna. Tu es assis à côté de l'épouse qui te soigne jour et nuit depuis cinq mois – tu ne vas tout de même pas la laisser en plan pour courir après une esclave.

Wilf se leva.

Ragna le regarda fixement, bouche bée, horrifiée, incapable de cacher son désarroi. C'en était trop. Je ne supporterai pas cela, se dit-elle.

« Assieds-toi, pour l'amour du ciel ! souffla-t-elle. Ne sois pas stupide. »

Il la regarda d'un air surpris. Puis, détournant les yeux, il s'adressa aux convives.

« Contre toute attente… » Cette entrée en matière fut saluée par un rire général. « Contre toute attente, il se trouve que je suis appelé ailleurs. »

Non, songea Ragna, ce n'est pas possible.

Et pourtant… Elle lutta contre les larmes.

« Je reviendrai plus tard », reprit Wilf en se dirigeant vers la sortie. À la porte, il s'arrêta et se retourna, avec le sens inné du théâtre qu'il avait toujours eu. « Beaucoup plus tard. »

Les hommes éclatèrent de rire, et il sortit.

*

Wynstan, Degbert et Dreng quittèrent Shiring discrètement, à la nuit tombée, en menant leurs chevaux par la bride jusqu'à la sortie de la ville. Seuls quelques serviteurs de confiance étaient informés de leur départ et Wynstan tenait à ce que personne d'autre ne l'apprenne. Ils étaient accompagnés d'un cheval de bât chargé d'un tonneau et d'un grand sac, ainsi que de vivres et de boisson, mais aucun homme d'armes ne les escortait. Leur mission devait rester secrète.

Ils veillèrent à ne pas être reconnus sur la route. Même sans escorte, leur anonymat n'était pas facile à préserver. Le crâne chauve de Degbert ne passait pas inaperçu, Dreng avait une voix nasillarde qui n'appartenait qu'à lui et Wynstan était l'un des personnages les plus connus de la région. Ils s'enveloppèrent d'épaisses houppelandes, enfoncèrent le menton dans les plis, et dissimulèrent leurs visages sous les capuches ; leur aspect n'avait rien d'exceptionnel par le froid humide du mois de février. Ils croisaient les autres voyageurs sans s'arrêter et en évitant les habituels échanges d'informations. Au lieu de chercher à loger dans des tavernes ou des monastères où ils auraient été obligés de montrer leurs visages, ils passèrent la première nuit dans la forêt, auprès d'une famille de charbonniers, des gens revêches et peu sociables qui versaient à Wynstan une redevance pour avoir le droit d'exercer leur activité.

Plus ils approchaient de Dreng's Ferry, plus ils couraient le risque d'être reconnus. Le deuxième jour, alors qu'ils n'avaient plus qu'une lieue à parcourir, ils eurent un instant de frayeur. Ils croisèrent un groupe venant en sens inverse, une famille à pied, la femme tenant un nourrisson dans ses bras, l'homme portant un seau plein d'anguilles sans doute achetées au poissonnier Bucca, et deux autres enfants à leur suite.

« Je connais ces gens, murmura Dreng.

— Moi aussi », confirma Degbert.

Wynstan lança son cheval au trot et ses compagnons l'imitèrent. La famille s'écarta. Les trois hommes passèrent sans dire un mot. Les membres de la famille étaient trop occupés à esquiver les sabots des chevaux pour observer les cavaliers de près. Ils étaient tirés d'affaire, songea Wynstan.

Peu après, ils quittèrent la route pour emprunter un sentier presque invisible qui s'enfonçait entre les arbres. Degbert prit la tête. La forêt se faisant de plus en plus touffue, ils durent mettre pied à terre et marcher en tenant leurs montures par la bride. Degbert les conduisit jusqu'à une vieille maison en ruine, sans doute l'ancien logis d'un forestier, abandonné depuis longtemps. Les pans de murs restants et le toit à demi effondré leur offriraient un abri pour leur deuxième nuit.

Dreng ramassa une brassée de bois mort et fit un feu qu'il alluma avec un briquet à silex. Degbert déchargea le cheval de bât. Alors que la nuit tombait, les trois hommes s'installèrent aussi confortablement que possible.

Wynstan but une longue gorgée à un flacon qu'il tendit ensuite à ses compagnons. Il leur donna alors ses instructions.

« Vous porterez vous-même le tonneau de poix jusqu'au village. Ne prenez pas les chevaux, ils feraient trop de bruit.

— Je ne peux pas porter le tonneau, protesta Dreng. J'ai mal au dos. Un Viking…

— Je sais. Degbert s'en chargera. Toi, tu prendras le sac de chiffons.

— Il a l'air bien lourd. »

Wynstan ignora ses jérémiades.

« Votre tâche est très simple. Trempez les chiffons dans la poix puis attachez-les au pont, de préférence aux cordes et aux petits éléments de bois. Prenez votre temps, nouez-les bien serrés, ne bâclez pas. Quand ils seront tous attachés, enflammez un bâton bien sec pour mettre le feu à tous les chiffons, un par un.

— C'est la partie qui m'inquiète le plus, remarqua Degbert.

— Ce sera en pleine nuit. Quelques chiffons en feu ne réveilleront personne. Vous aurez tout votre temps. Quand ils seront tous allumés, revenez tranquillement.

Ne faites pas de bruit, ne courez pas avant d'être assez loin pour qu'on ne vous entende pas. Je vous attendrai ici avec les chevaux.

— Tout le monde saura que c'est moi, grommela Dreng.

— On te soupçonnera peut-être. Tu as été assez sot pour t'opposer à la construction du pont alors que tes protestations ne pouvaient qu'être ignorées, tu aurais pu t'en douter. » Wynstan s'irritait facilement de la stupidité de gens comme Dreng. « Mais tout le monde se rappellera que tu étais à Shiring quand le pont a brûlé. On t'a vu dîner dans la grande salle il y a deux jours et on t'y reverra après-demain. Si quelqu'un est assez malin pour constater que tu as disparu suffisamment longtemps pour aller à Dreng's Ferry et en revenir, je jurerai que nous étions tous les trois chez moi pendant tout ce temps.

— On accusera les brigands, dit Degbert.

— Les brigands sont des boucs émissaires fort utiles, acquiesça Wynstan.

— Je risque d'être pendu pour cela, se lamenta Dreng.

— Moi aussi ! rétorqua Degbert. Arrête de te plaindre. C'est pour toi que nous faisons cela !

— Non, pas du tout. Vous le faites parce que vous détestez Aldred, tous les deux. »

C'était vrai.

Degbert en voulait à Aldred de l'avoir fait expulser de son confortable moustier. Wynstan le haïssait pour des raisons plus complexes. Aldred n'avait cessé de le provoquer. Chaque fois, Wynstan l'avait châtié, mais Aldred ne retenait jamais la leçon. Wynstan en devenait fou. Les gens étaient censés le craindre. Celui qui le défiait devait être définitivement écrasé. Quand sa malédiction s'abattait sur quelqu'un, sa victime ne devait pas s'en remettre. Si Aldred réussissait à lui tenir tête, d'autres risquaient d'avoir la même idée. Aldred était la fissure du mur susceptible de provoquer un jour l'effondrement de tout l'édifice.

Wynstan s'exhorta au calme.

« Peu importe la raison pour laquelle nous agissons, dit-il en réprimant si difficilement le frémissement de colère dans sa voix que les deux autres s'alarmèrent. Aucun de nous ne sera pendu, continua-t-il, plus conciliant. Au besoin, je jurerai que nous sommes innocents. Le serment d'un évêque est inattaquable. »

Il leur repassa le flacon de vin. Au bout d'un moment, il ajouta du bois dans le feu et leur conseilla de s'installer pour la nuit.

« Je ne dormirai pas », ajouta-t-il.

Ils s'allongèrent, enveloppés dans leurs houppelandes. Wynstan resta assis. Il lui faudrait deviner quand le milieu de la nuit serait venu. L'heure exacte importait peu. L'essentiel était que les villageois dorment profondément et qu'il reste quelques heures avant l'office de matines des moines.

Il était ankylosé, tourmenté par les douleurs et les crampes d'un corps de presque quarante ans. Il se demanda s'il n'aurait pas pu s'épargner de dormir à la dure dans la forêt avec Dreng et Degbert. Mais il connaissait la réponse. Il devait veiller à ce qu'ils s'acquittent correctement de leur tâche et, surtout, en toute discrétion. Dans toutes les missions importantes, sa participation directe était la clé du succès.

Il était heureux d'avoir accompagné Garulf au combat. Sans lui, le jeune homme aurait sûrement été tué. Un évêque ne devrait pas avoir à faire ce genre de chose. Mais Wynstan n'était pas un évêque comme les autres.

En attendant que passent les heures, il songea à l'infirmité de son demi-frère Wilf et à ses conséquences pour Shiring. Contrairement à beaucoup d'autres, Wynstan avait parfaitement remarqué que le rétablissement de Wilf n'était que partiel. Ragna lui servait constamment de porte-parole : elle décidait de tout, en prétendant tenir ses instructions de Wilf. Bern le Géant assurait toujours la garde rapprochée de Wilf et le shérif Den commandait l'armée de Shiring, ou ce qui en restait. La guérison de Wilf avait pour principal résultat de confirmer l'emprise de Ragna.

Wynstan et Wigelm avaient été habilement tenus à l'écart. S'ils conservaient leur pouvoir, chacun dans son domaine, Wynstan dans son diocèse et Wigelm à Combe, leur autorité ne s'étendait pas au-delà. Garulf avait guéri de ses blessures mais sa réputation ne s'était pas remise du désastre de la bataille contre les Vikings. Il avait perdu toute crédibilité. Quant à Gytha, elle n'exerçait plus aucune influence depuis longtemps. Ragna régnait en souveraine.

Et Wynstan n'y pouvait rien.

Il n'eut aucun mal à rester éveillé. Il n'arrivait pas à dormir quand un problème insoluble le tracassait. Il avalait une gorgée de vin de temps en temps, sans excès. Il jetait du bois dans le feu, juste de quoi l'entretenir.

Quand il estima que minuit était passé, il réveilla Dreng et Degbert.

*

Brindille gronda, sans que cela réveille vraiment Edgar. Dans un demi-sommeil, il prit ce grognement pour le léger avertissement qu'émettait la chienne la nuit quand elle entendait quelqu'un passer devant la maison mais reconnaissait un pas familier. Jugeant inutile de réagir, Edgar se rendormit.

Un peu plus tard, la chienne aboya. C'était différent, un jappement angoissé, insistant, qui voulait dire : « Réveille-toi vite maintenant, j'ai vraiment peur. »

Une odeur de brûlé parvint aux narines d'Edgar.

L'air était toujours enfumé chez lui, comme dans toutes les maisons d'Angleterre, mais cette odeur était différente, plus âcre, légèrement irritante. Reprenant conscience, il songea d'abord à des relents de poix. Presque aussitôt, saisi par un sentiment d'urgence, il bondit hors de son lit, affolé.

Il ouvrit la porte brusquement et sortit. Il constata alors avec horreur d'où venait cette odeur : le pont était en feu. Les flammes jaillissaient de plusieurs endroits, dansant un ballet macabre qui se reflétait dans l'eau avec une joie mauvaise.

Le chef-d'œuvre d'Edgar flambait.

Il dévala la colline pieds nus, insensible au froid. Le temps qu'il atteigne la berge, l'incendie s'était propagé. Pourtant, le pont pouvait encore être sauvé si on l'arrosait. Il descendit dans le fleuve et, recueillant de l'eau dans le creux de ses mains, il en aspergea un madrier enflammé.

Il comprit tout de suite qu'il n'arriverait à rien de cette manière. Il s'était laissé emporter par la panique. Il s'arrêta, respira profondément, regarda autour de lui. Toutes les maisons étaient éclairées de lueurs orangées. Tout le monde dormait. Il hurla :

« À l'aide ! Venez vite, tous ! Au feu ! Au feu ! »

Il courut à la taverne et tambourina contre la porte en criant. Un instant plus tard, Blod lui ouvrit, les yeux écarquillés de peur, les cheveux en bataille.

« Qu'on apporte des cruches et des seaux ! cria Edgar. Vite ! »

Avec une étonnante présence d'esprit, Blod saisit un seau en bois derrière la porte et le lui tendit.

Edgar fila vers le fleuve et commença à jeter des seaux d'eau sur les flammes. Il fut bientôt rejoint par Blod, Ethel, armée d'un grand pot de terre, et Leaf, titubant sous le poids d'une marmite en fer.

C'était insuffisant. Le feu gagnait trop vite.

D'autres villageois arrivèrent : Bebbe, Bucca le poissonnier, Cerdic et Ebba, Hadwine et Elfburg, Regenbald le cordier. Alors qu'ils se précipitaient vers le fleuve, Edgar remarqua qu'ils avaient tous les mains vides. Fou de désespoir, il leur cria :

« Prenez des seaux, bande d'idiots ! Prenez des seaux ! »

Comprenant que leur présence serait inutile sans récipients, ils retournèrent chez eux en chercher.

Pendant ce temps, l'incendie ne cessait de gagner du terrain. L'odeur de poix s'atténuait, mais les barges étaient en feu et les poutres de chêne commençaient elles-mêmes à s'enflammer.

Aldred surgit alors du monastère avec les moines, tous munis de seaux, de cruches et de tonnelets.

« Allez en aval ! » leur lança Edgar avec un geste du bras.

Aldred conduisit les moines de l'autre côté du pont et ils se mirent aussitôt à arroser les flammes.

Bientôt, le village entier leur prêta main-forte. Ceux qui savaient nager traversèrent le fleuve glacé pour attaquer le feu à l'autre extrémité du pont. Mais même du côté du hameau, Edgar ne put que constater qu'ils étaient en train de perdre la bataille.

Mère Agatha et deux de ses religieuses arrivèrent dans leur barque minuscule.

Leaf, la femme de Dreng, sans doute aussi ivre qu'ensommeillée, sortit de l'eau en titubant de fatigue. En la voyant, Edgar eut peur qu'elle ne bascule dans les flammes. Elle tomba à genoux sur la berge et s'inclina d'un côté. Elle parvint à se redresser, mais ses cheveux avaient eu le temps de s'embraser. Poussant un cri de douleur, elle se releva et partit à l'aveuglette, fuyant l'eau qui aurait pu la sauver. Ethel la poursuivit mais Edgar fut plus rapide. Lâchant son seau, il s'élança derrière Leaf. Il la rattrapa aisément, mais elle était déjà grièvement brûlée au visage, dont la peau était noircie et boursouflée. Il la projeta au sol. Il était trop tard pour la ramener au fleuve. Elle serait morte avant d'y arriver. Il retira sa tunique et lui en enveloppa la tête pour étouffer les flammes.

Mère Agatha le rejoignit. Elle se pencha et écarta doucement la tunique d'Edgar enroulée autour de la tête de Leaf. Des cheveux et des lambeaux de peau adhéraient aux fibres de laine à moitié carbonisées. Elle posa la main sur la poitrine de Leaf, cherchant les battements de cœur, et secoua la tête d'un air désolé.

Ethel éclata en sanglots.

Edgar entendit un immense craquement, comme le gémissement d'un géant, suivi d'un bruit d'éclaboussure assourdissant. Il se retourna. L'extrémité du pont venait de s'abîmer dans le fleuve.

Il aperçut sur la berge, à proximité du pont effondré, un objet qui l'intrigua. Oubliant qu'il était nu comme un ver, il alla le ramasser. C'était un linge à demi brûlé. Il le renifla. Comme il l'avait suspecté, il avait été trempé dans la poix.

À la lueur des flammes vacillantes, il vit ses frères, Erman et Eadbald, accourir sur la berge en provenance de la ferme. Cwenburg les suivait de près, portant sur un bras le petit Beorn, âgé de dix-huit mois, et tenant Winnie, quatre ans, par la main. Désormais, le village était au complet.

Edgar montra le chiffon à Aldred.

« Regardez. »

Aldred ne comprit pas tout de suite.

« Qu'est-ce ?

— Un chiffon trempé dans la poix auquel on a mis le feu. Il a dû tomber dans l'eau et il s'est éteint.

— Tu penses qu'il était attaché au pont ?

— Comment croyez-vous que le pont a pu s'enflammer ? » Les villageois s'étaient approchés d'Edgar pour mieux entendre. « Il n'y a pas eu d'orage, pas d'éclairs. Une maison peut être incendiée par le feu de l'âtre, mais pourquoi un pont s'embraserait-il en plein hiver ? »

Rattrapé par le froid, il se mit à frissonner.

« C'est donc quelqu'un qui a fait cela, murmura Aldred.

— Quand j'ai découvert le brasier, le pont brûlait en plusieurs points. Un incendie accidentel ne prend qu'à un seul endroit. Il a été provoqué volontairement.

— Par qui ? »

Bucca le poissonnier écoutait.

« C'est sûrement Dreng, lança-t-il. Il déteste ce pont. »

Bucca, au contraire, l'adorait : son affaire s'était considérablement développée grâce à lui.

La grosse Bebbe remarqua :

« Si c'est Dreng, il a causé la mort de sa propre femme. »

Les moines se signèrent et le vieux Tatwine marmonna :

« Que Dieu la bénisse.

— Dreng est à Shiring, remarqua alors Aldred. Cela ne peut pas être lui.

— Qui, alors ? » demanda Edgar.

Personne ne répondit à sa question.

Edgar observa les flammes vacillantes, évaluant les dégâts. Sur l'autre rive, l'extrémité du pont avait disparu. De leur côté, des braises rougeoyaient encore. L'ouvrage entier penchait dangereusement vers l'aval.

Le pont était irréparable.

Blod s'approcha de lui avec une cape. Il lui fallut un moment pour se rendre compte que c'était la sienne. Blod avait dû aller la chercher chez lui. Elle lui avait aussi apporté ses chaussures.

Il s'enveloppa dans la cape. Comme il tremblait trop pour pouvoir enfiler les chaussures, Blod s'agenouilla devant lui pour l'aider.

« Merci », lui dit Edgar.

Et il fondit en larmes.

31

Juin 1002

À cheval, Ragna observait le village de Dreng's Ferry en contrebas. Le pont en ruine accrochait le regard tel un gibet sur la place d'un marché. Les madriers noircis étaient tordus et brisés. À l'autre extrémité, il ne restait que la butée profondément ancrée dans le lit du fleuve. Les barges et la partie aérienne de l'ouvrage s'étaient détachées ; des poutres calcinées jonchaient les berges en aval. Du côté du village, les barques à fond plat étaient encore en place, mais la charpente et la chaussée s'étaient effondrées sur elles, formant un sinistre amas de bois fracassé.

Ragna était peinée pour Edgar. Chaque fois qu'ils s'étaient rencontrés à Outhenham ou à Shiring, il lui avait parlé de son pont avec enthousiasme, évoquant le défi que représentait la construction d'un ouvrage dans le lit d'un fleuve, la nécessité de le bâtir assez solidement pour supporter le poids des charrettes et de leur chargement, la beauté de l'assemblage minutieux des éléments en chêne. Il y avait mis toute son âme. Il devait être anéanti.

Nul ne savait qui avait mis le feu, mais pour Ragna, l'identité de l'instigateur de ce crime ne faisait aucun doute. Seul l'évêque Wynstan était assez malveillant pour commettre un acte pareil et assez retors pour s'en sortir sans dommage.

Elle espérait voir Edgar pour discuter de la carrière, mais ne savait pas s'il était à Dreng's Ferry ou à Outhenham. Elle serait déçue de l'avoir manqué. Cependant, ce n'était pas pour cela qu'elle était venue.

Talonnant Astrid, elle commença à descendre lentement la colline, suivie de son escorte. Wilwulf l'accompagnait, ainsi qu'Agnès, Cat étant restée au domaine pour s'occuper des enfants. Bern et six hommes d'armes assuraient la sécurité de Ragna.

Wilf passait désormais ses journées auprès de Ragna qui continuait à le soigner, avant de rejoindre Carwen pour la nuit. Il agissait selon son bon plaisir, comme il l'avait toujours fait. À cet égard, il n'avait pas changé. Il considérait Ragna comme la table d'un banquet où il pouvait choisir ce qui lui plaisait et laisser le reste. Il avait aimé son corps, jusqu'à ce qu'un autre l'en détourne ; il se reposait plus que jamais sur l'intelligence de Ragna pour l'aider à gouverner tout en la traitant comme si elle n'avait pas plus d'âme que son cheval préféré.

Au cours des jours qui avaient suivi sa guérison physique, elle avait été prise d'un pressentiment funeste, le sentant en danger. Cette intuition se renforçait de jour en jour. Elle était venue à Dreng's Ferry essayer de trouver une parade. Elle avait un plan et était venue chercher des appuis.

Une odeur de brasserie flottait sur le village, comme souvent. Elle passa devant un étalage de poissons argentés disposés sur une dalle de pierre à l'entrée d'une maison : le bourg possédait sa première boutique. La petite église s'était agrandie d'une nouvelle extension du côté nord.

Quand elle arriva au monastère en compagnie de Wilf, Aldred et les moines étaient alignés à l'extérieur pour les accueillir. Wilf et les hommes y dormiraient, tandis que Ragna et Agnès iraient passer la nuit au couvent de l'île aux Lépreux, où mère Agatha les accueillerait à bras ouverts.

Elle se souvint du jour où elle avait rencontré Aldred pour la première fois, à Cherbourg. Il avait toujours belle allure, mais son visage était marqué de rides d'inquiétude, absentes cinq ans plus tôt. D'après ses calculs, il n'avait pas encore quarante ans, mais il paraissait plus âgé.

Après l'avoir salué, elle lui demanda :

« Tout le monde est-il là ?

— Ils sont dans l'église, conformément à vos souhaits. »

Elle s'adressa alors à Wilf :

« Peut-être pourrais-tu aller à l'écurie avec les hommes pour qu'on s'occupe des chevaux.

— Bonne idée. »

Ragna entra dans l'église avec Aldred.

« J'ai vu que vous aviez construit une extension, lui dit-elle.

— Grâce aux pierres que vous nous accordez gratuitement et à un bâtisseur qui prend des leçons de lecture en guise de salaire.

— Edgar.

— En effet. Le nouveau transept sert de chapelle latérale pour abriter les reliques de saint Adolphe. »

Sur une table à tréteaux dressée dans la nef étaient disposés un parchemin, une bouteille d'encre, des plumes d'oiseau et un couteau pour tailler leurs pointes. Assis sur des bancs devant la table, l'évêque Modulf de Norwood et le shérif Den les attendaient.

Ragna savait pouvoir compter sur le soutien d'Aldred pour mener son projet à bien. Le shérif Den aux traits sévères avait déjà donné son consentement. En revanche, elle était moins sûre de Modulf, petit homme sec à l'esprit vif. Il l'aiderait si son idée lui paraissait sensée, mais uniquement à cette condition.

Elle s'assit.

« Merci à vous, monseigneur, et à vous, shérif, d'avoir accepté de me rencontrer ici.

— C'est toujours un plaisir, milady, assura Den.

— Je suis impatient de connaître la raison de cette mystérieuse invitation », dit l'évêque prudemment.

Ragna alla droit au but.

« L'ealdorman Wilwulf est maintenant rétabli physiquement, mais lorsque vous dînerez avec lui ce soir, vous vous poserez certainement des questions sur son état mental. Je puis d'ores et déjà vous dire qu'il n'est plus l'homme qu'il était intellectuellement et que tout indique qu'il ne retrouvera plus ses facultés d'antan.

— Je me disais bien…, confirma Den.

— Qu'entendez-vous exactement par "intellectuellement" ? demanda Modulf.

— Sa mémoire est défaillante et il a des difficultés avec les chiffres. Cela l'amène à commettre des erreurs embarrassantes. Il s'est ainsi adressé au thane Deorman de Norwood en l'appelant "Emma" et lui a proposé mille livres pour son cheval. Si je suis là, ce qui est presque toujours le cas, je ris et j'essaie de donner le change.

— C'est une bien fâcheuse nouvelle, commenta Modulf.

— Je suis certaine que Wilf ne serait plus en mesure de conduire une armée contre les Vikings.

— Tout à l'heure, quand vous lui avez conseillé d'aller à l'écurie avec les hommes, remarqua Aldred, il vous a obéi comme un enfant. Cela m'a frappé.

— Oui, acquiesça Ragna. L'ancien Wilf n'aurait jamais toléré de recevoir des ordres de son épouse. Il a perdu sa pugnacité.

— Voilà qui me paraît grave, murmura Den.

— Pour le moment, la plupart des gens acceptent mes explications. Mais cela ne durera pas éternellement. Les plus perspicaces constatent déjà qu'il a changé, à l'image de Den et Aldred, à qui cela n'a pas échappé. D'ici peu, tout le monde en parlera ouvertement.

— La faiblesse de l'ealdorman pourrait être une aubaine pour un thane ambitieux et sans scrupule, reprit Den.

— Que pensez-vous qu'il puisse arriver, shérif ? » demanda Aldred.

Comme Den tardait à répondre, Ragna intervint :

« Je pense que quelqu'un le tuera. »

Den approuva d'un imperceptible hochement de tête. C'était la réponse qu'il n'avait pas osé formuler.

Un long silence suivit, finalement rompu par Modulf.

« Que pouvons-nous y faire, Aldred, Den et moi ? »

Ragna étouffa un soupir de soulagement. Elle avait marqué un point en convainquant l'évêque de la réalité du problème. Restait à lui faire accepter sa solution.

« Je crois qu'il existe un moyen de le protéger. Qu'il fasse son testament. Il devra être rédigé en anglais pour que Wilf puisse le lire.

— Et moi aussi », dit Den.

Les nobles et les officiers royaux savaient en général lire l'anglais, mais pas le latin.

« Que contiendra ce testament ? demanda Modulf.

— Il fera de notre fils Osbert l'héritier de sa fortune et du comté, et me chargera d'administrer ses affaires en son nom jusqu'à ce qu'il atteigne l'âge d'y veiller lui-même. Wilf donnera son accord à ce texte aujourd'hui même, ici, dans l'église, et je prie les trois notables que vous êtes d'être les témoins de son consentement et d'apposer vos signatures au bas du document.

— Je n'ai guère d'expérience de ce genre de chose, objecta Modulf. Je comprends mal en quoi cela mettra Wilwulf à l'abri d'un meurtre.

— Si quelqu'un cherche à l'assassiner, ce sera dans l'espoir de lui succéder à la fonction d'ealdorman. Le testament supprime cette motivation en désignant Osbert comme son successeur. »

Représentant du roi à Shiring, Den précisa :

« Ce testament ne sera valable que s'il a l'approbation du roi.

— Bien sûr, convint Ragna. Quand vos noms figureront sur le parchemin, je le porterai au roi Ethelred pour lui demander son assentiment.

— Y consentira-t-il ? s'inquiéta Modulf.

— La succession n'est pas obligatoirement héréditaire, rappela Den. Il appartient au roi de choisir l'ealdorman.

— Où se trouve le roi en ce moment ? demanda Aldred. Quelqu'un le sait-il ?

— Il est justement en route vers le sud, leur apprit Den. Il sera à Sherborne dans trois semaines.

— Je le verrai là-bas », annonça Ragna.

*

Edgar savait que Ragna était à Dreng's Ferry, mais ignorait s'il aurait l'occasion de la voir. Wilwulf l'accompagnait. Ils étaient venus assister à une réunion au monastère avec deux autres notables dont l'identité était tenue secrète. Aussi fut-il surpris et comblé de joie de la voir apparaître sur son seuil.

On aurait dit que le soleil émergeait d'un nuage. Il en eut le souffle coupé, comme s'il avait gravi la colline en courant. Elle sourit, faisant ainsi de lui l'homme le plus heureux du monde.

Elle regarda autour d'elle et soudain, il vit sa maison à travers ses yeux : son étagère à outils le long du mur, le petit tonneau de vin et le garde-manger fromager, le chaudron sur le feu d'où s'échappaient d'agréables arômes de fines herbes, Brindille agitant la queue en signe de bienvenue.

« C'est beau », dit-elle en désignant une boîte posée sur la table. Edgar l'avait fabriquée en y gravant un motif de serpents entrelacés, symbole de sagesse. « Que contient ce ravissant coffret ?

— Un objet précieux. Un cadeau qui me vient de vous. »

Il souleva le couvercle, découvrant un petit volume intitulé *Enigmata*, un recueil d'énigmes rédigées sous forme de poèmes, un des ouvrages préférés de Ragna. Elle le lui avait offert quand il avait commencé à apprendre à lire.

« Je ne m'imaginais pas que tu fabriquerais un coffret spécialement pour l'y ranger, dit-elle. Il est très joli.

— Je dois être le seul bâtisseur d'Angleterre à posséder un livre.

— Dieu n'a pas créé deux hommes comme toi, Edgar. »

Il fut envahi d'une étrange chaleur.

« Je suis navrée que ton pont ait brûlé. Je suis certaine que Wynstan y est pour quelque chose.

— Moi aussi.

— Pourras-tu le reconstruire ?
— Oui, mais à quoi bon ? Il risquerait de connaître le même sort. Wynstan n'a pas été inquiété. Rien ne l'empêche de recommencer.
— Sans doute. »
Las de parler de son pont, Edgar changea de sujet. « Comment allez-vous ? »
Elle faillit répondre par une banalité d'usage, mais changea d'avis.
« Pour tout te dire, je suis affreusement malheureuse.
— J'en suis désolé, dit Edgar, déconcerté par cet aveu intime. Que s'est-il passé ?
— Wilwulf ne m'aime pas. Je crois même qu'il ne m'a jamais aimée, dans le sens que je donne à ce mot.
— Mais… vous aviez l'air tellement épris l'un de l'autre !
— Oui, au début, il ne pouvait pas se passer de moi, mais cela n'a pas duré. Il me traite comme un de ses amis à présent. Voici un an qu'il n'a pas partagé ma couche. »
Edgar ne put s'empêcher de s'en réjouir intérieurement, tout en espérant que son visage ne révélait rien de cette pensée indigne.
Ragna ne parut pas s'en rendre compte.
« Il préfère passer la nuit avec son esclave, ajouta-t-elle d'un ton méprisant. Une fille de quatorze ans. »
Edgar ne savait comment lui exprimer sa compassion. Il ne trouvait pas les mots.
« C'est consternant, dit-il simplement.
— Ce n'est pas ce que nous nous étions promis quand nous avons échangé nos serments ! s'exclama-t-elle, donnant libre cours à sa colère. Je n'ai jamais consenti à un mariage de ce genre. »
Il l'incita à continuer à parler, désireux d'en apprendre davantage.

« Quels sont vos sentiments pour Wilf à présent ?

— J'ai longtemps essayé de continuer à l'aimer, j'espérais regagner son affection, j'ai cru qu'il se lasserait des autres. Mais il s'est passé autre chose entre-temps. Sa blessure à la tête de l'année dernière lui a altéré l'esprit. L'homme que j'ai épousé n'existe plus. À certains moments, je ne sais même pas s'il se souvient que nous sommes mariés. Il me traite plutôt comme si j'étais sa mère. »

Ses yeux s'emplirent de larmes.

Edgar tendit vers elle une main hésitante. Elle ne s'écarta pas. Il prit ses mains entre les siennes, tout heureux de les sentir répondre à son étreinte. Contemplant son visage, il se trouva plus proche de la béatitude qu'il ne l'avait jamais été. Il vit les larmes déborder de ses yeux et ruisseler sur ses joues, comme des gouttes de pluie sur des pétales de rose. Un masque de douleur crispait ses traits, et pourtant, il ne l'avait jamais trouvée plus belle. Ils restèrent ainsi un long moment.

« Il n'empêche que je suis toujours mariée », dit-elle enfin. Et elle retira ses mains.

Il garda le silence.

Elle s'essuya les yeux d'un revers de manche.

« Pourrais-tu me donner un doigt de vin ?

— Tout ce que vous voudrez. »

Il tira du vin au tonneau pour en remplir un gobelet.

Elle but et le lui rendit.

« Merci. » Elle commençait visiblement à se ressaisir. « Il faut que je traverse le fleuve pour me rendre au couvent.

— Ne laissez pas mère Agatha vous couvrir de baisers », lui dit Edgar en souriant.

Agatha était appréciée de tous, mais elle avait un point faible.

« Il est parfois réconfortant de se sentir aimée. »

Elle le regarda droit dans les yeux. Il comprit qu'elle parlait autant d'Agatha que de lui et il en fut troublé. Il avait besoin de repenser posément à tout cela.

Après un instant de silence, elle s'inquiéta :

« De quoi ai-je l'air ? Quelqu'un remarquera-t-il ce que nous avons fait ? »

Qu'avons-nous fait au juste ? s'interrogea Edgar.

« Vous êtes très bien. » Quelle réponse idiote, songea-t-il. « Vous avez l'air d'un ange triste.

— Si seulement j'avais les pouvoirs d'un ange. Imagines-tu tout ce que je pourrais faire ?

— Par quoi commenceriez-vous ? »

Elle secoua la tête en souriant et sortit.

*

Wynstan retrouva Agnès dans un coin du chœur, près de l'autel mais hors de vue de la nef. Il y avait une bible sur l'autel et, à ses pieds, un coffre contenant de l'eau bénite et le pain de la communion. Wynstan n'éprouvait aucun scrupule à traiter ses affaires dans la partie la plus sacrée de l'église. Il vénérait Jéhovah, le Dieu de l'Ancien Testament qui avait ordonné le massacre des Cananéens. Ce qui devait être fait devait être fait et Dieu ne se souciait pas des âmes sensibles. Tel était son credo.

Agnès était frémissante d'impatience, mais aussi d'inquiétude.

« Je ne connais pas toute l'histoire, mais il faut tout de même que je vous en parle.

— Tu es une femme avisée. » C'était loin d'être vrai, mais il voulait la rassurer. « Dis-moi ce qui s'est passé et laisse-moi le soin d'en tirer des conclusions.

— Ragna s'est rendue à Dreng's Ferry. »

Wynstan l'avait entendu dire et ne savait qu'en penser. Il ne voyait pas ce qui pouvait l'attirer dans ce petit hameau. Elle avait un faible pour le jeune bâtisseur, Edgar, mais il était certain qu'ils ne couchaient pas ensemble.

« Qu'y a-t-elle fait ?

— Elle était accompagnée de Wilf et ils sont allés voir Aldred et deux autres hommes. Leur identité était censée rester secrète, mais le village est petit. Je les ai vus. C'étaient l'évêque Modulf de Norwood et le shérif Den. »

Wynstan fronça les sourcils. Voilà qui était intéressant, mais cette rencontre posait plus de questions qu'elle n'apportait de réponses.

« As-tu une idée du motif de cette réunion ?

— Non, mais je crois qu'ils ont signé un parchemin.

— Un accord écrit… J'imagine que tu n'as pas pu le voir.

— À quoi cela m'aurait-il servi ? » remarqua-t-elle en souriant.

Elle ne savait pas lire, évidemment.

« Je me demande ce que mijote cette chienne de Française », marmonna Wynstan, principalement pour lui-même.

Les documents écrits concernaient le plus souvent des ventes, des baux ou des donations de terres. Ragna avait-elle convaincu Wilf de faire don de parcelles au prieur Aldred ou à l'évêque Modulf ? Cela n'aurait pas exigé une rencontre secrète. Les contrats de mariage devaient être écrits s'ils comportaient des transferts de propriété, mais à sa connaissance, il n'y avait pas eu de mariage à Dreng's Ferry. Les naissances n'étaient pas enregistrées, pas même dans les familles royales, contrairement aux décès – et l'on rédigeait des testaments. Quelqu'un aurait-il fait son testament ? Ragna aurait-elle incité Wilf à coucher ses dernières volontés sur le papier ? Il ne s'était pas complètement remis de sa blessure à la tête et il n'était pas encore exclu qu'il en meure.

Plus Wynstan y songeait, plus il était persuadé que l'entrevue clandestine organisée par Ragna avait pour objectif la rédaction et la signature secrètes du testament de Wilf.

Pourtant, les ultimes dispositions d'un noble n'avaient pas grande valeur. Le roi avait la haute main sur toutes les possessions d'un noble défunt, y compris celles des veuves. Un testament n'était valable que s'il était ratifié à l'avance par le roi.

« Quelqu'un a-t-il parlé d'aller voir le roi Ethelred ? demanda Wynstan à Agnès.

— Comment le savez-vous ? Que vous êtes intelligent ! En effet, j'ai entendu l'évêque Modulf dire à Ragna qu'il la verrait à Sherborne quand le roi y serait.

— C'est donc bien cela. Elle a rédigé le testament de Wilf, il a été contresigné par un évêque, un shérif et un prieur, et maintenant, elle va aller demander son accord au roi.

— Pourquoi ferait-elle cela ?

— Elle pense que Wilf va mourir et elle veut que son fils hérite. » Une autre idée lui traversa l'esprit. « Elle a dû obtenir que Wilf lui confie la régence en attendant qu'Osbert soit en âge de gouverner, j'en mettrais ma main au feu.

— Garulf est aussi le fils de Wilf, et il a vingt ans. Le roi le préférera sûrement à un enfant.

— Malheureusement, Garulf est un sot et le roi le sait. L'année dernière, il a conduit par imprudence la moitié de l'armée de Shiring à sa perte dans une unique bataille. Ethelred a été furieux d'avoir perdu tous ces soldats. Ragna est une femme, mais elle est astucieuse. Le roi la préférera à Garulf pour gouverner Shiring.

— Vous comprenez tant de choses », s'extasia Agnès, éperdue d'admiration.

Elle le dévorait des yeux et il se demanda s'il ne ferait pas bien de satisfaire son désir manifeste, avant de juger préférable de le laisser encore inassouvi. Il lui effleura la joue, comme s'il s'apprêtait à lui murmurer des mots tendres, mais sembla se raviser :

« Où Ragna cacherait-elle un document de cette importance ?

— Chez elle, dans le coffre fermé à clé, avec son argent, répondit Agnès dans un chuchotement fébrile.

— Merci. » Il posa un baiser sur ses lèvres. « Tu ferais mieux de te retirer. »

Il la regarda s'éloigner. Elle avait une jolie silhouette élancée. Peut-être un jour lui accorderait-il ce que son cœur désirait si ardemment.

En revanche, la nouvelle qu'elle lui avait confiée n'était pas à prendre à la légère. La chute définitive de sa puissante famille était en jeu. Il fallait qu'il en parle à son jeune frère. Wigelm se trouvait justement à Shiring, et logeait chez l'évêque. Mais avant de le voir, il devait élaborer un plan d'action. Il resta seul dans la cathédrale, heureux de pouvoir réfléchir sans être dérangé.

Au terme de ses spéculations, il lui apparut clairement que ses ennuis ne connaîtraient pas de fin tant qu'il ne se serait pas débarrassé de Ragna. Le testament n'était pas le seul problème. En tant qu'épouse de l'ealdorman infirme, Ragna avait du pouvoir et était assez intelligente et déterminée pour en tirer le meilleur parti possible.

Quelle que fût sa décision, Wynstan n'avait pas de temps à perdre. Si Ethelred ratifiait le testament, ses dispositions seraient gravées dans le marbre. Tout ce que Wynstan pourrait faire par la suite n'y changerait rien. Il fallait à tout prix empêcher Ragna de le présenter au roi.

Ethelred était attendu à Sherborne dans dix-huit jours.

Quittant la cathédrale, Wynstan traversa la place du marché pour regagner sa résidence. Il trouva Wigelm à l'étage, assis sur un banc, en train d'aiguiser un poignard sur une pierre. Levant les yeux, il lui demanda :

« Pourquoi cet air morose ? »

Wynstan chassa deux serviteurs et ferma la porte.

« Dans une minute, tu auras l'air aussi morose que moi », lui dit-il avant de rapporter à Wigelm ce qu'Agnès lui avait appris.

« Ce testament ne doit pas arriver entre les mains du roi ! s'écria Wigelm.

— Cela va de soi. C'est un couteau que nous avons sous la gorge, toi et moi.

— Il faut mettre la main dessus et le détruire », déclara Wigelm après un instant de réflexion.

Wynstan soupira. Il avait parfois l'impression d'être le seul à comprendre les choses.

« On fait toujours des doubles de ces documents pour se prémunir contre ce genre de risque. J'imagine que les trois témoins de la réunion de Dreng's Ferry en ont emporté des copies. Dans le cas contraire, Ragna n'aura qu'à faire rédiger et contresigner un nouveau testament.

— Que pouvons-nous faire, alors ? demanda Wigelm du ton maussade que Wynstan lui connaissait si bien.

— Il est impensable de laisser la situation suivre son cours.

— Tu as raison.

— Nous devons priver Ragna de tout pouvoir.

— Je suis tout à fait de ton avis. »

Wynstan cherchait à entraîner peu à peu Wigelm à adhérer à son idée.

« Elle tient son pouvoir de Wilf.

— Et nous ne voulons pas en déposséder Wilf.

— En effet. Néanmoins, et je regrette d'avoir à le dire, tous nos problèmes seraient réglés si Wilf mourait bientôt.

— Son sort est entre les mains de Dieu, comme vous aimez à le dire, vous, les prêtres, fit Wigelm en haussant les épaules.

— Peut-être.

— Que veux-tu dire ?

— Son trépas pourrait être brusqué.

— Comment cela ? bredouilla Wigelm, décontenancé.

— Il n'y a qu'une solution.

— Allons Wynstan, quel est le fond de ta pensée ?

— Il faut tuer Wilf.

— Ha, ha !

— Je suis sérieux.

— C'est notre frère ! s'indigna Wigelm.

— Notre demi-frère. Et il perd l'esprit. Il est plus ou moins sous l'emprise de la mégère normande. S'il n'était pas trop atteint pour s'en rendre compte, il en serait mortifié. Nous lui rendrions service en abrégeant sa vie.

— Tout de même… » Bien qu'ils fussent seuls dans la pièce, Wigelm baissa la voix. « Tuer notre propre frère !

— Ce qui doit être fait doit être fait.

— Impossible. C'est hors de question. Trouve autre chose. C'est toi, le grand penseur.

— Je pense, justement, que tu ne serais pas ravi de te voir remplacé au poste de reeve de Combe par quelqu'un qui remettra les impôts à l'ealdorman sans en prélever vingt pour cent au passage.

— Ragna pourrait me remplacer ?

— En moins de temps qu'il n'en faut pour le dire. La seule raison qui la retient, c'est que personne ne croirait que Wilf y a consenti. Quand il ne sera plus là…

— Le roi Ethelred ne le permettrait pas, objecta Wigelm, à nouveau songeur.

— Et pourquoi ? Il en a fait autant.

— J'ai entendu parler de cela, en effet.

— Il y a vingt-quatre ans, Edouard, le demi-frère aîné d'Ethelred, était roi. Ethelred vivait avec sa mère, Elfryth, la belle-mère du roi. Un jour qu'il venait leur rendre visite, Edouard a été assassiné par leurs hommes d'armes. Ethelred a été couronné l'année suivante.

— Il avait à peine douze ans à l'époque.

— Jeune ? Indéniablement. Innocent ? Dieu seul le sait.

— Nous ne pouvons pas tuer Wilf, reprit Wigelm d'un air dubitatif. Il dispose d'une troupe de gardes du corps commandée par Bern le Géant, qui est normand et depuis longtemps au service de Ragna. »

Un jour, songea Wynstan, je ne serai plus là pour être la tête pensante de ma famille. Je me demande si mes frères ne resteront pas passifs comme une paire de bœufs quand le laboureur s'éloigne.

« Le meurtre en soi ne posera pas de problème, affirma Wynstan. C'est la suite qu'il faut préparer. Nous devrons passer à l'action dès qu'il sera mort, pendant que Ragna sera encore sous le choc. Pas question d'éliminer Wilf pour la voir garder les rênes en main. Nous devrons devenir les maîtres de Shiring avant qu'elle ait repris ses esprits.

— Comment faire ?

— Il nous faut un plan. »

*

Ragna n'était pas sûre que ce banquet soit une bonne idée.

La requête que lui avait adressée Gytha était raisonnable.

« Nous devrions célébrer la guérison de Wilf, lui avait-elle dit. Que tout le monde sache qu'il est à nouveau sur pied. »

Ce n'était pas tout à fait exact, mais il était important de le faire croire. Cependant, Ragna n'aimait pas qu'il boive : le vin le rendait encore plus confus qu'un homme éméché ordinaire.

« Quel genre de célébration ? avait-elle demandé, cherchant à gagner du temps.

— Un banquet. Comme il les aime, *lui*, insista-t-elle. Avec des danseuses, pas des poètes. »

Il avait bien droit à quelques réjouissances, admit Ragna en son for intérieur.

« Un jongleur aussi. Et un bouffon peut-être ?

— Je savais que vous accepteriez, s'empressa de conclure Gytha avant qu'elle ne se ravise.

— Je dois partir pour Sherborne le premier jour de juillet. Organisons cela la veille. »

Ce matin-là, elle prépara son voyage et empaqueta ses effets. Elle était prête à partir le lendemain, mais avant cela, il lui fallait assister au banquet.

Gytha fit don d'un tonneau d'hydromel pour l'occasion. Ce breuvage à la fois fort et sucré, obtenu à partir de miel fermenté, montait vite à la tête. Ragna l'aurait interdit si on lui avait demandé son avis. Ne voulant pas jouer les rabat-joie, elle ne protesta pas. Elle ne pouvait qu'espérer que Wilf n'en boirait pas trop. Elle ordonna à Bern de rester sobre pour veiller sur Wilf au besoin.

Bien que d'humeur joviale, Wilf et ses frères semblaient boire avec modération, au grand soulagement de Ragna. On ne pouvait en dire autant des hommes d'armes pour qui l'hydromel était un luxe rare. La soirée devint bruyante.

Le bouffon était très drôle. En parodiant un prêtre qui bénit une danseuse avant de lui empoigner les seins, il fut à deux doigts de brocarder Wynstan. Fort heureusement, celui-ci n'en prit pas ombrage et rit de bon cœur avec les autres.

À la nuit tombante, on alluma les brûle-joncs, on débarrassa la table de la vaisselle sale et l'on continua à boire. Certains commençaient à somnoler, à faire des avances aux femmes, ou les deux. Les adolescents badinaient, les femmes mariées gloussaient quand les amis de leurs maris prenaient des libertés. Les comportements plus licencieux se produisaient dehors, dans le noir.

Wilf paraissait fatigué. Alors que Ragna s'apprêtait à demander à Bern de l'aider à aller se coucher, ses frères la devancèrent. Le prenant chacun par un bras, Wynstan et Wigelm l'emmenèrent.

Carwen leur emboîta le pas.

Ragna appela Bern.

« Les gardes du corps sont tous plus ou moins ivres. Je veux que tu veilles avec eux toute la nuit.

— Oui, dame Ragna.

— Tu pourras dormir demain matin.

— Merci.

— Bonne nuit, Bern.

— Bonne nuit, dame Ragna. »

*

Wynstan et Wigelm attendirent la fin de la nuit chez Gytha en parlant de choses et d'autres pour être sûrs de ne pas s'endormir.

Wynstan avait exposé son plan à Gytha, horrifiée à l'idée que ses fils pussent envisager de tuer leur demi-frère. Elle avait mis en doute les conclusions de Wynstan : était-il certain que le document rédigé à Dreng's Ferry était le testament de Wilf ? Il avait pu la rassurer car il en avait eu la confirmation. L'évêque Modulf s'était confié à son voisin, le thane Deorman de Norwood, et Deorman en avait parlé à Wynstan.

Comme il l'avait prévu, Gytha avait fini par leur donner son accord.

« Ce qui doit être fait doit être fait », avait-elle dit à contre-cœur.

Wynstan était inquiet. Si l'affaire tournait mal, si leur complot était éventé, Wigelm et lui seraient exécutés pour trahison. Il avait essayé d'imaginer tous les obstacles qu'ils pourraient rencontrer et la manière de les surmonter, mais il y avait toujours des imprévus et cette idée le tracassait.

Quand il jugea que le moment était venu, il se leva. Il prit la lampe, la lanière de cuir et le petit sac en tissu qu'il avait préparés. Wigelm se leva à son tour en palpant nerveusement le long poignard logé dans le fourreau qu'il portait à la ceinture.

« Je vous en prie, ne le faites pas souffrir, murmura Gytha.

— Je ferai de mon mieux, répondit Wigelm.

— Ce n'est pas mon fils, mais j'aimais son père. Souvenez-vous-en.

— Nous ne l'oublierons pas, mère », promit Wynstan.

Les deux frères sortirent.

Nous y voilà, se dit Wynstan.

La maison de Wilf était toujours gardée par trois hommes : un à la porte et un à chaque angle de la façade. Wigelm les avait observés deux nuits de suite, depuis la maison de Gytha, à travers les fentes des murs, ou en allant uriner plus souvent que nécessaire. Il avait constaté que les trois gardes passaient la nuit assis par terre, adossés au mur, plus ou moins somnolents la plupart du temps. À présent, ils devaient être abrutis par l'alcool et ne se rendraient même pas compte que deux meurtriers entraient dans la maison qu'ils étaient censés surveiller. De toute façon, Wynstan avait prévu ce qu'il leur dirait s'il les trouvait éveillés.

Ils dormaient. En revanche, il ne s'attendait pas à voir Bern debout devant la porte.

« Que Dieu soit avec vous, monseigneur, et avec vous, thane Wigelm, dit Bern avec son accent français.

— Et avec toi. »

Vite remis de sa surprise, Wynstan recourut au prétexte prévu dans l'éventualité où les gardes du corps ne seraient pas assoupis.

« Nous devons réveiller Wilf, dit-il à voix basse mais audible. C'est une urgence. » Il jeta un coup d'œil aux deux autres gardes qui dormaient profondément. « Entre avec nous. Cela te concerne aussi, improvisa-t-il.

— Bien, monseigneur », dit Bern, visiblement déconcerté.

Il avait de quoi l'être : comment les deux frères avaient-ils été informés d'une affaire pressante en pleine nuit, alors que personne n'était apparemment entré dans le domaine pour l'annoncer ? Bien que soucieux, il ouvrit la porte. Il était chargé de protéger Wilf, mais il ne lui serait jamais venu à l'esprit que le danger pût venir de ses propres frères.

Wynstan savait exactement comment réagir à la présence inattendue de Bern. Si la solution était évidente pour lui, le serait-elle cependant pour Wigelm ? Il ne pouvait que l'espérer.

Il entra et s'avança silencieusement. Wilf et Carwen dormaient sur le lit, enveloppés dans des couvertures. Wynstan posa la lampe et le sac sur la table, tout en gardant la lanière de cuir en main. Puis il se retourna.

Bern refermait la porte derrière lui. Wigelm tendit la main vers son poignard. Wynstan entendit un bruit provenant du lit.

Il regarda dans cette direction et constata que Carwen commençait à ouvrir les yeux.

Empoignant la courroie par ses deux extrémités, il la tendit entre ses mains. En même temps, il s'agenouilla à côté de l'esclave. Elle se réveilla complètement, se redressa et, terrifiée, ouvrit la bouche pour crier. Wynstan passa la lanière au-dessus de sa tête, l'inséra dans sa bouche comme le mors d'un cheval et tira. Ainsi bâillonnée, elle n'émit plus que de pitoyables gargouillis. Il tordit la courroie pour la resserrer encore.

Regardant derrière lui, il vit Wigelm trancher la gorge de Bern d'un puissant coup de poignard. Bien joué, pensa-t-il. Le sang jaillit. Wigelm s'écarta d'un bond. Bern s'effondra. On n'entendit que le bruit de son corps heurtant le sol.

Et voilà, se dit Wynstan. Impossible de revenir en arrière à présent.

Il constata alors que Wilf se réveillait. Les grognements de Carwen s'intensifièrent. Wilf écarquilla les yeux. Malgré son esprit embrumé, il comprit immédiatement la situation et se redressa prestement en tendant la main vers le coutelas qu'il gardait près du lit.

Wigelm fut plus rapide que lui. Il atteignit le lit en deux enjambées et tomba sur Wilf au moment où celui-ci s'emparait du couteau. Wigelm abattit sur lui son bras armé de la dague, mais Wilf leva le bras gauche, parant le coup de Wigelm. Puis il se précipita sur Wigelm, qui esquiva.

Wigelm levait le bras pour lui porter un nouveau coup quand Carwen se dégagea, surprenant Wynstan qui ne l'avait pas maîtrisée aussi fermement qu'il le croyait. Toujours bâillonnée, elle sauta sur Wigelm, le martelant de coups de poing, cherchant à le griffer au visage. Wynstan mit un moment à réagir et à tirer sur la courroie pour la faire basculer en arrière. Il se jeta alors sur elle, la clouant au sol de ses genoux. Tout en la maintenant par la lanière de la main droite, il dégaina son poignard de la gauche.

Wilf et Wigelm continuaient à se battre sans qu'aucun des deux ne prenne apparemment le dessus. Wynstan vit Wilf ouvrir la bouche pour appeler à l'aide. Il fallait absolument l'en empêcher ; le meurtre devait être perpétré en silence s'il ne voulait pas que son plan échoue. Alors qu'un cri naissait dans la gorge de Wilf, Wynstan se pencha en avant. De toute la force de son bras, il plongea sa dague dans la bouche de Wilf et l'enfonça aussi loin qu'il put.

Le cri s'éteignit avant même d'avoir franchi ses lèvres.

Wynstan fut brièvement pétrifié d'épouvante. Il lut dans les yeux de Wilf l'affolement d'une douleur extrême. Il arracha le poignard brusquement, comme si ce geste pouvait atténuer l'horreur de la scène.

Wilf émit un gémissement étranglé. Un flot de sang jaillit de sa bouche. Il se tordait de douleur, mais ne mourait pas. Pour avoir pris part à des batailles, Wynstan savait que les hommes blessés à mort souffraient parfois longuement avant d'expirer. Il voulait mettre fin aux souffrances de Wilf, sans parvenir à s'y résoudre.

Ce fut Wigelm qui lui porta le coup de grâce en lui

plantant sa dague du côté gauche du thorax, droit dans le cœur. La lame pénétra profondément. Wilf se figea.

« Que Dieu nous pardonne », murmura Wigelm.

Carwen se mit à pleurer.

Wynstan tendit l'oreille. Aucun bruit ne parvenait de l'extérieur. Le meurtre avait été commis en silence sans que les gardes émergent de leur torpeur d'ivrognes.

Il inspira profondément et se ressaisit.

« Ce n'est que le début », chuchota-t-il.

Il se releva et, tirant Carwen par la lanière, la mit debout.

« Maintenant, tu vas bien m'écouter. »

Elle le regardait, terrifiée. Ayant vu deux hommes poignardés à mort, elle s'attendait à subir le même sort.

« Hoche la tête si tu me comprends », lui dit Wynstan.

Elle la hocha énergiquement.

« Wigelm et moi dirons que tu as tué Wilf. »

Elle secoua la tête avec la même énergie.

« Tu pourras nier. Tu pourras raconter à qui tu veux ce qui s'est passé ici. Tu pourras nous accuser de meurtre. »

Il remarqua son expression perplexe.

« Mais qui te croira ? Les allégations d'une esclave ne pèsent rien face à la parole d'un évêque. »

Elle ne pouvait que l'admettre, comme en témoigna son air désespéré.

« Tu comprends dans quelle situation tu te trouves. Mais je vais te laisser une chance. Je vais te permettre de fuir. »

Elle écarquilla les yeux, incrédule.

« Dans deux minutes, tu quitteras le domaine et tu sortiras de Shiring par la route de Glastonbury. Tu marcheras de nuit et tu te cacheras dans les bois le jour. »

Elle regarda la porte, comme pour vérifier qu'elle était toujours là.

Ne voulant surtout pas que Carwen soit reprise, Wynstan avait préparé de quoi l'aider.

« Prends le sac qui est sur la table, près de la lampe. Il contient du pain et du jambon. Ainsi, tu n'auras pas besoin de chercher de quoi te nourrir pendant deux jours. Il y a aussi douze pennies d'argent, mais attends d'être loin pour les dépenser. »

Il vit à son regard qu'elle comprenait.

« Tu diras aux gens que tu croiseras que tu vas à Bristol rejoindre ton mari, qui est marin. Arrivée là, tu pourras prendre un bateau pour le pays de Galles et tu seras sauvée. »

Elle hocha à nouveau la tête, lentement, le temps de digérer ses propos.

Il lui posa son coutelas sous la gorge.

« Maintenant, je vais t'ôter ton bâillon. Si tu cries, tu es morte. »

Elle hocha la tête.

Il retira la courroie.

Elle déglutit en frottant ses joues meurtries par la lanière.

Remarquant le sang qui éclaboussait le visage et les mains de Wigelm, Wynstan se dit qu'il devait porter les mêmes taches accusatrices. Il y avait un bol d'eau sur la table. Il se lava rapidement et fit signe à Wigelm d'en faire autant. Sans doute leurs vêtements étaient-ils également maculés de sang, mais Wigelm étant vêtu de marron et Wynstan de noir, les taches brunes passeraient inaperçues.

Wynstan vida par terre l'eau rougie.

Il s'adressa ensuite à Carwen :

« Enfile ta cape et tes chaussures. »

Elle obéit. Il lui tendit le sac.

« Nous allons ouvrir la porte. Si les deux autres gardes sont réveillés, nous les tuerons. S'ils dorment, nous passerons sur la pointe des pieds. Tu partiras, sans traîner mais sans faire de bruit, tu rejoindras la porte du domaine et tu fileras, toujours en silence. »

Elle hocha la tête.

« Allons-y. »

Wynstan ouvrit doucement la porte et jeta un regard à l'extérieur. Les gardes étaient affalés contre le mur. L'un d'eux ronflait. Il sortit, attendit Wigelm et Carwen et referma la porte.

Il fit signe à Carwen qui s'éloigna rapidement, sans un bruit.

Il la regarda disparaître avec satisfaction. Tout le monde verrait dans sa fuite la preuve de sa culpabilité.

Wynstan et Wigelm regagnèrent la maison de Gytha. Arrivé sur le seuil, Wynstan se retourna. Les gardes n'avaient pas bougé.

Son frère et lui entrèrent chez leur mère et fermèrent la porte.

*

Ragna dormait mal depuis des mois. Elle avait trop de soucis : Wilf, Wynstan, Carwen, Osbert et les jumeaux. Quand elle s'endormait enfin, elle faisait souvent des cauchemars. Cette nuit-là, elle rêva qu'Edgar avait assassiné Wilf et qu'elle essayait de le défendre devant la justice, mais sa voix était couverte par des clameurs venues de l'extérieur. Soudain, elle se rendit compte qu'elle rêvait, mais que les vociférations étaient bien réelles. Elle se réveilla en sursaut et se dressa, le cœur battant.

C'étaient des appels pressants. Des hommes criaient, une femme disait quelque chose dans un hurlement suraigu. Ragna se leva d'un bond, cherchant Bern qui dormait habituellement devant sa porte. Elle se souvint alors qu'elle l'avait chargé de veiller sur Wilf.

Elle entendit Agnès dire d'une voix apeurée :
« Qu'est-ce que c'est que ce vacarme ?
— Il s'est passé quelque chose », dit Cat.
Leurs voix effrayées réveillèrent les enfants. Les jumeaux se mirent à pleurer.
Ragna enfila ses chaussures, attrapa sa houppelande et sortit.
Il faisait encore nuit et elle remarqua immédiatement qu'il y avait de la lumière chez Wilf et que sa porte était grande ouverte. Elle retint son souffle. Lui était-il arrivé quelque chose ?
Elle parcourut la courte distance séparant leurs deux maisons et entra.
Tout d'abord, elle ne comprit rien à la scène qu'elle découvrit. Des hommes et des femmes allaient et venaient en parlant très fort. Une odeur métallique régnait dans l'air. Elle vit du sang sur le sol et sur le lit, beaucoup de sang. Puis elle aperçut Bern, étendu dans une mare coagulée, la gorge affreusement tranchée. Elle s'étrangla d'horreur et d'effroi. Elle se tourna enfin vers le lit. Au milieu des couvertures maculées de sang gisait son mari.
Elle poussa un cri, qu'elle réprima aussitôt, le poing sur les lèvres. Il était horriblement blessé et sa bouche était remplie de sang séché. Ses yeux grands ouverts fixaient le plafond. Un coutelas était posé sur le lit, près de sa main ouverte : il avait cherché à se défendre.
Carwen avait disparu.
Devant le corps ravagé de Wilf, elle se rappela le grand homme blond qui avait débarqué dans le port de Cherbourg, enveloppé dans sa houppelande bleue, en déclarant dans un mauvais français : « Je suis venu parler au comte Hubert. » Elle se mit à pleurer et dut prendre sur elle pour demander, à travers ses larmes :
« Comment est-ce arrivé ? »

Ce fut Wuffa, le palefrenier chef, qui lui répondit.

« Les gardes dormaient. Ils devront être exécutés pour leur négligence.

— Ce sera fait, approuva Ragna en essuyant ses larmes du bout des doigts. Mais que disent-ils ?

— En se réveillant, ils ont constaté que Bern n'était plus là. Ils l'ont cherché. En entrant dans la maison, ils ont découvert… ceci », dit-il en écartant les bras.

Ragna avala difficilement sa salive et s'efforça de maîtriser sa voix.

« Il n'y avait personne d'autre ?

— Non. Apparemment, l'esclave l'a tué et s'est enfuie. »

Ragna se concentra. Carwen semblait bien frêle pour pouvoir à elle seule poignarder ces deux hommes grands et robustes. Mais elle préféra garder provisoirement ses soupçons pour elle.

« Va chercher le shérif, dit-elle à Wuffa. Il faut qu'il lance la clameur de haro dès le lever du jour. »

Que Carwen fût ou non la meurtrière, il était essentiel de la retrouver pour entendre son témoignage.

« Oui, milady. »

Wuffa partit aussitôt.

Au même instant, Agnès entra en portant les jumeaux dans ses bras. Les enfants, qui n'avaient qu'un an, ne comprirent pas ce qu'ils voyaient. Mais comme Agnès poussa un cri, ils se mirent à brailler.

Cat arriva à son tour en tenant Osbert par la main. Elle regarda le cadavre de Bern, son mari, avec de grands yeux horrifiés.

« Non, non, non », gémit-elle.

Lâchant la main du petit garçon, elle s'agenouilla près du corps en sanglotant.

Ragna réfléchit. Que devait-elle faire maintenant ? Même si elle avait envisagé la mort de Wilf et redouté son assassinat, la réalité l'avait bouleversée si violemment qu'elle avait du mal à prendre la mesure de l'événement. Elle savait qu'il lui fallait réagir rapidement et résolument, mais elle était sous le choc, comme paralysée.

En entendant pleurer ses enfants, elle songea qu'ils n'avaient pas leur place dans cette pièce. Elle allait dire à Agnès de les emmener quand son regard tomba sur Wigelm qui se dirigeait vers la porte, un gros coffre de chêne dans les bras. C'était le trésor de Wilf, le coffre dans lequel il gardait son argent.

Elle se planta devant lui.

« Arrêtez !

— Écartez-vous de mon chemin ou je vous assomme », rétorqua-t-il.

Le silence se fit autour d'eux.

« C'est le trésor du comté.

— C'était.

— Le corps de mon mari n'est pas encore froid que vous volez déjà son argent, lança-t-elle sur un ton qui trahissait tout son mépris et sa haine.

— Je suis son frère, et j'en prends la charge. »

Ragna remarqua que Garulf et Stiggy étaient venus se placer à ses côtés, de façon à l'encadrer.

« C'est à moi de décider qui doit s'en charger, répliqua-t-elle d'un ton de défi.

— Non.

— Je suis l'épouse de l'ealdorman.

— Non, vous êtes sa veuve.

— Posez ce coffre.

— Écartez-vous. »

Elle le gifla de toutes ses forces. Elle s'attendait à ce qu'il laisse tomber le coffre, mais il tint bon. Il adressa un signe à Garulf.

Les deux garçons l'empoignèrent chacun par un

bras. Sachant qu'elle ne pourrait leur échapper, elle resta digne et ne chercha pas à lutter. Elle toisa Wigelm.

« Vous n'avez pas l'esprit très vif. Vous avez donc tout prémédité. C'est un coup de force. Avez-vous tué Wilf pour prendre sa place ?

— Comment pouvez-vous tenir des propos aussi abjects ? »

Elle regarda les hommes et les femmes qui les entouraient. Ils observaient la scène avec un grand intérêt. Il s'agissait de déterminer qui les gouvernerait après Wilf, ils l'avaient bien compris. Ragna venait de suggérer que Wigelm était l'assassin de Wilf. Pour le moment, elle ne pouvait en faire davantage.

« C'est l'esclave qui a tué Wilf », déclara Wigelm.

Et, contournant Ragna, il sortit.

Garulf et Stiggy la libérèrent.

Voyant Agnès, Cat et les enfants, elle prit conscience qu'il n'y avait personne chez elle. Son coffre, qui contenait le testament de Wilf, était sans surveillance. Elle sortit en courant, laissant Cat et Agnès la suivre.

Elle traversa promptement le domaine et entra chez elle. Elle se précipita vers le coin où était rangé son coffre. L'étoffe qui le recouvrait avait été ôtée. Le coffre avait disparu.

Elle avait tout perdu.

32

Juillet 1002

Ragna arriva chez le shérif Den une heure avant l'aube. Les hommes accompagnés de quelques femmes se rassemblaient déjà pour la clameur de haro. Ils tournaient en rond dans le noir en bavardant avec animation. Sensibles à la tension, les chevaux, impatients, piaffaient et hennissaient. Quand il eut fini de seller son étalon noir, Den invita Ragna à entrer pour qu'ils puissent parler seul à seule.

Ragna avait surmonté sa panique et muselé momentanément son chagrin. Elle savait désormais ce qu'elle devait faire. Victime de la perfidie d'hommes impitoyables, elle ne s'avouait pas vaincue. Elle se battrait.

Den serait son principal allié – si elle savait le manœuvrer.

« L'esclave Carwen sait exactement ce qui s'est passé chez Wilf cette nuit, lui dit-elle.

— L'affaire ne vous paraît donc pas claire ? » commenta-t-il sans sourciller.

Bien, songea-t-elle. Au moins, il n'a pas d'idée préconçue sur l'affaire.

« Je crois même que l'explication qui paraît la plus claire est erronée.

— Expliquez-moi pourquoi.

— Pour commencer, Carwen ne semblait pas malheureuse. Elle était bien nourrie, personne ne la battait et elle couchait avec l'homme le plus séduisant de la ville. Pourquoi se serait-elle enfuie ?

— Elle avait peut-être le mal du pays.

— Peut-être, mais elle n'en donnait pas l'impression. Deuxièmement, si elle voulait s'échapper, elle aurait pu le faire n'importe quand. Elle n'était jamais surveillée de près. Elle aurait pu partir sans avoir à tuer Wilf, ni personne. Wilf avait le sommeil lourd, surtout quand il avait bu. Il lui aurait suffi de s'esquiver discrètement.

— Et si les gardes avaient été éveillés ?

— Elle n'aurait eu qu'à dire qu'elle allait chez Gytha, où elle dormait quand Wilf ne voulait pas d'elle. Et dans ce cas, on n'aurait sans doute pas remarqué son absence avant un jour ou deux.

— C'est un fait.

— Troisièmement, et c'est le plus important, je ne crois pas que cette fillette aurait pu tuer Wilf, ni Bern, et encore moins les deux. Vous avez vu leurs blessures. Elles ont été infligées par quelqu'un de robuste, de confiant dans sa force et dans son aptitude à maîtriser deux hommes vigoureux, habitués à la violence l'un comme l'autre. Je vous rappelle que Carwen n'a que quatorze ans.

— Ce serait surprenant, j'en conviens. Mais si ce n'est pas elle, qui est-ce ? »

Ragna avait son idée, mais préféra ne rien dire pour le moment.

« Forcément quelqu'un que Bern connaissait.

— Comment pouvez-vous en être certaine ?

— Parce que Bern a laissé le meurtrier entrer dans la maison. S'il s'était agi d'un étranger, il aurait été sur ses gardes. Il aurait arrêté le visiteur, l'aurait questionné, l'aurait empêché d'entrer et se serait battu avec lui – tout cela à l'extérieur de la maison. Le bruit aurait réveillé les gardes. Et on aurait retrouvé le corps de Bern devant la maison.

— Le meurtrier a pu le traîner à l'intérieur.

— Le bruit de la lutte aurait réveillé Wilf, qui se serait levé et aurait attaqué l'intrus. Or ce n'est pas ce qui s'est passé puisque Wilf est mort dans son lit.

— Autrement dit, quelqu'un que Bern connaissait s'est présenté et il l'a laissé entrer. Dès qu'ils se sont trouvés dans la maison, Bern, qui ne se doutait de rien, a été tué par surprise, rapidement et sans bruit. Puis le visiteur a tué Wilf et obligé l'esclave à s'enfuir pour qu'elle soit accusée.

— C'est ce que je crois, en effet.

— Et la raison de cet assassinat ?

— Dans la confusion qui a suivi la découverte des corps, il s'est passé deux choses qui, me semble-t-il, nous livrent la clé de l'énigme. Alors que nous étions tous sous le coup de l'émotion, Wigelm est parti tranquillement en emportant le trésor de Wilf.

— Vraiment ?

— Ensuite, quelqu'un a dérobé le mien.

— Voilà qui change tout.

— Wigelm cherche de toute évidence à s'emparer du pouvoir.

— Oui, mais cela ne prouve pas qu'il soit le meurtrier. Sa tentative d'usurpation est peut-être purement opportuniste. Il pourrait chercher à profiter d'une situation qu'il n'a pas provoquée.

— C'est possible, mais j'en doute. Wigelm ne brille pas par sa vivacité d'esprit. Pour moi, toute cette affaire a été soigneusement préméditée.

— Vous avez peut-être raison. Wynstan est probablement dans le coup.

— Je ne vous le fais pas dire. »

Ragna était satisfaite et soulagée. Après l'avoir soumise à un interrogatoire serré, Den s'était rallié à son point de vue. Elle enchaîna sans attendre :

« Si je veux étouffer cette conspiration dans l'œuf, il faut que Carwen raconte ce qu'elle a vu devant la cour du comté.

— On ne la croira pas forcément. La parole d'une esclave…

— Certains la croiront, surtout quand j'aurai expliqué ce qui a poussé Wynstan à agir ainsi. »

Den ne la contredit pas.

« En attendant, vous n'avez pas un penny. On vous a volé votre trésor. Or vous ne gagnerez pas cette bataille sans argent.

— J'en trouverai. Edgar m'en procurera en vendant des pierres de ma carrière. Et dans quelques semaines, je toucherai les redevances de Saint-Martin.

— Je suppose que le testament de Wilf se trouvait dans le même coffre ?

— Oui, mais j'en ai une copie.

— Malheureusement, sans l'approbation du roi, il n'a aucune valeur.

— Cela ne m'empêchera pas d'en donner lecture devant la cour. Les dispositions de Wilf prouvent que Wynstan avait de bonnes raisons de passer à l'action. Les thanes y seront sensibles : ils tiennent tous à ce que leurs dernières volontés soient respectées.

— C'est vrai. »

Ragna reporta son attention sur les tâches de la journée.

« Tout cela n'aura aucune importance si vous ne retrouvez pas Carwen.

— Je ferai de mon mieux.

— Ne menez pas vous-même le haro. Envoyez Wigbert.

— Il est loyal…, commença Den, étonné.

— Et mauvais comme un chat affamé. Mais j'ai besoin de vous ici. Ils ne resteront pas inactifs, mais au moins, ils ne me tueront pas tant que vous serez en ville. Ils savent qu'ils auraient à en répondre devant vous et que vous êtes le représentant du roi.

— Vous avez peut-être raison. Wigbert est parfaitement capable de mener le haro. Il l'a déjà fait.

— Où Carwen a-t-elle pu se rendre ?

— Dans l'Ouest probablement. J'imagine qu'elle veut regagner le pays de Galles. En supposant qu'elle soit partie vers minuit, elle a dû parcourir au moins cinq lieues sur la route de Glastonbury à l'heure qu'il est.

— Elle aurait pu trouver refuge du côté de Trench.

— Certainement. » Il jeta un coup d'œil vers la porte ouverte. « Le jour se lève. Il faut qu'ils se mettent en route.

— J'espère qu'ils la trouveront. »

*

Wynstan était satisfait. L'opération s'était plutôt bien déroulée, même si tout n'avait pas été parfait. Tomber sur Bern, sobre et alerte, devant la porte de Wilf avait été une mauvaise surprise, certes, mais Wynstan avait réagi promptement et Wigelm avait compris ce qu'il avait à faire. Ensuite, tout s'était passé comme prévu.

La fable selon laquelle Carwen avait tué à la fois Bern et Wilf était hélas moins plausible que la version qu'il avait envisagée à l'origine : prétendre qu'elle avait égorgé Wilf dans son sommeil. Mais apparemment, les gens étaient assez sots pour y croire. Ils avaient tous peur de leurs esclaves, lesquels avaient toutes les raisons du monde de haïr leurs propriétaires. S'ils en avaient l'occasion, pourquoi auraient-ils hésité à tuer ceux qui leur avaient volé leur vie ? Les propriétaires d'esclaves ne dormaient jamais sur leurs deux oreilles. Toute cette angoisse accumulée éclatait comme un furoncle quand un esclave était accusé du meurtre d'un noble.

Wynstan espérait que Carwen resterait introuvable. Il ne voulait surtout pas qu'elle raconte sa vérité devant la cour. Il nierait tout et prêterait serment, mais peut-être certains ajouteraient-ils foi au récit de la fille plutôt qu'au sien. Il valait beaucoup mieux qu'elle disparaisse. Les esclaves en fuite étaient souvent repris, trahis par leurs haillons, leur accent étranger et leur dénuement. Avec ses vêtements corrects et son petit pécule, Carwen avait de meilleures chances de s'en tirer que la plupart.

Dans le cas contraire, il avait un plan de secours.

En cette fin d'après-midi, il était chez sa mère, Gytha, avec son frère Wigelm et son neveu Garulf, attendant le retour de la battue, quand le shérif Den se présenta.

« Quel honneur de recevoir votre visite, shérif, s'exclama Wynstan avec une feinte courtoisie, le plaisir est d'autant plus grand qu'il est rare. »

Den ne supportait pas ce genre de plaisanterie. À cinquante ans, les cheveux grisonnants, il avait vu trop de violences pour apprécier l'ironie.

« Vous vous rendez bien compte que tout le monde n'est pas dupe, n'est-ce pas ?

— J'ignore de quoi vous parlez, répliqua Wynstan tout sourire.

— Vous vous croyez intelligent et vous l'êtes, mais il y a des limites à l'impunité. Je suis venu vous avertir que vous frôlez dangereusement ces limites.

— C'est trop aimable à vous. »

S'il continuait à se moquer de Den, Wynstan lui prêtait en réalité toute son attention. Une telle menace adressée à un évêque de la part d'un shérif n'était pas habituelle. Den était sérieux et n'était pas dénué de pouvoir. Il avait de l'autorité, des hommes d'armes et l'oreille du roi. Wynstan ne faisait que feindre la désinvolture.

Mais quel était le motif de cette hostilité ? Le meurtre de Wilf n'était certainement pas seul en cause, songea Wynstan.

Il n'eut pas à s'interroger longtemps.

« Ne vous en prenez pas à lady Ragna », l'avertit Den.

C'était donc cela.

« Sachez bien, monseigneur, poursuivit Den, que s'il devait lui arriver malheur, vous auriez affaire à moi.

— Quelle horreur !

— Je parle bien de *vous*, et non de votre frère, de votre neveu ou d'un de vos hommes. Et je ne vous lâcherai pas. Je vous ferai tomber, au plus bas. Vous vivrez comme un lépreux et, ainsi que les lépreux, vous mourrez dans la crasse et la misère. »

Malgré lui, Wynstan en eut froid dans le dos. Il cherchait encore une réplique sarcastique quand Den tourna les talons et sortit.

« J'aurais dû l'étriper, cet imbécile prétentieux, maugréa Wigelm.

— Ce n'est pas un imbécile malheureusement, corrigea Wynstan. S'il l'était, nous pourrions l'ignorer.

— La chatte normande le tient dans ses griffes », remarqua Gytha.

Il y avait de cela, Wynstan n'en doutait pas – Ragna avait le don de séduire la plupart des hommes –, mais ce n'était pas tout. Den rêvait depuis longtemps de restreindre le pouvoir de la famille de Wynstan et l'assassinat de Ragna lui fournirait un prétexte idéal, surtout après le coup de force de Wynstan.

Il fut interrompu dans ses pensées par Stiggy, l'ami benêt de Garulf, qui fit irruption, hors d'haleine, en proie à une vive agitation. Il avait suivi la clameur de haro sur les instructions de Wynstan, qui lui avait ordonné de venir le prévenir immédiatement s'ils mettaient la main sur Carwen. La mission était assez simple pour que Stiggy lui-même puisse la comprendre.

« Ils l'ont retrouvée, annonça-t-il.

— Vivante ?

— Oui.

— Voilà qui est fâcheux. »

Il était temps de mettre son plan de secours à exécution. Wynstan se leva, imité par Wigelm et Garulf.

« Où était-elle ?

— Dans la forêt, de ce côté de Trench. Les chiens ont flairé sa trace.

— A-t-elle dit quelque chose ?

— Une bordée d'injures en gallois.

— À quelle distance sont-ils maintenant ?

— À une heure au moins.

— Allons à leur rencontre. » Wynstan se tourna vers Garulf. « Tu connais le plan.

— Oui. »

Ils allèrent à l'écurie seller quatre chevaux, un pour Wynstan, un pour Wigelm, un pour Garulf, ainsi qu'une nouvelle monture pour Stiggy. Ils se mirent en route.

Une demi-heure plus tard, ils rencontrèrent le groupe du haro, détendu et triomphant. Wigbert, l'adjoint soupe au lait du shérif, marchait en tête, traînant Carwen derrière son cheval, encordée à la selle, les mains liées derrière le dos.

« Bien, vous savez tous ce que vous avez à faire », chuchota Wynstan à ses compagnons.

Les quatre hommes s'alignèrent en travers de la route et s'arrêtèrent, barrant le passage à la troupe du haro.

« Je vous félicite tous, lança Wynstan chaleureusement. Bien joué, Wigbert.

— Que voulez-vous ? demanda Wigbert l'air soupçonneux, avant de se reprendre et d'ajouter : monseigneur.

— Je me chargerai de la prisonnière à partir d'ici. »

Un murmure de protestation s'éleva de la troupe. Ils avaient capturé la criminelle et avaient hâte de regagner la ville en triomphe. Ils seraient applaudis par les habitants et invités à boire toute la nuit dans les tavernes.

« J'ai ordre de livrer la prisonnière au shérif Den, fit valoir Wigbert.

— Les ordres ont changé.

— Vous devez en parler au shérif. »

Wynstan savait qu'il était dans son tort, mais refusa de se laisser détourner de son but pour si peu.

« Je lui en ai déjà parlé. Il ordonne que vous livriez la prisonnière aux frères de la victime.

— Je ne peux accepter cela, monseigneur », rétorqua-t-il, appuyant cette fois ironiquement sur « monseigneur ».

Garulf sembla soudain perdre la tête. Tout en hurlant « Elle a tué mon père ! », il dégaina son épée et lança son cheval en avant.

Les hommes à pied s'écartèrent. Wigbert poussa un juron et empoigna son épée à son tour, trop tard cependant : Garulf l'avait déjà dépassé. Carwen poussa un cri d'effroi et voulut reculer, mais la corde qui l'attachait à la selle de Wigbert l'en empêcha. Garulf fut sur elle en un éclair. Les mains liées, elle était sans défense. La lame de Garulf scintilla au soleil. Il la plongea dans la poitrine de Carwen, où, poussée par l'élan de l'homme et du cheval, elle s'enfonça profondément. Carwen hurla. Wynstan crut un moment que Garulf allait soulever la jeune fille et l'emporter, empalée sur son épée, mais le cheval poursuivant sa course, elle tomba sur le dos et Garulf parvint à dégager son arme. Le sang jaillit de la blessure.

Garulf fit virer son cheval parmi les huées de protestation et rejoignit Wynstan. Là, il tira sur les rênes, brandissant son épée ensanglantée face à la foule comme s'il était prêt à continuer le carnage.

Feignant l'indignation, Wynstan tonna :

« Insensé, tu n'aurais pas dû la tuer !
— Elle a enfoncé un poignard dans le cœur de mon père ! » hurla Garulf visiblement hors de lui.

Il ne faisait que répéter les mots que Wynstan lui avait ordonné de prononcer et pourtant, la violence de son chagrin paraissait sincère. C'était d'autant plus étrange que Wynstan lui avait confié qui était le véritable meurtrier de Wilf.

« Va-t'en, lui dit Wynstan, ajoutant à voix basse : Ni trop vite, ni trop lentement. »

Avant de partir, Garulf se retourna vers la foule.

« Justice est faite ! » lança-t-il.

Et il s'éloigna au trot en direction de Shiring.

Wynstan adopta un ton apaisant.

« Cela n'aurait pas dû arriver », déplora-t-il alors qu'en réalité, tout s'était déroulé exactement selon ses vœux.

Wigbert était indigné, mais ne put que protester :

« Il a tué l'esclave !
— Il sera jugé par la cour du comté et je paierai l'amende prévue à son propriétaire. »

Tous les regards étaient tournés vers la jeune fille qui gisait à terre dans une mare de sang.

« Elle savait ce qui s'est passé cette nuit dans la maison de Wilwulf, s'emporta Wigbert.
— En effet », admit Wynstan.

*

Le canal d'Edgar était une réussite. Profond de trois pieds sur toute sa longueur, il s'étirait en ligne droite de la carrière d'Outhenham jusqu'au fleuve. Ses parois en argile étaient solides et légèrement inclinées.

Il travaillait à la carrière ce jour-là, armé d'un marteau à manche court, gage de précision, et doté d'une lourde tête en fer qui lui donnait une grande force de percussion. Il introduisit un coin en chêne dans une fente de la pierre et le frappa à coups répétés, vigoureux et rapides, pour l'enfoncer, élargissant ainsi la fissure jusqu'à ce qu'un bloc se détache. C'était un beau jour d'été. Il avait retiré sa tunique et l'avait nouée autour de sa taille pour avoir moins chaud.

Gab et ses fils travaillaient un peu plus loin.

Edgar repensait encore à la visite de Ragna à Dreng's Ferry. Elle lui avait dit : « Il est parfois réconfortant de se sentir aimée. » Il était sûr qu'elle parlait de son amour pour elle. Elle l'avait laissé lui tenir les mains avant de murmurer : « Quelqu'un remarquera-t-il ce que nous avons fait ? » et il s'était demandé ce qu'ils avaient fait.

Elle savait donc qu'il l'aimait. Elle s'en réjouissait et elle avait l'impression qu'en se tenant les mains, ils avaient fait quelque chose que les autres devaient ignorer.

Que fallait-il en déduire ? Était-il possible que son amour soit réciproque ? C'était improbable, impensable. Et pourtant, comment le comprendre autrement ? Il n'était sûr de rien, mais cette idée lui réchauffait le cœur.

Edgar avait reçu une grosse commande de pierres du prieuré de Combe, dont les moines avaient obtenu du roi l'autorisation d'élever un rempart de terre renforcé par une barbacane en pierre pour défendre le bourg. Au lieu de porter chaque pierre jusqu'au fleuve sur un quart de lieu, il n'avait que quelques pas à parcourir jusqu'au canal.

Le radeau était déjà presque entièrement chargé. Edgar avait disposé les lourdes pierres sur une seule couche pour répartir le poids et assurer la stabilité de l'embarcation. Il devait veiller à ne pas la surcharger pour éviter qu'elle s'enfonce.

Il ajouta une dernière pierre. Il s'apprêtait à partir quand il entendit le martèlement lointain d'une chevauchée rapide. Portant les yeux vers le nord du village, il vit un nuage de poussière s'approcher sur la route desséchée.

Son humeur s'assombrit. L'arrivée d'une troupe de cavaliers n'était jamais bon signe. Songeur, il glissa son marteau dans sa ceinture et ferma la porte de sa maison à clé. Quittant la carrière, il se dirigea vers le village d'un pas rapide. Gab et ses fils le suivirent.

Beaucoup avaient eu la même idée. Des hommes et des femmes abandonnèrent le sarclage de leurs champs pour regagner le village. D'autres sortirent de leurs maisons. Bien qu'animé par la même curiosité qu'eux, Edgar se montra plus prudent. À l'approche du centre du village, il se glissa entre deux maisons pour se dissimuler, se faufilant entre les poulaillers, les pommiers et les tas de fumier, passant d'un jardin à l'autre, l'oreille tendue.

Le bruit des sabots diminua avant de s'éteindre. Il entendit des voix d'hommes qui parlaient fort, d'un ton autoritaire, et chercha une position élevée pour mieux observer la scène. Il aurait pu grimper sur un toit, mais on risquait de le remarquer. Un grand chêne très feuillu poussait à l'arrière de la taverne. Escaladant le tronc, il atteignit une basse branche et se hissa dans la frondaison. Il monta toujours plus haut, attentif à ne pas se faire voir, jusqu'à surplomber le toit de la taverne.

Les cavaliers s'étaient arrêtés sur l'étendue d'herbe entre la taverne et l'église. Sûrs de n'avoir rien à craindre de simples paysans, ils ne portaient pas d'armure. En revanche, ils étaient armés de lances et de poignards, manifestement prêts à recourir à la violence. Tous mirent pied à terre, sauf un et Edgar reconnut Garulf, le fils de Wilwulf. Ses compagnons entreprirent de rassembler les villageois, une manifestation de pouvoir inutile puisque tous se pressaient vers le centre, se demandant avec inquiétude ce qui se passait. Edgar aperçut les cheveux gris de Seric, le chef du village. Il s'adressa d'abord à Garulf, puis à ses hommes, sans obtenir de réponse. Le prêtre à la tête rasée, Draca, se frayait un chemin à travers la foule d'un air apeuré.

Garulf se dressa sur ses étriers. Un homme qui se tenait près de lui cria : « Silence ! » C'était Stiggy, l'ami de Garulf.

Quelques villageois qui continuaient à bavarder reçurent des coups de gourdin et tout le monde se tut.

« Mon père, l'ealdorman Wilwulf, est mort », annonça Garulf.

Un murmure de stupéfaction parcourut la foule.

Edgar murmura pour lui-même : « Mort ! Comment est-ce arrivé ? »

« Il est mort avant-hier pendant la nuit », poursuivit Garulf.

Comprenant que Ragna était désormais veuve, Edgar eut soudain très chaud, puis très froid. Son cœur battait la chamade.

Cela ne change rien, se sermonna-t-il ; ne te réjouis pas trop tôt. Ragna est toujours une femme de la noblesse et toi, un simple bâtisseur. Les nobles veuves épousent de nobles veufs et jamais des artisans, quel que soit leur talent.

Cela ne l'empêchait pas de se réjouir.

Seric posa la question qui lui avait également traversé l'esprit.

« Comment l'ealdorman est-il mort ?

— Le nouvel ealdorman est le frère de Wilf, Wigelm, déclara Garulf sans répondre à Seric.

— C'est impossible, s'écria celui-ci. Il n'a pas eu le temps d'être nommé par le roi.

— Wigelm m'a nommé seigneur du val d'Outhen », continua Garulf.

Il persistait à ignorer le chef de village, qui parlait au nom des villageois. Ceux-ci commencèrent à manifester leur mécontentement.

« Wigelm n'a pas le droit de faire cela, s'insurgea Seric. Le val d'Outhen appartient à lady Ragna.

— Vous avez également un nouveau chef, Dudda. »

Dudda était un voleur et un escroc, tout le monde le savait. Des protestations outrées s'élevèrent de la foule.

C'est une usurpation, s'indigna Edgar. Que devait-il faire ?

Seric tourna le dos à Garulf et à Stiggy, leur déniant ainsi délibérément toute autorité, et s'adressa aux villageois.

« Wigelm n'est pas ealdorman car il n'a pas été nommé par le roi. Garulf n'est pas seigneur d'Outhen car cette vallée appartient à lady Ragna. Et Dudda n'est pas le chef du village pour la bonne raison que c'est moi. »

Edgar vit Stiggy dégainer son épée.

« Attention ! » cria-t-il.

Au même instant, Stiggy planta son épée dans le dos de Seric jusqu'à ce que la lame ressorte par le ventre. Seric poussa un hurlement d'animal blessé et s'effondra. Bouleversé par ce meurtre commis de sang-froid, Edgar se mit à haleter comme s'il venait de parcourir une lieue en courant.

Stiggy retira calmement son épée des entrailles de Seric.

« Seric n'est plus votre chef désormais », commenta Garulf.

Ses hommes d'armes éclatèrent de rire.

Edgar en avait assez vu. Il était écœuré et épouvanté. Son instinct lui commandait d'aller avertir Ragna. Il descendit rapidement de l'arbre. Arrivé au sol, il hésita.

Il était près du fleuve. Il pouvait traverser à la nage et se trouver sur la route de Shiring en deux minutes. Il aurait ainsi de bonnes chances de s'échapper sans se faire voir des hommes de Garulf. Il pouvait laisser le radeau et son chargement de pierres à la carrière : le prieuré de Combe attendrait.

Malheureusement, son cheval, Lambourde, était resté à la carrière, avec l'argent de Ragna. Edgar avait presque une livre d'argent pour elle dans son coffre, le produit de la vente de pierres. Elle en aurait peut-être besoin.

Il se décida en un clin d'œil. Il resterait quelques minutes de plus à Outhenham, quitte à risquer sa vie. Au lieu de courir vers le fleuve, il fila dans l'autre sens, vers la carrière.

Il y fut en quelques instants. Il entra chez lui, sortit son coffre de sa cachette, mit l'argent de Ragna dans une bourse de cuir accrochée à sa ceinture et referma la porte.

Lambourde, qui en avait l'habitude, monta sur le radeau sans se faire prier. Brindille, qui n'avait rien perdu de son entrain malgré son âge, sauta à bord à son tour. Edgar dénoua l'amarre et éloigna le radeau de la berge.

Il n'avait encore jamais remarqué à quel point le radeau avançait lentement sur le canal. En l'absence de courant, il ne se déplaçait que grâce à la perche que maniait Edgar. Celui-ci avait beau pousser de toutes ses forces, il ne prenait guère de vitesse.

Tandis qu'il longeait les jardins derrière les maisons, le bruit provenant du centre du village se fit plus sonore, mais aussi, lui sembla-t-il, plus hargneux.

Malgré le meurtre de Seric, les villageois s'insurgeaient vaillamment contre les annonces de Garulf. Il y aurait d'autres actes de violence, il n'en doutait pas. Pourrait-il y échapper ?

Arrivé au niveau du chêne qui l'avait abrité, il se prit à croire qu'il réussirait à s'esquiver. Cet espoir fut de courte durée. Sortant de la taverne, deux hommes et une femme se précipitèrent vers le fleuve. Il comprit, à leur tenue, que c'étaient des villageois. Un homme d'armes s'élança à leur poursuite en brandissant son épée. Edgar reconnut Bada. La bagarre avait commencé.

Edgar pesta. Il ne pouvait pas les dépasser car ils avançaient plus vite que le radeau. Le danger était grand. Si Garulf le capturait, il ne le laisserait pas quitter Outhenham. Tout le monde connaissait ses liens avec Ragna. En plein coup de force, Garulf n'aurait pas besoin d'autre raison pour le supprimer.

Un des paysans trébucha et tomba. Il avait des traces de farine blanche dans sa barbe noire. C'était Wilmund, le boulanger, accompagné de sa femme Regenhild et de leur fils Penda, un grand gaillard de dix-neuf ans.

Regenhild s'arrêta et se retourna pour aider Wilmund. Comme Bada brandissait son épée, elle se jeta sur lui, mains tendues pour le griffer au visage. Il fit tournoyer vainement son épée dans les airs et repoussa Regenhild de la main gauche tout en cherchant, de l'autre, à transpercer Wilmund.

Penda intervint alors. Ramassant une pierre de la taille d'un poing, il la jeta de toutes ses forces. Elle atteignit Bada à la poitrine, assez violemment pour lui faire perdre l'équilibre et manquer sa cible pour la deuxième fois.

Le radeau arriva à leur niveau.

Malgré son effroi et son envie de se mettre à distance, Edgar ne pouvait pas laisser massacrer des gens qu'il connaissait sans intervenir. Abandonnant sa perche, il sauta du radeau en empoignant le marteau glissé à sa ceinture.

Wilmund se releva sur les genoux. Cette fois, Bada réussit à le frapper, de biais cependant. La pointe de son épée s'enfonça dans le gras de la cuisse, près de la hanche, et pénétra profondément. Regenhild poussa un cri et s'agenouilla près de son mari. Bada releva son arme pour la tuer.

Edgar se rua sur lui, brandissant son marteau, et le frappa de toutes ses forces. Au dernier moment, Bada se déporta sur la gauche. Le marteau s'abattit sur son épaule. On entendit distinctement un os se briser. Bada poussa un rugissement de douleur. Son bras droit, privé de toute force, lâcha l'épée. Il s'effondra en gémissant.

Malheureusement, Bada n'était pas seul. Un bruit de pas lourds venant du village alerta Edgar. En se retournant, il vit un autre homme armé s'approcher. C'était Stiggy.

Regenhild et Penda relevèrent Wilmund. Malgré ses cris de douleur, le boulanger réussit à mettre un pied devant l'autre et le trio s'éloigna en clopinant. Ignorant les paysans, Stiggy fondit sur Edgar. Le marteau qu'il tenait toujours le désignait en effet comme l'auteur de la blessure de Bada, son compagnon d'armes. Edgar vit la mort en face.

Tournant précipitamment les talons, il s'élança vers le canal. Le radeau avait légèrement dérivé pendant l'échauffourée. Il entendait derrière lui les pas de son poursuivant. Arrivé sur la berge, il bondit et atterrit sur le chargement de pierres.

Il eut le temps d'apercevoir la famille du boulanger

qui disparaissait dans les maisons. Ils étaient saufs, pour l'instant du moins.

Il vit alors Stiggy ramasser des pierres.

Luttant contre la panique, Edgar s'aplatit, glissa le marteau à sa ceinture et se laissa rouler dans l'eau, de l'autre côté du radeau, au moment même où une grosse pierre passait au-dessus de sa tête. Brindille sauta dans le canal avec lui.

S'accrochant d'une main au bord de l'embarcation, il baissa la tête. Aux chocs sourds qu'il entendait, il devina que les pierres jetées par Stiggy s'abattaient sur le radeau. Lambourde trépignait et il espérait qu'elle ne serait pas blessée.

Ses pieds touchèrent la paroi du canal. Il se retourna dans l'eau et, de toutes ses forces, poussa le radeau en direction du fleuve, sortant le visage de l'eau le temps de remplir ses poumons avant de replonger.

Remarquant un changement de température, il comprit qu'il arrivait à l'extrémité du canal et atteignait l'eau plus fraîche du fleuve.

Le radeau émergea effectivement de l'embouchure du canal et Edgar sentit le courant l'emporter. Relevant la tête, il vit Stiggy bondir depuis la rive. La distance semblait trop grande et il se prit à espérer que Stiggy tomberait dans l'eau ou, mieux encore, manquerait le radeau de peu et se fracasserait sur les madriers. Or Stiggy réussit, de justesse. Il resta un moment en équilibre précaire sur le bord en moulinant des bras et Edgar pria pour qu'il bascule dans le fleuve. Mais il se stabilisa et s'accroupit, les deux mains à plat sur le chargement de pierres.

Il se releva alors et tira son épée.

Edgar comprit qu'il était en danger, un danger plus grand encore que lorsqu'il avait affronté un Viking dans la laiterie de Sunni à Combe. Stiggy se tenait sur le radeau, l'épée à la main, alors qu'Edgar était dans l'eau avec un marteau à la ceinture.

Peut-être, songea-t-il avec espoir, Stiggy sauterait-il dans l'eau pour l'attaquer au corps à corps, perdant ainsi l'avantage que lui donnait le support solide du radeau. Dans l'eau, son marteau à manche court serait plus facile à manier que la longue épée de son adversaire.

Malheureusement, la sottise de Stiggy avait des limites. Il resta sur le radeau et pointa son arme sur Edgar, qui esquiva et se réfugia sous les planches.

Si Stiggy ne pouvait pas l'y atteindre, Edgar, lui, ne pouvait plus respirer. Bon nageur, il était capable de retenir son souffle longtemps, mais tôt ou tard, il serait obligé de sortir la tête de l'eau.

Il devrait peut-être abandonner le radeau. Il avait encore sur lui son marteau et l'argent de Ragna. Il s'enfonça dans les profondeurs pour se mettre hors d'atteinte de la longue épée de Stiggy, puis nagea vers l'autre rive en s'éloignant de l'embarcation, craignant à tout instant de sentir la pointe de la lame dans son dos. L'eau devint moins profonde. Il approchait du bord. Il se retourna et refit surface, haletant.

Il était désormais à bonne distance du radeau. Debout sur les planches, Stiggy regardait autour de lui, cherchant désespérément Edgar des yeux.

Si Edgar réussissait à ramper un peu plus loin et à disparaître dans les bois avant que Stiggy l'ait aperçu, il serait sauvé. L'autre ne saurait pas où il était passé. Edgar regretterait de perdre Lambourde, mais il tenait à la vie. Vivant, il pourrait construire un nouveau radeau et acheter une autre jument.

À cet instant, Brindille sortit de l'eau, s'ébroua et se mit à aboyer en direction de Stiggy, qui se tourna vers le chien et repéra Edgar. Trop tard, songea Edgar en se levant.

Stiggy rengaina son épée, ramassa la perche et poussa le radeau vers la rive.

Edgar ne faisait pas le poids : Stiggy était plus grand et plus lourd que lui, plus aguerri aussi. Il comprit qu'il n'avait qu'une solution : l'attaquer à l'instant même où il sauterait sur la berge, avant qu'il ne reprenne l'équilibre et ne dégaine son épée.

Empoignant son marteau, il courut le long de la rive pour suivre le radeau qui dérivait lentement vers l'aval. Stiggy manœuvra pour l'approcher du bord. Leurs trajectoires allaient se rencontrer.

Stiggy sauta du radeau et Edgar saisit sa chance.

Dès que le jeune homme eut débarqué dans les hauts-fonds, Edgar abattit son marteau, mais Stiggy trébucha et le coup ne fit qu'effleurer son bras gauche.

Stiggy prit pied sur la berge boueuse et baissa la main pour empoigner son épée. Edgar passa aussitôt à l'action. Il le frappa au genou. Bien que le coup ne fût pas très puissant, il réussit à déstabiliser Stiggy, lequel dégaina, agita furieusement son arme sans atteindre Edgar, glissa dans la vase et s'affala.

Edgar sauta à genoux sur le torse de Stiggy, sentant ses côtes se briser ; il était trop près désormais pour que l'autre puisse faire usage de sa longue épée.

Edgar était conscient qu'il n'aurait droit qu'à une chance, qu'à un coup. Le premier serait sans doute le dernier, et devait donc être fatal.

Il mania son marteau à manche court comme lorsqu'il enfonçait un coin dans la fente d'un bloc de calcaire, mettant toute la force de son bras droit dans l'unique volée qui devait lui sauver la vie. Son bras était robuste, la tête du marteau était en fer et le front de Stiggy n'était fait que de peau et d'os. Ce fut comme s'il brisait la glace d'une mare en hiver. Edgar sentit le marteau fracasser le crâne et le vit s'enfoncer dans la masse molle du cerveau. Le corps de Stiggy devint flasque.

Edgar eut une pensée pour Seric, le chef de village avisé, le grand-père aimant, et revit Stiggy transpercer de sa lame cet homme si bon. En contemplant la tête broyée de Stiggy, il se dit : J'ai simplement fait de cette terre un monde meilleur.

Il jeta un coup d'œil vers l'autre rive du fleuve. Personne n'avait assisté à leur empoignade. Personne ne saurait qui avait tué Stiggy. Garulf et ses hommes ignoraient qu'il était au village et les villageois ne diraient rien.

Il prit alors conscience que le radeau risquait de le trahir. S'il le laissait là, tout le monde comprendrait qu'il avait tué Stiggy avant de fuir.

Il pataugea jusqu'à l'embarcation, suivi de Brindille, et grimpa à bord. Il rassura Lambourde de quelques tapes affectueuses, ramassa la perche que Stiggy avait laissé tomber dans l'eau et s'éloigna vers l'aval, en direction de Dreng's Ferry.

*

Il faisait très chaud dans le domaine. Ragna alla chercher une grande cuvette en bronze dans la cuisine. L'ayant remplie d'eau fraîche tirée du puits, elle la posa devant sa maison pour que ses fils puissent jouer. Les jumeaux, âgés de dix-huit mois, y plongèrent les mains et s'éclaboussèrent en poussant des cris de joie. Osbert inventa un jeu compliqué avec des gobelets en bois, versant le contenu des uns dans les autres. Ils furent bientôt trempés et ravis.

En les observant, Ragna savoura un rare moment de bonheur paisible. En grandissant, ces garçons deviendraient des hommes de la trempe de son père, se dit-elle : forts sans être cruels, avisés sans être sournois. S'ils devaient gouverner un jour, ils appliqueraient les lois au lieu de n'obéir qu'à leurs caprices. Ils aimeraient leurs femmes sans se servir d'elles. Ils ne seraient pas craints, mais respectés.

Son humeur s'assombrit quand elle vit Wigelm s'approcher.

« Je dois vous parler », lui dit-il.

On aurait pu le confondre avec Wilf, mais la ressemblance n'était qu'éphémère. Comme Wilf, il avait un grand nez, une moustache blonde, un menton carré, une démarche assurée ; mais il n'avait ni son charme ni son aisance et il donnait toujours l'impression de vouloir se plaindre de quelque chose.

Ragna était convaincue qu'il avait trempé d'une façon ou d'une autre dans le meurtre de Wilf. Carwen étant morte, elle ne saurait probablement jamais comment les choses s'étaient passées, mais elle n'avait aucun doute. Son dégoût était si violent qu'elle en avait mal au cœur.

« Je n'ai aucune envie de vous parler, rétorqua-t-elle. Allez-vous-en.

— Vous êtes la femme la plus belle que j'aie jamais vue », dit-il alors.

Elle en resta interdite.

« Que dites-vous ? Ne soyez pas stupide.

— Vous êtes un ange. Il n'existe pas deux femmes comme vous.

— C'est une grossière plaisanterie. » Elle regarda autour d'elle. « Vos imbéciles de compagnons sont probablement derrière la maison, à écouter en ricanant, dans l'espoir que vous me ridiculiserez. Allez-vous-en, vous ai-je dit. »

Il sortit alors un bracelet de sa tunique.

« J'ai pensé que cela vous ferait peut-être plaisir », dit-il en le lui tendant.

Elle le prit. Le bijou était en argent, orné d'un motif gravé représentant des serpents entrelacés. Elle le reconnut immédiatement. C'était celui qu'elle avait acheté à Cuthbert pour en faire cadeau à Wilf le jour de leurs noces.

« Vous ne me remerciez pas ? demanda Wigelm.

— Pourquoi vous remercierais-je ? Vous l'avez trouvé dans le coffre de Wilf que vous m'avez volé. Je suis son héritière, donc ce bracelet m'appartient. Je ne vous remercierai que lorsque vous m'aurez tout rendu.

— Cela pourrait se faire. »

Nous y voilà, pensa-t-elle. Je vais enfin savoir où il veut en venir.

« Ah oui ? Comment cela ?

— Épousez-moi. »

Devant l'absurdité de la proposition, un bref éclat de rire lui échappa.

« C'est ridicule ! »

Le rouge de la colère monta aux joues de Wigelm. Elle sentit qu'il résistait à l'envie de la frapper. Il serra les poings, mais se retint.

« Je vous interdis de m'insulter !

— Je vous rappelle que vous êtes déjà marié – à Milly, la sœur d'Inge.

— Je l'ai répudiée.

— Je ne prise guère vos "répudiations" à l'anglaise.

— Vous n'êtes plus en Normandie.

— L'Église d'Angleterre ne proscrit-elle pas le mariage d'une veuve avec un proche parent ? Vous êtes mon beau-frère.

— Demi-beau-frère seulement. C'est suffisamment éloigné selon l'évêque Wynstan. »

Elle comprit qu'elle ne s'était pas engagée sur la bonne voie. Les gens comme Wigelm trouvaient toujours un moyen de contourner les lois.

« Vous ne m'aimez pas, lança-t-elle, exaspérée. Vous n'avez pas une once d'amitié pour moi.

— Il n'empêche que notre mariage résoudrait un problème politique.

— Vous m'en voyez flattée.

— Je suis le demi-frère de Wilf et vous êtes sa veuve. Si nous nous marions, personne ne pourra nous contester le droit de gouverner le comté.

— *Nous* le contester ? Prétendez-vous que nous gouvernerions ensemble ? Me pensez-vous vraiment assez sotte pour vous croire ? »

Wigelm était visiblement furieux et embarrassé. Il avait fait une proposition parfaitement malhonnête, mais n'était pas assez intelligent pour la rendre ne fût-ce que vaguement plausible. Constatant que Ragna ne se laissait pas duper aussi facilement, il ne savait comment poursuivre. Il essaya d'imiter l'assurance et le charme de Wilf.

« Vous finirez par m'aimer lorsque nous serons mariés.

— Je ne vous aimerai jamais. » Devait-elle se montrer plus claire ? « Vous êtes tout ce que Wilf avait de mauvais, sans rien de ce qu'il avait de bon. Je vous déteste, vous me répugnez, et il en sera toujours ainsi.

— Garce », marmonna-t-il en s'éloignant.

Ragna avait l'impression d'avoir été rouée de coups. La demande de Wigelm était indécente et son insistance grossière. Elle était exténuée, fourbue. Elle s'adossa au mur de la maison et ferma les yeux.

Osbert commença à pleurer. Il s'était mis de la boue dans les yeux. Elle le prit dans ses bras, lui nettoya le visage avec sa manche et il retrouva vite sa bonne humeur.

Elle se sentit immédiatement moins fébrile. C'était curieux comme les besoins des enfants effaçaient tout le reste, pour les femmes en tout cas. Le thane anglais le plus impitoyable était moins tyrannique qu'un tout-petit.

Alors qu'elle les regardait jouer avec l'eau, sa respiration s'apaisa. Pourtant, cette fois encore, cette sérénité ne fut qu'une parenthèse. L'évêque Wynstan arriva à son tour.

« Mon frère Wigelm est très affecté, dit-il.

— Oh, je vous en prie, répliqua Ragna, agacée. Vous ne me ferez pas croire qu'il a un chagrin d'amour.

— Nous savons vous comme moi que l'amour n'a rien à voir avec cela.

— Je suis heureuse de constater que vous êtes moins stupide que votre frère.

— Merci.

— Le compliment est mince.

— Prenez garde, siffla-t-il d'une voix vibrante de fureur contenue. Vous n'êtes pas en position de nous insulter, ma famille et moi.

— Je suis la veuve de l'ealdorman et vous n'y changerez rien. Ma position est suffisamment forte.

— Wigelm gouverne Shiring.

— Je suis toujours seigneur du val d'Outhen.

— Garulf s'y est rendu hier. »

La nouvelle surprit Ragna. Elle n'en avait rien su.

« Il a fait savoir aux villageois que Wigelm l'avait nommé seigneur d'Outhen, continua Wynstan.

— Ils ne l'accepteront jamais, Seric, le chef du…

— Seric est mort. Garulf a nommé Dudda.

— Outhen m'appartient ! Ce don figure dans le contrat de mariage que vous avez vous-même négocié !

— Wilf n'avait pas le droit de vous le céder. La vallée est dans notre famille depuis des générations.

— Il n'en reste pas moins qu'il me l'a donné.

— Il envisageait un don à vie, de toute évidence.

Pour la durée de sa vie à lui, s'entend, et non de la vôtre.

— Vous mentez. »

Wynstan haussa les épaules.

« Que comptez-vous donc faire ?

— Rien. C'est le roi Ethelred qui nommera le nouvel ealdorman, pas vous.

— Je craignais en effet que vous ne vous berciez de cette illusion. » Il prononça ces mots avec une telle gravité que Ragna en eut froid dans le dos. « Je vais vous expliquer ce qui préoccupe le roi à l'heure actuelle. La flotte des Vikings est toujours dans les eaux anglaises. Au lieu de rentrer chez eux, ils ont pris leurs quartiers d'hiver sur l'île de Wight. Ethelred a négocié une trêve, contre une somme de vingt-quatre mille livres. »

Ragna en fut abasourdie. C'était un montant inouï.

« Vous comprendrez aisément, poursuivit Wynstan, que le roi a pour premier souci de recueillir des fonds. De plus, il prépare son mariage. »

La précédente épouse d'Ethelred, Elfgifu d'York, était morte en donnant naissance à leur onzième enfant.

« Il épouse Emma de Normandie », précisa Wynstan.

Ragna allait de surprise en surprise. Elle connaissait Emma, la fille du comte Richard de Rouen. Emma avait douze ans lorsque Ragna avait quitté la Normandie cinq ans plus tôt. Elle avait donc maintenant dix-sept ans. Ragna songea aussitôt qu'elle trouverait peut-être une alliée en la personne d'une jeune Normande mariée au roi d'Angleterre.

Wynstan suivait son idée.

« Avec tous ces problèmes, croyez-vous que le roi ait du temps à consacrer à la nomination du nouvel ealdorman de Shiring ? »

Ragna resta coite.

« Bien sûr que non, répondit-il à sa place. Il se

contentera de confirmer dans cette fonction celui qui sera à la tête de la région. Le gouverneur de fait deviendra l'ealdorman officiel. »

Si c'était vrai, songea Ragna, vous ne seriez pas aussi impatient de me voir épouser Wigelm. Mais elle se tut car une nouvelle pensée venait de lui traverser l'esprit. Que ferait Wynstan si elle s'entêtait à refuser la demande en mariage de Wigelm ? Il chercherait une autre solution. Et parmi toutes celles qui pourraient se présenter, il en était une qui s'imposa à elle.

Il pouvait la tuer.

33

Août 1002

À ce jour, Edgar avait tué deux hommes. D'abord le Viking, puis Stiggy. Peut-être trois si Bada était mort de sa clavicule cassée. Edgar devait-il pour autant se considérer comme un assassin ?

Les hommes d'armes ne se posaient pas ce genre de question : tuer était leur métier. Edgar, lui, était bâtisseur. Un artisan n'était pas fait pour se battre. Pourtant, il avait abattu des hommes violents. Peut-être devait-il en être fier : Stiggy n'avait-il pas assassiné de sang-froid ? Malgré tout, cette idée le perturbait.

Au demeurant, la mort de Stiggy n'avait rien résolu. Garulf avait pris possession du val d'Outhen et sans doute déjà commencé à assurer son emprise sur les villageois.

Arrivé à Shiring, Edgar gagna directement le domaine de l'ealdorman. Il dessella Lambourde, l'emmena boire à la mare puis la laissa s'ébattre dans le pré voisin avec les autres chevaux.

En se dirigeant vers la maison de Ragna, il se demanda un peu bêtement sans doute – si elle aurait changé maintenant qu'elle était veuve. Depuis cinq ans qu'il la connaissait, elle avait toujours appartenu à un autre homme. Aurait-elle un regard différent, un autre sourire, une liberté nouvelle dans la démarche ? Elle avait de l'affection pour lui, il le savait ; mais exprimerait-elle à présent ses sentiments plus ouvertement ?

Il la trouva chez elle. Elle était à l'intérieur malgré le beau temps, assise sur un banc, les yeux dans le vide, soucieuse. Ses trois fils et les deux filles de Cat faisaient la sieste sous la surveillance de Cat et d'Agnès. Le visage de Ragna s'éclaira quand elle le vit entrer. Il en fut ravi. Il lui tendit la bourse en cuir.

« Vos revenus de la carrière. J'ai pensé que vous pourriez avoir besoin d'argent.

— Merci ! Wigelm a en effet fait main basse sur mon trésor et je me trouvais sans un penny. Ils veulent tout me prendre, même le val d'Outhen. Toutefois, le roi est responsable des veuves de l'aristocratie. Tôt ou tard, il aura son mot à dire sur les agissements de Wigelm et de Wynstan. Mais toi, comment vas-tu ? »

Il s'assit sur le banc près d'elle. Il parla à voix basse pour ne pas être entendu des servantes.

« J'étais à Outhen. J'ai vu Stiggy assassiner Seric. »

Elle écarquilla les yeux.

« Stiggy est mort… »

Edgar hocha la tête.

Ses lèvres remuèrent sans qu'un son s'en échappe : « Toi ? »

Il hocha à nouveau la tête.

« Mais personne ne le sait », chuchota-t-il.

Elle serra son poignet, comme pour le remercier. Il sentit un fourmillement au point de contact entre leurs deux peaux.

« Garulf est fou de rage, reprit-elle d'une voix normale.

— Je m'en doute. » Repensant à l'air abattu qu'elle affichait à son arrivée, il demanda : « Et vous, comment allez-vous ?

— Wigelm veut m'épouser.

— À Dieu ne plaise ! »

Edgar était atterré. Il ne voulait pas que Ragna se remarie avec qui que ce fût, mais Wigelm était certainement le plus repoussant des prétendants.

« Cela n'arrivera pas, le rassura-t-elle.

— Heureusement.

— Mais que vont-ils faire ? »

Le visage de Ragna prit une expression qu'il ne lui avait jamais vue, une angoisse si désespérée qu'il eut envie de la prendre dans ses bras et de lui jurer de veiller sur elle.

« Je leur pose un problème qu'ils s'attacheront à résoudre et ils ne s'en remettront pas à la décision du roi Ethelred qui ne les apprécie pas. Il risque de ne pas agir comme ils le veulent.

— Mais que peuvent-ils faire ?

— Me tuer.

— Cela provoquerait un scandale international…, fit Edgar en secouant la tête.

— Ils diront que je suis tombée malade et que je suis morte subitement.

— Seigneur ! »

Edgar n'avait pas envisagé qu'ils puissent aller aussi loin. Ils étaient assez impitoyables pour éliminer Ragna, mais ils risquaient de sérieux ennuis. Ils étaient cependant prêts à tout. Edgar était franchement inquiet.

« Il faut absolument vous protéger, d'une façon ou d'une autre ! s'écria-t-il.

— Je n'ai plus de garde du corps. Bern est mort et les hommes d'armes sont tous passés dans le camp de Wigelm. »

Les deux servantes pouvaient les entendre à présent, car ils parlaient normalement. À la dernière phrase de Ragna, Cat lâcha, en franco-normand :

« Les sales brutes. »

Bern était son mari.

« Il faut que vous quittiez le domaine, déclara Edgar.

— J'aurais l'air de renoncer.

— Provisoirement, en attendant de pouvoir en déférer au roi. Ce que vous ne pourrez pas faire si vous êtes morte.

— Où irais-je ?

— Pourquoi pas sur l'île aux Lépreux ? suggéra Edgar après un instant de réflexion. Il y a un siège de paix dans l'église des nonnes. Wigelm lui-même n'oserait pas y assassiner une femme de la noblesse. Tous les thanes d'Angleterre se feraient un devoir de le tuer en représailles.

— C'est une bonne idée, approuva Ragna, les yeux brillants.

— Faisons vite, alors.

— M'accompagnerais-tu ?

— Bien sûr. Quand pouvez-vous partir ? »

Elle hésita un instant avant de se décider.

« Demain matin », répondit-elle.

Edgar se dit que tout cela était trop simple, trop beau pour être vrai.

« Ils risquent d'essayer de vous en empêcher.

— Tu as raison. Nous partirons avant l'aube.

— Faites-vous discrète d'ici là.

— Oui. »

Ragna se tourna vers Cat et Agnès qui écoutaient, les yeux écarquillés.

« Vous deux, ne faites rien avant le souper. Comportez-vous comme à l'accoutumée. Puis, dès que la nuit sera tombée, préparez les affaires des enfants.

— Il va nous falloir des vivres. Dois-je aller en chercher à la cuisine ? demanda Agnès.

— Non, cela nous trahirait. Va plutôt acheter du pain et du jambon en ville. »

Elle lui donna trois pennies prélevés dans la bourse qu'Edgar lui avait apportée.

« Ne prenez pas vos chevaux, conseilla Edgar. Le shérif Den vous en prêtera.

— Dois-je abandonner Astrid ?

— Je reviendrai la chercher plus tard. » Il se leva. « Je vais passer la nuit chez Den. Je lui demanderai de nous prêter des montures. Pourrez-vous me faire savoir en fin de soirée si tout est prêt pour demain ?

— Certainement. »

Elle prit ses deux mains entre les siennes et il repensa à leur troublante conversation de Dreng's Ferry. Auraient-ils d'autres moments d'intimité ? Il n'osait l'espérer.

« Edgar, je te remercie pour tout. J'ai perdu le compte de tout ce que tu as fait pour moi. »

Il brûlait de lui dire qu'il agissait par amour, mais c'était impossible en présence de Cat et d'Agnès.

« Vous le méritez. Et même davantage. »

Elle sourit en relâchant ses mains. Il fit demi-tour et s'éloigna.

*

« Il n'y a qu'à se débarrasser de Ragna, suggéra Wigelm. Cela simplifierait tout.

— J'y ai pensé, crois-moi, acquiesça Wynstan. Elle nous fait obstacle. »

Ils se trouvaient chez l'évêque, à l'étage, devant des gobelets de cidre : la chaleur donnait soif.

Wynstan se rappela que le shérif Den l'avait menacé de le tuer s'il arrivait quelque chose à Ragna. Il chassa ce souvenir. Beaucoup de gens avaient envie de le tuer. S'il commençait à en avoir peur, il ne sortirait plus de chez lui.

« Sans Ragna, je n'aurais aucun rival pour me disputer le titre d'ealdorman, remarqua Wigelm.

— Aucun rival sérieux en effet. Qui le roi pourrait-il choisir ? Deorman de Norwood est presque aveugle. Thurstan de Lordsborough est un indécis qui ne saurait pas diriger un chœur, et encore moins une armée. Les autres thanes ne sont que de riches fermiers. Personne n'a ton expérience ni tes relations.

— Alors... »

Wynstan s'agaçait souvent de devoir toujours tout expliquer dix fois à Wigelm, mais ce jour-là, il tenait à peser lui-même soigneusement tous les tenants et aboutissants.

« Il suffirait peut-être de la tenir sous notre coupe.

— Ne vaut-il pas mieux la tuer ? Nous nous arrangerions pour en faire porter la responsabilité à quelqu'un d'autre, comme pour Wilf.

— C'est possible, mais il ne faut pas tenter le diable. Nous nous en sommes sortis une fois, mais bien des gens ne croient toujours pas à la culpabilité de Carwen. Un deuxième meurtre commis à point nommé aussi peu de temps après serait suspect. Tout le monde nous penserait coupables.

— Le roi Ethelred nous croirait peut-être.

— Il ne ferait même pas semblant, rétorqua Wynstan avec un rire méprisant. Nous empiétons doublement sur ses prérogatives. D'abord, en lui imposant le choix de l'ealdorman. Ensuite, en nous mêlant du sort d'une veuve.

— Il est certainement plus préoccupé par la nécessité de rassembler vingt-quatre mille livres, ne crois-tu pas ?

— Pour le moment, oui. Mais dès qu'il aura l'argent, il agira à sa guise.

— Il faut donc que Ragna reste en vie.

— Si possible, oui. En vie, mais sous contrôle. » Wynstan leva les yeux en entendant Agnès entrer. « Voici justement la petite souris qui va nous y aider. » Wynstan remarqua qu'elle portait un panier. « Tu as fait des achats, ma petite souris ?

— Des provisions pour un voyage, monseigneur.

— Viens t'asseoir sur mes genoux. »

Elle eut l'air surprise et embarrassée, mais en même temps ravie. Posant son panier, elle alla s'asseoir sur les genoux de Wynstan.

« Alors, parle-moi un peu de ce voyage, poursuivit-il.

— Ragna a l'intention d'aller à Dreng's Ferry. Le voyage prend deux jours.

— Je le sais bien. Et pourquoi veut-elle y aller ?

— Elle a peur que vous ne la tuiez quand vous aurez compris qu'elle n'épousera jamais Wigelm. »

Wynstan regarda son frère. C'était exactement ce qu'il avait craint. Il se félicita d'avoir été prévenu. Il avait bien fait d'introduire une espionne chez Ragna.

« Qu'est-ce qui lui a mis cette idée en tête ?

— Je ne sais pas vraiment, répondit Agnès, mais Edgar est venu lui apporter de l'argent. C'est lui qui lui a conseillé d'aller se réfugier au couvent. Elle pense que là-bas, elle n'aura plus rien à craindre de vous. »

Elle n'avait sans doute pas tort, songea Wynstan. Il n'avait pas envie de se mettre toute l'Angleterre à dos.

« Quand part-elle ?

— Demain matin au lever du jour. »

Wynstan effleura les seins d'Agnès qui frissonna de plaisir.

« Tu as fort bien agi, ma petite souris. C'est une précieuse information.

— Je suis heureuse d'avoir pu vous faire plaisir », dit-elle d'une voix tremblante.

Avec un clin d'œil à son frère, il glissa la main sous sa robe.

« Si chaude, déjà ! remarqua-t-il. Je vois que moi aussi, je t'ai fait plaisir.

— Oui », murmura-t-elle.

Wigelm éclata de rire.

Wynstan fit descendre Agnès.

« Mets-toi à genoux, ma petite souris. » Il releva sa tunique. « Tu sais quoi faire de cela ? »

Elle se pencha vers lui.

« Oh, oui, soupira-t-il. Tu sais. »

*

À la tombée de la nuit, Ragna quitta discrètement le domaine. Sa capuche sur la tête, elle traversa le bourg d'un pas pressé. Elle était heureuse d'aller voir Edgar. Un sentiment devenu familier, constata-t-elle. C'était toujours une joie d'être avec lui. Depuis son arrivée en Angleterre, il avait été pour elle un ami fidèle.

Quand elle arriva, le shérif et sa femme s'apprêtaient à aller se coucher. Edgar logeait dans une maison inoccupée de leur domaine. Den l'y conduisit. L'intérieur était faiblement éclairé par un unique brûle-jonc. Edgar se tenait près de la cheminée où ne flambait aucun feu, car le temps était doux.

« Vos chevaux seront prêts à l'aube, annonça Den avec vivacité.

— Merci », lui dit Ragna. Il y avait chez les Anglais autant de gens bons que de gens malveillants, pensa-t-elle. C'était sans doute partout pareil. « Vous me sauvez la vie.

— J'agis comme le roi l'aurait souhaité, répondit-il avant d'ajouter : Je suis heureux de pouvoir vous aider. » Il les regarda tous les deux avec un sourire en coin. « Bien, je vous laisse à vos derniers préparatifs. »

Il sortit.

Le cœur de Ragna se mit à battre plus vite. Elle s'était rarement trouvée seule avec Edgar, si rarement qu'elle se rappelait chacun de leurs tête-à-tête. Le premier avait eu lieu cinq ans auparavant, quand il l'avait conduite en barque jusqu'à l'île aux Lépreux. Elle se souvenait de l'obscurité, du clapotis de la pluie sur l'eau du fleuve et de la chaleur de ses bras quand il l'avait portée sur la berge. Le deuxième datait de quatre ans plus tard, à Outhenham, dans sa maison de la carrière ; elle l'avait embrassé et il était devenu rouge de confusion. La troisième fois, c'était à Dreng's Ferry, quand il lui avait montré le coffret qu'il avait fabriqué pour y ranger le livre qu'elle lui avait donné ; elle avait admis presque ouvertement que son amour la réconfortait.

Cette fois-ci était donc la quatrième.

« Tout est prêt, lui dit-elle, songeant à leur évasion.

— Ici aussi. »

Il semblait mal à l'aise.

« Détends-toi. Je ne vais pas te mordre.

— Dommage », murmura-t-il avec un petit sourire penaud.

En l'observant dans la pénombre, elle éprouva une furieuse envie de le prendre dans ses bras. Cela lui paraissait tout naturel. Elle s'approcha.

« J'ai pris conscience de quelque chose, dit-elle.

— De quoi ?

— Nous ne sommes pas amis. »

Il comprit aussitôt.

« C'est vrai, acquiesça-t-il en hochant la tête. Nous sommes beaucoup plus. »

Elle posa les mains sur ses joues, sentant sous ses doigts sa barbe soyeuse.

« Quel beau visage ! Volontaire, intelligent et bon. »

Il baissa les yeux.

« Je te gêne ?

— Oui, mais continuez. »

Elle pensa à Wilwulf et se demanda comment elle avait pu être amoureuse d'un guerrier. C'était un amour de jeunesse. Ce qu'elle éprouvait à présent était un désir d'adulte. Comme elle ne pouvait le dire tout haut, elle l'embrassa.

Ce fut un long baiser, doux et profond. Elle lui caressait la tête et les joues. Elle sentit ses mains sur sa taille. Au bout d'une longue minute, elle mit fin à leur baiser, haletante.

« Eh bien ! soupira-t-elle. Pourrais-je en avoir encore un peu ?

— Autant que vous voulez. J'ai fait des réserves.

— Je suis désolée, murmura-t-elle, se sentant soudain coupable.

— De quoi ?

— De t'avoir fait attendre aussi longtemps. Cinq ans.

— J'en aurais attendu dix.

— Je ne mérite pas un tel amour, murmura-t-elle, les larmes aux yeux.

— Bien sûr que si. »

Elle avait envie de lui faire plaisir.

« Aimes-tu mes seins ? demanda-t-elle.

— Oui. Je n'ai cessé de les dévorer des yeux durant toutes ces années.

— Veux-tu les toucher ?

— Oui », souffla-t-il.

Elle se pencha, saisit le bas de sa robe et la souleva d'un geste leste, exposant son corps nu devant lui.

« Oh ! » s'écria-t-il. Il la caressa des deux mains, appuyant légèrement et effleura les mamelons du bout des doigts. Son souffle se précipita. Un homme assoiffé qui trouve une source, pensa Ragna.

« Puis-je les embrasser ? demanda-t-il.

— Edgar, tu peux embrasser tout ce que tu veux. »

Il inclina la tête. Elle lui caressa les cheveux en le regardant à la lueur vacillante de la flamme tandis que ses lèvres couraient sur sa peau. Il semblait insatiable.

« Si tu tètes, tu auras du lait, lui dit-elle.

— Croyez-vous que je trouverai cela bon ? » répliqua-t-il en riant.

Elle adorait sa façon de mêler l'humour à la passion.

« Je ne sais pas. »

Soudain, il redevint sérieux.

« Pouvons-nous nous allonger ?

— Attends. »

Elle souleva le bas de sa tunique. Quand elle fut relevée jusqu'à la taille, elle se pencha et déposa un baiser au bout de son sexe. Puis elle fit passer le vêtement au-dessus de sa tête.

Ils s'allongèrent côte à côte. Des mains, elle explora son corps, sa poitrine, sa taille, ses cuisses tandis qu'il en faisait autant. Elle sentit sa main se glisser entre ses jambes et ses doigts s'aventurer dans sa fente humide. Elle frissonna de plaisir.

Soudain gagnée par l'impatience, elle roula sur lui et le guida en elle. Elle ondula doucement d'abord, puis de plus en plus vite. En contemplant son visage, elle se dit : Je ne savais pas à quel point cela me manquait. Pas seulement la sensation, le plaisir, l'excitation, plus que cela : l'intimité, l'abandon à l'autre ; l'amour.

Il ferma les paupières, mais elle protesta.

« Regarde-moi, regarde-moi. » Il rouvrit les yeux. « Je t'aime », dit-elle.

Puis elle se laissa emporter par l'ivresse de ce moment, de sa présence en elle. Elle cria et le sentit au même instant s'épancher en elle. Cela dura un long moment. Épuisée par l'émotion, elle s'affaissa enfin sur lui.

Tandis qu'elle était blottie contre lui, les souvenirs des cinq dernières années lui revinrent comme les strophes d'un poème : la tempête effrayante à bord de *L'Ange* ; le brigand coiffé d'un casque qui lui avait dérobé le cadeau de mariage qu'elle destinait à Wilf ; l'ignoble Wigelm lui agrippant les seins lors de leur première rencontre ; son bouleversement en apprenant que Wilf était déjà marié et avait un fils ; la souffrance que lui avait infligée son infidélité avec Carwen ; l'horreur de son assassinat ; la malveillance de Wynstan. Et au milieu de tout cela, il y avait toujours eu Edgar, dont la gentillesse s'était muée en affection, puis en amour passionné. Merci mon Dieu pour Edgar, songea-t-elle. Merci mon Dieu.

*

Après le départ de Ragna, Edgar resta longtemps allongé dans une douce torpeur béate. Il s'était cru condamné à ne connaître que des amours impossibles, l'un pour une morte, l'autre pour une femme inaccessible. Et voilà que Ragna lui avait dit qu'elle l'aimait. Ragna de Cherbourg, la plus belle femme d'Angleterre, aimait Edgar le bâtisseur.

Il revécut chaque minute de cette rencontre : le baiser ; le moment où elle avait retiré sa robe ; ses seins ; la caresse de ses lèvres sur son sexe, tendre, légère, presque fugace ; le moment où elle lui avait dit d'ouvrir les yeux et de la regarder. Deux êtres avaient-ils jamais joui l'un de l'autre avec autant d'ardeur ? Deux êtres s'étaient-ils jamais aimés comme ils s'aimaient ?

Sans doute, se dit-il, mais ils n'étaient sûrement pas nombreux.

La tête pleine de ces doux souvenirs, il finit par s'endormir.

La cloche du monastère le réveilla. Sa première pensée fut : Ai-je vraiment fait l'amour avec Ragna ? La seconde : Suis-je en retard ?

Oui, il lui avait fait l'amour ; non, il n'était pas en retard. Les moines se levaient une heure avant l'aube. Il avait largement le temps.

Leurs projets s'étaient limités aux deux prochaines journées. Ragna et lui quitteraient Shiring, se rendraient à Dreng's Ferry, Ragna trouverait asile chez les religieuses, et ensuite, ils réfléchiraient à l'avenir. Il ne pouvait cependant s'empêcher de se poser des questions.

Leur différence de condition était moins grande qu'autrefois. Edgar était désormais un artisan prospère, un homme important à Dreng's Ferry et à Outhenham. Ragna était noble, mais veuve, et ses ressources financières étaient compromises par Wynstan. Si l'écart était moindre... il était encore trop large. Il ne voyait pas de solution à ce problème, mais n'avait pas l'intention de laisser cette préoccupation gâcher son bonheur actuel.

Il trouva le shérif Den dans la cuisine, en train de prendre un petit déjeuner de bière et de viande froide. Bien qu'il fût trop agité et trop tendu pour avoir faim, Edgar se força à manger. Il allait avoir besoin de toute son énergie.

Den jeta un coup d'œil au ciel par la porte.

« Le jour se lève », annonça-t-il.

Edgar fronça les sourcils. Ragna n'était pas du genre à être en retard.

Il se rendit à l'écurie. Les palefreniers étaient en train de seller trois chevaux pour Ragna, Cat et Agnès, et d'en charger un autre de paniers de vivres. Edgar sella Lambourde.

Den arriva à son tour.

« Tout est prêt… il ne manque que Ragna.

— Je vais la chercher », dit Edgar.

Il traversa la ville d'un pas vif. Le ciel était de plus en plus lumineux. Un panache de fumée montait d'une boulangerie. Pourtant il ne croisa personne en chemin.

La porte d'entrée du domaine de l'ealdorman était parfois barricadée et gardée. Ce n'était pas le cas : cette année-là, les Vikings avaient accepté une trêve et les Gallois avaient suspendu les hostilités. Il l'ouvrit doucement. Tout était silencieux.

Il se dirigea vers la maison de Ragna. Après avoir frappé, il posa la main sur la poignée. La porte n'était pas verrouillée. Il la poussa et entra.

Personne.

Une peur affreuse l'étreignit. Que s'était-il passé ?

Il n'y avait pas de lumière. Il scruta l'obscurité. Une souris détala dans la cheminée : l'âtre devait être froid. Lorsque ses yeux se furent habitués à la faible lueur que laissait filtrer la porte ouverte, il constata que les effets de Ragna étaient toujours là, ses robes suspendues à des pitons, les garde-manger à fromage et à viande, les gobelets et les bols. En revanche, les petits lits des enfants avaient disparu.

Elle était partie. Depuis des heures, puisque la cheminée était froide, sans doute peu de temps après l'avoir quitté, la veille. Elle pouvait être à présent à des lieues de Shiring, dans n'importe quelle direction.

Peut-être avait-elle changé d'avis. Mais alors, pourquoi ne lui avait-elle pas envoyé de message ? En avait-elle été empêchée ? Cela donnait fortement à penser qu'elle avait été emmenée contre sa volonté et réduite au silence. C'était un coup de Wynstan et Wigelm, à n'en point douter. Elle était donc prisonnière.

Une violente colère s'empara de lui. Comment osaient-ils ? C'était une femme libre, la fille d'un comte, la veuve d'un ealdorman… ils n'avaient pas le droit !

Comment avaient-ils su qu'elle projetait de s'enfuir, qui le leur avait dit ? Un des serviteurs du shérif, peut-être, ou alors Cat ou Agnès ?

Il fallait découvrir où ils l'avaient emmenée.

Il quitta la maison, furieux. Il était prêt à aller demander des comptes à Wigelm ou à Wynstan. Wigelm était sans doute plus proche. Quand il venait à Shiring, il dormait chez sa mère, Gytha. Edgar traversa la prairie pour se rendre chez elle.

Assis par terre et adossé au mur, un homme d'armes somnolent gardait l'entrée. Edgar reconnut Elfgar, un grand gaillard imposant mais plutôt gentil. Edgar frappa à la porte sans se soucier de lui.

Réveillé en sursaut, Elfgar se leva d'un bond, titubant. Regardant le sol autour de lui, il finit par ramasser une massue grossièrement taillée dans une branche de chêne tordue. Il la garda à la main, l'air de ne savoir qu'en faire.

La porte s'ouvrit brusquement sur un autre homme d'armes. Il devait dormir sur le seuil, à l'intérieur. C'était Fulcric, plus âgé et beaucoup moins conciliant qu'Elfgar.

« Wigelm est-il là ? demanda Edgar.

— Qui es-tu ? s'enquit Fulcric d'un ton belliqueux.

— Je veux voir Wigelm !

— Pas un geste ou je te défonce le crâne. »

Une voix s'éleva à l'intérieur de la maison.

« Tout va bien, Elfgar, ce n'est que le petit bâtisseur de Dreng's Ferry. » Wigelm émergea de l'ombre qui régnait à l'intérieur. « Mais il a intérêt à avoir une sacrément bonne raison pour venir frapper à ma porte à une heure pareille.

— Vous connaissez la raison, Wigelm. Où est-elle ?

— Ne t'avise pas de me questionner si tu ne veux pas être châtié pour insolence.

— Et vous, vous serez châtié pour avoir enlevé une veuve de la noblesse, un crime infiniment plus grave aux yeux du roi.

— Personne n'a été enlevé.

— Dans ce cas, où est lady Ragna ? »

Ébouriffées et les yeux bouffis, sa femme Milly et sa mère surgirent derrière Wigelm.

« Et où sont ses enfants ? insista Edgar. Le roi exigera de le savoir.

— Ils sont en sécurité.

— Où ?

— Tu n'imaginais tout de même pas qu'elle était pour toi, ricana Wigelm.

— C'est vous qui lui avez demandé de vous épouser.

— Que dis-tu ? » s'exclama Milly.

Apparemment, elle n'était pas informée des projets de mariage de son mari.

« Ragna vous a éconduit, n'est-ce pas ? » poursuivit Edgar, impitoyable. Il savait qu'il n'était pas raisonnable de narguer Wigelm, mais il était trop furieux pour se contenir. « C'est pour cela que vous l'avez enlevée.

— En voilà assez.

— C'est la seule manière dont vous pouvez avoir une femme, Wigelm ? En l'enlevant de force ? »

Elfgar ricana.

Wigelm s'avança d'un pas et envoya son poing dans la figure d'Edgar. Wigelm était un homme vigoureux – se battre était sa seule compétence – et le coup fut douloureux. Edgar eut l'impression que tout le côté gauche de son visage s'embrasait.

Profitant de ce qu'Edgar était étourdi, Fulcric s'élança derrière lui et l'immobilisa d'une prise experte. Wigelm frappa Edgar à l'estomac : il crut ne plus pouvoir respirer. Wigelm lui asséna alors un coup de pied dans les testicules. Edgar retint son souffle avant de pousser un rugissement de douleur. Wigelm le frappa à nouveau au visage.

Edgar vit alors Wigelm prendre la massue des mains d'Elfgar.

Dans un sursaut de terreur, il songea que Wigelm allait le rosser à mort et que Ragna n'aurait plus personne pour la protéger. Il vit le gourdin s'approcher de son visage. Il l'atteignit à la tempe car il tourna la tête, et un éclair douloureux irradia tout autour de son crâne.

Un autre coup en pleine poitrine lui broya les côtes. Il s'effondra, à demi inconscient, retenu uniquement par la prise ferme de Fulcric.

Malgré un terrible bourdonnement d'oreilles, il entendit Gytha s'interposer :

« Cela suffit. Tu vas le tuer.

— Jetez-le dans la mare », ordonna Wigelm.

Il se sentit saisi par les chevilles et les poignets et transporté à l'extérieur. Un instant plus tard, il volait dans les airs. Il tomba dans l'eau, s'enfonça. Il fut tenté de s'allonger au fond et de se noyer pour mettre fin à sa souffrance.

Roulant sur lui-même, il se mit à quatre pattes, les mains et les genoux pris dans la vase, et parvint à relever la tête au-dessus de l'eau pour respirer.

Lentement, perclus de douleur, il rampa comme un petit enfant jusqu'au bord. Une voix de femme parvint à ses oreilles.

« Mon pauvre. »

C'était Gilda, la cuisinière.

Il chercha à se relever et Gilda lui prit le bras pour l'aider.

« Merci, murmura Edgar à travers ses lèvres tuméfiées.

— Que Dieu maudisse Wigelm », dit-elle.

Le tenant sous l'aisselle, elle passa son bras autour de ses épaules.

« Où vas-tu ?

— Chez Den.

— Viens. Je vais t'aider. »

34

Octobre 1002

Aldred était satisfait du développement de sa bibliothèque. Il l'alimentait de préférence de livres en anglais plutôt qu'en latin pour les rendre accessibles à tous ceux qui savaient lire au lieu de les réserver au clergé instruit. Il avait les Évangiles, les Psaumes et quelques ouvrages liturgiques qui pouvaient tous être consultés par les curés de campagne qui n'avaient que peu ou pas de livres à eux. Son petit scriptorium produisait des copies bon marché destinées à être vendues. Il possédait également quelques traités et des recueils de poésie profane.

Le prieuré prospérait. Il touchait de plus en plus de

redevances du bourg et les nobles lui accordaient enfin des donations de terres. Le monastère avait accueilli de nouveaux novices et l'école comptait davantage d'élèves permanents. En cet après-midi d'octobre, le temps étant clément, les jeunes écoliers chantaient des psaumes dans la cour de l'église.

Tout allait bien, sinon que Ragna avait disparu avec ses enfants et ses servantes. Edgar avait passé deux mois à aller de bourg en bourg et de village en village, sans retrouver sa trace. Il s'était même rendu au nouveau pavillon de chasse que Wigelm se faisait construire près d'Outhenham. Personne n'avait vu Ragna. Anéanti, Edgar n'apercevait pas la moindre lueur d'espoir et Aldred le plaignait.

Pendant ce temps, Wigelm touchait l'intégralité des redevances du val d'Outhen.

Aldred avait demandé à Den pourquoi le roi n'intervenait pas. « Mettez-vous à la place du roi Ethelred, lui avait répondu le shérif. À ses yeux, le mariage de Ragna était illégitime. Il avait refusé de le ratifier, mais Wynstan a passé outre. La cour royale l'a mis à l'amende pour désobéissance et il a refusé de payer. L'autorité d'Ethelred a été bafouée et, pire encore, son orgueil a été blessé. Il n'a pas l'intention de sévir comme s'il s'agissait d'un mariage comme les autres.

— Autrement dit, il fait payer à Ragna les fautes de Wilf ! s'était indigné Aldred.

— Que peut-il faire d'autre ?

— Dévaster Shiring !

— C'est une mesure extrême : lever une armée, incendier des villages, tuer les opposants, repartir avec les meilleurs chevaux, le bétail et les bijoux. C'est l'arme ultime des rois, à n'utiliser qu'en dernier recours. Croyez-vous qu'il se lancerait dans pareille entreprise pour une veuve étrangère dont il n'a jamais approuvé le mariage ?

— Son père sait-il qu'elle a disparu ?

— Peut-être. Mais une opération de sauvetage menée depuis la Normandie reviendrait à une tentative d'invasion de l'Angleterre. Le comte Hubert ne peut pas se le permettre, surtout au moment où la fille de son voisin s'apprête à épouser le roi d'Angleterre. Le mariage d'Ethelred avec Emma de Normandie est prévu en novembre.

— Le roi doit gouverner, quoi qu'il advienne ; et l'un de ses devoirs est de veiller sur le sort des veuves de la noblesse.

— Dites-le-lui vous-même.

— Très bien, c'est ce que je vais faire. »

Aldred avait écrit au roi Ethelred. En réponse, le roi avait ordonné à Wigelm de présenter publiquement la veuve de son frère.

Aldred s'était dit que Wigelm ferait fi de l'ordre du roi, comme il avait fait fi des décisions royales du passé. Cette fois pourtant, il avait agi différemment : il avait annoncé que Ragna avait regagné Cherbourg.

Si c'était vrai, cela expliquerait que personne ne l'ait vue en Angleterre. Et elle aurait évidemment emmené ses enfants et ses servantes normandes avec elle.

Edgar s'était rendu une deuxième fois à Combe où personne n'avait pu lui confirmer que Ragna y avait pris un bateau – néanmoins, elle avait peut-être embarqué dans un autre port.

Alors qu'Aldred s'inquiétait pour Edgar, celui-ci arriva. Il s'était remis de la raclée qu'il avait reçue, mais en avait gardé un nez légèrement tordu et une incisive en moins. Il était accompagné de deux personnes qu'Aldred reconnut aussitôt. L'homme coiffé à la normande était Odo et la petite femme blonde était Adélaïde, sa femme. C'étaient les courriers de Cherbourg qui venaient tous les trois mois apporter à Ragna les redevances de Saint-Martin. Une escorte de trois hommes d'armes les suivait de près. Ils avaient besoin de moins de gardes du corps depuis l'exécution de Face-de-Fer.

Après les salutations d'usage, Edgar déclara :

« Odo est venu vous demander une faveur, prieur Aldred.

— Je ferai de mon mieux, répondit celui-ci.

— Je voudrais que vous veilliez sur l'argent de Ragna en son absence, annonça Odo avec son accent français.

— Parce que, bien sûr, vous ne savez pas où elle est », commenta Aldred.

Odo leva les mains dans un geste d'impuissance.

« À Shiring, on nous dit qu'elle est allée à Outhenham et à Outhenham, on nous dit qu'elle est à Combe, mais nous sommes passés par Combe et elle n'y est pas.

— Personne ne sait où elle est, confirma Aldred. Bien sûr, je garderai son argent si vous le souhaitez. Cependant, d'après nos dernières informations, elle serait retournée à Cherbourg.

— Elle n'y est pas ! Nous venons de le dire à Edgar, s'écria Odo. Si elle s'y trouvait, nous ne serions pas venus en Angleterre !

— Cela va de soi.

— Où diable peut-elle être ? » demanda Edgar.

*

Ragna, Cat et les enfants s'étaient fait maîtriser, ligoter et bâillonner dans leur maison par Wigelm et un groupe d'hommes d'armes. À la faveur de la nuit, ils les avaient conduits hors du domaine, entassés dans une charrette à quatre roues, enfouis sous des couvertures.

Les enfants étaient terrifiés et le pire avait été que Ragna ne pouvait pas leur parler pour les rassurer.

La charrette avait cahoté pendant de longues heures sur des routes de terre pleines d'ornières. D'après les bruits qui lui parvenaient, Ragna avait estimé que leur convoi était escorté par une demi-douzaine d'hommes à cheval. Cependant, ils chevauchaient en silence, parlant aussi peu que possible et toujours à voix basse.

Fatigués de pleurer, les enfants avaient fini par s'endormir.

Quand la charrette s'était arrêtée et que les couvertures avaient été retirées, il faisait grand jour. Ragna avait pu constater qu'ils se trouvaient dans une clairière en pleine forêt. C'est en voyant qu'Agnès accompagnait les membres de l'escorte qu'elle avait compris que sa couturière l'avait trahie. Elle avait dû avertir Wynstan de son intention de s'enfuir avec Edgar. Depuis l'exécution de son mari, Offa, elle nourrissait une haine secrète contre Ragna, et celle-ci avait maudit la pitié impulsive qui l'avait incitée à la reprendre à son service.

Elle avait constaté que les petits lits des enfants se trouvaient dans la charrette. Mais tout était dissimulé sous des étoffes. Qu'avaient bien pu imaginer les villageois qui les avaient vu passer ? Ils n'avaient certainement pas pensé à un enlèvement puisque les femmes et les enfants n'étaient pas visibles. En apercevant l'escorte armée, Ragna elle-même aurait supposé que les couvertures dissimulaient une masse d'argent ou d'objets de valeur qu'un noble ou un ecclésiastique fortuné transférait d'un lieu à un autre.

Il n'y avait personne aux alentours. Agnès avait détaché les enfants et les avait envoyés se soulager à l'orée de la clairière. Ils ne risquaient évidemment pas de s'enfuir en laissant leur mère derrière eux. Après leur avoir donné du pain trempé dans du lait, on les avait à nouveau attachés et bâillonnés. Puis les mères avaient été libérées à leur tour, l'une après l'autre, et avaient pu aller se soulager, boire et manger sous l'étroite surveillance des hommes. Ensuite les prisonniers avaient été à nouveau recouverts de bâches et la charrette était repartie.

Ils s'étaient arrêtés encore deux fois, à des intervalles de plusieurs heures.

Le soir, ils étaient arrivés au pavillon de chasse de Wilwulf.

Ragna y était déjà venue, aux temps heureux des débuts de leur mariage. Elle avait toujours aimé chasser et cela lui rappelait les moments passés en compagnie de Wilf en Normandie, lorsqu'ils avaient tué un sanglier ensemble avant d'échanger leur premier baiser passionné. Par la suite, lorsque son mariage avait commencé à aller à vau-l'eau, elle avait perdu le goût de la chasse.

Le pavillon était isolé. En plus d'une grande maison, il comprenait des écuries, des chenils et des resserres. Un gardien occupait un des petits bâtiments avec sa femme. À part eux, personne n'avait de raison de venir en ce lieu à moins qu'une chasse ne soit organisée.

Ragna et les siens avaient été portés dans la grande maison et détachés. Le gardien avait cloué des planches en travers des deux fenêtres, empêchant ainsi d'ouvrir les volets, et avait fixé une barre à l'extérieur de la porte. Sa femme leur avait apporté du gruau pour le souper. Et on les avait laissés là jusqu'au matin.

Cela s'était passé deux mois plus tôt.

C'était toujours Agnès qui leur apportait leur nourriture. Ils avaient le droit de prendre un peu d'exercice une fois par jour, mais Ragna n'était pas autorisée à sortir en même temps que les enfants. Deux des gardes du corps personnels de Wigelm, Fulcric et Elfgar, restaient en permanence devant la maison. Pour autant que Ragna pût s'en rendre compte, aucun visiteur de l'extérieur ne venait jamais.

Wigelm et Wynstan n'auraient jamais pu infliger pareil traitement à une femme de la noblesse anglaise. Elle aurait eu une puissante famille, des parents, des frères et sœurs, des cousins fortunés et des hommes d'armes qui seraient venus la chercher, auraient demandé au roi de faire respecter ses droits et, à défaut, auraient marché sur Shiring avec une armée. Ragna était vulnérable parce que sa famille était trop loin pour intervenir.

Quand Agnès apportait les repas, elle adorait colporter des mauvaises nouvelles en même temps.

« Votre cher Edgar a fait un scandale, annonça-t-elle un jour.

— Je n'en attendais pas moins de lui, répondit Ragna.

— C'est un ami loyal, *lui* », ajouta Cat.

Insensible à la pique, Agnès continua avec une joie mauvaise :

« Il a été copieusement rossé. Fulcric le tenait pendant que Wigelm le rouait de coups de gourdin.

— Que Dieu le protège, murmura Ragna.

— Pour ce qui est de Dieu, je ne sais pas, mais Gilda l'a conduit chez le shérif Den. Pendant vingt-quatre heures, il a été incapable de tenir debout. »

Au moins, il est vivant, pensa Ragna. Wigelm ne l'avait pas tué. Étant déjà en délicatesse avec le roi, il avait sans doute préféré ne pas allonger encore la liste de ses crimes.

Agnès avait beau être malintentionnée, Ragna savait la manipuler pour lui soutirer des informations.

« Ils ne vont pas pouvoir nous garder ici bien

longtemps, remarqua-t-elle un jour. Les gens savent que Wilwulf possède un pavillon de chasse. Tôt ou tard, quelqu'un viendra nous chercher.

— Ne croyez pas cela, répondit Agnès d'un air triomphant. Wigelm a raconté à tout le monde que le pavillon avait brûlé. Il en a fait construire un autre près d'Outhenham. Il prétend que le gibier y est plus abondant. »

C'était une idée de Wynstan, avait pensé Ragna. Wigelm n'était pas assez intelligent pour cela.

Malgré tout, leur captivité ne pourrait pas rester secrète éternellement. La forêt n'était pas déserte : il y avait des charbonniers, des attrapeurs de chevaux, des bûcherons, des mineurs et des bandits. Sans doute redoutaient-ils les hommes d'armes, mais on ne pouvait pas les empêcher d'épier à travers les buissons. Quelqu'un finirait bien par se demander si des prisonniers n'étaient pas enfermés dans le pavillon de chasse.

Des rumeurs commenceraient alors à circuler. Certains diraient que la maison abritait un monstre à deux têtes, un sabbat de sorcières ou un mort qui revenait à la vie à la pleine lune et tentait de briser son cercueil. Mais quelqu'un finirait bien par faire le lien entre cette prison et la disparition de l'épouse du défunt ealdorman.

Combien de temps cela prendrait-il ? Le mode de vie des habitants de la forêt ne leur donnait que peu d'occasions de rencontrer des paysans et des citadins. Ils n'adressaient la parole à aucun inconnu pendant des mois. Un jour ou l'autre, il faudrait bien qu'ils se rendent au marché avec quelques chevaux qu'ils venaient d'apprivoiser ou avec un chargement de minerai de fer. Mais il faudrait sans doute attendre le printemps pour cela.

Alors que les semaines se transformaient en mois,

Ragna sombra dans la dépression. Les enfants pleurnichaient sans cesse, Cat était de mauvaise humeur et Ragna ne voyait plus l'intérêt de se laver le visage tous les matins.

Elle découvrit alors que le pire était encore à venir.

Elle gravait des marques sur le mur pour compter les jours et la Toussaint approchait quand Wigelm arriva.

Il faisait nuit et les enfants dormaient déjà. Ragna et Cat étaient assises sur un banc près du feu. La pièce était éclairée par un unique brûle-jonc : elles n'avaient pas le droit d'en avoir plus d'un à la fois. Fulcric ouvrit la porte pour laisser entrer Wigelm et la referma en restant à l'extérieur.

D'un regard aiguisé, Ragna constata que Wigelm n'était pas armé.

« Que voulez-vous ? » demanda-t-elle, aussitôt honteuse du tremblement d'effroi que trahissait sa voix.

D'un geste du pouce, Wigelm fit signe à Cat de se lever et prit sa place. Ragna glissa à l'autre extrémité du banc pour s'éloigner de lui le plus possible.

« Vous avez eu largement le temps de réfléchir à votre situation », dit-il.

Elle s'appliqua, non sans effort, à retrouver un peu de son esprit combatif.

« Je suis emprisonnée illégalement. Je n'ai pas eu besoin de réfléchir longuement pour le savoir.

— Vous n'avez plus ni pouvoir ni argent.

— Je n'ai plus d'argent parce que vous me l'avez volé. J'en profite pour vous rappeler qu'une veuve a droit à la restitution de sa dot. La mienne se montait à vingt livres d'argent. Vous avez également volé le trésor de Wilf, sur lequel vous me devez vingt livres. Quand me rendrez-vous mon dû ?

— Si vous m'épousez, vous reprendrez possession de l'intégralité de ce trésor.

— Et je perdrai mon âme. Non merci. Mon argent me suffira. »

Il secoua la tête d'un air faussement attristé.

« Pourquoi jouez-vous ainsi à la garce ? Qu'y a-t-il de mal à se montrer aimable envers un homme ?

— Wigelm, qu'êtes-vous venu faire ici ?

— Je vous ai présenté une offre généreuse, dit-il en poussant un soupir théâtral. Je vous épouserai…

— Quelle condescendance !

— … et nous demanderons ensemble au roi de nous nommer gouverneurs de Shiring. J'espérais que vous auriez fini par comprendre que vous avez tout intérêt à accepter ma proposition.

— Je regrette, mais je n'ai pas compris.

— Vous n'en obtiendrez jamais de meilleure. » Il lui agrippa le bras d'une poigne de fer. « Allons, cessez de faire comme si vous ne me trouviez pas séduisant.

— Faire comme si ? Lâchez-moi.

— Laissez-vous donc foutre et, croyez-moi, vous en redemanderez. »

Elle dégagea son bras d'un coup sec et se leva.

« Jamais ! »

À sa grande surprise, Wigelm se dirigea vers la porte et frappa. Il se retourna vers elle.

« Jamais, c'est bien long. »

Le garde ouvrit la porte et Wigelm sortit.

« Dieu merci, soupira Ragna quand la porte se referma.

— Vous l'avez échappé belle, remarqua Cat en revenant s'asseoir sur le banc près d'elle.

— Il n'est pas dans ses habitudes de renoncer aussi vite, murmura Ragna.

— Vous êtes toujours inquiète.

— En réalité, je pense que c'est Wigelm qui est inquiet. Pourquoi crois-tu qu'il soit aussi impatient de m'épouser ?

— Qui ne le serait pas ?

— Il ne tient pas vraiment à m'avoir pour femme, poursuivit Ragna en secouant la tête. Je ne suis pas assez docile. Il préfère coucher avec quelqu'un qui ne lui tiendra jamais tête.

— Mais alors, que cherche-t-il ?

— C'est le roi qui les inquiète. Ils ont pris le contrôle de Shiring, et de ma personne, pour l'instant, mais ce faisant, ils n'ont pu que se mettre Ethelred à dos. Il n'est pas impossible qu'il finisse par se décider à leur montrer qui règne sur l'Angleterre.

— Peut-être pas. Les rois tiennent à leur tranquillité.

— C'est vrai. Mais Wynstan et Wigelm ne peuvent pas prévoir dans quel camp se rangera Ethelred. En tout état de cause, ils auront plus de chances d'arriver à leurs fins si j'épouse Wigelm. C'est pourquoi ils continuent d'insister. »

La porte s'ouvrit et Wigelm réapparut.

Cette fois, il était accompagné de quatre hommes d'armes qui avaient l'air de brutes et que Ragna ne connaissait pas. Il avait dû les amener avec lui.

Cat hurla.

Les hommes s'emparèrent des deux femmes, les jetèrent à terre et les immobilisèrent.

Les cinq enfants se mirent à pleurer.

Agrippant le col de Ragna, Wigelm lui arracha sa robe, la laissant nue, écartelée au sol, maintenue par les chevilles et les poignets.

« Par les dieux, voici deux poulettes bien tendres ! plaisanta l'un des hommes.

— Elles ne sont pas pour toi, l'avertit Wigelm en relevant le bas de sa tunique. Quand j'aurai fini, tu pourras foutre la servante, mais pas celle-ci. Elle sera bientôt ma femme. »

*

Un vent froid soufflait de la mer. En entrant chez Mags, à Combe, en compagnie de Wigelm, Wynstan apprécia l'atmosphère chaude et enfumée de la maison. Dès qu'elle l'aperçut, Mags se jeta à son cou.

« Ah, mon prêtre préféré ! minauda-t-elle.

— Mags, ma mignonne, comment vas-tu ? » demanda Wynstan en l'embrassant.

Elle regarda par-dessus son épaule.

« Je vois que vous êtes venu avec votre jeune frère. Il est tout aussi bel homme que vous, remarqua-t-elle en enlaçant Wigelm.

— Pour toi, tous les hommes riches sont beaux, répliqua Wigelm avec aigreur.

— Asseyez-vous, mes amis, dit-elle, ignorant sa remarque. Vous boirez bien un gobelet d'hydromel. Il vient d'être brassé. Selethryth ! » appela-t-elle en claquant des doigts.

Une femme d'âge mûr, sans doute une ancienne prostituée trop vieille désormais pour travailler, leur apporta un pichet et des gobelets.

Ils burent le breuvage sucré. Selethryth les resservit.

Wynstan regarda les femmes alignées sur des bancs de part et d'autre de la salle. Certaines étaient habillées, d'autres simplement enveloppées dans de grands châles. Une jeune fille pâle était complètement nue.

« Quel joli spectacle, soupira-t-il.

— J'ai une nouvelle fille que je vous ai mise de côté, annonça Mags. Lequel de vous la déflorera-t-il ?

— À combien d'hommes as-tu déjà vendu sa virginité ? » demanda Wigelm.

Wynstan pouffa et Mags protesta.

« Vous savez que je ne vous mentirais jamais. Je ne

la laisse même pas entrer ici. Elle est enfermée dans la maison d'à côté.

— Laissons la pucelle à Wigelm. Je préférerais une femme plus expérimentée.

— Merry ? Elle vous aime bien. »

Wynstan sourit à une brune plantureuse d'une vingtaine d'années, qui lui adressa un salut de la main.

« Oui. Merry, ce serait parfait. J'adore son gros cul. »

Merry vint s'asseoir près de lui et il l'embrassa.

« Selethryth, va chercher la pucelle d'à côté pour le thane Wigelm », ordonna Mags.

Au bout d'un moment, Wynstan dit à Merry :

« Allonge-toi sur la paille, ma chérie. Passons aux choses sérieuses. »

Merry releva sa robe par-dessus sa tête et se coucha sur le dos. Elle était rose et potelée et il se félicita de son choix. S'agenouillant entre ses jambes, il retroussa le bas de sa tunique.

Merry poussa un cri perçant. Wynstan recula, perplexe.

« Par le diable, que lui arrive-t-il ?

— Il a un chancre ! glapit Merry en bondissant sur ses pieds et en protégeant son sexe des deux mains.

— Mais non, voyons », se récria Wynstan.

Le ton de Mags changea. Son empressement cajoleur fit place à une attitude autoritaire et pragmatique.

« Faites-moi voir, monseigneur. Montrez-moi votre vit. » Wynstan se retourna. « Oh, mon Dieu, c'est un chancre, en effet. »

Baissant les yeux vers son pénis, Wynstan aperçut, près du gland, une ulcération ovale d'une longueur d'un pouce qui entourait une vilaine tache rouge.

« Ce n'est rien, protesta-t-il. Cela ne fait même pas mal. »

Tout l'enjouement de Mags avait disparu et son ton se fit glacial.

« Ce n'est pas rien. C'est la grande vérole.

— C'est impossible, objecta Wynstan. La grande vérole donne la lèpre. »

Mags s'adoucit, à peine.

« Vous avez peut-être raison », dit-elle et Wynstan eut l'impression qu'elle cherchait à le ménager. « Quoi qu'il en soit, je ne peux pas vous laisser foutre mes filles. Si la vérole, grande ou petite, entrait dans cette maison, tout le clergé d'Angleterre se retrouverait hors d'état en moins de temps qu'il n'en faut pour prononcer le mot "forniquer".

— Alors là, c'est un coup dur ! »

Wynstan était atterré. Toute maladie était une faiblesse et il était censé être un homme fort. De plus, il était excité et ne voulait pas en rester là.

« Que vais-je faire ? »

Mags retrouva un peu de sa coquetterie coutumière.

« Vous aurez droit à la plus belle branlette de votre vie et je m'en chargerai moi-même, mon doux prêtre.

— Ma foi, si c'est ce que tu as de mieux à me proposer…

— Les filles vous offriront un petit spectacle en même temps. Qu'est-ce qui vous ferait plaisir ?

— J'aimerais voir fouetter le gros cul de Merry, dit Wynstan après réflexion.

— Si vous voulez.

— Oh non ! gémit Merry.

— Ne te plains pas, la gronda Mags. Une flagellation est mieux payée, tu le sais bien.

— Pardon, Mags. Je ne voulais pas me plaindre.

— J'aime mieux ça. Tourne-toi maintenant et penche-toi en avant. »

35

Mars 1003

Ragna et Cat enseignaient une comptine aux enfants. À près de quatre ans, Osbert réussissait plus ou moins à suivre une mélodie. Les jumeaux, qui n'en avaient que deux, se contentaient de fredonner mais arrivaient à retenir les paroles. Quant aux filles de Cat, âgées de deux et trois ans, elles se situaient à mi-chemin. Mais tous adoraient chanter et, en prime, ils apprenaient les chiffres.

Ragna consacrait le plus gros de ses journées de captivité à occuper les enfants tout en les instruisant. Elle récitait des poèmes, inventait des histoires et leur décrivait tous les lieux qu'elle avait visités dans sa vie. Elle leur racontait son voyage à bord de *L'Ange* et la tempête dans la Manche, leur parlait de Face-de-Fer qui lui avait volé son cadeau de mariage, et même de l'incendie des écuries du château de Cherbourg. Cat était une conteuse moins douée, mais elle possédait une provision inépuisable de chansons françaises et une voix pure.

Distraire les enfants empêchait aussi les deux femmes de sombrer dans un désespoir suicidaire.

Comme la chanson touchait à sa fin, la porte s'ouvrit et un garde passa la tête dans l'embrasure. C'était Elfgar, le plus jeune, moins endurci que Fulcric et plus enclin à la compassion. Il informait souvent Ragna des dernières nouvelles. C'est de lui qu'elle avait appris que les Vikings avaient repris leurs incursions contre les terres de l'Ouest, sous le commandement du redoutable roi Sven. La trêve pour laquelle Ethelred avait déboursé vingt-quatre mille livres d'argent n'avait tenu qu'un an.

Ragna n'était pas loin d'espérer que les Vikings conquerraient ces terres. Peut-être la captureraient-ils et exigeraient-ils une rançon. Ce qui lui permettrait au moins de quitter cette prison.

« C'est l'heure de la sortie, annonça Elfgar.

— Où est Agnès ? demanda Ragna.

— Elle est souffrante. »

Ragna n'en éprouva aucun regret. Elle n'aimait pas voir Agnès la traîtresse, à qui elle devait d'être en prison.

Comme un air frais s'insinuait par la porte ouverte, Ragna et Cat enfilèrent leurs capes aux enfants impatients de sortir, et les laissèrent aller courir dehors. Elfgar referma la porte et la barricada de l'extérieur.

Alors Ragna céda à l'accablement.

À en croire les marques qu'elle avait tracées sur le mur, cela faisait sept mois qu'elle était ici. Les puces grouillaient dans les joncs qui couvraient le sol et les poux en faisaient autant dans ses cheveux ; en outre, elle ne cessait de tousser. Leur cellule empestait : les deux adultes et les cinq enfants se partageaient un unique pot de chambre, car on ne les laissait pas sortir pour se soulager.

Chaque jour qu'elle passait ici était un jour dérobé à sa vie, et, à l'idée de se savoir prisonnière, elle éprouvait chaque matin au réveil un ressentiment acéré comme une pointe de flèche.

Pour couronner le tout, Wigelm était revenu la veille.

Fort heureusement, ses visites s'étaient espacées. Alors qu'au début, il venait une fois par semaine, c'était à présent plutôt une fois par mois. Elle avait appris à fermer les yeux et à se concentrer sur le paysage que l'on admirait depuis les remparts du château de Cherbourg, sur l'air pur et salé qui lui caressait le visage, jusqu'à ce qu'elle le sente se retirer d'elle comme une limace. Elle priait pour qu'il perde bientôt tout intérêt pour elle.

Les enfants rentrèrent, les joues rougies par le froid, et ce fut au tour des deux femmes d'enfiler une cape et de sortir.

Elles firent les cent pas pour se réchauffer, accompagnées par Elfgar.

« De quoi souffre Agnès ? lui demanda Cat.

— D'une sorte de vérole, répondit-il.

— J'espère bien qu'elle en mourra. »

Après un instant de silence, Elfgar reprit sur le ton de la conversation :

« Je ne vais plus rester ici très longtemps, je pense.

— Pourquoi ? demanda Ragna. Nous regretterons de te perdre.

— Je vais devoir aller me battre contre les Vikings. » Il donnait l'impression d'en être ravi, mais Ragna perçut une pointe de crainte sous sa bravade. « Le roi lève une armée pour aller affronter Sven à la barbe fourchue et l'écraser enfin. »

Ragna s'arrêta.

« En es-tu sûr ? Le roi Ethelred a l'intention de venir dans les terres de l'Ouest ?

— Il paraît. »

Le cœur de Ragna fit un bond dans sa poitrine.

« Dans ce cas, il apprendra certainement que nous sommes prisonnières.

— Peut-être, fit Elfgar en haussant les épaules.

— Nos amis, le prieur Aldred, le shérif Den et l'évêque Modulf, ne manqueront pas de l'en informer.

— Oui ! s'écria Cat. Et le roi Ethelred nous fera libérer ! »

Ragna n'en était pas si sûre.

« N'est-ce pas, milady ? »

Ragna resta muette.

*

« Nous avons une chance de retrouver Ragna, dit le prieur Aldred au shérif Den. Il ne faut pas manquer cette occasion. »

Aldred était venu à Shiring depuis Dreng's Ferry dans le seul but de s'entretenir avec Den. Il scruta le visage de celui-ci, cherchant à déchiffrer sa réaction. Le shérif était âgé de cinquante-huit ans, soit vingt de plus que lui, mais ils avaient beaucoup de points communs. Ils tenaient l'un comme l'autre au respect des règles. Le domaine de Den témoignait de son amour de l'ordre : la palissade était solidement bâtie, les maisons bien alignées, et la cuisine et le tas d'ordures se trouvaient dans des coins opposés, aussi éloignés l'un de l'autre que possible. Quant à Dreng's Ferry, le hameau avait pris un aspect tout aussi ordonné depuis qu'Aldred en avait la responsabilité. Les deux hommes présentaient cependant quelques différences : Den servait le roi ; Aldred servait Dieu.

« Nous sommes certains à présent que Ragna ne s'est jamais rendue à Cherbourg, reprit Aldred. Le comte Hubert nous l'a confirmé et a officiellement adressé une plainte au roi Ethelred. Wynstan et Wigelm ont menti.

— J'aimerais voir Ragna saine et sauve, répondit Den avec prudence, et je pense que le roi Ethelred partage ce désir. Mais un souverain doit répondre à de multiples obligations, et il arrive que les pressions qui pèsent sur lui soient en conflit. »

Wilburgh, l'épouse du shérif, une femme d'un certain âge aux cheveux grisonnants sous son bonnet, avait une opinion plus tranchée :

« Le roi devrait jeter ce diable de Wigelm en prison. »

Aldred partageait cet avis, mais il adopta une approche plus pragmatique.

« Le roi tiendra-t-il une cour de justice dans les terres de l'Ouest ?

— Il ne pourra pas faire autrement, répondit Den. Où qu'il se rende, ses sujets viennent lui présenter requêtes, accusations, suppliques et propositions. Il ne peut que les entendre, et les gens exigent ensuite des décisions.

— À Shiring ?

— S'il passe par ici, oui.

— Ici ou ailleurs, il doit faire *quelque chose* pour Ragna !

— Il agira tôt ou tard. On a défié son autorité et il ne peut le tolérer. Mais il agira au moment qui lui conviendra. »

On ne lui répondait que par des « peut-être », pensa Aldred exaspéré ; après tout, sans doute était-ce normal quand il s'agissait de royauté. Dans un monastère, en revanche, un péché était un péché, et il n'était pas question d'atermoyer.

« La reine Emma, la nouvelle épouse d'Ethelred, sera sûrement une alliée de poids pour Ragna, remarqua-t-il. Ce sont toutes les deux des aristocrates normandes, elles se sont connues quand elles étaient plus jeunes, et elles ont toutes deux épousé de puissants nobles anglais. Elles ont sûrement vécu dans notre pays les mêmes joies et les mêmes chagrins. La reine Emma voudra qu'Ethelred se porte au secours de Ragna.

— Ethelred le ferait, s'il n'y avait pas Sven à la barbe fourchue. Le roi rassemble ses forces en vue de la bataille, et comme d'habitude, il compte sur les thanes pour recruter des hommes dans les bourgs et les villages. Le moment est mal choisi pour qu'il se querelle avec de puissants notables comme Wigelm et Wynstan. »

Ce qui revenait à un nouveau « peut-être », songea Aldred.

« N'y a-t-il rien qui puisse forcer sa décision ? »

Den réfléchit quelques instants avant de répondre : « Si, Ragna elle-même.

— Que voulez-vous dire ?

— Si Ethelred la voit, il fera tout ce qu'elle lui demandera. Elle est belle et vulnérable, et c'est la veuve d'un noble. Il n'aura pas le cœur de refuser de rendre justice à une femme séduisante injustement traitée.

— Mais c'est précisément notre problème. Nous ne pouvons pas la lui présenter parce que nous ne savons pas où elle est.

— Exactement.

— Il peut donc lui arriver n'importe quoi.

— Oui.

— Au fait, fit Aldred, pendant que j'étais en route, j'ai croisé Wigelm qui se dirigeait en sens inverse avec un petit groupe d'hommes d'armes. Avez-vous une idée du lieu où il se rendait ?

— Où qu'il aille, il sera forcément passé par Dreng's Ferry, car c'est le seul endroit digne d'attention sur ce trajet.

— J'espère qu'il n'avait pas l'intention de me chercher noise. »

Aldred rentra au monastère, préoccupé, mais à son arrivée, frère Godleof lui apprit que Wigelm n'était pas venu à Dreng's Ferry.

« Il a dû changer d'avis et faire demi-tour pour une raison quelconque, ajouta Godleof.

— Sans doute », dit Aldred en fronçant les sourcils.

*

Aldred entendit l'armée alors qu'elle était encore à une demi-lieue de Dreng's Ferry. Il ne comprit pas tout de suite la nature de ce bruit. On aurait dit la rumeur d'un jour de marché à Shiring : l'effet concentré de centaines voire de milliers de gens, qui parlaient et riaient, lançaient des ordres, juraient, sifflaient et toussaient, de chevaux qui geignaient ou hennissaient et de charrettes qui grinçaient et cahotaient. Il entendait aussi le froissement du feuillage malmené sur les bords de la route tandis que les hommes et les chevaux piétinaient la végétation, que les charrettes écrasaient buissons et arbustes. Cela ne pouvait être qu'une armée.

Tout le monde savait que le roi Ethelred était parti guerroyer, mais on n'avait pas annoncé son itinéraire et Aldred s'étonna qu'il ait choisi de franchir le fleuve à Dreng's Ferry.

Lorsqu'il entendit ce vacarme, il travaillait dans le nouveau bâtiment du monastère, un édifice de pierre abritant l'école, la bibliothèque et le scriptorium. Tenant sur ses genoux une planche sur laquelle était posée une feuille de parchemin, il recopiait minutieusement l'Évangile selon saint Matthieu de l'écriture minuscule utilisée par les lettrés anglais. Il priait tout en travaillant, car c'était une tâche sacrée. Recopier une partie de la Bible accomplissait deux objectifs : créer un nouveau livre, évidemment, mais aussi méditer sur le sens profond des Saintes Écritures.

L'une des règles qu'il s'était fixées voulait que jamais les événements profanes n'interrompent une tâche spirituelle – mais c'était le roi, aussi s'arrêta-t-il.

Il referma l'évangile, rebroucha la corne qui lui servait d'encrier, rinça la pointe de sa plume dans un bol d'eau claire, souffla sur son parchemin pour faire sécher l'encre puis rangea son matériel dans le coffre où l'on conservait ces objets de prix. Il procéda méthodiquement, mais son cœur battait la chamade. Le roi ! Le roi incarnait l'espoir de justice. Shiring était devenu une tyrannie et seul Ethelred pouvait y remédier.

Aldred n'avait jamais vu le roi. On l'appelait Ethelred le Malavisé, car certains lui reprochaient de suivre de mauvais conseils. Aldred ne savait qu'en penser. Prétendre que le monarque était mal conseillé était en général une façon de l'attaquer sans en avoir l'air.

Quoi qu'il en fût, Aldred ne jugeait pas les décisions d'Ethelred catastrophiques. Le roi n'avait que douze ans quand il était monté sur le trône, et, malgré cela, il régnait aujourd'hui depuis vingt-cinq ans – une forme d'exploit. Certes, Ethelred avait été incapable d'infliger une défaite décisive aux pillards vikings, mais ceux-ci ravageaient l'Angleterre depuis deux cents ans, et aucun autre roi n'avait fait beaucoup mieux que lui.

Aldred se rappela qu'Ethelred n'accompagnerait pas forcément les troupes qui approchaient. Peut-être était-il allé accomplir quelque autre tâche et rejoindrait-il l'armée plus tard. Un roi n'est pas au service de ses propres plans.

Lorsqu'il sortit du bâtiment, les premiers soldats apparaissaient sur l'autre rive du fleuve. La plupart étaient des jeunes hommes exubérants équipés d'armes rudimentaires, des lances en majorité mais également, çà et là, des marteaux, des haches et des arcs. On apercevait plusieurs barbes grises et aussi quelques femmes.

Aldred se dirigea vers la berge, où se tenait Dreng, visiblement de mauvaise humeur.

Blod dirigeait déjà le bac vers l'autre rive. Quelques hommes impatients se jetèrent dans le fleuve, mais la plupart des soldats ne savaient pas nager ; Aldred lui-même n'avait jamais appris. L'un d'eux fit entrer son cheval dans l'eau et s'accrocha à la selle pendant que la bête traversait à la nage, mais la plupart étaient des animaux de bât lourdement chargés. Bientôt toute une foule s'attroupa sur la berge. Aldred se demanda combien ils pouvaient être et combien de temps il faudrait pour que tous franchissent le fleuve.

Cela aurait pris deux fois moins longtemps si Edgar avait été là avec son radeau, mais il était parti à Combe, où il aidait les moines à édifier les défenses de la ville. Ces derniers temps, il saisissait le moindre prétexte pour voyager, afin de pouvoir continuer à rechercher Ragna. Il n'avait jamais renoncé.

Blod accosta sur l'autre rive et annonça le tarif de la traversée. Les soldats firent la sourde oreille et s'entassèrent à bord : quinze, vingt, vingt-cinq. Ils n'avaient aucune idée du danger que représentait une telle charge, et Aldred vit Blod les apostropher avec férocité jusqu'à ce que plusieurs acceptent d'attendre la prochaine navette. Lorsqu'elle n'eut plus que quinze hommes à transporter, elle s'éloigna à coups de perche.

Comme elle approchait de la berge, Dreng lui cria :

« Où est l'argent ?

— Ils disent qu'ils n'en ont pas », répondit Blod.

Les soldats débarquèrent en bousculant Blod.

« S'ils ne voulaient pas payer, il ne fallait pas les embarquer », protesta Dreng.

Blod lui jeta un regard méprisant.

« Prenez ma place et voyez si vous faites mieux. »

Un des soldats écoutait leur conversation. C'était un homme plus âgé que les autres et armé d'une solide épée, sans doute un capitaine.

« Le roi ne verse pas de péage, expliqua-t-il à Dreng.

Vous feriez mieux de faire traverser mes hommes. Sinon, nous pourrions bien incendier tout ce village.

— Inutile de recourir à la violence, intervint Aldred. Je suis Aldred, le prieur du monastère.

— Et moi, je suis Cenric, un des intendants.

— Combien d'hommes compte votre armée, Cenric ?

— Environ deux mille.

— À elle seule, cette esclave ne pourra pas les faire traverser tous. Cela prendra un jour ou deux. Pourquoi ne manœuvrez-vous pas le bateau vous-mêmes ?

— De quoi vous mêlez-vous, Aldred ? intervint Dreng. Ce bateau n'est pas à vous !

— Taisez-vous, Dreng.

— Pour qui vous prenez-vous ? »

Cenric se tourna vers Dreng :

« Tais-toi, imbécile, ou je te coupe la langue et je te la fais avaler. »

Alors qu'il ouvrait la bouche pour répliquer, Dreng sembla comprendre que Cenric ne parlait pas à la légère et que sa menace était sérieuse. Il se ravisa et resta coi.

« Vous avez raison, prieur, c'est la seule façon de procéder, reprit Cenric. Voici ce que je vous propose : le dernier monté à bord fera traverser le bac puis reviendra à son point de départ. Je resterai ici pendant une heure pour m'assurer qu'ils ont bien compris. »

Dreng jeta un regard par-dessus son épaule et vit quelques soldats entrer dans la taverne.

« En tout cas, ils devront payer leurs bières, lança-t-il d'une voix inquiète.

— Alors, vous feriez bien d'aller les servir, remarqua Cenric. Nous veillerons à ce qu'ils ne s'attendent pas à boire gratis. » Il ajouta d'une voix sarcastique :

« Pour vous remercier d'avoir été aussi empressé à mettre votre bac à notre disposition. »

Dreng se précipita dans la taverne.

« Encore un aller-retour, esclave, ordonna Cenric en s'adressant à Blod, puis les hommes te remplaceront. »

Blod monta à bord et s'éloigna.

« J'aimerais vous acheter toutes les réserves de nourriture et de boisson que vous avez, annonça Cenric à Aldred.

— Je vais voir ce dont nous pouvons nous passer. »

Cenric secoua la tête.

« Nous les achèterons, que vous puissiez vous en passer ou non, père prieur. » Il parlait sans malveillance mais avec fermeté. « L'armée n'accepte aucun refus. »

Ce serait aussi l'armée qui fixerait le prix de tout ce qu'elle achèterait, se dit Aldred, et il n'y aurait pas de marchandage.

Il posa la question qui lui brûlait les lèvres depuis le début de leur conversation :

« Le roi Ethelred est-il avec vous ?

— Oui, oui. Il est à l'avant-garde du gros de la troupe, avec les nobles les plus importants. Il ne devrait pas tarder.

— Alors, je ferais mieux de lui préparer un repas au monastère. »

Aldred s'éloigna de la berge pour gagner le sommet de la colline où demeurait Bucca le poissonnier, et il lui acheta tous les poissons frais de son étalage, promettant de le payer plus tard. Bucca était ravi de cette vente, car il craignait de se faire voler ou réquisitionner son stock.

Aldred regagna le monastère et donna des ordres pour le dîner. Il demanda aux moines d'informer tout intendant militaire qui viendrait chercher des provisions que leurs réserves étaient destinées au roi. Ils commencèrent à dresser la table, y plaçant du pain et du vin, des noix et des fruits secs.

Aldred ouvrit un coffret et en sortit un crucifix en argent accroché à une lanière de cuir. Il le passa à son cou et referma le coffre à clé. Cette croix révélerait aux visiteurs son rang de responsable des moines.

Qu'allait-il dire au roi ? Après avoir souhaité des années durant qu'Ethelred vienne dans la région de Shiring pour y mettre de l'ordre, voilà que soudain il cherchait les mots à lui adresser. Les méfaits de Wilwulf, Wynstan et Wigelm composaient un récit long et compliqué, et nombre de leurs crimes étaient difficiles à prouver. Il envisagea de montrer au roi la copie du testament de Wilwulf, mais cela n'éclaircissait que partiellement la situation, et le roi risquait de surcroît d'être offensé de se voir présenter un testament qu'il n'avait pas approuvé. Il aurait fallu à Aldred une bonne semaine pour tout coucher sur le papier – et le roi n'aurait probablement pas lu ce qu'il aurait écrit : beaucoup de nobles étaient lettrés, mais, en règle générale, la lecture n'était pas leur activité préférée.

Il entendit des vivats. Songeant qu'ils étaient probablement destinés au roi, il sortit du monastère et descendit la colline à grands pas.

Le bac approchait. Un soldat le manœuvrait et il ne transportait qu'un passager, debout à la proue, accompagné d'un cheval. Cet homme portait une tunique rouge aux broderies dorées et une houppelande bleue liserée de soie. Ses chausses étaient maintenues par de fines courroies de cuir et ses bottes de cuir souple étaient également lacées. Le fourreau d'une longue épée pendait à une écharpe de soie jaune. C'était le roi, sans aucun doute.

Ethelred ne regardait pas le village. La tête tournée

vers la gauche, il fixait des yeux les ruines calcinées du pont, dont les poutres noircies défiguraient toujours les berges.

Comme Ethelred faisait descendre son cheval sur la terre ferme, Aldred remarqua qu'il était furieux.

Ethelred s'adressa à lui, reconnaissant dans sa croix un symbole d'autorité.

« Je m'attendais à trouver un pont ici ! » s'écria-t-il d'une voix accusatrice.

Voilà pourquoi il a choisi ce chemin, songea Aldred.

« Que diable s'est-il passé ? demanda le roi.

— Le pont a été incendié, sire », répondit Aldred.

Ethelred plissa les yeux d'un air entendu.

« Vous ne dites pas qu'il a *brûlé* mais qu'il a été incendié. Qui a fait cela ?

— Nous l'ignorons.

— Mais vous avez des soupçons. »

Aldred haussa les épaules.

« Il serait déraisonnable de porter une accusation sans preuves – surtout devant un roi.

— Personnellement, je soupçonnerais le batelier. Comment s'appelle-t-il ?

— Dreng.

— Évidemment.

— Mais son cousin, l'évêque Wynstan, a juré que Dreng se trouvait à Shiring la nuit de l'incendie.

— Je vois.

— Souhaiteriez-vous m'accompagner dans notre humble monastère et y prendre quelques rafraîchissements, sire ? »

Ethelred confia son cheval à un soldat et gravit la colline aux côtés d'Aldred.

« Combien de temps faudra-t-il à mon armée pour franchir ce satané fleuve ?

— Deux jours.

— Enfer ! »

Ils entrèrent. Ethelred parcourut les lieux d'un œil surpris.

« Ma foi, quand vous disiez "humble", vous parliez sérieusement », observa-t-il.

Aldred lui servit un gobelet de vin. Il n'y avait pas de siège confortable, mais le roi s'assit sur un banc sans se plaindre. Aldred devina qu'un souverain lui-même ne faisait pas le difficile quand il était en campagne. Il le dévisagea subrepticement et constata que, bien que n'ayant pas atteint les quarante ans, Ethelred paraissait plus proche de la cinquantaine.

Aldred ne savait toujours pas comment aborder le vaste sujet de la tyrannie qui pesait sur Shiring, mais leur conversation à propos du pont lui avait donné une nouvelle idée.

« Je pourrais faire construire un nouveau pont, dit-il, si j'avais l'argent nécessaire. » Le propos était fallacieux, car l'ancien ne lui avait rien coûté.

« Il n'est pas question que je le finance, s'empressa de faire savoir Ethelred.

— Mais vous pourriez m'aider à trouver les moyens nécessaires », fit Aldred d'un air pensif.

Ethelred soupira et Aldred comprit que la moitié des gens qu'il rencontrait devaient lui faire la même demande.

« Que voulez-vous ? demanda le roi.

— Si le monastère pouvait réclamer un droit de péage, tenir un marché hebdomadaire et une foire annuelle, les moines seraient remboursés de leurs dépenses et, sur le long terme, ils auraient les moyens d'entretenir le pont. »

Aldred improvisait au fil de sa réflexion. Il n'avait pas anticipé cette discussion, mais savait qu'il bénéficiait d'une occasion en or et était résolu à la saisir. Ce serait peut-être la seule fois de sa vie qu'il s'entretiendrait avec le roi.

« Qu'est-ce qui vous en empêche ? demanda Ethelred.

— Vous avez vu ce qui est arrivé à notre pont. Nous sommes des moines, nous sommes vulnérables.

— Que voulez-vous de moi ?

— Une charte royale. Pour le moment, nous ne sommes qu'une cellule de l'abbaye de Shiring, constituée lorsque l'ancien moustier a été fermé en raison de la corruption qui y régnait – des activités de faux-monnayage. »

Le visage d'Ethelred s'assombrit.

« Je m'en souviens. L'évêque Wynstan a prétendu n'en avoir rien su. »

Aldred ne tenait pas à aborder ce sujet.

« Nous ne jouissons d'aucun droit garanti, ce qui nous rend faibles. Il nous faudrait une charte reconnaissant l'indépendance du monastère et son droit de construire un pont, d'imposer un péage, et de tenir une foire et un marché. Alors, les nobles rapaces hésiteraient à s'en prendre à nous.

— Si je vous accorde cette charte, me construirez-vous un pont ?

— Oui, acquiesça Aldred, espérant qu'Edgar lui apporterait son concours comme la fois précédente. Rapidement, même, ajouta-t-il.

— Alors considérez cela comme acquis », dit le roi.

Aldred hésitait à le faire tant que son projet ne serait pas réalisé.

« Je vais faire rédiger la charte sur-le-champ, proposa-t-il. Elle pourra ainsi être signée devant témoins avant votre départ demain.

— Fort bien, acquiesça le roi. Et maintenant, que m'offrez-vous à manger ? »

*

« Le roi est en chemin, annonça Wigelm à Wynstan. Nous ne savons pas exactement où il se trouve, mais il sera ici dans quelques jours.

— C'est fort probable, remarqua Wynstan d'un air inquiet.

— Et il me confirmera dans mes fonctions. »

Ils se trouvaient dans le domaine de l'ealdorman. Wigelm occupait déjà ce poste, sans avoir jamais reçu la bénédiction du monarque. Les deux frères se tenaient devant la maison commune, tournés vers l'est, en direction de la route menant à Shiring, comme si l'armée d'Ethelred pouvait apparaître d'un instant à l'autre.

Jusqu'à présent, il n'y en avait aucun signe, mais un cavalier solitaire s'approchait au trot, l'haleine de sa monture s'élevant dans l'air frais.

« Il n'est pas encore exclu qu'il désigne le petit Osbert, et confie la régence à Ragna, remarqua Wynstan.

— J'ai déjà rassemblé quatre cents hommes et il en arrive chaque jour de nouveaux, rétorqua Wigelm.

— Bien. Si le roi nous attaque, cette armée pourra nous défendre, et dans le cas contraire, elle pourra combattre les Vikings.

— En tout état de cause, j'aurai prouvé ma capacité à lever une armée et donc à être l'ealdorman de Shiring.

— Ragna en serait tout aussi capable, j'en suis sûr. Mais, par bonheur, le roi ne la connaît pas. Avec un peu de chance, il pensera avoir besoin de ton aide pour constituer son armée. »

C'était Wynstan lui-même qui aurait dû pouvoir revendiquer le titre d'ealdorman. Mais il était trop tard, trop tard d'une trentaine d'années. Wilwulf était l'aîné de la fratrie, et leur mère avait fermement poussé Wynstan vers l'Église, la deuxième des routes menant au pouvoir. Toutefois, nul ne pouvait prédire l'avenir, et la conséquence imprévue des plans soigneusement élaborés par sa mère avait été que le rang d'ealdorman était sur le point de revenir à Wigelm, le benjamin buté.

« Mais nous avons un autre problème, reprit Wynstan. Nous ne pouvons pas empêcher Ethelred de tenir une cour de justice, et nous ne pouvons pas l'empêcher de parler de Ragna. Il va nous ordonner de la présenter, et alors que ferons-nous ? »

Wigelm soupira.

« Si seulement nous pouvions l'éliminer.

— Nous en avons déjà parlé. Nous avons failli nous faire prendre quand nous avons tué Wilf. Si nous assassinons Ragna, le roi nous déclarera la guerre. »

Le cavalier qu'avait aperçu Wynstan entra dans la cour et l'évêque reconnut Dreng. Il poussa un grognement agacé.

« Que veut encore ce niais obséquieux ? »

Dreng laissa son cheval aux écuries et s'approcha de la maison commune.

« Bien le bonjour à vous, mes cousins, lança-t-il avec un sourire onctueux. J'espère que vous êtes en bonne santé.

— Qu'est-ce qui t'amène ici, Dreng ? demanda Wynstan.

— Le roi Ethelred est passé par notre village, annonça Dreng. Son armée a franchi le fleuve sur mon bac.

— Cela a dû prendre du temps. Qu'a-t-il fait en attendant ?

— Il a accordé une charte au prieuré. Les moines sont autorisés à construire un pont à péage, ainsi qu'à tenir un marché hebdomadaire et une foire annuelle.

— Aldred consolide ses acquis, murmura Wynstan d'un air songeur. Les moines renoncent aux biens de ce monde, mais ils savent prendre soin de leurs intérêts. »

Dreng semblait déçu de voir Wynstan aussi peu ému.

« Puis l'armée est repartie, reprit-il.

— À ton avis, quand arrivera-t-elle ici ?

— Elle ne vient pas ici. Les hommes ont retraversé le fleuve.

— Comment ? » C'était la nouvelle la plus importante, bien que Dreng ne l'ait pas compris. « Ils ont fait demi-tour et sont repartis vers l'est ? Pourquoi ?

— Un messager est venu leur dire que Sven à la barbe fourchue avait attaqué Wilton.

— Les Vikings ont dû remonter le fleuve depuis Christchurch », observa Wigelm.

Wynstan se souciait peu de savoir comment le roi Sven avait gagné Wilton.

« Comprends-tu ce que cela veut dire ? Ethelred est reparti !

— Donc, il ne viendra pas à Shiring, acquiesça Wigelm.

— Pas maintenant, en tout cas. » Wynstan en était profondément soulagé. Il ajouta d'une voix vibrante d'espoir : « Et peut-être ne viendra-t-il pas de sitôt. »

36

Juin 1003

Edgar façonnait une poutre à l'aide d'une herminette, un outil ressemblant à une hache mais muni d'une lame incurvée, dont le tranchant était perpendiculaire au manche, et qui était conçu pour raboter une pièce de bois jusqu'à ce que sa surface soit parfaitement lisse. Naguère, il se réjouissait d'accomplir ce genre de tâche. L'odeur du bois fraîchement taillé, le tranchant affûté de la lame, et surtout l'image nette et logique de la structure qu'il créait lui apportaient une profonde satisfaction. Mais à présent, il travaillait sans joie, aussi machinalement qu'une meule qui tournait et tournait encore.

Il fit une pause, s'étira et but une goulée de bière légère. En jetant un coup d'œil sur l'autre rive, il remarqua que les arbres y étaient désormais bien feuillus, d'un vert vif sous la pâle lumière du soleil matinal. La forêt était jadis dangereuse à cause de Face-de-Fer, mais aujourd'hui, les voyageurs s'y engageaient avec moins d'appréhension.

Plus près de lui, les champs de sa famille viraient du vert au jaune à mesure que l'avoine mûrissait, et il distinguait au loin les silhouettes courbées d'Erman et de Cwenburg occupés à sarcler. Leurs enfants étaient avec eux. À cinq ans, Winnie était assez grande pour les aider dans leur tâche, mais Beorn, qui n'en avait que trois, était assis par terre et jouait avec la terre. Plus près d'Edgar, Eadbald, dans l'eau du vivier jusqu'à la taille, levait une nasse pour en examiner le contenu.

Plus près encore, de nouvelles maisons étaient sorties de terre dans le village et plusieurs bâtiments anciens avaient été agrandis. L'arôme fruité de l'orge en fermentation montait en ce moment même de la brasserie appartenant à la taverne : Blod avait repris cette activité à la mort de Leaf, et s'y était révélée plutôt habile. La grosse Bebbe était assise sur un banc devant la taverne et savourait un pichet de la bière de Blod.

L'église s'était agrandie et le monastère disposait d'une annexe en pierre abritant l'école, la bibliothèque et le scriptorium. À mi-hauteur de la colline, face à la maison d'Edgar, on dégageait peu à peu un site où serait un jour édifiée une nouvelle église, plus vaste, si les rêves d'Aldred se réalisaient.

L'ambition et l'optimisme d'Aldred étaient contagieux, et la plupart des villageois envisageaient l'avenir avec espoir ; Edgar faisait cependant exception. Tout ce qu'Aldred et lui avaient accompli ces six dernières années lui laissait un goût amer dans la bouche. Il ne pouvait penser qu'à Ragna, qui se languissait quelque part dans sa geôle pendant qu'il était impuissant à la secourir.

Il allait se remettre au travail lorsque Aldred descendit du monastère. La construction du nouveau pont avait beau prendre moins de temps que celle du premier, le travail était long, et Aldred ne contenait pas son impatience.

« Quand sera-t-il achevé ? » demanda-t-il à Edgar.

Celui-ci inspecta le chantier. Il s'était servi de sa hache viking pour débiter les ruines calcinées. Il avait laissé les cendres inutiles dériver en aval et empilé les poutres à demi incendiées sur la berge afin de les recycler en bois de chauffage. Il avait restauré les solides butées sur les deux rives, puis avait construit rapidement une série de bateaux à fond plat qu'il avait amarrés les uns aux autres ainsi qu'aux butées pour former les pontons. À présent, il construisait la charpente qui reposerait sur les bateaux et soutiendrait le tablier.

« Ce sera encore long ? reprit Aldred.

— Je ne lambine pas, répondit Edgar d'une voix agacée.

— Je n'ai pas dit que tu lambinais, je t'ai demandé si ce serait encore long. Le prieuré a besoin d'argent ! »

Edgar se souciait peu du prieuré et n'appréciait pas le ton d'Aldred. Ces derniers temps, il avait constaté que nombre de ses amis se montraient moins aimables. Tous semblaient attendre quelque chose de lui et leurs exigences finissaient par l'exaspérer.

« Je travaille tout seul ici ! remarqua-t-il.

— Je peux t'envoyer des moines comme ouvriers.

— Je n'ai pas besoin d'ouvriers. C'est un travail trop délicat.

— Peut-être pourrions-nous trouver d'autres bâtisseurs pour t'aider.

— Je suis sans doute le seul artisan d'Angleterre à accepter de se faire payer en cours de lecture. »

Aldred soupira.

« Je sais que nous avons de la chance de t'avoir, et je suis navré de te houspiller, mais nous avons vraiment hâte de voir ce pont achevé.

— J'espère qu'il sera prêt pour l'automne.

— Si je trouvais de l'argent pour embaucher un autre artisan qualifié, pourrais-tu l'achever plus tôt ?

— Je vous souhaite bonne chance. Trop de constructeurs d'ici sont partis pour la Normandie où ils sont mieux payés. Cela fait longtemps que nos voisins d'outre-Manche nous surpassent dans l'art de construire des châteaux, et il semblerait que le jeune duc Richard commence à s'intéresser également aux églises.

— Je sais. »

L'impatience d'Edgar avait un autre objet que celle d'Aldred.

« J'ai appris qu'un moine en voyage avait passé la nuit au monastère. A-t-il apporté des nouvelles du roi Ethelred ? »

Après tous ces mois de vaines recherches, Edgar était persuadé que le roi représentait son seul espoir de retrouver et de faire libérer Ragna.

« Oui, répondit Aldred. Nous avons appris que Sven à la barbe fourchue avait pillé Wilton avant de repartir. Ethelred est arrivé trop tard. Pendant ce temps, les Vikings avaient fait voile pour Exeter, où notre roi s'est aussitôt rendu à la tête de son armée.

— Ils ont dû prendre la route côtière, puisque Ethelred n'est pas passé par Shiring cette fois-ci.

— En effet.

— Le roi a-t-il tenu audience quelque part dans la région ?

— Pas à notre connaissance. Il n'a ni confirmé Wigelm dans ses fonctions d'ealdorman ni donné de nouveaux ordres à propos de Ragna.

— Enfer ! Cela fait près de dix mois qu'elle est prisonnière.

— J'en suis navré, Edgar. Pour elle autant que pour toi. »

Edgar détestait qu'on le prenne en pitié. Se tournant vers la taverne, il aperçut Dreng. Il se tenait près de la grosse Bebbe, mais il avait les yeux rivés sur Aldred et Edgar.

« Qu'est-ce que vous regardez comme ça ? lui cria Edgar.

— Vous deux, répondit Dreng. Je me demande ce que vous mijotez encore.

— Nous construisons un pont.

— Oui. Mais faites attention. Ce serait dommage qu'il brûle comme le précédent. »

Le passeur éclata de rire et rentra dans la taverne.

« J'espère qu'il finira en enfer, maugréa Edgar.

— Sois tranquille, sa place est réservée, dit Aldred. Mais en attendant, j'ai un autre plan. »

*

Aldred partit pour Shiring et en revint accompagné du shérif Den et de six hommes d'armes.

Edgar entendit leurs chevaux et leva la tête de son travail. Curieuse, Blod sortit de la brasserie. En l'espace de deux ou trois minutes, presque tout le village fut massé sur la berge. Il faisait frais pour la saison et une bise glacée soufflait. Le ciel était gris et la pluie menaçait.

Les hommes d'armes étaient muets, le visage fermé. Deux d'entre eux creusèrent un trou près de la taverne et y plantèrent un poteau. Les questions des badauds restèrent sans réponse, ce qui attisa encore leur curiosité.

Mais ils devinaient sans peine que quelqu'un allait être châtié.

Les frères d'Edgar, qui avaient appris qu'il se passait quelque chose, accoururent avec Cwenburg et les enfants.

Une fois le poteau solidement planté, les hommes d'armes s'emparèrent de Dreng.

« Lâchez-moi ! » hurla-t-il en se débattant.

Ils le déshabillèrent, ce qui fit rire tout le monde.

« Je suis le cousin de l'évêque de Shiring ! hurla-t-il. Vous allez le payer ! »

Ethel, l'épouse survivante de Dreng, martela les hommes d'armes de ses petits poings en disant :

« Laissez-le tranquille ! »

Ils firent la sourde oreille et attachèrent son mari au poteau.

Blod observait la scène d'un air inexpressif.

Le prieur Aldred s'adressa à la foule :

« Le roi Ethelred a donné l'ordre qu'un pont soit construit ici même, annonça-t-il. Dreng a menacé d'y mettre le feu.

— C'est faux ! » protesta Dreng.

La grosse Bebbe observait la scène.

« Non, c'est la vérité, intervint-elle. J'étais là, je t'ai entendu.

— Je représente le roi, déclara le shérif. Il ne saurait être défié. »

Tout le monde savait cela.

« Je veux que chacun de vous rentre chez lui, y cherche une marmite ou un seau et le rapporte ici, et vite. »

Impatients de voir ce qui allait se passer, moines et villageois s'empressèrent d'obéir. Parmi les rares à ne pas bouger figuraient Cwenburg, la fille de Dreng, et ses deux maris, Erman et Eadbald.

« Dreng a menacé de mettre le feu, reprit Den lorsque tous furent rassemblés. Nous allons donc rafraîchir son ardeur. Remplissez vos récipients dans le fleuve et arrosez-le. »

C'était Aldred qui avait imaginé ce châtiment, devina Edgar. Un châtiment plus symbolique que douloureux. Peu d'autres que lui auraient fait preuve d'une telle clémence. D'un autre côté, la punition était humiliante, surtout pour un homme comme Dreng qui faisait grand cas de ses hautes relations.

C'était également un avertissement. Si Dreng n'avait pas été châtié pour avoir incendié le premier pont, c'était parce que ce pont appartenait à Aldred, qui n'était alors que le prieur d'un petit monastère, alors que le passeur bénéficiait de l'appui de l'évêque de Shiring. Mais l'action engagée par le shérif proclamait que la situation avait changé. Ce pont-ci appartenait au roi, et Wynstan lui-même hésiterait à protéger celui qui le détruirait.

Les villageois commencèrent à arroser Dreng. Ils ne l'aimaient guère, et étaient visiblement ravis de lui infliger ce traitement. Certains prirent soin de lui jeter l'eau en plein visage, ce qui le faisait pester. D'autres la renversèrent sur sa tête en riant. Nombre d'entre eux retournèrent remplir leurs seaux. Dreng se mit à frissonner.

Edgar restait immobile, les bras croisés. Dreng n'oubliera jamais cela, se dit-il.

« Cela suffit ! » lança Aldred au bout d'un moment.

Les villageois s'arrêtèrent.

« Qu'il reste ici jusqu'à demain matin à l'aube, ordonna Den. Quiconque osera le libérer prendra sa place. »

Dreng allait avoir bien froid durant la nuit, songea Edgar, mais il n'en mourrait pas.

Den conduisit ses hommes d'armes au monastère, où ils passeraient sans doute la nuit. Edgar espérait qu'ils aimaient les fèves.

Les villageois se dispersèrent lentement, comprenant que la farce était finie.

Edgar allait se remettre au travail lorsque Dreng accrocha son regard.

« Tu peux rire, ne t'en prive pas », lança le passeur.

Edgar ne riait pas.

« Il y a un bruit qui court à propos de Ragna, ta chère lady normande », reprit Dreng.

Edgar se figea. Il aurait voulu s'éloigner mais en était incapable.

« Il paraît qu'elle est grosse. »

Edgar fixa l'autre sans rien dire.

« Cela ne te fait pas rire ? » demanda Dreng.

*

Edgar ruminait les propos du passeur. Peut-être n'était-ce qu'une invention, bien sûr. Ou alors la rumeur était infondée : c'était fréquemment le cas. Mais Ragna pouvait fort bien être enceinte.

Et si elle l'était, Edgar était peut-être le père.

Il n'avait fait l'amour avec elle qu'une fois, mais cela pouvait suffire. Toutefois, leur nuit de passion s'était déroulée en août, de sorte que l'enfant aurait dû naître en mai, or on était à présent en juin.

L'enfant pouvait avoir du retard. À moins qu'il ne fût déjà né.

Le soir venu, il demanda à Den si cette rumeur était parvenue à ses oreilles. Le shérif acquiesça.

« Sait-on quand l'enfant doit naître ? interrogea Edgar.

— Non.

— Avez-vous une idée de l'endroit où peut se trouver Ragna ?

— Non, et si j'en avais une, je me serais déjà porté à son secours. »

Edgar s'était déjà enquis cent fois du sort de Ragna. Cette rumeur de grossesse ne l'avançait pas. Ce n'était qu'un tourment de plus.

Vers la fin juin, il se trouva à court de clous. Il pouvait en fabriquer dans l'ancienne forge de Cuthbert, mais devait aller à Shiring acheter du fer. Le lendemain matin, il sella Lambourde et rejoignit deux trappeurs qui allaient en ville vendre des fourrures.

En milieu de matinée, ils firent halte dans la taverne de Stropiat, ainsi nommé parce qu'il n'avait qu'une jambe. Edgar donna une poignée de grain à Lambourde, qui se désaltéra à la mare et se mit à brouter, tandis qu'Edgar mangeait du pain et du fromage, assis sur un banc au soleil avec les trappeurs et quelques habitants du voisinage.

Il était sur le point de se remettre en route lorsque passa une troupe d'hommes d'armes. Edgar fut surpris de découvrir l'évêque Wynstan à sa tête, mais fort heureusement celui-ci ne le remarqua pas.

Il fut encore plus surpris de voir, chevauchant avec

la troupe, une petite femme aux cheveux gris en qui il reconnut Hildi, la sage-femme de Shiring.

Il suivit des yeux les cavaliers qui disparurent dans un nuage de poussière en direction de Dreng's Ferry. Pourquoi Wynstan irait-il escorter une sage-femme ? Le fait que Ragna fût enceinte était-il une simple coïncidence ? Peut-être, mais Edgar avait peine à le croire.

S'ils conduisaient la sage-femme auprès de Ragna, ils pouvaient mener Edgar jusqu'à elle.

Il prit congé des trappeurs, enfourcha Lambourde et rebroussa chemin au trot.

Il ne voulait pas rattraper Wynstan et ses hommes sur la route de crainte de s'attirer des ennuis. Mais ils se dirigeaient forcément vers Dreng's Ferry. Soit ils y passeraient la nuit, soit ils poursuivraient leur chemin, peut-être jusqu'à Combe. Dans un cas comme dans l'autre, Edgar continuerait à les suivre à bonne distance jusqu'à leur destination.

Depuis que Ragna avait disparu, il avait connu bien des bouffées d'espoir enivrant suivies de déceptions à lui briser le cœur. Peut-être en serait-ce une de plus, se dit-il. Mais les indices étaient prometteurs, et il ne pouvait s'empêcher d'éprouver un frisson d'optimisme qui eut raison de sa dépression, au moins temporairement.

Il n'avait vu personne d'autre sur la route lorsqu'il regagna Dreng's Ferry à midi. Il remarqua aussitôt que la troupe de Wynstan ne s'y était pas arrêtée : le village n'était pas très grand et il n'aurait pas manqué de repérer près de la taverne des hommes en train de boire et des chevaux occupés à paître.

Il alla jusqu'à la maison des moines, où il trouva Aldred.

« Tu es déjà rentré ? Avais-tu oublié quelque chose ?

— Avez-vous parlé à l'évêque ? demanda Edgar de but en blanc.

— Quel évêque ? fit Aldred, visiblement étonné.
— Wynstan n'est pas passé par ici ?
— S'il l'a fait, c'était sur la pointe des pieds.
— C'est étrange, murmura Edgar, déconcerté. Je l'ai croisé sur la route avec sa suite. Ils venaient forcément ici – il n'y a pas d'autre destination possible. »

Aldred fronça les sourcils.

« Il m'est arrivé la même chose en février, observa-t-il d'un air pensif. Je revenais de Shiring et Wigelm m'a croisé sur la route. J'ai pensé qu'il venait d'ici et je me suis demandé quelle diablerie il avait bien pu commettre. Mais, à mon arrivée, frère Godleof m'a déclaré que personne ne l'avait vu.
— Ce qui veut dire que leur destination se situe entre ici et la taverne de Stropiat.
— Mais il n'y a rien entre les deux. »

Edgar claqua des doigts.

« Wilwulf avait un pavillon de chasse au cœur de la forêt, au sud de la route de Shiring.
— Il a brûlé. Wigelm en a construit un autre dans le val d'Outhen, où la forêt est plus giboyeuse.
— On dit qu'il a brûlé, remarqua Edgar. Ce n'est peut-être pas vrai.
— C'est ce que tout le monde a cru.
— Je vais aller vérifier.
— Je t'accompagne, proposa Aldred. Mais nous devrions peut-être demander au shérif Den de nous escorter avec quelques hommes d'armes.
— Je ne veux pas attendre, dit Edgar d'une voix ferme. Il nous faudrait deux jours pour aller à Shiring, puis une journée et demie pour retourner chez Stropiat. Je ne peux pas patienter quatre jours. Ils risquent de déplacer Ragna pendant ce temps. Si elle est au vieux pavillon de chasse, je la verrai aujourd'hui.

— Tu as raison, approuva Aldred. Je vais seller un cheval. »

Il passa autour de son cou un crucifix en argent accroché à une lanière de cuir. Edgar esquissa un hochement de tête approbateur : les hommes de Wynstan hésiteraient peut-être à attaquer un moine portant une croix. Ou peut-être pas.

Quelques minutes plus tard, les deux hommes étaient en route.

Ni l'un ni l'autre ne s'était jamais rendu au pavillon de chasse. Incendié ou non, cela faisait des années qu'il était désaffecté. Wilwulf était parti à la guerre d'où il était revenu grièvement blessé, et après sa mort Wigelm était allé chasser ailleurs.

Mais ils savaient à peu près où il se trouvait. Il y avait sûrement entre Dreng's Ferry et la taverne de Stropiat un sentier qui quittait la route de Shiring pour pénétrer dans la forêt du côté sud. Il ne leur restait qu'à le trouver. Si le pavillon avait bel et bien brûlé et était resté à l'abandon, la tâche ne serait pas facile : l'entrée du sentier serait envahie par la végétation et difficile à repérer. Mais si cet incendie n'était qu'un mensonge destiné à détourner les soupçons et si le sentier était encore fréquenté par des gens qui apportaient des provisions – ou y conduisaient une sage-femme –, il devait y avoir un passage au bord de la route, où la végétation aurait été piétinée et les arbustes endommagés ou brisés.

Edgar et Aldred effectuèrent plusieurs tentatives infructueuses, empruntant des sentiers menant à des chaumières et à des fermes isolées, et même à un petit village dont ils n'avaient jamais entendu parler. Ils étaient presque arrivés chez Stropiat lorsque Edgar repéra un endroit où plusieurs chevaux étaient passés le jour même : on voyait du crottin par terre et des rameaux avaient été arrachés aux buissons.

« Je crois que c'est ici », annonça-t-il le cœur battant.

Ils s'enfoncèrent dans la forêt. Le sentier se fit plus étroit, mais les traces de passage récent devenaient plus visibles. L'espoir d'Edgar se mêla bientôt de crainte. Peut-être retrouverait-il Ragna, mais le cas échant, il tomberait aussi sur Wynstan. Que ferait ce dernier ? À côté de lui, Aldred paraissait impavide, mais sans doute pensait-il que Dieu le protégerait.

Les bois étaient envahis de jeunes pousses luxuriantes. De temps en temps, Edgar entrevoyait un cerf qui se déplaçait sans bruit dans les coulées ombreuses, preuve qu'on ne chassait plus ici depuis longtemps. Leur progression ralentit et des branches basses qui surplombaient le sentier les obligèrent à mettre pied à terre. Ils parcoururent ainsi une demi-lieue, puis une lieue entière.

C'est alors qu'Edgar entendit des voix d'enfants.

Ils attachèrent leurs chevaux et avancèrent lentement, à pas de loup. Arrivés à la lisière d'une clairière, ils s'arrêtèrent à l'ombre d'un grand chêne.

Edgar reconnut aussitôt les enfants : le garçon de quatre ans était Osbert, les jumeaux de deux ans Hubert et Colinan, et les petites filles étaient celles de Cat : Mattie, quatre ans, et Edie, deux ans. Quoique pâles, tous semblaient en bonne santé et couraient après un ballon.

En revanche, l'aspect de Cat le bouleversa. Ses cheveux noirs étaient raides et ternes, sa peau blafarde. Un furoncle déparait une aile de son nez mutin. Pire encore, ses yeux avaient perdu leur lueur espiègle et son expression était léthargique. Elle se tenait le dos voûté, observant les enfants sans le moindre signe d'intérêt.

Edgar examina la maison en bois qui se dressait derrière elle. On avait condamné ses fenêtres avec des planches pour empêcher d'ouvrir les volets. La porte était fermée de l'extérieur par une lourde barre et un garde était assis sur un banc tout proche, occupé à se curer le nez en regardant ailleurs. Edgar reconnut un habitant de Shiring nommé Elfgar. Un bandage crasseux lui enveloppait le bras droit.

Il aperçut plusieurs autres bâtiments, et un champ où broutaient des chevaux, sans aucun doute ceux de Wynstan et de ses hommes.

« C'est la prison secrète, chuchota Aldred. Il faut repartir sur-le-champ, avant de nous faire voir. Filons à Shiring pour aller chercher Den. »

Edgar savait qu'Aldred avait raison, mais à présent qu'il touchait au but, il n'avait pas la force de s'en arracher.

« Il faut que je voie Ragna, dit-il.

— Mais non. Elle est forcément ici. Il serait dangereux de nous attarder.

— Allez chercher Den. Peu m'importe qu'ils m'emprisonnent pendant quelques jours.

— Ne sois pas stupide ! »

Une grosse voix s'éleva dernière eux, interrompant leur conversation :

« Par le diable, qui êtes-vous ? »

Ils se retournèrent d'un bloc. Celui qui s'adressait à eux était un homme d'armes nommé Fulcric. Il tenait une lance à la main, et un long poignard dans un fourreau de bois pendait à sa ceinture. Les cicatrices de son visage et de ses mains révélaient qu'il avait survécu à maints combats. Edgar comprit tout de suite que toute résistance serait inutile.

Aldred déclara d'une voix autoritaire :

« Je suis le prieur Aldred et je suis venu voir lady Ragna.

— Avant de voir qui que ce soit, il vous faudra parler à monseigneur Wynstan, répliqua Fulcric.

— Fort bien, répondit Aldred, comme s'il avait le choix.

— Par ici. »

D'un mouvement du menton, Fulcric désigna une maison à l'autre extrémité de la clairière.

Edgar se retourna et sortit du couvert des arbres.

« Bonjour, Cat, dit-il doucement. Comment vas-tu ? »

Cat poussa un petit cri de surprise.

« Edgar ! » Elle regarda autour d'elle d'un air effaré. « Il ne faut pas rester, c'est trop dangereux.

— Peu importe. Ragna est-elle ici ?

— Oui. » Cat hésita. « Elle est enceinte. »

C'était donc vrai.

« J'ai eu vent d'une rumeur. »

Il était sur le point de demander quand l'enfant devait naître lorsque Elfgar émergea brusquement de sa rêverie et se leva d'un bond en criant :

« Hé, toi !

— Tu dors à moitié, mon gars, remarqua Fulcric. Ils se cachaient parmi les arbres.

— Tu me connais, Elfgar, dit Edgar. Je ne te veux aucun mal. Qu'est-il arrivé à ton bras ?

— J'étais dans l'armée du roi et un Viking m'a blessé avec sa lance, répondit Elfgar avec fierté. La blessure est presque guérie, mais je ne peux pas combattre pour le moment, alors ils m'ont renvoyé chez moi.

— Allons, avancez, vous deux », ordonna Fulcric.

Ils traversèrent la clairière, mais ils n'étaient pas encore parvenus à la maison quand la porte s'ouvrit sur Wynstan. S'il parut surpris en découvrant Edgar et Aldred, il ne donna – étrangement – pas l'impression d'être consterné.

« Alors comme cela, vous nous avez retrouvés ! s'exclama-t-il d'une voix joviale.

— Je suis venu voir lady Ragna, affirma Aldred.

— Moi-même, je ne l'ai pas encore vue, rétorqua Wynstan. J'étais… occupé. »

Il jeta un coup d'œil derrière lui, et Edgar crut apercevoir Agnès par la porte entrebâillée.

Ce qui confirmait une autre rumeur.

« Vous l'avez enlevée et emprisonnée ici contre sa volonté, déclara Edgar. C'est un crime et vous aurez à en rendre compte.

— Mais pas du tout, protesta Wynstan d'une voix doucereuse. Lady Ragna désirait se retirer du monde pendant un an et pleurer son défunt mari dans la solitude. Je lui ai offert l'usage de ce pavillon isolé afin qu'elle ne soit pas dérangée. Elle a accepté mon offre avec reconnaissance. »

Edgar le dévisagea en plissant les yeux. Il arrivait que des veuves fassent retraite durant une période de deuil, mais elles choisissaient un couvent plutôt qu'un pavillon de chasse. Quelqu'un pouvait-il ajouter foi à ce conte de fées ? Tous ceux qui étaient présents savaient que c'était un mensonge éhonté, mais d'autres penseraient peut-être autrement. Wynstan avait échappé à l'accusation de faux-monnayage grâce à une ruse similaire.

« J'exige que vous libériez lady Ragna sur-le-champ, reprit Edgar.

— Elle sera libérée, assurément, répondit Wynstan, affectant toujours la plus grande pondération. Elle a émis le souhait de regagner Shiring et je suis venu l'y escorter. »

Edgar lui jeta un regard incrédule.

« Vous la reconduisez au domaine ?

— Oui. Tout naturellement, elle tient à voir le roi Ethelred.

— Le roi va venir à Shiring ?

— Oui, c'est ce que l'on nous a dit. Nous ne savons pas exactement quand.

— Et vous y conduisez Ragna pour qu'elle l'y rencontre ?

— Bien sûr. »

Edgar était décontenancé. Que mijotait donc Wynstan ? Son affabilité était entièrement feinte, bien entendu, mais quelles étaient ses véritables intentions ?

« Me dira-t-elle la même chose ? demanda Edgar.

— Allez lui poser la question, proposa Wynstan. Elfgar, laisse-le entrer. »

Elfgar releva la barre de la porte et Edgar entra. La porte se referma derrière lui.

La pièce était plongée dans les ténèbres, car les volets fermés occultaient le jour. Il y régnait la même odeur fétide que dans les quartiers des esclaves du domaine de l'ealdorman, où les occupants étaient confinés la nuit. Dans un coin, des mouches tournoyaient autour d'un pot de chambre couvert. Cela faisait des mois qu'on n'avait pas changé les joncs recouvrant le sol. Des souris trottinaient un peu partout. La geôle était chaude et étouffante.

Lorsque ses yeux se furent accommodés à la pénombre, Edgar distingua deux femmes assises face à face sur un banc, se tenant par la main. De toute évidence, il avait interrompu une conversation intime. L'une des deux femmes était Hildi : elle se leva et s'éclipsa aussitôt. L'autre ne pouvait être que Ragna, mais elle était quasiment méconnaissable. Ses cheveux d'or rouge étaient désormais d'un brun sale, et elle avait la peau constellée de boutons. Sans doute sa robe avait-elle été bleue, mais elle était à présent d'un gris-brun taché. Ses chaussures étaient en lambeaux.

Edgar tendit les bras pour l'étreindre, mais elle ne s'approcha pas de lui.

Il avait maintes fois vécu ce moment en pensée : des sourires de bonheur, des baisers passionnés, un corps pressé contre le sien, des mots chuchotés, vibrants d'amour et de joie. La réalité ne ressemblait en rien à son rêve.

Alors qu'il faisait un pas vers elle, elle se leva et recula.

Il devait être indulgent, se dit-il. On lui avait brisé l'esprit. Elle n'était plus elle-même. Il devait l'aider à agir normalement.

Retrouvant sa voix, il demanda avec douceur :

« Puis-je vous embrasser ? »

Elle baissa les yeux.

De la même voix tendre et aimante, il reprit :

« Pourquoi ne voulez-vous pas ?

— Je suis affreuse.

— Je vous ai vue mieux habillée, j'en conviens. » Il sourit. « Mais cela n'importe pas. Vous êtes vous. Nous sommes ensemble. C'est tout ce dont je me soucie. »

Elle secoua la tête.

« Dites quelque chose, insista Edgar.

— Je suis enceinte.

— Je le vois bien. » Il examina sa silhouette. Son ventre était effectivement rond, mais sans exagération.

« Quand l'enfant doit-il naître ?

— En août. »

Il s'y attendait, mais cette confirmation lui fit un coup.

« Il n'est donc pas de moi. »

Elle fit non de la tête.

« De qui, alors ?

— De Wigelm. » Enfin, elle releva la tête. « Ses hommes me tenaient. » Elle prit un air de défi. « C'est arrivé plusieurs fois. »

Edgar eut l'impression d'être assommé. Il avait du

mal à respirer. Il ne s'étonnait plus qu'elle soit désespérée. C'était un miracle qu'elle n'ait pas sombré dans la folie.

Lorsqu'il retrouva sa voix, il ne sut que dire. Il finit par articuler :

« Je vous aime. »

Ses mots n'eurent aucun effet.

Elle semblait engourdie, dans un état de stupeur, à peine consciente, pareille à une somnambule. Que pouvait-il faire ? Il aurait voulu la réconforter, mais rien de ce qu'il disait ne paraissait la faire réagir. Il s'apprêta alors à la toucher, mais lorsqu'il leva les mains, elle eut un mouvement de recul. Sans doute aurait-il pu triompher de sa résistance et l'étreindre tout de même, mais il savait que cela ne ferait que lui rappeler les outrages que lui avait fait subir Wigelm. Il était impuissant.

« Je veux que tu partes, dit-elle.

— Je ferai tout ce que vous voudrez.

— Alors pars.

— Je vous aime.

— Je t'en prie, pars.

— Je m'en vais. » Il s'approcha de la porte. « Nous nous retrouverons un jour. Je le sais. »

Elle resta muette. Il crut voir l'éclat des larmes dans ses yeux, mais la pièce était trop sombre, et peut-être prenait-il ses désirs pour la réalité.

« Au moins, dites-moi au revoir, murmura-t-il.

— Au revoir. »

Il frappa à la porte, qui s'ouvrit aussitôt.

« *Au revoir*[1], dit-il. Je vous reverrai bientôt. »

Elle lui tourna le dos et Edgar sortit.

---

1. En français dans le texte. *(N.d.T.)*

*

Ragna quitta le pavillon de chasse le lendemain en compagnie de Cat et des enfants. La charrette qui les transportait était celle-là même qui les avait conduits à leur prison. Ils partirent tôt et arrivèrent à la tombée de la nuit. Les deux femmes étaient épuisées et les enfants grincheux, et tous s'endormirent aussitôt rentrés chez eux.

De bon matin, Cat alla chercher un grand chaudron de fer à la cuisine et elles mirent de l'eau à chauffer dans la cheminée. Elles lavèrent les enfants de la tête aux pieds, puis se lavèrent à leur tour. Après avoir enfilé des vêtements propres, Ragna commença à se sentir un peu plus proche d'un être humain que d'un bestiau dans son enclos.

Gilda, la fille de cuisine, apparut avec une miche de pain, du beurre frais, des œufs et du sel, et ils se jetèrent tous dessus avec voracité.

Comme Ragna devait reconstituer sa maisonnée, elle décida de commencer par Gilda.

« Aimerais-tu venir travailler pour moi ? demanda-t-elle comme Gilda prenait congé. Ainsi que ta fille Winthryth, peut-être ?

— Oh oui, milady, volontiers, répondit Gilda en souriant.

— Pour le moment, je n'ai pas d'argent pour te payer, mais cela ne saurait tarder. »

Un messager finirait bien par arriver de Normandie.

« Ce n'est pas grave, milady.

— Je parlerai plus tard au chef cuisinier. Ne dis encore rien à personne. »

Apparemment, toutes les affaires de Ragna étaient encore là. Ses robes étaient accrochées à des pitons le long des murs et semblaient avoir été aérées. La plupart des coffres n'avaient pas bougé et contenaient toujours ses peignes et ses brosses, ses huiles parfumées, ses ceintures et ses chaussures, et même ses bijoux. Seul son argent avait disparu.

Elle décida d'aller voir le chef cuisinier, un simple serviteur, mais elle tenait à affirmer d'emblée son autorité. Elle enfila une robe de soie d'une chaude couleur marron et noua une écharpe dorée à sa taille. Elle couvrit ses cheveux d'une haute coiffe pointue, qu'elle fixa avec un bandeau orné de pierres précieuses, et compléta sa tenue d'un bracelet et d'un pendentif.

Elle traversa le domaine la tête haute.

Tous étaient curieux de la voir, de se faire une idée de son apparence. Elle soutint hardiment le regard de tous ceux qu'elle croisa, résolue à montrer que les mauvais traitements qu'elle avait subis avaient été impuissants à la soumettre. D'abord indécis, les gens préférèrent ne prendre aucun risque, et s'inclinèrent respectueusement devant elle. Elle adressa la parole à plusieurs, qui lui répondirent avec chaleur. Sans doute regrettaient-ils le temps où Wilwulf et Ragna régnaient sur le domaine : il était peu probable que Wigelm se soit montré aussi aimable avec eux.

Le chef cuisinier s'appelait Bassa. Elle s'approcha de lui et lui dit :

« Bonjour, Bassa.

— Bonjour, fit-il visiblement surpris, puis, après un instant d'hésitation, il ajouta : milady.

— Gilda et Winthryth vont venir travailler chez moi », annonça-t-elle d'un ton sans réplique.

Bassa sembla pris de court, mais se contenta de dire : « Très bien, milady. »

On ne risquait jamais rien à faire cette réponse.

« Elles pourront commencer demain matin, précisa

Ragna en adoucissant le ton. Cela te donnera le temps de prendre tes dispositions.

— Merci, milady. »

Ragna sortit ragaillardie de la cuisine. Elle se comportait en femme noble et puissante, et les gens la traitaient comme telle.

Alors qu'elle regagnait sa maison, le shérif Den apparut, suivi par deux de ses hommes.

« Il vous faut des gardes du corps », lui dit-il.

Il avait raison. Après que la mort de Bern l'eut laissée sans protection, Wigelm n'avait eu aucune difficulté à l'enlever en pleine nuit. Elle ne voulait plus jamais être aussi vulnérable.

« Je vous prêterai Cadwal et Dudoc jusqu'à ce que vous ayez recruté des hommes à vous, ajouta Den.

— Merci. » Une pensée traversa soudain l'esprit de Ragna. « D'ailleurs, où puis-je engager des gardes du corps ?

— Cet automne, beaucoup de soldats reviendront de la guerre contre les Vikings. La plupart retourneront à leurs fermes et à leurs ateliers, mais certains chercheront un emploi, et ils auront l'expérience nécessaire.

— Vous avez raison.

— Vous devrez sans doute leur fournir des armes correctes. Je vous recommande aussi des plastrons en cuir épais. Ils leur tiendront chaud durant l'hiver tout en leur assurant une certaine protection.

— J'y pourvoirai dès que j'aurai de l'argent. »

Elle n'eut qu'une semaine à attendre car le prieur Aldred lui remit les sommes apportées chaque trimestre par Odo et Adélaïde, sur lesquelles il avait veillé durant sa réclusion.

Il lui donna également un parchemin plié en quatre. C'était une copie du testament de Wilwulf, réalisée dans son scriptorium.

« Cela pourrait vous être d'une aide précieuse quand vous verrez le roi Ethelred, déclara-t-il.

— Ai-je vraiment besoin d'aide ? J'accuserai Wigelm d'enlèvement et de viol. Ma servante Cat a été témoin de ces deux crimes. » Elle posa une main sur son ventre. « Et s'il y a besoin d'autres preuves, ceci devrait suffire.

— Vous auriez raison si nous vivions dans un monde régi par les lois. » Aldred s'assit sur un tabouret, se pencha en avant et reprit à voix basse : « Mais l'homme importe plus que la loi, comme vous le savez.

— Ethelred ne peut être que mortellement outragé par les agissements de Wigelm.

— En effet. Et il pourrait envoyer son armée contre Shiring, et arrêter Wigelm et Wynstan. Dieu sait qu'ils en ont assez fait pour mériter un tel sort. Mais le roi est trop occupé à combattre les Vikings, et peut estimer que le moment est mal choisi pour affronter des nobles anglais qui sont ses alliés.

— Cherchez-vous à me dire que les méfaits de Wigelm resteront impunis ?

— Je dis qu'Ethelred considérera cette affaire comme un problème politique et non comme une simple question de crime et de châtiment.

— Ciel ! Comment réglera-t-il ce problème, selon vous ?

— Peut-être pensera-t-il que la solution la plus simple est que vous épousiez Wigelm. »

Ragna se leva, furieuse.

« Jamais ! s'écria-t-elle. Il ne me contraindrait tout de même pas à épouser l'homme qui m'a violée ?

— Non, je ne pense pas qu'il irait jusque-là. Et même s'il était enclin à le faire, sa nouvelle reine normande prendrait probablement votre défense. Mais vous devez éviter d'éveiller l'hostilité du roi si vous pouvez vous en dispenser. Vous devez le considérer comme un ami. »

Ragna avait du mal à se rendre à ses vues. Elle se rappela alors qu'elle était naguère fort habile en politique. Elle était en proie à une colère et à une indignation légitimes, qui ne l'aidaient cependant pas à définir une stratégie. Quelle chance qu'Aldred soit là pour lui dessiller les yeux !

« Que devrais-je faire à votre avis ? demanda-t-elle.

— Avant qu'Ethelred ait l'occasion de vous suggérer le mariage, vous devriez le prier de ne prendre aucune décision concernant votre avenir avant la naissance de votre enfant. »

C'était une idée raisonnable, songea Ragna. La situation serait totalement changée si l'enfant – ou la mère – mourait. Ce qui était fréquent.

Aldred avait dû penser la même chose, mais il enchaîna sur un tout autre sujet.

« Ethelred ne peut qu'approuver cette idée car elle ne heurte personne. »

Et surtout, songea Ragna, elle aurait ainsi le temps de renouer son amitié avec la reine Emma et de s'en faire une alliée. Rien n'était plus précieux qu'un ami à la cour.

« Je vous laisse réfléchir à tout cela, conclut Aldred en se levant.

— Merci d'avoir veillé sur mon argent.

— Edgar m'a accompagné ici. Souhaitez-vous le voir ? »

Ragna hésita. Elle pensa avec regret à leur dernière rencontre. Elle avait été paralysée par un tel dégoût d'elle-même qu'elle avait été incapable de tenir des propos sensés. Il avait dû être bouleversé par sa grossesse, et son humeur n'aurait fait qu'aggraver son malheur.

« Bien sûr », dit-elle.

Quand il entra, elle remarqua qu'il était élégamment vêtu d'une belle tunique de laine et de bottes de cuir. Il ne portait pas de bijoux, mais sa ceinture était ornée d'une boucle et d'un mordant d'argent ouvragé. Ses affaires prospéraient.

Et son visage affichait un optimisme impatient qu'elle connaissait bien.

« Je suis si heureuse de te voir », dit-elle en se levant.

Il lui ouvrit les bras et elle avança pour se blottir contre lui.

Il prit garde à son ventre mais lui serra les épaules avec force. Son étreinte lui fit presque mal, mais elle ne s'en soucia pas, tant était grand son bonheur. Ils restèrent enlacés durant un long moment.

Lorsqu'ils s'écartèrent l'un de l'autre, il souriait comme un petit garçon qui aurait remporté une course. Elle lui rendit son sourire.

« Comment vas-tu ? lui demanda-t-elle.

— Très bien, maintenant que vous êtes libre.

— As-tu fini ton pont ?

— Pas encore. Et vous, quels sont vos projets ?

— Il faut que je reste ici jusqu'à l'arrivée du roi.

— Viendrez-vous à Dreng's Ferry ensuite ? Nos projets peuvent encore se réaliser. Vous pourriez vous réfugier au couvent et y demeurer aussi longtemps que nécessaire. Et nous pourrons alors parler tout à loisir de… notre avenir.

— Je ne demanderais pas mieux. Mais je ne peux rien décider avant d'avoir vu le roi. C'est lui qui est responsable des veuves de la noblesse. J'ignore ce qu'il va faire. »

Edgar acquiesça.

« Je vous laisse pour le moment. Il faut que j'aille acheter du fer. M'inviterez-vous pourtant à dîner ?

— Volontiers.

— Je me contenterai de m'asseoir à la table des enfants et des serviteurs, vous le savez.

— Oui.

— J'ai encore une question à vous poser. » Il la prit par la main.

« Je t'écoute.

— M'aimez-vous ?

— De toute mon âme.

— Alors je suis un homme heureux. »

Il l'embrassa sur la bouche. Elle laissa ses lèvres s'attarder sur les siennes un long moment. Puis il s'éloigna.

37

Août 1003

Le roi Ethelred tenait audience sur la place du marché devant la cathédrale de Shiring. Tous les habitants de la ville étaient là, ainsi que des centaines de villageois venus des environs et la plupart des nobles et des dignitaires de l'Église de la région. Les gardes du corps de Ragna se frayèrent un chemin à travers la foule pour l'aider à gagner les premiers rangs, où avaient pris place Wynstan, Wigelm et tous les autres notables dans l'attente du souverain. Elle connaissait la plupart des thanes et veilla à dire quelques mots à chacun. Elle tenait à ce que tout le monde sache qu'elle était de retour.

Devant la foule avaient été disposés deux tabourets couverts de coussins, sous un dais temporaire destiné à protéger le roi et la reine du soleil d'août. Sur le côté se trouvait une table couverte de plumes, d'encriers et de parchemins, devant laquelle étaient assis deux prêtres prêts à coucher par écrit des documents sur l'ordre du roi. Une balance romaine leur permettrait en outre de peser de grosses sommes d'argent si le roi infligeait des amendes.

Les spectateurs étaient excités. Le roi passait son temps à se rendre de ville en ville, mais il était rare qu'un Anglais ordinaire le voie en chair et en os. Tous étaient impatients de savoir s'il était en bonne santé et de découvrir comment sa nouvelle reine était vêtue.

Un roi était un personnage lointain. En théorie, il était tout-puissant, mais dans les faits, les édits issus d'une lointaine cour royale ne pouvaient pas toujours être appliqués. Bien souvent, les décisions des seigneurs locaux affectaient davantage la vie quotidienne. La situation changeait cependant quand le roi arrivait en ville. Les tyrans comme Wynstan et Wigelm pouvaient difficilement passer outre un édit royal prononcé devant plusieurs milliers de sujets. Les victimes d'injustices espéraient obtenir réparation à l'occasion des visites du monarque.

Ethelred apparut enfin avec la reine Emma. Les manants s'agenouillèrent et les nobles s'inclinèrent. Tous s'écartèrent pour laisser le couple royal rejoindre ses sièges.

Âgée de dix-huit ans, Emma était jeune et belle. Ragna ne la trouva pas très changée depuis la dernière fois qu'elle l'avait vue, six ans auparavant, si ce n'est qu'à présent elle était enceinte. Ragna sourit et Emma la reconnut aussitôt. À sa grande joie, la reine s'empressa de la rejoindre et de l'embrasser.

« Quelle joie de voir un visage familier ! » lui dit-elle en franco-normand.

Ragna était transportée de voir la reine lui témoigner son amitié devant ceux qui l'avaient si cruellement traitée. Elle lui répondit dans la même langue.

« Félicitations pour votre mariage. Je suis si heureuse que vous soyez reine d'Angleterre.

— Nous allons être de grandes amies.

— Je l'espère – à condition qu'ils ne me remettent pas en prison.

— Ils n'en feront rien – si je peux l'éviter. »

Emma se détourna et alla se rasseoir. Elle adressa quelques mots d'explication à Ethelred, qui hocha la tête et sourit à Ragna.

C'était un bon début. L'amitié d'Emma lui réchauffait le cœur, mais elle se rappela en tremblant les mots qu'elle avait prononcés : *si je peux l'éviter*. De toute évidence, Emma n'était pas certaine de pouvoir peser sur le cours des événements. De plus, elle était jeune, peut-être trop jeune pour avoir appris les ruses que Ragna connaissait bien.

Ethelred prit la parole d'une voix sonore, mais les spectateurs les plus éloignés ne pouvaient sans doute pas l'entendre.

« Notre première tâche, et la plus importante, est de choisir un nouvel ealdorman pour Shiring. »

Aldred l'interrompit hardiment.

« Sire, l'ealdorman Wilwulf a rédigé un testament.

— Qui n'a jamais été ratifié, objecta l'évêque Wynstan.

— Wilwulf avait l'intention de vous montrer ce testament, sire, reprit Aldred, et de vous demander de l'approuver… mais avant d'avoir pu le faire, il a été assassiné dans son lit, ici même, à Shiring.

— Et où est ce testament, alors ? demanda Wynstan sans dissimuler son mépris.

— Il se trouvait dans le trésor de lady Ragna, qui lui a été dérobé quelques minutes après la mort de Wilwulf.

— Un testament inexistant, autrement dit. »

La foule appréciait le spectacle : une joute oratoire entre deux hommes de Dieu, dès le début de l'audience de surcroît. Mais Ragna intervint.

« Pas du tout, dit-elle. Plusieurs copies ont été réalisées. En voici une, sire. »

Tirant le parchemin plié du corsage de sa robe, elle le tendit à Ethelred. Il le prit sans le déplier pour autant.

« On aurait aussi bien pu en faire une centaine de copies – ce testament n'aurait aucune valeur, s'obstina Wynstan.

— Comme vous le verrez en consultant ce document, sire, poursuivit Ragna, mon époux souhaitait que le titre d'ealdorman revienne à notre fils aîné, Osbert…

— Un enfant de quatre ans ! railla Wynstan.

— … et que j'exerce la régence jusqu'à ce qu'il ait atteint l'âge requis.

— Il suffit ! » coupa Ethelred. Il se tut, et tous demeurèrent silencieux un moment. Ayant ainsi affirmé son pouvoir, il reprit : « En des temps tels que ceux que nous vivons, un ealdorman doit avoir la capacité de mobiliser une armée et de mener ses hommes au combat. »

Un murmure d'assentiment monta des rangs des nobles. Ragna comprit que, s'ils la tenaient en haute estime, ils ne la considéraient pas comme un chef militaire crédible. Cela ne la surprit pas outre mesure.

« À cet égard, sire, intervint Wynstan, mon frère Wigelm a récemment fait ses preuves en assemblant une armée pour combattre à votre côté à Exeter.

— C'est un fait », convint Ethelred.

La bataille d'Exeter s'était achevée par une défaite, et les Vikings avaient pillé la ville avant de rentrer chez eux, mais Ragna s'abstint de relever ce détail. Elle avait compris que la discussion ne lui serait pas favorable. Le roi ne confierait pas à une femme le pouvoir sur les hommes de Shiring au lendemain d'une victoire des Vikings. Au demeurant, elle n'avait guère espéré l'emporter.

Elle avait perdu la première manche. Mais peut-être pourrait-elle tirer profit de cette décision, se dit-elle ; peut-être Ethelred souhaiterait-il lui accorder une concession après avoir donné l'avantage à Wigelm.

Elle avait retrouvé son habileté de stratège, constata-t-elle. La torpeur de la détention se dissipait rapidement. Elle se sentit revigorée.

« Sire, dit alors Aldred, Wigelm et Wynstan ont tenu lady Ragna prisonnière pendant près d'un an, ils se sont emparés de ses terres du val d'Outhen, ils ont fait main basse sur ses revenus et ont refusé de lui restituer la dot qui lui revenait de droit. Je vous demande aujourd'hui de protéger cette noble veuve contre la rapacité de ses beaux-frères. »

Ragna comprit qu'Aldred accusait à demi-mot Ethelred d'avoir failli à son devoir de protecteur des veuves.

Ethelred se tourna vers Wigelm et lui demanda, d'une voix où perçait la colère :

« Est-ce vrai ? »

Ce fut Wynstan qui lui répondit.

« Lady Ragna souhaitait s'isoler de tous pour pleurer son défunt époux. Nous n'avons fait que lui accorder notre protection.

— Mensonges ! s'écria Ragna, indignée. Ma porte était barricadée de l'extérieur ! J'étais votre prisonnière.

— Si la porte était barrée, reprit Wynstan d'une voix mielleuse, c'était pour empêcher les enfants d'aller se perdre dans la forêt. »

C'était une piètre excuse, mais Ethelred l'accepterait-il ?

Le roi n'hésita pas un instant.

« Enfermer une femme n'est pas la protéger. »

Il ne s'en laissait pas conter facilement, constata Ragna.

« Avant de confirmer Wigelm dans ses fonctions d'ealdorman, poursuivit le roi, je demanderai à Wigelm et à Wynstan de jurer solennellement qu'ils ne chercheront plus à emprisonner lady Ragna. »

Ragna savoura un instant de profond soulagement. Elle était libre – pour l'instant du moins : il était toujours possible de violer un serment.

« Et maintenant, poursuivit Ethelred, expliquez-moi cette histoire du val d'Outhen ? Il me semblait qu'elle avait reçu ces terres dans le cadre de son contrat de mariage.

— Certes, acquiesça Wynstan. Mais mon frère Wilwulf n'avait pas le droit de les lui céder.

— C'est vous qui avez négocié le contrat de mariage avec mon père ! s'écria Ragna, indignée. Comment pouvez-vous le renier aujourd'hui ?

— Ces terres appartiennent à ma famille depuis des temps immémoriaux, déclara Wynstan d'un air onctueux.

— Ce n'est pas exact », objecta le roi.

Tous ouvrirent de grands yeux. Cette intervention était inattendue.

« Mon père en a fait don à votre grand-père, précisa le roi.

— Peut-être certaines légendes…, commença Wynstan.

— Il ne s'agit pas de légendes, coupa le roi. C'est le premier acte royal dont j'aie été témoin. »

Pour Ragna, c'était une chance inespérée.

« J'avais alors neuf ans, continua le roi. Puisque j'en ai trente-six aujourd'hui, on ne saurait parler de temps immémoriaux. » Les nobles s'esclaffèrent.

Wynstan avait pâli – de toute évidence, il ignorait l'histoire de ces terres.

« Lady Ragna conservera la propriété du val d'Outhen et de tous ses revenus, déclara Ethelred d'une voix ferme.

— Je vous remercie, sire, dit Ragna éperdue de reconnaissance. Et ma dot ?

— Une veuve est en droit d'exiger la restitution de sa dot, confirma le roi. Quel en était le montant ?

— Vingt livres d'argent.

— Wigelm versera donc cette somme à Ragna. »

Furieux, Wigelm resta muet.

« Tout de suite, Wigelm, reprit le roi. Allez chercher vingt livres.

— Je ne crois pas posséder pareil montant.

— Dans ce cas, vous n'êtes pas un bon ealdorman. Peut-être devrais-je revoir ma décision.

— Je vais vérifier tout de suite. » Wigelm s'éloigna à grands pas.

« Une chose encore, reprit Ethelred en s'adressant à Ragna. Qu'allons-nous faire de vous et de l'enfant que vous portez ?

— Je désire vous présenter une requête, sire. Je vous supplie de ne prendre aucune décision à ce sujet aujourd'hui. » C'était la tactique que lui avait suggérée Aldred, et Ragna avait fini par en comprendre la sagesse. « J'aimerais me retirer au couvent de l'île aux Lépreux pour y donner le jour à mon enfant et bénéficier des soins de mère Agatha et de ses nonnes. Avec votre permission, je partirai dès demain matin. Je vous implore d'attendre la naissance de l'enfant pour décider de mon avenir. » Elle retint son souffle.

Aldred reprit alors la parole.

« Si je puis me permettre, sire, toute décision que vous prendriez aujourd'hui risquerait d'être compromise par le caractère imprévisible d'une naissance. Le ciel nous en préserve, mais l'enfant pourrait ne pas survivre. Et s'il survit, la situation ne sera pas la même s'il s'agit d'un garçon ou d'une fille. Pis encore, la mère pourrait mourir en couches. Toutes ces choses sont entre les mains du Seigneur. Ne serait-il pas sensé d'attendre ? »

Ethelred n'avait pas besoin d'être convaincu. Il paraissait même soulagé de ne pas avoir à trancher.

« Qu'il en soit ainsi, dit-il. Nous réexaminerons la situation de lady Ragna après la naissance de son enfant. Le shérif Den sera responsable de sa sécurité lorsqu'elle se rendra à Dreng's Ferry. »

Ragna avait obtenu tout ce qu'elle pouvait raisonnablement espérer. Elle était libre de quitter Shiring dès le matin, avec suffisamment d'argent pour garantir son indépendance. Les religieuses lui offriraient un asile sacré. Elle s'expliquerait avec Edgar et ils échafauderaient un plan ensemble.

Il ne lui avait pas échappé que le roi s'était abstenu de réagir à l'accusation d'enlèvement lancée par Aldred. Et personne n'avait parlé de viol. Mais elle s'y était attendue. Ethelred ne pouvait pas accuser Wigelm d'un tel crime après l'avoir désigné comme ealdorman. Les autres décisions du roi lui apportaient cependant un tel soulagement qu'elle était prête à accepter l'ensemble sans ergoter.

Wigelm revint, suivi de Cnebba chargé d'un petit coffre qu'il posa devant Ethelred.

« Ouvrez-le », ordonna le roi.

Il contenait plusieurs sacs de cuir emplis de pièces.

Ethelred désigna la balance posée sur la table.

« Pesez ces pièces. »

Ragna sentit soudain un vif élancement dans son ventre. Elle se figea. Cette douleur avait quelque chose de familier. Elle l'avait déjà éprouvée, et savait ce qu'elle signifiait.

L'enfant était sur le point de naître.

*

Ragna l'appela Alain. Elle souhaitait lui donner un nom français, car un nom anglais lui aurait rappelé le père anglais du petit. De plus, ce nom ressemblait à un mot signifiant « beau » en langue bretonne.

Alain était beau. Tout nouveau-né est superbe aux yeux de sa mère, mais c'était le quatrième enfant de Ragna et elle se croyait capable d'une certaine objectivité. Alain avait un teint rose éclatant de santé, d'abondants cheveux noirs et de grands yeux bleus qui regardaient le monde d'un air étonné, comme s'il était intrigué par son étrangeté.

Il pleurait bruyamment quand il avait faim, tétait avidement et s'endormait aussitôt comme s'il respectait un emploi du temps qu'il jugeait parfaitement raisonnable. Elle se rappela à quel point Osbert, son premier-né, lui avait paru imprévisible et incompréhensible, et se demanda si les enfants étaient vraiment aussi différents que cela. Peut-être était-ce elle qui avait changé, gagnant en assurance et en sérénité.

L'accouchement avait été difficile, mais moins pénible et moins douloureux que les précédents, ce dont elle était heureuse. Le seul reproche qu'elle pouvait faire à Alain, c'était d'être arrivé trop tôt. Elle n'avait pas eu le temps d'aller se réfugier à Dreng's Ferry. Elle comptait tout de même s'y rendre bientôt pour se reposer, et Den lui avait appris que le roi Ethelred avait donné son accord.

Cat était aussi ravie que si c'était elle qui avait donné le jour à Alain. Les enfants observaient ce dernier avec curiosité et non sans un certain ressentiment, comme s'ils doutaient qu'il y eût de la place pour un nouveau petit frère.

L'admiration de Gytha, la mère de Wynstan et de Wigelm, fut moins appréciée. Elle était entrée chez Ragna pour s'extasier sur le nouveau-né, et Ragna n'eut pas le cœur de lui interdire de le prendre dans ses bras : c'était sa grand-mère, et qu'il fût le fruit d'un viol n'y changeait rien.

Néanmoins, elle se sentit mal à l'aise en voyant Alain dans les bras de Gytha. Elle avait la désagréable impression que celle-ci affirmait ainsi une sorte de droit de propriété.

« Le tout nouveau membre de la famille, s'exclama Gytha, et qu'il est beau !

— C'est l'heure de la tétée », dit Ragna en le reprenant.

Elle lui donna le sein et il se mit à téter avec enthousiasme. Elle avait pensé que Gytha prendrait congé, mais elle s'assit pour regarder, comme si elle voulait s'assurer que sa belle-fille s'y prenait correctement. Lorsque l'enfant cessa de boire, il régurgita un peu de lait et – à la grande surprise de Ragna – Gytha se pencha pour lui essuyer le menton avec la manche de sa coûteuse robe de laine. C'était un geste d'affection sincère.

Pourtant, Ragna ne lui faisait toujours pas confiance.

Quelques minutes plus tard, un de ses gardes du corps passa la tête par l'entrebâillement de la porte et demanda :

« Voulez-vous voir l'ealdorman Wigelm ? »

C'était la dernière personne au monde qu'elle souhaitait voir, mais elle jugea préférable de savoir ce qu'il mijotait.

« Qu'il entre, acquiesça-t-elle, mais seul – je ne veux pas de ses soudards. Et reste auprès de moi durant sa visite. »

À ces mots, le visage de Gytha se durcit.

Wigelm fit son entrée, l'air offusqué.

« Voyez-vous, mère ? dit-il à Gytha. Je dois tolérer d'être interrogé par une sentinelle avant d'être autorisé à voir mon fils ! »

Ses yeux se rivèrent sur la poitrine dénudée de Ragna.

« Je serais bien insensée de vous faire confiance », lui rétorqua celle-ci.

Elle écarta Alain de sa poitrine, mais comme il avait encore faim et se mit à pleurer, elle dut le remettre au sein et supporter les regards lubriques de Wigelm.

« Je suis l'ealdorman ! proclama-t-il.

— Vous êtes le violeur. »

Gytha émit un grognement réprobateur, comme si Ragna avait fait un commentaire discourtois. Mes propos l'étaient bien moins que les agissements de votre fils, songea la jeune femme, s'étonnant intérieurement qu'une personne qui s'était abstenue de condamner un viol se froisse ensuite qu'on en parle.

Wigelm semblait sur le point de poursuivre, mais il se ravisa et ravala sa réplique. Il inspira profondément.

« Je ne suis pas venu ici pour me quereller avec vous.

— Pourquoi êtes-vous venu, alors ? »

Il parut mal à l'aise. Il s'assit, puis se releva.

« Pour parler de l'avenir », dit-il sans préciser davantage.

Qu'est-ce qui le tracassait ? Ragna devina qu'il était incapable d'appréhender la politique menée par un souverain. S'il comprenait la brutalité et la coercition, la nécessité pour un monarque de préserver l'équilibre entre des forces antagonistes dépassait ses capacités intellectuelles. Mieux valait s'adresser à lui en termes simples.

« Mon avenir n'a rien à voir avec vous », déclara-t-elle.

Wigelm se gratta la tête, défit sa ceinture puis la resserra, se frotta le menton et lâcha enfin :

« Je veux vous épouser. »

Ragna sentit un poing glacé lui étreindre le cœur.

« Jamais, répliqua-t-elle. Je vous prie de ne plus en parler.

— Mais je vous aime. »

Le mensonge était si grossier qu'elle faillit en rire.

« Vous ne savez même pas ce que cela veut dire.

— Tout sera différent, je vous le jure.

— Ah... » Elle jeta un regard à Gytha, puis à Wigelm.

« Vous ne demanderez donc plus à vos hommes d'armes de me maîtriser pendant que vous me foutrez ? »

Gytha émit un nouveau murmure réprobateur.

« Bien sûr que non, protesta Wigelm d'une voix indignée, comme s'il était incapable d'imaginer pareille brutalité.

— Voilà le genre de promesse qu'une femme rêve d'entendre.

— Vous ne voulez pas faire partie de notre famille ? demanda Gytha.

— Non ! fit Ragna en lui lançant un regard stupéfait.

— Mais pourquoi ?

— Comment pouvez-vous me poser une telle question ?

— Pourquoi ne pouvez-vous pas nous éviter vos sarcasmes ? » interrogea Wigelm.

Ragna inspira profondément.

« Parce que je ne vous aime pas, parce que vous ne

m'aimez pas et parce que cette idée de mariage est tellement grotesque que je ne peux même pas faire semblant de vous prendre au sérieux. »

Wigelm fronça les sourcils, cherchant à comprendre ses propos : elle avait déjà remarqué qu'il avait du mal à saisir le sens des phrases trop longues.

« C'est donc votre réponse, conclut-il enfin.

— Ma réponse est non. »

Gytha se leva.

« Nous aurons essayé », dit-elle.

Puis elle sortit avec Wigelm.

Ragna fronça les sourcils. Cette réplique était inattendue.

Alain s'était endormi sur son sein. Elle le reposa dans son berceau et réajusta le corsage de sa robe. Du lait maculait le tissu, mais elle ne s'en inquiéta pas : en ce moment, elle préférait n'être pas trop séduisante.

Elle médita sur ces paroles : *Nous aurons essayé.* Pourquoi Gytha avait-elle dit cela ? Cela ressemblait à une menace voilée, comme si elle voulait dire : *Ne nous reprochez pas ce qui va se passer.* Mais que pouvait-il se passer ?

Elle l'ignorait, et cela l'inquiétait.

*

Wynstan et Gytha allèrent voir le roi Ethelred, qui résidait dans la maison commune. Wynstan n'éprouvait pas son assurance habituelle. Le souverain était imprévisible. En temps ordinaire, Wynstan était capable de pressentir comment les gens réagiraient à un problème donné : il n'était pas difficile d'anticiper ce qu'ils allaient faire pour obtenir ce qu'ils voulaient. Mais les défis posés par le roi étaient bien plus complexes.

Il toucha la croix suspendue sur son torse comme pour implorer l'assistance divine.

Ils trouvèrent Ethelred en grande conversation avec un de ses secrétaires. La reine Emma n'était pas là. Ethelred leva la main pour faire signe aux visiteurs d'attendre qu'il ait fini. Wynstan et Gytha patientèrent à quelques pas de lui tandis qu'il réglait l'affaire en cours. Puis le secrétaire prit congé et Ethelred leur fit signe d'avancer.

« Sire, commença Wynstan, l'enfant de mon frère Wigelm et de lady Ragna est un petit garçon en pleine santé qui semble avoir toutes les chances de survivre.

— Fort bien ! se réjouit Ethelred.

— C'est une bonne nouvelle, en effet, mais elle risque de déstabiliser le comté de Shiring.

— Comment cela ?

— Primo, vous avez autorisé Ragna à se rendre au couvent de Dreng's Ferry. Elle y échappera évidemment à l'influence de l'ealdorman. Secundo, elle est la mère de l'unique enfant de l'ealdorman. Tertio, même si ce nouveau-né devait périr, Ragna a également avec elle les trois jeunes fils de Wilwulf.

— Je vois où vous voulez en venir, dit le roi. Vous pensez qu'elle pourrait prendre la tête d'une rébellion contre Wigelm. Certains pourraient prétendre que ses enfants sont les vrais héritiers du titre. »

Wynstan était soulagé que le roi l'ait compris aussi vite.

« En effet, sire.

— Et que proposez-vous pour éviter cela ?

— Il n'y a qu'une solution. Que Ragna épouse Wigelm. Ainsi celui-ci n'aurait plus de rivaux.

— Cela résoudrait évidemment tous les problèmes, convint Ethelred. Cependant, je ne l'autoriserai pas.

— Mais pourquoi ? s'écria Wynstan.

— D'abord, parce qu'elle est décidée à n'en rien faire. Elle pourrait refuser son consentement.

— Laissez-moi m'occuper de cela», proposa Wynstan. Il savait obliger ses semblables à faire ce qu'ils n'avaient pas envie de faire.

Ethelred afficha un air réprobateur mais s'abstint de tout commentaire.

«Ensuite, poursuivit-il, parce que j'ai promis à mon épouse que je n'accepterais aucun mariage forcé.»

Wynstan lâcha un petit rire entendu, d'homme à homme.

«Sire, la promesse faite à une femme…

— Vous ne savez pas grand-chose du mariage, n'est-ce pas, monseigneur ?»

Wynstan inclina la tête.

«En effet, sire.

— Je n'ai pas l'intention de trahir la promesse faite à mon épouse.

— Je comprends.

— Vous pouvez repartir. Tâchez de trouver une autre solution.»

Ethelred détourna la tête pour signifier que l'entretien était terminé.

Wynstan et Gytha s'inclinèrent et sortirent.

Dès qu'ils furent hors de portée de voix, Wynstan cracha :

«Ainsi, ces garces normandes se serrent les coudes !»

Gytha resta coite. Wynstan se tourna vers sa mère. Elle était plongée dans ses réflexions.

Ils se rendirent chez elle et elle servit un gobelet de vin à son fils.

«Je ne sais plus quoi faire, avoua-t-il après avoir avalé une gorgée.

— J'aurais bien une idée», murmura Gytha.

*

Entrant dans la maison de Ragna, Wynstan déclara: « Nous devons parler sérieusement. »

Elle lui jeta un regard soupçonneux. Il voulait quelque chose, c'était évident.

« Ne me demandez pas d'épouser votre frère, dit-elle.

— J'ai l'impression que vous ne comprenez pas votre situation. »

Il était arrogant comme toujours, mais elle le vit effleurer sa croix pectorale. Elle y perçut un signe d'embarras qui ne lui était pas coutumier.

« Éclairez-moi, dans ce cas.

— Vous pouvez partir d'ici quand vous le souhaiterez.

— C'est ce qu'a dit le roi.

— Et emmener les enfants de Wilwulf avec vous. »

Elle mit quelques instants à comprendre le sens caché de cette remarque, mais quand elle le saisit, elle fut horrifiée.

« J'emmènerai *tous* mes enfants ! s'écria-t-elle. Alain compris.

— Nous ne vous offrons pas cette possibilité. » Wynstan toucha à nouveau sa croix. « Vous pouvez quitter Shiring, mais vous ne pouvez pas emmener le fils unique de l'ealdorman.

— C'est mon enfant !

— J'en conviens, et il est parfaitement naturel que vous souhaitiez l'élever vous-même. C'est pourquoi vous devez épouser Wigelm.

— Jamais !

— Dans ce cas, vous devrez laisser l'enfant ici. Il n'y a pas d'alternative. »

Une boule glaciale se forma dans le ventre de Ragna.

Involontairement, elle se tourna vers le berceau, comme pour s'assurer qu'Alain s'y trouvait toujours. Il dormait à poings fermés.

« C'est un bel enfançon, fit Wynstan d'une voix mielleuse. Même moi je puis le constater. »

Il y avait quelque chose de si malveillant dans ce compliment forcé que Ragna en eut la nausée.

« Je dois l'élever, fit-elle valoir. Je suis sa mère.

— Il ne manque pas de mères ici. Gytha, ma propre mère, ne demande qu'à s'occuper de son premier petit-fils.

— Pour qu'elle l'élève comme elle vous a élevés, Wigelm et vous ? lança Ragna furieuse. Pour qu'elle en fasse un homme violent et égoïste ! »

À sa grande surprise, Wynstan se leva.

« Prenez votre temps, conseilla-t-il. Réfléchissez bien. Et faites-nous connaître votre décision. »

Il sortit.

Ragna était consciente de devoir faire front immédiatement et avec force.

« Cat, dit-elle. Va voir si la reine Emma peut me recevoir le plus vite possible. »

Cat s'éloigna, et Ragna s'abîma dans ses pensées. Lui avait-on accordé une fausse liberté ? Ne pouvoir partir d'ici qu'en abandonnant son nouveau-né n'avait rien d'une libération. Ethelred n'avait certainement pas approuvé pareille infamie.

Ragna s'attendait à voir revenir Cat porteuse d'un message de la reine lui indiquant quand elle pourrait la rencontrer, mais lorsque Cat fit son apparition, elle dit d'une voix essoufflée :

« Dame Ragna, la reine est ici. »

Emma entra.

Ragna se leva et s'inclina, puis Emma l'embrassa.

« Je viens de voir l'évêque Wynstan, annonça Ragna.

Il prétend que si je refuse d'épouser Wigelm, ils me prendront mon enfant.

— Oui, acquiesça Emma. Gytha m'a expliqué tout cela. »

Ragna fronça les sourcils. Gytha avait dû rendre visite à Emma au moment même où Wynstan allait parler à Ragna. Une action planifiée et concertée.

« Le roi en est-il informé ? demanda-t-elle.

— Oui », répéta Emma.

Ragna fut prise de terreur en voyant l'expression de la reine. Elle avait beau paraître soucieuse, son visage ne trahissait ni horreur ni alarme. C'était de la pitié qu'elle lisait sur ses traits et elle en fut transie d'effroi.

Elle avait l'impression de perdre une nouvelle fois la maîtrise de sa vie.

« Mais le roi m'a libérée. Qu'est-ce que cela signifie ?

— Cela signifie que vous ne serez pas emprisonnée, et que le roi ne vous obligera pas à épouser un homme que vous détestez ; mais vous ne pouvez pas retirer son fils à l'ealdorman. Son fils unique, si j'ai bien compris.

— Autrement dit, je ne suis absolument pas libre !

— Vous avez un choix difficile à faire. Je n'avais pas prévu cela. » La reine se dirigea vers la porte. « J'en suis profondément navrée. » Et elle sortit.

Ragna avait l'impression de vivre un cauchemar. L'espace d'un instant, elle envisagea d'accepter la première solution et d'abandonner son enfant à Gytha. Tout, plutôt que d'épouser le répugnant Wigelm. Après tout, Alain était le fruit d'un viol. Mais dès qu'elle le regarda, dormant paisiblement dans son berceau, elle sut qu'elle serait incapable de se séparer de lui, dût-elle épouser cinq Wigelm.

Edgar entra. Elle le reconnut à travers ses larmes. Elle se leva et il la prit dans ses bras.

« C'est vrai ? s'inquiéta-t-il. Tout le monde dit que vous devrez épouser Wigelm ou abandonner Alain !

— C'est vrai, confirma Ragna dont les pleurs mouillèrent la tunique d'Edgar.

— Qu'allez-vous faire ? » demanda-t-il.

Ragna garda le silence.

« Qu'allez-vous faire ? répéta-t-il.

— Abandonner mon enfant », répondit-elle.

*

« Non, il n'en est pas question ! s'écria Wynstan avec colère.

— C'est pourtant ce qu'elle fait, répliqua Wigelm. Edgar l'aide à déménager toutes ses affaires. Elle est décidée à abandonner le nouveau-né.

— Il lui restera les trois fils de Wilwulf. Les gens diront que ce sont eux les vrais héritiers. Nous ne sommes guère mieux lotis.

— Il faut la tuer, reprit Wigelm. C'est la seule façon de nous débarrasser d'elle. »

Ils se trouvaient dans la maison de leur mère, et celle-ci les interrompit.

« Vous ne pouvez pas tuer Ragna. Pas sous le nez du roi. Il sera obligé de vous demander des comptes.

— Nous pourrions rejeter la faute sur un tiers. »

Gytha secoua la tête.

« Personne ne vous a vraiment crus la dernière fois. Cette fois-ci, les gens ne feront même pas semblant.

— Il suffit d'attendre le départ du roi pour agir, suggéra Wigelm.

— Imbécile, lança Wynstan, Ragna sera déjà à l'abri au couvent de l'île aux Lépreux.

— Mais alors, qu'allons-nous faire ?

— Commencer par nous calmer, dit Gytha.

— À quoi bon ? grommela Wigelm.
— Tu verras. Un peu de patience. »

*

Edgar et Ragna passèrent la nuit ensemble dans la maison de celle-ci. Ils s'allongèrent sur les joncs, s'étreignirent mais ne firent pas l'amour : ils étaient beaucoup trop abattus. Edgar chercha à se consoler en serrant Ragna entre ses bras. Elle se pressa contre lui avec une ardeur pleine d'amour mais aussi de désespoir.

Elle allaita son bébé deux fois durant la nuit. Edgar somnola mais il la soupçonnait de ne pas avoir fermé l'œil. Ils se levèrent dès les premières lueurs de l'aube.

Edgar se rendit au centre du bourg où il loua deux charrettes pour le voyage. Il les fit conduire au domaine et les rangea devant la maison de Ragna. Pendant que les enfants prenaient leur petit déjeuner, il chargea le plus gros des bagages sur la première. Il disposa coussins et couvertures sur l'autre, afin que les femmes et les enfants puissent s'y asseoir. Il sella Lambourde et attacha une longe au licol d'Astrid.

Il était sur le point d'obtenir ce qu'il désirait depuis des années, et pourtant, il n'avait pas le cœur à s'en réjouir. Il espérait que Ragna finirait par se remettre de la perte d'Alain, mais craignait qu'il ne lui faille longtemps.

Tous portaient leurs chaussures et leurs vêtements de voyage. Gilda et Winthryth les accompagnaient, ainsi que Cat et les gardes du corps. Ils sortirent de la maison, Ragna tenant Alain dans ses bras.

Gytha attendait, prête à le lui prendre.

Enfants et serviteurs montèrent dans la charrette. Tous les regards se tournèrent vers Ragna.

Elle se dirigea vers Gytha, Edgar à ses côtés. Elle hésita. Elle jeta un regard à Edgar, puis à Gytha, et enfin au nourrisson blotti dans ses bras. Les larmes ruisselaient sur ses joues. Elle se détourna de Gytha, puis la regarda à nouveau. Gytha tendit les bras, mais Ragna ne la laissa pas prendre le petit. Elle resta longtemps immobile.

« Je ne peux pas », dit-elle enfin à Gytha.

Puis, se tournant vers Edgar, elle murmura : « Pardon. »

Serrant Alain contre son sein, elle rentra alors dans la maison.

*

Le mariage fut un grand événement. Il attira du monde de tout le sud de l'Angleterre. Un conflit dynastique d'importance avait été réglé et tous souhaitaient se mettre dans les bonnes grâces des vainqueurs.

Wynstan parcourut la grande salle du regard avec un sentiment de profonde satisfaction. Les tréteaux croulaient sous les fruits d'un bel été et d'une riche moisson : pièces de viande, miches de pain frais, pyramides de fruits et de noix, jarres de vin et de bière.

Tous se bousculaient pour présenter leurs respects à l'ealdorman Wigelm et à sa famille. Assis à côté de la reine Emma, Wigelm affichait un sourire suffisant. Il ferait un dirigeant peu inspiré mais ferme et même brutal au besoin, et, sous la tutelle de Wynstan, il prendrait les bonnes décisions.

Et il était désormais l'époux de Ragna. Wynstan était certain qu'il ne l'avait jamais aimée, mais il la désirait comme un homme désire une femme pour la seule raison qu'elle le repousse. Leur vie conjugale ne pouvait qu'être malheureuse.

Ragna était le seul obstacle de Wynstan sur le chemin du pouvoir, et il l'avait éliminé. Elle était assise à la table d'honneur, à côté du roi, son enfant dans les bras, et on aurait cru à la voir qu'elle était sur le point d'attenter à ses jours.

Le roi semblait satisfait de sa visite à Shiring. Envisageant la situation du point de vue du monarque, Wynstan songea qu'Ethelred devait être ravi d'avoir désigné le nouvel ealdorman et réglé le sort de la veuve du précédent, d'avoir réparé les torts subis par Ragna tout en l'empêchant de fuir avec le fils de l'ealdorman, et tout cela sans effusion de sang.

Le camp de Ragna était chichement représenté. Le shérif Den était là, l'air profondément écœuré, mais Aldred avait regagné son petit prieuré et Edgar avait disparu. Peut-être était-il allé s'occuper de la carrière de Ragna à Outhenham, mais en aurait-il eu envie alors que l'amour de sa vie venait d'épouser un autre homme ? Wynstan l'ignorait et ne s'en souciait guère.

S'y ajoutait une bonne nouvelle médicale. Son chancre avait disparu. Cette lésion l'avait terrifié, surtout quand les putains lui avaient affirmé que cela pouvait être un signe avant-coureur de la lèpre, mais de toute évidence, cela n'avait été qu'une fausse alerte et il était en parfaite santé.

Mon frère est l'ealdorman et moi je suis évêque, pensa Wynstan non sans fierté. Et nous n'avons même pas quarante ans, ni l'un ni l'autre.

Ce n'est encore qu'un début.

*

Debout sur la berge, Edgar et Aldred contemplaient le hameau. La foire de la Saint-Michel battait son plein. Des centaines de gens traversaient le pont, faisaient leurs emplettes et défilaient pour voir les os du saint. Ils riaient et bavardaient, heureux de dépenser le peu d'argent qu'ils possédaient.

« Le bourg est florissant, remarqua Edgar.

— J'en suis très heureux », renchérit Aldred, mais des larmes coulaient sur ses joues.

Edgar était aussi ému que gêné. Il savait depuis des années qu'Aldred était amoureux de lui, bien qu'il n'en eût jamais rien dit.

Edgar détourna les yeux. Son radeau était amarré à la berge en aval du pont. Lambourde, sa jument, était déjà à bord, ainsi que sa hache viking, tous ses outils et un coffre contenant quelques biens précieux, dont le livre que lui avait offert Ragna. Il ne manquait que Brindille, sa chienne, qui était morte de vieillesse.

C'était la goutte d'eau qui avait fait déborder le vase. Il envisageait déjà de quitter Dreng's Ferry, et la disparition de Brindille avait achevé de le décider.

Aldred s'essuya les yeux d'un revers de manche.

« Dois-tu vraiment partir ? demanda-t-il.

— Oui.

— La Normandie est si loin. »

Edgar avait prévu de descendre le fleuve en radeau jusqu'à Combe puis de prendre un bateau pour Cherbourg. Il y verrait le comte Hubert et lui apprendrait que Ragna avait épousé Wigelm. En échange de ces nouvelles, il lui demanderait de lui indiquer un grand chantier de construction. On lui avait dit qu'un bon artisan trouvait facilement du travail en Normandie.

« Je veux m'éloigner le plus possible de Wigelm, de Wynstan, de Shiring… et de Ragna. »

Edgar n'avait pas revu celle-ci depuis le mariage. Il avait essayé, mais des serviteurs l'en avaient empêché. De toute façon, il ne savait pas ce qu'il lui aurait dit. On lui avait imposé un choix difficile, et elle avait pensé d'abord à son enfant, comme l'auraient fait la plupart des femmes. Edgar avait le cœur brisé, mais il ne pouvait pas lui en vouloir.

« Ragna n'est pas la seule personne à t'aimer, remarqua Aldred.

— Je vous aime beaucoup, répondit Edgar. Mais pas de la façon dont vous l'entendez, vous le savez bien.

— C'est tout ce qui me préserve du péché.

— Oui. »

Aldred prit la main d'Edgar et la baisa.

« Dreng devrait vendre le bac, reprit Edgar. Ragna le lui achèterait sans doute pour Outhenham. Ils n'en ont pas là-bas.

— Je le lui suggérerai. »

Edgar avait fait ses adieux à sa famille et aux villageois. Plus rien ne le retenait ici.

Il détacha le radeau, embarqua et s'éloigna de la rive d'un coup de perche.

Prenant de la vitesse, il passa devant la ferme familiale. Sur ses conseils, Erman et Eadbald construisaient un moulin à eau, copiant celui qu'ils avaient observé plus loin en aval. C'étaient des artisans compétents ; ils avaient retenu les leçons de leur père. Ils étaient devenus des hommes prospères, qui occupaient une place importante dans le bourg. Ils le saluèrent au passage, et il remarqua que tous deux gagnaient en embonpoint. Il leur rendit leur salut. Wynswith et Beorn, sa nièce et son neveu, allaient lui manquer.

Le radeau descendait le fleuve à vive allure. Il ferait plus chaud et plus sec en Normandie qu'en Angleterre, se dit-il, car la région se trouvait plus au sud. Il pensa aux quelques mots de français qu'il avait appris en écoutant Ragna parler avec Cat. Il connaissait aussi un peu de latin, grâce aux leçons d'Aldred. Il s'en sortirait.

Ce serait le début d'une vie nouvelle.

Il jeta un dernier regard derrière lui. Son pont dominait le paysage. Il avait changé le hameau de façon spectaculaire. La plupart des gens avaient du reste cessé d'employer l'ancien nom de Dreng's Ferry.

Ils l'appelaient aujourd'hui King's Bridge.

Quatrième partie

LA VILLE

Années 1005 à 1007

38

Novembre 1005

La nef de la cathédrale de Canterbury était sombre et froide en cet après-midi de novembre. La scène était éclairée par des chandelles à la flamme vacillante, qui dessinaient des ombres pareilles à des fantômes fébriles. Dans le chœur, la partie la plus sacrée de l'édifice, l'archevêque Elfric se mourait lentement. Ses mains pâles serraient un crucifix en argent posé sur son cœur. Ses yeux étaient ouverts mais bougeaient à peine. Son souffle était régulier bien que ténu. Il semblait apprécier les psalmodies des moines qui l'entouraient, car il fronçait les sourcils dès qu'ils s'interrompaient.

L'évêque Wynstan resta un long moment agenouillé en prière aux pieds de l'archevêque. Lui-même se sentait malade. Il avait la migraine. Il dormait mal. Il était courbatu comme un vieillard bien qu'il n'eût que quarante-trois ans. Et il avait au-dessus de la clavicule une vilaine grosseur rouge qu'il dissimulait en refermant sa houppelande sur sa gorge.

Dans cet état, il aurait préféré ne pas parcourir l'Angleterre en plein hiver, mais il avait une excellente raison de le faire. Il voulait être le prochain archevêque de Canterbury, ce qui ferait de lui l'ecclésiastique le plus important du sud du pays. Or la lutte pour le pouvoir ne pouvait se livrer à distance : il devait être sur place.

Il estima qu'il avait prié assez longtemps pour convaincre les moines de la piété et du respect qui l'habitaient. Il se releva et fut soudain pris de vertige. Tendant le bras, il réussit à prendre appui sur un pilier pour ne pas tomber. Il était furieux : la faiblesse lui faisait horreur. Durant toute sa vie d'adulte, il avait été l'image même de la force, celui que tous redoutaient. Et il ne fallait surtout pas que les moines de Canterbury le pensent en mauvaise santé. Ils ne voudraient pas d'un archevêque malade.

Son étourdissement ne dura qu'une minute, et il put se retourner et s'éloigner avec une lenteur pleine de révérence.

La cathédrale de Canterbury était le plus grand édifice que Wynstan eût jamais vu. Entièrement bâtie en pierre, elle était en forme de croix, avec une nef tout en longueur, un transept orienté nord-sud et un chœur de dimensions modestes. La tour dominant la croisée était surmontée d'un ange doré.

On aurait pu y faire tenir trois fois la cathédrale de Shiring.

Wynstan retrouva son cousin Degbert, l'archidiacre de Shiring, dans le transept nord. Ils se rendirent ensemble dans le cloître. Une pluie froide fouettait le quadrilatère verdoyant. À leur approche, un groupe de moines abrités dans la galerie observèrent un silence respectueux. Wynstan feignit de ne pas les avoir remarqués tout d'abord et d'être soudain arraché à ses méditations.

Il s'adressa à eux comme s'il était accablé de chagrin.

« L'âme de mon vieil ami semble réticente à quitter l'église qu'il a tant aimée. »

Il y eut quelques instants de silence, puis un jeune moine dégingandé lui demanda :

« Elfric est de vos amis ?
— Mais bien sûr, confirma Wynstan. Pardonnez-moi, frère, quel est votre nom ?
— Je m'appelle Eappa, monseigneur.
— Frère Eappa, j'ai connu notre archevêque bien-aimé lorsqu'il était évêque de la ville de Ramsbury, qui se trouve non loin de ma cathédrale de Shiring. Il m'a pour ainsi dire pris sous son aile dans ma jeunesse. Son enseignement plein de sagesse m'a inspiré une profonde reconnaissance. »

Rien de tout cela n'était vrai. Wynstan méprisait Elfric et le sentiment était certainement réciproque. Mais les moines le crurent. Il s'étonnait souvent de la facilité avec laquelle les gens se laissaient berner, surtout par des personnalités de haut rang. Des hommes aussi crédules méritaient bien leur sort.

« Que vous a-t-il enseigné en particulier ? » insista Eappa.

Wynstan improvisa aussitôt un nouveau mensonge.

« Il m'a conseillé de parler moins et d'écouter davantage, car on apprend toujours en écoutant et jamais en parlant. » Trêve de bavardages, songea-t-il. « Dites-moi, qui sera le prochain archevêque à votre avis ? »

Ce fut un autre moine qui lui répondit.

« Alphage de Winchester. »

Cet homme lui était familier. Wynstan le regarda avec plus d'attention. Il avait déjà vu ce visage rond et cette barbe brune.

« Nous nous connaissons, n'est-ce pas, frère ? interrogea-t-il avec circonspection.
— Frère Wigferth se rend régulièrement à Shiring, intervint Degbert. Canterbury possède des biens dans les terres de l'Ouest, et il vient collecter les redevances.
— Mais oui, bien sûr, frère Wigferth, quel plaisir de vous revoir. » Se rappelant que Wigferth était un

ami du prieur Aldred, Wynstan préféra être prudent.
« Pourquoi pense-t-on qu'Alphage sera le successeur de l'archevêque ?

— Elfric est un moine et Alphage aussi, répondit Wigferth. De plus Winchester est notre principale cathédrale, après celles de Canterbury et d'York.

— C'est un argument logique, approuva Wynstan, mais peut-être pas décisif.

— De plus, Alphage a ordonné la construction du célèbre orgue de Winchester, s'entêta Wigferth. Il paraît qu'on peut l'entendre à une demi-lieue de distance ! »

De toute évidence, Wigferth était un grand admirateur d'Alphage, songea Wynstan – à moins qu'étant un ami d'Aldred, il ne fût tout simplement un adversaire de Wynstan.

« La règle de saint Benoît prévoit que les moines élisent librement leur abbé, n'est-ce pas ? reprit Wynstan.

— Oui, mais Canterbury n'en a pas, répondit Wigferth. Nous sommes placés sous l'autorité de l'archevêque.

— Autrement dit, c'est l'archevêque qui fait fonction d'abbé. »

Wynstan savait que les privilèges des moines étaient mal définis. Le roi revendiquait le droit de désigner l'archevêque, et le pape également. Comme toujours, les lois importaient moins que les hommes. Il y aurait lutte, et le plus fort et le plus habile triompherait.

« Quoi qu'il en soit, poursuivit-il, il faudra un grand homme pour être à la hauteur de l'exemple laissé par Elfric. J'ai ouï dire qu'il a gouverné avec sagesse et avec justice. » Il termina sa phrase sur une note légèrement interrogative.

Eappa mordit à l'hameçon.

« Il a des idées fort strictes pour ce qui est du couchage, affirma-t-il, et les autres éclatèrent de rire.

— Comment cela ?

— Elfric pense qu'un moine doit se passer du luxe d'un matelas.

— Ah. »

Les moines dormaient souvent sur une planche, sans même une couverture pour s'étendre dessus. Maigre comme il l'était, Eappa devait trouver cela inconfortable.

« Personnellement, j'ai toujours pensé que les moines avaient besoin d'un bon sommeil, afin d'avoir les idées parfaitement claires quand ils font leurs dévotions », commenta Wynstan, et les moines approuvèrent avec enthousiasme.

Mais l'un d'eux, dénommé Forthred, qui avait des connaissances médicales, exprima son désaccord.

« On dort très bien sur une planche, estima-t-il. L'abnégation est notre mot d'ordre.

— Vous avez raison, mon frère, mais il est nécessaire de trouver un juste équilibre, n'est-ce pas ? Un moine ne doit pas manger de la viande tous les jours, c'est entendu, mais manger du bœuf une fois par semaine l'aide à prendre des forces. Un moine ne doit pas céder au plaisir d'avoir un animal familier, mais on a parfois besoin d'un chat pour chasser les souris. »

Un murmure approbateur monta du groupe de moines.

Wynstan en avait suffisamment fait pour se donner l'image d'un responsable indulgent. S'il insistait davantage, les moines le soupçonneraient de chercher à se mettre dans leurs bonnes grâces – ce qui était le cas, au demeurant. Il retourna dans l'église.

« Nous devons nous occuper de Wigferth, murmura-t-il à Degbert dès qu'ils furent hors de portée de voix.

Il pourrait prendre la tête d'une faction hostile à ma candidature.

— Il a une femme et trois enfants à Trench, lui annonça Degbert. Les paysans des environs ne savent pas qu'il est moine et le prennent pour un simple prêtre. Si nous révélions son secret ici, à Canterbury, cela ne pourrait que l'affaiblir. »

Wynstan réfléchit quelques instants puis secoua la tête.

« L'idéal serait que Wigferth ne soit pas à Canterbury le jour où les moines prendront leur décision. Je vais tâcher d'organiser cela. En attendant, allons parler au trésorier. »

Le trésorier Sigefryth était le moine le plus haut placé après l'archevêque, et Wynstan devait le gagner à sa cause.

« Il habite dans la maison en bois à l'ouest de l'église », lui indiqua Degbert.

Ils descendirent la nef et sortirent par le portail ouest. Wynstan releva sa capuche pour se protéger de la pluie. Ils se hâtèrent sur la terre boueuse en direction du bâtiment le plus proche.

Le trésorier était un petit homme, à la grosse tête chauve. Il accueillit Wynstan avec prudence, mais sans crainte.

« Aucun changement dans l'état de notre archevêque bien-aimé, lui annonça Wynstan.

— Peut-être aurons-nous la bénédiction de jouir encore un peu plus longtemps de sa présence, remarqua Sigefryth.

— Plus très longtemps, hélas. Sigefryth, j'ai l'impression que les moines louent chaque jour le Seigneur de vous avoir parmi eux pour veiller sur les affaires de Canterbury. »

Sigefryth le remercia d'un hochement de tête.

Wynstan sourit et reprit d'un ton plus léger :

« J'ai toujours pensé que la tâche d'un trésorier était impossible.

— Comment cela ? demanda Sigefryth, intrigué.

— Il est censé faire en sorte qu'il y ait toujours assez d'argent sans pouvoir contrôler la façon dont on le dépense ! »

Sigefryth s'autorisa enfin un sourire.

« Vous avez raison.

— Je pense qu'un abbé – ou un prieur, ainsi que tout autre supérieur – ne devrait pas seulement consulter le trésorier à propos des recettes mais aussi des dépenses.

— Cela éviterait quantité de problèmes », approuva Sigefryth.

Wynstan estima en avoir assez dit. Il devait s'attirer les faveurs de cet homme, mais sans que cela paraisse trop flagrant. Il fallait à présent régler le problème de Wigferth.

« Cette année plus que jamais, un trésorier a de bonnes raisons d'être inquiet », reprit Sigefryth. Les moissons avaient été médiocres et les gens avaient souffert de la faim. « Les morts ne paient pas de redevances. »

Un homme qui ne s'embarrasse pas de sentiments, songea Wynstan. Voilà qui me plaît.

« Et le mauvais temps persiste, renchérit Wynstan. Tout le sud du pays est inondé. J'ai dû faire quantité de détours pour arriver jusqu'ici. »

C'était très exagéré. Il avait beaucoup plu, mais pas de quoi le retarder plus de quelques jours. Sigefryth fit un petit bruit de bouche compatissant.

« Il semble même que cela empire. J'espère que vous n'avez pas prévu de voyager.

— Pas pour le moment. Nous aurons des redevances

à toucher à la Noël auprès des tenanciers qui auront survécu. J'enverrai alors frère Wigferth dans votre région.

— Si vous tenez à ce qu'il arrive avant la Noël, ne tardez pas trop, conseilla Wynstan. Le trajet risque d'être plus long que d'ordinaire.

— Vous avez raison, acquiesça Sigefryth. Merci de m'en avertir. »

Encore un homme crédule, se dit Wynstan avec satisfaction.

Wigferth se mit en route le lendemain.

*

Les fils de Ragna se livraient à une bataille de boules de neige. Les jumeaux, âgés de quatre ans, s'étaient ligués contre Osbert, qui en avait six. Alain, qui n'en avait que deux et marchait à peine, hurlait de rire en les regardant.

Toute la petite maisonnée assistait au spectacle : Cat, Gilda, Winthryth et Grimweald, le garde du corps. Ce dernier n'avait aucune utilité : comme il faisait partie des hommes d'armes de Wigelm, il ne protégerait probablement pas Ragna de celui qui était le plus susceptible de l'agresser.

Quoi qu'il en fût, ce moment était pour elle une parenthèse de bonheur. Les quatre garçons étaient tous en bonne santé. Osbert apprenait déjà à lire et à écrire. Ce n'était pas la vie qu'avait souhaitée Ragna, et Edgar lui manquait toujours autant, mais elle avait quelques raisons de remercier le ciel.

Lorsqu'il était devenu ealdorman, Wigelm n'avait plus eu envie de se charger de l'administration de Combe ; aussi l'avait-il confiée à Ragna, qui exerçait dans les faits les fonctions de reeve de Combe et d'Outhen, bien que Wigelm ait continué de s'y rendre et d'y tenir audience.

Il fit son apparition à ce moment-là, accompagné de Meganthryth, une jeune concubine. Ils s'arrêtèrent à côté de Ragna pour regarder les enfants jouer. Ragna ne daigna accorder ni un regard ni une parole à son époux. Le dégoût qu'il lui inspirait n'avait fait que croître durant leurs deux ans de mariage. Il était aussi stupide que cruel.

Fort heureusement, elle n'était pas obligée de passer beaucoup de temps à ses côtés. Il s'enivrait presque tous les soirs et il fallait le porter jusqu'à son lit. Quand il était suffisamment sobre, il passait la nuit avec Meganthryth, qui ne lui avait cependant donné aucun enfant. De temps à autre, son désir de naguère se réveillait et il rendait visite à Ragna. Elle ne lui résistait pas mais fermait les yeux et pensait à autre chose jusqu'à ce qu'il ait fini. Wigelm aimait prendre les femmes de force, mais il détestait l'indifférence, et l'apathie apparente de Ragna contribuait à le décourager.

Osbert lança une grosse boule de neige au hasard qui atteignit Alain en plein visage. Choqué, le garçonnet éclata en sanglots et courut vers Ragna. Elle lui essuya les joues de sa manche et le réconforta.

« Ne pleure pas, Alain, intervint Wigelm. Ce n'est que de la neige, tu n'as pas vraiment mal. »

La dureté de son ton fit pleurer Alain de plus belle.

« Il n'a que deux ans », marmonna Ragna.

Wigelm n'aimait pas les polémiques ; il préférait les combats.

« Cessez de dorloter ce garçon, gronda-t-il. Je ne veux pas que mon fils soit une mauviette. Ce sera un guerrier, comme son père. »

Ragna priait chaque jour pour qu'en grandissant,

Alain soit aussi différent que possible de son père. Elle resta cependant muette : avec Wigelm, il ne servait à rien de discuter.

« Et ne vous avisez pas de lui apprendre à lire. » Wigelm lui-même en était incapable. « C'est bon pour les femmes et les prêtres. »

Nous verrons bien, pensa Ragna, mais elle ne pipa mot.

« Élevez-le correctement, ajouta Wigelm. Sinon... »

Il s'éloigna, suivi de sa concubine.

Ragna frissonna. Qu'entendait-il par *sinon* ?

Elle vit Hildi la sage-femme traverser le domaine enneigé. Ragna était toujours heureuse de discuter avec elle. C'était une femme pleine de sagesse, et ses compétences médicales ne se limitaient pas aux accouchements.

« Je sais que vous n'appréciez pas Agnès », commença-t-elle.

Ragna se raidit.

« Je l'aimais beaucoup jusqu'à ce qu'elle me trahisse.

— Elle est mourante et veut implorer votre pardon. »

Ragna soupira. Il était difficile de se dérober à une telle requête, même venant de celle qui avait gâché sa vie.

Elle demanda à Cat de surveiller les garçons et suivit Hildi.

Dans le bourg, la neige d'un blanc pur était déjà souillée de détritus et de traces de pas boueuses. Hildi la conduisit à une petite maison derrière le palais épiscopal. L'endroit était sale et puant. Agnès gisait sur la paille jonchant le sol, enveloppée dans une couverture. Sur sa joue, près de son nez, poussait une affreuse grosseur rouge creusée d'un cratère en son centre.

Agnès parcourait les lieux d'un regard égaré comme

si elle ne savait pas où elle se trouvait. Quand ses yeux se posèrent sur Ragna, elle murmura :

« Je vous connais. »

C'était une remarque étrange. Agnès avait vécu auprès de Ragna pendant une dizaine d'années, mais on aurait pu croire qu'elles n'étaient que de vagues connaissances.

« Elle est parfois confuse, remarqua Hildi. C'est une des caractéristiques de sa maladie.

— J'ai terriblement mal à la tête », se plaignit Agnès.

Hildi s'adressa à elle :

« Vous m'avez demandé de vous amener lady Ragna afin que vous puissiez lui exprimer vos remords. »

Le visage d'Agnès s'altéra. Elle sembla soudain recouvrer toutes ses facultés mentales.

« J'ai fait quelque chose de très mal, murmura-t-elle. Madame, me pardonnerez-vous jamais de vous avoir trahie ? »

Qui aurait pu résister à pareille supplique ?

« Je te pardonne, Agnès, répondit Ragna avec sincérité.

— Le Seigneur me châtie pour ce que j'ai fait. Hildi m'a dit que je suis atteinte de la lèpre des putains. »

Ragna fut atterrée. Elle avait entendu parler de cette maladie, qui se transmettait par voie sexuelle, d'où son nom. Elle commençait par des migraines et des vertiges, puis venaient les troubles mentaux qui débouchaient sur la démence.

« Son mal est-il fatal ? demanda-t-elle à Hildi en baissant le ton.

— Pas en soi, non, mais les personnes atteintes sont si affaiblies et si sujettes aux accidents que la mort survient souvent pour d'autres raisons. »

Ragna éleva la voix pour s'adresser à Agnès.

« Offa souffrait-il du même mal ? » demanda-t-elle, incrédule.

Ce fut Hildi qui lui répondit.

« Ce n'est pas son mari qui l'a contaminée.

— Qui donc, alors ?

— J'ai péché avec l'évêque, avoua Agnès.

— Wynstan ?

— Wynstan a contracté cette maladie, confirma Hildi. Son évolution est plus lente chez lui que chez Agnès, de sorte qu'il l'ignore encore, mais j'ai vu des signes qui ne trompent pas. Il est constamment fatigué et il lui arrive d'avoir des vertiges. Il a également une grosseur à la gorge. Il s'efforce de la dissimuler sous sa houppelande, mais je l'ai vue, et elle est identique à celle qu'Agnès a sur la joue.

— Si jamais il l'apprend, il gardera un secret absolu.

— Oui, acquiesça Hildi. Si les gens savaient qu'il devient fou, il perdrait son pouvoir.

— Exactement, dit Ragna.

— Je n'en parlerai à personne. J'ai bien trop peur.

— Moi aussi », renchérit Ragna.

*

Aldred fut pris d'un léger vertige en voyant les piles de pennies d'argent alignées sur la table.

Frère Godleof, le trésorier du prieuré de King's Bridge, était allé chercher ce trésor dans le coffre-fort de l'ancien atelier de Cuthbert. Ils avaient compté les pièces ensemble. Il aurait été plus rapide de les peser, mais ils n'avaient pas de balance.

Jusqu'à ce jour, ils n'en avaient pas eu besoin.

« Je craignais que nous soyons à court d'argent cette année, à cause de la famine, observa Aldred.

— À quelque chose malheur est bon : elle a incité les Vikings à rentrer chez eux, avança Godleof. Nous avons gagné moins d'argent que d'habitude, mais cela fait tout de même une grosse somme. Le péage du pont, les droits d'étalage des commerçants de la place du marché, les offrandes des pèlerins… Sans oublier les quatre propriétés dont on nous a fait don cette année, et dont nous percevons à présent les redevances.

— Le succès appelle le succès. Il est vrai que nous avons également beaucoup dépensé.

— Nous avons nourri les affamés à plusieurs lieues à la ronde. Mais nous avons aussi construit une école, un scriptorium, un réfectoire et un dortoir pour tous les nouveaux moines qui nous ont rejoints. »

C'était exact. Aldred était sur le point de réaliser son rêve, de créer un lieu voué au savoir et à l'érudition.

« Et comme la plupart des bâtiments neufs sont en bois, ils n'ont pas coûté grand-chose », conclut Godleof.

Aldred considéra l'amoncellement d'argent. Il avait travaillé d'arrache-pied pour consolider les finances du prieuré, mais une telle richesse le mettait à présent mal à l'aise.

« J'ai fait vœu de pauvreté, murmura-t-il plus ou moins pour lui-même.

— Cet argent n'est pas à vous, lui fit remarquer Godleof. Il appartient au prieuré.

— Certes. Néanmoins, il n'est pas question de le contempler avec un sourire béat. Le Christ nous a dit de ne pas amasser des trésors sur la terre mais dans le ciel. Cet argent nous a été donné dans un autre dessein.

— Lequel ?

— Peut-être le Seigneur souhaite-t-il que nous bâtissions une plus grande église. Nous en avons certainement besoin. Nous devons à présent célébrer trois messes chaque dimanche, et l'église est bondée pour chacune d'entre elles. Même en semaine, il arrive que les pèlerins fassent la queue pendant des heures pour voir les reliques du saint.

— Holà ! protesta Godleof. Ce que nous avons là ne suffira jamais à bâtir une église de pierre.

— Mais l'argent continuera d'affluer.

— Je l'espère bien, il n'empêche que nous ne savons pas ce que l'avenir nous réserve. »

Aldred sourit.

« Nous devons avoir la foi.

— La foi n'est pas l'argent.

— Non, c'est bien mieux que cela. » Aldred se leva. « Rangeons ce trésor dans son coffre, et je te montrerai quelque chose. »

Une fois l'argent en lieu sûr, ils sortirent du monastère et gravirent la colline. Des maisons neuves s'élevaient des deux côtés de la rue – qui rapportaient toutes un loyer au monastère, se rappela Aldred. Ils arrivèrent devant la demeure d'Edgar. Aldred aurait dû la mettre en location, mais il n'en avait rien fait pour des raisons sentimentales.

La place du marché se trouvait en face de cette maison. Bien que ce ne fût pas un jour de marché, une poignée de commerçants pleins d'espoir y tenaient leur étal en dépit du froid, proposant des œufs frais, des gâteaux, des noix et de la bière brassée maison. Aldred traversa la place, Godleof sur ses talons.

Ils arrivèrent à la lisière de la forêt, où quantité d'arbres avaient déjà été abattus pour fournir des matériaux de construction.

« Voici où sera bâtie la nouvelle église. Edgar et moi avons dressé un plan de la ville, il y a des années de cela. »

Godleof considéra le fouillis de souches et de buissons.

« Il faudra défricher soigneusement tout cela.

— Bien entendu.

— Où trouverons-nous les pierres ?

— À Outhenham. Lady Ragna nous les offrira sans doute, en guise de pieuse donation, mais nous devrons engager un carrier.

— Il y a fort à faire.

— En effet – et plus tôt nous commencerons, mieux ce sera.

— Qui dessinera les plans de l'église ? Pareil édifice ne se construit pas comme une maison, j'imagine.

— Tu as raison. » Le cœur d'Aldred battit plus vite. « Il faut faire revenir Edgar.

— Nous ne savons même pas où il est.

— On doit bien pouvoir le trouver.

— Qui s'en chargera ? »

Aldred aurait eu grande envie d'effectuer lui-même les recherches. Malheureusement, c'était impossible. Le prieuré était florissant, mais c'était lui qui le dirigeait. S'il devait s'absenter durant les semaines voire les mois que prendrait un voyage en Normandie, il fallait s'attendre à toutes sortes d'aléas.

« Frère William, peut-être, suggéra-t-il. Il est né en Normandie et y a vécu jusqu'à l'âge de douze ou treize ans. J'enverrai le jeune Athulf avec lui, car il ne tient pas en place.

— Vous semblez y avoir déjà réfléchi.

— En effet. » Aldred ne tenait pas à admettre qu'il lui était souvent arrivé de rêver de ramener Edgar en Angleterre. « Allons parler à William et à Athulf. »

Comme ils redescendaient vers le monastère, Aldred vit un homme en robe de moine traverser le pont à cheval. Son allure lui était familière, et en s'approchant, Aldred reconnut Wigferth de Canterbury.

Il lui souhaita la bienvenue et le conduisit à la cuisine où on lui servit du pain et de la bière chaude.

« Il est bien tôt pour que tu viennes chercher les redevances de Noël, remarqua-t-il.

— Ils m'ont envoyé en avance pour se débarrasser de moi, expliqua Wigferth avec amertume.

— Qui donc voulait se débarrasser de toi ?

— L'évêque de Shiring.

— Wynstan ? Que fait-il à Canterbury ?

— Il essaie de devenir archevêque.

— Mais c'est Alphage de Winchester qui est censé être nommé ! s'exclama Aldred scandalisé.

— J'espère encore que ce sera lui. Il n'empêche que Wynstan a réussi à entrer dans les bonnes grâces des moines, et plus particulièrement de Sigefryth, le trésorier. Nombre d'entre eux sont désormais opposés à Alphage. Et un groupe de moines mécontents peut être une source d'ennuis à n'en plus finir. Le roi Ethelred risque de nommer Wynstan simplement pour avoir la paix.

— Le ciel nous en préserve !

— Amen », fit Wigferth.

*

Une nouvelle chute de neige offrit à Ragna l'occasion d'enseigner quelques lettres aux enfants. Elle donna un bâton à chacun et demanda :

« Par quelle lettre commence le nom d'Osbert ?

— Je sais ! Je sais ! dit celui-ci.

— Pourrais-tu la dessiner ?

— Facile. »

Osbert traça dans la neige un grand cercle au contour irrégulier.

« Les autres, dessinez aussi la première lettre du nom d'Osbert. Regardez, elle est ronde, comme vos lèvres quand vous prononcez son nom. »

Les jumeaux s'exécutèrent tant bien que mal. Alain

peinait à dessiner, mais il n'avait que deux ans, et l'objectif de Ragna était avant tout de leur apprendre que les mots étaient composés de lettres.

« Par quelle lettre commence le nom d'Hubert ? demanda-t-elle.

— Je sais ! Je sais ! » répéta Osbert, qui traça un H passable dans la neige. Les jumeaux copièrent la lettre plus ou moins bien. La tentative d'Alain ressemblait à trois bâtonnets jetés au hasard, mais Ragna le félicita tout de même.

Du coin de l'œil, elle vit Wigelm approcher. Elle pesta à mi-voix.

« Que se passe-t-il ici ? » demanda-t-il.

Ragna inventa aussitôt un mensonge. Désignant les cercles, elle expliqua :

« Les Anglais sont là, sur ces collines. Et tout autour d'eux… » Elle désigna les autres gribouillis. « Les Vikings. Que se passe-t-il ensuite, Wigelm ? »

Il lui adressa un regard soupçonneux.

« Les Vikings attaquent les Anglais, suggéra-t-il.

— Et qui va gagner, les garçons ? demanda-t-elle.

— Les Anglais ! » crièrent-ils en chœur.

Si seulement c'était vrai, songea Ragna.

C'est alors qu'Alain gâcha tout. Montrant le cercle qu'avait maladroitement tracé Osbert, il affirma :

« C'est le nom d'Osbert. »

Il sourit fièrement et se tourna vers son père dans l'attente d'un compliment.

Celui-ci ne vint pas. Wigelm jeta un regard noir à Ragna.

« Je vous avais prévenue. »

Ragna tapa dans les mains.

« Rentrons et allons déjeuner », dit-elle.

Les garçons partirent en courant et Wigelm s'éloigna d'un pas vif.

Ragna suivit ses fils plus lentement. Comment allait-elle faire pour instruire Alain ? Il lui était difficile de tromper Wigelm en vivant aussi près de lui. À deux reprises déjà, il avait laissé entendre qu'il pourrait confier l'éducation de son fils à quelqu'un d'autre. Ragna ne le supporterait pas. Mais elle ne pouvait pas non plus faire d'Alain un ignare, d'autant plus que ses frères continueraient à étudier.

Le prieur Aldred entra alors qu'ils finissaient leur petit déjeuner. Sans doute était-il arrivé de King's Bridge la veille et avait-il passé la nuit à l'abbaye de Shiring. Il accepta un bol de bière chaude et s'assit sur un banc.

« Je vais construire une nouvelle église, annonça-t-il. L'ancienne est trop exiguë.

— Félicitations ! Le prieuré doit être remarquablement prospère pour que vous envisagiez pareil projet.

— Je crois que nous pouvons nous le permettre, si Dieu le veut. Mais vous nous aideriez grandement en continuant de nous laisser nous fournir gratuitement en pierres à la carrière d'Outhenham.

— Je ne demande pas mieux.

— Merci.

— Et qui sera votre maître bâtisseur ? »

Aldred baissa la voix pour que les serviteurs ne l'entendent pas.

« J'ai envoyé des messagers en Normandie pour supplier Edgar de revenir. »

Le cœur de Ragna fit un bond dans sa poitrine.

« J'espère qu'ils le trouveront.

— Ils se rendront à Cherbourg et commenceront par aller voir votre père. Edgar m'avait dit qu'il comptait demander au comte Hubert de l'aider à trouver du travail. »

Ragna éprouva un élan d'espoir. Edgar reviendrait-il

vraiment ? Peut-être refuserait-il. Elle secoua la tête tristement.

« Il est parti parce que j'ai épousé Wigelm – et je suis toujours sa femme.

— J'espère que l'idée de concevoir et de bâtir sa propre église à partir de rien suffira à le tenter, lança Aldred joyeusement.

— Peut-être – il adorerait cela », acquiesça Ragna en souriant. Puis une autre éventualité lui traversa l'esprit. « Peut-être a-t-il rencontré une fille là-bas.

— Peut-être.

— Peut-être même est-il marié, ajouta-t-elle sombrement.

— Attendons de voir.

— J'espère qu'il reviendra, murmura Ragna.

— Moi aussi. J'ai gardé sa maison en l'état pour lui. »

Aldred l'aimait, lui aussi, Ragna le savait – et avec encore moins d'espoir qu'elle.

Aldred adopta alors un ton plus brusque, comme s'il avait lu dans ses pensées et préférait changer de sujet.

« J'ai autre chose à vous demander – une deuxième faveur.

— Je vous écoute.

— L'archevêque de Canterbury se meurt et Wynstan se porte candidat à sa succession. »

Ragna frissonna.

« Imaginer Wynstan en autorité morale suprême de tout le sud de l'Angleterre est franchement indécent.

— Accepteriez-vous de le dire à la reine Emma ? Vous la connaissez, elle vous apprécie et vous prêtera une oreille plus attentive qu'à quelqu'un d'autre.

— Vous avez raison, elle m'écouterait sûrement », acquiesça Ragna.

Aldred ignorait un détail. Ragna pourrait faire

savoir à la reine que Wynstan souffrait d'un mal qui le conduirait lentement à la démence. Cela suffirait certainement à empêcher son accession à l'archiépiscopat.

Mais Ragna ne le dirait jamais. Elle ne pouvait confier ce secret ni à Emma ni à quelqu'un d'autre. Wynstan n'aurait aucun mal à découvrir qui s'était opposé à sa nomination et les représailles seraient inévitables. Wigelm retirerait Alain à Ragna, sachant qu'il ne pouvait lui infliger châtiment plus sévère.

Elle regarda Aldred et la tristesse l'envahit. Son visage rayonnait d'optimisme et de détermination. C'était un homme bon, mais elle ne pouvait pas lui accorder ce qu'il voulait. Les suppôts du mal parvenaient toujours à leurs fins, semblait-il : Dreng, Degbert, Wigelm, Wynstan. Peut-être en irait-il toujours ainsi en ce bas monde.

« Mais non, dit-elle enfin. J'ai trop peur de la vengeance de Wynstan et de Wigelm. Je suis navrée, Aldred, je ne puis vous aider. »

39

Printemps 1006

Les artisans qui travaillaient sur la nouvelle église en pierre firent une pause en milieu de matinée. Clothilde, la fille de Giorgio, le maître maçon venu de Rome, apporta à son père un cruchon de bière et un morceau de pain. Il trempa le pain dans la bière pour l'amollir avant de le manger.

Edgar était l'adjoint de Giorgio et, durant la pause, il le rejoignait généralement dans sa loge, un simple appentis, pour discuter des ordres à donner durant le reste de la journée. Comme cela faisait deux ans qu'il ne parlait plus que franco-normand, Edgar maîtrisait cette langue à la perfection.

Clothilde avait pris l'habitude de lui apporter également du pain et de la bière. Edgar donna un quignon à Charbonnet, son nouveau chien noir au pelage ébouriffé.

L'église était bâtie sur un site incliné d'ouest en est, ce qui représentait un défi en soi. Pour rétablir l'horizontalité du sol sous toute la construction, Giorgio avait prévu une profonde crypte aux piliers courtauds et robustes qui servirait d'assise à la partie est.

Edgar était fasciné par les idées de Giorgio. La nef serait bordée de deux enfilades parallèles d'arcs en demi-cercle soutenus par de puissantes colonnes, afin que les fidèles placés sur les côtés puissent voir l'église dans toute sa largeur et qu'une importante assemblée puisse assister à la messe. Jamais Edgar n'avait imaginé conception aussi audacieuse, et il était à peu près sûr que personne d'autre en Angleterre n'y avait pensé. Les ouvriers français étaient tout aussi surpris : c'était quelque chose de radicalement nouveau.

Âgé d'une cinquantaine d'années, Giorgio était un homme sec et bougon, mais c'était le bâtisseur le plus compétent et le plus imaginatif qu'Edgar eût jamais connu. Assis à même le sol, il dessinait avec un bâton pour expliquer à Edgar comment sculpter des moulures sur les voussoirs de chaque arc de façon que, disposés côte à côte, ils présentent l'apparence d'une série de cercles concentriques.

« Comprends-tu ? demanda-t-il.

— Oui, bien sûr, acquiesça Edgar. C'est extrêmement astucieux.

— Ne me dis pas que tu comprends si ce n'est pas vrai ! » répliqua Giorgio d'une voix irritée.

Il s'attendait souvent à devoir multiplier les explications, alors qu'Edgar comprenait immédiatement. Cela lui rappelait ses conversations avec son père.

« Vos descriptions sont d'une clarté admirable », reprit-il pour amadouer Giorgio.

Clothilde lui tendit un plateau de pain et de fromage, et il mangea de bon appétit. Elle s'assit en face de lui. Tandis qu'il continuait à discuter de la forme des voussoirs avec Giorgio, elle ne cessait de croiser et de décroiser les genoux, lui montrant ses jambes musclées et hâlées.

Elle était séduisante, avec sa belle humeur et sa silhouette élancée, et elle n'avait pas caché à Edgar qu'elle l'appréciait. Elle avait vingt et un ans, cinq de moins que lui. Elle était charmante, certes, mais ce n'était pas Ragna.

Il avait compris depuis longtemps qu'il n'aimait pas comme la plupart des hommes. Il avait tendance à être presque aveugle à toutes les femmes, sauf une. Il était resté fidèle à Sungifu plusieurs années après sa mort. Aujourd'hui, il était fidèle à une femme qui avait épousé un autre homme – même deux, en fait. Il regrettait parfois de n'être pas comme les autres. Pourquoi n'épouserait-il pas cette fille si charmante ? Elle lui témoignerait tendresse et affection, comme elle en témoignait à son père. Et Edgar se glisserait chaque nuit entre ces jambes robustes et cuivrées.

« On trace sur le sol un demi-cercle de la même taille que l'arc, on dessine un rayon allant du centre à la circonférence, puis on place sur celle-ci une pierre perpendiculaire au rayon, dit Giorgio. Mais les côtés de la pierre, là où elle bute sur les voussoirs voisins, doivent être légèrement inclinés.

— Oui, approuva Edgar. Nous dessinons donc

deux autres rayons, un de chaque côté, qui nous donnent l'inclinaison correcte des côtés de la pierre. »

Giorgio ouvrit de grands yeux.

« Comment le sais-tu ? » demanda-t-il un peu agacé.

Edgar devait prendre garde à ne pas blesser Giorgio en étalant son savoir. Les bâtisseurs veillaient jalousement sur ce qu'ils appelaient les « mystères » de leur art.

« Vous me l'avez dit il y a quelque temps, mentit-il. Je n'oublie rien de ce que vous me dites. »

Giorgio se radoucit.

Edgar vit deux moines traverser le chantier. Ils regardaient autour d'eux bouche bée, sans doute parce qu'ils n'avaient jamais vu d'église aussi grande que celle-ci promettait de l'être. Quelque chose dans leur allure suggéra à Edgar qu'ils étaient anglais. Mais le plus âgé des deux s'exprima en franco-normand.

« Je vous souhaite le bonjour, maître maçon, dit-il courtoisement.

— Que nous voulez-vous ? demanda Giorgio.

— Nous cherchons un bâtisseur anglais nommé Edgar. »

Des messagers venus du pays, songea Edgar, soudain partagé entre crainte et excitation. Lui apportaient-ils de bonnes ou de mauvaises nouvelles ?

Il remarqua l'air consterné de Clothilde.

« C'est moi », dit-il dans un anglais qui avait cessé de lui être familier.

Soulagé, le moine se détendit.

« Il nous a fallu longtemps pour vous retrouver, remarqua-t-il.

— Qui êtes-vous ?

— Nous venons du prieuré de King's Bridge. Je m'appelle William et voici Athulf. Pouvons-nous vous parler en privé ?

— Bien sûr. »

Ni l'un ni l'autre ne vivait au monastère quand Edgar était parti. Il comprit que celui-ci avait dû accueillir de nouveaux moines. Il conduisit les deux hommes derrière la réserve de bois, où ils seraient moins gênés par le bruit. Ils s'assirent sur les tas de planches.

« Que se passe-t-il ? demanda-t-il. Quelqu'un est-il mort ?

— Les nouvelles que nous apportons ne sont pas de cet ordre, annonça William. Le prieur Aldred a décidé de bâtir une nouvelle église en pierre.

— À mi-hauteur du coteau ? En face de ma maison ?

— Exactement là où vous l'aviez prévu.

— Le travail a-t-il commencé ?

— Quand nous sommes partis, les moines dégageaient les souches du site, et les premières livraisons de pierres arrivaient de la carrière d'Outhenham.

— Qui concevra les plans de l'église ? »

William marqua une pause avant de dire :

« Vous. Du moins l'espérons-nous. »

C'était donc cela.

« Aldred souhaite que vous rentriez au pays, poursuivit William, confirmant la déduction d'Edgar. Il a laissé votre maison telle qu'elle était à votre départ. Vous serez le maître bâtisseur. Il nous a demandé de nous informer du salaire que touche un maître en Normandie et de vous proposer le même montant. Et de satisfaire tous vos autres souhaits. »

Edgar ne souhaitait qu'une chose au monde. Il hésita à ouvrir son cœur à ces deux inconnus, mais tous les habitants de Shiring connaissaient sans doute son histoire. Au bout d'un moment, il bégaya :

« Dame Ragna est-elle toujours l'épouse de l'ealdorman Wigelm ? »

William s'attendait apparemment à cette question.

« Oui.

— Elle vit toujours avec lui à Shiring ?

— Oui. »

La lueur d'espoir qui s'était embrasée dans le cœur d'Edgar s'éteignit.

« Laissez-moi le temps de réfléchir. Avez-vous trouvé un logis ?

— Il y a un monastère non loin d'ici.

— Je vous donnerai ma réponse demain.

— Nous prierons pour qu'elle soit positive. »

Les moines s'éloignèrent et Edgar resta assis sur les planches, abîmé dans ses réflexions, regardant sans la voir une femme musclée qui gâchait du mortier avec une pelle en bois. Avait-il envie de regagner l'Angleterre ? S'il en était parti, c'était parce qu'il ne supportait pas de voir Ragna mariée à Wigelm. S'il revenait, il les rencontrerait souvent. Ce serait une torture.

D'un autre côté, on lui offrait la direction d'un chantier. Il serait le maître. Ce serait à lui de décider de tous les détails de la nouvelle église. Il pourrait créer un splendide édifice dans le style radicalement nouveau auquel Giorgio l'avait initié. Cela lui prendrait dix ans, vingt peut-être, voire davantage. Ce serait l'œuvre de sa vie.

Il se leva et retourna sur le chantier. Clothilde avait disparu. Giorgio travaillait à l'ébauche d'un voussoir et venait de tracer le cercle et le rayon qu'il avait décrits plus tôt. Edgar s'apprêtait à reprendre sa tâche et à poursuivre la fabrication du coffrage en bois qui maintiendrait les pierres en place pendant que le mortier sécherait ; mais Giorgio le retint.

« Ils t'ont demandé de rentrer chez toi, c'est cela ?

— Comment le savez-vous ? » Giorgio haussa les épaules.

« Pour quelle autre raison seraient-ils venus d'Angleterre ?

— Ils veulent que je bâtisse une nouvelle église.

— Que vas-tu faire ?

— Je ne sais pas. »

À la grande surprise d'Edgar, Giorgio posa ses outils.

« Je vais te dire une chose », commença-t-il. Il changea de ton et parut soudain vulnérable. Jamais Edgar ne l'avait vu ainsi. « Je me suis marié tard », poursuivit Giorgio, comme perdu dans ses souvenirs. « J'avais trente ans quand j'ai fait la connaissance de la mère de Clothilde, qu'elle repose en paix. » Il marqua un temps et, l'espace d'un instant, Edgar crut qu'il allait pleurer ; puis Giorgio secoua la tête et reprit : « J'avais trente-cinq ans quand Clothilde est née. Aujourd'hui, j'en ai cinquante-six. Je suis un vieil homme. »

Cela n'avait rien d'un âge canonique, mais le moment était mal choisi pour ergoter.

« J'ai des maux de ventre », continua Giorgio.

Cela pouvait expliquer sa mauvaise humeur, se dit Edgar.

« Je digère mal. Je dois me nourrir de bouillie. »

Edgar avait toujours cru que c'était par goût que Giorgio trempait son pain dans la bière.

« Je ne vais sans doute pas mourir demain, conclut-il. Mais il ne me reste peut-être plus qu'un an à vivre. »

J'aurais dû m'en douter, songea Edgar. Les indices étaient clairs. J'aurais pu le deviner. Ragna l'aurait compris depuis longtemps.

« Je suis navré, murmura-t-il. J'espère que vous vous trompez. »

Giorgio chassa cette hypothèse d'un geste de la main.

« Lorsque je pense à l'au-delà, je prends conscience qu'il n'y a que deux choses auxquelles je tienne ici-bas. » Il parcourut le chantier du regard. « La première, c'est cette église. » Ses yeux se reposèrent sur Edgar. « La seconde, c'est Clothilde. »

Le visage de Giorgio s'altéra à nouveau, et Edgar y lut une pure émotion. Cet homme mettait son âme à nu devant lui.

« Je voudrais que quelqu'un prenne soin de l'une et de l'autre quand je ne serai plus là. »

Il est en train de m'offrir son travail et sa fille, pensa Edgar.

« Ne rentre pas chez toi, implora Giorgio. Je t'en supplie. »

L'appel venait du fond du cœur, et il était difficile d'y résister, mais Edgar réussit à dire :

« Il faut que je réfléchisse.

— Bien sûr », acquiesça Giorgio.

La parenthèse d'intimité se referma. Edgar se détourna et se remit au travail.

Il réfléchit tout le jour et presque toute la nuit.

Une surprise, bonne ou mauvaise, n'arrive jamais seule, songea-t-il. Être maître bâtisseur était le sommet de son ambition, et on venait de lui proposer deux chantiers le même jour. Il pouvait devenir maître maçon ici même, ou dans son pays. Quelle que fût sa décision, il en tirerait une profonde satisfaction. Mais c'était un autre dilemme qui l'empêchait de dormir : Clothilde ou Ragna ?

En réalité, la question ne se posait pas vraiment. Ragna pouvait être enchaînée à Wigelm pendant les vingt prochaines années. Et même si son mari mourait jeune, elle serait peut-être obligée de se remarier avec un noble choisi par le roi. À l'approche de l'aube, Edgar comprit qu'en rentrant en Angleterre, il risquait de passer le reste de sa vie à désirer une femme qu'il ne pourrait jamais posséder.

Il avait déjà passé trop d'années ainsi, se dit-il. S'il restait en Normandie et épousait Clothilde, il ne serait pas heureux mais peut-être trouverait-il la paix.

Le matin venu, il annonça aux deux moines qu'il avait décidé de rester.

*

Wigelm se glissa dans le lit de Ragna par une douce nuit de printemps, alors que les arbres bourgeonnaient. Elle fut réveillée, comme une partie de sa maisonnée, par le grincement de la porte. Elle entendit les servantes remuer sur les joncs du sol et Grimweald, son garde du corps, pousser un grognement, mais les enfants restèrent endormis.

Prise par surprise, elle n'eut pas le temps d'attraper son flacon d'huile. Wigelm s'allongea près d'elle et retroussa sa chemise jusqu'à la taille. Elle se hâta de se cracher dans la main pour se mouiller le vagin, puis elle écarta les cuisses docilement.

Elle s'était résignée à ces visites qui ne se produisaient que quelques fois par an. Elle espérait seulement ne pas tomber de nouveau enceinte. Elle adorait Alain, mais ne voulait pas d'autre enfant de Wigelm.

Cette fois, les choses ne se passèrent pas comme d'habitude. Wigelm s'obstinait dans son va-et-vient mais semblait incapable d'obtenir satisfaction. Elle ne fit rien pour l'y aider. Grâce aux conversations entre femmes, elle savait que faute d'amour, d'autres feignaient d'être excitées pour en finir au plus vite, mais elle ne pouvait se résoudre à une telle comédie.

Bientôt l'érection de Wigelm mollit. Au bout de quelques poussées infructueuses, il se retira.

« Tu n'es qu'une garce frigide », lança-t-il en la frappant au visage.

Elle sanglota, s'attendant à une raclée et sachant que son garde du corps ne ferait rien pour la protéger, mais Wigelm se leva et sortit.

Au matin, sa joue gauche était tuméfiée et sa lèvre supérieure enflée. Elle se dit que cela aurait pu être pire.

Wigelm entra alors que les enfants prenaient leur petit déjeuner. Elle remarqua que son gros nez était à présent sillonné de stries couleur lie-de-vin qui dessinaient comme une toile d'araignée pourpre, conséquence de l'abus de boisson, une particularité répugnante qu'elle n'avait pas vue pendant la nuit à la lueur du feu.

La regardant, il lança :

« J'aurais aussi dû frapper l'autre joue pour faire la paire. »

Une remarque sarcastique vint à l'esprit de Ragna, mais elle la ravala. Elle le sentait d'humeur dangereuse. Un frisson glacial la parcourut : il n'en avait peut-être pas fini avec elle. En dépit de sa bouche meurtrie, elle réussit à articuler d'une voix neutre :

« Que voulez-vous, Wigelm ?

— La façon dont vous élevez Alain ne me plaît pas. »

C'était une vieille antienne, mais elle perçut une nouvelle nuance de méchanceté dans sa voix.

« Il n'a que deux ans et demi, plaida-t-elle, il est encore tout petit. Il a tout le temps d'apprendre à se battre. »

Wigelm secoua la tête d'un air résolu.

« Vous voulez lui enseigner des manières de femme – lui apprendre à lire, à écrire et le reste.

— Le roi Ethelred sait lire. »

Wigelm refusa de se laisser entraîner dans une discussion.

« Je vais me charger de l'éducation de ce garçon. »

Qu'avait-il en tête ?

« Je lui donnerai une épée de bois, promit-elle en désespoir de cause.

— Je ne vous fais pas confiance. »

En général, la plupart des propos de Wigelm n'étaient que du vent. Ses insultes et ses jurons ne signifiaient pas grand-chose, et il les oubliait rapidement. Mais Ragna avait l'impression que ses menaces étaient à présent lourdes de sens.

« Que voulez-vous dire ? demanda-t-elle d'une voix blanche.

— J'emmène Alain. Il vivra dans ma maison. »

Cette idée était tellement insensée que Ragna avait peine à la prendre au sérieux.

« Impossible ! rétorqua-t-elle. Vous ne pouvez pas vous occuper d'un enfant de deux ans !

— C'est mon fils. Je ferai ce qui me plaira.

— Vous lui essuierez les fesses ?

— Je ne suis pas seul.

— Voulez-vous parler de Meganthryth ? demanda Ragna, incrédule. Vous comptez confier son éducation à Meganthryth ? Elle n'a que seize ans !

— Bien des filles de seize ans sont déjà mères.

— Mais pas elle !

— Non, mais elle fera ce que je lui dirai, alors que vous ne tenez aucun compte de mes souhaits. C'est à peine si Alain sait qu'il a un père. Désormais, il sera éduqué selon mes principes. Je veux en faire un homme.

— Non ! »

Wigelm se dirigea vers Alain, qui était assis à table, l'air terrifié. Comme Cat s'interposait, Wigelm l'attrapa des deux mains par le devant de sa robe, la souleva et la jeta contre le mur. Elle cria, heurta les planches et s'effondra par terre.

Tous les enfants pleuraient.

Wigelm s'empara d'Alain. Le petit garçon hurla de terreur. Wigelm le cala sous son bras gauche. Ragna agrippa le bras de Wigelm et tenta de dégager Alain. Wigelm la frappa à la tempe avec une telle violence qu'elle perdit connaissance un instant.

Lorsqu'elle revint à elle, elle gisait sur le sol. Levant les yeux, elle vit Wigelm qui sortait, portant Alain qui s'égosillait et se débattait.

Elle se releva à grand-peine et se dirigea vers la porte en titubant. Wigelm traversait le domaine pour gagner sa maison. Ragna était trop étourdie pour le poursuivre, et savait qu'elle n'y gagnerait que de se faire assommer une nouvelle fois.

Elle se retourna vers l'intérieur de la maison. Assise par terre, Cat frottait son crâne sous sa crinière de cheveux noirs.

« Es-tu grièvement blessée ?

— Je crois que je n'ai rien de cassé, répondit Cat. Et vous ?

— J'ai mal à la tête.

— Que puis-je faire pour vous aider ? demanda alors Grimweald.

— Continue à nous protéger, comme d'habitude », rétorqua Ragna d'une voix sarcastique.

Le garde du corps sortit bruyamment.

Comme les enfants pleuraient toujours, les deux femmes entreprirent de les consoler.

« Je n'arrive pas à croire qu'il ait emmené Alain, murmura Cat.

— Il veut que Meganthryth l'élève pour en faire une brute stupide comme son père.

— Vous ne pouvez pas accepter cela. » Ragna acquiesça. Elle n'allait pas en rester là.

« Je vais lui parler, dit-elle. Peut-être parviendrai-je à lui faire entendre raison. »

Elle n'y croyait guère, mais il fallait essayer.

Elle sortit de chez elle pour se rendre chez Wigelm. Comme elle approchait, elle entendit Alain pleurer. Elle entra sans frapper.

Wigelm et Meganthryth étaient en pleine discussion, Meganthryth tenant Alain et s'efforçant de le calmer. Dès que le petit vit Ragna, il hurla :

« Manman ! » C'était ainsi qu'il l'avait toujours appelée.

Ragna se dirigea instinctivement vers lui, mais Wigelm l'arrêta.

« Laissez-le », ordonna-t-il.

Ragna dévisagea Meganthryth. Elle était petite et dodue, et aurait été jolie sans la grimace d'avidité qui déformait ses lèvres. Mais c'était une femme. Interdirait-elle vraiment à un enfant d'aller vers sa mère ?

Ragna tendit les bras vers Alain.

Meganthryth lui tourna le dos.

Ragna était atterrée de voir une femme faire une chose pareille, et son cœur se gonfla de haine.

Au prix d'un immense effort, elle se détourna d'Alain et s'adressa à Wigelm, faisant de son mieux pour adopter un ton calme et raisonnable.

« Nous devons discuter de ceci, dit-elle.

— Non. Je ne discuterai pas avec vous. En revanche, je vais vous dire comment les choses vont se passer.

— Avez-vous l'intention de traiter Alain comme un prisonnier et de le garder enfermé dans cette maison ? Voilà qui fera de lui une mauviette et non un guerrier.

— Bien sûr que non.

— Dans ce cas, il ira jouer dans le domaine avec ses frères, et les suivra quand ils rentreront à la maison. Cela vous obligera à refaire chaque soir ce que vous venez de faire. Et quand vous ne serez pas là, ce qui est fréquent, qui arrachera le petit garçon à sa famille pendant qu'il réclamera sa mère en hurlant et en se débattant ? »

Wigelm sembla dépassé. De toute évidence, il n'avait pas pensé à cela. Mais son visage s'éclaircit et il annonça :

« Je l'emmènerai avec moi en voyage.

— Et qui s'occupera de lui en route ?

— Meganthryth. »

Ragna se tourna vers la jeune femme. Elle avait l'air atterrée. De toute évidence, on ne l'avait pas consultée. Mais elle garda les lèvres closes.

« Je pars pour Combe demain, reprit Wigelm. Il m'accompagnera. Il découvrira ainsi la vie d'un ealdorman.

— Vous comptez emmener un enfant de deux ans pour une tournée de quatre jours.

— Je ne vois pas ce qui m'en empêcherait.

— Et à votre retour ?

— Nous aviserons. Mais il ne vivra plus sous votre toit, plus jamais. »

Incapable de se maîtriser plus longtemps, Ragna fondit en larmes.

« S'il vous plaît, Wigelm, je vous en supplie, ne faites pas cela. Je ne demande rien pour moi, mais ayez pitié de votre fils.

— J'ai pitié de lui, en effet, parce qu'il est élevé par un ramassis de femmes qui l'amolliront. Si je n'intervenais pas, il maudirait un jour son père. Non, il reste ici.

— Je vous en supplie…

— Je ne vous écoute plus. Sortez.

— Réfléchissez, Wigelm…

— Voulez-vous que je vous attrape par la peau du cou et que je vous jette dehors ? »

Ragna ne voulait plus être battue. Elle baissa la tête. « Non », dit-elle dans un sanglot.

Elle fit demi-tour et se dirigea vers la porte à pas lents. Elle jeta un dernier regard à Alain, qui poussait des cris hystériques et tendait les bras vers elle. Au prix d'un immense effort, elle se détourna et sortit.

*

La perte du plus jeune de ses fils déchira le cœur de Ragna. Il occupait toutes ses pensées. Meganthryth le nourrissait-elle et le lavait-elle correctement ? Était-il en bonne santé ou souffrait-il d'une maladie infantile ? Se réveillait-il la nuit pour appeler sa mère en pleurant ? Elle devait se contraindre à le chasser de son esprit au moins une partie de la journée si elle ne voulait pas devenir folle.

Elle n'avait pas renoncé à lui – jamais elle ne le ferait. Aussi lorsque le roi et la reine se rendirent à Winchester, Ragna fit-elle le voyage pour les supplier.

Cela faisait alors un mois qu'elle n'avait pas vu Alain. Après être allé à Combe, Wigelm avait décidé de faire tout le tour du comté et il avait gardé son fils avec lui. Apparemment, il comptait rester loin de Shiring pour une longue période.

Wynstan se trouvait toujours à Canterbury, où la désignation du nouvel archevêque s'éternisait ; les deux frères n'assisteraient donc pas à l'audience royale, ce qui encourageait Ragna.

Elle préférait cependant ne pas plaider sa cause en public. Sa détresse ne lui ayant pas fait perdre ses talents de stratège, elle savait que l'humeur d'une assemblée était imprévisible. Les nobles de la région risquaient de se ranger du côté de Wigelm. Elle préférait parler aux souverains en privé.

Le dimanche de Pâques, à l'issue de la grand-messe qui s'était tenue dans la cathédrale, l'évêque Alphage invita les notables rassemblés à Winchester à dîner au palais épiscopal. Ragna était du nombre et elle décida de saisir cette occasion. Le cœur plein d'espoir, elle répéta encore et encore le plaidoyer qu'elle avait l'intention de prononcer.

Pâques étant la fête la plus importante de l'Église, et le roi étant de surcroît présent, c'était un grand événement mondain. Les gens portaient leurs plus beaux atours et leurs bijoux les plus précieux, et Ragna en fit autant.

Le palais épiscopal était richement meublé de bancs de chêne ouvragés et de tapisseries colorées. On avait mis à brûler dans la cheminée des branches de pommier odorantes pour parfumer la fumée. La table était dressée d'assiettes de bronze et de gobelets à bord d'argent.

Le couple royal accueillit Ragna avec chaleur, ce qui lui mit du baume au cœur. Elle leur annonça aussitôt que Wigelm lui avait pris Alain. La reine Emma étant mère – elle avait donné à Ethelred un fils et une fille durant les quatre premières années de leur mariage –, elle ne pourrait que compatir.

Mais le roi lui coupa la parole avant qu'elle ait achevé la première phrase du discours qu'elle avait préparé.

« J'en suis informé, dit-il. Nous avons croisé Wigelm et l'enfant au cours de notre voyage. »

C'était une nouvelle inattendue – une mauvaise nouvelle.

« J'ai discuté de ce problème avec lui », ajouta Ethelred.

Ragna était au désespoir. Elle avait espéré que son récit bouleverserait le roi et la reine et les apitoierait. Malheureusement, Wigelm l'avait devancée. Ethelred avait déjà entendu sa version des faits, qui ne pouvait qu'être déformée.

Ragna allait devoir monter au créneau. Homme d'expérience, le roi savait sûrement qu'il ne devait pas croire tout ce qu'on lui disait.

« Sire, dit-elle avec emphase, il n'est pas juste qu'un enfançon de deux ans soit arraché à sa mère.

— Je pense que c'est effectivement cruel et je l'ai dit à Wigelm.

— C'est certain, intervint la reine. Ce petit a le même âge que notre Edward, et s'il m'était retiré, j'en aurais le cœur brisé.

— Je n'en disconviens pas, mon amour, reprit Ethelred. Mais il ne m'appartient pas de dicter à mes sujets l'administration de leur vie domestique. Les responsabilités d'un roi se limitent à la défense, à la justice et aux finances du royaume. L'éducation des enfants est une affaire privée. »

Ragna ouvrit la bouche pour argumenter. Le roi était également garant de la morale, et il avait le droit de blâmer les notables qui la bafouaient. Mais elle vit Emma secouer discrètement la tête. Ragna referma la bouche. Un bref instant de réflexion lui fit comprendre que la reine avait raison. Lorsqu'un monarque s'était exprimé avec pareille fermeté, il était impossible de le faire fléchir. En insistant, elle ne ferait que se l'aliéner. Elle ravala non sans peine sa rage et sa déception.

« Oui, sire », dit-elle en inclinant la tête.

Combien de temps serait-elle séparée d'Alain ? Tout de même pas pour toujours ?

Quelqu'un d'autre attira alors l'attention du couple royal et Ragna s'écarta. Elle luttait contre les larmes. Sa situation semblait sans issue. Si le roi refusait de l'aider à reprendre son fils, qui le ferait ?

Le problème était que Wigelm et Wynstan avaient tous les pouvoirs. Ils pouvaient presque tout se permettre. Wynstan était rusé, Wigelm était brutal, et ils étaient tous deux prêts à défier le roi et la loi. Si elle avait pu faire quoi que ce fût pour les affaiblir, elle l'aurait fait. Mais rien ne semblait pouvoir les arrêter.

Aldred s'approcha d'elle.

« Vos messagers sont-ils revenus de Normandie ? lui demanda-t-elle.

— Non.

— Cela fait des mois qu'ils sont partis.

— Ils doivent avoir du mal à le retrouver. Les bâtisseurs bougent beaucoup. Ils vont là où il y a du travail. »

Elle remarqua son air distrait et soucieux.

« Qu'avez-vous ? demanda-t-elle.

— Je comprends qu'un roi cherche à éviter les conflits lorsque c'est possible, lança-t-il avec colère. Mais il y a des cas où un roi doit exercer son pouvoir souverain ! »

Ragna partageait ce point de vue, mais ce n'était pas une chose à dire en public. Elle regarda autour d'elle d'un air inquiet. Personne ne semblait l'avoir entendu.

« À quoi songez-vous ? demanda-t-elle.

— Wynstan a si bien échauffé les esprits à Canterbury qu'il existe désormais une faction hostile à Alphage. Ethelred hésite à prendre une décision car il ne veut pas d'ennuis avec les moines.

— Et vous, vous voudriez que le roi fasse acte d'autorité, déclare que Wynstan n'est pas digne d'être archevêque et impose la nomination d'Alphage sans se soucier de l'avis des moines.

— Il me semble qu'un souverain doit défendre la morale !

— Vivant loin de Shiring, ces moines ignorent évidemment ce que nous savons tous au sujet de Wynstan.

— En effet. »

Ragna se rappela soudain un détail susceptible de nuire à Wynstan. Son inquiétude pour Alain était telle qu'elle avait failli l'oublier.

« Et si… »

Elle hésita. Elle avait décidé de ne pas divulguer cette information par peur des représailles. Mais Wigelm lui avait déjà infligé le pire. Il avait exécuté la menace qu'il agitait depuis si longtemps. Il lui avait pris son enfant. Et sa cruauté avait une conséquence qu'il n'avait certainement pas prévue : il avait perdu toute emprise sur elle.

Se délectant de cette constatation, elle se sentit libérée. Elle ferait désormais tout ce qui était en son pouvoir pour saper la puissance des deux frères. Le danger demeurait bien réel, mais elle était prête à courir le risque. Le jeu en valait la chandelle.

« Et si vous pouviez prouver aux moines que Wynstan est indigne de la charge qu'il convoite ? » demanda-t-elle.

Aldred se fit soudain plus attentif.

« Que voulez-vous dire ? »

Ragna hésita encore. Si elle était bien décidée à affaiblir Wynstan, il lui faisait toujours peur. Elle prit son courage à deux mains.

« Wynstan est atteint de la lèpre des putains. »

Aldred en resta bouche bée.

« Que Dieu ait pitié de nous ! Est-ce vrai ?

— Oui.

— Comment le savez-vous ?

— Hildi a remarqué sur son cou une grosseur

caractéristique de cette maladie. Agnès, sa maîtresse, présentait le même genre de tumeur et elle en est morte.

— Voilà qui change tout ! jubila Aldred. Le roi le sait-il ?

— Personne ne le sait hormis Hildi et moi – et vous aussi maintenant.

— Dans ce cas, vous devez le lui dire ! »

La peur paralysa Ragna un instant.

« Je préférerais que Wynstan ignore que la nouvelle vient de moi.

— Alors je l'apprendrai au roi sans vous citer nommément.

— Attendez... » Aldred était pressé, mais Ragna tenait à définir la meilleure approche. « Avec un roi, il faut être prudent. Ethelred sait que vous êtes un partisan d'Alphage et il pourrait voir dans votre intervention une tentative de vous opposer à sa volonté.

— Mais il faut exploiter cette information ! s'écria Aldred, exaspéré.

— Bien sûr, approuva Ragna. Cependant, il existe peut-être une meilleure façon de procéder. »

*

L'évêque Wynstan et l'archidiacre Degbert assistaient souvent aux réunions dans la salle capitulaire, où les moines discutaient des affaires quotidiennes du monastère et de la cathédrale. La présence de visiteurs n'avait rien d'habituel, mais frère Eappa l'avait suggérée, et le trésorier Sigefryth était devenu l'allié de Wynstan. Ils étaient donc présents à la première réunion suivant la fête de Pâques.

Une fois achevée la lecture du chapitre, Sigefryth, qui présidait les réunions, prit la parole.

« Nous devons prendre une décision à propos du pré au bord du fleuve. Les habitants du voisinage y font paître leurs bêtes alors qu'il nous appartient. »

Ce sujet n'avait aucun intérêt pour Wynstan, mais il afficha un air concentré. Il devait feindre de se soucier de tout ce qui affectait les moines.

« Nous ne nous en servons pas, fit remarquer frère Forthred, le moine médecin. Vous ne pouvez pas leur en vouloir.

— Certes, acquiesça Sigefryth, mais en les laissant transformer ce pré en communaux, nous risquons d'avoir des ennuis le jour où nous en aurons besoin pour nous-mêmes. »

Frère Wigferth, qui revenait tout juste de Winchester, prit la parole.

« Frères, excusez-moi de vous interrompre, mais il y a un sujet bien plus important que nous devrions aborder sans tarder. »

Sigefryth pouvait difficilement repousser une requête présentée avec autant de force.

« Très bien », dit-il.

Wynstan tendit l'oreille. Ce n'était qu'à contrecœur qu'il ne s'était pas rendu à Winchester pour Pâques. Il détestait manquer une cour de justice royale qui se tenait à proximité. Mais, en fin de compte, il avait jugé plus important de rester à Canterbury pour sentir dans quel sens soufflait le vent. À présent, il était impatient d'apprendre ce qui s'était passé.

« J'ai assisté à l'audience de Pâques, reprit Wigferth. Beaucoup de gens m'ont interrogé sur l'identité du prochain archevêque de Canterbury. »

Sigefryth était outragé.

« Pourquoi vous ont-ils parlé ? s'indigna-t-il. Avez-vous prétendu nous représenter ? Vous n'êtes qu'un percepteur de redevances !

— En effet, reconnut Wigferth. Mais si quelqu'un m'adresse la parole, je suis obligé de l'écouter. Ne serait-ce que par politesse. »

Wynstan éprouva un mauvais pressentiment.

« Peu importe, fit-il sèchement, agacé par cette querelle de pure étiquette. Que vous ont-ils dit, frère... frère... ? » Il n'arrivait pas à se rappeler le nom du moine qui était allé à Winchester.

« Vous me connaissez bien, monseigneur. Je m'appelle Wigferth.

— Bien sûr, bien sûr, que vous ont-ils dit ? »

Wigferth paraissait terrifié mais résolu.

« Les gens affirment que l'évêque Wynstan est inapte à être archevêque de Canterbury. »

N'était-ce que cela ?

« Cela ne regarde pas *les gens* ! répliqua Wynstan avec dédain. C'est le pape qui accorde le podium.

— Vous voulez dire le pallium », rectifia Wigferth.

Wynstan se rendit compte de son lapsus. Le pallium était une bande d'étoffe brodée que le pape remettait aux nouveaux archevêques en symbole de son approbation. Gêné, il décida de nier l'évidence.

« C'est bien ce que j'ai dit : le pallium.

— Frère Wigferth, intervint Sigefryth, vous a-t-on expliqué ce qu'on reproche à l'évêque Wynstan ?

— Oui. »

Le silence se fit, et le malaise de Wynstan s'accrut. Il ne savait pas de quoi il allait être question, et l'ignorance est toujours dangereuse.

Wigferth semblait heureux qu'on lui ait posé cette question. Il balaya la salle du regard et éleva la voix pour s'assurer que tous puissent l'entendre.

« L'évêque Wynstan est atteint d'un mal appelé la lèpre des putains. »

Ce fut alors une véritable cacophonie. Tous les

moines parlaient en même temps. Wynstan se leva d'un bond et hurla :

« Mensonge ! Mensonge ! »

Debout au milieu de la salle, Sigefryth répétait « Silence, je vous prie, tout le monde, silence, je vous prie », jusqu'à ce que tous soient las de crier, après quoi il reprit :

« Monseigneur Wynstan, qu'avez-vous à répondre à cela ? »

Wynstan savait qu'il aurait dû garder son calme, mais il était désarçonné.

« Ce que je réponds, c'est que frère Wigferth a une femme et un enfant à Trench, un village de l'ouest de l'Angleterre, et qu'un moine fornicateur comme lui n'a aucune crédibilité.

— Même si cette accusation était fondée, répliqua froidement Wigferth, elle n'aurait aucun rapport avec la santé de l'évêque. »

Wynstan comprit aussitôt qu'il avait choisi la mauvaise tactique. Il avait répliqué du tac au tac, contrant l'accusation par une autre accusation qu'il aurait parfaitement pu forger de toutes pièces. Apparemment, il perdait ses moyens. Que m'arrive-t-il ? se demanda-t-il.

Il se rassit pour paraître plus détendu et demanda :

« Et comment ces *gens* auraient-ils pu être informés de mon état de santé ? »

À peine eut-il prononcé ces mots qu'il se rendit compte qu'il venait de commettre une nouvelle erreur. Poser une question dans une dispute n'était jamais habile : cela ne faisait qu'offrir une ouverture à l'adversaire.

Wigferth saisit sa chance.

« Monseigneur Wynstan, votre maîtresse Agnès de Shiring est morte de la grande vérole. »

Wynstan resta muet. Agnès n'avait jamais été sa

maîtresse, mais un simple petit plaisir occasionnel. Il savait qu'elle était morte – le diacre Ithamar le lui avait appris dans une lettre, sans préciser cependant la cause du décès, et Wynstan ne s'intéressait pas assez à la jeune femme pour s'en enquérir.

« Un des symptômes de ce mal est la confusion mentale, poursuivit Wigferth : oublier le nom des gens, confondre un mot avec un autre. *Podium* avec *pallium*, par exemple. L'état mental du malade s'aggrave jusqu'à ce qu'il sombre dans la démence. »

Wynstan retrouva sa voix.

« Prétend-on me condamner parce que ma langue est fourchue ? »

Les moines éclatèrent de rire et Wynstan s'aperçut de sa bévue : il avait voulu dire *ma langue a fourché*. Il était humilié et furieux.

« Je ne deviens pas fou ! » rugit-il.

Wigferth n'avait pas terminé.

« Le signe incontestable de cette maladie est une importante grosseur rouge sur le visage ou sur le cou. »

Wynstan porta la main à sa gorge pour dissimuler cette enflure ; et, dans la seconde, il comprit qu'il s'était trahi.

« N'essayez pas de la cacher, monseigneur, fit Wigferth.

— Ce n'est qu'un furoncle, protesta Wynstan, retirant sa main à contrecœur.

— Faites-moi voir », intervint Forthred.

Il s'approcha de Wynstan. Celui-ci ne pouvait que le laisser faire : toute autre réaction eût été un aveu. Il resta immobile pendant que Forthred examinait la grosseur.

Finalement, le moine médecin se redressa.

« J'ai déjà vu de telles tumeurs, déclara-t-il. Sur le visage de certains des plus misérables et infortunés pécheurs de cette ville. Pardonnez-moi, monseigneur, mais Wigferth a dit la vérité. Vous êtes atteint de la lèpre des putains. »

Wynstan se leva.

« Je mettrai la main sur celui qui a répandu ce répugnant mensonge ! » hurla-t-il, et il eut la faible consolation de voir la peur envahir les visages des moines. Il se dirigea vers la porte. « Et quand je l'aurai trouvé... je le tuerai ! Je le tuerai ! »

*

Wynstan fulmina tout au long du voyage de retour vers Shiring. Il insulta Degbert, cria après les taverniers, gifla les serveuses et fouetta son cheval sans pitié. Il ne cessait d'oublier les choses les plus simples, ce qui exacerbait encore sa colère.

Une fois chez lui, il agrippa Ithamar par le devant de sa tunique, le plaqua contre un mur et hurla :

« Quelqu'un répand le bruit que j'ai attrapé la lèpre des putains – qui est-ce ? »

Le visage poupin d'Ithamar était livide de terreur. Il réussit à bafouiller :

« Personne, je le jure.

— Quelqu'un en a parlé à Wigferth de Canterbury.

— Il l'aura inventé.

— De quoi est morte cette femme ? L'épouse du chef de village – comment s'appelait-elle ?

— Agnès ? De fièvre, sans doute.

— De quel genre de fièvre, crétin ?

— Je ne sais pas ! Elle est tombée malade, elle a eu une énorme pustule sur la joue, et puis elle est devenue folle et elle est morte ! Comment pourrais-je savoir de quoi ?

— Qui l'a soignée ?

— Hildi.

— Qui est-ce ?

— La sage-femme. »

Wynstan lâcha Ithamar.

« Amène-moi cette sage-femme, et tout de suite. »

Ithamar partit en courant et Wynstan retira sa tenue de voyage avant de se laver le visage et les mains. Cette crise était la pire de sa vie. Si tout le monde se mettait à croire qu'il souffrait d'une maladie invalidante, il pouvait dire adieu à la richesse et au pouvoir. Il fallait étouffer cette rumeur au plus vite, et la première chose à faire était de châtier celui ou celle qui l'avait lancée.

Ithamar revint quelques minutes plus tard, accompagné d'une petite femme aux cheveux gris. Wynstan ne savait ni qui elle était ni ce qu'elle venait faire ici.

« Monseigneur, voici Hildi, la sage-femme qui a soigné Agnès quand elle était mourante, dit Ithamar.

— Bien sûr, bien sûr, répondit Wynstan. Je la connais. »

Il se rappela alors qu'il avait fait sa connaissance le jour où il l'avait conduite au pavillon de chasse pour qu'elle examine Ragna. Une femme un peu pincée, mais dotée d'une paisible assurance. Elle avait l'air inquiète, mais bien moins effrayée que la plupart des gens qui étaient convoqués par Wynstan. Elle n'était pas du genre à se laisser intimider par des cris ou des menaces, devina-t-il.

Affectant une mine chagrine, il déclara :

« Je pleure encore ma chère Agnès.

— Il était impossible de la sauver, répondit Hildi. Nous avons prié pour elle, mais nos prières n'ont pas été exaucées.

— Dites-moi comment elle est morte, demanda-t-il d'une voix lugubre. La vérité, je vous prie, ne me bercez pas d'illusions réconfortantes.

— Fort bien, monseigneur. Elle a tout d'abord souffert de fatigue et de maux de tête. Puis elle a été prise de confusion mentale. Une grosseur est apparue sur sa joue. Enfin elle a perdu l'esprit. Et une mauvaise fièvre l'a emportée dans la tombe. »

Cette liste était terrifiante. La plupart de ces symptômes avaient déjà été cités par Wigferth.

Wynstan lutta contre l'effroi qui menaçait de le submerger.

« Quelqu'un a-t-il rendu visite à Agnès durant sa maladie ?

— Non, monseigneur. Ils avaient tous peur de l'attraper.

— À qui avez-vous parlé de ses symptômes ?

— À personne, monseigneur.

— En êtes-vous sûre ?

— Tout à fait sûre. »

Wynstan la soupçonnait de lui mentir. Il chercha alors à la désarçonner.

« Souffrait-elle de la lèpre des putains ? » Il vit alors une infime lueur de peur dans les yeux d'Hildi.

« À ma connaissance, monseigneur, il n'existe pas de mal de ce nom. »

Elle s'était ressaisie promptement, mais sa réaction ne lui avait pas échappé et il était certain qu'elle mentait. Cependant, il décida de n'en rien dire.

« Merci de m'avoir consolé dans mon chagrin, reprit-il. Je n'ai plus besoin de vous. »

Hildi semblait posséder un remarquable sang-froid, songea-t-il comme elle prenait congé.

« Elle n'a pas l'air du genre à colporter des ragots, fit-il remarquer à Ithamar.

— En effet.

— Mais elle en a forcément parlé à quelqu'un.

— Elle est en excellents termes avec lady Ragna. »

Wynstan secoua la tête d'un air dubitatif.

« Ragna et Agnès se détestaient. Ragna a condamné à mort le mari d'Agnès, et celle-ci s'est vengée en m'avertissant de sa tentative d'évasion.

— Et si elle s'était réconciliée avec Ragna sur son lit de mort ? »

Wynstan réfléchit à la question.

« C'est possible, convint-il. Qui pourrait le savoir ?

— Cat, sa servante française.

— Ragna est-elle à Shiring en ce moment ?

— Non, elle est partie à Outhenham.

— Dans ce cas, je vais aller voir cette Cat.

— Elle ne vous dira rien. »

Wynstan sourit.

« Si j'étais toi, je n'en serais pas si sûr. »

Il quitta sa résidence et monta jusqu'au domaine de l'ealdorman. Il se sentait plein d'énergie. Pour le moment, il avait l'esprit parfaitement clair, bien loin de la confusion qui l'affectait ces derniers temps. Plus il y réfléchissait, plus il lui semblait probable qu'il existait un lien entre Agnès et Wigferth, par l'intermédiaire d'Hildi et de Ragna.

Wigelm était toujours absent et le calme régnait sur le domaine. Wynstan se rendit immédiatement chez Ragna où il trouva les trois servantes en train de s'occuper des enfants.

« Je vous souhaite le bonjour », lança-t-il.

La plus jolie des trois était celle qu'il voulait voir, il le savait, mais son nom lui échappait.

Elle lui jeta un regard apeuré.

« Que voulez-vous ? » demanda-t-elle.

Son accent français lui rappela qui elle était.

« Tu es Cat, dit-il.

— Lady Ragna n'est pas ici.

— C'est grand dommage, car je venais la remercier. »

Cat sembla un peu moins effrayée.

« La remercier ? s'étonna-t-elle. Qu'a-t-elle fait pour vous ?

— Elle a rendu visite à ma chère Agnès sur son lit de mort. »

Wynstan attendit la réaction de Cat. Elle risquait de dire *Mais madame ne lui a jamais rendu visite*, ce qui conduirait Wynstan à se demander si elle disait vrai ou non. Mais Cat resta muette.

« C'était une grande bonté de sa part », reprit Wynstan.

Suivit un nouveau silence, puis Cat rétorqua :

« Bien plus grande que ne le méritait Agnès. »

Et voilà. Wynstan réprima difficilement un sourire. Il avait deviné juste. Ragna était allée voir Agnès. Elle avait dû observer ses symptômes, qu'Hildi n'aurait pas manqué de lui expliquer. Cette garce française était à l'origine des rumeurs.

Il poursuivit sa feinte.

« Je lui en suis profondément reconnaissant, d'autant plus que j'étais absent et dans l'incapacité de réconforter moi-même cette pauvre Agnès. Voulez-vous, je vous prie, faire part de ma gratitude à votre maîtresse ?

— Je n'y manquerai pas, répondit Cat manifestement perplexe.

— Je vous remercie », dit Wynstan. Je vais parfaitement bien, pensa-t-il ; j'ai l'esprit plus vif que jamais.

Il s'éloigna.

*

Wigelm revint une semaine plus tard et Wynstan lui rendit visite le lendemain matin.

Il vit Alain courir dans le domaine en compagnie des

trois autres fils de Ragna, tous visiblement fous de joie de se retrouver. Un peu plus tard, Meganthryth sortit de la maison de Wigelm et appela Alain pour dîner.

« Je veux pas », répliqua-t-il.

Elle répéta son ordre et il partit à toutes jambes, obligeant Meganthryth à lui courir après. Il n'avait pas encore trois ans et ne pouvait distancer une adulte en bonne santé, aussi eut-elle vite fait de le rattraper et de le soulever de terre. Il piqua une colère, hurlant, se débattant et cherchant à la frapper de ses petits poings.

« Je veux manman ! » hurla-t-il.

Gênée et agacée, Meganthryth le porta jusqu'à la maison.

Wynstan la suivit.

Wigelm affûtait un long poignard sur une meule. Il leva les yeux, irrité par les cris du garçonnet.

« Qu'a-t-il encore ? s'emporta-t-il.

— Je n'en sais rien, répondit Meganthryth tout aussi en colère, ce n'est pas mon fils.

— C'est la faute de Ragna. Par Dieu, je regrette de l'avoir épousée. Salut, Wynstan. Vous avez bien raison de rester célibataires, vous les prêtres. »

Wynstan s'assit.

« J'ai longuement réfléchi et je pense qu'il est temps de nous débarrasser de Ragna, annonça-t-il.

— Le pouvons-nous, cette fois ? demanda Wigelm sans dissimuler son impatience.

— Il y a trois ans, il fallait la faire entrer dans la famille. Cela nous a permis de neutraliser toute opposition à ta désignation au titre d'ealdorman. Mais ce rang t'est désormais assuré. Tout le monde t'a accepté, même le roi.

— Et Ethelred a encore besoin de moi, ajouta Wigelm. Les Vikings sont revenus en force, ils pillent toute la côte sud de l'Angleterre. Il y aura de nouvelles batailles cet été. »

Meganthryth fit asseoir Alain, posa une tartine beurrée devant lui. Il se calma et commença à manger.

« Autrement dit, nous n'avons plus besoin de Ragna, conclut Wynstan. En outre, elle ne cesse d'être source d'embarras. Alain ne l'oubliera pas tant qu'elle vivra dans ce domaine. Et elle se permet de nous espionner. Je crois que c'est elle qui fait courir le bruit que je suis atteint de la lèpre des putains.

— Pouvons-nous la tuer ? » demanda Wigelm tout bas.

La subtilité n'était décidément pas son fort.

« Cela pourrait nous valoir des ennuis, objecta Wynstan. Pourquoi ne te sépares-tu pas d'elle ?

— Un divorce ?

— Oui. Rien de plus facile.

— Le roi Ethelred n'appréciera pas. »

Wynstan haussa les épaules.

« Que peut-il faire ? Voilà des années que nous le défions. Sa seule riposte consiste à nous infliger des amendes que nous ne payons pas.

— Je serais fort aise de la voir partir.

— Alors chasse-la. Et ordonne-lui de quitter Shiring.

— Je pourrais me remarier.

— Pas tout de suite. Laisse au roi le temps de se faire à l'idée de ton divorce. »

Surprenant ces paroles, Meganthryth demanda à Wigelm :

« Pourrons-nous nous marier ?

— Nous verrons, temporisa Wigelm.

— Wigelm a besoin d'autres fils et il me semble que vous êtes stérile », intervint Wynstan.

Cette remarque cruelle fit monter les larmes aux yeux de Meganthryth.

« Peut-être pas. Et si je deviens l'épouse de l'ealdorman, vous devrez me traiter avec respect.

— Fort bien, dit Wynstan. Le jour où les vaches pondront des œufs. »

*

Ragna était enfin libre.

Elle n'en était pas moins triste. Elle serait privée d'Alain, et serait privée d'Edgar. Mais au moins, elle était débarrassée de Wigelm et de Wynstan.

Condamnée à vivre neuf ans sous leur joug, elle prenait à présent la mesure du sentiment d'oppression qu'elle avait éprouvé durant tout ce temps. En théorie, les femmes anglaises avaient plus de droits que les normandes – le plus important étant le contrôle intégral de leurs biens –, mais dans les faits, il avait été difficile de faire respecter la loi.

Elle avait fait savoir à Wigelm qu'elle continuerait à gouverner le val d'Outhen. Elle comptait rester en Angleterre au moins jusqu'au retour des messagers qu'Aldred avait envoyés en Normandie. Quand elle connaîtrait les projets d'Edgar, elle pourrait décider des siens.

Elle avait l'intention d'écrire à son père, de lui raconter tout ce qui lui était arrivé et de confier sa lettre aux courriers qui lui apportaient de l'argent quatre fois par an. Le comte Hubert serait furieux, elle n'en doutait pas, mais elle ignorait ce qu'il ferait.

Ses servantes préparèrent leurs bagages. Cat, Gilda et Wilnod tenaient toutes à l'accompagner.

Elle demanda à Den de lui prêter deux gardes du corps pour le voyage. Elle en engagerait d'autres dès qu'elle serait installée.

On ne lui permit pas de dire au revoir à Alain.

Ils chargèrent les chevaux et partirent de bon matin, en toute discrétion. La plupart des femmes du domaine sortirent pour leur dire au revoir à la dérobée. Toutes s'accordaient pour juger honteux le comportement de Wigelm.

Sortant du domaine, ils prirent la route de King's Bridge.

40

Été 1006

Ragna emménagea dans la maison d'Edgar.

C'était une idée d'Aldred. Elle lui avait demandé où elle pourrait loger à King's Bridge, et il lui avait répondu qu'il avait laissé cette maison inoccupée dans l'éventualité où Edgar reviendrait un jour. Ni l'un ni l'autre ne doutait qu'il souhaiterait alors vivre avec elle – s'il rentrait.

De même forme et de mêmes dimensions que la plupart des maisons, celle-ci était cependant mieux bâtie. Les planches verticales assemblées bord à bord étaient colmatées par de la laine imprégnée de goudron, comme la coque d'un bateau, si bien que la pluie ne pénétrait jamais à l'intérieur même en cas de tempête. À l'arrière du bâtiment, une seconde porte donnait sur une basse-cour. On avait pratiqué des ouvertures dans les pignons afin d'évacuer la fumée et d'assainir l'air.

Ragna reconnut l'esprit d'Edgar dans le mélange d'inventivité et de soin méticuleux qui avait présidé à cette construction.

Elle était déjà venue ici, le jour où il lui avait montré

le coffret qu'il avait fabriqué pour le livre qu'elle lui avait offert. Elle se rappelait le râtelier d'outils impeccable, le tonneau de vin et le garde-manger fromager, et aussi Brindille qui remuait la queue – tout cela avait disparu. Elle se rappelait aussi qu'il lui avait tenu les mains pendant qu'elle pleurait.

Elle se demanda où il vivait à présent.

Elle s'installa peu à peu, espérant chaque matin que ce jour verrait le retour des messagers envoyés à sa recherche. En vain. La Normandie était vaste et Edgar ne s'y trouvait peut-être même plus : il avait pu partir pour Paris, voire pour Rome. Les messagers s'étaient peut-être perdus. Avaient-ils été tués par des brigands ? À moins qu'ils n'aient préféré la France à l'Angleterre et décidé de ne pas rentrer.

Même s'ils retrouvaient Edgar, celui-ci n'aurait pas forcément envie de revenir. Peut-être s'était-il marié. Peut-être avait-il un enfant qui apprenait à parler franco-normand. Elle préférait ne pas nourrir de faux espoirs.

Elle n'avait pas pour autant l'intention de vivre comme une pauvre femme répudiée. Elle était riche et puissante, et bien décidée à le montrer. Elle embaucha une couturière, une cuisinière et trois gardes du corps. Elle acheta trois chevaux et engagea un palefrenier. Elle commença à faire construire sur la parcelle voisine des écuries, des resserres et une seconde maison pour tous ses nouveaux serviteurs. Elle se rendit à Combe où elle acheta de la vaisselle, des ustensiles de cuisine et des tapisseries. Elle en profita pour commander à un charpentier de marine une barge pour ses trajets de King's Bridge à Outhenham. Elle ordonna aussi qu'on bâtisse une maison commune à Outhenham.

Elle ne tarderait pas à s'y rendre, afin de s'assurer que Wigelm n'essayait pas d'y usurper son autorité ;

mais, pour le moment, elle se concentra sur sa nouvelle vie à King's Bridge. En l'absence d'Edgar, le lieu le plus intéressant était l'école d'Aldred. Osbert avait sept ans, les jumeaux cinq, et tous trois y prenaient des leçons six matinées par semaine, en compagnie de trois novices et d'une poignée de garçons du voisinage. Cat ne voulait pas que ses filles soient instruites – elle craignait que cela ne leur donne des idées au-dessus de leur condition –, mais quand les garçons rentraient, ils partageaient avec elles ce qu'ils avaient appris.

Jamais Ragna ne s'habituerait à l'absence d'Alain. Elle s'inquiétait constamment pour lui : au réveil, elle se demandait s'il avait faim, dans l'après-midi, elle espérait qu'il n'était pas fatigué, le soir venu, elle savait qu'on ne tarderait pas à le coucher. Avec le temps, cette douleur inconsolable la tourmenta un peu moins, mais le chagrin restait tapi au fond de son esprit. Elle refusait d'admettre que cette séparation pût être définitive. Il se passerait forcément quelque chose. Ethelred pouvait changer d'avis et ordonner à Wigelm de lui rendre son enfant. Wigelm pouvait mourir. Chaque soir, elle caressait de tels rêves de bonheur, et chaque soir, elle s'endormait en larmes.

Elle renoua avec Blod, l'esclave de Dreng. Toutes deux s'entendaient bien, ce qui était surprenant : elles étaient si distantes socialement qu'elles auraient pu vivre dans des mondes différents. Mais Ragna appréciait le caractère bien trempé de Blod. Et elles éprouvaient une affection égale pour Edgar. À la taverne, c'était désormais Blod qui brassait la bière, faisait la cuisine et s'occupait d'Ethel, la femme de Dreng. Fort heureusement, elle ne se prostituait plus que rarement, confia-t-elle à Ragna.

« Dreng dit que je suis trop vieille, expliqua-t-elle

d'un air amusé un jour où Ragna était venue acheter un tonneau de bière.

— Quel âge as-tu ? demanda Ragna.

— Vingt-deux ans, je crois. Mais de toute façon, j'ai toujours été trop boudeuse pour plaire aux hommes. Alors Dreng s'est acheté une nouvelle fille, avec tout l'argent qu'il gagne les jours de marché. »

Elles se tenaient devant la brasserie, et Blod lui désigna une fille en robe courte qui remplissait un seau sur la berge du fleuve. Son absence de coiffe trahissait son rang d'esclave et de prostituée, mais révélait aussi une masse de cheveux roux foncé qui cascadait sur ses épaules.

« C'est Mairead. Elle est irlandaise.

— Elle a l'air très jeune.

— Elle doit avoir douze ans – l'âge que j'avais en arrivant ici.

— Pauvre petite. »

Blod avait le sens des réalités.

« Les hommes qui sont prêts à payer pour faire cela veulent ce qu'ils n'ont pas chez eux. »

Ragna observa la fille plus attentivement. Elle ne devait certainement pas ses rondeurs à son alimentation.

« Est-elle grosse ?

— Oui, et plus avancée qu'elle n'en a l'air, mais Dreng ne s'en est pas encore rendu compte. Il n'entend rien à ces choses-là. Il sera furieux. Les clients refusent de payer le prix fort pour une putain enceinte. »

Malgré le pragmatisme de Blod, Ragna perçut dans sa voix une certaine tendresse pour Mairead, et se félicita que la jeune esclave ait quelqu'un pour veiller sur elle.

Elle paya Blod qui sortit de la brasserie en faisant rouler un tonneau.

Dreng surgit du poulailler avec quelques œufs dans un panier. Il avait engraissé, et boitait plus que jamais. Il adressa à Ragna un salut de pure forme – depuis qu'elle n'était plus en cour, il avait renoncé à son obséquiosité – et s'éloigna. Il avait le souffle court, et pourtant la tâche était loin d'être épuisante.

Ethel apparut sur le seuil de la taverne. Elle avait l'air souffrante, elle aussi. Comme le savait Ragna, elle approchait de la trentaine, mais paraissait beaucoup plus âgée. Ses dix années de vie conjugale avec Dreng n'en étaient pas seules responsables. Selon mère Agatha, Ethel souffrait d'un mal interne qui la fatiguait beaucoup.

« Vous avez besoin de quelque chose, Ethel ? » demanda Blod d'une voix inquiète. Ethel secoua la tête, prit le panier à œufs et disparut dans la taverne. « Il faut bien que je m'occupe d'elle, reprit Blod. Sinon personne ne le fera.

— Et la belle-sœur d'Edgar ?

— Cwenburg ? Elle n'est pas du genre à prendre soin de sa belle-mère. » Blod entreprit de pousser le tonneau vers le haut du coteau. « Je me charge de vous l'apporter. » Elle se mit aussitôt à l'ouvrage et Ragna admira sa robustesse.

En face de la maison de Ragna, Aldred supervisait un groupe de moines et d'ouvriers qui arrachaient les souches d'arbres et déracinaient les buissons sur le site de la future église. Voyant arriver les deux femmes, il se dirigea vers elles.

« Tu auras bientôt de la concurrence, annonça-t-il à Blod. J'ai l'intention de faire construire une taverne ici, sur la place du marché, et de la louer à un homme de Mudeford.

— Dreng va être furieux, commenta Blod.

— Il est toujours furieux pour une raison ou pour

une autre, répliqua Aldred. Le bourg est assez gros pour accueillir deux tavernes. Les jours de marché, il nous en faudrait quatre.

— Est-il convenable qu'un monastère soit propriétaire d'une taverne ? demanda Ragna.

— Il n'y aura pas de prostituées dans celle-ci, précisa Aldred d'un air sévère.

— Tant mieux », approuva Blod.

Comme Ragna se tournait vers le fleuve, elle vit deux moines traverser le pont à cheval. Le monastère possédant des terres dans tout le sud de l'Angleterre, les moines de King's Bridge se déplaçaient beaucoup, mais quelque chose dans l'aspect des deux cavaliers fit battre son cœur plus vite. Leurs vêtements étaient crasseux, le cuir de leurs bagages paraissait râpé et leurs chevaux étaient fourbus. Ils avaient fait un long voyage.

Aldred, qui avait suivi le regard de Ragna, demanda d'une voix fébrile :

« Pourrait-il s'agir de William et d'Athulf ? Sont-ils enfin rentrés de Normandie ? »

Si tel était le cas, Edgar n'était pas avec eux. Ragna éprouva une déception si vive qu'elle grimaça comme sous l'effet d'un coup de fouet.

Aldred descendit la colline à grandes enjambées pour se porter à leur rencontre, suivi de Ragna et de Blod.

Les moines mirent pied à terre et Aldred les étreignit l'un après l'autre.

« Vous nous revenez sains et saufs, constata-t-il. Dieu soit loué.

— Amen, dit William.

— Avez-vous trouvé Edgar ?

— Oui, mais cela n'a pas été chose aisée. »

Ragna osait à peine laisser l'espoir renaître en elle.

« Et comment a-t-il réagi à notre proposition ? demanda Aldred.

— Il a décliné notre invitation », répondit William.

Ragna se plaqua les mains sur la bouche pour étouffer un gémissement.

« Vous a-t-il expliqué pourquoi ? insista Aldred.

— Non. »

Ragna retrouva sa voix.

« Est-il marié ?

— Non… »

Elle perçut une hésitation.

« Alors quoi ?

— Les gens du bourg où il vit disent qu'il va épouser la fille du maître maçon et que plus tard, il sera lui-même maître. »

Ragna fondit en larmes. Tous les regards étaient rivés sur elle, mais elle ne se souciait plus de sa dignité.

« Il s'est fait une nouvelle vie là-bas, c'est cela ?

— Oui, milady.

— Et il ne veut pas y renoncer.

— Il semblerait. Je suis navré. »

Ragna ne parvint plus à se maîtriser et éclata en sanglots. Se retournant, elle gravit le coteau précipitamment, trouvant son chemin à travers les larmes qui lui brouillaient les yeux. Arrivée chez elle, elle se jeta sur la paille et donna libre cours à son chagrin.

*

« Je vais retourner à Cherbourg », annonça fermement Ragna à Blod une semaine plus tard.

Il faisait chaud ce jour-là et les enfants pataugeaient dans les hauts-fonds près de la berge du fleuve. Assise sur le banc devant la taverne, Ragna les surveillait tout en étanchant sa soif avec un gobelet de bière. Dans la pâture toute proche, un chien bien dressé gardait un petit troupeau de moutons. Le berger, Theodberht Pied-Bot, était à l'intérieur de la taverne.

Blod se tenait à côté de Ragna, s'attardant pour bavarder après l'avoir servie.

« Quel dommage, milady, dit-elle.

— Peut-être pas. »

Ragna était résolue à ne pas se laisser abattre. Certes, rien ne s'était passé comme elle l'avait prévu, mais elle tirerait le meilleur parti de la situation. Elle avait encore la plus grande part de sa vie devant elle, et n'avait pas l'intention de la gâcher.

« Quand partirez-vous ? demanda Blod.

— Pas tout de suite. Il faut que je passe quelque temps à Outhenham avant mon départ. Mon projet à long terme est de posséder deux maisons, une ici, l'autre à Outhenham, et de revenir tous les ans en Angleterre pour veiller sur mes biens.

— Pourquoi ? Vous pourriez confier cette tâche à quelqu'un d'autre et rester tranquille chez vous à compter votre argent.

— J'en serais incapable. J'ai toujours pensé que j'étais faite pour gouverner, dispenser la justice, accroître la prospérité d'un lieu.

— C'est plutôt un travail d'homme en général.

— En général, mais pas toujours. Et je n'ai jamais aimé l'oisiveté.

— Moi, je ne sais même pas ce que c'est. »

Ragna sourit.

« Je suis sûre que cela ne te plairait pas. »

Cwenburg, la femme d'Erman et d'Eadbald, passa chargée d'un panier rempli de poissons fraîchement pêchés dans leur vivier. Certains frétillaient encore. Ragna supposa qu'elle se rendait chez Bucca, le poissonnier. Cwenburg avait toujours été dodue, se rappela-t-elle, mais désormais elle était franchement grasse. Elle n'avait pas beaucoup plus d'une vingtaine d'années et avait pourtant déjà perdu la fraîcheur et la vigueur de la jeunesse, en même temps que tout pouvoir de séduction. Toutefois, les frères d'Edgar semblaient satisfaits. C'était un arrangement peu commun, mais qui durait depuis déjà neuf ans.

Cwenburg s'arrêta pour discuter avec Dreng, son père, qui sortait d'un appentis, une pelle de bois à la main. Il était toujours un peu surprenant de voir des gens aussi désagréables se témoigner de l'affection, songea Ragna. C'est alors qu'un cri de colère provenant de la taverne coupa court à ses réflexions.

Un instant plus tard, Theodberht sortit en clopinant, rattachant sa ceinture.

« Elle est grosse ! lança-t-il, furieux. Je ne donnerai pas un penny pour une catin enceinte ! »

Dreng s'avança précipitamment, sans lâcher sa pelle.

« Que dis-tu ? demanda-t-il. Que se passe-t-il ? »

Theodberht répéta sa protestation en haussant le ton.

« Je n'en savais rien ! s'exclama Dreng. Je l'ai achetée une livre au marché de Bristol et c'était il y a un an à peine.

— Rends-moi mon penny !

— Sale garce, je vais lui donner une leçon.

— Dreng, intervint Ragna, c'est votre faute si elle est enceinte – ne comprenez-vous pas cela ? »

Dreng lui répondit avec une politesse revêche :

« Milady, elles ne tombent enceintes que si elles aiment se faire foutre, tout le monde sait cela. » Il fouilla dans sa bourse et tendit un penny d'argent à Theodberht. « Prends un autre gobelet de bière, mon ami, et ne pense plus à cette garce. »

Theodberht accepta la pièce avec mauvaise grâce et se dirigea vers la pâture en sifflant son chien.

« Il aurait bu un tonnelet de bière et serait resté pour la nuit, maugréa Dreng, amer. Peut-être même se serait-t-il payé un autre coup demain matin. Tout cet argent perdu… »

Il entra dans la taverne en boitant.

« Quel âne, dit Ragna à Blod. S'il prostitue cette pauvre fille, elle ne peut qu'être grosse tôt ou tard – comment peut-il l'ignorer ?

— Qui vous a dit que Dreng était doué de raison ?

— J'espère qu'il ne va pas la punir. »

Blod haussa les épaules.

« La loi dit qu'un homme ne peut ni battre ni tuer un esclave sans motif valable, affirma Ragna.

— Qui juge si le motif est valable ou non ?

— Moi, d'ordinaire. »

Les deux femmes entendirent alors un cri de douleur, suivi d'un rugissement de rage, puis de sanglots. Elles se levèrent d'un bond, puis hésitèrent. Il n'y eut plus de bruit pendant plusieurs secondes.

« Si ça s'arrête là… », murmura Blod.

Mais un hurlement déchira l'air et elles se précipitèrent dans la taverne.

Étendue sur le sol, Mairead se couvrait le ventre des bras. Elle avait une plaie à la tête et ses cheveux étaient imbibés d'un sang rouge vif. Dreng se dressait au-dessus d'elle, brandissant sa pelle des deux mains. Il poussait des cris incohérents. Ethel, son épouse, était tapie dans un coin, observant la scène avec des yeux terrifiés.

« Arrêtez tout de suite ! » cria Ragna.

Dreng asséna un nouveau coup de pelle à Mairead.

« Arrêtez ! » répéta Ragna.

Du coin de l'œil, elle vit Blod s'emparer du seau en chêne accroché à un piton derrière la porte. Comme Dreng brandissait à nouveau sa pelle, Blod souleva le seau pesant pour le frapper. C'est alors que Dreng chancela.

Il lâcha sa pelle et porta la main à sa poitrine. Gémissant, il tomba à genoux en murmurant :

« Mon Dieu, que j'ai mal ! »

Ragna se figea, les yeux rivés sur lui. Pourquoi souffrait-il ? C'était lui qui frappait quelqu'un et non l'inverse. Était-ce une manifestation de la vengeance divine ?

Dreng tomba en avant, et son visage heurta la pierre qui entourait la cheminée. Ragna bondit vers lui, l'agrippa par les chevilles et l'éloigna des flammes. Son corps était flasque. Elle le fit rouler sur lui-même. Son gros nez s'était brisé lors de sa chute et sa bouche et son menton étaient maculés de sang.

Il ne bougeait pas.

Elle posa la main sur son torse. Apparemment, il ne respirait pas et elle ne sentait aucun battement de cœur.

Elle se tourna alors vers Mairead.

« Es-tu gravement blessée ? demanda-t-elle.

— J'ai affreusement mal à la tête », répondit la jeune esclave. Elle se redressa en position assise, une main sur le ventre. « Mais je crois que mon enfant n'a rien. »

Ragna entendit la voix de Cwenburg sur le seuil.

« Père ! Père ! »

Cwenburg entra précipitamment, laissa choir son panier de poissons et tomba à genoux près de Dreng.

« Père, parle-moi ! » Dreng resta immobile.

Cwenburg regarda Blod par-dessus son épaule.

« Tu l'as assassiné ! » Elle se leva d'un bond. « Chienne d'esclave, je vais te tuer ! »

Elle se jeta sur Blod, mais Ragna intervint. Elle saisit Cwenburg par-derrière et lui attrapa les deux bras pour l'immobiliser.

« Tiens-toi tranquille ! » ordonna-t-elle.

Cwenburg cessa de se débattre mais hurla :

« C'est elle qui l'a tué ! Elle l'a frappé avec ce seau ! »

Blod n'avait pas lâché le seau.

« Je n'ai frappé personne. » Elle remit le seau à sa place. « C'est votre père qui cognait, et personne d'autre.

— Menteuse !

— Il a frappé Mairead avec cette pelle.

— C'est vrai, Cwenburg, confirma Ragna. Ton père était en train de rosser Mairead et il a eu comme une attaque. Il est tombé face contre terre devant l'âtre et je l'ai écarté du feu. Mais il était déjà mort. »

Le corps de Cwenburg fléchit. Ragna la lâcha et elle tomba assise, en larmes. Sans doute serait-elle la seule à pleurer Dreng, songea Ragna.

Plusieurs villageois envahirent la maison, ouvrant de grands yeux en découvrant le cadavre au centre de la pièce. Puis Aldred fit son entrée. Voyant le corps qui gisait à terre, il se signa et murmura une courte prière.

Ragna occupait le rang le plus élevé dans l'assistance, mais Aldred était propriétaire de la localité et se chargeait normalement de rendre la justice. Toutefois, se souciant peu de questions de préséance, il s'approcha de Ragna pour lui demander :

« Que s'est-il passé ? »

Elle lui retraça les faits.

Ethel se leva alors et prit la parole pour la première fois.

« Que vais-je faire ? demanda-t-elle.

— Eh bien, la taverne vous appartient à présent », répondit Aldred.

Ragna n'avait pas pensé à cela.

« Absolument pas », protesta Cwenburg, reprenant soudain ses esprits. Elle se leva. « Mon père voulait que ce soit moi qui en hérite. »

Aldred fronça les sourcils.
« A-t-il rédigé un testament ?
— Non, mais il me l'a dit.
— Cela n'a pas de valeur. C'est normalement la veuve qui hérite.
— Elle est incapable de tenir une taverne ! lança Cwenburg avec mépris. Elle est toujours malade. Alors que moi, j'y arriverai, surtout si Erman et Eadbald sont là pour m'aider. »
Ragna était sûre que cela n'aurait pas plu à Edgar.
« Cwenburg, lui rappela-t-elle, Erman, Eadbald et toi êtes déjà riches, avec votre vivier, votre moulin et tous les journaliers qui font le travail à la ferme. Aurais-tu vraiment le cœur de priver une veuve de son gagne-pain ? »
Cwenburg baissa les yeux.
« Il est vrai que je ne suis pas très robuste, reconnut Ethel. Je ne suis pas sûre d'y arriver.
— Je vous aiderai », promit Blod.
Ethel s'approcha d'elle.
« C'est vrai ?
— Je suis bien obligée. Je vous appartiens, au même titre que la taverne. »
Mairead vint se placer de l'autre côté d'Ethel.
« Je vous appartiens, moi aussi.
— Je vous affranchirai dans mon testament, je m'y engage. Toutes les deux. »
Un murmure approbateur s'éleva du groupe de villageois : affranchir un esclave était considéré comme un acte de piété.
« De nombreux témoins ont entendu votre généreuse promesse, Ethel, remarqua Aldred. Si vous souhaitez changer d'avis, mieux vaudrait sans doute le faire tout de suite.
— Jamais je ne changerai d'avis. »

Blod passa un bras autour des épaules d'Ethel et, de l'autre côté, Mairead en fit autant.

« À nous trois, dit Blod, nous parviendrons à tenir l'auberge et à nous occuper du bébé de Mairead – et nous gagnerons plus d'argent que Dreng n'en a jamais gagné.

— Oui, acquiesça Ethel. Peut-être. »

*

Wynstan se trouvait dans un lieu étrange. Déconcerté, il parcourut la scène du regard. C'était une place de marché par un jour d'été, et tout autour de lui des gens achetaient et vendaient des œufs et du fromage, des chapeaux et des chaussures. Il aperçut une église, assez vaste pour être une cathédrale. Le long de sa façade se dressait une belle maison. En face, un édifice ressemblait à un monastère. Sur une colline par-delà la place s'étendait un vaste domaine entouré d'une palissade qui faisait songer à la demeure d'un riche thane, voire d'un ealdorman. Il fut pris d'effroi. Comment avait-il pu se perdre ? Il ne se rappelait même pas comment il était arrivé jusqu'ici. Un frisson de terreur le parcourut.

« Bonjour, monseigneur », fit un inconnu en s'inclinant devant lui.

Monseigneur ? Serais-je évêque ? se demanda-t-il.

L'homme le regarda plus attentivement et s'inquiéta :

« Comment vous sentez-vous, monseigneur ? »

Soudain, tout se remit en place. Il était l'évêque de Shiring, cette église était sa cathédrale et la maison qui la jouxtait était sa résidence.

« Parfaitement bien, évidemment ! » répondit-il sèchement.

L'individu, en qui Wynstan reconnut un boucher

qu'il fréquentait depuis vingt ans, fila sans demander son reste.

Toujours perplexe et alarmé, Wynstan gagna sa maison à la hâte.

Il y retrouva son cousin, l'archidiacre Degbert, et Ithamar, un diacre de la cathédrale. Eangyth, l'épouse d'Ithamar, remplissait un gobelet de vin.

« Ithamar a reçu des nouvelles », annonça Degbert.

Ithamar semblait terrorisé. Il resta coi pendant que la servante posait le gobelet devant lui.

Irrité par son bref épisode d'amnésie, Wynstan dit avec impatience :

« Eh bien, vas-y, parle.

— Alphage a été nommé archevêque de Canterbury », balbutia Ithamar.

Wynstan avait beau s'y attendre, il fut pris d'une rage meurtrière. Incapable de se contrôler, il saisit une coupe sur la table et en jeta le contenu au visage d'Ithamar. Ce geste n'ayant pas suffi à le calmer, il renversa la table. Comme Eangyth hurlait, il serra le poing et la frappa à la tempe de toutes ses forces. Elle tomba et resta immobile, et il crut l'avoir tuée ; puis elle bougea, se releva et sortit de la pièce en courant. Ithamar la suivit, s'essuyant les yeux avec la manche de sa robe.

« Calme-toi, mon cousin, dit Degbert, visiblement inquiet. Assieds-toi. Bois un peu de vin. As-tu faim ? Veux-tu que je t'apporte quelque chose à manger ?

— Oh toi, ferme-la », rugit Wynstan, mais il s'assit et but le vin que Degbert lui servit.

Lorsqu'il fut calmé, Degbert lui rappela d'un ton accusateur :

« Tu avais promis de me faire évêque de Shiring.

— Je ne peux plus, ne le comprends-tu pas ? répliqua Wynstan. La place n'est pas vacante, imbécile. »

Degbert trouva apparemment l'excuse un peu faible.

« C'est la faute de Ragna, reprit Wynstan. C'est elle qui a lancé cette stupide rumeur de mal des putains. » Un nouvel accès de rage le fit bouillir. « Son châtiment a été bien trop léger. Nous n'avons fait que lui retirer un de ses enfants. Il lui en reste trois pour la consoler. J'aurais dû imaginer pire. J'aurais dû la faire travailler chez Mags jusqu'à ce qu'un marin crasseux lui refile cette lèpre.

— Sais-tu qu'elle était sur les lieux quand mon frère Dreng est mort ? Je la soupçonne de l'avoir tué. On raconte qu'il a eu une sorte d'attaque alors qu'il battait son esclave, mais je suis convaincu que Ragna y est pour quelque chose.

— Je me fiche de savoir qui a tué Dreng, rétorqua Wynstan. C'était peut-être mon cousin, mais c'était un imbécile et toi aussi. Sors d'ici. »

Degbert se retira, et Wynstan resta seul.

Il ne comprenait pas ce qui lui arrivait. Il avait été pris d'une colère insensée en apprenant une nouvelle qui ne faisait que confirmer ses prévisions. Il avait failli tuer l'épouse d'un homme de Dieu. Pire encore, quelques minutes auparavant, il avait oublié non seulement où il se trouvait mais également qui il était.

Je deviens fou, se dit-il, et cette idée l'épouvanta. Il ne pouvait pas être fou. Il était intelligent, il était impitoyable, il parvenait toujours à ses fins. Ses alliés étaient récompensés et ses ennemis écrasés. La perspective de la démence était effroyable au point d'en être insoutenable. Il ferma les yeux et frappa des deux poings sur la table en criant : « Non ! non ! non ! » Il éprouva une sensation de chute, comme s'il venait de sauter du toit de la cathédrale. D'une seconde à l'autre, il allait s'écraser au sol, être réduit en bouillie et périr. Il fit un immense effort pour ne pas hurler.

Comme sa terreur s'estompait, il imagina qu'il

sautait vraiment du toit. Il heurterait le sol, connaîtrait quelques instants de souffrance insoutenable, puis mourrait. Mais quel châtiment punissait ceux qui commettaient le péché de suicide ?

En tant que prêtre, il pouvait s'attendre à une certaine indulgence. Mais tout de même, un suicide ?

Ne pourrait-il pas confesser ses péchés, dire la messe et mourir en état de grâce ?

Non. Il mourrait condamné.

Degbert revint, porteur de la chape dont Wynstan se vêtait pour l'office.

« On t'attend dans la cathédrale, lui annonça-t-il. À moins que tu ne préfères que je dise la messe ?

— Non, je m'en charge », refusa Wynstan en se levant.

Degbert drapa le vêtement sur les épaules de Wynstan.

Celui-ci fronça les sourcils.

« Je me suis fait du souci pour quelque chose il y a un instant, murmura-t-il. Je ne me rappelle pas ce que c'était. »

Degbert resta muet.

« Peu importe, fit Wynstan. Ce n'était sûrement pas important. »

*

Ethel se mourait.

Longtemps après que les derniers clients eurent quitté la taverne en titubant dans la nuit, Ragna resta avec Blod, Mairead et Brigid, sa fille nouveau-née. La pièce était éclairée par un brûle-jonc fumant. Ethel était allongée, les yeux clos. Elle avait le souffle court et le teint cendreux. Mère Agatha avait dit que les anges l'appelaient et qu'elle se préparait à les rejoindre.

Blod et Mairead avaient l'intention d'élever la fillette ensemble.

« Nous ne voulons pas d'hommes et nous n'en avons pas besoin », déclara Blod à Ragna.

Celle-ci n'était pas surprise par leurs sentiments, après la vie qu'on les avait obligées à mener ; mais il y avait autre chose. Ragna se demandait si la passion de Blod pour Edgar ne s'était pas reportée sur Mairead. Ce n'était qu'une impression, et elle n'avait pas l'intention de poser de questions.

Ethel s'éteignit doucement peu après l'aube. Il n'y eut pas de crise : elle cessa simplement de respirer.

Blod et Mairead la dévêtirent et firent sa toilette. Ragna interrogea les deux esclaves sur leurs projets. Ethel avait promis de les affranchir, et Aldred leur avait confirmé qu'elle avait rédigé un testament en ce sens. Elles pouvaient rentrer chez elles, si elles le souhaitaient ; mais apparemment, elles préféraient rester ensemble.

« Je ne peux pas retourner en Irlande sans argent et avec un nourrisson dans les bras, expliqua Mairead. D'ailleurs, je ne sais même pas où se trouve mon village. C'est un hameau quelque part sur la côte, mais je n'en sais pas plus. S'il a un nom, je ne l'ai jamais entendu. Je ne saurais dire combien de temps j'ai passé sur le navire viking avant notre arrivée à Bristol. »

Ragna était prête à lui donner un peu d'argent pour l'aider, bien sûr, mais cela ne résoudrait pas le problème.

« Et toi, Blod ? » demanda-t-elle.

Pensive, Blod répondit.

« Cela fait dix ans que j'ai quitté ma maison du pays de Galles. Toutes mes amies doivent être mariées et mères de famille. J'ignore si mes parents sont morts ou encore vivants. Je ne suis même pas certaine de savoir encore parler gallois. Je n'aurais jamais cru dire cela un jour, mais je me sens ici chez moi. »

Ragna était sceptique. Y avait-il anguille sous roche ? Blod et Mairead s'étaient-elles attachées l'une à l'autre au point de ne plus vouloir se séparer ?

La nouvelle de la mort d'Ethel ne tarda pas à se répandre, et, peu après le lever du jour, Cwenburg arriva avec ses deux maris. Les hommes avaient l'air penauds mais Cwenburg passa aussitôt à l'attaque.

« Comment avez-vous osé laver le corps ? s'écria-t-elle. C'était à moi de le faire – je suis sa belle-fille !

— Elles ont voulu se rendre utiles, Cwenburg, c'est tout, fit valoir Ragna.

— Ça m'est égal. Cette taverne est désormais à moi et je veux que ces esclaves déguerpissent.

— Ce ne sont plus des esclaves, remarqua Ragna.

— À condition qu'Ethel ait tenu sa promesse.

— De toute façon, tu ne peux pas les chasser de chez elles sans délai.

— Qui a décrété cela ?

— Moi, répondit Ragna.

— Erman, dit Cwenburg, va chercher le prieur. »

Erman sortit.

« Que les esclaves attendent dehors, poursuivit Cwenburg.

— C'est peut-être toi qui devrais attendre dehors, répliqua Ragna, jusqu'à ce qu'Aldred ait confirmé que la taverne t'appartient désormais. »

Cwenburg prit un air buté.

« Allons, insista Ragna. Dehors. Autrement, tu auras des ennuis. »

Cwenburg sortit à contrecœur, suivie d'Eadbald.

Ragna s'agenouilla près du corps, et Blod et Mairead l'imitèrent.

Aldred arriva quelques minutes plus tard, avec à son

cou un crucifix en argent accroché à une lanière de cuir. Cwenburg et ses maris entrèrent derrière lui. Il fit le signe de croix et dit une prière près de la dépouille. Puis il sortit une petite feuille de parchemin de la besace passée à sa ceinture.

« Voici les dernières volontés d'Ethel, déclara-t-il. Rédigées par moi-même sous sa dictée en présence de deux moines qui ont servi de témoins. »

Ragna étant la seule à savoir lire, les autres devaient faire confiance à Aldred pour leur transmettre le contenu du testament d'Ethel.

« Ainsi qu'elle l'avait promis, elle affranchit Blod et Mairead », annonça-t-il.

Les deux esclaves s'embrassèrent et s'étreignirent en souriant. La présence du cadavre leur imposait une certaine retenue, mais elles étaient heureuses.

« Il s'y ajoute une unique et dernière disposition, poursuivit Aldred. La défunte lègue tous ses biens à Blod, taverne comprise. »

Blod en resta bouche bée.

« La taverne est à moi ? demanda-t-elle, incrédule.

— Oui.

— Elle ne peut pas faire ça ! s'indigna Cwenburg. Ma belle-mère n'a pas le droit de me spolier de la taverne de mon père pour la donner à une esclave galloise, une putain qui plus est !

— Mais si, confirma Aldred.

— Et c'est ce qu'elle a fait, ajouta Ragna.

— Ce n'est pas normal !

— Mais si, objecta Ragna. Quand Ethel était mourante, c'est Blod qui s'est occupée d'elle, pas toi.

— Non ! non ! »

Cwenburg se précipita au-dehors, sans cesser de protester avec véhémence, tandis qu'Erman et Eadbald la suivaient, manifestement embarrassés.

Le tapage s'estompa à mesure qu'ils s'éloignaient. Blod se tourna vers Mairead.

« Tu veux bien rester ici pour m'aider ?

— Bien sûr.

— Je t'apprendrai à faire la cuisine. Mais plus question de faire la catin.

— Et toi, tu m'aideras à m'occuper de ma petite ?

— Évidemment. »

Des larmes perlèrent aux yeux de Mairead, qui hocha la tête sans ajouter un mot.

« Tout se passera bien », dit Blod. Elle tendit la main pour prendre celle de Mairead. « Nous serons heureuses. »

Ragna était ravie pour elles, mais un autre sentiment se mêlait à sa joie.

Il lui fallut quelques instants pour comprendre ce qu'elle éprouvait.

C'était de l'envie.

*

Tous les deux ou trois mois, Giorgio, le maître maçon, envoyait Edgar à Cherbourg pour acheter des matériaux. C'était un voyage de deux jours, mais il n'y avait aucun lieu plus proche du chantier où se procurer du fer pour fabriquer des outils, du plomb pour les vitres et de la chaux pour le mortier.

Quand il se mit en route ce jour-là, Clothilde l'embrassa et le pria de revenir vite. Il ne lui avait toujours pas proposé le mariage, mais tout le monde le traitait comme s'il appartenait déjà à la famille de Giorgio. La façon dont il avait imperceptiblement endossé le rôle de fiancé de Clothilde sans que la chose soit clairement dite le mettait un peu mal à l'aise : il y voyait de la faiblesse. D'un autre côté, la situation ne le rendait pas suffisamment malheureux pour qu'il rue dans les brancards.

Quelques heures après son arrivée à Cherbourg, un messager le trouva et lui ordonna d'aller voir le comte Hubert.

Edgar n'avait rencontré celui-ci qu'une fois, lorsqu'il avait débarqué en Normandie près de trois ans auparavant. Hubert lui avait alors fait un excellent accueil. Enchanté d'avoir des nouvelles de sa fille bien-aimée, il avait longuement parlé avec Edgar de la vie en Angleterre et lui avait recommandé des chantiers où il pourrait trouver un emploi.

Edgar gravit la colline où se dressait le château et s'émerveilla une nouvelle fois de ses dimensions. Il était plus grand que la cathédrale de Shiring, qui avait longtemps été l'édifice le plus imposant qu'il eût jamais vu. Un serviteur le conduisit dans une vaste salle à l'étage.

Hubert, désormais âgé d'une cinquantaine d'années, se trouvait au fond de cette salle et parlait avec la comtesse Geneviève, son épouse, et leur fils Richard, un beau jeune homme d'une vingtaine d'années.

Le comte était un petit homme aux mouvements vifs : Ragna avait hérité sa haute stature et ses formes sculpturales de sa mère. Mais elle tenait d'Hubert ses cheveux d'un roux doré et ses yeux d'un vert océan, d'une séduction si irrésistible chez elle mais un peu inutiles chez un homme, estimait Edgar.

Le serviteur fit signe à Edgar d'attendre sur le seuil, mais Hubert l'aperçut et, d'un geste, l'invita à avancer.

Edgar s'attendait à recevoir un accueil affable, comme lors de leur première rencontre, mais en approchant du comte, il ne put que remarquer son air hostile et furieux. Il se demanda ce qu'il avait bien pu faire pour fâcher le père de Ragna.

« Dites-moi, Edgar, lança Hubert d'une voix sonore, les Anglais croient-ils au mariage chrétien, oui ou non ? »

Edgar ne comprenait pas de quoi il était question, et ne put que répondre de son mieux.

« Messire, ce sont des chrétiens, même s'ils n'obéissent pas toujours aux enseignements des prêtres. »

Il faillit ajouter *exactement comme les Normands*, mais se retint. Il n'était plus un jouvenceau et avait appris à éviter de faire le malin.

« Ce sont des barbares ! s'indigna Geneviève. Des sauvages. »

Edgar supposa qu'il devait s'agir de leur fille.

« Est-il arrivé quelque chose à dame Ragna ? demanda-t-il d'une voix inquiète.

— Elle a été répudiée ! s'écria Hubert.

— Je l'ignorais.

— Que diable cela signifie-t-il ?

— Un divorce, répondit Edgar.

— Sans raison ?

— Oui. » Edgar voulut s'assurer d'avoir bien compris. « Vous me dites que Wigelm l'a chassée de sa maison, c'est bien cela ?

— Oui ! Et vous prétendez que la loi anglaise l'autorise !

— Oui. »

Edgar était abasourdi. Ragna était seule !

« J'ai écrit au roi Ethelred pour exiger qu'il nous accorde réparation, reprit Hubert. Comment peut-il laisser ses nobles se conduire comme des bestiaux ?

— Je ne saurais le dire, messire. Un roi peut donner des ordres, mais il ne lui est pas toujours possible de les faire respecter. »

Hubert renifla, comme s'il jugeait l'excuse pitoyable.

« Je suis terriblement navré qu'un de mes compatriotes ait traité votre fille aussi mal », ajouta Edgar.

Mais il mentait.

41

Septembre 1006

Ragna rebâtit sa vie, s'activant tout au long de ses journées pour éviter de penser à Edgar et Alain. À la Saint-Michel, elle se rendit à Outhenham sur sa nouvelle barge afin de percevoir ses redevances.

Il fallait deux robustes rameurs pour manœuvrer l'embarcation. Ragna emmena sa jument Astrid afin de pouvoir rejoindre le val d'Outhen à cheval. Elle était également accompagnée d'Osgyth, une nouvelle servante, et d'un homme d'armes, un jeune gaillard aux cheveux noirs du nom de Ceolwulf, qui habitaient tous les deux King's Bridge. Ils tombèrent amoureux durant le voyage, gloussant et se taquinant quand ils croyaient qu'elle ne les voyait pas, de sorte que l'un comme l'autre négligeait un peu ses devoirs. Ragna faisait preuve d'indulgence : elle savait ce qu'être amoureux voulait dire et espérait qu'Osgyth et Ceolwulf n'auraient jamais à découvrir les tourments que pouvait entraîner la passion.

Sa nouvelle maison commune d'Outhenham était encore inachevée, mais l'ancienne demeure d'Edgar à la carrière était inoccupée, et elle s'y installa avec Osgyth et Ceolwulf. Des raisons sentimentales l'y attachaient. La seule autre maison de la carrière appartenait à Gab.

Les rameurs logèrent à la taverne.

Elle tint audience, mais n'eut guère besoin de rendre la justice. C'était une saison faste : les granges regorgeaient de récoltes, les ventres étaient pleins de pain et les pommes rouges ne demandaient qu'à être ramassées. Cette année-là, en outre, les Vikings n'avaient pas poussé aussi loin à l'ouest pour tout gâcher. Lorsque les gens étaient heureux, ils étaient moins enclins à se quereller et à commettre des crimes. C'était la tristesse du cœur de l'hiver qui poussait les hommes à étrangler leurs femmes et à poignarder leurs rivaux, c'était la famine du printemps qui conduisait les femmes à voler à leurs voisines de quoi nourrir leurs enfants.

Elle constata avec satisfaction que le canal d'Edgar était toujours en bon état, ses bords bien droits et ses berges solides. Toutefois, elle fut irritée de voir que, par paresse, les villageois avaient pris l'habitude d'y jeter leurs ordures. En l'absence de courant, le canal n'évacuait pas les immondices comme l'aurait fait un cours d'eau, et il y régnait par endroits une puanteur de latrines. Elle édicta des règles strictes pour y remédier.

Pour faire respecter cette décision et les autres, elle destitua Dudda et désigna un nouveau chef de village, Eanfrid le tavernier, un des aînés. Le propriétaire d'une taverne faisait en général un bon chef : son établissement était déjà le centre de la vie du village et il exerçait souvent une autorité officieuse. Par ailleurs, Eanfrid était de bonne composition et apprécié de tous.

Assise devant la taverne avec un bol de cidre, elle s'entretenait avec Eanfrid des revenus de la carrière, qui avaient baissé depuis le départ d'Edgar.

« Edgar fait partie de ces gens qui réussissent tout ce qu'ils entreprennent, remarqua Eanfrid. Trouvez-en un autre comme lui et nous vendrons plus de pierres.

— Il n'y en a pas d'autre comme Edgar », dit Ragna avec un sourire chagrin.

Ils discutèrent ensuite d'une épidémie qui avait tué plusieurs moutons ; Ragna en rendait responsable le sol humide et argileux sur lequel on les faisait paître. Mais leur conversation fut interrompue. Eanfrid inclina la tête, tendant l'oreille, et Ragna entendit presque aussitôt ce qui avait attiré son attention : le bruit d'une bonne trentaine de chevaux, qui ne galopaient ni ne trottaient mais avançaient d'un pas pesant. Ce remue-ménage annonçait l'arrivée d'un riche noble et de sa suite en route pour un long voyage.

Le soleil automnal rougeoyait déjà à l'ouest : les visiteurs décideraient sûrement de passer la nuit à Outhenham. Le village les accueillerait avec des sentiments mêlés. Des voyageurs apportaient de l'argent : ils achetaient à boire et à manger et ils payaient pour être logés. Mais ils pouvaient aussi s'enivrer, importuner les filles et déclencher des bagarres.

Ragna et Eanfrid se levèrent. Les cavaliers apparurent un instant plus tard, serpentant parmi les maisons pour gagner le centre du village.

Wigelm était à leur tête.

La peur étreignit Ragna. C'était l'homme qui l'avait emprisonnée et violée, l'homme qui lui avait volé son enfant. Quelle nouvelle torture avait-il imaginée pour elle ? Elle maîtrisa ses tremblements. Elle lui avait toujours tenu tête. Elle le ferait encore.

À côté de lui chevauchait son neveu Garulf, le fils de Wilwulf et d'Inge. Il avait aujourd'hui vingt-cinq ans, mais Ragna savait qu'il n'avait pas grandi en sagesse depuis son adolescence. Il ressemblait à Wilf, avec la barbe blonde et la large carrure des hommes de la famille. Elle grimaça en pensant qu'elle en avait épousé deux.

« Que vient faire Wigelm par ici ? murmura Eanfrid.

— Dieu seul le sait, répondit Ragna d'une voix tremblante, et elle ajouta : Et peut-être Satan. »

Wigelm tira les rênes de son cheval couvert de poussière.

« Je ne m'attendais pas à vous trouver ici, Ragna », dit-il.

Elle en fut un peu soulagée. Cette remarque prouvait qu'il n'avait pas prémédité cette rencontre. Tout le mal qu'il pourrait chercher à lui faire serait improvisé.

« Je comprends mal votre surprise, remarqua-t-elle. Je suis seigneur du val d'Outhen. Que venez-vous faire ici ?

— Je suis l'ealdorman de Shiring, je voyage dans mon territoire et j'ai l'intention de passer la nuit en ce lieu.

— Outhenham vous souhaite la bienvenue, ealdorman Wigelm, déclara Ragna avec une courtoisie glaciale. Je vous en prie, allez vous rafraîchir à la taverne. »

Il resta en selle.

« Votre père s'est plaint au roi Ethelred, annonça-t-il.

— Vous pouviez vous y attendre, répliqua-t-elle, ayant repris un peu d'aplomb. Vous vous êtes conduit de façon scandaleuse.

— Ethelred m'a infligé une amende de cent livres d'argent pour vous avoir répudiée sans son autorisation.

— Bien.

— Mais je ne l'ai pas payée », ajouta Wigelm, qui s'esclaffa avant de mettre pied à terre.

Ses hommes l'imitèrent. Les plus jeunes entreprirent de desseller les chevaux tandis que les aînés s'installaient à la taverne et commandaient à boire. Ragna mourait d'envie de se retirer, mais hésitait à laisser

Eanfrid s'occuper seul des visiteurs – peut-être aurait-il du mal à maintenir l'ordre et serait-il heureux d'avoir son appui.

Elle se promena dans le village, s'efforçant de rester hors de vue de Wigelm. Elle demanda aux jeunes hommes de conduire les chevaux dans une pâture voisine. Puis elle choisit les maisons où Wigelm et sa suite passeraient la nuit, donnant la priorité à celles de vieux couples et de parents d'enfants en bas âge, évitant les logis abritant des jeunes filles. L'usage voulait que l'hébergement de quatre hommes rapporte un penny à la famille qui les accueillait et qui était censée partager en outre son petit déjeuner avec eux.

Draca, le curé du village, qui élevait des bœufs, tua un bouvillon et le vendit à Eanfrid, qui alluma un feu derrière la taverne et fit cuire la bête à la broche. Les hommes burent de la bière en attendant que la viande soit cuite ; Eanfrid vida deux tonneaux et en ouvrit un troisième.

Après avoir passé une heure à chanter à tue-tête des airs guerriers et des chansons paillardes, les hommes de Wigelm se mirent à se quereller. Alors que Ragna redoutait l'imminence d'un pugilat, Eanfrid servit le bœuf, avec du pain et des oignons, ce qui les calma. Le repas achevé, ils se dirigèrent vers leurs logis, et Ragna estima pouvoir aller se coucher sans crainte.

Elle regagna la maison de la carrière avec Osgyth et Ceolwulf. Ils prirent soin de barricader leur porte. Ils avaient apporté des couvertures, mais les frimas de l'hiver étaient encore loin et ils s'allongèrent dans la paille, enroulés dans leurs capes. Ceolwulf se coucha en travers du seuil, comme devait le faire un garde du corps, mais Ragna surprit un échange de regards entre ses deux serviteurs et devina qu'ils comptaient se rapprocher un peu plus tard.

Ragna resta éveillée une bonne heure, ébranlée par la soudaine apparition de son ennemi Wigelm ; elle finit tout de même par sombrer dans un sommeil agité.

Elle se réveilla avec la sensation de ne pas avoir dormi longtemps. Se redressant, elle parcourut les lieux du regard, les sourcils froncés, se demandant ce qui avait pu troubler son repos. Elle constata à la lueur des flammes qu'Osgyth et Ceolwulf s'étaient éclipsés. Elle devina qu'ils avaient souhaité s'isoler et s'étaient réfugiés dans la forêt, où, dissimulés sous un buisson, ils découvraient sans doute les plaisirs charnels au clair de lune.

Elle se sentait moins complaisante à présent. Ces deux jeunes serviteurs étaient censés veiller sur elle et la protéger, au lieu de filer en douce et de la laisser seule en pleine nuit. Elle les congédierait dès leur retour à King's Bridge.

Elle entendit un homme aviné proférer des propos incohérents et supposa que c'était Gab. Sans doute était-ce ce qui l'avait réveillée. Elle se rassura en se rappelant que la porte était solidement barricadée, avant de songer soudain qu'Osgyth et Ceolwulf avaient dû retirer la barre pour sortir.

L'ivrogne se rapprocha et elle reconnut alors sa voix. Ce n'était pas Gab mais Wigelm, constata-t-elle en frissonnant de peur.

Il n'avait pas eu de peine à trouver sa maison, malgré son ivresse, devina-t-elle en un éclair, terrifiée – il lui avait suffi de longer le canal –, mais seul un regrettable miracle lui avait évité de tomber à l'eau et de se noyer.

Elle se leva d'un bond pour aller barricader la porte, mais arriva un instant trop tard. Comme elle posait les mains sur la lourde barre en bois, la porte s'ouvrit et Wigelm entra. Elle recula en poussant un cri d'effroi.

Malgré la fraîcheur de la nuit automnale, il était

pieds nus et n'avait pas enfilé sa houppelande. Il ne portait pas plus de ceinture que d'épée ou de coutelas, ce qui rassura un peu Ragna. Il donnait l'impression d'être tout juste sorti du lit et de n'avoir pas pris la peine de s'habiller correctement.

Il émanait de lui une forte odeur de bière.

Il la dévisagea attentivement à la lueur des flammes, comme s'il se demandait qui elle était. Il vacillait sur ses jambes et elle comprit qu'il était ivre mort. L'espace d'un instant, elle espéra le voir s'écrouler sur-le-champ, mais son expression perplexe s'effaça et il bredouilla d'une voix pâteuse :

« Ragna. Oui. C'est toi que je cherchais. »

Je ne supporterai pas cela, se dit Ragna. Je ne veux plus que cet homme me fasse souffrir. Je préfère mourir.

Elle s'efforça de dissimuler son désespoir.

« Sortez, je vous prie.

— Couche-toi.

— Je vais hurler. Gab et sa femme m'entendront. »

Elle n'en était pas sûre : les deux maisons étaient relativement éloignées.

Sa menace fut vaine, mais pour une autre raison.

« Et que feront-ils ? ricana-t-il avec mépris. Je suis leur ealdorman.

— Sortez de chez moi. »

Il la poussa violemment. Déséquilibrée, et surprise par la force qu'il conservait malgré son ivresse, elle tomba sur le dos. Le choc lui coupa la respiration.

« Tais-toi et écarte les cuisses », ordonna-t-il.

Elle retrouva son souffle.

« Vous ne pouvez pas faire cela, je ne suis plus votre épouse. »

Il bascula vers l'avant. De toute évidence, il avait l'intention de se laisser tomber sur elle, mais elle roula sur le côté au dernier moment et il s'effondra face contre terre. Alors qu'elle se redressait à quatre pattes, il se retourna et la saisit par le bras, l'attirant contre lui.

S'efforçant de garder l'équilibre, elle avança une jambe et, sans le vouloir, lui planta un genou dans le ventre. Il poussa un cri étouffé et haleta.

Ragna avança l'autre jambe, lui enfonça les deux genoux dans le ventre, puis lui agrippa les bras et les plaqua au sol. Dans son état normal, il n'aurait eu aucun mal à se dégager, mais il était trop saoul pour la repousser.

Le renversement de situation était inattendu. Pour la toute première fois, elle le tenait à sa merci.

Mais qu'allait-elle faire à présent ?

Il remua la tête de droite à gauche, les yeux clos, et hoqueta :

« Peux pas respirer. »

Elle comprit que ses genoux lui comprimaient les poumons, mais elle continua de peser sur lui de tout son poids, terrifiée à l'idée qu'il recouvre ses forces.

Il sembla pris de convulsions et elle sentit une odeur de vomi. Un liquide s'écoula des commissures de ses lèvres. Ses bras et ses jambes devinrent flasques.

Ragna avait entendu parler d'ivrognes qui perdaient connaissance et s'étouffaient dans leurs propres vomissures. Elle comprit en un éclair que si Wigelm mourait, elle retrouverait Alain : personne ne suggérerait qu'il soit élevé par Meganthryth. Une vague d'espoir déferla sur elle. Elle aurait volontiers prié pour que Wigelm succombe, mais elle savait que pareille prière eût été un blasphème.

Wigelm n'était pas mourant. Ses narines étaient pleines de vomi mais des bulles d'air en sortaient.

Pouvait-elle le tuer ?

Ce serait un péché, et un acte dangereux. Elle

deviendrait une meurtrière et, même si personne n'était là pour la voir agir, elle risquait néanmoins d'être percée à jour tôt ou tard.

Pourtant, elle voulait qu'il meure.

Elle repensa à son année de captivité, aux viols réitérés, à l'enfant qui lui avait été volé. En s'introduisant de force chez elle cette nuit-là, il lui avait prouvé que jamais il ne cesserait de la tourmenter, aussi longtemps qu'il vivrait. Elle avait supporté tout ce qu'elle pouvait supporter ; il fallait que cela cesse, immédiatement.

Que Dieu me pardonne, songea-t-elle.

Encore indécise, elle lui lâcha les bras. Il ne bougea pas.

Elle lui ferma la bouche, puis posa sa main gauche sur ses lèvres et appuya fermement.

Il pouvait encore inhaler par le nez, à peine.

Elle lui pinça les narines entre le pouce et l'index de sa main droite.

À présent, il ne pouvait plus respirer.

Elle ne l'avait pas tué, pas encore ; elle avait encore le temps de changer d'avis, de relâcher son étreinte. Elle le ferait rouler sur le ventre, évacuerait les fluides qui lui emplissaient la bouche et lui permettrait de respirer. Sans doute survivrait-il.

Il survivrait pour l'agresser à nouveau.

Elle maintint sa prise sur sa bouche et sur son nez. Elle attendit, observant son visage. Combien de temps un homme pouvait-il vivre sans air ? Elle n'en avait aucune idée.

Il tressaillit, mais semblait à peine conscient et ne pouvait pas se débattre. Ragna avait toujours les genoux enfoncés dans son ventre, et lui fermait la bouche d'une main et le nez de l'autre. Il ne bougeait plus du tout.

Était-il mort à présent ?

Un silence de plomb régnait dans la maison. Les braises du feu ne faisaient aucun bruit et elle n'entendait courir aucune petite bête dans les joncs étalés par terre. Elle tendit l'oreille : aucun bruit de pas ne résonnait au-dehors.

Soudain Wigelm ouvrit les yeux. Le choc lui arracha un cri d'effroi.

Il lança à Ragna un regard terrifié. Il chercha à secouer la tête mais elle s'inclina, accentuant la pression de ses deux mains, le maintenant immobile.

Durant un long moment de tension extrême, il la fixa droit dans les yeux avec une panique viscérale. Il craignait pour sa vie mais ne pouvait pas bouger, comme dans un cauchemar.

« Tu sais maintenant ce que cela fait, Wigelm, dit-elle d'une voix nouée par le dégoût. Tu sais ce qu'on éprouve quand on est à la merci d'un tueur. »

Soudain, ses piètres efforts cessèrent et ses yeux se révulsèrent.

Ragna ne lâcha pas prise pour autant. Était-il vraiment mort ? Elle avait peine à croire que l'homme qui l'avait si longtemps tourmentée avait définitivement quitté ce monde.

Elle trouva enfin le courage de relâcher la pression sur son nez et sur sa bouche. Son visage resta inchangé. Elle posa la main sur sa poitrine et ne sentit aucun battement de cœur.

Elle l'avait tué.

« Que Dieu me pardonne », murmura-t-elle.

Elle fut soudain agitée de frissons incontrôlés. Elle avait les mains qui tremblaient, les épaules qui frémissaient, les jambes si faibles qu'elle aurait voulu s'allonger.

Elle lutta pour se maîtriser. Le premier de ses soucis à présent était la réaction des hommes de

Wigelm. Aucun d'entre eux ne la croirait innocente. L'ealdorman, son grand ennemi, était mort au cœur de la nuit, en sa seule présence. Tout l'accusait.

C'était une meurtrière.

Ses tremblements s'apaisèrent enfin, et elle put se relever.

Ce n'était pas encore fini, cependant. La preuve la plus accablante de son crime était le cadavre qui gisait à ses pieds. Il fallait s'en débarrasser. Mais où pouvait-elle le mettre ? La réponse s'imposa immédiatement.

Dans le canal.

Sans doute les compagnons de beuverie de Wigelm avaient-ils supposé qu'il était sorti pour se soulager. Dans l'état où il se trouvait, il aurait très bien pu perdre connaissance, tomber dans le canal et se noyer avant d'avoir repris ses esprits. Ce genre de chose arrivait souvent à ces imbéciles d'ivrognes.

Mais personne ne devait la voir déplacer le corps. Il fallait faire vite, avant qu'Osgyth et Ceolwulf, lassés de la bagatelle, ne reviennent à la maison, avant qu'un des hommes plus ou moins hébétés de Wigelm ne se demande pourquoi il tardait autant et ne décide de partir à sa recherche.

Elle saisit une jambe de Wigelm et la souleva, plus difficilement qu'elle ne l'aurait cru. Elle traîna le cadavre sur un pas et s'arrêta. Impossible. C'était un homme lourd, et littéralement un poids mort.

Elle refusa pourtant de baisser les bras devant un problème aussi élémentaire. Astrid, sa jument, se trouvait dans un pré tout proche. Au besoin, elle pouvait aller la chercher et lui faire traîner le corps – mais cela nécessiterait du temps et augmenterait le risque de se faire prendre. Il serait plus rapide de poser Wigelm sur quelque chose, une planche par exemple. Elle pensa alors aux couvertures.

Elle en attrapa une et l'étala sur le sol près de Wigelm. Au prix d'un effort considérable, elle réussit à le faire rouler dessus. Puis elle saisit l'extrémité du côté de sa tête et tira. Ce n'était pas facile, mais c'était faisable, et elle le traîna jusqu'au seuil.

Elle jeta un regard alentour et ne vit personne. La maison de Gab était plongée dans l'obscurité et le silence. Osgyth et Ceolwulf étaient probablement encore dans la forêt, et elle ne vit aucun signe d'un groupe parti à la recherche de Wigelm. Seuls les habitants de la nuit l'entouraient : un hibou hululant dans les arbres, un petit rongeur trottinant si vite qu'elle ne l'aperçut que du coin de l'œil, le vol en piqué d'une chauve-souris silencieuse.

Décidant qu'elle pourrait, à grand-peine, certes, se passer d'Astrid, elle traîna lentement Wigelm à travers la carrière. Son corps raclait les cailloux, mais le bruit était suffisamment étouffé pour qu'on ne l'entende pas de chez Gab.

Le sol montait légèrement à la sortie de la carrière et sa tâche devint plus pénible. Elle commençait déjà à haleter. Elle s'arrêta pour reprendre son souffle avant de s'obliger à repartir. Ce n'était plus très loin.

Enfin elle atteignit le canal. Elle tira Wigelm sur la berge et le fit rouler par-dessus bord. Le bruit d'éclaboussure lui parut assourdissant, et une odeur d'ordures et de pourriture monta des eaux agitées. Puis la surface se calma et Wigelm resta là, le visage immergé. Elle aperçut un écureuil mort qui flottait près de lui.

Elle se reposa, le souffle court, épuisée, mais il ne lui fallut pas longtemps pour comprendre que cela ne suffirait pas. Le cadavre était trop proche de sa maison pour ne pas éveiller les soupçons. Elle devait le déplacer plus loin.

Si elle avait eu une corde, elle aurait pu l'attacher

puis avancer le long de la rive en halant Wigelm dans l'eau. Malheureusement elle n'avait pas de corde.

Elle pensa à son matériel d'équitation. Astrid était au pré, mais sa selle et tout son harnachement étaient rangés dans la maison. Elle y retourna. Elle plia la couverture et la plaça en bas de la pile, espérant qu'on ne remarquerait pas son état avant plusieurs jours. Puis elle détacha les rênes de la bride.

Elle regagna le bord du canal. Toujours personne en vue. Tendant la main, elle agrippa le cadavre par les cheveux. Elle l'attira vers elle, passa la sangle autour de son cou. Elle se redressa, tira sur la courroie et reprit la route du village en longeant le canal.

Tout au fond d'elle-même, elle jubilait de penser que Wigelm était désormais réduit à l'état d'impuissance d'un bestiau qu'on mène à la longe.

Elle ne cessait de jeter des regards autour d'elle, de scruter les ombres sous les arbres, redoutant de croiser quelque promeneur nocturne. Le clair de lune fit briller deux yeux jaunes devant elle, mais après un frisson de peur, elle constata que ce n'était qu'un chat.

Comme elle approchait du village, elle entendit des éclats de voix. Elle pesta. Apparemment, on avait fini par remarquer l'absence de Wigelm.

Elle n'était pas encore assez loin de la carrière pour détourner les soupçons. Comme son bras lui faisait mal, elle changea de main et progressa à reculons, mais elle ne voyait pas où elle allait et, après avoir trébuché à deux reprises, elle refit appel à son bras fatigué. Ses jambes aussi commençaient à flancher.

Elle vit des lumières se déplacer entre les maisons. Les hommes de Wigelm le cherchaient, elle en était convaincue. Ils étaient trop ivres pour agir en bon ordre, et les appels qu'ils se lançaient étaient incohérents. Mais l'un d'eux risquait tout de même de l'apercevoir par hasard. Et si on la surprenait en train de haler le corps de Wigelm dans le canal, sa culpabilité ne ferait aucun doute.

Elle continua d'avancer. Un des hommes s'approcha du canal, lanterne à la main. Ragna fit halte, s'allongea par terre et resta parfaitement immobile, observant les mouvements saccadés de la lumière. Que ferait-elle si celle-ci s'approchait ? Comment pourrait-elle expliquer la présence du cadavre de Wigelm et la courroie qu'elle avait en main ?

Mais la lumière sembla changer de direction avant de s'évanouir. Quand les ténèbres furent revenues, elle se releva et repartit.

Elle passa derrière une des maisons du village, puis une autre, et décida que la distance était suffisante. Wigelm avait été incapable de marcher droit, et on supposerait qu'au lieu de prendre le plus court chemin pour gagner le canal, il avait titubé au hasard.

Elle s'agenouilla, plongea les mains dans l'eau et dénoua la sangle du cou de Wigelm. Puis elle poussa le corps jusqu'au milieu du canal.

« Bon voyage en enfer », murmura-t-elle.

Elle se retourna et regagna la carrière à grands pas.

Tout était calme aux environs de la maison de Gab et de celle d'Edgar. Elle espérait que les deux tourtereaux n'étaient pas revenus pendant son absence : elle ne savait pas très bien comment elle pourrait leur expliquer ce qu'elle venait de faire.

Elle traversa la carrière à pas de loup et entra dans la maison. Personne.

Elle reprit sa place sur la paille et ferma les yeux. Je crois que je m'en suis tirée, se dit-elle.

Elle savait qu'elle aurait dû être bourrelée de remords, mais le seul sentiment qu'elle éprouvait était de la joie.

Elle ne dormit pas. Elle revécut cette terrible nuit en esprit, de l'instant où elle avait entendu la voix pâteuse de Wigelm jusqu'à sa course finale pour remonter le canal. Elle se demanda si elle avait pris toutes les mesures pour que la mort de Wigelm paraisse accidentelle. Le cadavre présentait-il des signes susceptibles d'éveiller les soupçons ? Avait-elle été aperçue par un témoin qui avait préféré ne pas se manifester ? Avait-on remarqué son absence de la maison ?

Elle entendit grincer la porte et devina qu'Osgyth et Ceolwulf étaient revenus. Elle feignit d'être profondément endormie. La barre retomba en place dans un bruit sourd – trop tard, pensa-t-elle avec reproche. Elle les entendit marcher sur la pointe des pieds, étouffer un gloussement et s'allonger sur la paille. Ceolwulf avait dû reprendre sa position en travers de la porte, afin que personne ne puisse entrer sans le réveiller.

Des deux jeunes gens monta bientôt un souffle régulier.

Ils ignoraient évidemment tout du drame qui s'était déroulé durant la nuit. Et Ragna comprit alors que leur négligence lui serait utile. Si on les interrogeait, ils jureraient qu'ils avaient passé toute la nuit dans la maison, gardant leur maîtresse comme c'était leur devoir. Leur malhonnêteté lui fournirait un alibi.

Bientôt un nouveau jour se lèverait, un jour de bonheur, le premier jour d'un monde sans Wigelm.

Elle osait à peine penser à Alain. Wigelm disparu, on lui rendrait sûrement son enfant ? Personne ne prétendrait confier son éducation à Meganthryth, maintenant que Wigelm n'était plus là pour imposer sa loi. Cela n'aurait aucun sens, sauf si quelqu'un voulait encore la faire souffrir. Wigelm n'était plus, mais son frère, le maléfique Wynstan, était toujours vivant. Elle avait entendu dire qu'il était devenu à moitié fou, mais cela ne faisait que le rendre plus dangereux.

Elle sombra dans un sommeil agité et fut réveillée par des coups frappés à la porte – trois coups secs, polis mais pressants.

« Milady ! dit une voix. C'est moi, Eanfrid. »

Il allait maintenant falloir assumer les conséquences, songea-t-elle.

Elle se leva, épousseta sa robe, remit de l'ordre dans ses cheveux et ordonna :

« Fais-le entrer, Ceolwulf. »

Lorsque la porte s'ouvrit, elle constata que le jour se levait. Eanfrid entra, cramoisi, tout essoufflé d'avoir imposé le pas de course à son énorme carcasse.

« Wigelm a disparu, annonça-t-il tout de go.

— Où était-il quand tu l'as vu pour la dernière fois ? interrogea Ragna d'un ton sec et pragmatique.

— Quand je me suis endormi, il était toujours dans ma taverne, à boire avec Garulf et les autres.

— Quelqu'un est-il parti à sa recherche ?

— Ses hommes ont passé la moitié de la nuit à l'appeler et à le chercher partout.

— Je n'ai rien entendu. » Ragna se tourna vers ses serviteurs. « Et vous ?

— Rien, milady, s'empressa de répondre Osgyth. La nuit a été très tranquille par ici. »

Ragna tenait à ce qu'ils s'enferrent dans leur mensonge.

« L'un de vous est-il sorti durant la nuit, ne serait-ce que pour se soulager ? »

Osgyth secoua la tête et Ceolwulf affirma :

« Je n'ai pas bougé du seuil.

— Bien. » Elle était satisfaite. Il leur serait difficile maintenant de modifier leur récit. « Il fait jour à présent. Il faut organiser des recherches poussées. »

Ils se rendirent au village. De sinistres pensées vinrent à l'esprit de Ragna en passant devant le canal, mais elle les refoula. Elle frappa à la porte de la maison du prêtre. L'église n'avait pas de clocher, mais Draca possédait une cloche à main. Le curé au crâne rasé apparut et Ragna lui dit vivement :

« Prêtez-moi votre cloche, s'il vous plaît. »

Il s'exécuta et elle l'agita avec vigueur.

Les habitants qui étaient déjà levés et vaquaient à leurs affaires accoururent sur le pré séparant l'église de la taverne. D'autres les suivirent en bouclant leur ceinture et en se frottant les yeux. La plupart des hommes de Wigelm semblaient mal remis de leurs libations.

Le soleil montait déjà dans le ciel lorsque tous furent enfin rassemblés. Ragna leur parla d'une voix haute et intelligible.

« Nous allons former trois groupes distincts », annonça-t-elle d'un ton sans réplique. Elle tendit la main vers le prêtre. « Draca, prenez trois villageois et fouillez la pâture ouest. Faites le tour des haies et allez jusqu'à la rive du fleuve. » Elle se tourna ensuite vers le boulanger, un homme robuste et digne de confiance. « Wilmund, prenez trois hommes d'armes et fouillez les champs à l'est. Veillez à ne rien négliger et poussez jusqu'au canal. » Wilmund trouverait sûrement le cadavre s'il était méticuleux. Enfin, elle se tourna vers Garulf, qu'elle ne voulait pas avoir dans les jambes.

« Garulf, emmène tous les autres fouiller la forêt du nord. Ton oncle s'y trouve probablement. À mon avis, il était tellement ivre qu'il s'est égaré. Tu le dénicheras sans doute endormi sous un buisson. » Les hommes ricanèrent. « Très bien, allez-y ! »

Les trois groupes s'éloignèrent.

Ragna savait qu'elle devait se conduire aussi normalement que possible.

« Un bon petit déjeuner me ferait du bien, dit-elle à Eanfrid, bien qu'elle fût encore trop nerveuse pour avoir de l'appétit. Je voudrais un œuf, du pain et un peu de bière. » Elle entra dans la taverne avec lui.

L'épouse d'Eanfrid lui apporta une cruche et une miche de pain, puis lui fit cuire un œuf. Ragna but la bière et se força à manger, et elle se sentit mieux malgré le manque de sommeil.

Que diraient les hommes d'armes quand on aurait retrouvé le corps ? Au cours de la nuit, Ragna s'était persuadée qu'ils se contenteraient de la conclusion la plus évidente et penseraient que Wigelm, ivre, avait été victime d'un accident. Mais elle envisageait maintenant d'autres possibilités. Soupçonneraient-ils un homicide ? Le cas échéant, que pourraient-ils faire ? Fort heureusement, personne ici n'était d'un rang assez élevé pour contester l'autorité de Ragna.

Comme elle l'avait prévu, ce fut le groupe de Wilmund qui trouva le corps.

Ce qu'elle n'avait pas anticipé, c'était l'émotion qui l'étreignit quand elle posa les yeux sur le cadavre de l'homme qu'elle avait tué.

Wigelm arriva au village porté par Wilmund et Bada, un membre de la suite de l'ealdorman. Dès qu'elle le vit, elle commença à prendre conscience de l'horreur de son acte.

Durant la nuit précédente, la peur l'avait dominée jusqu'à ce que Wigelm expire, cédant ensuite au soulagement de le savoir mort. Elle se souvint alors qu'elle l'avait étouffé et avait observé son visage que la vie désertait peu à peu. Sur le moment, elle n'avait ressenti que de la terreur, mais se rappelant cette scène, son sentiment de culpabilité fut tel qu'elle en eut la nausée.

Ce n'était pas, et de loin, la première fois qu'elle voyait un mort, mais c'était différent. Elle crut qu'elle allait défaillir, pleurer, ou hurler.

Elle lutta pour conserver son calme. Elle devait mener une enquête, et faire les choses sérieusement. Elle ne devait pas sembler trop impatiente de parvenir à la conclusion qui s'imposait. Et surtout, elle ne devait pas laisser paraître sa peur.

Elle ordonna aux hommes d'allonger le corps sur une table à tréteaux dans l'église, et envoya des messagers à la recherche des deux autres groupes.

Tous se massèrent dans la petite église, chuchotant par respect, les yeux rivés sur le visage livide de Wigelm et sur l'eau du canal qui tombait goutte à goutte de ses vêtements sur le sol.

Ragna commença par s'adresser à Garulf, qui occupait le rang le plus élevé dans la suite de Wigelm.

« Hier soir, lui dit-elle, tu étais parmi les derniers buveurs présents dans la taverne. » Sa voix lui parut d'un calme peu naturel, mais elle fut la seule à le remarquer. « As-tu vu Wigelm s'endormir ? »

Visiblement bouleversé et terrifié, Garulf eut de la peine à répondre à cette question fort simple.

« Euh… je ne sais pas… attendez… non, je crois que j'ai fermé les yeux avant lui. »

Ragna poursuivit.

« L'as-tu vu par la suite ? »

Il gratta son menton mal rasé.

« Après m'être endormi ? Non, je dormais. Attendez… Si. Il a dû se lever, parce qu'il a trébuché sur moi, ce qui m'a réveillé.

— Tu as bien vu son visage ?

— Oui, à la lueur du feu, et j'ai entendu sa voix.

— Qu'a-t-il dit ?

— Il a dit : “Je vais pisser dans le canal d'Edgar.” »

Quelques hommes s'esclaffèrent, puis s'interrompirent en se rendant compte que c'était inconvenant.

« Et il est sorti ?

— Oui.

— Que s'est-il passé ensuite ? »

Garulf retrouva son calme, et ses esprits.

« Un peu plus tard, quelqu'un m'a réveillé en me disant : "Wigelm en met du temps pour pisser."

— Qu'as-tu fait ?

— Je me suis rendormi.

— L'as-tu revu ?

— Pas vivant, non.

— À ton avis, que s'est-il passé ?

— Je pense qu'il est tombé dans le canal et qu'il s'est noyé. »

Un murmure d'assentiment monta de la foule. Ragna était satisfaite. Elle les avait conduits à la conclusion qu'elle souhaitait tout en leur faisant croire qu'ils y étaient parvenus tout seuls.

Elle parcourut l'assemblée du regard.

« Quelqu'un a-t-il vu Wigelm après qu'il a quitté l'auberge en pleine nuit ? »

Personne ne répondit.

« À notre connaissance, donc, son décès est dû à une noyade accidentelle. »

À sa grande surprise, Bada, l'homme d'armes qui avait aidé à transporter Wigelm du canal jusqu'à l'église, contesta cette opinion.

« Je ne crois pas qu'il se soit noyé », affirma-t-il.

C'était ce que Ragna avait redouté. Dissimulant son angoisse, elle prit l'air intéressé.

« Qu'est-ce qui te fait dire cela, Bada ?

— J'ai déjà sorti un noyé de l'eau, un jour. Quand on le soulève, beaucoup de liquide lui sort de la bouche. C'est l'eau qu'il a avalée en respirant, l'eau qui l'a tué. En revanche, quand nous avons soulevé Wigelm, il n'a rien recraché.

— Voilà qui est curieux, mais je ne sais qu'en penser. » Ragna se tourna vers le boulanger. « As-tu vu cela, Wilmund ?

— Je n'ai rien remarqué, répondit le boulanger.

— Moi, si, insista Bada.

— Et qu'est-ce que cela signifie selon toi, Bada ?

— Cela veut dire qu'il était déjà mort quand il est tombé à l'eau. »

Ragna se revit, la main posée sur la bouche et sur le nez de Wigelm pour l'empêcher de respirer. En dépit de tous ses efforts, cette image ne cessait de la hanter. Elle s'obligea à passer à la question suivante.

« Mais alors, comment est-il mort ?

— Quelqu'un aurait pu le tuer, puis le jeter à l'eau. » Bada lança un regard de défi à l'assistance. « Quelqu'un qui le détestait, peut-être. Quelqu'un qui lui reprochait de lui avoir fait du tort. »

Il accusait ainsi Ragna à demi-mot. Tout le monde savait qu'elle haïssait Wigelm. Si Bada en venait à l'incriminer formellement, elle était convaincue que les villageois se rangeraient loyalement dans son camp ; mais elle voulait éviter d'en arriver là.

Lentement, délibérément, elle fit le tour du cadavre. Non sans difficulté, elle parvint à parler d'un ton posé, plein d'assurance.

« Approche-toi, Bada, dit-elle. Regarde bien. »

Le silence se fit dans l'église.

Bada s'exécuta.

« S'il ne s'est pas noyé, comment a-t-il été tué ? »

Bada resta muet.

« Vois-tu une plaie ? Du sang ? Des traces de coups ? Moi, je ne vois rien. »

Une nouvelle pensée la fit soudain frémir. La sangle

avec laquelle elle avait halé le cadavre dans le canal avait pu laisser une marque. Discrètement, elle examina le cou de Wigelm mais, à son grand soulagement, n'y vit aucune trace.

« Eh bien, Bada ? »

Bada prit un air buté mais ne dit rien.

« Vous tous, fit Ragna en s'adressant à la foule. N'hésitez pas à vous approcher. Regardez bien le corps. Cherchez des signes de violence. »

Plusieurs personnes s'avancèrent pour observer Wigelm de près. L'une après l'autre, elles secouèrent la tête et regagnèrent leur place.

« Il peut arriver qu'un homme tombe raide mort, reprit Ragna, surtout s'il s'est enivré tous les soirs depuis des années. Il n'est pas impossible que Wigelm ait fait une sorte d'attaque pendant qu'il se soulageait dans le canal. Peut-être est-il mort et est-il tombé à l'eau ensuite. Nous ne le saurons sans doute jamais. Mais rien ne permet de penser qu'il ne s'agissait pas d'un accident. Qu'en pensez-vous ? »

Une nouvelle fois, l'assemblée eut un murmure d'assentiment.

Bada s'entêta.

« Il paraît, déclara-t-il, que si un meurtrier touche le cadavre de sa victime, le mort recommence à saigner. »

Un frisson parcourut Ragna. Elle avait entendu dire cela, elle aussi, même si elle n'avait jamais observé un tel phénomène et n'y croyait pas vraiment. Mais elle ne pouvait qu'accepter de vérifier la véracité de cette superstition.

« Qui souhaites-tu voir toucher le cadavre ? demanda-t-elle à Bada.

— Vous », répondit-il.

Ragna chercha à dissimuler sa peur.

« Regardez, tous », dit-elle en feignant une parfaite assurance.

Malheureusement, elle ne put empêcher sa voix de trembler. Elle leva le bras droit, puis l'abaissa lentement.

À en croire le récit qu'on lui avait fait, dès qu'elle toucherait Wigelm, le sang coulerait à flots de son nez, de sa bouche et de ses oreilles.

Elle lui posa la main sur le cœur.

Elle l'y laissa un long moment. Un silence de plomb régnait dans l'église. Le cadavre était affreusement froid. Elle crut défaillir.

Il ne se passa rien.

Le corps ne bougea pas. Aucune goutte de sang n'apparut. Rien.

Elle retira sa main avec l'impression qu'on venait de lui sauver la vie, et la foule poussa un soupir de soulagement.

« Soupçonnes-tu quelqu'un d'autre, Bada ? » demanda-t-elle.

Bada secoua la tête.

« Wigelm s'est noyé dans le canal en état d'ivresse, déclara alors Ragna. Tel est le verdict, et l'enquête est close. »

Les gens commencèrent à sortir de l'église en échangeant des commentaires. Attentive à l'humeur qui se dégageait de leurs murmures, Ragna y perçut une conviction satisfaite.

Mais elle devrait en convaincre d'autres. La ville de Shiring était bien plus importante. Elle devait s'assurer que sa version des événements, renforcée par le verdict d'Outhenham, serait la seule que l'on répéterait demain dans les tavernes et les bordels.

Et pour cela, elle devait arriver là-bas la première.

Garulf et Bada étaient les plus susceptibles de lui attirer des ennuis. Elle chercha un moyen de les retenir ici, à Outhenham.

Elle les convoqua.

« Vous êtes tous deux responsables de la dépouille de l'ealdorman, leur annonça-t-elle. Allez voir Edmund le charpentier et dites-lui que je lui commande la fabrication d'un cercueil pour Wigelm. Il devrait l'avoir achevé ce soir ou demain matin. Vous l'escorterez ensuite jusqu'à Shiring afin qu'il soit inhumé dans le cimetière de la cathédrale. Est-ce clair ? »

Bada se tourna vers Garulf.

« Oui », acquiesça ce dernier, visiblement soulagé qu'on lui dise quoi faire.

Bada restait plus rétif.

« Est-ce clair, Bada ? » répéta Ragna.

Il fut obligé de capituler.

« Oui, milady. »

Ragna était décidée à partir sur-le-champ, mais sans prévenir personne.

« Ceolwulf, dit-elle à voix basse, va chercher les rameurs et conduis-les à la carrière. »

Ceolwulf était assez jeune pour être effronté.

« Pour quoi faire ? demanda-t-il.

— Ne pose pas de questions, répliqua-t-elle d'une voix glaciale. Fais ce qu'on te dit, c'est tout.

— Oui, milady.

— Et toi, Osgyth, suis-moi. »

De retour à la maison, elle demanda à la servante de faire leurs bagages. Quand Ceolwulf arriva, elle lui ordonna de seller Astrid.

« Retournons-nous à King's Bridge ? » demanda l'un des rameurs.

Ragna ne voulait donner à personne la moindre chance de trahir ses plans.

« Oui », fit-elle. C'était à moitié vrai.

Lorsque tout le monde fut prêt, elle prit la route qui longeait le canal, accompagnée de ses serviteurs à pied. Arrivés au bord du fleuve, tous embarquèrent sur la barge.

Elle demanda alors aux rameurs de la conduire sur l'autre rive. Comme ils l'avaient entendue réprimander Ceolwulf pour son insolence, ils obéirent sans faire de commentaires.

Ils amarrèrent l'embarcation et elle fit descendre Astrid.

« Ceolwulf et Osgyth m'accompagneront, dit-elle. Vous deux, ramenez la barge à King's Bridge et attendez-moi là-bas. »

Puis elle fit tourner sa monture en direction de Shiring.

*

Ragna s'inquiétait à l'idée de retrouver son fils.

Cela faisait six mois qu'elle n'avait pas vu Alain, une longue durée dans l'existence d'un enfant. Il avait à présent trois ans. Prenait-il désormais Meganthryth pour sa mère ? Se souviendrait-il seulement de Ragna ? Quand elle l'emmènerait, réclamerait-il Meganthryth en pleurant ? Ragna devait-elle lui annoncer que son père était mort ?

Elle n'eut pas à répondre à ces questions dès son retour. Les recherches et l'enquête à Outhenham avaient duré presque toute la matinée, de sorte qu'elle arriva à Shiring dans la soirée, à une heure où les petits enfants étaient couchés et où les adultes préparaient le souper. Elle ne voulut pas réveiller Alain. Du temps de son mariage avec Wigelm, celui-ci se mettait souvent en tête d'aller voir son fils tard le soir et exigeait toujours qu'on le réveille. Alain était grognon et somnolent jusqu'à ce qu'on le recouche. Wigelm accusait alors Ragna de dresser son fils contre lui alors que lui seul était en faute. Ragna ne commettrait pas la même erreur. Elle attendrait le matin pour rejoindre le domaine de l'ealdorman.

« Nous passerons la nuit chez le shérif Den », annonça-t-elle à ses serviteurs.

Elle trouva le shérif en compagnie de son épouse Wilburgh, alors qu'on préparait le souper dans sa grande salle.

« J'arrive tout droit d'Outhenham, dit Ragna. Wigelm est mort la nuit dernière.

— Le ciel soit loué », s'écria Wilburgh.

Den alla droit au but.

« Comment est-il mort ? demanda-t-il calmement.

— Il s'est enivré, il est tombé dans le canal et il s'est noyé.

— Cela n'a rien de surprenant, acquiesça Den. Je regrette pourtant que vous ayez été présente. Les gens risquent de vous soupçonner.

— Je sais. Mais le corps ne portait aucune trace de violence, et les villageois sont convaincus que c'était un accident.

— Fort bien.

— Il faudrait que je passe la nuit ici, dans votre domaine.

— Bien sûr. Installez-vous, et ensuite nous devrons discuter, vous et moi, de ce qu'il convient de faire à présent. »

Den mit une maison inoccupée à sa disposition. Peut-être était-ce celle où elle avait couché avec Edgar, pour la première et unique fois, quatre ans auparavant. Elle se rappelait leurs ébats jusqu'au moindre détail, mais ne savait plus quelle maison on leur avait prêtée. Si seulement elle pouvait à nouveau faire l'amour avec lui !

Laissant à Osgyth et à Ceolwulf le soin d'allumer

le feu et de rendre le lieu confortable, elle retourna chez Den.

« J'irai chercher le petit Alain demain matin, lui expliqua-t-elle. Il n'y a aucune raison pour qu'il reste avec la concubine de Wigelm.

— C'est bien ce que je pense, approuva Wilburgh.

— Je suis de votre avis, moi aussi, renchérit Den.

— Veuillez vous asseoir, milady, dit Wilburgh en apportant un pichet de vin et trois gobelets.

— J'espère que le roi Ethelred me soutiendra, reprit Ragna.

— Je pense qu'il le fera, fit Den. En tout état de cause, ce sera le cadet de ses soucis. »

Ragna n'avait pas pensé aux autres préoccupations du roi.

« Que voulez-vous dire ?

— Sa première préoccupation sera de nommer un nouvel ealdorman. »

Ragna avait eu trop d'autres tracas : le cadavre, l'enquête, la nécessité d'arriver la première à Shiring, et surtout le sort d'Alain. Mais à présent que Den avait évoqué cette question, elle comprit que l'affaire était d'une urgence absolue et aurait de profondes conséquences sur son avenir. Elle se reprocha de n'y avoir pas consacré plus de réflexions.

« Je dirai au roi qu'il n'y a qu'une solution réaliste », poursuivit Den.

Ragna ne comprenait pas où il voulait en venir.

« Laquelle ?

— Nous devons gouverner Shiring ensemble, vous et moi. »

Abasourdie, elle resta longuement muette. Puis elle réussit à articuler :

« Pourquoi ?

— Réfléchissez, dit Den. Alain est l'héritier de Wigelm.

Votre fils hérite de la ville de Combe. Or le roi ayant décrété que Wigelm était l'héritier de Wilwulf, toutes les terres de Wilwulf reviennent également à Alain. » Il marqua une pause pour lui laisser le temps de digérer ses propos avant de conclure : « Votre petit garçon est désormais un des hommes les plus riches d'Angleterre.

— Vous avez raison, évidemment. » Ragna se sentait stupide. « Je n'avais pas envisagé les choses sous cet angle.

— Il a deux ans, c'est cela ?

— Il doit plutôt en avoir trois maintenant, corrigea Wilburgh.

— C'est cela, confirma Ragna. Il a trois ans.

— Ainsi, vous serez maîtresse de ses terres pendant les dix prochaines années, au moins. En plus du val d'Outhen.

— À condition d'obtenir l'approbation du roi.

— En effet, mais je ne vois pas pourquoi il s'y opposerait. Tous les nobles d'Angleterre observeront attentivement la manière dont Ethelred réglera cette affaire. Ils aiment voir les richesses se transmettre de père en fils, car ils veulent que leurs fils héritent des leurs. »

Ragna but son vin à petites gorgées d'un air pensif. « Le roi n'est pas obligé de faire tout ce que veulent les nobles, cela va de soi, mais s'il ne le fait pas, ils peuvent lui causer des ennuis, observa-t-elle.

— Exactement.

— Mais qui sera nommé ealdorman ?

— Si cela pouvait être une femme, Ethelred vous choisirait. Vous êtes riche et de haut rang, et vous avez une réputation de juge équitable. Ne vous appelle-t-on pas Ragna la Juste ?

— Mais une femme ne peut pas être ealdorman.

— Non. Pas plus que lever une armée, ni mener les hommes au combat contre les Vikings.

— Autrement dit, c'est vous qui vous chargerez de tout cela.

— Je proposerai au roi de me désigner comme régent jusqu'à ce qu'Alain ait l'âge requis pour être ealdorman. J'organiserai la défense de Shiring contre les incursions vikings et continuerai de percevoir les impôts pour le roi. Vous rendrez la justice au nom d'Alain, à Shiring, à Combe et à Outhenham, et administrerez toutes les cours mineures. Ainsi, le roi et les nobles seront satisfaits. »

Ragna était enthousiaste. Elle n'était pas assoiffée de richesses, peut-être parce qu'elle n'avait jamais manqué d'argent, mais était impatiente d'obtenir le pouvoir de faire le bien. Elle sentait depuis longtemps que tel était son destin. Et voilà qu'elle semblait sur le point d'être chargée de gouverner Shiring.

Prenant conscience de son ardent désir de voir se réaliser l'avenir dépeint par Den, elle commença à réfléchir aux moyens de s'en assurer.

« Il ne faut pas nous arrêter là », affirma Ragna. Son cerveau de stratège s'était remis en marche. « Rappelez-vous ce qu'ont fait Wynstan et Wigelm après avoir tué Wilwulf. Ils ont pris les choses en main dès le lendemain. Personne n'a eu le temps d'imaginer comment les arrêter. »

Den afficha une mine pensive.

« Vous avez raison. Ils avaient toujours besoin de l'approbation du roi, certes – mais une fois en place, il était difficile à Ethelred de les en déloger.

— Nous devrions tenir audience dès demain matin – dans le domaine de l'ealdorman, devant la maison commune. Annoncer aux habitants que nous administrerons la ville – non, que nous l'administrons *déjà* – dans l'attente de la décision du roi. » Elle réfléchit quelques instants. « Seul l'évêque Wynstan cherchera à s'opposer à nous.

— Il est malade et perd la tête ; et les gens le savent, expliqua Den. Il n'a plus rien de l'homme puissant qu'il a été.

— Mieux vaut nous en assurer, insista Ragna. Quand nous entrerons dans le domaine, faites-vous accompagner de tous vos hommes, armés jusqu'aux dents, pour faire une démonstration de force. Wynstan n'a pas d'hommes d'armes : il n'en a jamais eu besoin car ses frères en possédaient plus que nécessaire. À présent, il n'a plus ni frères ni armée. Même s'il proteste en entendant notre proclamation, il ne pourra rien faire.

— Vous avez raison. » Den adressa un petit sourire étrange à Ragna.

« Qu'y a-t-il ? fit-elle.

— J'ai fait le bon choix. Vous venez de me le prouver. »

*

Le matin venu, Ragna piaffait d'impatience à l'idée de retrouver Alain.

Elle s'obligea à ne pas se précipiter. Un événement public majeur exigeait son attention, et elle avait appris depuis longtemps combien il était important de faire bonne impression. Elle se lava de la tête aux pieds, pour répandre un parfum de noble dame. Osgyth lui fit une coiffure compliquée avec une coiffe tout en hauteur qui la grandissait encore. Elle s'habilla avec soin de ses plus riches atours, afin de dégager une impression d'autorité.

Mais, finalement incapable de se retenir plus longtemps, elle sortit sans attendre le shérif Den.

Les habitants de la ville montaient déjà vers le domaine de l'ealdorman. De toute évidence, la nouvelle s'était vite répandue. Osgyth et Ceolwulf avaient dû raconter à leurs proches ce qui s'était passé à Outhenham la nuit précédente – la version de Ragna, du moins –, et la moitié de la ville était au courant. Tous étaient impatients d'en savoir davantage.

La veille, avant de se coucher, Den avait écrit une missive destinée au roi, et son messager était parti dès l'aube. Il faudrait probablement attendre la réponse quelque temps : Den ignorait où se trouvait le roi, et le messager mettrait peut-être des semaines à le joindre.

Ragna se dirigea droit vers la maison de Meganthryth.

Elle aperçut Alain dès qu'elle entra. Assis à la table du déjeuner, il mangeait du gruau sous les yeux de Gytha, sa grand-mère, de Meganthryth et de deux servantes. Bouleversée, Ragna constata que ce n'était plus un bébé. Il avait grandi, ses cheveux noirs avaient poussé et son visage avait perdu ses rondeurs potelées. Son nez et son menton présentaient déjà un air de famille avec ceux de Wigelm et de ses frères.

« Oh ! Alain, comme tu as changé ! » s'écria-t-elle, et elle fondit en larmes.

Gytha et Meganthryth se retournèrent, surprises.

Ragna s'approcha de la table et s'assit près de son fils. Il tourna vers elle ses grands yeux bleus et la regarda d'un air pensif. Elle n'aurait su dire s'il la reconnaissait.

Gytha et Meganthryth observaient la scène sans rien dire.

« Me reconnais-tu, Alain ? demanda Ragna.

— Manman », dit-il sans émotion apparente, comme s'il avait cherché le mot juste et était content de l'avoir trouvé ; puis il s'enfonça une nouvelle cuillerée de gruau dans la bouche.

Elle essuya ses larmes et se tourna vers les deux femmes. Meganthryth avait les paupières rouges et gonflées. Gytha avait les yeux secs, mais le teint blême et les traits tirés. Elles avaient appris la nouvelle, évidemment, et en étaient toutes deux affectées. Wigelm avait été un être abject, mais c'était le fils de l'une et l'amant de l'autre, et sa mort les peinait. Ragna n'éprouvait cependant guère de compassion pour elles. Elles s'étaient rendues complices de son immense cruauté en l'aidant à lui arracher son fils. Elles ne méritaient pas sa pitié.

« Je suis venue reprendre mon enfant », déclara-t-elle d'une voix ferme.

Ni l'une ni l'autre ne protesta.

Alain posa sa cuiller et leva son bol pour montrer qu'il était vide.

« Tout fini », dit-il.

Il reposa le bol sur la table.

Gytha avait l'air accablée. En définitive, toute sa perfidie ne lui avait servi à rien. Elle paraissait profondément changée.

« Nous avons été cruels avec vous, Ragna, murmura-t-elle. Nous n'aurions pas dû vous enlever votre enfant. C'était mal. »

Cette volte-face était troublante, et Ragna n'était pas prête à croire en sa sincérité.

« C'est maintenant que vous en convenez, remarqua-t-elle. Maintenant que vous avez perdu tout pouvoir sur lui.

— Ne faites pas preuve de la même cruauté à notre égard, je vous en conjure, insista Gytha. Je vous en prie, ne me séparez pas de mon unique petit-fils. »

Ragna ne répondit pas. Elle reporta son attention sur Alain, qui la regardait d'un air attentif.

Elle tendit les bras vers lui et il s'approcha pour qu'elle le prenne. Elle le mit sur ses genoux. Il était plus lourd que dans son souvenir : elle ne pourrait plus le porter dans ses bras la moitié de la journée. Il se blottit contre elle, posant sa tête sur son sein ; elle sentit battre son petit cœur à travers la laine de sa robe. Elle lui caressa les cheveux.

Elle entendit un bruit d'attroupement au-dehors. Den arrivait avec ses hommes, devina-t-elle. Elle se leva, sans lâcher Alain, et sortit.

Den traversait le domaine, à la tête d'un important escadron d'hommes d'armes. Ragna le rejoignit et marcha à son côté. Une foule les attendait devant la maison commune.

Ils s'arrêtèrent devant la porte et firent face au peuple.

Les notables de la ville se trouvaient aux premiers rangs. Ragna remarqua la présence de l'évêque Wynstan, dont l'apparence la stupéfia. Il était amaigri, voûté, et ses mains tremblaient. On aurait dit un vieillard. Le visage qu'il tourna vers Ragna était un masque de haine, mais il semblait trop faible pour réagir, et sa faiblesse ne faisait qu'alimenter sa rage.

Le capitaine Wigbert, l'adjoint de Den, frappa bruyamment dans ses mains.

Le calme se fit.

« Nous avons une annonce à vous faire », déclara Den.

42

Octobre 1006

Le roi Ethelred tint audience dans la cathédrale de Winchester, devant une foule de dignitaires enveloppés de fourrures pour se protéger de la froidure de l'hiver tout proche.

Au grand plaisir de Ragna, il approuva toutes les propositions du shérif Den.

Garulf protesta, et les échos de ses doléances indignées se répercutèrent sur les murs de pierre de la nef.

«Je suis le fils de l'ealdorman Wilwulf et le neveu de l'ealdorman Wigelm, déclara-t-il. Den est un simple shérif et n'est pas de noble lignée.»

On aurait pu penser que les thanes assemblés soutiendraient sa position, car ils souhaitaient tous transmettre leur pouvoir à leurs fils, mais ils restèrent cois.

«Vous avez perdu la moitié de mon armée en une seule bataille insensée dans le Devon», rappela Ethelred à Garulf.

Les rois ont bonne mémoire, se dit Ragna. Elle entendit un murmure approbateur s'élever des rangs des nobles, qui n'avaient pas oublié non plus la défaite de Garulf.

«Cela ne se reproduira jamais», promit ce dernier. Le roi demeura inflexible.

«En effet, parce que plus jamais vous ne commanderez mon armée. Den est désormais ealdorman.»

Garulf eut au moins l'intelligence de comprendre que sa cause était désespérée, et se tut.

Cette défaite n'était pas seule en cause, pensa Ragna. Les parents de Garulf n'avaient cessé de défier le roi durant une décennie, désobéissant à ses ordres et refusant de payer l'amende. On aurait pu penser qu'ils s'en tireraient toujours, mais leur insubordination était enfin parvenue à son terme. La justice avait fini par l'emporter. On ne pouvait que regretter qu'il lui ait fallu aussi longtemps.

La reine Emma, assise à côté du roi sur un tabouret rembourré identique au sien, se pencha pour lui parler à l'oreille. Il acquiesça et s'adressa à Ragna.

«Je crois que votre fils vous a été rendu, lady Ragna.

— En effet, sire. »

Il embrassa la cour du regard.

« Que personne ne s'avise de prendre son enfant à lady Ragna. »

C'était un fait accompli, mais elle était heureuse que le roi ait exprimé son approbation en public. Son avenir en serait beaucoup plus sûr.

« Merci », dit-elle.

Après l'audience, le nouvel évêque de Winchester donna un banquet auquel assistait son prédécesseur, Alphage, venu de Canterbury. Ragna souhaitait s'entretenir avec lui. Il était grand temps que Wynstan se voie retirer son ministère, et la seule personne en mesure de le destituer était l'archevêque de Canterbury.

Elle réfléchissait aux moyens de le rencontrer quand Alphage résolut le problème en s'approchant d'elle.

« La dernière fois que nous étions ici, je crois que vous m'avez rendu un immense service, dit-il.

— Je ne suis pas sûre de comprendre…

— Vous avez discrètement fait savoir que l'évêque Wynstan était atteint d'une maladie honteuse.

— J'ai cherché à garder le secret sur mon rôle, mais il semble que Wynstan ait fini par apprendre la vérité.

— Eh bien, vous avez toute ma gratitude, car vous avez ainsi mis un terme à sa tentative pour devenir archevêque de Canterbury.

— Je suis heureuse d'avoir pu vous être utile.

— Si j'ai bien compris, vous vivez désormais à King's Bridge ? demanda-t-il en changeant de sujet.

— C'est ma résidence principale, mais je voyage beaucoup.

— Et tout va bien au prieuré ?

— Fort bien. » Ragna sourit. « Lorsque je suis passée là-bas voici neuf ans, il n'y avait qu'un hameau du nom de Dreng's Ferry, avec cinq ou six bâtisses.

Aujourd'hui, c'est un bourg prospère et animé. C'est l'œuvre du prieur Aldred.

— Un homme de valeur. Saviez-vous qu'il a été le premier à m'avertir des intrigues de Wynstan pour devenir archevêque ? »

Ragna voulait demander à Alphage de destituer Wynstan, mais devait procéder avec prudence. L'archevêque était un homme, et tous les hommes détestaient qu'une femme leur dicte leur conduite. Il lui était arrivé de l'oublier au cours de sa vie, ce qui avait eu pour effet de faire échouer certaines de ses entreprises.

« J'espère que vous viendrez à Shiring avant de regagner Canterbury, dit-elle.

— Avez-vous une raison particulière de le souhaiter ?

— Le bourg se réjouirait de votre visite. Et peut-être auriez-vous ainsi l'occasion d'observer Wynstan.

— Comment se porte-t-il ?

— Mal, mais il ne m'appartient pas de donner une opinion sur ce point, reconnut-elle avec une fausse humilité. Votre propre jugement sera forcément plus sûr. » Il était rare qu'un homme ait des doutes à ce sujet.

« Fort bien, acquiesça Alphage. Je viendrai à Shiring. »

*

Obtenir sa venue n'était qu'un début.

L'archevêque Alphage étant moine, il logea à l'abbaye de Shiring. Cela contraria Ragna, car elle avait espéré qu'il serait hébergé au palais épiscopal, ce qui lui aurait permis d'observer Wynstan de plus près.

L'évêque aurait dû inviter Alphage à souper avec lui. Ragna apprit cependant que l'archidiacre Degbert lui avait transmis un message d'une mauvaise foi notoire, déclarant que Wynstan serait ravi de recevoir l'archevêque mais préférait s'en abstenir de peur de troubler ses dévotions. Apparemment, la folie de Wynstan n'était qu'intermittente, et dans ses moments de lucidité, il était plus fourbe que jamais.

Ragna demanda au shérif Den d'inviter l'archevêque à souper dans son domaine, pour pouvoir lui parler de Wynstan, mais ce projet n'aboutit pas non plus : Alphage déclina l'invitation. C'était un authentique ascète, qui préférait manger un ragoût d'anguille aux fèves en compagnie d'autres moines en écoutant la lecture de la vie de saint Swithin.

Ragna craignait que les deux hommes ne se rencontrent même pas, ce qui aurait réduit son plan à néant. L'usage voulait cependant que l'archevêque en visite célèbre la messe dominicale à la cathédrale, et Wynstan était obligé d'y assister. Les deux ennemis furent donc enfin réunis, au grand soulagement de Ragna.

Toute la ville était présente. L'état de Wynstan s'était encore dégradé depuis qu'elle l'avait vu au lendemain de la mort de Wigelm. Ses cheveux grisonnaient et il s'appuyait sur une canne pour marcher. Malheureusement, cela ne suffisait pas pour obtenir sa destitution. La moitié des évêques que connaissait Ragna étaient vieux, grisonnants et plus ou moins impotents.

Si Ragna était profondément chrétienne et remerciait Dieu de son influence civilisatrice, elle ne consacrait guère de temps à la religion. Toutefois, elle était toujours émue par la messe, qui lui donnait l'impression d'avoir sa place dans la Création.

Son esprit se partageait entre l'office et Wynstan. Elle craignait à présent que la cérémonie s'achève sans preuve de sa démence. Il suivait la liturgie machinalement, presque distraitement, sans commettre aucune erreur.

Elle assista à l'élévation avec plus d'attention qu'à

l'ordinaire. Le Christ était mort pour que les pécheurs puissent être pardonnés. Ragna avait confessé son meurtre à Aldred, qui était prêtre en plus d'être moine. Il l'avait comparée à Judith, l'héroïne de l'Ancien Testament qui avait décapité Holopherne, le général assyrien. Cette histoire prouvait que même une meurtrière pouvait obtenir le pardon. Aldred lui avait imposé le jeûne comme pénitence et lui avait accordé l'absolution.

La messe se poursuivit sans que Wynstan révèle le moindre signe de folie. Ragna était frustrée. Elle avait joui d'un certain crédit auprès d'Alphage, et craignait de l'avoir gaspillé inutilement.

Les prêtres commencèrent à se diriger vers la sortie en procession. Soudain, Wynstan fit un pas de côté et s'accroupit. Alphage le regarda, interloqué. Soulevant le bas de sa robe, Wynstan déféqua sur le sol de pierre.

Le visage d'Alphage exprima une horreur indicible.

Cela ne dura que quelques secondes. Wynstan se redressa, se rajusta et dit :

« Ah, je me sens mieux ! »

Puis il rejoignit la procession.

Tous les regards étaient fixés sur ce qu'il avait laissé derrière lui.

Ragna poussa un soupir de satisfaction.

« Adieu, Wynstan », murmura-t-elle.

*

Ragna regagna King's Bridge à cheval, en compagnie de l'archevêque Alphage, qui repartait pour Canterbury. C'était un interlocuteur des plus agréables : intelligent, instruit, d'une foi sincère mais tolérant les différences d'opinion. Il connaissait même les poèmes d'amour d'Alcuin, qu'elle avait adorés dans sa jeunesse. Elle constata qu'elle avait perdu l'habitude de lire de la poésie. La violence, la naissance de ses enfants et l'emprisonnement avaient chassé ce plaisir de sa vie. Peut-être viendrait-il bientôt un temps où elle pourrait s'y adonner à nouveau.

Alphage avait destitué Wynstan sur-le-champ. Ne sachant que faire de l'évêque dément, il avait demandé conseil à Ragna, qui lui avait recommandé de l'enfermer quelque temps dans le pavillon de chasse où elle était restée incarcérée toute une année. L'ironie de la situation lui avait procuré un plaisir féroce.

En entrant à King's Bridge, elle eut l'impression de rentrer chez elle, ce qui était étrange car elle y avait passé relativement peu de temps. Mais, sans savoir pourquoi, elle s'y sentait en sécurité. Peut-être était-ce parce que Aldred régnait sur le bourg. Il respectait la loi et la justice, et ne jugeait pas chaque affaire en fonction de ses intérêts personnels, ni même de ceux du prieuré. Elle regrettait que le monde entier ne fût pas comme lui.

Elle remarqua une excavation de belle taille sur le chantier de la future église. Il était entouré d'empilements de pierres et de bois de charpente. De toute évidence, Aldred poursuivait ses travaux sans Edgar.

Elle remercia Alphage de lui avoir tenu compagnie et se tourna vers sa propre résidence, juste en face du chantier, tandis que l'archevêque se dirigeait vers l'ensemble de bâtiments du prieuré.

Elle avait décidé de ne pas s'établir à Shiring dans la maison de Wilf. Elle pouvait s'installer où elle voulait dans la région et sa préférence allait à King's Bridge.

Comme elle approchait de sa maison – qui ressemblait de plus en plus au domaine d'un ealdorman –, Astrid s'ébroua de bonheur et, l'instant d'après, les enfants se précipitèrent à sa rencontre, ses quatre fils et les deux filles de Cat. Ragna descendit de selle d'un bond et les étreignit tous.

Elle éprouvait une étrange émotion qu'elle mit un moment à identifier. Elle comprit alors qu'elle était heureuse.

Cela ne lui était pas arrivé depuis longtemps.

*

Le bâtiment en bois qui avait servi de moustier était aujourd'hui le domicile d'Aldred et son lieu de travail. Il souhaita la bienvenue à Alphage, qui lui serra la main avec chaleur et le remercia une nouvelle fois de l'avoir aidé à accéder à l'archiépiscopat.

« Vous me pardonnerez, monseigneur, si je vous dis que je l'ai fait pour Dieu et non pour vous.

— Cela n'en est que plus flatteur », répondit Alphage en souriant.

Il s'assit, refusa poliment une coupe de vin et prit quelques noix dans un bol.

« Vous aviez finalement raison à propos de Wynstan, dit-il. Il est fou à lier. »

Aldred haussa un sourcil.

« Wynstan a posé un étron dans la cathédrale de Shiring pendant la messe, poursuivit Alphage.

— Devant tout le monde ?

— Devant le clergé et plusieurs centaines de fidèles.

— Le ciel nous protège ! s'exclama Aldred. A-t-il donné une explication ?

— Il s'est contenté de dire : “Ah, je me sens mieux !” »

Aldred éclata de rire avant de présenter ses excuses.

« Je vous demande pardon, monseigneur, mais c'est presque drôle.

— Je l'ai destitué. L'archidiacre Degbert assure l'intérim. »

Aldred fronça les sourcils.

« Je ne tiens pas Degbert en haute estime. Il était doyen ici du temps du moustier.

— Je sais, et je ne l'ai jamais beaucoup apprécié moi non plus. Je l'ai prévenu qu'il ne devait pas espérer être évêque un jour. »

Aldred en fut soulagé.

« Qui remplacera Wynstan, alors ?

— Vous, je l'espère. »

Aldred en resta sans voix. Il ne s'attendait pas à cela.

« Mais je suis moine, finit-il par remarquer.

— Moi aussi, répliqua Alphage.

— Mais... je veux dire... mon travail est ici. Je suis prieur.

— Peut-être est-ce la volonté de Dieu que vous poursuiviez votre chemin. »

Aldred regrettait de ne pas avoir eu plus de temps pour se préparer à cet entretien. Devenir évêque était un grand honneur, et une remarquable occasion d'accomplir l'œuvre de Dieu. Mais il ne supportait pas l'idée d'abandonner King's Bridge. Et la nouvelle église ? Et l'essor du bourg ? Qui le remplacerait, lui ?

Il pensa alors à Shiring. Pourrait-il y réaliser son rêve ? Pourrait-il transformer la cathédrale de Shiring en un centre d'érudition de renommée mondiale ? Il devrait d'abord s'occuper d'un groupe de prêtres qui avaient sombré dans l'oisiveté et la corruption sous la tutelle de Wynstan. Peut-être pourrait-il les renvoyer tous et les remplacer par des moines, suivant en cela l'exemple d'Elfric, le prédécesseur d'Alphage à Canterbury. Mais les moines de Shiring étaient placés sous l'autorité de l'abbé Hildred, le vieil ennemi d'Aldred. Non, s'établir à Shiring retarderait de plusieurs années l'aboutissement de ses projets.

« Je suis honoré et flatté autant que surpris,

monseigneur, dit-il. Mais je vous prie de m'excuser. Je ne peux pas quitter King's Bridge.

— Vous m'en voyez profondément déçu, répondit Alphage visiblement contrarié. Vous êtes un homme d'une compétence peu commune – peut-être pourriez-vous même me succéder –, mais ce n'est pas en restant simple prieur à King's Bridge que vous vous élèverez dans la hiérarchie de l'Église. »

Aldred hésita à nouveau. Peu d'ecclésiastiques seraient restés indifférents à la perspective que l'archevêque lui faisait miroiter. Soudain, une idée le frappa.

« Monseigneur, dit-il en pensant tout haut, ne serait-il pas possible de déplacer le siège du diocèse à King's Bridge ? »

Alphage sursauta. De toute évidence, cette idée ne l'avait jamais effleuré. Il répondit d'une voix indécise :

« J'aurais évidemment le pouvoir de prendre cette décision. Mais vous n'avez pas d'église assez grande ici.

— J'en construis une nouvelle, bien plus grande. Je vous ferai visiter le chantier.

— Je l'ai remarqué en arrivant. Mais quand cette église sera-t-elle prête ?

— Nous pourrons commencer à l'utiliser avant la fin des travaux. J'ai déjà entamé la construction de la crypte. Dans cinq ans, nous pourrons y célébrer des offices.

— Qui se charge de sa conception ?

— J'avais demandé à Edgar de le faire, mais il a refusé. Je tiens pourtant à avoir un maître maçon normand. Ce sont les meilleurs. »

Alphage prit un air dubitatif.

« En attendant, seriez-vous prêt à venir célébrer à Shiring toutes les grandes fêtes liturgiques – Pâques, la Pentecôte, Noël –, six fois par an, mettons ?

— Oui.

— Je pourrais donc vous promettre par écrit de

faire de King's Bridge le siège du diocèse dès que vous serez en mesure d'utiliser la nouvelle église ?

— Oui. »

Alphage sourit.

« Vous êtes un redoutable négociateur, remarqua-t-il. Très bien.

— Merci, monseigneur. »

Aldred jubilait. Évêque de King's Bridge ! Il n'avait que quarante-deux ans.

« Je me demande ce que je vais faire de Wynstan, reprit Alphage d'un air pensif.

— Où est-il en ce moment ?

— Enfermé dans le vieux pavillon de chasse de Wigelm. »

Aldred fronça les sourcils.

« Un évêque emprisonné, voilà qui fait mauvais effet.

— S'y ajoute le risque que Garulf ou Degbert tentent de le libérer. »

Le visage d'Aldred s'éclaircit.

« Ne vous inquiétez pas, dit-il. Je connais un endroit parfait pour lui. »

*

À la tombée du jour, Ragna se rendit sur le pont d'Edgar. Écoutant l'incessant babil du fleuve, contemplant le soleil rouge se couchant vers l'aval, elle se rappela le jour où elle était venue ici pour la première fois, transie, trempée jusqu'aux os, crottée et malheureuse pour découvrir avec consternation le hameau où elle devait passer la nuit. Quel changement !

Un héron se tenait sur la berge de l'île aux Lépreux, immobile comme une pierre tombale, fixant l'eau avec une intense concentration. Comme le regard de Ragna s'attardait sur lui, une embarcation apparut, remontant le courant à vive allure. Elle plissa les yeux pour mieux la distinguer à contre-jour. C'était un bateau manœuvré par quatre rameurs qui transportait un passager debout près de la proue. Leur destination ne pouvait être que King's Bridge : il était trop tard pour aller plus loin.

Le bateau s'approcha de la plage devant la taverne. Il y avait, remarqua Ragna, un chien noir à bord, assis immobile près de la proue, le regard fixé devant lui, tranquille mais aux aguets. Ragna crut reconnaître quelque chose de familier chez le passager et son cœur se mit à battre la chamade. Cet homme ressemblait presque à Edgar. Avec le soleil dans les yeux, elle ne pouvait pas en être sûre. Peut-être prenait-elle ses désirs pour la réalité.

Elle traversa le pont à grands pas. Lorsqu'elle descendit le plan incliné menant au rivage, elle pénétra dans l'ombre allongée d'arbres lointains et put distinguer le voyageur plus nettement. Il sauta sur la berge, suivi par son chien, se pencha pour attacher une corde à un poteau ; alors elle sut.

C'était lui.

Dans un éclair de compréhension si doux qu'il en était douloureux, elle reconnut ces larges épaules, cette démarche assurée, la dextérité naturelle de ces grandes mains, l'inclinaison de cette tête, et fut envahie d'une joie qui lui coupa le souffle.

Elle se dirigea vers lui, résistant à la tentation de courir à toutes jambes. Soudain, elle se figea, frappée par une idée affreuse. Son cœur lui disait que l'homme qu'elle aimait était de retour et que tout irait bien désormais… mais sa raison lui disait tout autre chose. Elle se rappela les deux moines de King's Bridge qui étaient allés voir Edgar en Normandie. William, le plus âgé, avait dit : « Les gens du bourg où il vit disent qu'il va épouser la fille du maître maçon et que plus tard, il sera lui-même maître. » L'avait-il fait ? C'était parfaitement possible. Et connaissant Edgar, Ragna savait que jamais il n'abandonnerait une femme après l'avoir épousée.

Mais s'il était marié, pourquoi était-il revenu ?

Ce n'était plus la joie qui faisait battre son cœur à présent, mais la crainte. Elle se remit en marche. Elle remarqua que la houppelande d'Edgar était tissée dans une laine de qualité, teinte d'un rouge automnal et visiblement coûteuse. Il avait dû continuer à faire de bonnes affaires en Normandie.

Ayant fini d'amarrer le bateau, il leva la tête. Elle était maintenant assez près pour distinguer ses yeux noisette, si beaux et si familiers. Elle scruta ses traits avec autant d'intensité que le héron fixant l'eau. Elle y lut d'abord de l'inquiétude, et comprit qu'il s'était demandé, comme elle, si leur amour avait résisté à trois années de séparation. Puis il déchiffra son expression et, comprenant aussitôt quels étaient ses sentiments, il afficha un sourire qui éclaira tout son visage.

Il ne lui fallut qu'une seconde pour se jeter dans ses bras. Il la serra si fort qu'elle en eut mal. Elle prit son visage entre ses mains et l'embrassa à pleine bouche, passionnément, absorbant son odeur et son goût si familiers. Elle resta un long moment serrée contre lui, savourant la sensation extatique de son corps collé au sien.

Enfin, elle relâcha son étreinte pour murmurer :

« Je t'aime plus que la vie même.

— Je suis comblé », dit-il.

*

Cette nuit-là, ils firent l'amour à cinq reprises.

Edgar ignorait que ce fût possible, pour lui ou pour un autre. Il y eut une première fois, puis une deuxième, après quoi ils somnolèrent quelque temps avant de recommencer. Au milieu de la nuit, l'esprit d'Edgar se mit à vagabonder, et il pensa à l'architecture, à King's Bridge, à Wynstan et à Wigelm, puis il se rappela qu'il avait enfin retrouvé Ragna et qu'elle était dans ses bras, alors il eut envie de faire l'amour. Et comme elle partageait cette envie, il y eut une quatrième fois.

Ils bavardèrent ensuite tout bas, afin de ne pas réveiller les enfants. Edgar parla à Ragna de Clothilde, la fille du maître bâtisseur.

« J'ai été cruel avec elle, sans jamais l'avoir voulu, dit-il avec tristesse. J'aurais dû lui parler de toi dès le début. Jamais je ne l'aurais épousée, même si on m'avait offert le trône du roi. Mais de temps en temps, j'étais assez stupide pour me persuader que je pourrais le faire, alors je la regardais avec tendresse, et elle a cru que cela signifiait bien davantage. » Il scruta le visage de Ragna à la lueur des flammes. « Peut-être n'aurais-je pas dû te dire cela.

— Nous devons tout nous dire, répondit-elle. Qu'est-ce qui t'a décidé à revenir ?

— Ton père. Il était furieux que Wigelm t'ait répudiée. Il a vitupéré contre moi comme si j'en étais responsable. Quant à moi, j'étais simplement heureux de te savoir divorcée.

— Pourquoi as-tu mis si longtemps pour arriver jusqu'ici ?

— Mon navire a dérivé et je me suis retrouvé à Dublin. Je craignais que les Vikings me tuent pour s'emparer de ma houppelande, mais ils m'ont pris pour un homme riche et ont essayé de me vendre des esclaves. »

Elle le serra fort dans ses bras.

« Quel bonheur qu'ils t'aient épargné. »

Edgar remarqua que le jour commençait à poindre au-dehors.

« Aldred désapprouvera notre conduite. À ses yeux, nous sommes des fornicateurs.

— Des gens qui dorment dans la même pièce n'ont pas forcément des rapports charnels.

— Non, mais en ce qui nous concerne, Aldred, pas plus qu'aucun habitant de King's Bridge, n'aura le moindre doute à ce sujet. »

Elle gloussa.

« Penses-tu que nous cachons aussi mal notre jeu ?

— Oui. »

Elle reprit son sérieux.

« Edgar, mon bien-aimé, veux-tu m'épouser ?

— Oui ! dit-il en riant de bonheur. Bien sûr. Et dès aujourd'hui.

— Je tiens à avoir l'approbation d'Ethelred. Je ne veux pas heurter le roi. Pardonne-moi.

— Le temps de lui envoyer un message et d'obtenir une réponse – cela risque de prendre des semaines. Veux-tu dire que nous devrons vivre séparément ? Je ne le supporterais pas.

— Non, je ne crois pas. Si nous avons échangé une promesse, et si tout le monde le sait, nul n'attendra de nous que nous ne partagions pas le même lit, Aldred excepté. Il ne sera pas content, mais je serais surprise qu'il fasse des histoires.

— Et le roi ? Répondra-t-il favorablement à ta requête ?

— Je pense, mais ce serait plus facile si tu étais un petit noble.

— Or je ne suis qu'un bâtisseur.

— Tu es un homme riche et un citoyen important. Je pourrais t'accorder quelques terres ainsi qu'un domaine pour que tu puisses devenir thane. Thurstan de Lordsborough est mort récemment et tu pourrais prendre sa place.

— Edgar de Lordsborough.

— Cette idée te plaît-elle ?

— Moins que toi », dit-il.
Et ils firent l'amour pour la cinquième fois.

43

Janvier 1007

Le chantier de la cathédrale bourdonnait d'activité. La plupart des hommes creusaient des fondations et empilaient des matériaux. Les artisans, recrutés par Edgar en Angleterre, en Normandie et ailleurs, construisaient leurs loges, de grossières cabanes où ils pourraient façonner la pierre et le bois par tous les temps. Ils commenceraient à dresser les murs le 25 mars, jour de l'Annonciation, lorsqu'il n'y aurait plus de risque de voir le mortier geler durant la nuit.

Edgar s'était fabriqué un rectangle d'épure au sol. Le parchemin étant trop onéreux pour être utilisé pour des plans, il existait une solution bon marché. Edgar avait enfoncé des planches dans le sol pour former un cadre d'environ douze pouces sur six et y avait versé une couche de mortier. Les lignes tracées dans celui-ci ressortaient en blanc. Muni d'une règle, d'une pointe en fer bien aiguisée et d'un compas, il pouvait dessiner tous les arcs et toutes les colonnes qui lui étaient nécessaires. Comme les lignes blanches s'effaçaient avec le temps, on pouvait redessiner par-dessus, même si les rayures subsistaient pendant des années.

Edgar avait bâti sa propre loge autour de l'épure, un simple toit reposant sur quatre poteaux, pour pouvoir continuer à travailler même s'il pleuvait. À genoux, il contemplait une fenêtre qu'il venait de dessiner, lorsque Ragna l'interrompit dans sa tâche.

« Un messager du roi Ethelred vient d'arriver », annonça-t-elle.

Edgar se leva, le cœur battant.

« Que dit le roi à propos de notre mariage ?

— Il dit oui », répondit Ragna.

*

Aldred était en compagnie de mère Agatha lorsqu'on servit aux lépreux leur repas de midi. Sœur Frith récita le bénédicité, puis les infirmes, hommes et femmes mêlés, se pressèrent autour de la table en tendant leurs écuelles de bois.

« Ne poussez pas ! Ne vous bousculez pas ! s'écria Frith. Il y en aura pour tout le monde. Les derniers seront servis comme les premiers ! » Ils ne lui prêtèrent aucune attention.

« Comment va-t-il ? » demanda Aldred.

Agatha haussa les épaules.

« Il est sale, malheureux et fou – comme presque tous les autres. »

Lorsque Aldred était devenu évêque, il avait expulsé de la cathédrale de Shiring tout le clergé de Wynstan, y compris l'archidiacre Degbert, aujourd'hui réduit à l'état de curé de village sans le sou à Wigleigh. Il les avait remplacés par des moines de King's Bridge, placés sous l'autorité de frère Godleof. Sur le chemin du retour, il était allé chercher l'ancien évêque dans le pavillon de chasse qui lui servait de geôle et l'avait conduit sur l'île aux Lépreux. Aujourd'hui, Wynstan attendait son repas avec les autres.

L'ancien évêque était vêtu de haillons et sale de la tête aux pieds, lesquels étaient nus. Son corps était émacié et ses épaules voûtées. Il devait avoir froid mais n'en montrait rien. La religieuse emplit son bol d'une épaisse bouillie d'avoine et de lard qu'il s'empressa d'engloutir de ses doigts repoussants.

Quand il eut fini, il leva les yeux et, dans un éclair de lucidité, regarda Aldred.

Il s'approcha d'Agatha et d'Aldred.

« Je ne devrais pas être ici, dit-il. On a commis une terrible erreur.

— Non, il n'y a pas eu d'erreur, répliqua Aldred, ne sachant pas très bien ce que le cerveau malade de Wynstan pouvait comprendre. Vous avez commis de terribles péchés – meurtre, mensonge, fornication, séquestration. Ce sont vos crimes qui vous ont conduit ici.

— Mais je suis l'évêque de Shiring et serai bientôt archevêque de Canterbury. Tout a été prévu ! » Il jeta autour de lui des regards égarés. « Où suis-je ? Comment suis-je arrivé ici ? Je ne me souviens de rien.

— C'est moi qui vous ai conduit ici. Et vous n'êtes plus évêque. L'évêque, c'est moi. »

Wynstan se mit à sangloter.

« Ce n'est pas juste. Non, ce n'est pas juste.

— Au contraire, fit Aldred. C'est on ne peut plus juste. »

*

Ragna et Edgar se marièrent à Shiring.

Ce fut l'ealdorman Den qui organisa les festivités. À cette époque de l'année, les produits frais étaient rares, aussi avait-il amassé de grandes quantités de bœuf salé et de fèves, et plusieurs dizaines de tonneaux de bière et de cidre.

Tous les notables de l'ouest de l'Angleterre étaient présents, et toute la ville se massa dans le domaine situé au sommet de la colline. Edgar se fraya un chemin à travers la foule, saluant les invités, recevant leurs félicitations, accueillant des gens qu'il n'avait pas vus depuis des années.

Les quatre enfants de Ragna étaient là. À la fin de la journée, j'aurai une femme et quatre beaux-fils, songea-t-il. C'était étrange.

La rumeur de la foule changea de tonalité, et il entendit des cris de surprise et d'admiration. Il se tourna vers leur source et aperçut Ragna ; l'espace d'un instant, il en eut le souffle coupé.

Elle portait une robe d'un jaune sombre et profond, avec des manches évasées aux extrémités brodées, et par-dessus une tunique sans manches en laine vert foncé. Sa coiffe de soie était marron, sa couleur préférée, et rehaussée de fils d'or. Ses splendides cheveux d'or rouge cascadaient dans son dos. En cet instant, Edgar ne douta pas qu'elle fût la plus belle femme du monde.

Elle vint à lui et prit ses mains dans les siennes. Il plongea le regard dans ses yeux couleur d'océan sans parvenir à croire qu'elle était sienne.

« Moi, Edgar de King's Bridge et de Lordsborough, dit-il, je te prends pour épouse, Ragna de Cherbourg et de Shiring, et je fais serment de t'aimer, de te protéger et de t'être fidèle pour le restant de mes jours. »

Souriante, Ragna lui répondit avec douceur :

« Moi, Ragna, fille du comte Hubert de Cherbourg, seigneur de Shiring, de Combe et du val d'Outhen, je te prends pour époux, Edgar de King's Bridge et de Lordsborough, et je fais serment de t'aimer, de te protéger et de t'être fidèle pour le restant de mes jours. »

Aldred, vêtu de sa robe épiscopale et arborant une grande croix pectorale en argent, bénit leur union en latin.

L'usage voulait que les nouveaux époux échangent

alors un baiser. Edgar pensait à ce moment depuis des années et n'avait pas l'intention de précipiter les choses. Ils s'étaient déjà embrassés, mais ce serait la première fois qu'ils le feraient en tant que mari et femme, et tout serait différent, car ils venaient de promettre de s'aimer pour toujours.

Il la regarda longuement. Elle comprit ce qu'il ressentait – cela lui arrivait souvent – et elle attendit, souriante. Il se pencha lentement vers elle et effleura ses lèvres des siennes. Une vague d'applaudissements parcourut la foule.

Il la prit entre ses bras et l'attira doucement contre lui, sentant ses seins se presser contre son torse. Les yeux toujours ouverts, il colla sa bouche à la sienne. Tous deux entrouvrirent les lèvres et se frôlèrent de leurs langues hésitantes, s'explorant comme si c'était la première fois, tels des adolescents. Il sentit les hanches de Ragna contre les siennes. Elle lui passa les bras autour du cou et l'attira plus fort, et il entendit la foule rire et les encourager à grands cris.

Edgar fut emporté par une passion presque insoutenable. Il aurait voulu la toucher de toutes les parties de son corps, et savait qu'elle partageait son désir. Oubliant un instant l'assemblée, il l'embrassa comme s'ils étaient seuls, mais comme les cris des spectateurs redoublaient, il finit par interrompre leur baiser.

Ils continuaient à se regarder, les yeux dans les yeux. Il se sentait ému aux larmes. Répétant les derniers mots de son serment, il murmura :

« Pour le restant de mes jours. »

Il vit des larmes perler à ses paupières, et elle dit :

« Et des miens, mon amour, et des miens. »

FIN

REMERCIEMENTS

L'âge des Ténèbres a laissé peu de traces. On n'y a pas écrit grand-chose, il n'y eut que peu d'images, et presque tous les bâtiments étaient édifiés dans un bois qui a pourri il y a mille ans ou plus. Cela laisse la place aux hypothèses et aux controverses, bien plus que la période de l'Empire romain qui l'a précédé ou que le Moyen Âge qui l'a suivi. En conséquence, tout en remerciant mes conseillers historiques, je dois ajouter que je n'ai pas toujours suivi leurs conseils.

Cela dit, j'ai été grandement aidé par John Blair, Dave Greenhalgh, Nicholas Higham, Karen Jolly, Kevin Leahy, Michael Lewis, Henrietta Leyser, Guy Points et Levi Roach.

Comme toujours, j'ai été assisté dans mes recherches par Dan Starer de l'agence new-yorkaise Research for Writers.

Lors de mes voyages d'étude, j'ai bénéficié de l'aimable assistance de Raymond Armbrister à l'église Saint-Mary de Seaham, de Véronique Duboc à la cathédrale de Rouen, de Fanny Garbe et Antoine Verney au musée de la tapisserie de Bayeux, de Diane James à la Holy Trinity Minster Church de Great Paxton, d'Ellen Marie Ness du Viking Ship Museum et d'Ourdia Siab, Michel Jeanne et Jean-François Campario à l'abbaye de Fécamp.

J'ai particulièrement apprécié ma rencontre avec Jenny Ashby et The English Companions.

Merci à mes éditeurs : Brian Tart, Cherise Fisher, Jeremy Trevathan, Susan Opie et Phyllis Grann.

Parmi les amis et les membres de ma famille qui ont commenté les versions successives de ce livre, je tiens à mentionner John Clare, Barbara Follett, Marie-Claire Follett, Chris Manners, Charlotte Quelch, Jann Turner et Kim Turner.